国家出版基金项目
NATIONAL PUBLICATION FOUNDATION

"十三五"国家重点图书出版规划项目

中国兵学通史

先秦卷

黄朴民　主编

白立超　黄朴民　著

CTS｜岳麓书社
·长沙·

图书在版编目(CIP)数据

中国兵学通史. 先秦卷/白立超, 黄朴民著; 黄朴民主编. —长沙: 岳麓
书社, 2022.1(2023.4 重印)

ISBN 978-7-5538-1578-7

Ⅰ. ①中… Ⅱ. ①白…②黄… Ⅲ. ①军事思想史—中国—先秦时代
Ⅳ. ①E092.2

中国版本图书馆 CIP 数据核字(2021)第 225626 号

ZHONGGUO BINGXUE TONGSHI · XIAN QIN JUAN

中国兵学通史·先秦卷

主　　编: 黄朴民

作　　者: 白立超　黄朴民

项目统筹: 李业鹏

责任编辑: 许　静　黄金武

责任校对: 舒　舍

书籍设计: 萧睿子

岳麓书社出版发行

地址: 湖南省长沙市爱民路 47 号

邮编: 410006

版次: 2023 年 4 月第 1 版

印次: 2023 年 4 月第 2 次印刷

开本: 640mm×960mm　1/16

印张: 43.5

字数: 626 千字

书号: ISBN 978-7-5538-1578-7

定价: 220.00 元

承印: 长沙超峰印刷有限公司

如有印装质量问题, 请与本社印务部联系

电话: 0731-88884129

《中国兵学通史》编委会

总　序

一、军事历史与兵学思想的地位和价值

孔子说"有文事者必有武备，有武事者必有文备"（《史记·孔子世家》），这充分揭示了一个基本事实，即军事始终是社会生活中的重要组成部分，与之相适应，就是军事历史与兵学思想理应成为历史学研究的主要对象之一。强化军事历史与兵学思想研究，对于推动整个历史研究，深化人们对历史现象的全面认识和历史发展规律的深刻把握，实具有不可替代的意义。

必须重视对军事历史与兵学思想的研究，这是由军事在社会生活与历史演进中具有决定性意义这一性质所决定的。就中国范围而言，军事往往是历史演进的最直观表现形态。国家的分裂与统一，新旧王朝的交替，政治势力之间的斗争倾轧，下层民众的反抗起义，中华民族内部的融汇，等等，绝大多数都是通过战争这个途径来实现的。战争是社会生活的焦点，是历史演进的外在表现形式。

更为重要的是，在中国历史上，军事渗透于社会生活的各个领域、各个层面，成为历史嬗变的指针。具体地说，最先进的生产力往往发源于军事领域，军事技术的进步在科技上呈现引导性的意义。换言之，最先进的工艺技术首先应用于军事方面，最优良的资源优先配置于军事领域，最突出的科技效率首先反映于军事实践。这种情况早在先秦时期便已出现，所谓"美金以铸剑戟，试诸狗马；恶金以铸锄夷斤劚，试诸壤土"（《国语·齐

语》），"来天下之良工"（《管子·小问》），"聚天下之精材，论百工之锐器"（《管子·七法》），等等，都表明军事技术发展程度乃是整个社会生产力最高发展水平的一个标尺。秦汉以降，军事技术的这种标尺地位仍没有丝毫改变，战船制作水平的提高，筑城工艺技术的进步，火药、火器的使用，钢铁先进武器装备的铸造，等等，都是该历史时期先进生产力的集中体现，都毫无例外地起着带动其他生产领域工艺技术水平提高的重要作用。

军事在历史演进中的中心地位同样也体现在政治领域。"国之大事，在祀与戎"（《左传·成公十三年》），这是一条被经常引用的史料，可谓耳熟能详。对一个国家来说，有两件核心的大事：第一是祭祀，借沟通天人之形式，表明政权的合法性和神圣性；第二就是战争，保卫自己的国家，开疆拓土，在激烈而残酷的竞争中生存下去。我们认为，这八个字是了解中国古代历史真相及其特色的一把钥匙，因为它简明扼要地道出了古代社会生活的两个根本要义。以祭祀为中心的巫觋系统与以作战为主体的政事系统，各司其职，相辅相成。这与世界上绝大多数民族和国家政治起源的情况相类似，从氏族社会晚期的军事民主制时代开始，权力机构的运作，是按两个系统的分工负责来具体实施的，这在西谚中被形象地概括为：将上帝的交给上帝，将恺撒的交给恺撒。当然，随着中国历史的演进，"祀"渐渐地更多成为仪式上的象征，而"戎"，即以军事为中心的政务，则打破平衡，成为国家事务的最大主体，在国家政治生活中逐步走向相对中心的位置，所谓"兵者，国之大事，死生之地，存亡之道，不可不察也"（《孙子兵法·计篇》），反映的就是这个客观现实。

这种情况可谓贯穿于整个中国古代的历史。历史上中央集权的强化，各种制度建设的完善和重大改革举措的推行，往往以军事为主体内容。所谓的中央集权，首先是对军权的集中，这从先秦时期的虎符发兵制到宋太祖"杯酒释兵权"，到朱元璋以五军都督府代替大都督府，清代设置军机处等制度和行政措施可以看得十分清楚。国家法律制度与规章，也往往是在军队中首先推行，然后逐渐向社会推广。如军功爵制滥觞于春秋时期赵简子的铁地誓师辞："克敌者，上大夫受县，下大夫受郡，士田十万，庶人工商遂，人臣隶圉免。"（《左传·哀公二年》）战国时期普遍流行的"什伍连坐法"、秦国的"二十等爵制"等，后来逐渐由单纯的军中制度演变为控制与管理整个社会的奖惩制度。从这个意义上说，军队是国家制度建设的先行者，军事在国家政治发展中起着引导作用。至于中国历史上的重大改革，也几乎无一例外以军事为改革的主要内容，如商鞅变法中"尚首功"的措施、大力推进的"耕战"政策，汉武帝"非常之事"中发展骑兵的战略方针，王安石变法中"保甲法""将兵法"等强兵措施，张居正改革中强军与整饬边防的举措，均是具体的例证。而战国时期赵武灵王的"胡服骑射"，则更是完全以军事为中心带动社会政治全面改革与创新的运动。

在思想文化领域，军事同样占有重要地位。先秦时期，儒学其实并未享有后世那种崇高地位。当时，社会上真正崇拜的是赳赳武夫，所以《诗经·兔罝》中说"赳赳武夫，公侯干城"，赳赳武夫是国家的栋梁。现在国学中讲的经史子集图书分类法是隋唐以后出现的，在《汉书·艺文志》中，图书分为"六略"："六艺""诸子""诗赋""兵书""术数""方技"。其中，"兵书"是独立的一类，与"六艺""诸子"等是并驾齐驱的。

就世界范围而言，军事历史与军事思想作为历史学的重要组成部分也是毋庸置疑的。西方早期的历史著作，如希罗多德的《历史》、修昔底德的《伯罗奔尼撒战争史》、恺撒的《高卢战记》、色诺芬的《长征记》、韦格蒂乌斯的《兵法简述》，大都是军事史著作，其中多有相关战争艺术的记载。这一传统长期得以延续，使得在当今欧美国家的历史学界，军事史仍然是人们研究的热点问题之一。有关战争、战略、军队编制、作战技术、武器装备、军事地理、军事人物、军事思想等各个方面的研究都比较成熟，并取得了丰硕的成果，杰弗里·帕克主编的《剑桥战争史》就是这方面的代表之一。与此相对应，军事历史以及军事理论的研究在历史学界甚至整个学术界都拥有较高的地位，产生了较大的影响。

总之，无论东方还是西方，军事历史与军事思想文化都是历史文化中的重要内容，不懂军事就无法全面地了解古今中外的历史。数千年的中西文明史，在某种意义上是一部军事活动史，一部军事思想文化发展史，抽掉了军事内容，就谈不上有完整意义的世界历史。

在整个军事史的研究体系中，军事思想史也即"兵学史"的研究占有核心的地位，具有指导性的意义。英国历史学家柯林武德指出："一切历史都是思想史。"① 其言信然！我们认为，思想史是历史学研究的主要内容与主体对象，思想史的考察，是历史研究的主要方法。林德宏教授曾专门讨论了思想史在历史学研究中的关键作用：历史研究的顺序，是从直观的历史文物开始，展开对历史活动（以历史事件为中心）的认识，再进入对历史思想的探讨（叩问思想背景，寻觅思想动机，从事思想反思）。很显然，我们只有进入思想史这个层次，才可能对人类历史有完整而本质的理解与把握。②

总之，各个领域深层次的历史都是思想史，思想史研究是历史学研究的最终归宿。这一点，在军事史研究中也没有例外，兵学思想的研究，是整个军事史研究的主干与重心。换言之，在中国源远流长的军事史中，兵学思想无疑是其灵魂与核心之所在，它在很大程度上规范了整个军事的面貌，是丰富多姿、异彩纷呈的军事文化现象的精神浓缩和哲学升华，是具体军事问题的高度

---

① ［英］柯林武德著，何兆武、张文杰、陈新译：《历史的观念》（增补版），北京大学出版社，2010年，第212页。

② 参见林德宏：《思想史与思想家》，《杰出人物与中国思想史》，江苏教育出版社，2000年。

抽象，也是军事发展规律的普遍揭示。所以，兵学思想研究理应成为军事史研究的重点，也应该成为整个学术思想文化发展史认知中的重要一维。

二、中国历代兵学的内涵与主题

军事思想，用比较规范与传统的概念来表述，就是兵学。所谓中国古代兵学，指的是中国历史上探讨战争基本问题，阐述战争指导原则与一般方法，总结国防与军队建设普遍规律及其主要手段的思想学说。它萌芽于夏商周时期，在春秋战国时期形成独立的学术理论体系，充实提高于秦汉三国两晋南北朝至隋唐五代时期，丰富发展于两宋以迄明清时期，直至晚清让位于近代军事学。

先秦时期是中国军事思想发展的第一个高峰，其间分为四个阶段。第一个阶段是萌芽、初步发展期，包括甲骨文、金文、古代典籍如《尚书》《诗经》《周易》中的军事思想，代表作是古本《司马法》。它们体现了"军礼"的基本精神，提倡"以礼为固，以仁为胜"（《司马法·天子之义》），主张"九伐之法"（《周礼·夏官》），"不鼓不成列"（《左传·僖公二十二年》），"不杀黄口，不获二毛"（《淮南子·氾论训》），提倡"逐奔不过百步，纵绥不过三舍"（《司马法·仁本》），"战不逐奔，诛不填服"（《春秋穀梁传·隐公五年》），强调"军旅以舒为主，舒则民力足。虽交兵致刃，徒不趋，车不驰"（《司马法·天子之义》），贵"偏战"而贱"诈战"，"结日定地，各居一面，鸣鼓而战，不相诈"（《春秋公羊传注疏·桓公十年》何休注），出兵打仗还有很多其他的限制，"不加丧，不因凶"（《司马法·仁本》）等，凡此种种，不一而足。

第二个阶段是春秋后期，以《孙子兵法》为标志。春秋后期，战争发生重大改变。第一，战争性质由争霸变为兼并，战争更加残酷，如孟子讲的"争地以战，杀人盈野；争城以战，杀人盈城"（《孟子·离娄上》）。第二，军队成分发生改变，原来当兵的都是受过良好礼乐教育的贵族，此时是普通老百姓。第三，战争区域扩大了，由原来的黄河中下游大平原，扩大到南方的丘陵、沼泽、湖泊地区。第四，更重要的是武器装备变了，原来是原始社会就开始用的弓箭，此时有了弩机，准确率提高，射程加大。武器装备变化带来了整个作战样式、军队编制体制、军事理念和理论的变革。战争的变化带来军事的革命性变化。西周至春秋前期，军队行进比较缓慢，如《尚书·牧誓》所言："不愆于六步、七步，乃止齐焉""不愆于四伐、五伐、六伐、七伐，乃止齐焉"。而春秋后期成书的《孙子兵法》则强调"兵之情主速，乘人之不及，由不虞之道，攻其所不戒也"（《孙子兵法·九地篇》），兵贵神速。原来讲礼貌和规则，"不以阻隘""不鼓不成列"（《左传·僖公二十二年》），现在则"兵以诈立，以利动，以分合为变"（《孙子兵法·军争篇》），军队打仗靠诡诈、欺骗而取胜。毫无疑问，《孙子兵法》的诞生，是中国兵学文化史上的一次具有根本意义的变革与飞跃。后人评曰："孙武之书十三篇，众家之说备矣。奇正、虚实、强弱、众寡、饥饱、劳逸、彼己、主客之情状，与夫山泽、水陆之阵，战守、攻围之法，无不尽也。微妙深密，千变万化而不可穷。用兵，从之者胜，违之者败，虽有智巧，必取则焉。可谓善之善者矣。"（戴溪《将鉴论断·孙武》）可谓恰如其分，洵非虚言！

第三个阶段是春秋后期到战国后期，是《孙子兵法》的延续、演变阶段。当时的兵书浩如烟海，有代表性的包括《尉缭子》《吴子》《孙膑兵法》及今本《司马法》，这些兵书立足于战国时期"争地以战，杀人盈野；争城以战，杀人盈城"（《孟子·离娄上》）的现实，沿着《孙子兵法》所开辟的道路前进，对自上古至战国的军事历史进行梳理与总结，对军事活动的一般规律加以揭示，大大深化了人们有关军队建设与治理要领的认识，从而使对战争指导原则与作战指挥艺术的理解与运用进入了崭新的阶段。

第四个阶段是总结、综合阶段，出现了《六韬》。《六韬》托名姜太公，但实际上至少是战国后期成书的，甚至有可能是秦汉时期的著作。它篇幅很大，有六十篇，内容庞杂，不光讲军事问题，还有先秦诸子的政治理念。《六韬》包括"兵权谋""兵形势""兵阴阳""兵技巧"，体现了综合性，这与当时整个社会的思想趋于综合是相一致的。

从秦汉一直到隋唐五代是中国军事思想发展的过渡期，这个时期的兵书不多，但是大量的战争实践丰富了军事理论。比如之前是东西线作战，没有南北问题，不会出现"南船北马"的考虑。此外，军事思想更多地体现在对策上，如韩信的《汉中对》，诸葛亮的《隆中对》，羊祜的《平吴疏》，以及杜预和王濬的平吴思想，西汉张良与东汉邓禹、来歙等人的献计献策，高颎与贺若弼为隋文帝提出的军事建议等。这些对策是真正的精华，军事学的实用性大大提高了。除军事家外，政治家、思想家也普遍在关注军事问题。比如晁错的《言兵事疏》，王符《潜夫论》中的《边议》《劝将》《救边》《实边》诸篇，都是论兵的名篇佳作。

这一时期军事思想的发展有两个主要标志，一是兵学主题的转换，一是战略向战役、战斗层次的转换。兵学主题的转换在《黄石公三略》中有鲜明的体现。首先，《黄石公三略》是大一统兵学，这一主题与先秦兵学不一样。先秦兵学讲的是夺天下、取天下的问题，而《黄石公三略》讲的是安天下、治天下的问题。秦汉时期虽然也有战争，但总体上和平发展是主流，所以这时的兵学更多是为了维护安全，而不是讲攻城略地的问题。其次，这一时期的兵学主题由作战变为治军，所以《黄石公三略》很少涉及作战指挥的具体内容，都是强调如何治理军队，尤其是如何处理好君主和将帅的关系问题，这既可以说是兵学，也可以说是政治学。三国两晋南北朝到隋唐五代时期有丰富的战争实践，所以到《唐太宗李卫公问对》，就把原来《孙子兵法》中很抽象的东西，用真实的战例来印证，把孙子的原则具体化、细节化了，"分别奇正，指画攻守，变易主客，于兵家微意时有所得"（《四库全书总目·兵家类》）。所以，秦汉至隋唐五代的中国军事思想虽然是比较平稳地发展，但还是有其鲜明的特色。

宋元时期是中国军事思想发展的第三个大的阶段。元代军事思想主要体现在蒙古骑兵的军事实践中，具有鲜明的北方民族特色，但形诸文字的兵学论著很少。而宋代兵学则形成了中国传统兵学的一个高峰。宋代比较优待知识分子，但是，宋代实际上又处于"积弱"的状态，没有强大的军事实力，于是，在一定程度上只能靠军事谋略来加以必要的弥补。宋代的军事理论繁荣集中体现在以下几个方面。首先，宋代武学兴起，系统并规范地培养专业的军事人才，并使这一制度成为定制。其次，宋代颁定"武经七书"，成为武学的官方教科书。中国自古治国安邦文武并用，文是指儒家经典"十三经"或"四书五经"，武就是"武经七书"。更重要的是，宋代兵书分门别类，更加专业化。《孙子兵法》包括治军、作战、战略、军事观念等，是综合性的兵书。而宋代兵书有专门研究军事制度的，如《历代兵制》；有讨论守城问题的，如《守城录》；有大型的兵学类书，如曾公亮等人编撰的《武经总要》；有具体讨论各种战法战术的，如《百战奇法》；有对军事历史人物、事件进行评论的，如《何博士备论》等。宋代虽然兵书著述繁富，但在"崇文抑武"治国方略以及文人论兵思潮之下，兵学儒学化倾向严重，创新性不足，在总结火器初兴条件下新的战术战法、指导战争实践方面未能发挥应有作用，兵学在文献繁荣的表象之下已经蕴含着衰落的危机。

明清时期，中国军事思想发展进入守成阶段。这是中国古代兵学的终点，也是迈向新生的起点，有其显著特色。

就明代而言，当时的兵书数量众多，如《阵纪》《兵礨》《投笔肤谈》等。有些兵书在兵学文化上也不乏建树，表现为重视具体的军队战术要领总结，如戚继光的《纪效新书》和《练兵实纪》。又如，明代出现倭寇，遇到海防这一新问题，于是出现了海防兵书，如郑若曾的《筹海图编》。明代还引进了西洋火器，如佛郎机、红衣大炮等，火器的广泛运用催生了孙承宗的《车营叩答合编》。孙承宗关于新型战法的讨论，显然受到了传统兵学的深刻影响，即便是讨论车战的奇正，也未能在总体上跳出传统范式。但他也试图结合装备发展情况对车战的战法进行探讨，以求更好地发挥火器的威力，这一点显得难能可贵，传统兵学就此迎来转型良机。但令人遗憾的是，封建王朝的更替随即打断了这一转型进程。

　　清代兵书亦不少，但对兵学贡献最大的却不是兵书，而是有军事实践的曾国藩、胡林翼、左宗棠等人，他们提出了相对完整的治军和练兵思想，如"训有二，训打仗之法，训作人之道"①，"练有二端，一曰练技艺，二曰练阵法"②，在作战方法上创造了水陆相依、围城打援等经过实战检验的有效战法。但从根本上讲，曾国藩等人对兵学的主要贡献仍是在传统兵学框架之内，并未对兵学产生结构性的改变，而仅做了传统兵学思维的实践性转化等工作。所以总体上看，兵学在西方军事理论被引入到中国之前并无体系上的重大突破，亦未扭转步步沦落的局面。总之，明清军事思想有其一定的创新内容，但从根本上讲，并没有重大的突破，乃是中国古代兵学的终点。

　　19 世纪 60 年代以后，西方军事理论被大规模介绍到中国，传统兵学中的原生缺陷逐步被补足，中国军事学发生重大变革，传统的兵学逐步让位于近代军事学。如以军事教育取代传统的选将，装备保障与建设也逐步形成理论，兵学的内涵发生了较大变化。同时，伴随西方军事理论一同被引入的科学主义精神，推动

----

① 《曾国藩全集·批牍》，岳麓书社，1994 年，第 246 页。
② 《曾国藩全集·诗文》，岳麓书社，1986 年，第 438 页。

了兵学逐步从以经验主义为基础向以科学主义为基础的转变。其中，跳出传统兵学以"范畴"为核心与载体的术语体系，借鉴和应用西方近代军事学，使军事术语得以规范地使用，可谓是兵学趋向专业化和科学化的重要特征之一。这个进程使得传统兵学逐渐开始转型，并最终以军事学的面貌出现在历史舞台之上。但是，如果从深层次考察，这种转型还是保留有传统兵学的明显烙印，带有中国文化的鲜明特征。如，被人们视为按近代军事学体系编撰而就的《训练操法详晰图说》一书，依然不乏"训必师古，练必因时""自古节制之师，存乎训练。训以固其心，练以精其技……权其轻重，训为最要"之类的言辞，与王守仁、戚继光、曾国藩、胡林翼等人的主张一脉相承，无本质上的区别。

综上所述，中国历代兵学的发展脉络清晰，逻辑结构完整，思想内容丰富，表现形式多样，在各个时代都有所丰富和发展，但其核心的内容与基本的原则没有本质上的变化。茅元仪说"后《孙子》者，不能遗《孙子》"（《武备志·兵诀评》），意谓后世的兵书不能绕开《孙子兵法》另起炉灶。作为中国古代兵学的最高成就，《孙子兵法》是难以超越的。茅元仪所说的，正是这个道理。

我们认为，中国古代兵学主要包括历史上丰富的军事实践活动所反映的战争观念、治军原则、战略原理、作战指导等内容，其主要文字载体是以《孙子兵法》为代表的卷帙浩繁、内容丰富、种类众多、哲理深刻的兵书。其他文献典籍中的论兵之作也是其重要的文字载体，这包括《尚书》《周易》《诗经》《周礼》等儒家经典中的有关军事内容，《墨子》《孟子》《老子》《管子》《吕氏春秋》《淮南子》等所载先秦两汉诸子的论兵文辞，正史、政书等典籍中的言兵之作，唐、宋、元、明、清诸多文集中的有关军事论述，它们和专门的兵书著作共同构筑起中国古代兵学思想这座巍峨瑰丽的文化殿堂。

毫无疑问，中国古代兵学的主要载体是卷帙浩繁的兵书典籍。民国时期陆达节编有《历代兵书目录》，著录兵书 1304 部，6831 卷。据许保林《中国兵书知见录》《中国兵书通览》的统计，乃为 3380 部，23503 卷（959 部不知卷数，未计在内）。而按刘申宁《中国兵书总目》的说法，则更多达 4221 种。《汉书·艺文志·兵书略》曾对西汉以前的兵学流派做过系统的区分，将先秦两汉兵学划分为兵权谋家、兵形势家、兵阴阳家和兵技巧家四个大类。在四大类中，兵权谋家是最主要的一派，其基本特征是："权谋者，以正守国，以奇用兵，先计而后战，兼形势，包阴阳，用技巧者也。"显而易见，这是一个兼容各派之长的综合性学派，其关注的重点是战略问题。中国古代最重要的兵书，如《孙子兵法》《吴子》《六韬》《孙膑兵法》大都归入这一派。兵形势家也是比较重要的兵学流派，其特征是"雷动风举，后发而先至，离合背乡，变化无常，以轻疾制敌者也"，主要探讨军事行动的运动性与战术运用的灵活性、变化性。兵阴阳家，其特征是"顺时而发，推刑德，随斗击，因五胜，假鬼神而为助者也"，即注意天时、地理与战争胜负关系的研究。兵技巧家，其基本特征是"习手足，便器械，积机关，以立攻守之胜者也"，这表明该派所注重的是武器装备和作战技术、军事训练等。秦汉以降，中国兵学思想生生不息，代有发展，但其基本内容与学术特色基本没有逾越上述四大类的范围。

中国古代兵学内容丰富，博大精深，大体而言，它的基本内容是：在战争观上主张文事武备并重，提倡慎战善战，强调义兵必胜，有备无患，坚持以战止战，即以正义战争制止和消灭非正义战争，追求和平，反对穷兵黩武。从这样的战争观念出发，反映在国防建设上，古代兵家普遍主张奖励耕战，富国强兵，居安思危，文武并用。在治军思想方面，兵家提倡"令文齐武"，礼法互补。为此，历代兵家多主张以治为胜，制必先定，兵权贵一，教戒素行，器艺并重，赏罚分明，恩威兼施，励士练锐，精兵良器，将帅贤明，智勇双全，上下同欲，三军齐心。在后勤保障上，提倡积财聚力，足食强兵，取用于国，因粮于敌。在兵役思想上，坚持兵民结合，因势改制等。战略思想和作战指导理论是中国古代兵学思想的主体和精华，它的核心精神是先计后战，全胜为上，灵活用兵，因敌制胜。一些有关的命题或范畴，诸如知彼知己、因势定策、尽敌为上、伐谋伐交、兵不厌诈、出奇制胜、避实击虚、各个击破、造势任势、示形动敌、专我分敌、出其不意、攻其无备、善择战机、兵贵神速、先机制敌、后发制人、巧用地形、攻守皆宜等，都是围绕着"致人而不致于人"，即夺取战争主动权这一根本宗旨提出和展开的。

总之，以兵书为主要载体的中国古代兵学，内容丰富，哲理深刻，体大思精，可谓璀璨夺目，异彩纷呈，乃是中国传统文化的重要组成部分，无愧为一笔弥足珍贵的优秀文化遗产。

三、中国历代兵学研究中遭遇的"瓶颈"

与儒家、道家、释家乃至于墨家、法家等诸子学术的研究相比，有关兵学的研究，显然处于相对滞后的状态。成果为数不多姑且不论，在有限的研究成果中，质量上乘、体系严整、见解独到之作亦属凤毛麟角，更多的是词条的扩大与组合，可又缺少词条的科学与准确，犹如什锦拼盘，看不出兵学发展的脉络与规律，见不到兵学典籍所蕴含的时代特征与文化精神。这主要表现为：第一，兵学历史的研究被边缘化，长期不能进入历史学研究的主流，即陈寅恪先生所说的"预流"。与政治史、经济史、思想史、文化史、社会史等学科相比，军事史完全是一个敲边鼓的角色，研究成果数量单薄，质量恐怕也不尽如人意。第二，在有限的研究领域中，军事史不同分支的研究状况也不一样，发展很不平衡。相对而言，兵制的研究稍为成熟，如蓝永蔚《春秋时期的步兵》、谷霁光《府兵制度考释》、雷海宗《中国文化与中国的兵》等，均是学术价值重大、学术影响深远的著述。然而对于战争、军事技术、作战方式、兵要地理、兵学理论的研究，却显得远远不够。第三，战争史作为军事史的主体，研究思路与方法严重缺乏创意。研究者对许多战争的考察与评析，仅仅局限于宏观勾勒的层面，满足于战略的抽象概括，只讲到进步或落后这一性质层面的东西，很少能进入战术的解析层次，未能围绕战法这个核心展开研究。因此，得出的结论往往不够深入，不同的战争分析到最后，看上去似乎都大同小异。第四，学术研究的视野与角度不够开阔，对问题的认识与理解不够全面与辩证。如在充分肯定传统国家安全观为和平防御的同时，对历史上曾经大量存在的穷兵黩武现象缺乏足够的关注，仅看到"苟能制侵陵，岂在多杀伤"的一面，而忽略中国传统军事文化中还存在着"边庭流血成海水，武皇开边意未已"的另一种事实。

当然，兵学历史的研究不尽如人意的主要原因，还是在于兵学学科的自身性质。所谓"巧妇难为无米之炊"，就是这个道理。

在《汉书·艺文志》中，"兵书"虽然自成一类，但兵家并没有被列入"诸子"的范围，兵学著作没有被当作理论意识形态的著述来看待，它的性质实际上与"术数""方技"相近。换言之，《汉书·艺文志》"六略"，前三"略"，"六艺""诸子""诗赋"属于同一性质，可归入"道"的层面；而后三"略"，"兵书""术数""方技"又是一个性质近似的大类，属于"术"的层面。"道"的层面，为"形而上"；"术"的层面，为"形而下"。"形而下"者，用今天的话来说，是讲求功能性的。它不尚抽象，不为玄虚，讲求实用，讲求效益，于思想而言，相对苍白，于学术而言，相对单薄。除了极个别的兵书，如《孙子兵法》之类外，绝大部分的兵学著作，都鲜有理论含量，缺乏思想的深度，因此，在学术思想的总结上，似乎很少有值得关注的兴奋点存在，而为人们所忽略。

这一点，不但古代如此，当今几乎也一样。目前流行的各种哲学史、思想史著作较少设立讨论兵学思想的专门章节，个别的著作即便设置，也往往篇幅有限，具体阐释未能充分展开，令人稍感遗憾。由此可见，中国兵学思想的研究，从学科性质上考察就有相当的难度，而要从工具技术性的学科中发掘"形而上"的抽象性质的思想与理论，则多少会令人感到失望。

此外，与儒家因应道家、释家的挑战，不断更新其机理，不断升华其形态的情况大不相同的是，兵学长期以来所面对的战争形态基本相似，战争的技术手段没有发生本质性的飞跃，大致是冷兵器时代的作战样式占主导。宋元以后尤其是明清时代出现火器，作战样式初步进入冷热兵器并用时期，但即便是在明清时代，冷兵器作战仍然占据着战场上的中心位置。这样的物质条件与军事背景，在很大程度上制约了兵学思想的更新与升华。即使有所变化与发展，也仅仅体现在战术手段的层面，如明代火器的使用，使战车重新受到关注，于是就产生了诸如《车营叩答合编》之类的兵书；同样是因为火器登上历史舞台，战争进入冷热兵器并用时期，就有了顺应这种变化而出现的《火攻挈要》等兵书和相应的冷热兵器并用的作战指导原则。但是需要指出的是，这种局部的、个别的、枝节性的发展变化，并没有实现兵学思想的本质性改变、革命性跨越。从这个意义上说，茅元仪《武备志·兵诀评》所称的"前《孙子》者，《孙子》不遗；后《孙子》者，不能遗《孙子》"，的确是准确地揭示了《孙子兵法》作为兵学最高经典的不可超越性，但同时也隐晦地说明了兵学思想的相对凝固性、守成性、内敛性。

没有研究对象的改变，就无法激发出更新的需求，而没有更新的需求，思想形态、学术体系就难以注入新的生机，就会处于自我封闭、不求进取的窘态。在这种情况下，我们今天要从学科发展的视野来考察兵学理论的递嬗，显然会遇到极大的障碍，而要总结、揭示这种演进的基本规律与主要特征，更是困难重重，充满挑战了。例如，某些大型军事类辞书，在各断代军事思想的词条中，也常常是横向地不断重复诸如战争观上区分了"义战"

与"非义战"的性质，作战指导上强调了"避实击虚""因敌制胜"之类的表述。先秦词条这么讲，秦汉词条这么讲，到了明清的词条，还是这么讲，千篇一律，缺乏发展性和创新性。应该说，这一局面的形成，不是偶然的，而是其研究对象本身停滞不前、自我封闭所导致的。

如果说，以上的归纳总结是兵学思想发展存在的明显的"先天不足"的制约，那么我们还应该更清醒地注意到，这种归纳与总结，还有一个"后天失调"的重大缺陷。

从先秦时期"赳赳武夫，公侯干城"，到汉武帝时代，朝廷"彬彬多文学之士"，汉元帝"柔仁好儒""纯任德教"，中国古代社会的风尚悄然发生了某种变化，阳刚之气似乎有所消退，军人的地位逐渐降低，普通士兵更成了一群可以随时"驱而往，驱而来"的"群羊"（参见《孙子兵法·九地篇》），社会风气一改而成为"好铁不打钉，好男不当兵"。五代以降，兵士脸上刺字的现象时有发生，明代"军户"身份世袭，社会地位低下，就是这方面的例证。这样的群体，在文化知识的学习与掌握上自然属于"弱势群体"，他们文化程度不高，知识积贮贫乏，阅读能力有限，学习动力缺乏。如果兵书的理论性、抽象性太强，那么就会不适合他们阅读与领悟。所以，大部分的兵书只能走浅显、通俗的道路，以实用、普及为鹄的。由此可知，兵学受众群体的文化素质和精神需求上的特殊性，在很大程度上制约了兵学思想的精致化、哲理化提升。

这一点，从后世经典的注疏水平即可看出，与儒家、道家乃至法家经典相比，兵书注疏滞后、浅薄，实不可以道里计。兵家的著述在注疏方面，绝对无法出现诸如郑玄之于《诗经》、何休之于《公羊传》、杜预之于《左传》、王弼之于《老子》、郭象之于《庄子》这样具有高度学术性，注入了创新性思维与开拓性理论的著作，有的往往是像施子美《施氏七书讲义》、刘寅《武经七书直解》、朱墉《武经七书汇解》这样的通俗型注疏，仅仅立足于文字的疏通，章句的串讲而已。即便偶尔有曹操、杜牧、梅尧臣、张预等人注《孙子》聊备一格，但是他们的学术贡献与价值，依旧无法与郑玄、王弼等人的成就相媲美。而这种整体性的滞后与粗疏，自然严重影响到兵学思想的变革与升华，使兵学思想的呈现形态失去了值得人们激发热情、全力投入研究的兴奋点与推动力，往往只能在缺乏高度的平台之上做机械性的重复，这显然会导致兵学思想整体研究的严重滞后。

兵学思想史研究的"后天失调"，还表现在这一领域的研究者长期以来在专业素质构成上一直存在着种种局限，并不能很好地适应兵学思想发展史研究的特殊要求。从本质上讲，军事史是历史与军事两大学科彼此渗透、有机结合而形成的交叉学科。这一属性，决定了兵学思想史其实也是军事史与思想史的综合与贯通，这一学术特性，对研究者提出了特殊的要求，即他们最好能具备历史与军事两方面的专业素养。但是由于种种原因，这样的复合型队伍自古至今似乎并未能真正建立起来。熟谙军事者，历史知识、哲学思辨往往相对单薄，这不免导致其研究难以上升到理论思维的高度；而通习历史者，又往往缺乏军旅活动的实践经验，这当然会造成其所研究的结论多属门外谈兵，不着边际。如《礼书通故》一类典籍中有关"偏"的考据，就近乎盲人摸象，花费大量精力考证一"偏"的战车数量，提出莫衷一是的"九乘说""十八乘说""二十七乘说""八十一乘说"等说法，除了徒增纷扰之外，实在看不出能真正解决什么问题。

正是因为兵学思想史的研究，让军事学界、历史学界两大界别的人士都不无困惑、深感棘手，所以一般的人都不愿意身陷这个泥淖。宋代著名兵学思想家、经典兵书《何博士备论》的作者何去非，尽管兵学造诣精深，又身为武学教授（后称武学博士），但自上任之日起就不安心本职工作，曾转求苏轼上书朝廷，请求"换文资"，即希望把他由武官改为文官。何去非的选择，就是这方面非常有代表性的例子。这种研究队伍的凋零没落、薪火难传，恰恰证明了兵学思想发展史研究确实存在着难以摆脱的困境，直至今天仍是亟待突破的"瓶颈"。

除上述困难之外，兵学研究所面临的挑战还包括以下两个因素：一是军事史研究范围与内涵的界定不够清晰。目前的学术界，经常把军事制度的研究混入政治制度研究之中（如商鞅变法中的军功爵制、王安石变法中的保甲法等等），把军事技术的研究归入科技史的研究范畴，把军事法规的研究并入法制史的研究架构，结果是有意无意地放弃了很多本应该是军事史研究的问题，只把目光对准兵役制度、军事谋略，导致内容过于空泛。这也制约了军事史研究的发展。二是受制于文献载体有关军事史内容记载上的固有不足。古代文献中有关军事史战术层面的内容十分单薄，这与西方军事史著作有很大差异。西方的军事史著作对战术层面的内容记载相当详尽，如在记述汉尼拔指挥的著名的坎尼之战时，曾详细描绘了双方怎样排兵布阵，步兵、骑兵如何配置，谁为主攻、谁作牵制，战斗的具体经过又是怎样。反之，我们的史书记述，则侧重于战争酝酿阶段的纵横捭阖、运谋斗智，而真正描述战争过程的往往就简单的几个字，"大破之""大败之"，一笔带过。我们既不知道是怎么胜的，也不知道是怎么败的，这就为我们从战术层面深化兵学历史的研究带来了重重障碍。

四、我们如何实现兵学研究的"突破"

危机也意味着转机，困境也意味着坦途。我们认为，中国兵学历史的研究固然存在着种种问题，但是，在大家的共同努力下，它的发展和繁荣也并非没有希望。换言之，使它走出困境的转机同样是可以争取和把握的，关键是我们如何寻找到赢得转机的途径与方法。

其一，寻求转机与实现突破，要求我们对兵学历史的研究予以主观上的更大重视，应该明确形成这样的一个基本共识：一个民族、一个国家、一支军队如果不尊重自己的悠久军事文化传统，不善于从以往的军事历史中借鉴得失，获得启迪，那么就难以拥有与理解完整的历史，就没有资格侈谈什么军事理论创新，也不能建立真正有价值的战略学、战术学、军制学，遑论在世界大变局中确立自己的地位，施展自己的影响。一句话，不珍惜传统，肯定不会有光明的未来；漠视历史，迟早会受到历史的惩罚。基于这样的共识，中国兵学历史的研究必将获得动力，因为研究者的责任感与成就之间实际上存在着共生的关系。更重要的是，我们应该通过对中国兵学发展历史的考察与总结，从中积极地汲取经验。众所周知，以史为鉴，可以知兴替。中国历代战争的战略决策、战略指导与作战指挥，以及建军、治军、用将、训练、治边等方面的经验教训，至今仍有给人以启迪和借鉴之处。兵学历史的研究，固然是学术性的探索与诠释，但是，研究者也应始终立足于当代，注重历史与现实的贯通，致力于从丰厚的历史文化资源中寻求有益的启示。我们认为：一部兵学发展史，其实就是一部军事变革史，更是一部军队发展、国防建设的启示录。我们虽然不能从历史博物馆里取出古人的"剑"同未来的敌人作战，但我们可以熔化古人的"剑"铸造新的"武器"。

其二，寻求转机与实现突破，要求我们在思维模式、研究范围、研究方法等方面进行扎实的工作，开辟新的道路，提升新的境界。这包括：对兵学历史学科的内涵和外延要有一个科学而清楚的界定，确立起兵学历史研究的主体性，树立问题意识、自觉意识，使兵学历史研究的独立性得以完全体现；对兵学历史研究人员专业素质提出更高的要求，彻底改变长期以来军事与历史"两张皮"，懂历史的不太熟悉军事，谙军事的在历史学基本训练方面偏弱的情况；尽量调整兵学历史研究领域内各个分支研究不平衡的局面，在继续加强兵制史、兵书著作研究的同时，积极开展以往相对薄弱的军事技术、作战方式、阵法战术、兵要地理等分支学科的研究，使整个兵学历史的研究能够得到均衡协调的发展，各个分支方向既独立推进，又互为补充、互为促进。其中，尤为重要的是调整与改善兵学史研究的基本范式，必须积极尝试研究角度的重新选择，转换习以为常的研究范式，改变陈陈相因的研究逻辑。具体地说，就是实现研究重心的转移，从以研究军事人物思想、兵书典籍理论为主导，变为以研究战法与思想共生互动为宗旨。这个共生互动的关系，可以用一个相对稳定的逻辑结构来描述，即武器装备的改进与发展，引发作战方式、战略战术的变革，同时也促成了军队编制体制的调整和变化，而这些变化，最终又推动了兵学理论的创新、军事思想的升华。而兵学思想的发展，同样要反作用于作战指导领域，使得战法的确立与变革能够在理论的指导下，更趋合理，更趋成熟，以适应军事斗争的需要，为达成一定的战略目标创造积极有利的条件。

在围绕"武器装备—作战方式—兵学理论"这一主线与结构展开叙述的同时，尤其要注意对兵学思想发展史上阶段性特点的概括与揭示。区分不同时期兵学思想的鲜明特征，探索产生这些特征背后的深层次政治、经济、社会、文化原因，观察和说明该时期兵学思想较之于前，传承了什么，又增益了什么，对于其后兵学思想的发展起到了哪些作用，产生了何种影响。换言之，我们今天对历代兵学思想的研究，其成功与否，就是看能不能跳出通常的兵学思想总结上的时代性格模糊、阶段性特点笼统的局限，而真正把握了兵学思想与文化的历史演进趋势和个性风貌。

其三，寻求转机与实现突破，要求我们在从事兵学历史研究过程中，在充分运用历史方法的同时，尽可能借助于军事的范畴、概念与方法，注重从军事的角度考察问题、解决问题。应该说，这正是兵学历史研究讲求科学性、学术性的必然要求。面对军事制度上的疑难问题，我们完全可以参考现代军制的原理与方法来协助解决，例如，释读先秦军队编制体制中"偏"的问题就是如此。我们知道"偏"是先秦时期车战的战车编组形式，但是一偏到底有几乘战车，文献记载说法各异，有"九乘说""十八乘说""二十七乘说""八十一乘说"种种，可谓各有道理，莫衷一是。另外，像先秦军队既有"军、师、旅、卒、两、伍"六级编制，又有"三十人乘制""七十五人乘制"，彼此关系又是怎样？如果花大力气去求证，结果很难如愿，但我们若了解现代军队编制特点的话，那么也许能掌握解决问题的钥匙，即理解军队编制上平时管理和战时配属是两种方式，一支军队可以有平时隶属体制、战时合成编制、临时战斗编组等多种编制。先秦军队就平时隶属体制而言，可以有六级；就战时合成编制而言，即为"乘"；就临时战斗编组而言，又可以有"九乘""二十七乘"等不同的大小"偏"形式。这就是一个参照现代军队编制以深化军事史研究的重要例子。

再如，我们以往研究"韩信破赵"时部署的背水阵，一般只关注到军心士气问题，即韩信之所以部署背水阵，乃是为了激发士兵的战斗意志，置之死地而后生。这几乎是两千多年来人们的一致看法，韩信自己也是如此表白的。但是，我们如要从军事学的角度来分析，那么背水阵其实包含着十分丰富的战术作战要领。首先是变换主客。韩信设置背水阵的主要目的在于引诱赵军前来攻击，如此，本来是处于攻击地位的韩信军队反而变成了防御一方，而在军队作战中，防御和进攻所需的兵力相差是很大的，这叫作"客倍主人半"（《孙膑兵法·客主人分》）。韩信通过背水阵的设置，改变了双方的攻守地位，弥补了自己兵力的不足，在一次进攻性战役中，打了一场漂亮的防守作战，最终取得了胜利。这个主客变置的关键因素，再加上布列圆阵、兵分奇正、置之死地而后生等战术要领，背水阵达到了预期的目标。这个例子可谓极其生动而有力地证明了兵学历史研究离不开军事学要素与方法。总之，兵学历史研究过程中许多学术上的疑难问题，若能借助军事学的原理与方法，解决起来并非不可能。如用现代军事中的"战略预备队"概念诠释《握奇经》中"四为正，四为奇，余奇为握奇"的"余奇"含义，就能使人豁然开朗。又如，拿方阵战术的基本要领来观照"勇者不得独进，怯者不得独退""不愆于六步、七步，乃止齐焉"等兵学指导原则的意义之所在，同样也是恰到好处。

其四，寻求转机与实现突破，我们还需要拓宽视野，以世界军事发展进程为参照，来考察中国兵学历史的演进规律、文化内涵与时代精神。英国军事学家富勒在其代表作《装甲战》一书中曾经这么说过："世界上没有绝对新的东西。我曾说过，学员只要研究一下历史，就可看出，战争的许多阶段将再次采用基本相同的作战形式。只需进行一些研究和思考，就会认识到，过去所采用的所有战略和战术，自觉或不自觉地都是根据军事原则制定的。……无论军队是由徒步步兵、骑兵，还是由机械化步兵组成，节约兵力、集中、突然性、安全、进攻、机动和协调等原则总是适用的。总之，摩托化和机械化只是改变了战争的条件，即改变了将军使用的工具，而不是他的军事原则，这一点是显而易见的。"这是从时间的角度说明军事学基本原则的永恒性、稳定性。其实，从空间的视角考察，这种同一性、常态化又何尝不是如此！中西方军事著作在语言体例、逻辑概念梳理、形象描述等方面固然存在着很大的差异，是两类军事文明的产物。但是，《淮南子·氾论训》言："百川异源而皆归于海，百家殊业而皆务于治。"万变不离其宗，中西方军事学的核心问题，如重视将帅、灵活多变、集中兵力、以攻为主、重视精神因素及士气的振奋等，完全可以说是旨趣一致、异曲同工的，这种一致与相似，远远胜过所谓的"差异"与"对立"。我们应该充分看到中西方军事学的这种同一性，从而更好地认识中西方军事思想文化中那些超越时空的价值，并从中获得有益的启迪。这一点，乃是我们在研究中国兵学历史时，必须予以充分留意与高度关注的。换言之，我们今天的兵学研究，既要立足本土，同时又要面向世界，从世界军事文明递嬗的视域把握中国兵学的精髓，揭示中国兵学的特色，认知中国兵学的价值。

总之，兵学历史的研究只要真正回归历史、回归军事，那么就可以超越过去僵化的模式与平庸的论调，把握住新的发展契机。

鉴于以上基本认识，我们这个兵学历史研究的小团队，不揣谫陋，砥砺而行，和衷共济，经过数年的积极努力，撰写了这套300 余万言、7 卷本的《中国兵学通史》，就中国兵学历史发展的时代背景、基本内涵、演变轨迹、主要特征、表现形式、重要地位与文化影响等加以全景式的回顾、梳理与总结。在此基础上，我们重点考察与揭示中国历史上的代表性兵学著作、诸子论兵之作、重大战争中所反映的兵学基本原则、四部典籍所蕴含的兵学思想要义及其对中国兵学文化发展的卓越贡献，并对影响与制约中国历史上兵学发展的基本要素，如武器技术装备、军队体制编制、作战样式与战法、军种兵种构成与变化、军事训练与军事法规等，进行必要而细致的考察与剖析。总之，我们的初衷，是要梳理中国古代兵学产生、发展及演变的历史轨迹，总结中国古代兵学的主要成就，揭示中国古代兵学的基本特征，阐释中国古代兵学的文化价值。

受水平所限，本书难免存在着一些值得商榷与改进之处，衷心欢迎诸位专家和广大读者不吝批评指正，以匡不逮，无任感谢。

是为序。

黄朴民

2021 年 10 月 26 日于中国人民大学国学院

目　录

绪　论

中国先秦兵学史大体上可以分为三个时期，即古史传说时代的兵学，夏、商、西周三代的兵学以及春秋战国时期的兵学。在漫长的先秦时期，中国兵学史的发展先后经历了萌芽、雏形与初步成熟和首次繁荣的基本过程，并为后世兵学的发展奠定了坚实的理论和实践基础。

中国古史传说时代的兵学起源于原始社会后期，亦可以称之为兵学萌芽。古史传说时代兵学萌芽的时间跨度大约是在公元前21世纪夏王朝建立以前的1000余年，也就是新石器时代晚期，即原始社会向阶级社会过渡的这一特殊的史前时期。

中国古代社会发展到原始社会末期，氏族社会内部各个氏族之间为了争取、保有或扩大生存空间，开始出现了武力冲突。并且由于血亲复仇的原则又导致了冲突不断，愈演愈烈。而随着氏族内部分化的加剧和私有财产的出现，又诱发了部族集团之间的大规模武装冲突。于是，战争的基本要素逐渐形成，这包括战争物质条件的初步具备，战争动员与实施机制的草创，氏族内部尚武嗜勇之风的有力张扬，在此基础上，严格意义上的战争开始出现了，中国古代兵学思想开始萌芽。随之发生的是与阶级分化紧密联系的部落征服战争。最后，与国家形成直接相关的阶级社会战争正式登上了历史的舞台。从此，战争作为阶级斗争的最高形式，在整个社会活动中占据了显著地位，成为历史发展的最直观表现形态；而伴随着原始战争厮杀呐喊场景，中国古代兵学也开始迈出了自己的第一步。

夏、商、西周是中国历史上最早出现的、在中原地区占据主导地位的、先后递嬗的三个朝代，人们习惯上称之为"三代"。三代历史上承史前新石器文化的余绪，下开铁器文化之先河，是中国古代早期文明的发轫时期。

大约在公元前21世纪，生活在黄河中下游流域中原地区的华夏族先民，率先建立了最早的国家——夏王朝。其后，经过数百载的发展，至商代中期，青铜文化高度繁荣，社会政治、军事、经济制度亦逐步趋于成熟。及至西周时期，其间虽经战乱征伐，但社会发展的势头依然强劲，礼乐文明已进入全盛阶段。这一时期的兵学发展也随着社会的进步而发展。从战争的类别来说，有以商汤伐桀、武王伐纣为代表的新旧王朝更替战争；有周公东征一类的平息叛乱、巩固统治秩序的战争；有中原华夏民族中央王朝与周边少数民族之间的战争；有下层民众反抗暴政的斗争；等等。当时的作战方式亦处于不断变化之中。在夏、商两代，步兵占有优势，步战作为作战方式的主流，而车战则为辅助。到了西周，车兵成为主力兵种，步兵退居次要地位，由建制步兵转化为依附于战车的隶属徒卒，车战遂取代步战而成为主要的作战方式。

夏、商、西周时期的兵学发展，从统御体制上来看，是贵族的逐级分权制，所谓"礼乐征伐自天子出"，由王室通过诸侯、卿大夫"分民裂土而治"来实现。"文武分职"仅局限于军政系统，而不涉及军令系统。武装力量是由王室军、诸侯（方国）军、族军及私属武装构成。常备军在商代晚期可能已经出现，但规模不大。兵役制度实行基于宗法血缘关系的兵农合一的临时征发制，具有国人当兵、野人不当兵的特点。兵种构成大致以车兵、步兵为主体，其编制通常是以三进制重以十进制。这一时期的武器装备也有了长足的进步。青铜兵器的出现，标志着古代兵器从木、石、骨、角等材质跨入了金属兵器阶段，极大地提高了兵器的强度和杀伤力。同时，兵器设计与制作工艺的提高，至西周已臻于完善。

由于文字的普遍使用和战争经验的不断积累，这一时期兵学思想也有了初步发展。这主要反映在甲骨文、金文等出土文献以及《尚书》《诗经》《周易》《周礼》等经典传世文献中，这些文献均对兵学问题进行了不同程度的探讨，同时也出现了一些专门性的书籍，如在"古代王者司马法"总名之下的《军志》《军政》《令典》《大度之书》等，为中国传统兵学的形成奠定了基础。特别是西周，宗法制基础上封邦立国的政治体制已全面巩固，礼治思想已渗入一切领域，礼乐文明已臻极致。与此相应，这一时期的兵学也以礼治为特色，礼乐制度下的政治法规与道德观念全面渗入兵学领域，一切军事活动均以"军礼"为纲领，所谓"以礼为固，以仁为胜"，故具有极强的礼治规范性。

春秋战国时期始于周平王东迁洛邑（今河南洛阳），终于秦王嬴政统一六国建立秦朝，是中国历史非常重要的转折时期，史称"周秦之变"，亦被称作"轴心时代"（The Axial Age），这一时期是中国历史发展的重要时期，也是中国古代思想文化的灿烂时期。春秋战国时期的最大特点就是政治大动荡、经济大变革、文化大发展。在经济上，社会生产力迅速提高，井田制走向瓦解，新的生产关系全面确立。在政治上，礼乐文明遭到极大冲击，王室衰微，强卿擅权，诸侯争霸，大国兼并，各国变法与改革方兴未艾，天下统一是大势所趋。在文化上，学术下移，私学勃兴，诸子蜂起，百家争鸣。春秋战国时期前后近 600 年的战争，更使战争成为此时居特殊地位的时代主题，兵学遂在这样的背景下得到了前所未有的发展，并出现了中国兵学史上的首次繁荣。

春秋战国时期，除上古已出现的战争类型外，当时的战争还包括了诸侯争霸战争，大国兼并战争，统治集团内部夺权战争，新兴势力向守旧势力夺权战争，以及秦始皇攻灭关东六国的统一战争，等等。其中，诸侯争霸，大国兼并与统一战争，乃是当时战争的主流，对中国历史的进程曾产生过重大而深远的影响。

自春秋中期起，随着军队结构的改变，强弩与铁兵器的使用，战争区域的扩大以及与戎狄步卒作战的需要，步兵遂重新崛起，步战再次占据主导地位，战争方式亦急剧变化。同时，水军出现，水战在南方吴、楚、越等地区开始流行。自战国中期起，以赵武灵王"胡服骑射"为标志，骑战也被大规模引入中原地区，作为新的作战样式。至此，步、车、骑、舟诸兵种完整形成，并出现了诸兵种协同作战的局面，奠定了冷兵器时代作战的基本样式。

春秋战国时期野战的军阵大多采用三军阵，但五军阵也开始成为比较常用的阵形。其战术运用，除了疏散方阵进攻外，较为普遍地转化为纵队进攻，并由早期的徐缓推进向快速进击的方向过渡，出现了"车驰卒奔""剽疾迅猛"的场面。同时，城池攻守战、关隘要塞战、伏击战、包围战、奇袭战、火攻、水淹等各种战法也先后在作战中得到广泛使用。

春秋战国时期军队武器装备进步巨大，主要标志是铁兵器和弩机的普遍使用。从已有的考古发掘和有关文献记载来看，当时处于我国古代青铜兵器发展的鼎盛时期，同时也是我国钢铁兵器发展的初始阶段。战车的形制和性能得到改善，战船数量已相当可观。戈、戟、矛、剑等常用刺杀格斗兵器的形制有了新的改进，杀伤力增大。甲胄干盾等防护装备更加多样牢固耐用，弓弩为主体的射远兵器制作工艺水平提高，"积弩齐发"成为战场制胜的重要手段。轒辒、云梯、巢车、铁蒺藜、地听等攻守城器械被广泛使用，在战争中发挥了积极作用。当时，筑城虽仍然采用版筑夯土方式，但是筑城数量与版筑质量均有长足的进步。

春秋战国时期国君对军权的控制得到加强，军事制度改革力度非常大。进入战国后，更出现了职官上的文武殊途，将相分职制，决策上的廷议制，军队调动上的兵符制，赏罚上的军功爵制，形成了一整套的运行机制。在武装力量构成上，形成中央军、禁卫军与地方军三位一体制，私属武装逐渐被取缔，常备军数量增加。在兵役制度方面，开始向基于地域关系的郡县普遍征兵制过渡。兵员主要来自庶人（春秋）和国家"编户齐民"的农民（战国），而"武卒""技击"等精锐部队的出现则表明募兵制业已滥觞。在兵种构成方面，基本上形成了步、车、骑、舟四个主要兵种，其在战争中的地位作用，则随战争条件的变化处于不断地调整之中。军队编制日趋复杂，通常以五进制重以四进制，并且与居民的地域行政组织相对应，而具体编制又被区分为一般隶属编制、基本作战编制以及临时战斗编制三个主要层次。军事训练制度开始由田猎式的训练向以"一教十"、以"十教百"逐次递进的单兵、多兵合成正规训练体制演变。在军事法规方面，逐渐以"法令"为指导，出现了较为严格的成文法规。总之，当时的军制基本上确立了中国历代军制的大致框架。

而最为根本的是，春秋战国时期的战争观念相应地发生根本性变革。这一时期兵学思想上的最大特点是战争指导观念的变化。春秋中期之前，人们普遍遵循和崇尚西周延续而来的"军礼"传统，主张进行"结日定地，各居一面，鸣鼓而战，不相诈"为特征的"偏战"，但是从春秋晚期起，这种"正正之旗、堂堂之阵"的战法开始遭到全面否定并被彻底抛弃，"诡诈"战法原则在战争领域内得到普遍运用，即所谓"自春秋至于战国，出奇设伏，变诈之兵并作"①。春秋战国时期涌现出一批杰出的兵学家，如孙武、司马穰苴、伍子胥、范蠡、孙膑、吴起、商鞅等等；诞生了《孙子兵法》《孙膑兵法》《吴子》《尉缭子》《司马法》《六韬》《伍子胥水战法》《盖庐》等著名兵书。儒、墨、道、法等主要思想学派也纷纷以哲学、政治学、伦理学等角度对兵学问题进行探讨，使得时人对兵学问题的认识逐渐深化。这主要表现为以理性的态度对待战争，主张慎战，重视备战，致力于追求"全胜不斗，大兵无创"的理想境界；以正确的理念指导治军，提倡"以治为胜"，恩威兼施，文武并用；以科学务实的审断指导作战，主张先胜后战，奇正相生、避实击虚、因敌制胜、大创聚歼，从而奠定了中国古典兵学理论的基础，亦规范了中国古代兵学的基本特质和主导倾向。

---

① 《汉书·艺文志·兵书略序》。

第一章　兵学萌芽：中国古史的传说时代

在中国，战争起源于史前时期，兵学亦随之萌芽。正如《吕氏春秋》所载："兵之所自来者上矣，与始有民俱。"[①] 早期人类为了争夺有限的生存资源，就曾发生过无数次的暴力冲突和战争。具体地说，随着原始社会生产力的发展，距今约六七千年前，在黄河、长江、辽河、汉水等流域的广大土地上，氏族社会进入了繁荣时期，这与我国古史传说时代大体相当。

第一节　战争的起源与兵学的萌芽

一、战争的萌芽：血亲复仇

由于当时氏族部落迁徙比较频繁，各个部族之间的联系也更加紧密。他们或为了争夺生存资源，或为了保有、扩大各自的生存空间，不时地会发生激烈的武力冲突。在这类武力冲突之中，"血亲复仇"是引发冲突连续不断发生的重要原因之一。"血亲复仇"的现象在世界不同地区、不同种族的原始人群中普遍存在。[②] 而且这一思想根深蒂固，在不同的历史时期都有不同程度的显现。在原始社

① 《吕氏春秋·荡兵》，吕不韦编，许维遹集释：《吕氏春秋集释》，中华书局，2009 年，第 157 页。以下《吕氏春秋》引文均出自此书，仅注篇名。
② 贺建平：《氏族社会与"血亲复仇"》，《贵州社会科学》1995 年第 4 期。

会时期，"血亲复仇"往往会导致大规模连续不断的武装冲突。按照这一古老的集体复仇法则，氏族或者部落内部的某一成员遭受侵害，即被自然而言地看作是对氏族或部落整体的侵害，个别冲突也就迅速演变为集体的武力冲突，而且往往这种冲突反反复复会持续很长久。正如恩格斯（Friedrich Engels）所指出的："同氏族人必须相互援助、保护，特别是在受到外族人伤害时，要帮助报仇。个人依靠氏族来保护自己的安全，而且也能作到这一点，凡伤害个人的，便是伤害了整个氏族。"① 这种情况的产生是很自然的，因为在当时生产力极不发达的前提下，人们几乎完全遭受陌生的、对立的、不可理解的外部大自然的支配，一个人无法独立生存，必须群居而生，相互依靠，彼此协助，因而血缘这一天然纽带把同一氏族人们的命运紧密连接在一起，所以为同一氏族的人进行"血亲复仇"是氏族成员一项基本义务，也是神圣的权利，它的根子深深地扎在人类自卫的本能之中。② 正如《左传》所载："《史佚之志》有之曰：'非我族类，其心必异。'"③ 正是这种观念的孑遗。当然，拉法格（Paul Lafargue）也从另外一个层面指出"血亲复仇"更深刻的心理原因：报复是人类精神的最古老的情欲之一，它的根子是扎在自卫的本能里，扎在推动动物和人进行抵抗的需要中，当他们受到打击时就会不自觉地予以回击，假使恐怖没有吓得他们逃跑的话。④

这种与萌芽状态的战争相关的记载在中国古代典籍中也有一定反映。如《孙膑兵法》中有关于"神戎（神农）战斧遂"⑤ 的记

---

① ［德］恩格斯：《家庭、私有制和国家的起源》，《马克思恩格斯选集》（第4卷），人民出版社，1972年，第83页。
② 罗琨、张永山：《夏商西周军事史》，军事科学出版社，1998年，第22页。
③ 《左传·成公四年》，左丘明撰，杜预注，孔颖达正义：《春秋左传正义》，阮元校刻：《十三经注疏》（附校勘记），中华书局，2009年，第4149页。以下《左传》引文均出自此书，仅注篇名。
④ ［法］拉法格：《思想起源论》，王子野译，生活·读书·新知三联书店，1963年，第67页。
⑤ 《孙膑兵法·见威王》，孙膑撰，张震泽：《孙膑兵法校理》，中华书局，1984年，第20页。以下《孙膑兵法》引文均出自此书，仅注篇名。

述，《战国策》所载"昔者神农伐补（斧）遂"① 的传说，就是例证。陕西仰韶文化村落遗址半坡遗址和姜寨遗址周围发现的防卫沟，可能就是这类武力冲突考古学意义上的实物遗存。很显然，因为只有当武力冲突达到一定的规模，而且已经不是偶然现象的时候，这类防卫沟的修筑才是必要的。可见，由于生存的需要，当时的氏族生活是处于经常性、有组织的集体戒备之中。可是这类武力冲突的目的很单一，其既无攫取私有财产的因素，亦非以从事阶级奴役为基本宗旨，与战争起源的两个基本要素（私有财产的出现与阶级的分化）并不相涉。因此，这类以"血亲复仇"为特征的早期武力冲突，并不是严格科学意义上的战争，至多也只是战争的萌芽而已。同时，根据考古发现以及人类学的相关研究，这类武力冲突的方式也非常原始，参加者不过是氏族部落的成员，并没有出现专业化的军队，也没有专门制式的武器装备，冲突中所使用的只是那些常用的木、石之类的生产工具，从某种意义上说，它颇类似于近代农村聚落中常常发生的械斗。② 我们认为，这种必然会发生的集体武力冲突，正是萌芽状态的战争，我们所说的真正意义上的兵学亦尚未出现。

二、战争的出现：部落争雄

进入父系氏族社会后，社会组织不断扩大，逐渐形成了部落联盟或具有相当规模的部族集团。此时渐渐壮大的部族由于生存的需要，不断迁徙，各种冲突的可能性增大，冲突频繁。同时，冲突的规模也在扩大，冲突的性质亦发生了变化，原始战争出现。原始战争更多是以掠夺为目的的战争，而且战争异常残酷和野蛮，战争的结果往往是灭族毁城。

随着生产力的进一步发展，劳动产品出现了剩余，于是就出现

① 《战国策·秦策一》，刘向集录，何建章注释：《战国策注释》，中华书局，1990年，第74页。以下《战国策》引文均出自此书，仅注篇名。

② 黄朴民：《涿鹿之战论析》，《军事历史研究》1997年第4期。

了掠夺周围部落财富的战争。出于经常性的掠夺需要，"战争以及进行战争的组织现在已成为氏族生活的正常职能"①，并且部族之间的战争与每个部族生存息息相关。根据考古发现，如，在龙山文化时期就出现了被战争毁灭的村落，有焚烧和破坏的痕迹，战争的手段非常残暴。再如，在中国古史传说时代的尧舜禹时期，距今约 4600 年至 4000 年的陶寺遗址的发现，再次破碎了人们对古史的美好想象。据已有考古发现来看，可以肯定的是，陶寺遗址晚期是遭受了毁灭性的破坏，城池被攻破后，城墙被夷平，入侵者残暴地进行了屠城，宫殿宗庙等建筑群被粗暴地毁坏，野蛮地屠杀壮丁，奸淫妇女，很多墓葬也被有意破坏得十分严重，偌大的尧都毁于战争，文明遭受破坏，战争手段异常残暴。② 尤其是在陶寺遗址出土了一具 35 岁左右的女性完整骨架，考古学家断定："她被折颈残害致死，并在阴道部位插入一只牛角。"③ 残暴之状，令人毛骨悚然！当然，入侵者是哪个部族呢？学术界仍有争论，有学者认为是被已发现的石峁遗址的部族所灭，有认为是被舜部族所灭，也有认为是为夏部族所灭，等等。所以，当时战争往往不仅关乎个人的生死存亡，而且关系到整个部族是否能够生存延续的命运。因此，战争自然而然成为每个部族最重要的大事。

在原始战争的刺激下，氏族社会组织结构发生了显著的变化。在氏族社会内部，逐渐由原先的氏族民主大会转变为军事民主制，进一步凸显了战争在整个氏族社会中的核心地位。同时，由于生存的需要，具有一定血缘关系或者地缘关系的部族就结成了部落联盟，甚至部族集团，共同对付外敌。因此，部落之间或部落联盟之间，经常因掠夺而发生战争。此时，在氏族部落或部落联盟内部，都要

---

① ［德］恩格斯：《家庭、私有制和国家的起源》，《马克思恩格斯选集》（第 4 卷），人民出版社，1972 年，第 160 页。

② 王晓毅、丁金龙：《从陶寺遗址的考古新发现看尧舜禅让》，《山西师大学报》（社会科学版）2004 年第 3 期。

③ 何驽等：《襄汾陶寺城址发掘显现暴力色彩》，《中国文物报》2003 年 1 月 31 日。

选举军事领袖，设置氏族大会和氏族议事会为领导机构，以决定大事，指挥战争。这种制度被称为"军事民主制"。

同时，在这一时期，不同部族集团之间开始出现争长称雄的斗争。中国古代文献中记载了许多有关部落和部落联盟之间发生大规模战争的传说。不同的部族为了争夺生存权，或来自不同氏族的首领为了争夺部族集团中的领导权，遂发生相当激烈乃至非常残酷的武力冲突。所谓"强则分种为酋豪，弱则为人附落，更相抄暴，以力为雄"①。胜利一方的首领登上本部族集团尊长的宝座，失败的一方则成为本部族集团中的依附性氏族团体，从而加速了部族集团内部的整合进程。传说黄帝攻伐炎帝的阪泉之战，就是这一类武力冲突遗留的史影："炎帝欲侵陵诸侯，诸侯咸归轩辕……以与炎帝战于阪泉之野，三战，然后得其志。"② 两个同源共祖的氏族（史称"黄帝以姬水成，炎帝以姜水成"③），经过阪泉之战，胜利的一方即黄帝氏族成为主宰者，并且形成了规模空前的华夏部族集团。在华夏集团向东发展的过程中，又与向西发展以九黎族为首的东夷集团遭遇，遂爆发了涿鹿之战。在涿鹿之战中，黄帝与炎帝打败了东夷集团的九黎族首领蚩尤，并与东夷集团结盟，华夏集团势力也扩大到山东地区。

但就这类武装冲突的性质、目的、手段、影响诸要素来说，它依然不是真正意义上的战争，而只能看作是战争萌芽时期的最后形态而已，战争即将出现，也将成为人类历史中挥之不去的阴影。

---

① 《后汉书·西羌传》，范晔撰，李贤等注：《后汉书》，中华书局，1965年，第2869页。以下《后汉书》引文均出自此书，仅注篇名。

② 《史记·五帝本纪》，司马迁撰，裴骃集解，司马贞索隐，张守节正义：《史记》，中华书局，1959年，第3页。以下《史记》引文均出自此书，仅注篇名。

③ 《国语·晋语四》，左丘明撰，徐元诰集解：《国语集解》（修订本），中华书局，2002年，第337页。以下《国语》引文均出自此书，仅注篇名。

三、原始兵器的发明

"守战之具，皆在民间。"① 原始兵器最初是从生产工具，尤其是渔猎工具发展而来的。原始人群或为了自卫，或为了获得食物以求生存，开始用单体弓、石刀、石斧、飞石索等击杀各种动物；而当部族之间发生武力冲突时，他们也便手持这些生产工具进行人与人的格斗。正如史籍所载："耒耜者，是其弓弩也；锄耰者，是其矛戟也；簦笠者，是其兜鍪也；镰斧者，是其攻战之具也；鸡狗者，是其钲鼓也。"② 因此，正如学者所言："原始人类，工兵不分，石器即石兵也，以石片斫物则为器，以石片格斗即为兵。"③ 这些生产工具一旦沾染上人类的鲜血，原始生产工具向兵器的转化也就开始了。④

大约到了新石器时代晚期，当血亲复仇加剧，原始战争处于萌芽状态，在氏族和部落中出现了主要从事厮杀的武士，生产工具便首先在这些人的手中发生了质的变化。由于格斗的需要，他们不断对这些工具的外形和刃形加以改进，提高其杀伤力，作战工具就逐渐从生产工具中分化出来，成为原始兵器。原始兵器的诞生时间大约是在部族集团战争时期，也就是古史传说中的涿鹿之战前后。传说中的战神蚩尤总是被描绘成金属兵器的创造者，他的部族被认为是善于金属冶炼和制造兵器。根据《世本》记载，蚩尤是多种兵器的发明者，"蚩尤作五兵：戈、矛、戟、酋矛、夷矛"⑤。《吕氏春秋》亦云："人曰蚩尤作兵，蚩尤非作兵也，利其械也。未有蚩尤之

---

① 姜尚：《太公金匮》，见严可均：《全上古三代秦汉三国六朝文》，中华书局，1958年，第103页。
② 姜尚：《太公金匮》，见严可均：《全上古三代秦汉三国六朝文》，中华书局，1958年，第103页。
③ 周纬：《中国兵器史稿》，中国友谊出版公司，2015年，第1页。
④ 蓝永蔚，黄朴民等：《五千年的征战：中国军事史》，华东师范大学出版社，2001年，第12页。
⑤ 《世本·作篇》，宋衷注，秦嘉谟等辑：《世本八种》，中华书局，2008年，第359页。

时，民固剥林木以战矣。"① 而这些记载在汉代画像石上有所体现，在山东临沂沂南汉画像石上，蚩尤身上佩持着各种各样的兵器，如头戴弓箭、身佩铠甲、手握戈矛、脚持刀剑，胯竖盾牌，反映了古人对蚩尤形象的认识。其他如"轩辕、神农、赫胥之时，以石为兵……至黄帝之时，以玉为兵"② 等记载，反映了黄帝与兵器发明之间的关系。此种记载，史不绝书，都暗示了这一重要转化完成的历史时期。

原始兵器的材质主要是石、木、骨、玉等非金属材料，这正如《太白阴经》所言，伏羲以木为兵，神农以石为兵，黄帝以玉为兵。③ 其中陕北石峁遗址的发现与研究，印证了史籍所载"黄帝之时，以玉为兵"的传说。在石峁遗址附近，先后发现了大量玉器，如牙璋、刀、钺、戈、斧、铲、璜、璧、牙璧、鹰首笄、虎头、人首、蚕形器等，其中以牙璋、刀、钺等玉制兵器的数量居多。尽管有数量如此惊人的玉制兵器的出现，但是学者仍然认为这些兵器可能并非真正用于战争的兵器："尽管这所谓玉兵在今天看来并不是用于战争的真正兵器，而只可能是某种驱邪的巫术所使用的仪式用品，但却并不妨碍它作为一种新的器类的出现所具有的区分时代的标志性意义。若承认这一点，那么玉兵的出现与黄帝部族在历史舞台上兴起的时间也应当认为是一致的。"④ 我们认为，不能以后世玉器多作为礼器出现而去否定玉器作为兵器存在的时代。根据史料记载，黄帝主要活动区域盛产玉器，而且黄帝部族可能也善于治玉。《山海经》记载："（峚山）其中多白玉，是有玉膏，其原沸沸汤汤，黄帝是食是飨，是生玄玉，玉膏所出，以灌丹木。丹木五岁，五色乃清，五味乃馨。黄帝乃取峚山之玉荣，而投之钟山之阳。瑾瑜之玉为良，

① 《吕氏春秋·荡兵》，吕不韦著，陈奇猷校释：《吕氏春秋新校释》，上海古籍出版社，2002 年，第 388 页。
② 《越绝书·越绝外传记宝剑》，袁康撰，李步嘉校释：《越绝书校释》，中华书局，2013 年，第 303 页。以下《越绝书》引文均出自此书，仅注篇名。
③ 李筌：《太白阴经》，文渊阁《四库全书》本。
④ 沈长云：《黄帝之时以玉为兵》，《光明日报》2015 年 10 月 12 日第 16 版。

坚粟精密，浊泽而有光。"① 而黄帝的另一主要活动区域昆仑山"其中多玉"。等等。面对如此丰富的玉资源，黄帝部族将其作为兵器的主要材质是完全有可能的。

我们根据考古发现的资料来看，原始兵器的构成已基本上具备了兵器的三个主要大类，即格斗兵器、抛射兵器和防护装具。

格斗兵器主要有钺、矛和匕首。钺是从石斧发展而来，体宽而扁平，上有一个穿孔，刃呈弧形，是专用的劈砍兵器，也是军权的象征。② 考古发现的石矛、骨矛是当时的常用兵器。如山东泰安大汶口遗址发现的石矛 1 件，为淡绿色角闪片麻岩，长叶形，中心断面呈带双棱的梭形，刃锋由双面对磨，有短铤，长约 14.5 厘米；同时，还发现了骨矛 7 件，由兽肢骨制成，有锋锐的刃尖；骨镖 23 件，基本上呈柳叶形，主要用动物肢骨条片制成；骨镞 50 件，形制各样。③ 龙山文化出土的矛，断面则为三角形或菱形，前锋长而锐，杀伤力更大。匕首是防身的短兵器，大汶口出土的环首匕最具特色。

原始抛射兵器主要是弓箭的发明。弓箭最早出现的是单片竹、木制成的单体弓，④《周易》所载"弦木为弧，剡木为矢"⑤，描述的正是这种原始的木弓。进入新石器时代，原始的单体木弓经过不断地实践、改良，开始出现了复合弓，当然，在古史传说中，"黄帝作弓""羿作弓"⑥，应当是这种复合弓。箭最初仅仅是削尖了的木棍或竹竿。与弓的逐步改良相随，箭也不断改进。为了增强杀伤力，

---

① 《山海经·西山经》，郭璞注，郝懿行：《山海经笺疏》，齐鲁书社，2010年，第 4717—4718 页。以下《山海经》引文均出自此书，仅注篇名。

② 钱耀鹏：《中国古代斧钺制度的初步研究》，《考古学报》2009 年第 1 期。

③ 山东省文物管理处，济南市博物馆编：《大汶口：新石器时代墓葬发掘报告》，文物出版社，1974 年，第 45—46 页。

④ 杨泓：《弓与弩》，见氏著《中国古兵器论丛》（增订本），文物出版社，1985 年，第 190—196 页。

⑤ 《周易·系辞下》，王弼、韩康伯注，孔颖达正义：《周易正义》，阮元校刻：《十三经注疏》（附校勘记），中华书局，2009 年，第 181 页。以下《周易》引文均出自此书，仅注篇名。

⑥ 参见《世本》张澍粹集补本及注引《墨子》《越绝书》等。

在箭的前部装上了专门的箭头，这就是镞（又作簇）。根据考古发现，此一时期镞的材质主要有骨质和石质两种，如在旧石器晚期的山西峙峪遗址中就发现了一枚石质锋利的箭镞，"原料为燧石，用非常薄的长石片制成，一端具有很锋利的尖；一侧边缘经过很精细的加工；另一侧则保持石片原来的锋利的边缘，只是靠近尖端的部分稍经修理，以使尖端更为周正。与尖端相对的一端（底端）左右两侧均经修理使之变窄，状似短短的镞铤"①。同样，在陕西的沙苑遗址的细石器中也发现了石镞。② 在大汶口文化中，亦发现了大量的骨镞。同时，为了增加箭的稳定性，人们在箭的尾部增加了尾羽。弓箭的发明对人类历史发展影响深远。随着弓箭的出现与改良，其不仅在人类狩猎活动中发挥了重要的作用，增强了人类改造自然的能力，也是人类社会生产力发展的重要标志。更重要的是，弓箭在人类早期的战争中发挥着举足轻重的作用，正如恩格斯所言："弓箭对于蒙昧时代，正如铁剑对于野蛮时代和火器对于文明时代一样，乃是决定性的武器。"③

谯周在《古史考》中指出"黄帝作弩"④，将弩的历史也推到了远古时期。一些考古学家认为在我国新石器时代的一些遗址中发现了长条形骨片的一段有小圆孔者，就是原始的弩上的扳机，其他相关证据尚未发现。⑤ 当然弩真正在战争中发挥其作用应当是战国时期。

作为原始防护装备的甲胄此时已经出现。原始甲胄的质地为皮革或藤木。皮革也是早期甲胄的重要材料，而且甲胄的出现也很有

---

① 贾兰坡、盖培、尤玉柱：《山西峙峪旧石器时代遗址发掘报告》，《考古学报》1972 年第 1 期。

② 安志敏、吴汝祚：《陕西朝邑大荔沙苑地区的石器时代遗存》，《考古学报》1957 年第 3 期。

③ ［德］恩格斯：《家庭、私有制和国家的起源》，《马克思恩格斯选集》（第4 卷），人民出版社，1972 年，第 19 页。

④ 《绎史·太古》引，马骕：《绎史》，中华书局，2002 年，第 36 页。

⑤ 林沄：《弩的历史》，《中国典籍与文化》1993 年第 4 期。

可能是受到动物皮革护身的启发，正如《释名》所言："似物有孚甲，以自御也。"[1] 所谓"人无筋骨之强，爪牙之利，故割革而为甲"[2]，就是用兽皮制成护身的甲胄以防卫敌方兵器的杀伤。[3] 同时，藤木以其独特的柔韧性得到了早期人类的青睐，最早被作为制造甲的材料，这就是藤甲。

四、原始防御体系的形成

原始防御体系的形成是这一时期兵学进步的一个重要体现。原始设防村寨则是我国最早军事防御体系出现的标志之一。

陕西临潼姜寨遗址展现了公元前 4800 年至前 4300 年原始人群居住区的设防状况。该村寨居住区域面积约 1.6 万平方米，呈椭圆形。村寨外围一侧临河，东、南、北三面为宽、深各约 2 米的壕沟所围绕。从壕沟中的炭化木柱判断，壕沟内侧应当建有由木桩和树条编成的栅栏和夯土围墙。此外，壕沟内侧每隔一定距离还建有一座哨所，残存的三座哨所遗址分别在东南寨门、东北寨门正中和北边凸形围沟内侧，可以清晰地望到东、西、北三个方向。[4] 壕沟最早是单重壕沟，但是随着原始弓箭的发明，单重壕沟已经无法抵御敌方的入侵，所以后来又出现了多重壕沟以及在壕沟内侧构筑高出地面的土石围墙。壕沟这种依靠天然屏障而形成的原始简易的防御设施，可以称之为中国古代筑城的雏形。当然，这一周密的集体防卫部署，反映了氏族的组织动员能力和筑城防御观念。

进入英雄时代后，开始出现了原始设防城堡。随着时间的推移，

---

[1] 《释名·释兵》，刘熙撰，毕沅疏证，王先谦补：《释名疏证补》，中华书局，2008 年，第 241 页。

[2] 《淮南子·兵略训》，刘安编，刘文典集解：《淮南鸿烈集解》，中华书局，1997 年，第 489 页。以下《淮南子》引文均出自此书，仅注篇名。

[3] 杨泓：《中国古代的甲胄》，见氏著《中国古兵器论丛》（增订本），文物出版社，1985 年，第 1—3 页。

[4] 严文明：《姜寨早期的村落布局》，见氏著《仰韶文化研究》，文物出版社，1989 年，第 166—179 页。

其数目亦日益增多，分布范围也逐渐扩大，遍布于两大河流域以及内蒙古地区。

考古工作者现在已发现的较早的土筑或石筑围墙，多分布在长江中游和内蒙古长城地带。在今天的两湖地区，已发现了荆州阴湘城、荆门马家垸、天门石家河、石首走马岭、澧县城头山等多处屈家岭文化的古城址。其中最大的一处为湖北天门石家河古城，城垣近方形，边长各约 1000 米，面积 100 万平方米，是已知较大的、筑造水平较高的原始城垣。而湖南澧县城头山古城则显示出当时防御设施的重大进步，其平面呈圆形，直径约 310 多米，城垣底宽约 20 米，顶部残宽约 7 米，内坡平缓，外坡陡直，城外还有宽 30～50 米、深约 4 米的护城河，易守难攻，具有较强的军事防御功能。①

在内蒙古长城地带发现的一系列石城聚落遗址群，时代在距今约 4800 年至 4300 年间，主要有岱海石城遗址群，包头大青山西段石城遗址群，准格尔与清水河之间南下黄河两岸石城遗址群。② 这些石城均依山势或地势修筑，规模大小不同，有 10 余万平方米的中心城址，更多的是数千至一两万平方米的防御性城堡。从这些城堡的坐落位置以及城墙、门道、壕沟的设置来分析，都具有较高的军事防御功能。

在黄河下游地区，公元前 2500 年至公元前 2100 年间的古城也发现了多座。其中城子崖古城面积约 20 万平方米，是黄河下游龙山时代古城中最大的一座。丁公龙山城的面积（约 12 万平方米）虽小于城子崖，但城垣宽达 20 米，城外又有一道壕沟围绕城垣，宽 20 米，深 3 米以上，体现了很强的军事防御能力。③

黄河中游地区的龙山城遗址亦多有发现，它们多为夯土城墙，

---

① 张绪球：《屈家岭文化古城的发现和初步研究》，《考古》1994 年第 7 期。
② 田广金：《内蒙古长城地带石城聚落遗址及相关诸问题》，张学海主编：《纪念城子崖遗址发掘六十周年国际学术讨论会文集》，齐鲁书社，1993 年。
③ 高广仁：《山东史前考古的几个新课题》，中国社会科学院考古研究所编著：《中国考古学论丛》，科学出版社，1993 年。

具有强大的军事防御功能。孟庄龙山城面积约 25 万平方米，城墙系堆筑而成，城外有宽约 30 米的护城河。平粮台的城址呈正方形，①长、宽各约 185 米，面积约 4 万平方米，城墙宽度约 10 米，南、北城墙的中部设有城门，南门两侧有依城墙用土坯筑成的门卫房，与城门相对，以加强城门的防卫，反映出当时的城堡修筑技术已趋于基本成熟。②

黄河中上游地区的陕北榆林神木的石峁遗址，距今约 4000 年左右，是迄今发现的国内规模最大的龙山时代至夏早期这一时期面积最大的城址，据碳十四系列测年以及考古学的相关证据证明，城址约 425 万平方米，是世界范围内同一时期规模最大的城址。由于石峁遗址的年代、发现地点与史籍所载黄帝的相关记载相契合，因此有学者认定此城址正是黄帝部落的居所，③ 当然也有学者提出反对意见。根据考古发掘，石峁遗址是由皇城台（王宫）、内城、外城三座完整并相对独立的石构城址组成，其使用时间超过 300 年。考古工作者在石头围墙上发现木架构高层建筑，功能犹如长城的烽火台，此种军事设施被考古工作者形象称之为"哨所"。根据已发掘的外城东门遗址，发现了"外瓮城""内瓮城"。其中，"外瓮城是以一道南北向长墙和两道东西向平行短墙为外围周界，与南墩台、北墩台合围形成的城门外的独立空间。外瓮城的平面呈 U 形，与门道处于同一条中轴线上，将门道基本遮蔽，使得外城东门不直接暴露于外……南墩台和北墩台中间为门道，进入门道后，沿南墩台西侧石墙继续修筑墙体，向西砌筑 18 米后北折 32 米，在门道西端内侧形成曲

---

① 如钟少异认为始于新石器时代晚期的中国城方形化取向，或许与中国古老的"天圆地方"观念有某种联系，见钟氏著《中国史前时代的筑城》，饶宗颐主编《华学》（第 4 辑），紫禁城出版社，2000 年。

② 曹桂岑、马全：《河南淮阳平粮台龙山文化城址试掘简报》，《文物》1983年第 3 期。

③ 沈长云：《石峁古城是黄帝部族居邑》，《光明日报》2013 年 3 月 25 日第 15版；沈长云：《再说黄帝与石峁古城——回应陈民镇先生》，《光明日报》2013 年 4 月 15 日第 15 版。

尺形结构，与北墩台西壁围绕形成独立空间，称为内瓮城"①。石峁遗址瓮城的发现，明确地将瓮城出现的时间上溯至龙山文化晚期。

考古工作者还在石峁遗址中发现了城墙马面和角楼的遗址，尤其是马面的发现，将我们现存土石结构城防设施的年代提前了2000多年。根据考古发掘报告及相关研究，"2012～2015年的考古调查与发掘工作表明，石峁城址至少存在11处马面遗迹，集中分布在外城东门附近"，可以说，"石峁遗址是龙山时代发现马面数量最多的遗址，马面形态成熟，分布规律，建造技术先进"②。当然，从石峁古城的遗址来看，早期人类的筑城技术已经相对比较成熟，除了显示王权的作用外，更多是军事防御的设施，亦基本上奠定了后世城防的基本结构。

从村寨壕沟到城堡，城堡由小到大，军事防御设施逐渐增多，防御手段的多样，防御技术的提高，反映了随着原始兵器的改进、武力冲突到原始战争的演变，不仅反映了早期人类筑城能力的不断提高，而且也反映了早期人类防御观念的日益增强。③

第二节　中国兵学起源的历史追溯：
传说时代的战争

中国早期文明的发展如"满天星斗"般地分布在中国大地上，④随着各个部落的发展、壮大与迁徙，部族间通过通婚、战争等方式，经过漫长而缓慢的发展，在当时广袤的地域内逐渐形成了以黄帝、

---

① 孙周勇、邵晶：《瓮城溯源——以石峁遗址外城东门址为中心》，《文物》2016年第2期。
② 孙周勇、邵晶：《马面溯源——以石峁遗址外城东门址为中心》，《考古》2016年第6期。
③ 施元龙主编：《中国筑城史》，军事谊文出版社，1999年，第4—14页。
④ 苏秉琦著，赵汀阳、王星选编：《满天星斗：苏秉琦论远古中国》，中信出版社，2016年。

炎帝为首的华夏集团,以九黎族蚩尤为首的东夷集团以及南方的苗蛮集团。① 三个部族也均以各自不同的方式独立发展,并且形成了不同的文化传统。各个部族集团为了各自的繁衍生息、发展壮大,不断迁徙,部族集团间产生了大规模的武装冲突,原始战争出现了。同时,由于战争关系到整个部族的生存,亦成为部族集团的头等大事,于是军事人员的地位在部族中举足轻重,中国历史进入了传说时期的英雄时代。英雄时代的历史,黄帝、炎帝、蚩尤以及尧、舜、禹虽然形象各不相同,但是他们的英雄传说均与战争息息相关。

一、阪泉之战

远古时期,在中国辽阔的大地上生活着许多大小不等的原始部落,每一部落都有着特有的血统和独特的文化。随着历史发展,一些血缘相近的部族逐渐形成较大的联盟。联盟之间以武力冲突、妥协、融合等方式逐渐整合,开始形成了一些非常具有影响力的部族集团。黄帝、炎帝兴起之时,中原地区正处于以神农氏为首的部族集团统治后期,不同部落之间为了生存、利益等相互攻伐,社会开始出现各种乱象。而身为联盟首领的神农氏根本无力去平息事态,恢复秩序。此时,黄帝部落逐渐强大起来。

据《史记》记载,黄帝,号有熊氏,少典之子,姓公孙,名轩辕。黄帝生下来就特别神异,几个月便会说话。年幼时非常机灵,各方面都与众不同。稍稍长大后,黄帝并不满足于天生资质,他诚实勤恳,博闻广记,不断修养自己。成年之后,他已经能够明辨是非,高瞻远瞩。黄帝的出色表现使他理所当然地成为有熊氏的部落首领。有熊氏在黄帝带领下,励精图治,继承了神农氏以来的农业生产经验,积极发展农业,实力迅速发展,并从姬水流域不断向渭河流域扩展,逐渐形成了一个独立强大的黄帝部落。

此时,神农氏已经无法控制中原地区的秩序,需要有新的政治军事权威重新整合秩序。黄帝敏锐地捕捉到以神农氏为核心的旧秩

---

① 徐旭生:《中国古史的传说时代》,文物出版社,1985 年,第37—66 页。

序将要瓦解的时机，于是积极蓄积力量。他着手操练士兵，开始武力征讨破坏中原地区秩序的一些少数部落，维系了正常的秩序，所以很多诸侯都愿意归服黄帝，逐渐形成一个以黄帝部落为核心的强有力的新秩序。

与此同时，以炎帝为首的炎帝部落也迅速发展，实力与黄帝部落不相上下。炎帝与黄帝同出少典氏，发祥于姜水流域，是远缘亲属部落。据记载："昔少典娶于有蟜氏，生黄帝、炎帝。黄帝以姬水成，炎帝以姜水成。成而异德，故黄帝为姬，炎帝为姜。二帝用师以相济也，异德之故也。"① 由于史籍中炎帝的种种记载与神农氏往往混淆，我们已无法厘清。从黄帝与炎帝的较量来看，炎帝部族的势力也不容小觑，是一个文明程度、军事实力相对比较高的部族。炎帝壮大后，也开始兼并周边一些部族，不断扩大自己的势力，逐渐形成了一个以炎帝为中心的部族集团。黄帝、炎帝都力图用自己的方式，以自己的部落为核心重建一个新的中原秩序。

面对炎帝的挑战，黄帝开始积极备战。"轩辕乃修德振兵，治五气，艺五种，抚万民，度四方，教熊、罴、貔、貅、貙、虎，以与炎帝战于阪泉之野。"② 司马迁在《史记》中的记载非常简要，但已经足以显示出黄帝备战的全面性。由于时代久远，关于这场战争的具体细节我们已经不能还原。当然我们可以根据一些典籍记载，对阪泉之战做出一些合理推测。

黄帝"修德振兵"，积极实行德政，发展软实力，以和平的方式尽量争取其他部族的支持。黄帝正是通过德政，从而团结了一大批部族，而炎帝可能仅仅一味迷信武力，依然还是"以力为雄"的旧思维。与此同时，黄帝还整顿军政，"教熊、罴、貔、貅、貙、虎"，专门训练了一支以熊、罴、貔、貅、貙、虎来命名的战斗力非常强的军事力量，提高部落联盟的硬实力，以便讨伐一些不服从的部落，尤其是在中原内部挑战他的炎帝。据《列子》记载："黄帝与炎帝

---

① 《国语·晋语四》。
② 《史记·五帝本纪》。

战于阪泉之野，帅熊、罴、狼、豹、貙、虎为前驱，雕、鹖、鹰、鸢为旗帜，此以力使禽兽者也。"① 我们认为，可能在具体对炎帝的战争中，以熊、罴、貔、貅、貙、虎命名的这些战斗力非常强的军队在战斗中发挥了重要的突击作用。

黄帝与炎帝的战斗很激烈，也很艰苦，"三战，然后得其志"②。在古籍中，"三"往往是虚数，表示多次。此记载也证明了黄帝、炎帝是经过了多次大战，而最终在阪泉之战中，黄帝才取得了决定性的胜利。

阪泉之战，标志着神农氏之后，中原地区重新建立起以黄帝为核心，以黄帝与炎帝两大部族为基础的新秩序。从此以后，黄帝部族与炎帝部族之间不断交流，最终融为一体，炎黄集团形成，华夏族雏形初具。同时，此战也标志着原始战争的开始，而黄帝在战前的各种准备、临战的具体指挥方式以及战后合理的安顿，亦标志着中国兵学思想呼之欲出。

二、涿鹿之战

大汶口文化及早期龙山文化显示，生产工具的明显改进和劳动生产力的提高已经导致私有财产的出现，这便激发了部族领袖攫取更大物质财富的强烈欲望，大规模的部落战争就这样登上了历史舞台。

以黄帝、炎帝为首的华夏集团，兴起于今关中平原、山西西南部和河南西部，经阪泉之战融合后，势力空前强大，不断向东方发展，沿着黄河南北岸向今华北大平原西部地带不断拓展。与此同时，兴起于黄河下游的九夷部族（东夷集团的一支），也在蚩尤的领导下，在今天的山东、江苏北部地区不断发展壮大，并不断向西推进，

---

① 《列子·黄帝》，杨伯峻：《列子集释》，中华书局，1979 年，第 84 页。后世学者认为这并非以力使禽兽，或认为是以"熊、罴、貔、貅、貙、虎"命名的部落或者军队，或认为很可能是以"熊、罴、貔、貅、貙、虎"这些动物为图腾的氏族部落武装力量。

② 《史记·五帝本纪》。

进入华北大平原。华北平原属于暖温带季风气候，地势平坦，灌溉便利，气温适宜，降水丰沛，非常适宜于农业发展。在蚩尤部族进入此地之前，炎帝部族亦在此处发展。由于地缘关系，在蚩尤部族进入华北地区后，首先就与炎帝部族发生了正面冲突。蚩尤联合夸父和三苗一部，以强大的武力很快击败了炎帝部族，并占据了炎帝居住的"九隅"，即"九州岛"。炎帝为了维持生存空间，遂向华夏集团的首领黄帝求救，华夏集团与东夷集团之间的一场武装冲突也就不可避免了。

　　在各自发展的过程中，华夏集团与东夷集团发生了激烈的冲突，冲突不断升级，最终引发了涿鹿之战。如果说黄帝与炎帝的阪泉之战从某种程度上来说是为了争夺中原地区最高治理权的话，那么涿鹿之战就是两大集团在各自的发展过程中，为了争夺生存空间的冲突。涿鹿之战较为完整的记载，是在《逸周书·尝麦》中："昔天之初，□作二后，乃设建典，命赤帝分正二卿，命蚩尤于宇少昊，以临四方，司□□上天末成之庆。蚩尤乃逐帝，争于涿鹿之河，九隅无遗。赤帝大慑，乃说于黄帝，执蚩尤，杀之于中冀，以甲兵释怒，用大正顺天思序，纪于大帝，用名之曰绝辔之野。乃命少昊请司马鸟师，以正五帝之官，故名曰质。天用大成，至于今不乱。"①此段记载时代相对较早，并且具有很高的史料价值，是我们今天了解这场战争的重要文献。

　　九黎部族的首领蚩尤，精明强干，英勇善战，② 在我国古代被

---

① 《逸周书·尝麦》，黄怀信、张懋镕、田旭东撰，黄怀信修订，李学勤审定：《逸周书汇校集注》（修订本），上海古籍出版社，2007 年，第 731—736 页。以下《逸周书》引文均出自此书，仅注篇名。

② 由于华夏族对黄帝以及黄帝文化的认同，所以对蚩尤的描述或有偏颇，对蚩尤形象有刻意丑化的嫌疑。如认为蚩尤是一个品质恶劣的人，如在中国最早的史书《尚书·吕刑》中有记载："蚩尤惟始作乱，延及平民。"《史记·五帝本纪》亦载："蚩尤作乱，不用帝命。"《大戴礼记·用兵》又曰："蚩尤庶人之贪者也，及利无义，不顾厥亲，以丧厥身。蚩尤惛欲而无厌者也。"这都是黄帝文化认同心理形成之后的产物。

尊称为战神。① 与华夏集团相比，蚩尤部族的战斗力更强。以蚩尤为代表的东夷集团并非野蛮不开化的蛮族，恰恰相反，其发展水平相当高。一方面，蚩尤部族的冶炼技术可能要高于黄帝、炎帝部族，所以华夏集团的兵器并不如蚩尤部族先进。蚩尤善于制作兵器，尤其是其铜制兵器制作精良，锋利无比，在当时应当属先进武器。另一方面，传说蚩尤部族的部众，兽身人言，吃沙石，铜头铁额，这些记载都可以折射出蚩尤部族生性善战，勇猛剽悍，并很有可能已经在战争中开始使用原始的金属头盔。

面对如此强敌，黄帝部族为了维护华夏集团的整体利益，答应炎帝部族的请求，也趁机将势力推向东方。这样，华夏集团便与正乘势向西北推进的蚩尤部族在涿鹿地区遭遇了。当时蚩尤集结了所属的81族（一说72族），在力量上占据绝对优势。双方遭遇后，蚩尤便倚仗人多势众、武器优良、战斗力强悍等有利条件，主动向黄帝发起攻击。黄帝则率领"熊、罴、貔、貅、䝙、虎"等战斗力非常强劲的部族军队迎战气势汹汹的蚩尤。由于力量悬殊，战争初期，黄帝部族伤亡惨重，战斗非常艰苦，形势对黄帝、炎帝并不利。而这时又适逢浓雾和大风暴雨天气，非常有利于来自东方多雨环境的蚩尤部族展开军事行动。所以在初战阶段，适合于晴天环境作战的黄帝族处境不利，曾经多次战败。

黄帝在此种逆境中并不气馁，充分发挥自身优势，坚持与蚩尤展开长期斗争。在涿鹿之战中，一举击败军事力量占优的蚩尤。我们以下从一些神话传说中来看黄帝击败战神蚩尤的玄机。黄帝的优势主要表现在以下三个方面。第一，黄帝主动寻求对自己有利的"天时"。黄帝利用自己对气候规律的长期观察，一改战争初期与蚩尤军队在对己不利的天气状况下作战，主动寻求有利于己方作战的特殊天气。同时，黄帝依靠指南车的新发明，在一个狂风大作，尘

---

① 据《史记·高祖本纪》载，刘邦起兵反秦时就曾"祭蚩尤于沛庭"，以激励士气。当然在秦汉时期齐地有"八神"祭祀之俗，有"天主、地主、兵主、阴主、阳主、月主、日主、四时主"，其中蚩尤是以"兵主"的身份接受祭祀，详见《史记·封禅书》的相关记载。

沙漫天的天气，乘蚩尤部族混乱之机，以指南车指示方向，率军向蚩尤发起猛烈进攻，为黄帝族转败为胜创造契机。第二，占尽"地利"优势。黄帝请"应龙蓄水"，让应龙利用位处上流的优势，在河流上游筑土坝蓄水，以阻挡蚩尤的进攻。据《山海经》记载，应龙是雨水之神，蓄水而攻。但是，蚩尤也请风伯、雨师唤起狂风暴雨猛烈地吹打着黄帝的军队，黄帝的军队只有招架之功，毫无还手之力。无奈，黄帝又请旱神女魃，以降服蚩尤。女魃一走上战场，刹那间暴风骤雨消逝得无影无踪。① 第三，黄帝积极争取其他部落的支持，神话传说中的神灵，后世学者一般认为都是当时一些部落首领的神化。而且有关这些记载也得到相关科学研究的佐证，如有关雨水的记忆，② 所以罗琨据此指出："涿鹿之战当处于距今5000年洪水期结束，气候波动下降之时，阪泉之战则在此稍前，气候较为平稳，尚未波动的阶段。"③

同时，黄帝可能最早采取了阵法与蚩尤进行战斗。传说黄帝在对蚩尤的战争中屡战屡败，最终由于得到玄女万战万胜的"战法"，才取得对蚩尤的胜利。而玄女"战法"可能就是最早的阵法、兵法。④ 同时，在指挥阵战时，用于传达军事命令的号角和军鼓也出现了。传说在蚩尤的军队里，魑魅魍魉等妖怪能发出一种怪声来迷惑人，人一旦听到这种声音，就会朝着怪声发生的地方冲击，顿时被这些妖怪消灭，黄帝因此损失惨重。后来，黄帝发明羊角号，吹出低沉如龙吟一般的声音，这种声音回环婉转，顿时响彻战场。结

---

① 《山海经·大荒北经》。
② 刘方复：《中国史前的洪水》，《文物天地》1993年第1期。
③ 李学勤主编，王宇信等著：《中国古代文明与国家形成研究》，中国社会科学出版社，2007年，第163页。
④ 《事类赋注》引《黄帝玄女战法》："黄帝与蚩尤九战九不胜。黄帝归于太山，三日三夜雾冥。有一妇人，人首鸟形，黄帝稽首再拜，伏不敢起。妇人曰：'吾玄女也，子欲何问？'黄帝曰：'小子欲万战万胜。'遂得战法焉。"《龙鱼河图》也记载："天遣玄女下授黄帝兵信神符，制伏蚩尤，帝因使之主兵，以制八方。"

果，蚩尤统领的妖怪吓得魂不附体，顿时失去了战斗力。黄帝率军乘机上阵，制服了蚩尤。① 另外也有传说黄帝正是通过军鼓战胜蚩尤的。黄帝军队屡战屡败，士气日渐低落。为了鼓舞士气，黄帝派人从东海流波山捉来猛兽"夔"，用其皮做成军鼓。同时，又派人抽出雷兽的骨头做鼓槌。黄帝命令击鼓，连敲九下，震耳欲聋，惊天动地。蚩尤军顿时失魂落魄，丢盔弃甲，完全丧失了战斗力。

涿鹿之战以华夏集团的胜利宣告结束。战后，黄帝乘胜东进，一直进抵泰山附近，在那里举行"封泰山"仪式后方才凯旋。同时黄帝也进行了战后的安抚工作，在东夷集团中选择一位能服众的氏族首长继续统领九夷部众，东夷集团与华夏集团结为同盟。

两大集团结盟后，华夏族开始走向更大范围的融合。虽然没有直接的史料可凭，但从史籍的片言只语中也可以看出一些端倪。如《管子》曰："昔者黄帝得蚩尤而明于天道。"② 也记载蚩尤为黄帝造兵器。③《韩非子》说："昔者黄帝合鬼神于西泰山之上，驾象车而六蛟龙，毕方并辖，蚩尤居前，风伯进扫，雨师洒道，虎狼在前，鬼神在后，腾蛇伏地，凤皇覆上，大合鬼神，作为清角。"④ 蚩尤、风伯、雨师现在都为黄帝服务了。

涿鹿之战的大致经过，我们主要是根据传说叙述的，更具体的细节、真伪已无从考索。但传说毕竟是历史的投影，它曲折地反映了历史事实的本身。从这个意义上说，涿鹿之战它又是真实可信的。此战称得上是炎黄5000年文明的奠基之战。首先，从某种程度上来讲，涿鹿之战的目的已经不单纯是为血亲复仇，而是包含了争夺生

----

① 《通典·乐一·历代沿革上》载："蚩尤氏帅魑魅与黄帝战于涿鹿，帝乃命吹角为龙吟以御之。"杜佑：《通典》，中华书局，1988年，第3598页。以下《通典》引文均出自此书，仅注篇名。

② 《管子·五行》，管仲撰，黎翔凤校注，梁运华整理：《管子校注》，中华书局，2004年，第865页。以下《管子》引文均出自此书，仅注篇名。

③ 《管子·地数》。

④ 《韩非子·十过》，韩非撰，王先慎集解：《韩非子集解》，中华书局，1998年，第65页。以下《韩非子》引文均出自此书，仅注篇名。

存空间、征服异族、掠夺财富等动因，在刀光斧影、厮杀呐喊中可以隐约地看到私有财产这只手在晃动、在操纵。所以就性质而言，涿鹿之战正式揭开了中国古代战争历史的帷幕。其次，透过蚩尤"作兵"，黄帝君臣"作弓""作矢"，黄帝得九天玄女战法等传说，可见当时专门用于作战的兵器已逐渐开始与生产工具相分离，原始的战阵已经开始出现，原始的战法也开始运用。所以，从战争的手段、方式角度考察，涿鹿之战是中国历史上的第一场真正意义的战争。同时，亦说明一些论者将"神农伐斧遂"① 列为中国历史上的第一场战争的观点不能成立。② 最后，更重要的是，从涿鹿之战的结果和影响来看，它毫无疑义是中国古代战争起源的一个重要标志。史载涿鹿之战后，"诸侯咸尊轩辕为天子，代神农氏，是为黄帝"③，黄帝"已胜四帝，大有天下……天下四面归之"④，这说明此战使华夏集团据有了广大中原地区，并使东夷集团与华夏集团结盟，共尊黄帝为首领，⑤ 从而发挥了进一步融合各氏族部落的催化作用。取得这场战争胜利的部族首领黄帝，从此成为华夏族的共同祖先，并被人们逐步神化。⑥ 就这个意义而言，此战决定了华夏族在发轫时期的基本格局，也凸显出战争在当时社会活动中的特殊地位，更重要的是，此战亦标志着中国古代兵学思想的滥觞。

---

① 《通典·兵一·兵序》载："三皇无为，天下以治。五帝行教，兵由是兴。所谓'大刑用甲兵，而陈诸原野'。于是有补遂（斧遂）之战，阪泉之师。"罗泌《路史·后记三》又载："神农伐补（斧）遂。"新出土文献银雀山汉墓竹简《见威王》中有对"神农伐斧遂"的记载，见银雀山汉墓竹简整理小组：《银雀山汉墓竹简》（壹），文物出版社，1985 年。
② 《中国军事史》编写组：《历代战争年表》（上），解放军出版社，1985 年。
③ 《史记·五帝本纪》。
④ 银雀山汉墓竹简整理小组：《孙子兵法佚义·黄帝伐四帝》，《银雀山汉墓竹简》（壹），文物出版社，1985 年。
⑤ 涿鹿之战后，黄帝对战败的东夷集团没有采取斩尽杀绝的措施，而是"命少昊请司马鸟师，以正五帝之官"（《逸周书·尝麦》），使华夏集团与东夷集团结为同盟。
⑥ 《史记·五帝本纪》："合符釜山，而邑于涿鹿之阿……置左右大监，监于万国，万国和，而鬼神山川封禅与为多焉。获宝鼎，迎日推策。"

三、尧舜禹伐三苗之战

黄帝之后，中国历史进入了尧舜禹时代，也即原始社会向阶级社会过渡的最后阶段。这个时期的战争主要有舜逐四凶①和尧舜禹伐三苗之战，其中以旷日持久的尧舜禹攻伐三苗之战最为典型。这场战争的性质，可谓是与阶级分化紧密联系的部落征服战争。

"三苗"即指南方的苗蛮集团，是史前时期南方各族的主体，主要分布于长江中游地区。作为传说时代的冲突与战争，典籍记载各不相同，如《尚书·吕刑》《墨子·非攻下》《荀子·成相》《韩非子·五蠹》《吕氏春秋·召类》的记载就有一定的差异。据《尚书》载："苗民弗用灵，制以刑，惟作五虐之刑曰法。杀戮无辜，爰始淫为劓、刵、椓、黥。越兹丽刑并制，罔差有辞。民兴胥渐，泯泯棼棼，罔中于信，以覆诅盟。虐威庶戮，方告无辜于上。上帝监民，罔有馨香德，刑发闻惟腥。皇帝哀矜庶戮之不辜，报虐以威，遏绝苗民，无世在下。"② 意思是说，苗民的君主不行善道，只知道制定一些重刑，尤其制定了五虐之刑，即法，用这些刑法滥杀无辜，尤其是割鼻子、割耳朵、椓坏阴部、黥刻面部等酷刑。那些不幸获刑的人，不问是非，一律重刑。这样苗民也逐渐开始用欺诈的手段对付苗君，整个社会乌烟瘴气，不讲信义，甚至违背所作的赌咒发誓。由于三苗长期以来的虐政和淫威，整个民众都遭受戕害，他们只能呼天抢地地把无辜的怨气控告到上帝那里，上帝看到苗民遭受祸害，没有德行的馨香，只有刑罚的腥臭。于是上帝哀怜那些被刑罚所害的无辜民众，就对那些肆意虐待民众的苗君予以惩罚，断绝那些人

---

① 据《尚书·尧典》载："（舜）流共工于幽州，放驩兜于崇山，窜三苗于三危，殛鲧于羽山，四罪而天下咸服。"孔安国注，孔颖达正义：《尚书正义》，阮元校刻：《十三经注疏》（附校勘记），中华书局，2009 年，第 270 页。以下《尚书》引文均出自此书，仅注篇名。

② 《尚书·吕刑》。

的世系，不让他们的后代留存在人间。① 可见在《吕刑》看来，中原地区对苗民的战争主要还是由于苗君统治的暴虐。同时，早在颛顼时期，中原地区对三苗地区展开了宗教改革，正如《尚书》所载："乃命重、黎，绝地天通，罔有降格。群后之逮在下，明明棐常，鳏寡无盖。"② 大体而言，尧舜禹攻伐三苗的原因是"三苗之君"不敬神灵，人神混杂，滥用五刑，残害无辜，道德沦丧，等等。

攻伐三苗的战争在帝尧时期就开始了，"尧与有苗战于丹水之浦"③，战场主要在今河南南阳地区，④ 具体战争细节我们已经不得而知，当然有学者根据地形地势以及史籍的相关记载，认为此次战争的战场在丹江的沿岸，并且帝尧率军的进攻路线可能选择水路，沿丹江而下，在今丹江口水库一带与三苗的势力展开决战。⑤ 此战双方互有胜负，总体而言，此战帝尧虽未取得实质性的胜利，但是在南进的总体战略部署中取得了一定的进展。

帝舜时期，并未对三苗地区有所松懈，反而加紧攻势，继续南进，战场又逐次扩大到洞庭湖、鄱阳湖一带。舜也于南征途中"道死苍梧"⑥，可见当时战争的艰苦与激烈。当然，帝舜时期对三苗的战争开始发生了一定的变化。据《韩非子》载："当舜之时，有苗不服，禹将伐之。舜曰：'不可。上德不厚而行武，非道也。'乃修教三年，执干戚舞，有苗乃服。"⑦ 可见，帝舜的时期，对三苗采取

---

① 参见顾颉刚、刘起釪：《尚书校释译论》，中华书局，2005 年，第 2077—2078 页。

② 《尚书·吕刑》。

③ 据《山海经·海外南经》郭璞注云："昔尧以天下让舜，三苗之君非之。帝杀之。有苗之民，叛入南海，为三苗国。"《汉学堂丛书》辑《六韬》云："尧与有苗战于丹水之浦。"《吕氏春秋·召类》亦云："尧战于丹水之浦以服南蛮。"

④ 罗琨、张永山：《夏商西周军事史》，军事科学出版社，1998 年，第 49 页。

⑤ 石兴邦、周星：《试论尧、舜、禹对苗蛮的战争——我国国家形成过程史的考察》，《史前研究》1988 年辑刊。

⑥ 《淮南子·修务训》。

⑦ 《韩非子·五蠹》。

军事行动的同时，亦采取了德政。

大禹时期对三苗更多是强硬的措施。大禹加大了对三苗的进攻。据《墨子》载："昔者三苗大乱，天命殛之。日妖宵出，雨血三朝，龙生于庙，犬哭乎市，夏冰、地坼及泉，五谷变化，民乃大振。高阳乃命玄宫，禹亲把天之瑞令，以征有苗，四电诱祇，有神人面鸟身，若瑾以侍，扼矢有苗之祥。苗师大乱，后乃遂幾。"① 当然，墨子此处的记载是以上天降下种种灾异惩罚的方式来表述：夜里出现了太阳，下了三天的血雨，龙出现在庙堂之上，狗在闹市上嚎叫，夏天水竟然结冰，土地开裂能看到地下的泉水，天气反常，农作物没有收成。三苗地区民不聊生，老百姓非常震惊，人心惶惶。我们从这些记载中能够看出，无论是出现血雨、夏冰、地裂等等，在现在都是可以用科学解释的自然奇异现象和自然灾害。而大禹正是利用南方地区不断发生地震、水灾等气候反常现象而导致民不聊生、民心动荡的时机大破三苗，杀其首领，最终取得了胜利。

尧舜禹攻伐三苗的这场旷日持久的战争有着自己的鲜明特色，就是异常残酷血腥：战败者的宗庙被夷为平地，祭祀重器被彻底焚毁，战俘及其子孙世代沦为奴隶，所谓"人夷其宗庙，而火焚其彝器，子孙为隶，下夷于民"②。胜利者不但掠夺财物，而且掠夺奴隶，还要"更易其俗"，这完全不再是血亲复仇或生存空间的争夺，而是对异族赤裸裸的征服。战争的目的转变为掠夺生产资料和从事阶级奴役，这意味着原始战争的终结，新的阶级社会战争已是呼之欲出了。③ 当然，这场战争从客观上也促进了南北地区文化进一步的融合和交流。

---

① 《墨子·非攻下》，见孙诒让：《墨子间诂》，中华书局，2001 年，第 145—146 页。以下《墨子》引文均出自此书，仅注篇名。
② 《国语·周语下》。
③ 黄朴民：《孙子兵学与古代战争》，《浙江学刊》1995 年第 2 期。

第三节 原始战争作战方式与战争指导

由于史料阙如，原始社会末期的战争指导与战术运用我们在今天已很难有较完整的了解和评说了，然而这并不意味着这方面已完全没有任何的蛛丝马迹可以寻觅。至少可以这么说，初期以争夺生存空间和为血亲复仇为目的的武力冲突，基本谈不上什么战略指导或战术运用，它们实际上只是一种群殴、械斗罢了，但是随着武力冲突的频繁和经验的积累，到了涿鹿之战和尧舜禹攻伐三苗阶段，已初步形成了原始的战争指导和战术运用恐怕也是事实。我们认为这种原始的战争指导大致可以归纳为以下几个方面。

第一，战争指挥者已开始注重从政治、经济、军事等方面做好战争的综合准备，为克敌制胜创造条件。如在涿鹿之战中，黄帝部族之所以能够以弱胜强，以少克众，反败为胜，取得最后的胜利，关键就在于其战争指导方针的正确高明，史载黄帝"修德振兵，治五气，艺五种，抚万民，度四方"①，可见黄帝部族为了夺取战争的胜利，除了积极增强自身的军事实力之外，也十分重视发展生产，"艺五种"就是教习民众种植五谷的正确要领，根据郑玄的说法，五谷就是指黍、稷、菽、麦、稻。黄帝这些积极发展原始农业的措施，为战争提供了坚实的物质基础。

第二，善于对敌手采取恩威兼施、文武并用的手段，既以武力征伐为主导，又以文教安抚为辅助。如，黄帝注重发展军事，争取民心，修德抚众。这样文武并举，双管齐下，就为自己统率部众同蚩尤部落展开决战并夺取胜利，奠定了坚实的基础。如舜对三苗的战争中，曾采取了大修武事与文教的两手策略，一方面是用战争的

---

① 《史记·五帝本纪》。

手段直接打击三苗，"杀三苗于三危"①；另一方面是推动中原文化的南渐，加强对三苗地区的渗透影响，即所谓"舜却苗民，更易其俗"②，史籍记载，"当舜之时，有苗不服，禹将伐之。舜曰：'不可。上德不厚而行武，非道也。'乃修教三年，执干戚舞，有苗乃服"③。文教与武功双管齐下，从而取得了比较好的效果。

第三，在战争进行过程中，善于争取同盟者，并非常注重战场的选择。如在涿鹿之战中，相传黄帝曾让应龙蓄水，即利用位处上游的条件，在河道上修筑土坝蓄水，以阻挡蚩尤族声势浩大的进攻。当蚩尤请出风伯雨师纵大风雨冲破应龙水阵之时，黄帝又请出旱神女魃以止雨，利用晴天反击蚩尤，"应龙蓄水，蚩尤请风伯、雨师，纵大风雨。黄帝乃下天女曰魃，雨止，遂杀蚩尤"④。同时，黄帝还积极争取到玄女族的支援，"黄帝归于太山，三日三夜雾冥。有一妇人，人首鸟形，黄帝稽首再拜，伏不敢起。妇人曰：'吾玄女也，子欲何问？'黄帝曰：'小子欲万战万胜。'遂得战法焉"⑤。黄帝掌握了在山林、川泽、平陆等各种地形上的布阵作战之术，从而夺取了战事的主动权，转败为胜。

第四，能巧妙地利用"天""天命"，获得天时。以自然界的各种异象作为"天"的意志的表现，即天命。这些战争的发动往往也是在天降异象的时机发动的，所以说是以"天""上帝"的名义去攻伐，师出有名。如，禹伐三苗时举行誓师动员，"济济有众，咸听朕言，非惟小子，敢行称乱，蠢兹有苗，用天之罚"⑥。从而为攻伐三苗提供了口实，也有力地鼓舞了士气，为其最终平定三苗提供了

---

① 《孟子·万章上》，赵岐注，孙奭疏：《孟子注疏》，阮元校刻：《十三经注疏》（附校勘记），中华书局，2009 年，第 5949 页。以下《孟子》引文均出自此书，仅注篇名。

② 《吕氏春秋·召类》。

③ 《韩非子·五蠹》。

④ 《山海经·大荒北经》。

⑤ 《事类赋注》引《黄帝玄女战法》："黄帝与蚩尤战于涿鹿之野……黄帝乃令风后法斗机，作指南车以别四方。"

⑥ 《墨子·兼爱下》引《禹誓》。

重要帮助。事实上，当时被认为是天降异象，其实是自然灾害，如禹伐三苗，也是利用三苗地区自然灾害对三苗地区带来的种种治理困境和统治危机。同时，战争指挥者会选择有利于己不利于敌的天候自然条件果断及时地向敌手发动攻击。黄帝"治五气"就是研究气候、季节，以安排农艺生产，同时，黄帝掌握气候规律，预测天气状况，也可以合理利用"天时"，这在军事斗争中的作用也非常大。如，涿鹿之战中，黄帝借助大风扬沙的天气，击夔鼓如雷鸣，吹号角如龙吟，并令"风后法斗机，作指南车以别四方"①。乘蚩尤部众震惧恐慌之际发起猛烈攻击，从而一举击败强劲的对手，并适时对溃逃之敌实施追击，擒杀蚩尤，加强自己对中原地区的控制。

可以说，在中国早期文明的形成过程中，战争如同幽灵一般在其中飘荡，影响着整个进程的各个层面。正如有学者指出："中国的文明形成史简直就是一部战争史……战争加强了群体的内聚力和权力的集中……战争在文明和国家的形成过程中的重要作用是不可忽视的，战争是国家和王权产生的重要媒介。"② 正是由于战争的频繁，所以兵学亦开始萌芽，原始兵器和原始防御体系相继出现，一些基本的作战方式和作战指导思想在战争中也有所体现。

① 《太平御览》卷一五引《志林》。
② 王震中：《中国文明起源的比较研究》，陕西人民出版社，1994 年，第 366 页。

第二章　兵学雏形：夏商时期

夏商周三代文明与秦朝以后大一统王朝有所不同，随着考古学的不断发展和继续深入研究，学者对三代文明进程的认识已与过去大不相同，反对以后世的中央集权制去想象、构建夏商周三代的历史。① 正如张光直所言："三代考古学所指明的古代中国文明发达史，不像过去所常相信的那样是'孤岛式'的，即夏、商、周三代前仆后继地形成一长条的文明史，像孤岛一样被蛮夷所包围的一种模式。现代对三代考古所指的文明进展方式是'平行并进式'的，即自新石器时代晚期以来，华北、华中有许多国家形成，其发展不但是平行的，而且是互相冲击、互相刺激而彼此促长的。夏代、商代与周代这三个名词……即在这三个时代中，夏的王室在夏代为后来的人相信是华北诸国之长，商的王室在商代为华北诸国之长，而周的王室在周代为华北诸国之长。但夏商周又是三个政治集团，或称三个国家。这三个国家之间的关系是平行的：在夏商周三代中夏商周三个国可能都是同时存在的，只是其间的势力消长各代不同便是了。"②

在三代时期，不同时期天下共主或者说诸国之长的变革与战争密切相关，尤其三代王权的出现与更迭，甘之战、鸣条之战和牧野

---

① 林沄：《关于中国早期国家形式的几个问题》，《吉林大学社会科学学报》1986 年第 6 期。

② ［美］张光直：《从夏商周三代考古论三代关系与中国古代国家的形成》，见氏著：《中国青铜时代》，生活·读书·新知三联书店，2013 年，第 92 页。

之战，均是改变三代格局的重要战争，当然随着战争的增多、规模的扩大，中国兵学思想也渐趋形成。

第一节　夏商时期重要战争

一、甘之战：中国古代真正意义上的战争

大禹因征伐三苗战争取得决定性胜利和治理洪水的成功而迅速树立了很高的个人威望，扩大了华夏共同体的范围以及之间的相互交往，[1] 加速了各民族融合，同时也赢得了极大的权力。同时，随着社会生产力的发展，私有制普遍出现了，社会阶级分化日益明显。在这种历史背景下，夏禹就不再遵从旧的"禅让制"传统，把部落首领的位置禅让于其他贤人，而是将权力宝座移交给自己的儿子夏启，建立了中国历史上第一个"家天下"王朝，[2] 中国社会进入了王权社会，而在王权社会中，王权的显示面更多是其军事指挥权，而非其他，正如有学者指出，"王"字本像无柄且刃缘向下的斧钺之形，本表示军事统率权，后来这军事统率权的象征演变为王的权杖。[3]

夏朝的建立，标志着国家的正式形成，中国历史从此由原始社会迈入了阶级社会。传统往往是一种巨大的惰性力量。面对这种翻天覆地的社会形态变革，代表旧的传统的势力自然不会甘心，而总

[1]　白立超：《〈洪范〉的夏政诠释之维——"五行"、"念用庶征"两畴经意新探》，《政治思想史》2013 年第 3 期。

[2]　关于夏禹传子的问题，古史记载多有分歧。一说，夏禹本人还是遵循"禅让"制度的，将权力传授给东夷集团的伯益，然而，夏启不满伯益继位，用武力攻杀伯益，夺取权力，建立起夏王朝。参见《古本竹书纪年》等记载。

[3]　林沄：《说王》，《考古》1965 年第 6 期。

是要千方百计进行反抗，甚至不惜诉诸武力，以试图恢复和维护旧的传统秩序。在此次历史变革中，有扈氏充当了这种势力的急先锋。

关于有扈氏的来历，历史上一直存在着两种不同的说法，一种说它本是夏的同姓氏族，如高诱注《淮南子》曰："有扈，夏启之庶兄也。"① 另一种则断言其为夏的异姓部落，② 是东夷少昊族的"九扈"③。其实这并不重要，问题的要害是有扈氏不认同夏启接替夏禹掌权的做法，因而带头起兵反抗夏启的统治，试图凭借武力恢复过去的氏族制度。

夏启当然不能坐视有扈氏的挑战，他决心拿有扈氏开刀，维护自己的权威，巩固自己已有的统治。于是，夏启迅速做出了出兵平叛的决策，统率大军杀向有扈氏盘踞的地盘。有扈氏亦毫不示弱，立刻率领自己的人马倾巢出动，准备与夏启的军队一决胜负。据典籍记载："禹攻有扈，国为虚厉，身为刑戮，其用兵不止。"④ 亦载："昔禹与有扈氏战，三陈而不服。"⑤

双方军队在甘（今郑州市甘水沿岸）⑥ 这个地方遭遇，一场关乎两个氏族生死存亡、关乎整个历史进程的大决战一触即发。夏启毕竟更富有政治、军事经验。他在临战前夕举行了军中誓师活动，

---

① 《淮南子·齐俗训》高诱注"昔有扈氏为义而亡"语，见刘文典：《淮南鸿烈集解》，中华书局，1997年，第357页。
② 陈剩勇：《中国第一王朝的崛起：中华文明和国家起源之谜破译》，湖南人民出版社，1994年，第396页。
③ 王玉哲：《中华远古史》，上海人民出版社，2003年，第144页。
④ 《庄子·人间世》，庄周撰，郭庆藩集释：《庄子集释》，中华书局，2006年，第139页。以下《庄子》引文均出自此书，仅注篇名。
⑤ 《说苑·政理》，刘向撰，向宗鲁校证：《说苑校证》，中华书局，1987年，第147页。以下《说苑》引文均出自此书，仅注篇名。
⑥ 郑杰祥：《"甘"地辨》，《中国史研究》1982年第2期。

宣布战场纪律，进行战斗动员，这就是著名的《甘誓》。① 誓师辞要云："王曰：嗟！六事之人，予誓告汝：有扈氏威侮五行，怠弃三正，天用剿绝其命，今予惟恭行天之罚。左不攻于左，汝不恭命；右不攻于右，汝不恭命；御非其马之正，汝不恭命。用命，赏于祖；弗用命，戮于社。予则孥戮汝。"② 其中，对命令执行与否的奖惩措施十分严格，对不服从命令者，亦非常残酷，对战场上的逃跑者，不仅会在社主前被诛杀，同时还要株连族人，往往祸及全家甚至整个家族。③

夏启的这篇《甘誓》，申述了其征伐有扈氏的缘由以及战略目的，强调了作战纪律。"六事"以及军中人员听完之后，个个都明白了利害关系，从而形成了克敌制胜的统一意志。战争的进程表明，夏启的战前动员收到了很好的效果。

战斗打响后，夏启的部队在严格的军纪约束下，军阵严整，个个奋勇争先，全力杀敌。几个回合交锋下来，有扈氏的部队便阵脚大乱，全线崩溃。夏启乘胜进击，扩大战果，灭亡了有扈氏，取得了甘之战的彻底胜利。

夏启在甘之战中取得全胜，原因是多方面的。第一，夏启所代表的是新兴阶层的利益，而这又与社会发展的方向相一致；第二，夏启还进行了扎实必要的战前动员，调动了众多部族参战，申明军纪军法，鼓舞了参战人员的战斗积极性；第三，在于他正确部署了兵力，实施比较高明的作战战术指挥。同样，有扈氏的失败也不是偶然的，其关键就是他逆历史潮流而动；而其在作战指导方面也显

---

① 虽然大多学者认为当为夏启与有扈之战，但是亦有其他记载，如在《墨子·明鬼》中明确引《甘誓》文而作《禹誓》，《庄子·人间世》亦云："禹攻有扈。"经学者研究，与有扈氏作战的当为夏启，而非大禹。参见顾颉刚、刘起釪：《〈尚书·甘誓〉校释译论》，《郑州大学学报》1980年第1期。

② 《尚书·甘誓》。

③ 易宁：《〈尚书·甘誓〉"予则孥戮汝"考释》，《史学史研究》2002年第1期。

得消极被动，史籍中既未见其进行战前动员，又不见其做到灵活机动、因敌变化。这样一来，胜利的天平自然也就倾向夏启的一边了。

甘之战的结果，沉重地打击了旧的传统势力，粉碎了他们恢复"禅让制"的企图，从此"天下咸朝"①，公天下变成了私天下。同时，夏王朝的统治大大得到了巩固，国家的形成成为不可动摇的事实，保证社会历史继续向前发展。从这个意义上说，甘之战是中国战争发展史上的又一座里程碑。从此"国之大事，在祀与戎"②，战争作为阶级斗争的最高表现形式，占据了整个社会活动中的显著地位，成为历史发展最直观的表现形态，而中国古代的兵学思想也随着战争的频繁与进步，不断有所发展。

二、鸣条之战：王朝更替战争的战略指导

《易经·革卦》象辞有言："汤武革命，顺乎天而应乎人。"③ 这里所说的"汤"，就是中国历史上第二个统治王朝的缔造者商汤。商汤曾经领导商部落及其同盟者，运用战争的暴力手段，一举推翻垂死腐朽的夏王朝，建立起新的统治秩序。这场战争，就是历史上著名的鸣条之战，作为中国历史上第一次典型的王朝更替战争，它是通过"伐谋""伐交""伐兵""用间"等诸多手段的综合运用，顺利实现灭夏兴商既定战略目标。

夏启攻灭有扈氏之后，夏朝的统治基本上稳定了下来。但是，普天之下没有铁打永固的江山，夏王朝在经历了太康失国、后羿伐夏、少康中兴等重大国运变故后，一步步走向衰微。大约400年之后，夏桀成为夏王。这位末代君主，任用嬖臣，骄侈淫逸，宠幸王后妹喜，对广大民众及所属方国部落进行残酷的奴役压榨，激起臣民和天下其他部族的强烈憎恨。夏桀对自己的统治非常自信，他自比太阳，认为自己的统治可以像太阳一样永存，民众愤慨地诅咒他

---

① 《史记·夏本纪》。
② 《左传·成公十三年》。
③ 《周易·革卦》。

"是日何时丧？予与女皆亡"①。这表明夏王朝的统治已处于分崩离析的危机边缘，但是夏桀丝毫未能意识到亡国之祸就在眼前，而就在此时，商汤领导的商已经对夏的统治构成了巨大的威胁。

同夏王朝衰落形成鲜明对比的是，它周边的方国商，则羽翼丰满，迅速崛起。经过契、相土、冥、上甲微等历代先王的励精图治和广大族众的努力开拓，商逐渐强盛起来，并初步形成了早期国家建制，到夏桀在位期间，它已由夏的属国演变为足以与之抗衡的对手。此时的商族在其雄才大略、众望所归的首领商汤领导下，实力得到了显著的加强，其作为中原地区新统治者的地位已是呼之欲出。商汤遂顺应时势，及时将部族统治中心迁徙到亳地（今河南商丘北），并开始筹措攻伐夏朝的战略大计。

商汤首先在政治上采取了争取民众和天下其他部族的政策，开展了揭露夏桀暴政罪行的强大政治攻势，为日后鸣条之战的胜利奠定了坚实的政治基础。在军事战略上，商汤在贤臣伊尹、仲虺等人的有力辅佐下，巧妙谋划，"先为不可胜，以待敌之可胜"②，积蓄力量，伺机破敌。我们认为具体表现在以下几个方面。

第一，最大限度争取反对夏桀的各种力量。商汤联合反夏力量非常重要的关节点和代表性的事件就是与有莘氏伊尹的联合。在夏朝的国家体制下，伊尹往来夏商之间，能够获取很多具有谍报价值的信息，③ 对夏桀集团的内部"上下相疾，民心积怨"④ 的混乱状况非常清楚，并且为有针对性地实施自己的战略方针创造了前提。其

---

① 《史记·殷本纪》。

② 《孙子兵法·形篇》，孙武撰，曹操等注，杨丙安校理：《十一家注孙子校理》，中华书局，1999年，第72页。以下《孙子兵法》引文均出自此书，仅注篇名。

③ 对于伊尹的活动是否属于间谍活动，典籍记载有差异，如《孙子兵法·用间篇》曰："昔殷之兴也，伊挚在夏。"古本《竹书纪年》亦曰："后桀伐岷山，岷山女于桀二人，曰琬，曰琰。桀受二女，无子，刻其名于苕华之玉，苕是琬，华是琰。而弃其元妃于洛，曰末喜氏。末喜氏以与伊尹交，遂以间夏。"

④ 《吕氏春秋·慎大览》。

他典籍如《孟子》《鬼谷子》等亦有伊尹的相关记载。同时在殷墟甲骨卜辞中亦有证明。据学者研究，在甲骨卜辞中，对伊尹祭祀的祭法有岁、至、侑、御等多种，祭牲有牛、羊或羌人，用牲数少者为一牛，多者达到五十牛。其地位之尊崇可以想见：

[辛] 亥卜，至伊尹用一牛。①

乙亥贞，其侑伊尹二牛。②

癸巳 [卜]，侑于伊尹牛 [五]。③

伊尹岁十羊。④

御伊尹五十。⑤

丁丑贞，多宁以凿侑伊。⑥

甲骨卜辞表明伊尹终殷商之世一直受到丰盛的祭祀，亦显示了伊尹于商人灭夏的重要贡献，其促成的殷族与有莘氏结成强大的战略联盟，奠定了商汤推翻夏桀统治的最核心的政治军事基础。⑦ 当然，传统典籍对具体过程的曲折与复杂亦有具体描述，并对伊尹为什么能够"祖伊尹世世享商"的原因有记述，即《吕氏春秋》所载：

桀为无道，暴戾顽贪，天下颤恐而患之，言者不同，纷纷分分，其情难得……汤乃惕惧，忧天下之不宁，欲令伊尹往视旷夏，恐其不信，汤由亲自射伊尹。伊尹奔夏三年，反报于亳，曰："桀迷惑于末嬉，好彼琬琰，不恤其众。众志不堪，上下相疾，民心积怨，皆曰：'上天弗恤，夏命其卒。'"汤谓伊尹曰："若告我旷夏尽如诗。"汤与伊尹盟，以示必灭夏。伊尹又复往视旷夏，听于末嬉。末嬉言曰："今昔天子梦西方有日，东方有日，两日相与斗，西方日胜，东

---

① 郭沫若：《甲骨文合集》，中华书局，1999 年，21575。

② 郭沫若：《甲骨文合集》，33694。

③ 郭沫若：《甲骨文合集》，34240。

④ 郭沫若：《甲骨文合集》，27655。

⑤ 《屯南》3132。

⑥ 《屯南》2567。

⑦ 杜勇：《清华简与伊尹传说之谜》，《中原文化研究》2015 年第 2 期。

方日不胜。"伊尹以告汤。商涸旱，汤犹发师，以信伊尹之盟。故令师从东方出于国，西以进。未接刃而桀走，逐之至大沙。身体离散，为天下戮。不可正谏，虽后悔之，将可奈何？汤立为天子，夏民大说，如得慈亲。朝不易位，农不去畴，商不变肆，亲郼如夏。此之谓至公，此之谓至安，此之谓至信。尽行伊尹之盟，不避旱殃，祖伊尹世世享商。①

第二，商汤采取了先弱后强，由近及远的战略方针，逐一剪除夏桀的羽翼帮凶，不断孤立夏后氏，逐步完成对它的战略包围。商汤把第一个打击目标指向了夏的属国葛国（今河南宁陵北）。据孟子言："汤居亳，与葛为邻，葛伯放而不祀。汤使人问之曰：'何为不祀？'曰：'无以供牺牲也。'汤使遗之牛羊。葛伯食之，又不以祀。汤又使人问之曰：'何为不祀？'曰：'无以供粢盛也。'汤使亳众往为之耕，老弱馈食。葛伯率其民，要其有酒食黍稻者夺之，不授者杀之。有童子以黍肉饷，杀而夺之。书曰：'葛伯仇饷。'此之谓也。为其杀是童子而征之，四海之内皆曰：'非富天下也，为匹夫匹妇复仇也。'"② 商汤是以替童子复仇的名义起兵消灭了葛国，这既剪除了夏的一个羽翼，亦检验了自己的军事力量，又大大提高了自己的政治威望，各地老百姓像"大旱之望甘霖"一样盼着商汤大军的到来。商汤便趁热打铁，又集中兵力逐次消灭了韦（今河南滑县东南）、顾（今山东鄄城东北），并攻灭夏在东方的最后一个附属国，即实力较强的昆吾（今河南濮阳），正如《诗经》所言："韦顾既伐，昆吾夏桀。"③ 正所谓商汤"十一征而无敌于天下"④，至此，商汤基本上完成了对夏桀的战略包围，商汤得以从东面绕道夏邑西方，对夏桀展开最后一击。新出土文献清华简《尹至》对此事亦有

---

① 《吕氏春秋·慎大览》。
② 《孟子·滕文公下》。
③ 《诗经·商颂·长发》，毛亨传，郑玄笺，孔颖达正义：《毛诗正义》，阮元校刻：《十三经注疏》（附校勘记），中华书局，2009 年，第 1353 页。以下《诗经》引文均出自此书，仅注篇名。
④ 《孟子·滕文公下》。

记载："汤盟誓及尹，兹乃柔大縶。汤往征弗服，挚度，挚德不僭。
自西捷西邑，戡其有夏。"① 当然，"商族军队灭掉三国之后，便扫
清了进入豫东的道路"②。其他处于中立状态的夏王朝方国一方面迫
于商族军队南下的强大军事压力，另一方面也可能是已经长期不满
于夏王朝的昏庸、残暴统治，于是这些方国纷纷依附商汤而叛离夏
桀王朝，商汤已经在政治军事力量上取得了对夏桀的压倒性优势。

在商汤的继续努力下，又逐渐争取到有施氏、有仍氏、有缗氏
等方国的支持。待准备就绪，商汤便为自己的伐桀行动做最后的、
非常谨慎的准备，以确保灭夏之战万无一失。于是，商汤在灭夏之
前与东方叛夏之国举行了非常著名的一次军事盟会，即"景亳之
命"③，许多方国都参加了此次军事盟会。此次军事盟会后，商汤看
到天下大势，决定最终灭夏，因此"亳"就成为商族的"圣都"④，
可见"景亳之命"在整个商族历史发展进程中的重要性。

大约在公元前 1726 年，时机成熟，商汤兴师攻伐夏桀，揭开了
鸣条之战的帷幕。战前，商汤效仿当年夏启伐有扈氏时的做法，举
行了郑重的誓师活动。在誓师大会上，他发表了一篇义正词严、大

---

① 清华大学出土文献研究与保护中心编，李学勤主编：《清华大学藏战国竹简
（壹）》，中西书局，2010 年，第 128 页。

② 朱彦民：《商汤"景亳"地望及其他》，《中国历史地理论丛》2002 年第 2
期。

③ 关于"景亳"的具体位置，学术界存在着一些争议，如田昌五、方辉在
《"景亳之会"的考古学观察》（《殷都学刊》1997 年第 4 期）一文中认为
在今山东曹县西北的梁崮堆遗址处；朱彦民在《商汤"景亳"地望及其
他》（《中国历史地理论丛》2002 年第 2 期）中认为在今河南省浚县大伾山
附近。

④ 张光直《夏商周三代都制与三代文化异同》中指出："三代虽都在立国前
后屡次迁都，其最早的都城却一直保持着祭仪上的崇高地位。如果把那最
早的都城比喻作恒星太阳，则后来迁徙往来的都城便好像是行星或卫星那
样围绕着恒星运行。再换个说法，三代各代都有一个永恒不变的'圣都'，
也各有若干迁徙行走的'俗都'。'圣都'是先祖宗庙的永恒基地，而俗都
虽也是举行日常祭仪所在，却主要是王的政、经、军的领导中心。"（《中
央研究院历史语言研究所集刊》第 55 本第 1 分册，1984 年。）

气磅礴的训词，——列举夏桀破坏生产、施行暴政、盘剥民众的累累罪行，指责"夏王率遏众力，率割夏邑"①。面对商民"我后不恤我众，舍我穑事，而割正夏"②的质疑言论，商汤向商民申明自己是秉承天意征伐夏桀，是为了拯救民众于水火之中，"有夏多罪，天命殛之"③，"予畏上帝，不敢不正"④。商汤深知军纪是战争胜利的重要保障，因此他还宣布了严格的战场纪律和具体的作战要领："尔尚辅予一人致天之罚，予其大赉汝。尔无不信，朕不食言。尔不从誓言，予则孥戮汝，罔有攸赦。"⑤商汤的此番誓师，和当年的《甘誓》实有异曲同工之妙，商汤师出有名，极大地振奋了士气，鼓舞了斗志。

战前誓师仪式结束后，商汤便动用作战性能良好的兵车 70 乘，能征惯战的敢死队 6000 人，⑥会同各同盟国的参战部队，采取大迂回战略，"以迂为直"，迅速绕道到夏都以西，出其不意，攻其无备，迅速突袭夏桀的老巢。

商汤大军压境的消息终于传入夏都，一直沉溺于醇酒美人温柔之乡的夏桀此时才意识到问题的严重性，毫无思想准备和军事戒备的他如梦初醒，但也深觉为时已晚，方寸大乱的夏桀被迫仓促应战，统率一批早被歌舞升平生活消磨尽了战斗力的将士，西出抵御商汤的进攻。于是两军在鸣条（在今山西安邑一带，一说在今河南封丘东）地区遭遇，展开了一场具有决定意义的战略会战。⑦

据有关史籍记载，鸣条之战打得异常残酷、非常激烈，但毕竟

---

① 《尚书·汤誓》。
② 《尚书·汤誓》。
③ 《尚书·汤誓》。
④ 《尚书·汤誓》。
⑤ 《尚书·汤誓》。
⑥ 《吕氏春秋·简选》："良车七十乘，必死六千人。"
⑦ 关于鸣条之战的地点，古今学术界看法一直有分歧，我们认为鸣条在今山西安邑附近之说较有说服力。详可参见《尚书·汤誓》孔安国序；孙淼：《夏商史稿》，文物出版社，1987 年，第 316—319 页。

是商汤有着非常充分的战前准备，麾下的将士在各方面都占有相对明显的优势，这既表现为必胜信念的拥有，杀敌勇气的旺盛，亦体现为军队训练有素、士兵军事素养更高，夏桀的军队根本不是这些"必死"之士的对手。在商汤大军的轮番冲杀之下，夏桀的主力终于溃不成军，一败涂地。商汤就这样一举攻克了夏邑，赢得了鸣条决战的胜利。

夏桀见大势已去，被迫退却归依于属国三㻖（今山东定陶东一带）。商汤决定速战速决、连续作战，不给夏桀丝毫喘息和重整旗鼓的机会，适时展开战略追击，毅然挥师南下，对溃逃的夏桀残部实施打击，攻灭了三㻖。穷途末路的夏桀，只得率极少数徒党仓皇奔逃至南巢（今安徽寿县南）。① 他忧怒交加，不久便病死在那里，夏王朝至此宣告彻底覆灭。商汤取得了中原地区天下共主的地位，在夏王朝的废墟之上，一个新的强盛的统治王朝——商朝终于建立起来了。

当然，商灭夏之后，对夏的遗民也有合理的安置，据史籍载，"昔汤伐桀，封其后于杞"②。其安置方式亦体现出商汤的政治智慧，正如学者所言："杞氏迁往杞地（今河南杞县），族众既少，虽封犹绝，当然不可能掀起什么政治风浪。但是，其他众多夏遗民则需妥为措置，方可进一步巩固国家政权。"③ 这件事在清华简《尹诰》中亦有记载："挚告汤曰：'我克协我友，今惟民远邦归志。'汤曰：'呜呼，吾何祚于民，俾我众勿违朕言？'挚曰：'后其赉之，其有夏之［金］玉实邑，舍之吉言。'乃致众于亳中邑。"④

鸣条之战，是中国历史上第一场典型的新旧王朝更替战争。商

---

① 南巢地望，学术界也一直有争论，意见纷纭，莫衷一是。罗琨、张永山在《夏商西周军事史》一书中认为，南巢当指今安邑之东的中条山，可备一说。

② 《史记·留侯世家》。

③ 杜勇：《清华简与伊尹传说之谜》，《中原文化研究》2015 年第 2 期。

④ 清华大学出土文献研究与保护中心编，李学勤主编：《清华大学藏战国竹简（壹）》，中西书局，2010 年，第 133 页。

汤伐桀灭夏，建立商朝，这在当时是合乎民众愿望的，客观上推动了历史的发展，因此得到后人的肯定和赞扬，被认为是吊民伐罪、顺天应人的典范。同时，商汤在此战中所反映出来的知彼知己、先弱后强、把握战机、连续作战、战略追击等卓越指挥艺术，对后世战争的实践和兵学理论的构筑，也都产生了非常深远的影响。①

第二节　兵器史上的第一次革命：
青铜兵器的出现与使用

据考古发现，早在仰韶文化时期已经出现了较早形态的铜器。青铜是铜、锡、铅按照一定比例熔铸而成的合金，具有质地坚硬、熔点低、易铸造等特征。考古工作者在龙山文化遗址中就已经发现了薄厚均匀的青铜器残片，学者推测可能是以陶范法铸造而成的。齐家文化遗址也出土了一些青铜器，亦发现了冶炼的坩埚以及铜渣等，这些都证明此时人们已经掌握了铸造青铜器的技术。尤其是夏代的二里头遗址中发现了大型青铜冶铸作坊，出土了青铜器，标志着中国历史进入了青铜时代。1975 年，在二里头遗址出土的青铜爵，学者通过对其成分进行分析，发现其含铜92%、锡7%，是通过较为复杂的复合范铸造而成的。② 与夏同时期的甘肃火烧沟遗址也出土了多达 200 件的青铜器，是我国迄今为止发现的早期铜器出土数量最多的一处夏时期的古遗址。商朝青铜器冶铸技术已经相当高，程序已经非常规范。③ 商代是我国青铜文明的光辉灿烂时期，殷墟出土青铜礼器有数千件之多。青铜器铸造是当时手工业最重要的行业，青铜器的制作技术已非常成熟。

---

① 黄朴民：《先秦喋血》，华夏出版社，1996 年，第 16 页。
② 偃师县文化馆：《二里头遗址出土的铜器和玉器》，《考古》1978 年第 4 期。
③ 刘屿霞：《殷代冶铜术之研究》，《安阳发掘报告》第 4 期，1933 年。

所谓"国之大事，在祀与戎"①，因此在青铜器冶铸技术出现后，更多用于铸造祭祀器具和铸造兵器。1975 年，甘肃东乡林家出土的新石器时代后期的马家窑文化类型的铜刀，是迄今为止在中国境内发现的最早的青铜兵器。此后，青铜戈、青铜戚、青铜箭镞等青铜兵器也逐步出现，并渐臻成熟。在二里头遗址发现的青铜戈有两种类型，一种有从石兵向铜兵过渡的痕迹，反映了兵器材质对兵器形质的直接影响；另外一种已经发展为与镰刀相似的形制，更加轻巧与锋利，这是迄今发现的较早的青铜兵器。青铜兵器也成为夏、商、西周、春秋、战国时期非常重要的兵器。

青铜兵器的出现，也成为中国兵器史上第一次真正的革命，兵器的材质发生了根本性的变化。殷商时期的青铜兵器以戈、矛、戚居多。根据李济的研究，大体可以分为五种：铜矢镞，铜勾兵（戈），铜矛，铜刀和铜削，铜斧与铜锛。② 可以说，冷兵器的种类在这一时期已经较为齐全。

第三节　夏商时期军队的编制与兵种建设思想

步兵是一个古老而人数众多的兵种，在夏、商和西周初期的战争中都曾发挥过非常重要的作用。《牧誓》云："今日之事，不愆于六步、七步，乃止齐焉。夫子勖哉！"③ 就如实地反映了当时步兵大方阵作战的大体状况和基本特点。

夏代的兵种主要是步卒，作战方式也主要以步兵阵战为主，这是可以大胆肯定的，因为当时的生产力低下，尚未有大规模的造车技术，不可能有大量的战车装备部队。

---

① 《左传·成公十三年》。
② 李济：《殷墟铜器五种及其相关之问题》，《中央研究院历史语言研究所集刊外编·庆祝蔡元培先生六十五岁论文集》，1933 年，第 73—104 页。
③ 《尚书·牧誓》。

　　同样，步兵也是商代军队的主要兵种。卜辞中多有"步伐"一词，如"王其步伐夷""余步从侯喜伐夷方""步伐舌方"等等。①胡厚宣指出："步伐者，不驾车，不骑马，以步卒征伐之也。"② 这反映在商代步兵经常独立作战，在对外征伐中发挥着主要的作用。河南安阳小屯 C 区发现的一组商代后期的祭祀坑，其中有按照当时作战部署而摆下的两个方阵，可谓商代的"兵马俑"！我们可以据此对商代的军阵有一个非常真实而直观的认识。前一个方阵为步卒，在近百个排列整齐的长方形葬坑中，共有步卒 300 人左右。以布局看，此方阵由左、中、右三队排成，左、右队各三列纵深，中队五列纵深，而每队又都分成左、中、右三个部分，这正是甲骨卜辞中所言"左、中、右，人三百"的实物佐证。后一个方阵是车队及其所属的徒兵，当为车兵部队。前者是建制步兵，后一方阵中的徒兵则为隶属步兵。在甲骨卜辞中，我们能够看到大量有关商代的征伐记录，其用兵规模亦是比较大的，如一次用兵的规模可以达到 3000人或者 5000 人，其中用兵规模最大的出现在武丁卜辞中，数量为13000 人。③

　　车的发明大约在公元前 21 世纪的夏朝初期，由于畜力驾挽的成功首先用于狩猎，又随着狩猎技术的成熟逐渐用于战争。据文献记载"奚仲作车"④，又说奚仲"为夏车正"⑤，亦有"《夏书》曰：'赋纳以言，明试以功，车服以庸'"⑥，还有《甘誓》曰："左不攻于左，汝不恭命；右不攻于右，汝不恭命；御非其马之正，汝不恭

① 郭沫若：《甲骨文合集》，6461，36482，6292。
② 胡厚宣：《殷代舌方考》，《甲骨学商史论丛初集》，河北教育出版社，2002年。
③ 杨向奎：《中国古代社会与古代思想研究》，上海人民出版社，1962 年，第20—21 页；陈梦家：《殷墟卜辞综述》，科学出版社，1956 年，第276—277页。
④ 《世本·作篇》。
⑤ 《左传·定公元年》。
⑥ 《左传·僖公二十七年》。

命。"① 夏启正是从车左、参乘、御者职责的角度提出作战要求与纪律的，其车左主射，车右执戈矛主刺杀，御者主驾车，其编制和分工与商周时期基本相同，《司马法》曰："戎车：夏后氏曰钩车，先正也；殷曰寅车，先疾也；周曰元戎，先良也。"② 《释名》亦曰："钩车，以行为阵，钩股曲直有正，夏所制也。"③ 我们认为，或许在夏代已有了战车和车战。④

殷商时代的车兵与车战自然较夏代有了明显的发展。据文献明确记载，商汤时期，商军在作战中已使用战车："殷汤良车七十乘，必死六千人，以戊子战于郕。"⑤ 这说明商军已在当时作战中开始使用成建制的战车了。根据殷墟出土的商代战车，我们对其基本结构亦有直观的认识：车轮、车轴、架在车轴上的车厢、车辕和车轭，战车配备两匹战马。其中，车轮由车辖固定，可以拆卸，车厢是木制框架，可能使用柳条、皮革编制而成，厢门多开向后部，车辕呈弯曲状，尾部伸入车厢、车架之下，前部略高出马背，车马皆用青铜和绿松石等装饰，车厢上有可能绘有各种图案。⑥ "车"字在甲骨卜辞中也比较常见，商代的车辆在遗址和墓葬中均有发现，甲骨中亦有许多关于车战的卜辞。⑦ 石璋如根据考古发现提出商代车战的基本形式，即5辆车为车战的小队（基本组织单位），5个分队又组成一个大队。每辆战车上3个兵士，居中为御者，手持马鞭，右边是击者，手持戈，左边是射者，手持弓箭。⑧

---

① 《尚书·甘誓》。
② 《司马法·天子之义》。
③ 《释名·释车》。
④ 金景芳、吕绍纲：《〈甘誓〉浅说》，《社会科学战线》1993年第2期。
⑤ 《吕氏春秋·简选》。
⑥ ［美］张光直：《商文明》，张良仁、岳红彬、丁晓雷译，陈星灿校，生活·读书·新知三联书店，2013年，第209—215页。
⑦ 徐勇、张焯等编著：《简明中国军制史》，黑龙江人民出版社，1991年，第8页。
⑧ 石璋如：《小屯C区的墓葬群》，《中央研究院历史语言研究所集刊》第23本下册，1952年。

　　考古工作者发现殷墟宗庙（乙七）遗址中的后一个方阵，此方阵中有战车 5 辆，每车均载有甲士 3 人；最前战车两旁并列 3 坑，每坑殉葬 5 人，这说明每辆战车有甲士 3 人，徒兵 15 人，其编组情况、随葬武器与文献记载的战车编组基本相合。每 5 辆车组成一个基本战术编制单位，这与"五车为列"的记载若合符契。在殷墟，考古工作者还发现了置有 25 辆兵车的墓葬，说明当时可能已经出现了以 25 辆战车组成的更大规模的战车建制单位。卜辞中有"登射百"和"登射三百"的记载。[1] 据考证，"百射"即为战车百辆，为一师的兵车数；而"三百射"，也许便是左、中、右三师的兵车总数。

　　上述种种情况表明，商代战车的战术编组已经形成定制，战车部队已经具备了一定的规模。而车兵的存在与战车编组的初步定型化，则意味着早期车兵在战争中发挥的作用越来越大，车战的时代即将来临。但是总体而言，其尚不足改变商代军队以步兵为主的基本兵种格局。

　　夏商时期的军事力量建设遵循"寓兵于农"的指导原则，都采取兵农合一的方式征集军队。成年男子有被随时征集、参加作战的义务，适龄男子（"众"）平时从事农业生产，一旦有战事，王将按照军事上的需要，临时指定人数，从适龄男子中征集兵员，编组成以贵族武士为核心的部队，出征作战。战争结束，军队绝大部分解散，兵甲装备收归国库。这是一种全民皆兵、临时征集的兵役制度。[2] 当然，商王除了接受选拔的"众人"外，经常还驱使罪犯参战。甲骨卜辞中"登人""昌人""致众"以征伐"某方"的记载，即此制度的反映。而王作"三师""中师"的真切含义，就是商王

---

① 寒峰：《甲骨文所见的商代军制数则》，胡厚宣等著：《甲骨探史录》，生活·读书·新知三联书店，1982 年。

② 刘展主编：《中国古代军制史》，军事科学出版社，1992 年，第 48 页。

将临时征集来的士兵按师、旅等建制单位加以组织编排。①

商后期开始对这种临时征兵制有所改进，即实行"平时任户计民，以预定其军籍"的办法，使"人有所隶之军，军有所统之将"。② 但这一改进，并没有从根本上改变商代兵役临时征发的性质。当时的服役者仍然是亦兵亦农身份，其平时为民，遇有战争，被临时征集，编入预先规定的有关师旅之中出征作战。

夏商时代可能也有了少量的常备军性质的部队，其以贵族子弟为核心，并吸纳了王之近侍参与其中。在夏代，他们称为"家众"，在商代，卜辞中经常出现"多臣""小臣"，相当于后来的禁卫军，平时担负王宫、都城的卫戍，并在征战中发挥骨干作用。当然，商代实行内外服制，因此甲骨卜辞中的许多"小臣"，其实是商王朝从内服"小臣"中挑选成员回到他们所来自的国族中担任军事首领，因此，可以说通过内服"小臣"训练外服军事首领是商朝控制方国的重要手段之一。③

夏代氏族林立，各部族军队数量很少，夏王朝自身的兵力也不会太多，当时应该已经出现了简单的军事组织。例如后羿代夏，少康奔有虞氏为庖正，"有田一成，有众一旅"④。"旅"可能是夏代军队建制的一级单位。一旅的人数，杜预说是"五百人为旅"⑤，我们认为这是不正确的，因为杜预此说是按照《周礼》"五人为伍……五卒为旅"的记载推算出来的，应该不合夏商旧制。据《司马法》逸文记载，一成之田有300家，若按每家一人从军计算，一旅之众可能是300人。那么，旅之下可能还有较小的军队编制单位，如伍、什、卒等，但目前尚无史料可予以确证，兹不细述。

---

① 徐勇、张焯等编著：《简明中国军制史》，黑龙江人民出版社，1991年，第9页。

② 孙诒让：《周礼正义》，中华书局，1987年，第2238页。

③ 王进锋：《殷商时期的小臣》，《古代文明》2014年第3期。

④ 《左传·哀公元年》。

⑤ 《左传·哀公元年》杜预《集解》，见阮元校刻：《十三经注疏》（附校勘记），中华书局，2009年，第4679页。

　　商代军队的最高建制单位是师，有王室之师与方国诸侯之师的区别。武丁时期，王室军队已有以"右""中""左"命名而编制起来的三个师。到了武乙时期，这种师的编制更加明确化。"师"的指挥官称为"师氏"或"师长"。王室之外，方国诸侯的师称"某师"，如雀国的师称"雀师"，犬方的师称"犬师"。

　　商代"师"的编制人数，学术界有千人说、三千人说、万人说等不同说法。我们认为当以三千人说比较合乎实际，原因有以下几个方面。其一，卜辞所记出兵以 3000 人较为常见，据岛邦男统计，有 21 例之多。① 其二，商代军队以十进制编组，十、百、千依次递进。② 殷墟商墓多为十人一排，兵器多为十件一捆，墓外葬坑多为十人一坑，十坑一排，恰好体现了这种编组形式。但在十进制的基础上，商人还采用了三进制，即三个十人团体组成一个战斗单位，三个百人团体组成一个更大战斗单位，同样三个千人团体组成最大的战斗单位，这就是"师"。其三，"师"之下还有"旅"的编制。"商代的旅起初可能是以军旗为标识的某一氏族的武装力量，每旅的人数应当是比较少的，至康丁以后，旅的建制才趋于正规，大有和师并驾齐驱之势。"③ 卜辞中有左旅、右旅、王旅的记载，④ 可见旅也分右、中、左三部。陈梦家称商军以"三百人为一大队"，表明"旅"的编制当为 300 人。卜辞中多有"登人"三百之类的记载，就是以旅的建制征发众人入伍。至于"登旅万"⑤，即是按旅建制征发万人入伍，而并非"师"或"旅"本身就是万人编制，而且此处的万人不过是约数而已。

---

① ［日］岛邦男：《殷墟卜辞综类》，汲古书院，1977 年。
② 张政烺：《古代中国的十进位制氏族组织》，《历史教学》1951 年第 9、10 期。
③ 晁福林：《夏商西周的社会变迁》，北京师范大学出版社，1996 年，第 337 页。
④ 郭沫若：《甲骨文合集》，5822。
⑤ 《库方二氏藏甲骨卜辞》310。

卜辞中亦有许多关于"族"军的记载，如"令王族追召方"①，等等，可见"族"的武装在当时战争中扮演着重要的角色。但是族并非军队的编制单位，有学者明确指出："这种族的武装虽然在战争中起着重要作用，但它不就是军队的编制单位……商代军队是以师为单位编制起来的，参加征战的族，亦是宗族或家族一类的武装，而不就是军队的本身。"② 换言之，"族"与师、旅乃是商代对军队的不同表述，称"族"可能更加强调其血缘集团的性质，当然"从造字来看，族字是由一面军旗和一支箭构成的，很明显地表示了在创造该词的记录符号时所强调的是军事组织的含义……'族'的原始意义应该是按亲缘关系组成的军事集团，而并不是指某种亲缘集团本身"③。师、旅是军队的建制形式，而"族"则是指军队人员来源的构成，当卜辞侧重于表现军队人员来源时，便将商军称为"三族""五族""王族""多子族"等，当卜辞侧重于表现军队的建制之时，则称之为"师""旅"，等等。根据卜辞反映，商代有"行"的军事建制，一般而言，某行是指某族或者某地的军队，至于"行"与"师""旅"的区别，有学者指出，"可能在于行纯粹是步卒，而师、旅为步卒、车骑的混合编制"④。商代还有"戍"的建制，应当是在康丁以后，并且有右、中、左的建制。

根据甲骨卜辞，我们认为，在商代可能还有较为专业的常备军，如"多射""多马""多马羌"。但由于卜辞只言片语，所能反映的内容十分有限，如"多射"当为后世以弓箭手组成的军队，而"多马""多马羌"可能是以车兵为主体组成的军队。

---

① 《南明》616。

② 杨升南：《略论商代的军队》，胡厚宣等著：《甲骨探史录》，生活·读书·新知三联书店，1982年，第387页。

③ 林沄：《商代兵制管窥》，《吉林大学社会科学学报》1990年第1期。

④ 晁福林：《夏商西周的社会变迁》，北京师范大学出版社，1996年，第338页。

第四节　夏商时期的兵学思想

　　兵学思想深深根植于一定的社会土壤，它是一个时代政治、经济、文化大氛围条件下的产物，更是丰富多彩军事活动在人们观念上的反映。作为观念形态的兵学思想，其起源与形成往往要略微滞后于战争的起源。

　　一般而言，兵学思想的起源至少取决于三个前提条件，缺一不可。一是文字，二是一定数量战争经验的沉淀与积累，三是人类思维能力达到一定的水平。从这个背景出发，并考察先秦兵学思想发展历史的实际，我们可以这么说，中国兵学思想萌芽于夏商时期，初步成形于西周时期，渐趋成熟和首次繁荣于春秋战国时期。①

　　有关夏商时期兵学思想萌芽情况，一部分散见于《尚书》《诗经》《周易》《左传》《国语》等传世文献的追叙，其中主要的内容包括政治与军事、战争指导原则、军事法规与纪律等多个方面，如"取乱侮亡"②"修德抚民"③"因重而抚之"④"用命，赏于祖；弗用命，戮于社。予则孥戮汝"⑤，等等。虽然它们是对夏商时期兵学思想的追述，并且一定掺杂了大量后世兵学思想的成分，但其亦或多或少反映了夏商时代的兵学思想，依然是值得我们加以重视的。

　　夏商时期的兵学思想萌芽，更重要的载体乃是出土文献，即甲骨卜辞所反映的兵学思想内涵。甲骨卜辞虽然是对战争等活动的占卜预测的产物，其表现形式亦有浓厚的迷信色彩，然而却是反映商

---

① 于汝波、黄朴民：《中国历代军事思想教程》，军事科学出版社，2000 年，第 4 页。

② 《左传·宣公十二年》。

③ 皇甫谧撰，徐宗元辑：《帝王世纪辑存》，中华书局，1964 年，第 15 页。

④ 《左传·襄公十四年》。

⑤ 《尚书·甘誓》。

代兵学思想的原始资料，能够比较客观地反映出当时人们的战争指导水平与战术运用的一些特点。我们认为，大致而言，甲骨卜辞所体现的夏商时期兵学思想有以下四个方面。

第一，重视收集和掌握情报，立足知己知彼的战前准备原则。如商王通过守卫四土的侯伯、田、牧、卫搜集各类军事情报，了解、掌握周围方国的政治军事动态："沚㦤告曰：土方征于我东鄙，戋二邑。吾方亦侵我西鄙田。"①"今载方其大出，五月。""有来告，方征于寻福。"② 从而能够及早做好应战的部署，制定正确的军事对策。

第二，综合考察和分析战前形势，制定多种作战预案，以供实战中因时因地选择使用。如《甲骨文合集》27972 版曾记录了商最高统帅部在部署对羌方的一次战役中的多项选择方案：在何种场合，举行何种祭典，可以保佑抵御羌方进犯时既重创敌人又能保全自己；让部队暂避敌锋芒却不必回师，仍然可以顺利破敌；如果将戍军调回，另换其他将领出征，是否会造成不良的后果。③

第三，在作战中，比较灵活地运用各种战法，实施积极的攻守方针，掌控战场主动权，夺取作战的胜利。根据甲骨卜辞记载，其中包括依据地形、地貌与军队本身条件，如何布列有利的阵位、阵势，"亚立（位），其于右，利□其于左，利□"④；预设阵地，用各种手段使得敌军进入受攻击位置，加以伏击和聚歼，"妇好其比沚㦤伐巴方，王自东罙（探）伐，戎陷于妇好立（位）"⑤；派遣先头部队及时打开通道，为主力随后大举进击创造条件，"沚㦤启，王比，

---

① 郭沫若：《甲骨文合集》，6057。

② 郭沫若：《甲骨文合集》，6692，6672。

③ 罗琨：《殷商时期的羌和羌方》，《甲骨文与殷商史》（第三辑），上海古籍出版社，1991 年。

④ 郭沫若：《甲骨文合集》，28008。笔者按：卜辞中"立"的一种用法当"位"讲，指军事行动中的"布阵列势"。

⑤ 郭沫若：《甲骨文合集》，6480。笔者按："陷"在此处指的是"打伏击战"。

帝若受我又"①；进攻时，身披兽皮发动突袭，震慑敌人，打乱敌人的阵形，趁势发动攻击；② 等等。

第四，申明作战纪律，确保令行禁止，从而使参战将士能够步调一致地投入战斗，去夺取战争的胜利。如《屯南》119 版曾有"师叀（惠）律用"的记载，其含义同《周易·师卦》所载的"师出以律，失律凶"相近。③ 这透露了这么一个消息，至少在殷商晚期已把申明与贯彻军事律令作为治军中的一个重要内容，已将厉行军纪作为军队克敌制胜的关键之一。

甲骨卜辞所反映的兵学思想萌芽，虽然因甲骨卜辞性质的限制而显得零碎不系统，然而它毕竟已触及兵学思想的核心问题，为后世兵学思想的发展开创了先河，吉光片羽，弥足珍贵。更重要的是，甲骨卜辞所反映的早期的兵学思想与传世文献中很多战争所反映的兵学思想形成互证。

---

① 郭沫若：《甲骨文合集》，7440 正。笔者按："启"指开道和先行的军事行动。

② 胡厚宣：《甲骨文麂字说》，胡厚宣等著：《甲骨探史录》，生活·读书·新知三联书店，1982 年。

③ 肖楠：《试论卜辞中的师和旅》，中国古文字研究会，四川大学历史系古文字研究室：《古文字研究》（第 6 辑），中华书局，1981 年。

第三章 礼乐制度下的兵学体系：西周时期

西周是中国历史上第三个朝代。周的建立及其兴盛，是中国早期文明发展的新阶段。周族，姬姓，是居于今陕甘黄土高原、渭水流域一带的古老部落，以善于经营农业而著称。周族的始祖名弃，号后稷，传说姜嫄因踩了"巨人"的脚印而生。礼乐文明是西周治理文化的重要特征。周公通过制礼作乐，形成一套完善的礼乐制度，以维护周人的治理秩序。因此在西周时期，礼乐制度下的兵学体系体现出非常强烈的礼乐特征，可以称之为礼乐兵学，或简称为礼兵。

第一节 周初战争中的战略、作战指导观念

一、周文王灭商的政略与战略

商汤所建立的殷商王朝，在历经了初兴、中衰、复振、全盛、寝弱诸阶段后，进入统治末期。自商王帝甲统治后期，商王朝逐渐衰落，政治腐朽，经济凋敝，社会危机四伏。从武乙开始，商王朝又陷入了与东夷的长期消耗战中，民众负担加重，苦不堪言。不仅如此，商王朝对东夷连年用兵，也造成了国家战略布局上重东轻西的战略失衡局面。到了商纣王（帝辛）即位期间，商王朝已滑向了全面危机的深渊。在纣王的统治下，殷商王朝政治腐败，经济凋敝，刑罚酷虐，连年对外用兵，民众负担沉重，痛苦不堪；与此同时，

贵族集团内部矛盾重重，思想分歧严重，① 陷入分崩离析，从而导致整个社会动荡不安，出现了"如蜩如螗，如沸如羹"② 的混乱局面。而西方的周族正是利用这个机会，逐渐强大，并最终推翻了商人在中原地区的统治。

与商王朝奄奄一息形成鲜明对比的是，商的西方属国——周的国势不断发展，正如日中天。周族兴起于豳（今陕西咸阳一带）、岐（今陕西宝鸡一带），经过公刘、古公亶父、季历等人的持续经营，迅速走上强盛的道路，其势力逐渐壮大，甚至渗透到南方的江汉流域。③ 当然，周族崛起的过程，商人也并非丝毫没有发现，因此商周之间也有冲突，如商王文丁诛杀季历、商纣杀害文王长子伯邑考等等。

周文王姬昌即位后，他开始积极全面地部署，任用熟悉商朝内部情况且深怀韬略的贤士吕尚（即姜太公），"阴谋修德以倾商政"④，积极谋划伐纣灭商的大业。文王在位 50 年间，为牧野之战的展开及"剪商"大业的完成，奠定了坚实的基础。在经济上，文王注重发展生产，"文王之治岐也，耕者九一，仕者世禄"⑤，还颁布了"有亡荒阅"（搜索逃亡者）的法令，保护有产阶级的利益，从而赢得人们的广泛拥护，巩固了内部的团结。在政治上，他积极修德行善，裕民富国，罗致人才，"笃仁，敬老，慈少。礼下贤者，日中不暇食以待士，士以此多归之。伯夷、叔齐在孤竹，闻西伯善养老，盍往归之。太颠、闳夭、散宜生、鬻子、辛甲大夫之徒皆往

---

① 白立超、赵虹波：《商末周初宗教与治理思想变迁新论——从〈尚书·西伯戡黎〉谈起》，《西北大学学报》（哲学社会科学版）2016 年第 5 期。

② 《诗经·大雅·荡》。

③ 徐中舒认为太伯、虞仲奔吴，系周人灭商战略的组成部分，并指出："余疑太伯、仲雍之在吴，即周人经营南土之始，亦即太王翦商之开端。"（《殷周之际史迹之检讨》，《国立中央研究院历史语言研究所集刊》，1936 年，第 7 本第 2 卷）

④ 《史记·齐太公世家》。

⑤ 《孟子·梁惠王下》。

归之"①。在外交上，他向商纣发起了政治与外交攻势，在周文王拘
羑里被释放后，他主动请求商纣废弃"炮烙之刑"，争取与国，孤立
商纣。文王曾公平地处理了虞、芮两国的土地纠纷，天下诸侯闻之，
都传言："西伯盖受命之君。"② 通过这些措施，文王扩大了自己的
政治影响，瓦解了商朝的附庸，取得了外交斗争的重大胜利。

在处理商周关系问题上，由于周族尚未对商族有完全的政治和
军事优势，因此，文王表面上恭顺事商，以麻痹纣王。他曾率诸侯
朝觐纣王，并在周原地区以虔诚的态度祭祀商人祖先，向商室显示
所谓"忠诚"。同时，周人大兴土木，"列侍女，撞钟击鼓"③，用贪
图享乐的假象欺骗对手，诱使其放松警惕，更重要的是，文王还从
纣王那里取得专征诸侯的特权，商纣"赐弓矢斧钺，使得征伐"，封
文王"为西伯"④，以确保灭商准备事宜能够在合法的名义下顺利
进行。

在此基础上，文王在姜太公的辅佐下，制定了正确的军事战略
方针。首先，由近及远，先弱后强，先后剪除商室的羽翼，对商都
朝歌（今河南淇县）形成战略包围态势。为此，文王首先向西北和
西南用兵，相继征服犬戎、密（今甘肃灵台）、阮、共等西部方国部
落，开疆拓土并消除伐商的后顾之忧。尤其是周人在西北方向攻灭
密人，虞、芮两个小国的归服，从政治地理上来看最关键，这表明
周人此时已经进入了泾河的上游，而"对渭河平原安全的最大威胁
可能来自泾河上游，在对付东方强大的商之前，解决后顾之忧和加
强自己对西方的控制，显然是周的当务之急"⑤。紧接着，他组织军
事力量向东发展，越渡黄河，先后剪灭黎（今山西长治西南）、邘
（今河南沁阳西北）诸国，并一举攻灭了商在西方的最重要属国——

---

① 《史记·周本纪》。
② 《史记·周本纪》。
③ 刘恕：《资治通鉴外纪》卷二，文渊阁《四库全书》本。
④ 《史记·殷本纪》。
⑤ ［美］李峰：《西周的灭亡：中国早期国家的地理和政治危机》，徐峰译，
汤惠生校，上海古籍出版社，2007年，第62页。

崇（今陕西西安鄠邑），打开了进攻商都朝歌的通路。接着，文王把都城从岐迁徙到丰（今陕西西安长安西南），建立起新的东进基地。至此，周已处于"三分天下有其二"① 的有利态势，周人灭商只是一个时间迟早的问题了。

　　面对周人的不断东进和包围，商纣以及整个商统治集团并非完全毫无察觉，无动于衷。发觉周人的威胁之势，商纣也曾想对其用兵。他一度以田猎的形式在黎地检阅军队，炫耀武力，震慑周人。但后来，这一计划随着东夷的反叛而被迫搁浅。东夷的叛乱一直未能完全平息，商王朝在对东夷的战争中始终无法彻底抽身，不得不一直与东夷进行着长期的消耗战。据史料记载，商纣对东夷的大规模征讨至少有两次。第一次是从商纣十年九月到十一年七月，长达十一个月；第二次是在商纣十五年时，耗时与前一次非常相近。从长久的耗时也能看出当时东夷叛乱的严重性。最终，商纣在对东夷的战争中取得了胜利。这场看似荣光无限的胜利，却让商王朝付出了覆亡的惨痛代价，无怪乎后人指出"纣克东夷而陨其身"②。

二、牧野之战的战略指导

　　文王去世后，其子姬发即位，是为周武王。他继承乃父遗志，遵循既定的战略方针，并一一予以具体地落实。

　　为平息东夷的反叛，纣王调动主力进击东夷，结果造成西线防御的极大空虚。周武王利用这一机会，联合诸侯东向观兵，至于盟津（今河南孟津东、孟州市西南），即史籍所载"九年，武王上祭于毕。东观兵，至于孟津"③，天下有八百诸侯参加会盟。这是一次成功的军事大演习，表明武王天下共主的地位已经初步确立，已有

---

① 《论语·泰伯》，何晏注，邢昺疏：《论语注疏》，阮元校刻：《十三经注疏》（附校勘记），中华书局，2009 年，第 5402 页。以下《论语》引文均出自此书，仅注篇名。

② 《左传·昭公十一年》。

③ 《史记·周本纪》。

能力组织强大的军事力量灭商。但为慎重起见，武王没有立即发兵攻商，而是继续等待时机。两年后，商朝廷内部的矛盾呈现白热化，纣王饰过拒谏，残杀忠臣，导致众叛亲离，四面楚歌，武王看到时机已经成熟，遂最后下定决心，揭开了伐纣之役的帷幕。

约公元前 1046 年正月，① 周武王统率兵车 300 乘，虎贲 3000 人，甲士 45000 人，杀向商王朝的腹心地区。同月下旬，周军进抵盟津，在那里与反商的庸、卢、彭、濮、蜀（均居今汉水流域）、羌、微（均居今渭水流域）、髳（今山西南部）等方国部落的军队会师，尔后，武王率周族部队及协同作战的方国部队，迅速东进，渡过黄河，兵锋直指朝歌。仅仅花费 6 天时间，于当年二月初率先进抵牧野（今河南新乡一带）。②

二月初五（甲子日）清晨，周联军布阵完毕，庄严誓师，史称"牧誓"。周武王在誓词中声讨商纣王的种种罪行，以激发起从征将士的敌忾之气与高昂斗志："惟妇言是用，昏弃厥肆祀弗答；昏弃厥遗王父母弟不迪，乃惟四方之多罪逋逃，是崇是长……俾暴虐于百姓。"③ 接着，武王又郑重地宣布了作战中的战术要领与军事纪律："今日之事，不愆于六步、七步，乃止齐焉；夫子勖哉！不愆于四伐、五伐、六伐、七伐，乃止齐焉……弗迓克奔，以役西土。"④

---

① 关于武王伐纣的具体年代至少有 44 种说法。按照《竹书纪年》进行推算，应该在公元前 1027 年。1996 年，由 21 位著名学者组成的"夏商周断代工程"重大科研项目科研组，经过长达 4 年的科研攻关，在 2000 年 11 月公布了《夏商周断代工程 1996—2000 年阶段成果报告》。根据甲骨学、考古学、文献学、天文学等方面的研究成果，断定牧野之战发生的时间是公元前 1046 年。我们此处采用的年代正是"夏商周断代工程"的研究成果。

② 牧野之战的地望研究，历来争议较大，主要有朝歌南说、汲县说、新乡牧野说，大体位置基本围绕在殷墟安阳附近。近年来学者通过史料考证、实地调查、考古发现、地名传说等方法，更多地认同了新乡牧野说。可参见张新斌：《武王伐纣与牧野大战的历史地理问题》，《中原文物》2000 年第 4 期；陈昌远：《牧野之战"牧野"地望发微》，《河南师范大学学报》（哲学社会科学版）1998 年第 5 期。

③ 《尚书·牧誓》。

④ 《尚书·牧誓》。

　　誓师完毕，武王与姜尚开始依牧野的地势排兵布阵。他们最终决定依河布阵，据学者研究，牧野之战"决战前所列阵线，其南端均以清水为其一翼之屏障"①。那为什么周武王会选择布阵于河流旁边呢？众所周知，牧野之战是一次以少胜多的战役，② 从军队数量上来看，周族没有任何优势。在兵力没有绝对优势的情况下，周军率先抵达战场，以河流为侧翼进行布阵，河流成为军阵的一道天然防御屏障，这对周军非常有利。从兵学的角度来看，在兵力相对处于弱势的情况下，以水流为军阵一翼以稳固军阵是一个非常重要的做法。

　　周军进攻的消息传至朝歌，引起商朝上下一片惊恐，纣王仓猝部署防御，但此时商军主力远在东南地区，内部空虚，无兵可用，不得已武装起大批奴隶，连同留守国都的商军共约 17 万人，由纣王自己率领，开赴牧野前线迎战周军。

　　武王下令向商军发起总攻击。面对"殷商之旅，其会如林"③的优势之敌，武王先派遣姜太公率领少量精锐突击部队向商军挑战，以牵制迷惑敌人，并打乱其阵脚。④ 商军"皆无战之心"，甚至不乏有人掉转戈矛，"倒兵以战"，⑤ 商军的军阵因此而陷于混乱。武王乘势以"大卒（主力部队）驰帝纣师"⑥，杀得商军丢盔弃甲，"血流漂杵"⑦，17 万之众顷刻土崩瓦解，纣王见大势尽去，遂弃军逃窜

① 苏德荣：《谈牧野大战的战场地望》，《河南师范大学学报》（哲学社会科学版）1998 年第 5 期。

② 当然也有部分学者提出异议，如李修松：《牧野之战并非以弱胜强》，《安徽大学学报》（哲学社会科学版）1986 年第 3 期。

③ 《诗经·大雅·大明》。

④ 这种用小股精锐部队向对手进行挑战的军事行动，古代军事术语称之为"致师"。

⑤ 《史记·周本纪》。

⑥ 《史记·周本纪》。

⑦ 《尚书·武成》。

回朝歌，于绝望中登上鹿台放火自焚。① 纣王一死，商军残兵就停止了最后抵抗，周联军在武王统率下顺利攻占朝歌，灭亡了曾经强盛一时的殷商王朝。

牧野之战在战略与战术上都有可圈可点之处。第一，周文王、周武王长期政治和外交经营的结果，起到了争取人心、剪敌羽翼、麻痹对手、建立反商同盟的积极作用。第二，周军制胜的又一个要素，是其选择了正确的作战时机，即趁商军主力远征东夷未还，商王朝内部分崩离析之时，果断下定决战的决心，统率联军实施战略突袭，从而使对手在战略、战术上都陷入劣势和被动，无法组织有效的抵抗。第三，举行战前誓师，一一历数纣王罪状，宣布作战行动要领和战场纪律，起到了鼓舞士气、瓦解敌人的作用。第四，在牧野会战的具体作战指挥上，周军又善于做到众寡分合，灵活机动，奇正并用，协同策应，乘胜追击，主动积极打击敌人，胜利地达成战役的目的。总之，在"血流漂杵"的表象背后，我们所能看到的是这场战争中谋略运用的巨大成功，战术指挥的高明卓越。

《诗经·大明》对战前商军的军容以及周武王的牧誓都有描述："殷商之旅，其会如林。矢于牧野，维予侯兴。上帝临女，无贰尔心。"② 可以看到，商纣也调来了大批军士，军旗随风飘扬，就像那树林一样。周武王在牧野誓师，鼓舞大家斗志，鼓励大家一定会战胜强敌，并且还告诉大家，上帝在时时刻刻地看着我们众将士，我们一定要禀承上帝之意，全力灭商，不要有什么二心。《大明》亦对此战战场情形有着生动的描述，对姜尚、武王都有传神的叙述："牧野洋洋，檀车煌煌，驷骠彭彭。维师尚父，时维鹰扬，凉彼武王，肆伐大商，会朝清明。"③ 诗中描述了牧野地势广阔无边，非常适合战车的驰骋。檀木的战车光彩鲜亮，驾车驷马健壮。太师尚父姜太公，像是即将展翅飞翔的雄鹰，注视着对方军队。他辅佐我们的武

① 白立超：《论"血流漂杵"的历史真相》，《西北大学学报》（哲学社会科学版）2017 年第 2 期。
② 《诗经·大雅·大明》。
③ 《诗经·大雅·大明》。

王，袭击帝辛，黎明时分，天下就清平了。

牧野之战终止了殷商王朝近 600 年的统治，周天子自此成为天下新秩序的共主，确立了西周王朝对中原地区的统治秩序，开启了周王朝 800 年的统治。牧野之战不仅是中国历史上的一场王朝更替战争，也是中华文明发轫时期具有标志性和转折性的事件，甚至被学者称为"殷周革命"[1]。周王朝建立后，在制度文明的建构上颇有作为，创立了分封制度、宗法制度、礼乐制度等各种制度，对后世的政治文明产生了深远的影响，礼乐文明甚至成为中华古典文明的内核与标志。而牧野之战中所体现的谋略和作战艺术，也对古代兵学思想的发展产生了深远的影响。

三、周公东征的作战指导原则

牧野之战完成了新旧王朝的更替，但是从当时整个天下形势来看，殷商的残余势力仍非常强大，周人的统治基础远没有得到巩固。只有到了周公东征胜利后，才彻底摧毁了东方的殷商反抗势力，周王朝平息了王室内部叛乱后，才最终稳定了周的统治，真正完成了灭商大业。从这个角度讲，周公东征的意义非常重大，因此又被称为二次灭商。[2]

在《尚书》中，周人自称"小邦周"，而把殷商称为"大邦殷"。[3] 可见武王伐纣的胜利当然是非常不易的，而以"小邦周"实现对"大邦殷"的统治，那就更为困难。虽然牧野之战中，周人战胜商人，商纣身亡，但是事实上商人的势力仍不容小觑，商在东方的根基并未遭到太多损伤。武王克商之后忧虑重重，以致夜不成寐，周公问其原因，武王回答："呜呼！于忧兹难，近饱于恤，辰是不

---

① 王国维：《殷周制度论》，见氏著：《观堂集林》（附别集），中华书局，1959 年，第 451—480 页。
② 黄朴民：《先秦喋血》，华夏出版社，1996 年，第 23 页。
③ 《尚书·大诰》。

室。我来所定天保，何寝能欲?"① 当时，周人也没有任何治理天下的政治经验，因此武王灭商后两年便向箕子请教治国大法，箕子向武王讲述治国根本大法，即"洪范九畴"，历代学者对其称誉颇多。② 当然，晁福林从箕子进献《洪范》的动机来看，箕子进献"洪范九畴"就是一个阴谋，并不是想让周能够长治久安，而是力图误导周武王，希望周王朝重蹈商灭亡的覆辙。事实上，周人并没有按照"洪范九畴"的政治蓝图去施行，而是发展出了"敬天保民"的思想，当然其可备一说。③ 这些都从侧面表明，周初的建国形势非常险恶。

武王审时度势，在牧野之战后对商王畿地区实行间接统治。他把商畿分为三个部分，邶（北部）、墉（东部）、殷（西部），封纣王之子武庚于邶，令管叔鲜治墉、蔡叔度治殷。"惟十有三祀，王在管。管叔、蔡叔自作殷之监，东隅之侯咸受赐于王。"④ 并委任管叔、蔡叔、霍叔三人为武庚的傅相，监视武庚，史称"三监"。正是管叔、蔡叔等对武庚的监视和对商人故地的镇守，殷商残余势力不敢暴露叛周的迹象。

灭商后二年，周武王去世，其子姬诵继位，是为成王。在天下初定，政局尚未稳定的情况下，成王年幼，政治经验不足，亦没有任何政治威望，难以掌控天下政局，于是武王之弟周公姬旦摄政，

---

① 《逸周书·度邑解》。

② 《尚书·洪范》是中国传统社会的治理大法，春秋战国时期，《洪范》作为诸子言说和构建政治思想的重要理论依据被引用多达 19 次。《孔传》说是"天地之大法"。朱熹认为："今人只管要说治道，这是治道最紧切处。……天下之事，其大者大概备于此矣。"近代以来，学者对其赞誉毫不吝惜，童书业誉其为"综合西周以来神治主义与制度的第一篇有系统的大文章"（《五行起源说讨论》，《古史辨》第五册，上海古籍出版社，1982 年，第 665 页）；赵俪生称其是"夏、商、周三代传递下来的一件文化珍宝"（《〈洪范疏证〉驳议——为纪念顾颉刚先生诞生 100 周年而作》，《齐鲁学刊》1993 年第 6 期）。

③ 晁福林：《说彝伦——殷周之际社会秩序的重构》，《历史研究》2009 年第 4 期。

④ 《逸周书·大匡》。

代成王行事。但是，根据周人的传统，周族的王位继承制早已经是父死子继的形式，从未有兄终弟及的先例。那么周公作为武王之弟，虽然此时成王已经即位，但是其摄政也遭到了群弟和成王的怀疑，周公此举引起了一场轩然大波。武王次弟管叔对周公摄政殊为不满，声称周公"将不利于孺子"①，甚至召公开始亦对周公摄政一事产生了疑虑，当然后来周公和召公的误解化解了。② 周人内部的不和谐，为殷商旧势力的武装叛乱提供了契机。武庚见有机可乘，便联合地处东方的一些诸侯国，包括徐、奄及熊盈氏十七国，在今河南东部、山东西部、安徽、江苏北部一带，公开扯起了叛乱的大旗。

在社稷危急存亡的关键时刻，周公姬旦不计个人荣辱得失，力排众议，主动肩负起保卫与巩固周王朝政权的重任。他采取断然措施，兴师东征，彻底平定叛乱。从现存史料考察，可知周公东征前后历时大约三年，大致经历了三个主要阶段。③

第一阶段，"救乱克殷"，即消灭以武庚为首的叛乱势力。周公东征的第一个打击目标正是叛乱的策源地，即原殷商王畿地区。周公统率东征大军出动后，兵锋直指邶地。周军所到之处，武庚的叛乱武装便分崩离析，全线溃败，武庚本人也落得个身死国灭的可悲下场。与此同时，周公分兵一路直取管叔驻地墉，管叔负隅顽抗，驱众抗拒王师，但在王师凌厉进攻面前，叛军丢盔弃甲，一败涂地，王师占领墉地。接着，周军又攻克了蔡叔驻地殷，生擒蔡叔。④ 至此，武庚叛乱被很快平息，东征之战的首要战略目标胜利实现。

---

① 《尚书·金縢》。

② 此事详见《尚书·召诰》。

③ 罗琨、张永山：《夏商西周军事史》，军事科学出版社，1998 年，第 236—245 页。

④ 管叔、蔡叔和霍叔是否与武庚一起发动叛乱，史籍记载有出入，大多史籍记载认为武庚与管蔡一起发动叛乱，但是根据新出土的清华简《系年》等来看，管、蔡并未参与武庚的这次叛乱，相较而言，清华简的记载可能更加符合当时历史的状况，而管蔡的一些不恰当言行对时局一定产生了负面的影响是没有问题的，而其形象不断的负面化可能与周公地位的不断抬高有着密切的关系。

第二阶段，讨平淮夷，扩大周王室的势力范围。周公在征服殷商故地后，决定继续征伐在三监之乱中支持叛乱的商盖和淮夷诸国。那么如何选择首要打击目标呢？此时辛公甲提议道："大难攻，小易服；不如服众小以劫大。"① 周公采纳了这一建议，决定先攻淮夷。为此周公挥师东南，大举进攻淮夷（熊盈氏族）诸小国。淮夷地处淮河下游，该地区地势低洼，河流湖泊纵横，周师西来，车兵行动实受限制，不如在殷故地那么方便，人马也有水土不服的情况。因此，征伐淮夷的作战，并未像预料中的那样速战速决。但面对困难，周公东征的决心毫不动摇，经过连续作战，终于征服了淮夷，"凡所征熊盈族十有七国，俘维九邑"②。在淮夷被征服后，商盖也臣服于周，《韩非子》曰："（周公旦）乃攻九夷，而商盖服。"③ 可见周公在战略目标的选择上的确非常高明。至此，周人取得了东征之役第二阶段的胜利。

第三阶段，"践奄"，将周王室统治推进到东方地区。在征服了淮夷诸小国后，周公挥师北方"践奄"，讨平东方最后一个叛乱据点。奄，又名商奄，地居今山东曲阜一带，是一个比较强大的方国。三监叛乱爆发后，奄国积极参与其中，成为周在东方的一个劲敌，所以自然也是周公东征中的重要打击对象。此时，周师已占领了奄国西、南两个方向的邻国，对其构成战略包围，奄国处于孤立无援的不利局面。故当周师进迫奄城时，奄君束手无策，只好投降。④ 奄国灭亡后，丰、薄姑诸方国亦相继归附，周王朝的统治势力一下子扩大到了渤海、黄海之滨。至此，历时三年的周公东征，以胜利而宣告结束。周公东征的胜利巩固了周族天下共主的地位。

周公东征的系列战争，是武王伐纣战争的继续，其对周王朝的

---

① 《韩非子·说林上》。
② 《逸周书·作雒解》。
③ 《韩非子·说林上》。
④ 说"践奄"是残酷厮杀后才达成目标的，即"践之者，籍之也。籍之谓杀其身，执其家，潴其宫"。（《尚书大传·成王政》）

巩固和发展具有决定性的意义。作为战争指挥者周公，在这场关系到周族生死存亡和周王朝前途命运的战争中表现出其卓越的政治远见和杰出的军事才能。在政治上，周公面对来势汹汹的武装叛乱，沉着冷静，计出万全，不顾成王的怀疑和三监等人的政治诽谤，摄政后断然下定东征平叛的决心，同时妥善处理好内部问题，发布《大诰》，申明武力平叛的必要性，耐心做好召公等大臣的工作，争取他们对自己决策的理解与支持，统一思想，一致对敌，从而为东征的顺利展开创造了政治前提，这充分显示了周公政治上的成熟和魄力。在军事上，东征之役也体现了相当高的指挥水平与战术运用能力。是役，周公善于分析形势，把握全局，深谋远虑，捕捉战机，做到以强击弱，以大攻小，乘叛乱者没有形成统一指挥的强大力量之机，当机立断，凭借优势兵力各个击破敌人。具体而言，他首先集中兵力攻打叛乱的首恶者、策动者，甚至可以说整个叛乱的精神领袖——商纣之子武庚，实施"擒贼先擒王"的作战方针，这是符合当时征战性质与战争情势的，所以立见成效，为取得东征之战的胜利奠定了基础。在消灭首恶集团之后，周公根据敌情，采取了先攻弱敌，后打强敌的基本方针，保证了作战行动的循序渐进，迭获成功。在取得连续攻战的胜利后，周公又能因势利导，对孤立的强敌——奄国采取军事威慑与政治攻势双管齐下的策略，迫敌投降，从而以较小的代价换取最大的胜利。所有这一切，都表明周公不愧为历史上杰出的政治家、军事家和兵学家，他所指挥的东征平叛战争是一场既有进步意义，亦有重大兵学创见的经典战例。

第二节　西周的国家治理战略

一、分封诸侯、拱卫王室的天下战略思维

周武王灭商，如何从制度上真正实现天下的治理以及军事上的

控制，以当时的技术条件而言，这的确是西周初年政治家必须要面对的政治军事难题。

商代的官僚体系已初步形成了内外"服"两大类。[1] 其主要职能之一就是构成守卫系统，包括王宫守卫、王畿守卫和封疆守卫。其中属于封疆警卫系统的有侯、甸、男、卫、邦伯等等。这些侯、甸、男、卫、邦伯的主要职责，除了为商王垦田放牧之外，更重要的是承担封疆的警卫，如向商王报告边境的敌情动态，为商王提供军事防御的人力与物力，接受商王之命参与各类征伐，所谓"为王斥候"即是其职责的概括揭示。到了商代晚期，封疆警卫制度有了进一步的发展，出现了"戍"，商王派出戍守的主要是精锐的族军，这一现象反映了商王室国防力量的增强，也透露出商王对新征服地区加强了直接控制的意识。

周人在借鉴商人统治经验教训的基础上，实行了在政治统治以及军事布局上有着重要意义的分封制。众所周知，周人采取分封制的目的正是"封建亲戚，以藩屏周"[2]，以姬姓为主体进行分封，将其作为周王室统治的屏障。正是通过分封制，周人的治理范围迅速扩张，南方跨过长江，东北扩张至今辽宁省，西至今甘肃省，东到今山东省，实现军事势力和政治文明的迅速扩张，正如王国维所言："自殷以前，天子、诸侯，君臣之分未定也……周初亦然……逮克殷、践奄、灭国数十，而新建之国皆其功臣、昆弟、甥舅，本周之臣子，而鲁、卫、晋、齐四国，又以王室至亲为东方大藩，夏殷以来古国，方之蔑矣。由是天子之尊，非复诸侯之长而为诸侯之君……此周初大一统之规模，实与其大居正之制度相待而成者也。"[3]

而周人分封制的基本精神就在于"本大而末小"[4]，核心要素就

---

[1] 《尚书·酒诰》。

[2] 《左传·僖公二十四年》。

[3] 王国维：《殷周制度论》，见氏著：《观堂集林》（附别集），中华书局，1959 年，第 466—467 页。

[4] 《左传·桓公二年》。

是军事力量的绝对压制。正如有学者指出："地方诸侯，作为西周国家的代理人与周王的臣子，是完全应该履行他们的职责的；为了保证他们这样做，周王室精心构建了一个血缘关系结构，并以压倒性的王师军事力量为后盾。"①

西周的基本军事力量是宗周六师（又称西六师）与成周八师（又称殷八师）。西六师驻扎在宗周地区，保卫王畿之地以及西周西部国防安全。殷八师驻扎在洛邑，东都成周（今河南洛阳）的军队居天下之中，是西周时期屯驻于成周的周天子的主要军事力量，主要用于控制东方诸侯，同时亦可以与西六师形成掎角之势，保卫宗周，对巩固周王朝的统治发挥了重要作用。尤其是殷八师，西周时期主要以这支军队统治中原地区，② 其对于稳定西周的统治以及扩张疆土发挥了非常重要的作用，现在出土的很多与之相关的青铜器铭文亦足以证明，如，《膳夫克鼎》曰："王命膳夫克舍命于成周，遹正八师之年。"《曶壶》曰："更乃祖考作冢司徒于成周八师。"《小臣𧤪簋》曰："白懋父以殷八师征东夷。"《录卣》曰："惟伯犀父以成师即东，命戍南夷。"《录卣》曰："淮夷敢伐内国，汝其以成周师氏戍于叶𠂤。"《禹鼎铭》曰："王乃命西六师、殷八师曰：'扑伐噩侯驭方，勿遗寿幼！'"

同时，我们根据出土文献以及传世典籍可知，周天子的军队的主帅，多由王公大臣担任，出兵作战的规模，可由三五千人至两万人，个别时候，还多一些。据《小盂鼎》记载，在周康王二十五年（前996）时，驻于周西北方向的鬼方部落，曾经和周王朝之间发生过一场规模非常大的战争，当然周人最终战胜了鬼方，俘虏鬼方13000人，我们由此可窥周人的用兵规模。而地方诸侯，主要以礼制对其进行力量的限制，保证其能够为周王室服务，同时又不至于对周天子的权威造成威胁。

---

① ［美］李峰：《西周的灭亡：中国早期国家的地理和政治危机》，徐峰译，汤惠生校，上海古籍出版社，2007年，第317页。
② 徐喜辰：《周代兵制初论》，《中国史研究》1985年第4期。

受封诸侯从周天子那里不仅得到了土地、部落民众和象征身份与权力的彝器等，还得到因地制宜的行政权和开疆拓土的军事征伐权，其对周初的稳定发挥了非常重要的作用。如鲁国，在分封时就与商人的后裔"殷民六族"前往封地，即"条氏、徐氏、萧氏、索氏、长勺氏、尾勺氏，使帅其宗氏，辑其分族，将其类丑，以法则周公，用即命于周"①，使殷的遗民迁移故地，以防叛乱。同时，在周初，面对淮夷、徐戎叛乱，鲁侯伯禽亦率领军队前往攻伐，其誓师之辞《费誓》亦保留在《尚书》中。

二、筑洛邑与西周的防御思想

自夏商起，随着国家机器的渐趋成熟，国防的观念得以确立，防御措施与技术也不断更新，从而形成了保障国家安全的军事防御体系。这一体系，主要包括两个基本支点：一是在重要的战略地点派驻部队，设置官属机构，实施警卫屯守；二是在枢纽关键之处修筑城池，提升守御的实力与功能。

商代统治者非常注重修筑用于军事目的的城垣。商人把设防的城堡看作是军事防御的重要手段，作为镇抚一方的核心军事基础。郑亳、偃师商城、夏县东下冯商城、垣曲商城等城垣，都体现了浓厚的军事防御色彩。如，偃师商城有宫城、内城、外城三重城垣，宽厚的城垣，配合以狭窄的城门，内城还有近似马面的军事设施。这一切均说明筑城的主要目的，在于强化对军事、政治中心的防卫功能。

另外，商朝的城池不仅修筑在靠近统治中心的地区，而且也修建在商的四土。如，湖北黄陂的盘龙城，其修筑的背景，乃是商王朝将自己势力伸向长江流域主要地区的时候。其修建的目的，很有可能是维护商室重要矿产资源——铜矿石运送路线的安全。因为盘龙城地处其南土边缘、与荆楚相接触的地带，正是通向江南的要冲，而长江中游地区则是商王室铸铜原料的重要产地。商王为了确保运

---

① 《左传·定公四年》。

铜道路畅通无阻，从战略上积极支持商王朝对南土的开拓。

西周统治者对军事防御体系的构筑较之于商人有更大的关注和较多的投入。在武王伐纣灭商之前，文王、武王先后营建丰京和镐京，将国家的指挥中枢安置在安全地带。武王灭商和周公平定三监之乱后，又在天下封建诸侯，经营成周，组建殷八师（成周八师），设立驻屯基地，有计划有步骤地在战略要地建立军事防御驻点。这些举措各有特点，互为补充，构成了较为严密的军事系统，在西方以丰镐为中心，在东部以成周为中心，两者又在周王的统一指挥下，结合成一个整体，构成了保卫王朝安全的军事防御体系。[1]

西周统治者加强军事防御的首要措施是大量封建诸侯，充分占据天下地利。同时，西周统治者还大量修筑城池，以高城深池与天下山川地利相结合，构筑其军事防御体系。灭商后，周王朝在分封诸侯的过程中，曾掀起过一次全国性的筑城高潮。其最主要的标志就是成周的修建。周公深刻意识到，西周生死存亡在于宗周之地丰镐的安全，但是灭商之后，西周更需要对东方事务持续介入，增强周人在东方的势力与影响，以实现周人对天下的控制，实现其统治的完整性。因此，两都制成为周初的必然选择。至于为什么选择洛邑呢？《逸周书》记载："周公敬念于后，曰：'予畏同室克追，俾中天下。'及将致政，乃作大邑成周于土中。"[2] 为了长治久安，周公在还政成王前，建造了洛邑。洛邑"城方千七百二十丈，郛方七十里。南系于洛水，北因于郏山，以为天下之大凑"[3]。

当然，周人在此次大规模建城的过程中，亦遵循一定礼制，如，据《周礼·考工记》记载："王城方九里，诸侯城按七、五、三递减。"各诸侯国筑城的规模必须在严格按照礼制、宗法制的原则下建造。这样，周天子对各诸侯国的都城规模进行有效的控制。如《逸

---

[1] 罗琨、张永山：《夏商西周军事史》，军事科学出版社，1998年，第285页。

[2] 《逸周书·作雒解》。

[3] 《逸周书·作雒解》。

周书》曰："制郊甸，方六百里。国西土为方千里，分以百县。县有四郡，郡有四鄙。大县城方王城三之一，小县立城，方王城九之一。"① 由于城池在整个国家军事体系的重要作用，因此周天子实现了对各级诸侯军事实力的有效控制，那么，在礼制的保证之下，周天子的军事实力始终占优。

成周所在地，本名洛邑或洛师，原为周武王伐纣时前进的基地。周公辅政后，更以其为政治与军事重心来治理东方。周公曾以此为进军基地，东征平定三监之乱。此后，周公与召公通力合作，全面规划营建成周，仅一年成周便初具规模。② 周、召二公辅佐成王营建成周，着眼点在于该地优越的地理位置。洛邑处于东西交通的要冲，地势易守难攻，东有成皋之国，西有崤函之险，"背河（黄河）乡雒（洛水），其固亦足恃"③。于是，周人不惜投入大量人力、财力、物力，营建成周，将其建设成为一座牢固的城池，并在此处驻扎强大的战略机动力量——成周八师（或称殷八师）。当然，在周王室大力营建成周的同时，分封在全国各地的大小诸侯，也纷纷依照礼制筑城，"城以卫民"，保障在武装殖民过程中的自身安全，镇压当地民众的反抗。

西周时期的第二次大规模筑城活动，出现在宣王中兴期间，当时在抗击四邻戎蛮入侵的同时，周室又掀起了一次规模较大的筑城高潮，北建韩城、南筑申谢、西城朔方、东起齐城，④ 将这些城池作为防御敌人的前沿军事要点。

周人大量修筑城池，使之成为王室与各级诸侯指挥强大武装力量的中心。在此基础上，西周统治者进一步合理配置军事资源，分

---

① 《逸周书·作雒解》。

② 罗琨、张永山：《夏商西周军事史》，军事科学出版社，1998 年，第 271页。

③ 《汉书·张良传》，班固撰，颜师古注：《汉书》，中华书局，1962 年，第 2032 页。以下《汉书》引文均出自此书，仅注篇名。

④ 可参见《诗经·大雅》中的《韩奕》《崧高》《烝民》诸篇以及《诗经·小雅·出车》。

别建立起以丰镐和成周两都为核心的防御体系。其一，以丰镐为中心的防御体系，是以西六师为核心力量，结合分封诸国的军事力量，建立了西陲保护圈，拱卫王室。这层保护圈，据研究者考证，即是以泾河上游，自北而南沿子午岭、陇山至秦岭以及汧渭一带分筑三道王畿西部、防范西戎的防线①。其二，以成周为中心的防御体系，则以成周八师为主力，通过"周道"将各地的武装力量连接起来，分南北二线，拱卫东部最重要的战略重镇——成周，以防备天下叛乱。两大防御体系各自承担保卫王室，镇抚四方的战略重任，又密切协调，互为配合，使之成为一个完整的防御整体。其三，修筑"周行""周道"，加强各个军事据点的联系。西周统治者通过分封制建立了幅员辽阔的统治区域，屏藩周室的各个诸侯国分散在全国各个军事据点，为了真正有效地密切与诸侯国之间的联系，确保王都与各个诸侯国之间的畅通无阻，便于调动军队、情报传递，于是周人便以两都为核心，不惜财力与物力，建立了以军用为主的，类似于秦人直道、后世高速公路的道路，即"周道"，又称"周行"。"周道"路面平，路身直，道路较宽，战车可以通行无阻。据学者研究，"周道"西南到巴蜀，北至秦、晋，东北抵达燕、齐之地，东南到淮夷，南部抵达申国、荆楚之地，② 这样，周王室与天下主要诸侯国均有"周道"相通，加强了军事据点之间的联系，便于周天子真正有效地巩固统治。

　　由此可见，西周时期的国防思想与军事防御设置已高度成熟，这正是当时兵学思想趋于发达的一个重要标志。

---

① 罗琨、张永山：《夏商西周军事史》，军事科学出版社，1998 年，第 288—293 页。
② 杨升南：《说"周行""周道"——西周时期的交通初探》，《人文杂志》增刊《西周史研究》，1984 年。

第三节　车战的全面兴起

西周时期的兵种仍以车兵和步兵为主。随着战争的发展，车战逐渐成为主要的作战方式，车兵成为决定战场胜负、左右战局走向的核心力量。如在牧野之战时武王就出动"革车三百两，虎贲三千人"[①]。自周厉王改革后，由于"军"的编制开始出现，与之相适应，至周宣王时，已有"其车三千"[②] 的规模，可见车兵的力量至西周晚期发展迅速。

夏商时期用于军事的马车可能已经出现，但是使用并不普遍，有可能在战争中仅仅充当运输的功能，并未出现在战阵中。根据考古发现，商代后期战车的装备还比较简陋，战车的组合兵器尚不发达，还难以达到组建克敌制胜的主力兵种的发展水平，战车兵种尚未取代步兵的核心地位。

而到了西周，车兵是西周时期的主力兵种之一，战车会战是当时最主要的作战方式，而西周至春秋前期则是车战的鼎盛阶段。当时的战车主要有两类：一类用于驰逐攻击，是为"攻车"；一类用于设屏障，塞路口，运辎重，是为"守车"。《周礼》将这两类战车分别命名为"戎路""轻车""阙车""苹车""广车"。[③] 其中前三种属于"攻车"，后两种属于"守车"。"戎路"，又称"旃车"，通常是军队的指挥车，由国君、主将和部分禁卫军乘坐。"轻车"是"攻车"的主体，又称长毂、辌车、武车、战车等，在进攻中发挥核

---

① 《孟子·尽心下》。

② 《诗经·小雅·采芑》。

③ 《周礼·春官·车仆》，郑玄注，贾公彦疏：《周礼注疏》，阮元校刻：《十三经注疏》（附校勘记），中华书局，2009 年，第 1782 页。以下《周礼》引文均出自此书，仅注篇名。

心作用。"阙车",其结构和性能与轻车同,但因其担负的作战任务特殊而单独命名,主要用于填补方阵中因战车损缺而出现的空缺。"阙车"同时也担任警戒、掩护任务,可见其为机动的轻车,故《左传》又称其为"游阙"。"苹车"和"广车"属于防御用车。《孙子兵法》对战车则按其战术性质的不同而区分为两大类:一是驰车,即"轻车""攻车";一是"苹车",即"守车""重车"。这些名目繁多的战车,在当时都曾大展神威,在战场上扮演着类似现代主战坦克的角色,是决定战争胜负的关键因素。杨泓曾指出配备在战车旁边的"这些徒兵装备简陋,他们也不会心甘情愿地去为奴隶主卖命,所以当时决定战斗胜负的,主要是靠奴隶主阶级之间的车战。当一方的战车兵被击溃以后,真正的战争就结束了"①。

一辆"攻车"一般载乘甲士三人,偶尔也有载乘四人的,称为"驷乘"。甲士三人按左、中、右次序排列,并有不同的作战职能和任务。其中,左方甲士持弓主射,为一车之首,称"车左"或"甲首"。右方甲士称"车右""戎右""参乘",手执戈、矛、戟等长兵器和盾牌,主格斗,同时兼管维修车辆并负责为战车排除障碍。在车轼前居中的是不直接参与作战的"御",其职责是手握缰绳,驭马驾车,一般只佩带刀剑等随身短兵器。这样的战车通常采用一线横列作战,以便发挥远射兵器的威力。然后敌我互相驰冲,其近体格斗一般在两车相错时进行,近体格斗使用的兵器多为戈、矛、戟等。

指挥车"戎路"的乘员也为三人,但次序排列与职责分工则与一般轻车有别,即:主将居中,击鼓指挥;参乘仍居右,负责警卫与格斗;御者居左,驾驭车马。

守车大多也以马匹挽拉,当然也有用牛驾挽的。守车除了承担运输作战物资外,还被用作大军宿营时的临时防御设施,或撤退时连在一起形成阻止敌人追击的障碍物,为撤退时赢得必要的时间,

---

① 杨泓:《战车与车战——中国古代军事装备札记之一》,《文物》1977 年第 5 期。

可见守车（辎重车）也是军队车辆装备的重要组成部分。①

西周是我国历史上车战全面兴起的时代，亦是车战的鼎盛时期。当时车兵已完全代替步兵成为军队的主力兵种与核心力量，战车数量激增，车战成为最主要的作战方式。为了便于作战和管理，战车与步兵一般实行合同编组，以战车和甲士为主体，每车配备一定数量的步兵，组成军队最基本的战术单位"乘"。"乘"主要包括战车甲士、车属徒兵、辎重车和后勤徒役，它也是西周以至春秋战国时期计算军事实力的基本单位。

关于车兵的编制，西周初期沿袭殷制，5 乘组成一队，25 乘为一正偏，100 乘为一师，而每乘配甲士 10 名，故 300 乘，有甲士 3000 名，与《孟子》所记相合。当时的步兵则独立编组，在车战中协同作战。到西周晚期，车兵的编制在西周初期的基础上又有了新的变化，每乘除甲士 10 人之外，另配有徒兵 20 人，即变成了每乘 30 人。每乘实行 30 人制，即战车 1 辆，官兵 30 人，挽马 4 匹，辎重车 1 辆。30 名官兵中有甲士 10 人，其中车上 3 人（车左、御、参乘各 1 人），车下 7 人。甲士一般由"士"以上的贵族充当。战斗步兵 15 人，由普通国人担任；后勤厮役 5 人，由贵族的家内奴隶充任。此后，长期以来，这种"乘"的编制便成为车战时代军队的基本编制单位。② 就军的编组而言，据清代学者孔广森考证："古者车战，故赋舆之法，以乘为主，而《周礼》万二千五百人为军，不言其车数，以《诗》考之，军盖五百乘，乘盖二十五人。天子六军，而《采芑》曰'其车三千'……五百乘为军，是其明证。"③ 其所谓"盖乘二十五人"是"士十人，徒二十人"中除去"厮养五人"，与每乘 30 人并不矛盾。由此可见，到西周晚期实行的是以车兵为主的车步兵混合编组，即以战车为主体，每车配备一定数量的步兵，组

---

① 蓝永蔚：《春秋时期的步兵》，中华书局，1979 年，第 68 页。

② 《周礼·地官·小司徒》注引《司马法》："革车一乘，士十人，徒二十人。"又，乘的编制在历史变迁中曾有所调整，春秋后期渐由"三十人乘制"变为"七十五人乘制"，见《左传·成公元年》服虔注引《司马法》。

③ 孙诒让：《周礼正义》注引，中华书局，1987 年，第 2240 页。

成军队最基本的建制单位，然后以五伍、四两、五卒、五旅、五师逐级编组成军。

当时，比较典型的车战的早期形态在牧野之战中有着生动的反映。如果把作战的全过程视为一个整体，其实施程序是首先展开步兵会战，然后以战车驰冲结束战斗。牧野之战中，双方的军队在商都朝歌的郊外牧野遭遇。纣王的军队，《史记》记载"发兵七十万"①，我们认为显然失之于夸大，当然典籍中亦有 17 万的说法，但仍可以看出殷军是聚集了大量步兵参战。周军的战车部队为"戎车三百乘，虎贲三千人，甲士四万五千人"②，其基本编制与考古资料相符，而甲士的数目偏多；走在前阵的步兵，则是勇锐的巴师。③双方军队的部署，当是两线配置。第一线的步兵按左、中、右列成三个大排面的密集方阵，左、右阵为三列，中阵为五列。第二线的战车可能是以 25 辆为单位横向编组，排成左、中、右三个平列横队。④

会战以军前誓师发布作战命令开始，尔后，周军派出军将前往殷军阵前挑战（致师），然后第一线步兵（巴师等）以整齐的大方阵队形，唱着军歌缓慢地推进，"歌舞以凌"⑤，"不愆于六步、七步，乃止齐焉"⑥。接敌后，周军仍以严正方阵队形进行刺杀格斗，"不愆于四伐、五伐、六伐、七伐，乃止齐焉"⑦。在如此沉重有力的攻击下，殷军第一线步兵终于被击败。于是武王亲率周军第二线的战车急驰攻击。面对连番冲击，商纣临时组织的军队，不论是士

① 《史记·周本纪》。
② 《史记·周本纪》。
③ 《华阳国志·巴志》，常璩：《华阳国志》卷一，文渊阁《四库全书》本。以下《华阳国志》引文均出自此书，仅注篇名。
④ 蓝永蔚等：《五千年的征战：中国军事史》，华东师范大学出版社，2001年，第34页。
⑤ 《华阳国志·巴志》。
⑥ 《尚书·牧誓》。
⑦ 《尚书·牧誓》。

兵单兵军事素养还是军队整体协同作战的能力，都远远逊于周军，殷军阵形迅速被突破、被冲散，全线崩溃，甚至出现前线倒戈投降，典籍有多处记载："鼓之而纣卒易乡"①，"殷人倒戈"②，"纣师皆倒兵以战，以开武王，武王驰之，纣兵皆崩，畔纣"③。

牧野之战战况显示，典型早期车战中的军队为了保持方阵整体的阵形，最大限度地发挥其攻击能力，步兵和战车都必须以严整的队形来缓慢推进，因此军队的接敌和攻击行动均在统一号令的严格规范之下。正是这一特点使得车战战术相当程式化，一般要待双方列好阵形后，才以击鼓为号，发起攻击，即所谓"成列而鼓"④，推崇"不鼓不成列"⑤。尽管这种战术表面上看似呆板，但是在广阔的平原战场上，战车横队的攻击力量较之战术同样呆板的步兵阵形仍然要大得多。到了西周后期，人们对战车的形制进行了改进，正如《司马法》所载，周人已着意于提高战车的综合战术性能，"周曰元戎，先良也"⑥。在战车形制设计上，周人开始缩短轨距和辕长，加大车舆面积，增加车轮的辐条数，关键部位增加青铜紧固件，从而提高了战车的机动性和坚固性，增大了战车的车速和载重能力。在此基础上，周人开始以战车为中心组建部队，从此车战全面兴盛，并取代步战而成为最主要的作战方式了。

---

① 《荀子·儒效》，荀卿撰，王先谦集解，沈啸寰、王星贤点校：《荀子集解》，中华书局，1988 年，第 136 页。以下《荀子》引文均出自此书，仅注篇名。

② 《华阳国志·巴志》。

③ 《史记·周本纪》。

④ 《司马法·仁本》，司马穰苴撰，王震集释：《司马法集释》，中华书局，2018 年，第 17 页。以下《司马法》引文均出自此书，仅注篇名。

⑤ 《左传·僖公二十二年》。

⑥ 《司马法·天子之义》。

第四节　礼乐制度与礼乐兵学

西周时期制度的核心就是礼乐文明，因此西周时期的军事活动处处展示出礼乐文明的色彩，我们以下主要从军事训练、军事教育、兵役制度和军礼礼仪等四个方面予以具体论述。

一、礼乐制度下的军事训练

三代时期军队的军事训练与实战演习，称之为"蒐""狝"，其中，春季称"蒐"，秋季称"狝"，主要以"田猎"的方式来进行军事训练。当时，一般贵族子弟和上层国人子弟在成年之前，都必须接受一定的军事教育，并进行军事训练。据《礼记·内则》记载："十有三年，学乐，诵诗，舞勺；成童，舞象，学射御。"① 可知当时的士人从 15 岁开始培养尚武的精神，主要学习"用干戈之小舞"，即"舞象"；进行有关的军事技能训练，主要的学习内容是"射"和"御"，这与当时作战方式以车战为主的特殊历史条件是一致的。

但对广大"亦兵亦农"的国人来说，更主要的军事训练和实战演习乃是通过参与田猎活动来实现的。即所谓"则其制令，且以田猎，因以赏罚，则百姓通于军事矣"②，"教于田猎，以习五戎"③。即"戎马车徒干戈素具"④，在农忙间隙进行必要的军事训练。正如《左传》所载："春蒐，夏苗，秋狝，冬狩，皆于农隙以讲事也。三

---

① 《礼记·内则》，郑玄注，孔颖达疏：《礼记正义》，阮元校刻：《十三经注疏》（附校勘记），中华书局，2009 年，第 3186 页。以下《礼记》引文均出自此书，仅注篇名。

② 《管子·小匡》。

③ 《礼记·月令》。

④ 廖平：《穀梁古义疏·成公元年》，中华书局，2012 年，第 425 页。

年而治兵，入而振旅。归而饮至，以数军实。"① 可见当时统治者每年都要依礼进行四次田猎活动来训练军队，使将士熟悉军事，以车兵、射士和步兵的作战阵形模拟实战，进行演习，从而提高部队的实战能力，同时还能显示周天子的军事能力，有一定的军事威慑作用。其中，《诗经》中非常详细地记载了周宣王的一次夏季狩猎行动："之子于苗，选徒嚣嚣。建旐设旄，搏兽于敖。驾彼四牡，四牡奕奕。赤芾金舄，会同有绎。决拾既佽，弓矢既调。射夫既同，助我举柴。四黄既驾，两骖不猗。不失其驰，舍矢如破。"② 我们发现，这种演习既有对当时狩猎宏大场面和周王声威的描述，也有对具体军事训练内容驾车、射箭等军事技能的具体展现。

据《周礼》记载，这种在农闲进行的四次军事演练，又有独特的命名"振旅""茇舍""治兵""大阅"③，这反映了其在演练上各有自己的不同侧重点。在四时田猎习武活动中，尤以冬季的"大阅"规模最大，最具有代表性，所以《国语》干脆忽略了其他三季的演练，仅仅把冬季的"大阅"列为军事训练活动，"三时务农，而一时讲武"④，韦昭注曰："三时，春夏秋。"此时，国君、朝臣都要参加，《诗经》所载即系明证："二之日其同，载缵武功。"⑤ "二之日"是周代历法的说法，相当于夏历的十二月。郑玄笺曰："其同者，君臣及民因习兵俱出田也。"⑥ 所以冬季的"大阅"非常隆重，规模也最大。

周王室和各方国在利用田猎开展军事训练的过程中，除了礼仪性之外，更多也是出于适应实战的要求，如《周礼》对四时的田猎活动，做出了阶段性的安排："中春，教振旅，司马以旗致民，平列陈，如战之陈，辨鼓铎镯铙之用，王执路鼓，诸侯执贲鼓，军将执

---

① 《左传·隐公五年》。
② 《诗经·小雅·车攻》。
③ 《周礼·夏官·大司马》。
④ 《国语·周语上》。
⑤ 《诗经·豳风·七月》。
⑥ 阮元校刻：《十三经注疏》（附校勘记），中华书局，2009年，第833页。

晋鼓，师帅执提，旅帅执鼙，卒长执铙，两司马执铎，公司马执镯，以教坐作进退疾徐疏数之节。遂以蒐田，有司表貉，誓民；鼓，遂围禁；火弊，献禽以祭社。"① 如，在春季"振旅"的训练中，主要是基础性的军事演练，如阵形排列，识别旗、鼓、金等指挥信号，基本阵法的坐作、进退、疾徐、疏数之节等单兵队列教练，然后进行狩猎，以野兽为假设敌，模拟进攻行动，演习军阵；最后检查捕获物以论赏罚。在仲冬十一月的军事训练中，则主要进行大规模的军事演习和军事检阅，"天子乃命将帅讲武，习射御，角力"②。

　　排演练习战斗舞蹈（"武舞"）也是三代军事训练中的重要项目。参加武舞的人员，一般都手持干盾，模拟基本战斗动作，既能用来激励舞者本人和旁观者的战斗激情和尚武精神，又能促使参加舞蹈者熟悉作战动作的基本要领，为实战做必要的准备。正如闻一多曾指出："除战争外，恐怕跳舞对于原始部落的人，是唯一的使他们觉着休戚相关的时机。它也是对于战争最好的准备之一，因为操练式的跳舞有许多地方相当于我们的军事训练。"③ 我们认为这是很精辟的说法。根据实战过程制作舞乐，不仅原始部落有之，尧舜禹时期亦有，如《韩非子》记载："当舜之时，有苗不服，禹将伐之。舜曰：'不可。上德不厚而行武，非道也。'乃修教三年，执干戚舞，有苗乃服。"④ 夏商以降历代均有之；不仅汉族有之，其他民族亦有之。

　　从文献记载看，当时的武舞应当是和射御紧密联系在一起的。如《礼记》说："成童，舞象，学射御。"⑤ 又如《诗经》亦载："舞则选兮，射则贯兮，四矢反兮，以御乱兮。"⑥《礼记》亦有"朱

① 《周礼·夏官·大司马》。
② 《礼记·月令》。
③ 闻一多：《神话与诗》，上海人民出版社，2005年，第162页。
④ 《韩非子·五蠹》。
⑤ 《礼记·内则》。
⑥ 《诗经·齐风·猗嗟》。

干、设锡，冕而舞大武"① 之语，意谓手执朱漆盾牌和玉斧，盛装跳着大武舞，亦是武舞作为重要军事训练形式的证据。可见武舞实际上就是军事操练的一种形式，与"蒐狝"活动一起，构成当时军事训练的主体内容，并且在实战中亦体现出其独特的壮观景象。据史籍记载，武王伐纣时，在进攻朝歌的前夜，士兵们曾"前歌后舞"②。而在凌晨进攻时，勇锐的巴师则"歌舞以凌"③，就透露了这方面的消息。

二、礼乐制度下的军事教育

三代还开设各级学校，在贵族子弟与上层平民中进行军事教育。我们根据先秦时期的一些文献记载可知，三代时期对贵族子弟以及平民的教育大体上根据年龄和学习内容分为 14 岁之前的"小学"和 15 岁以后的"大学"两个阶段。按照传统所言礼、乐、射、御、书、数的六艺分类而言，"小学"主要习文，内容包括书、数和文乐文舞文礼，"大学"主要习武，内容包括射、御以及武乐武舞军礼等。④

夏代史籍缺载，有关军事教育的情况尚不清楚。商代对贵族子弟，战车甲士进行射、御的军事训练则已经得到了甲骨卜辞的证实。甲骨卜辞中有大量诸如"王学众伐于免方""王勿学众伐于免方""学马""教戍"一类的记载，⑤ 还常见是否令其人"庠射""庠三百射"的反复占卜。"庠"是商代军事教育机构的名称，甲骨文作"庠"，本义为养，"是指培养射手、御马者、卫士等武士，引申出

---

① 《礼记·郊特牲》。

② 伏胜撰，孙之騄辑：《尚书大传》卷二，文渊阁《四库全书》本。

③ 《华阳国志·巴志》。

④ 王晖：《庠序：商周武学堂考辨——兼论周代小学大学所学内容之别》，《中国史研究》2015 年第 3 期。

⑤ 王贵民：《商周制度考信》，明文书局，1989 年，第 241—246 页。

商代学堂之名"①，后世称为"庠"。由此可见，当时射手、御者要经过学校的专门训练，而教练的选择多经反复占卜，显得极其郑重、谨慎。②

西周时期的学校军事教育得到进一步加强。西周的军事教育机构称为"射"，金文作"廚"，又作"榭"，后世称为"序"。当时，周天子在中央设立有"辟雍""学宫""大池"等学校机构，诸侯国及卿大夫采邑也设置有"泮宫""庠""序""校""塾"等学校，以保证军事教育与军事训练的普遍推行和全面展开。当时，对于一些专门军事技能的培养已经有专业的训练机构，如专门培养射艺的机构就有"宣射""射庐""射学宫"等。贵族子弟一般从15岁起学习乐舞（包括"武舞"）和射御课程，每名"学士"都必须熟练掌握射箭和驾驭兵车的本领，这些本领包括"五射"（五种射箭技法）和"五驭"（五种驾车的技巧），由保氏等专业人员负责专门传授。与礼乐制度相应，周代亦有非常完整规范的射仪，规模十分盛大，据《仪礼》记载，分为大射、宾射、燕射、乡射四种，各有定制，所用的弓、箭、靶和伴奏音乐均不相同，其目的是通过表彰射之善者，以提高射艺之术，从而加强军队的战斗力。其中，大射是在射宫举行的"选射之礼"。至今尚存的青铜器"亚尊"就是此种射仪上使用的饮器。据《静簋》铭文记载，当时有位名叫"静"的王子，曾遵照"王命"和一些贵族少年在"学宫"习射。两个月后，他们又参加了一次在"大池"举行的田猎，进行演习，而周天子本人也经常在射宫和猎场亲自发矢操练。

除开展射、御技能的基本训练外，当时的学校还从事告庙、献俘、庆赏、饮至等"军礼"的教育。这些活动和射、御训练一起，构成当时贵族子弟的主要军事教育内容。周人正是通过这一途径，增强武备观念，提高军事技能，提高军队的战斗力。

---

① 王晖：《庠序：商周武学堂考辨——兼论周代小学大学所学内容之别》，《中国史研究》2015 年第 3 期。
② 罗琨、张永山：《夏商西周军事史》，军事科学出版社，1998 年，第 138 页。

军政合一，文武同途，是三代军事领导体制的基本特点。如《尚书·甘誓》所载的"六事之人"，他们平时是夏王的政务大臣，战时随夏王出征即为统军的将领。商代的情况更为突出，一些官员，既是军政官员，同时又是神职人员，如伊尹的形象；既像是教官，同时又是军政官员，如史籍记载的巫咸。有的经常执行某种职能，偏偏没有什么职名。如，作为第22代商王武丁王后的妇好，甲骨卜辞中对她的记载多达200多条，她曾经多次参与商人对周边方国的军事行动，并指挥土方、巴方等方面的战争，甚至武丁时期出兵数量最多的一次攻伐鬼方的战争就是由妇好指挥。同时，在1976年发现的妇好墓中，亦发现两件铸有"妇好"铭文的钺，还有一些戈、簇等武器的发现。这些出土文献和文物都表明，妇好在武丁时期可谓战功卓著，可是她并无军职，即使在具体的军事行动中也没有具体的职名。又如，"师"本是军事性质的官员，可是在具体政务中却又兼任王的辅弼。

西周时期，这种文武合一、"官事可摄"的现象仍然十分普遍。在西周的中央政权机构中，其中主管军政的"三有司"之一司马就是卿事寮的主要属官，武事是其重要的执掌之一；而太史寮的官长是太史，掌管册命、制禄、图籍、记录历史等等，从某种意义上说，太史可以说是文职官员的领袖。[1] 就卿事寮和太史寮两个系统而言，两者间的职权就经常混淆，卿事寮固然带兵作战，而太史寮也不乏统军受命出征的例子。如受命以殷八师征伐东夷的伯父懋是卿士，而昭王时出任伐桧主帅的却是太史。这些情况表明，当时虽然已有

---

[1] 有关西周时期中央官制中"太史寮""卿事寮"的具体分工与执掌，可参见杨宽：《西周中央政权机构剖析》，《历史研究》1984年第1期。当然学术界有关"太史寮"和"卿事寮"的观点尚有争议，如，郝铁川：《西周中央官制的演变》，《河南大学学报》（哲学社会科学版）1985年第4期；李西兴：《卿事（士）考——兼论西周政体的演变》，《人文杂志》1987年第3期；李学勤：《论卿事寮、太史寮》，《松辽学刊》1989年第3期；张志康、谢介民：《"卿事寮"析论》，《学术月刊》1988年第2期；韩国磐：《关于卿事寮》，《历史研究》1990年第4期。

专业的军队，却并没有专业化的将帅，军事指挥作为一门特定的专业，还没有从具体的政务中分化出来。这当然是当时兵学尚不发达，军事指挥尚未专业化，只停留在低级层面的缘故。

但是，我们所说的春秋以前文武不分职，主要是就最高层的军令——即统兵发令的基本情况而言的。而在军事行政系统方面，自商周以来就设置专职官员，自成体系，这表现为国家设置司掌一般军事事务的职官，以处理日常的军事行政事务。

早在商代，在商王朝的军政系统中，中下层的专门军事职官系统已较为完善，并且均有明确的分工和执掌，如，"亚"负责教练射手，"马小臣"是禁卫战车统管，"戎马"执掌戍守部队战车勤务，"马亚"负责战车部队训练、作战总领，"射亚"负责射手的训练、作战总领，等等。到了西周时期，中下层的专门军事职官更为完善，根据已发现的金文材料，西周时期的"师"官的执掌有了更进一步的发展，根据学者研究，主要分为三类七种，其中，"为军事长官，率领军队，参加战争""为周王的禁卫部队长官""为王管理军旗"一类，即军事长官，"为王的教育之事"亦表明师也是教育方面的长官。① 在西周的司马类官职中，亦有很多具体的分工，如："虎臣"，王室禁卫军统领；"走亚"，也是武职官员，具体执掌仍需进一步研究；"师氏"，军队驻屯地主官；"左右戏繁荆""司旆""司叔金"，"荆"为旌旗之"旌"的假借，"旆"为大白旗，"叔金"为"素锦"，其三者当属旗官；"司弓矢""司射""司戎""走马""大左"等各司其职，② 传世文献中亦有"邦司马""冢司马""旅司马"等记载。据考证，当时各级司马所执掌的军事行政事务包括管理国家、封邑的军赋，组织适龄服役人员从事军事训练和军事演习，执行军

---

① 参见张亚初、刘雨：《西周金文官制研究》，中华书局，1986 年，第 4—8 页。
② 参见张亚初、刘雨：《西周金文官制研究》，中华书局，1986 年，第 12—22 页。

事法律，等等。①

三、礼乐制度下的兵役制度

与夏商时期类似，西周时期亦采取兵农合一的方式征集军队。当时统治者采取"国""野"分治的社会治理方式。周贵族及族众居住在都邑以及郊内，被征服的族众（普通村社民众）则居于各城邑的郊外。都邑（包括其郊区）称为"国""都"，其居民称为"国人"；"国""都"以外的地方称为"乡""遂""都鄙"，其居民称为"庶人"或"野人"。据《周礼》记载，都鄙在最外层，包括井（九家）、邑（四井）、丘（四邑）、甸（四丘）、县（四甸）、都（四县）等六级机构。在西周时期的兵役制度下，只有国人才能"执干戈以卫社稷"②，才有资格参军，为周王出征，其车马兵甲主要由国家配给，野人不当兵，亦不出车马兵甲。直到春秋晚期，这一制度才被打破，开始出现"都鄙"出军的新兵役制度。③　"国""野"之间的政治、经济地位截然不同，所以建立在这一基础上的兵役制度也有其特色，即国人当兵，野人不当兵。

西周军队的兵员"国人"，平时"三时务农，而一时讲武"，从事生产，积极备战，交纳军赋；战时则有"执干戈以卫社稷"的义务与权利，临时征集，编组成军。在军中，贵族和武士担任车乘的甲士，成为军队的骨干；普通"国人"（平民）一般充任战斗徒兵；"野人"则没有服兵役的权利。此外，有小部分家内奴隶也跟随贵族甲士出征充当厮徒，从事杂役和后勤保障事宜。

西周的兵役征发是按地方行政组织层次逐级进行的，其行政组织和当时军队的建制完全可以一一对应，这充分反映了"国人兵役制"的兵农合一性质。当时的"国人"一般每户出一青壮年男子按时服役，称为"正卒"；其他适龄男子则为预备役，即"羡卒"。正

---

① 参见陈恩林：《先秦军事制度研究》，吉林文史出版社，1991 年，第 76—85 页。

② 《礼记·檀弓下》。

③ 《左传·成公三年》。

如《周礼》所载："凡起徒役，毋过家一人，以其余为羡。"贾公彦疏曰："一家兄弟虽多，除一人为正卒。正卒之外，其余皆为羡卒。"① 周人的服役年龄一般为20岁至60岁。

四、礼乐制度下的军礼礼仪

在商代，已经产生了与军事相关的礼仪，如在战前祭告祖先。到了西周时期，已经形成了一套完整的军礼礼仪，军礼礼仪贯穿着整个战争活动的始末。② 西周所形成的军礼礼仪直到春秋时期还非常流行。西周的军礼，往往以祭祀贯穿整个战争的过程。正如《礼记》记载："天子将出征，类乎上帝，宜乎社，造乎祢，祃于所征之地。受命于祖，受成于学。出征，执有罪；反，释奠于学，以讯馘告。"③

西周时期，天子在出征前要祭祀上帝，祭祀地，祭告祖先，其中以祭告祖先最重要。西周的军礼以在宗庙中举行祭祖礼仪为始末。也就是说，周人在出征前以及战争结束后，都要在宗庙中举行祭祖活动。"西周金文中有记载战争中获得战利品因而给宗室、先人作器的材料，很可能也是贵族征战归来于宗庙祭告先人的证据。"④ 祭告祖先在整个军事行动中具有非常重要的作用，正如杨宽指出："宗庙在宗族中具有礼堂的性质……因为宗主不仅是宗族之长，而且是政治上的君主和军事上的统帅。这样在宗庙举行典礼和请示报告，无非表示听命于祖先，尊敬祖先，并希望得到祖先的保佑，得到神力的支持。其目的，就在于借此巩固宗族的团结，巩固君臣的关系，统一贵族的行动，从而加强贵族的战斗力量和统治力量。"⑤

祭祀结束后，出征之前，天子要举行授斧钺、授兵以及军事训

---

① 《周礼·地官·小司徒》。
② 学术界已有学者对此问题有了较为深入的研究，如任慧峰《先秦军礼研究》（商务印书馆，2015年）就是这方面的力作。
③ 《礼记·王制》。
④ 刘源：《商周祭祖礼研究》，商务印书馆，2004年，第84页。
⑤ 杨宽：《西周史》，上海人民出版社，2003年，第433页。

练。天子授斧钺的礼仪是将其军事指挥权通过一定的礼仪暂时授予外出作战的将领。斧钺在西周时期是王权的象征。① 在甲骨文中，"王"的字形由一期的""""，到二期的""""，再到三期的""""，最终五期定型为""""。徐中舒明确指出甲骨文中王的字形是"象刃部下向之斧形，以主刑杀之斧钺象征王者之权威"②。吴其昌通过八个证据证明了王的本义就是"斧"，这一说法在林沄的进一步论证下，逐渐得到学术界的认可。③ 因此，在出征之前，天子以一定的礼仪将斧钺授予将领，一方面能够展现天子的王权，对军队的控制，军事行动的合法性；另一方面也能够保证将领在外出征时拥有绝对指挥权，正如《司马法》所言："阃外之事，将军裁之。"④ "进退惟时，无曰寡人。"⑤ 授斧钺等具体礼仪典籍中有记载，一般包括占卜选日，具体礼仪，并有一些对话，其中在《尉缭子·将令》《六韬·龙韬·立将》《孔丛子·问军礼》中就有较为详细的记述。其中以《六韬》记述最为详细，以武王和太公对话的形式来呈现，为了较为全面展现授斧钺之礼，兹录如下：

太公曰："凡国有难，君避正殿，召将而诏之曰：'社稷安危，一在将军。今某国不臣，愿将军帅师应之。'将既受命，乃命太史卜，斋三日，至太庙，钻灵龟，卜吉日，以授斧钺。君入庙门，西面而立；将入庙门，北面而立。君亲操钺持首，授将其柄，曰：'从此上至天者，将军制之。'复操斧持柄，授将其刃，曰：'从此下至渊者，将军制之。见其虚则进，见其实则止，勿以三军为众而轻敌，

---

① 白立超：《先秦"内圣外王"政治思想的渊源与形成——以〈尚书〉为核心的考察》，《政治思想史》2016年第1期。

② 徐中舒主编：《甲骨文字典》，四川辞书出版社，2014年，第32页。

③ 林沄：《说"王"》，《考古》1965年第6期；也可参考钱耀鹏：《中国古代斧钺制度的初步研究》，《考古学报》2009年第1期。

④ 《公羊传·襄公十九年》疏引。公羊寿传，何休解诂，徐彦疏：《春秋公羊传注疏》，阮元校刻：《十三经注疏》（附校勘记），中华书局，2009年，第5013页。以下《公羊传》引文均出自此书，仅注篇名。

⑤ 曹操：《曹操集·孙子注》，中华书局，2013年，第87页。

勿以受命为重而必死，勿以身贵而贱人，勿以独见而违众，勿以辩说为必然。士未坐勿坐，士未食勿食，寒暑必同。如此，则士众必尽死力。'将已受命，拜而报君曰：'臣闻国不可从外治，军不可从中御。二心不可以事君，疑志不可以应敌。臣既受命专斧钺之威，臣不敢生还。愿君亦垂一言之命于臣，君不许臣，臣不敢将。'"

在天子授斧钺后，在太庙举行授兵器之礼，并且进行必要的军事训练和军事演习，以提高军队士气，即"治兵"之礼。

军队开赴战场，在战前亦有军礼，主要包括观兵和致师。我们都熟知周武王孟津观兵。学术界基本认为观兵就是战前展现军容军貌，向对方示威的一种军礼，[1] 正如学者所言："古之'观兵'是进行军事威胁的一种战争手段，企图以不战而屈敌人之兵。"[2] 据此，我们基本可以确定，观兵就是后世所熟知的"伐交"[3]。当然，根据典籍记载，观兵礼有时在战后也会举行，史籍称之为"京"，又称"京观"，应当起源于西周早期，"最早只是将几个主要元凶杀掉埋葬以示惩罚，后来则演变为将敌人的尸体收集起来筑成大封，炫耀的色彩逐渐大过了惩戒"[4]。

如果说在观兵礼时，双方军队尚未接触，那么到致师礼，双方军队开始有了初步接触。据《逸周书》载："周车三百五十乘陈于牧野，帝辛从。武王使尚父与伯夫致师。"[5] 孔晁注曰："挑战也。"《史记》在描写牧野之战时亦载："帝纣闻武王来，亦发兵七十万人距武王。武王使师尚父与百夫致师，以大卒驰帝纣师。"[6] 由于致师之礼在战争中的重要性，因此在周人的官制中，有专掌致师的官员："环人掌致师。"[7] 郑玄注曰："致师者，致其必战之志。古者将战，

---

① 刘雨：《西周金文中的"周礼"》，《燕京学报》1997 年第 3 期。

② 刘雨：《近出殷周金文综述》，《故宫博物院院刊》2002 年第 3 期。

③ 黄朴民：《孙子"伐交"本义考》，《中华文史论丛》2002 年第 1 辑。

④ 任慧峰：《先秦军礼研究》，商务印书馆，2015 年，第 100 页。

⑤ 《逸周书·克殷》。

⑥ 《史记·周本纪》。

⑦ 《周礼·夏官·环人》。

先使勇力之士犯敌焉。"① 在近现代学者中，吕思勉较早对此问题进行了梳理，② 当然，有关致师之礼的内容，学术界仍有争议。③ 至于致师之礼的具体仪式，《左传》中有较为具体的记载："楚子又使求成于晋，晋人许之，盟有日矣。楚许伯御乐伯，摄叔为右，以致晋师。许伯曰：'吾闻致师者，御靡旌摩垒而还。'乐伯曰：'吾闻致师者，左射以菆，代御执辔，御下两马，掉鞅而还。'摄叔曰：'吾闻致师者，右入垒，折馘，执俘而还。'皆行其所闻而复。"④ 此文献基本描述了战车的致师军礼，其中御者单车挑战，疾驰而使旌旗斜倒，迫近敌营，然后回来；车左用利箭射敌，代替御者执掌马缰，车左下车，整齐马匹，整理好马脖子上的皮带，然后回来；车右进入敌营，杀死敌人割取左耳、抓住俘虏，然后回来。

在战争中，亦有许多具体礼仪，这些礼仪以及军礼的原则在《左传》《司马法》中有很多反映，如，在泓水之战中宋襄公的行为和言论。又如，在鄢之战中，"郤至三遇楚子之卒，见楚子，必下，免胄而趋风"⑤。也是在鄢之战中，郤至与韩厥追击郑伯，亦能看出礼仪制度下的战场的情况："晋韩厥从郑伯，其御杜溷罗曰：'速从之，其御屡顾，不在马，可及也。'韩厥曰：'不可以再辱国君。'乃止。郤至从郑伯。其右茀翰胡曰：'谍辂之，余从之乘，而俘以下。'郤至曰：'伤国君有刑。'亦止。"⑥

战争结束后，也有相应的军礼，由于战争有胜负之分，因此也有战胜国和战败国相应的礼仪。作为战胜国的礼仪，出土文献《小盂鼎》的铭文有比较详尽的叙述。大体而言，整个礼仪三天完成，

① 《周礼注疏》，阮元校刻：《十三经注疏》（附校勘记），中华书局，2009年，第1823页。
② 吕思勉：《吕思勉读史札记》，上海古籍出版社，1982年，第318—319页。
③ 如黄怀信就认为致师礼与挑战无关，而是"集合军队，以待誓"。参见黄怀信：《逸周书校补注译》，西北大学出版社，1996年，第178页。
④ 《左传·宣公十二年》。
⑤ 《左传·成公十六年》。
⑥ 《左传·成公十六年》。

第一天举行献俘礼，第二天举行祎礼，第三天举行飨礼。整个礼仪包括振旅、凯入、献俘、祎祖、大飨五个仪式和服酒、告禽、讯酋、折酋、献西旅、燎周庙、告功、饮至、用牲、用卜、献邦宾、纳玉、献酒、大赏等十几个仪节、数十个仪注，[①] 我们以下对较为重要的军礼进行述论。

一般而言，战胜国军队回国之后，要举行振旅礼仪，这是重要的还师礼。振旅之礼在商代已经出现，有甲骨文为证，如，"癸巳卜，其振旅"[②]。我们一般认为，此礼仪与出征前的治兵礼相对而言，性质类似，即如《穀梁传》所言："出曰治兵，习战也；入曰振旅，习战也。"[③] 现代学者高智群也指出："《春秋》三传及《尔雅》将'治兵'与'振旅'作为出入习战之专名，乃后起之事。周代治兵、振旅'其礼一也'，本无区别。"[④] 振旅礼仪一般在国都近郊举行，在战胜后的振旅礼中，年龄较大的老兵走在队伍的最前面，年轻的壮士走在队伍的后面，与出征时恰恰相反，正如郭璞所言："尊老在前，复常仪也。"[⑤] 根据《周礼》的记载，振旅之礼在平时就有很多训练，安排在"中春"时节："中春，教振旅，司马以旗致民，平列陈，如战之陈，辨鼓铎镯铙之用，王执路鼓，诸侯执贲鼓，军将执晋鼓，师帅执提，旅帅执鼙，卒长执铙，两司马执铎，公司马执镯，以教坐作进退疾徐疏数之节。遂以蒐田，有司表貉，誓民；鼓，遂围禁；火弊，献禽以祭社。"[⑥] 此处对振旅的具体礼仪细节有着非常详细的叙述。而作为战后的振旅，很有可能也是一场

---

① 参见丁进：《从小盂鼎铭看西周大献礼典》，《学术月刊》2014 年第 10 期。

② 《屯南》236。

③ 《穀梁传·庄公八年》，穀梁赤撰，范宁集解，杨士勋疏：《春秋穀梁传注疏》，阮元校刻：《十三经注疏》（附校勘记），中华书局，2009 年，第 5169 页。以下《穀梁传》引文均出自此书，仅注篇名。

④ 高智群：《献俘礼研究》，《文史》第 35 辑。

⑤ 《尔雅·释天》，郭璞注，邢昺疏：《尔雅注疏》，阮元校刻：《十三经注疏》（附校勘记），中华书局，2009 年，第 5677 页。以下《尔雅》引文均出自此书，仅注篇名。

⑥ 《周礼·夏官·大司马》。

胜利后的军事演习，以张军威，振旅之礼还有相应的军乐军歌配合，会奏恺乐、唱恺歌。

献俘礼早在商代就已经出现，[①] 主要由告俘、献俘、赏赐三个部分组成。西周早期的献俘礼在《逸周书·世俘》中有非常集中的记载。[②] 出征的将领献俘于王，并由王主持献俘礼，献俘礼的具体礼仪包括服酒、尊旅服、告禽、献酋、献人馘、告功、饮至七个仪式。

饮至礼是军队回国后举行的欢迎和庆祝仪式，以饮酒为形式，庆祝天子、诸侯、大臣等出征归来。饮至礼可能是周人独特的一种礼仪，迄今为止在殷墟卜辞中未有发现，但是在周原的卜辞 H11 中有发现，学者认为"王饮臻"正是饮至礼的记载，因此李学勤指出饮至礼"不见于殷墟卜辞，H11 本辞中的王很可能是周王，不是商王"[③]。清华简《耆夜》中也有关于饮至礼的记载："武王八年，征伐耆，大戡之，还，乃饮至于文太室。"[④] 整理者指出简文"讲述武王八年伐黎大胜之后，在文王太室举行饮至典礼，武王君臣饮酒作歌的情事"[⑤]，具体礼仪细节《耆夜》中有描述。在礼仪中亦有歌有乐，其中周公作歌《蟋蟀》，与《诗经·唐风·蟋蟀》密切相关。在举行饮至礼时，还要对有功的人进行册封，书之于策，即策勋，并有专门主持的官员，即司勋。据《周礼》记载："凡有功者，铭书于王之大常，祭于大烝。"[⑥]

数军实之礼的具体所指学术界仍有争议，核心争议在于是否计

---

① 参见张怀通：《小臣墙刻辞与商末献俘礼——兼论商代典册问题》，《河北师范大学学报》（哲学社会科学版）2013 年第 6 期。

② 学者一般认为《逸周书·世俘》是成书于商末周初的文献，反映了当时的史实。参见顾颉刚：《〈逸周书·世俘〉校注、写定与评论》，《文史》第 2 辑，中华书局，1963 年。

③ 李学勤、王宇信：《周原卜辞选释》，《古文字研究》第 4 辑，中华书局，1980 年。

④ 李学勤：《清华大学藏战国竹简（壹）》，中西书局，2010 年，第 150 页。

⑤ 李学勤：《清华大学藏战国竹简（壹）》，中西书局，2010 年，第 149 页。

⑥ 《周礼·夏官·司勋》。

算敌方俘虏数，如杨伯峻、高智群等认为军实指自己的士卒和敌方的俘虏，[1] 而我们认为杨树达、任慧峰等学者的看法可能更接近史实，应当是核实与清点己方士卒和器械。

战败亦有相关的礼仪，如我们所熟知的战败以丧礼处之。当然具体的礼仪我们在《礼记》《孔丛子》中可以发现，其中《孔丛子》记载更为详细："若不幸军败，则驲骑赴告于天子，载橐韔，天子素服哭于库门之外三日，大夫素服哭于社，亦如之。亡将失城则皆哭七日。天子使使迎于军，命将帅无请命，然后将帅结草自缚，袒右肩而入，盖丧礼也。"除了这些礼节，天子还要吊唁阵亡的将士。具体而言，正如学者指出，将领派人禀报君主，君主得到消息后，要素服缟冠出迎，并且面对军队哭泣，在太庙中哭泣，要素食。同时，要吊唁死伤将士。在军队返回国内时，肆师协助大司马将庙主与社主护送回到国都，大司马要头戴丧冠。[2]

总而言之，在西周的礼乐制度下，整个战争的始末均与礼乐制度息息相关，也可以说是在礼乐制度的规范下进行的，这也是西周兵学的基本特征，而与之相应，西周时期的兵学思想亦有鲜明的礼乐文明色彩。

第五节　西周的礼乐兵学思想摭拾

西周是三代礼乐文明的全盛时期，武王伐纣、周公东征、昭王南伐、穆王西巡、宣王中兴、幽王失国等一系列战争，为兵学思想的发展注入了新的生机，而礼乐文明的繁荣，也为兵学思想的进步提供了合适的温床。在这种背景之下，兵学思想在当时遂进入了初步成型的阶段。这既表现在金文文献与《尚书》《周易》《诗经》

---

①　杨伯峻：《春秋左传注》（修订本），中华书局，1990 年，第 43 页。
②　参见任慧峰：《先秦军礼研究》，商务印书馆，2015 年，第 179—188 页。

《逸周书》《周礼》等典籍中对兵学相关问题均有不同程度的探讨和总结，也反映为当时已出现了一些以专门记载和论述兵学问题为宗旨和主体内容的书籍，如，以"古司马兵法"为类名的《军志》《军政》《令典》《大度之书》等等。这些典籍的作者对兵学现象做出了自己的分析与判断，提出了一系列重要的兵学原则。

一、《周易》的兵学思想略说

《周易》作为五经之一，其卦爻辞中保存了殷周时期的很多重要史事，[1] 其中亦记载了一些战争，如，《未济·九四》曰："震用伐鬼方，三年，有赏于大国。"[2] 据王国维研究，此可与《竹书纪年》所载的"殷王子亥，宾于有易而淫焉，有易之君绵臣杀而放之。是故殷主甲微假师于河伯，以伐有易，灭之，遂杀其君绵臣也"[3] 相互印证。1929 年，顾颉刚作《〈周易〉卦爻辞中的故事》一文，最初对相关史事进行了研究。[4] 同时，在新出土文献清华简《保训》中也有此次战争的相关记载："昔微假中于河，以复有易，有易服厥罪。微无害，乃归中于河。"[5] 可见，这场长达三年的战争在商族崛起中的影响是非常大的，其中，《周易》是通过《未济》爻辞的方式来体现。同样，在《既济·九三》亦有"高宗伐鬼方，三年克之，小人勿用"[6] 的记载。高宗，即殷高宗武丁。武丁时期，对外开疆拓土，大败居于北方地区的鬼方，此事在《竹书纪年》有载："（武丁）三十二年，伐鬼方，次于荆。"[7]

《周易》的部分卦爻辞不仅保存了一些重要战争记载，同时亦有

---

① 胡朴安：《周易古史观》，上海古籍出版社，2006 年。

② 《周易·未济·九四》。

③ 郭璞的《山海经》注中引古本《竹书纪年》。

④ 顾颉刚：《〈周易〉卦爻辞中的故事》，《燕京学报》第 6 期。

⑤ 清华大学出土文献研究与保护中心编，李学勤主编：《清华大学藏战国竹简（壹）》，中西书局，2010 年，第 143 页。

⑥ 《周易·既济·九三》。

⑦ 郝懿行：《竹书纪年校证》，齐鲁书社，2010 年，第 3864 页。

大量与兵学相关的思想，对后来的兵学发展产生了重要影响。① 其中，《师卦》集中反映了《周易》的兵学思想。同时，在《晋卦》的爻辞中也表现了较为全面的兵学思想，如李静池言："前部主要讲战术；中部讲士卒质素；后部讲战略。"② 《周易》的其他卦爻辞亦有涉及，如《同人》《离》《蒙》《履》《复》《革》《既济》《未济》等卦爻辞。其中主要涉及了兵学思想中的政治问题、军队纪律、具体战术以及战胜后的善后问题等等。以下我们拟以《师卦》为主体，从五个方面对《周易》兵学思想进行全面阐述。

第一，政治问题。《师卦》卦辞曰："师，贞。"卦辞从总体上道出了战争中最重要的几个层面。首先，贞，即正，也就是正义，强调了战争的正义性，必须要师出有名。同时，对战争的凶险性要有一定的认识，所以《周易》反对穷兵黩武，更多地主张积极防御，"在战略层面，师卦中的君主所统治的国家不主动进攻和入侵他国，而是实行以防御为主、后发制人的军事战略。国家仅当受到敌军侵犯时，才予以抵抗还击"③。其次，《周易》还非常重视民众在战争活动中的作用。如其曰"众允，悔亡"④，只有本国民众一心，同心同德，支持君主的军事行动，才能取得战争的胜利。

第二，将帅问题。《师卦》卦辞曰："丈人吉，无咎。"《师卦》此处所言的"丈人"，学者大多认为当为军事统帅，可见《周易》已经充分认识到军事统帅对战争胜负的关键作用。《师·九二》曰："在师中，吉，无咎，王三赐命。"九二是师卦中唯一的阳爻，又居下卦之中，正如刘沅所言："一阳居下卦之中，五阴从之，将统兵之象。"⑤ 同时，阳爻处阴位，暗含将帅应当刚柔并济，文武兼备。将

---

① 姜国柱：《周易的兵法》，《中华文化论坛》1996 年第 3 期。
② 李静池：《周易通义》，中华书局，1981 年，第 71 页。
③ 张铁良、王亮：《〈周易·师〉军事思想发微》，《军事历史》2014 年第 2 期。
④ 《周易·晋卦·六三》。
⑤ 刘沅：《周易恒解》（上海图书馆藏清嘉庆二十五年刊本），上海古籍出版社，1995 年。

帅刚柔兼济，公正无私，不偏不倚，是取得战争胜利的重要条件之一。《师·六五》亦曰："长子帅师，弟子舆尸，贞凶。"高亨注曰："长子为主将，而次子丧其军，是用亲以致败绩也。故曰长子帅师，弟子舆尸，贞凶。"[①] 可见，在当时的战争中已经有较为明确的任人唯贤而非任人唯亲的观念。

第三，纪律问题。《师卦》初六爻辞曰"师出以律，否臧凶"[②]，非常强调严肃军纪，令行禁止，并指出若是军纪涣散必然会导致凶险。《师卦》在爻辞的一开始就谈到军队的纪律问题，可见其对军队纪律的重视程度。

第四，具体战术。《周易》的卦爻辞虽然比较简略，但亦多处谈到一些较为具体的战术原则，归结起来大体有以下几个方面。首先，注重地形。《周易》提倡巧妙利用有利地形，引诱敌人加以伏击，同时也要避免己方处于不利的境地，如："需于泥，致寇至"[③]，即如果不慎陷于泥潭，不能自拔，而敌人便有机可乘；"伏戎于莽，升其高陵，三岁不兴"[④]，指在草莽中埋伏军队，是因为敌人太过强大，需要隐藏自己，这是山地伏击战的重要原则。《周易》还重视地形地貌与征伐作战之间的关系："迷复，凶，有灾眚。用行师，终有大败，以其国君凶。至于十年不克征"[⑤]，在行军打仗时，如果迷路将会非常危险，导致大败，甚至会全军覆没，连主帅也会被俘或者受伤，整个国家和军队将会元气大伤，丧失作战能力，即使十年也难以恢复。[⑥] 其次，进退有度。在敌情不明的情况下，应当注重防御，而非贸然进攻："击蒙，不利为寇，利御寇。"[⑦]《师卦》的爻辞中指

---

① 高亨：《周易古经今注》（重订本），中华书局，1984 年，第 181—182 页。
② 《周易·师卦·初六》。
③ 《周易·需卦·九三》。
④ 《周易·同人·九三》。
⑤ 《周易·复卦·上六》。
⑥ 李静池：《周易通义》，中华书局，1981 年，第 50 页。
⑦ 《周易·蒙卦·上九》。

出："师，左次，无咎。"① 即在战争中要根据具体客观实际指挥军队，如果遇到不利的情况，暂时撤退，避敌锋芒，如此就可以避免不必要的损失。《同人》爻辞亦曰："乘其墉，弗克攻，吉。"② 正是说如果要攻城，一旦发现敌人早有防备，那就马上停止进攻，以减少无谓的牺牲。强调主将要考虑与较量双方力量，在此基础上做出攻守的抉择，如，《晋卦》爻辞曰"晋其角，维用伐邑"③，正如李静池所言："进攻必须较量敌我双方的力量，考虑是否要攻城伐邑。"④

第五，善后问题。《师卦》爻辞曰："大君有命，开国承家，小人勿用。"⑤ 战争并非最终的目的，如何实现战后的妥善安排也是必须考虑的问题。开疆拓土或戡乱后必须要归于国家治理，如，以分封诸侯等方式巩固战争成果，同时要选贤任能，不能任用奸佞小人，祸乱国家。

以上内容显示，《周易》的确是一部富有深刻兵学思想的古老著作，对战争、军事的若干原则已经有着非常深刻的认识和总结，它为中国古代兵学思想的形成和发展，提供了非常丰富的思想素材，弥足珍贵，是《孙子兵法》等兵书产生的重要源头。亦无怪乎宋代王应麟在其《困学纪闻》一书中要这么说："盖《易》之为书，兵法尽备，其理一矣。"⑥ 也有学者认为，"尽管《周易》不是一部成熟的兵书战策，但它对战争规律的省察与揭示都触及了军事科学的要害问题"⑦。

二、《尚书》中所体现的兵学思想

《尚书》是我国现存最早的一部历史文献汇编，记述了虞夏商周

① 《周易·师卦·六四》。
② 《周易·同人·九四》。
③ 《周易·晋卦·上九》。
④ 李静池：《周易通义》，中华书局，1981 年，第 71 页。
⑤ 《周易·师卦·上六》。
⑥ 王应麟：《困学纪闻》卷一，文渊阁《四库全书》本。
⑦ 李笑野、蒋凡：《〈周易〉的军事思想》，《学术月刊》1995 年第 9 期。

时期长达 2000 年间的历史，记载了这一时期重要的历史事件、核心人物等，是反映此一时期政治、军事、礼仪、刑罚等方面情况的重要文献。其中有关兵学的文献集中体现在"六誓"中，"誓"是告诫将士的言辞。当然其他反映兵学思想的文献亦散见于《大诰》《召诰》《君奭》等周初诰誓中。其中"六誓"[①] 包括夏启讨伐有扈氏的《甘誓》，商汤讨伐夏桀的《汤誓》，周武王灭商的《牧誓》《泰誓》，鲁伯禽前往征讨淮夷、徐戎的《费誓》以及秦穆公崤之战失败后而作的《秦誓》。以下我们以"六誓"的内容为主，结合《尚书》中与兵学思想相关的文献，从以下五个方面对《尚书》的兵学思想进行简要的分析。

第一，"天""天命"是《尚书》所载军事行动的最高意志体现。《尚书》所载的战争出现以及成败的背后深层原因是"天"。如，周人在对夏商周三代革命的叙述中，明确指出："我不可不监于有夏，亦不可不监于有殷。我不敢知曰，有夏服天命，惟有历年。我不敢知曰，不其延，惟不敬厥德，乃早坠厥命。我不敢知曰，有殷受天命，惟有历年；我不敢知曰，不其延，惟不敬厥德，乃早坠厥命。"[②] 在商亡原因中，周人多次提道："天惟丧殷。"[③]"今惟殷坠厥命。""故天降丧于殷。"[④]"皇天上帝，改厥元子，兹大国殷之命……天既遐终大邦殷之命。"[⑤] 可见在周人看来，周兴商亡是"天"的意志，自然而然战争的胜负亦是"天命"之所在。即使在周初，周人面对三监、武庚之乱等严重危局，亦认为是"天"的意志："猷！大诰尔多邦越尔御事，弗吊！天降割于我家，不少延。洪

---

① 由于《泰誓》涉及《古文尚书》真伪的问题，属学术界重要的学术公案，我们此处不再赘述；《秦誓》所述史事已经进入春秋时期，并且其内容更多为政论，与兵学内容并不是非常相关，所以我们主要结合《甘誓》《汤誓》《牧誓》《费誓》的内容进行分析。

② 《尚书·召诰》。

③ 《尚书·大诰》。

④ 《尚书·酒诰》。

⑤ 《尚书·召诰》。

惟我幼冲人，嗣无疆大历服。"① 面对此种危局，周人用周文王留下的大宝龟来卜问天命："有大艰于西土，西土人亦不静，越兹蠢。殷小腆诞敢纪其叙。天降威，知我国有疵，民不康，曰：予复！反鄙我周邦，今蠢今翼。日，民献有十夫予翼，以于敉宁、武图功。我有大事，休？"② 而此次平叛卜筮得出的结果是："朕卜并吉。"③ 同时，《尚书》还非常重视以"天命"进行战前的政治动员和声讨。在《甘誓》中，夏启声讨有扈氏"威侮五行，怠弃三正，天用剿绝其命，今予惟恭行天之罚"④。在《汤誓》中，商汤亦指出："有夏多罪，天命殛之。"商民质疑商汤发动战争讨伐夏桀的军事行动，是不体恤商人的表现。而商汤强调"夏氏有罪，予畏上帝，不敢不正"⑤，而非其个人的行为。同样在《牧誓》中，周武王姬发也称"今予发惟恭行天之罚"⑥。当然，我们根据周人的誓词来看，商周鼎革的战争以及成败均为"天"的意志，周人对三代兴亡更替的理解亦是如此。

第二，在政治声讨中，政治暴行、乱政也是声讨的重要内容。如夏启指出有扈氏"怠弃三正"，学者一般认为是其不重视具体的政务。商汤指出夏桀："率遏众力，率割夏邑。有众率怠弗协，曰：'时日曷丧？予及汝皆亡。'夏德若兹，今朕必往。"⑦ 而周武王在《牧誓》中更是不厌其烦，从各个方面历数商纣的恶行，包括小到妇人干政，大到国家治理中人才的任用："古人有言曰：'牝鸡无晨；牝鸡之晨，惟家之索。'今商王受，惟妇言是用，昏弃厥肆祀弗答；昏弃厥遗王父母弟不迪，乃惟四方之多罪逋逃，是崇是长，是信是使，是以为大夫卿士，俾暴虐于百姓，以奸宄于商邑。"从《甘誓》

---

① 《尚书·大诰》。
② 《尚书·大诰》。
③ 《尚书·大诰》。
④ 《尚书·甘誓》。
⑤ 《尚书·汤誓》。
⑥ 《尚书·牧誓》。
⑦ 《尚书·汤誓》。

到《牧誓》，对政治暴行和具体乱政行为的声讨篇幅内容不断增多，此亦体现了三代时期人们的理性不断提升，对政治和军事问题的认识也不断趋于理性化。

第三，战场纪律非常严苛，赏罚严明。《甘誓》中"用命，赏于祖；弗用命，戮于社，予则孥戮汝"①。颜师古在《匡谬正俗》中云："按孥戮者，或以为奴，或加刑戮，无有所赦耳。"② 即，对于在战场上服从命令的人，将会在社主的见证下进行奖赏；那些不服从命令的人，也将会在社主面前进行严厉惩罚，并且会让你们子子孙孙永世为奴，或者将你们杀掉。而这一切均是在神的名义下进行的，而非王的专权。《汤誓》中商汤亦言："尔尚辅予一人，致天之罚，予其大赉汝。尔无不信，朕不食言。尔不从誓言，予则孥戮汝，罔有攸赦。"③ 对于那些在战争中冲锋陷阵，严格服从军令的军士，一定会大加赏赐；对于那些不从军令者，将会处死，一个都不会赦免。《牧誓》亦有提及："尔所弗勖，其于尔躬有戮。"④《费誓》三次强调"汝则有常刑"，又先后严厉指出"汝则有无余刑，非杀""汝则有大刑"。⑤ 不论以什么名义在战前三令五申来强调战场纪律，均体现了战场纪律对战争胜负的重要影响。

第四，强调具体战术应用，反映了车战、阵战的基本战法。《甘誓》中强调："左不攻于左，汝不恭命；右不攻于右，汝不恭命；御非其马之正，汝不恭命。"⑥ 非常直观地反映了车战中每辆战车上三名将士各司其职，分工明确。而《牧誓》中"今日之事，不愆于六步、七步，乃止齐焉。夫子勖哉！不愆于四伐、五伐、六伐、七伐，乃止齐焉"⑦，又反映了阵战要领，体现了商周时期军阵进攻的基本

---

① 《尚书·甘誓》。
② 颜师古：《匡谬正俗》卷二，文渊阁《四库全书》本。
③ 《尚书·汤誓》。
④ 《尚书·牧誓》。
⑤ 《尚书·费誓》。
⑥ 《尚书·甘誓》。
⑦ 《尚书·牧誓》。

形式，亦表明了在战场上保持阵形对于战争的胜负起着关键性的作用。

第五，对待主动归降人员的态度。在《甘誓》《汤誓》《费誓》中并未提及如何对待归降人员以及战俘的问题。在《牧誓》中，周武王在宣布战场纪律时指出："于商郊。弗迓克奔，以役西土。"①意为不要阻止那些前来投奔归降、帮助我们西土周人的殷商将士。当然，这一战场纪律和基本原则可能也是导致商人最终前徙倒戈的重要原因之一，对牧野之战的结果可能产生了决定性的影响。友好对待主动归降将士的策略有效地分化了内部已经矛盾重重的殷商将士，而此种思想相较于早期斩杀战俘的方式有了很大的进步，亦对后代如何合理对待战俘的思想产生了深远的影响。

《尚书》所载内容，虽然较为零散，但是仍在一定程度上反映了三代时期在天命观主导下的兵学思想。尤其是在其政治动员、战场纪律执行等方面"天"的因素非常明显。当然，对政治暴行的声讨、具体战术战阵的布置以及对待归降人员的态度亦反映了这一时期兵学思想的理性因素。《甘誓》《牧誓》有关行军作战、军阵等内容，对后世兵书都有着非常重要的影响。

三、"古司马兵法"所休现的早期兵学成就

"古司马兵法"是春秋中期以前的军事典籍，其性质与《左传》《孙子兵法》等典籍所提到或引用的《军志》《军政》《令典》诸书从时间和性质上相近。《周礼》尝云："及授兵，从司马之法以颁之。"②它透露了这么一个信息，即从西周起，很可能已有了供武官学习或武官必须遵循的条令、条例一类著作，就叫作"司马法"或"司马兵法"。清人张澍曾敏锐指出："按《孙子注》云《司马法》者，周大司马之法也。周武既平殷乱，封太公于齐，故其法传于齐……考《周官·县师》将有军旅、田役、会同之戒，则受法于司

---

① 《尚书·牧誓》。
② 《周礼·夏官·司兵》。

马以作其众庶，小司马掌事如大司马之法，司马授兵，从司马之法以颁之，此《司马法》即周之政典也。"①

其他如"古司马兵法"门下的《军政》《军志》等同样对兵学问题提出了理性的认识。如，《军志》非常重视辩证看待和处理战争中先发制人与后发制人的关系，"先人有夺人之心，后人有待其衰"②；强调吊民伐罪，德主兵辅，"有德不可敌"③；主张在战争中知彼知己，适可而止，"允当则归""知难而退"④。这些均反映了"古司马兵法"在兵学问题上的独到见解。又如，"古司马兵法"亦提倡运用大方阵战法："成列而鼓。"⑤"逐奔不远，纵绥不及。""徒不趋，车不驰，逐奔不逾列……迟速不过诚命。"⑥ 在战争善后问题上，主张"服而舍人""又能舍服，是以明其勇也"⑦。这一系列兵学原则在指导当时的战争中曾经发挥了重要作用，并对后世兵学思想的构筑产生过深远的影响，正如《孙子兵法》中所主张的"穷寇勿迫"等用兵纲领便是从"古司马兵法"相关原则中脱胎而来的。

从另一个角度讲，西周时期（一直延续到春秋中期）兵学思想，其主要载体和形式还是表现为"军法"，而并非纯粹意义上的"兵法"。所谓的"军法"与"兵法"的区分，也即"广义的军事艺术"和"狭义的军事艺术"之别。⑧"兵法"主要是指"用兵之法"，重点是有关作战的指导原则和具体方法；而"军法"则多具有条例和操典的性质，即中国古代以征募兵员、装备军队和训练军队为主要内容的各种条例规定，包括军赋制度、军队编制、军事装备条规、指挥联络方式、阵法与垒法、军中礼仪与具体的一些奖惩措施等等。

---

① 张澍：《养素堂文集》卷三《司马法序》，清道光十七年枣华书屋刻本。

② 《左传·昭公二十一年》。

③ 《左传·僖公二十八年》。

④ 《左传·僖公二十八年》。

⑤ 《司马法·仁本》。

⑥ 《司马法·天子之义》。

⑦ 《司马法·仁本》。

⑧ 参见李零：《吴孙子发微·前言》，中华书局，1995年，第4页。

这些内容一般属于官修文书的范围。虽然其中也包括具体用兵之法的内容，但是与大量的典章法规成分相比，实属零散和稀少。由于这些"军法"是殷周礼乐文明在军事领域内的集中体现，所以又可以称之为"军礼"。这种"兵法"包容于"军法"之内，却未曾独立成为专门兵学思想的情况表明，在西周时期，兵学思想虽然已经有了长足的发展，但远远未臻于成熟，而这又是与当时整个兵学进步的基本状态相适应、相同步的。

西周时期，文献典籍"皆官府藏而世守之，民间无有"①。在这样的历史条件下，兵学典籍亦由官方统一编纂，专职传授，而非个人的创作与传授。这类文献泛称为"司马兵法"，换言之，西周时期的"古司马兵法"，实乃当时言兵之"成宪"或"典志"。从这个意义上讲，西周兵学思想可以理解为"古司马兵法"笼括下的兵学。②

"古司马兵法"兵学思想的主要特点是在战争观、治军理论、作战指导思想原则上充分反映和贯彻"军礼"的基本精神，提倡"以礼为固，以仁为胜"③；主张行"九伐之法"④，"不鼓不成列"⑤，"不杀黄口，不获二毛"⑥；贵"偏战"而贱"诈战"，主张"结日定地，各居一面，鸣鼓而战，不相诈"⑦。这正是汉代史家班固所指出的"下及汤武受命，以师克乱而济百姓，动之以仁义，行之以礼让，《司马法》是其遗事也"⑧。作为以《孙子兵法》为代表的成熟兵学之前的酝酿、过渡阶段，"古司马兵法"是不可逾越的，并有其特定的历史价值，是中国兵学史上不可或缺的一环。

---

① 赵尔巽等：《清史稿》卷481《儒林二》，中华书局，1977年，第13215页。以下《清史稿》引文均出自此书，仅注篇名。
② 参见黄朴民：《"古司马兵法"本事索隐》，《文史》2004年第2辑。
③ 《司马法·天子之义》。
④ 《周礼·夏官·大司马》。
⑤ 《左传·僖公二十二年》。
⑥ 《淮南子·氾论训》。
⑦ 《公羊传·桓公十年》。
⑧ 《汉书·艺文志·兵书略序》。

四、《诗经》中西周战争诗反映的兵学内容

《诗经》是我国第一部诗歌总集，收集了自西周初年到春秋时期的诗歌。先秦时期称《诗》，或取其整数曰"诗三百"，西汉被尊为"五经"之一，故称《诗经》。《诗经》共 305 篇，从内容上分为"风""雅""颂"三部分，较为全面展现了此时期社会各个阶层、不同层面的内容，其中战争亦是重要内容之一。《诗经》中有很多战争诗，据学者统计，《诗经》中约有 20 篇与战争内容直接或间接相关①，为研究中国兵学史提供了非常重要的资料，是我们了解这一时期兵学思想的重要素材。

由于《诗经》收集诗歌时间跨度较长，此处我们主要以西周时期的战争诗为内容，对西周时期礼乐兵学进行研究。其中主要包括《周颂》中的《武》《酌》《桓》《赉》等，《大雅》中的《大明》、《皇矣》（后四章）、《文王有声》、《江汉》、《常武》等，《小雅》中的《采薇》《出车》《六月》《采芑》以及《豳风》中的《破斧》等。西周时期的战争诗主要集中在战争相对比较频繁的周文王剪商、周武王灭商、周公东征以及宣王中兴时期，其他时期亦有涉及。《诗经》中战争诗较少从正面去描写战争的残酷与战场的惨烈，而更多去通过周王、诸侯、主将的神态、形象以及车马器械的渲染来展现战争的宏大，当然亦有表达战争情感的诗篇。我们从以下几个方面对《诗经》中所载的西周战争史诗反映的主要兵学内容予以

---

① 当然，关于《诗经》中的"战争诗"的提法有狭义和广义之分，其中赵沛霖认为狭义上的战争诗包括《小雅·采薇》《小雅·出车》《小雅·六月》《小雅·采芑》《大雅·江汉》《大雅·常武》和《秦风·无衣》《秦风·小戎》8 篇，其中涉及周的仅 6 篇（参见赵沛霖：《诗经研究反思》，天津教育出版社，1989 年，第 114 页）。洪湛侯甚至还排除了《采薇》篇，指出："《诗经》中真正以战争为题材的诗，只有《小雅》中的《出车》《六月》《采芑》和《大雅》中的《江汉》《常武》五首。"（参见洪湛侯：《诗经学史》，北京：中华书局，2002 年，第 669 页）我们的研究当然以狭义的"战争诗"为核心，间或旁及其他与战争相关的诗歌，以便从整体上展现周代兵学内容的全貌。

述论。

第一，战争正义性源于"帝"，要"顺帝之则"，即顺从天命。如，《皇矣》整首诗就是在赞美周的先王。正如《毛诗序》所言："《皇矣》，美周也。天监代殷，莫若周，周世世修德，莫若文王。"① 朱熹《诗集传》亦曰："此诗叙太王、太伯、王季之德，以及文王伐密伐崇之事也。"② 在《皇矣》后四章中，具体叙述了文王对密、崇的讨伐，均以"帝谓文王"起，即上帝命令文王。伐密时，以上帝的口吻说："密人不恭，敢距大邦，侵阮徂共。王赫斯怒，爰整其旅。以按徂旅，以笃于周祜，以对于天下。"③ 意为密国人不恭顺，竟然敢拒绝周国教化，先侵犯阮国，又侵犯共国。周文王赫然大怒，为了制止密国的侵犯，于是整顿军队，以阻止密国的侵犯。文王用兵，是用来巩固周人的统治，增加上帝对周人的福佑，是来安民心于天下。此种叙述正如孟子所言："文王一怒而安天下之民。"④ 伐崇时，战争的细节如何进行亦是以"帝谓文王"始，曰："询尔仇方，同尔弟兄；以尔钩援，与尔临冲，以伐崇墉。"⑤ 即文王攻伐崇国，在战争发起之前要前往征询周的邻国，协同好周的兄弟之国。在战场攻伐时，要用周人的攻城工具如钩援、临车、冲车等，以攻打崇国国都。其他如《周颂》中的《桓》《酌》均反映了武王伐纣灭商亦是受命于天。

第二，尚武的观念非常浓厚。《诗经》的"雅""颂"中有大量的英雄史诗。如《周颂》中的《桓》赞美周武王："绥万邦，娄丰年，天命匪解。桓桓武王，保有厥士，于以四方，克定厥家。於昭于天，皇以间之。"⑥ 其中，"桓"就是讲武王威武之志、威武的样

① 《毛诗正义》，第 1117 页。
② 朱熹：《诗集传》，中华书局，2011 年，第 245 页。
③ 《诗经·大雅·皇矣》。
④ 《孟子·梁惠王下》。
⑤ 《诗经·大雅·皇矣》。
⑥ 《诗经·周颂·桓》。

子。"桓桓武王，保有厥士，于以四方，克定厥家"① 的诗句正是描述了周武王威风凛凛，全体将士果敢英勇，显示出周人能够征服天下，保卫周室的英雄气概。《豳风·破斧》又曰："既破我斧，又缺我斨。周公东征，四国是皇。哀我人斯，亦孔之将。既破我斧，又缺我锜。周公东征，四国是吪。哀我人斯，亦孔之嘉。既破我斧，又缺我銶。周公东征，四国是遒。哀我人斯，亦孔之休。"②《破斧》是从武器的严重损毁来表现周公东征战事激烈，亦表现出士兵对周人平定"四国"③ 的自豪，根据《毛诗序》所言："《破斧》，美周公也。"④《兔罝》在描写狩猎时，表达了对"赳赳武夫"的赞美："赳赳武夫，公侯干城……赳赳武夫，公侯好仇……赳赳武夫，公侯腹心。"⑤《大雅·常武》中描写宣王中兴时期的军事状况："整我六师，以修我戎，既敬既戒，惠此南国。"⑥ 周宣王命令卿士整顿六军，布阵防备准备南征。叙述中亦描写了战争中军队的勇敢果毅："王奋厥武，如震如怒。进厥虎臣，阚如虓虎。"⑦《小雅·采芑》极力渲染在一次军事演练中，方叔率领大队周军浩浩荡荡出现在原野之上："方叔莅止，其车三千。师干之试，方叔率止。乘其四骐，四骐翼翼。路车有奭，簟茀鱼服，钩膺鞗革……方叔莅止，其车三千。旂旐央央，方叔率止。约軧错衡，八鸾玱玱。服其命服，朱芾斯皇，有玱葱珩……方叔莅止，其车三千。师干之试，方叔率止。钲人伐鼓，陈师鞠旅。显允方叔，伐鼓渊渊，振旅阗阗。蠢尔蛮荆，大邦为仇。方叔元老，克壮其犹。方叔率止，执讯获丑。戎车啴啴，啴啴焞焞，如霆如雷。显允方叔，征伐猃狁，蛮荆来威。"⑧ 三千战车

---

① 《诗经·周颂·桓》。
② 《诗经·豳风·破斧》。
③ "四国"指殷、管、蔡、霍，即周公东征平定的四国，或以为殷、东、徐、奄四国。当然还有学者认为此处"四国"并非具体所指，而是指四方之国。
④ 《毛诗正义》，第 850 页。
⑤ 《诗经·周南·兔罝》。
⑥ 《诗经·大雅·常武》。
⑦ 《诗经·大雅·常武》。
⑧ 《诗经·小雅·采芑》。

来势威猛，三军将士挥盾演练，孔武有力，周军战旗迎风飘扬。《采芑》对方叔华贵的服饰、骏马、战车、箭袋等极尽笔墨描述，对周军士兵的金鼓、列阵、隆隆战车等亦大肆渲染，展现出周军训练有素、装备精良、秩序井然、阵法规整等，展现出周军不可战胜的昂扬斗志。其他战争诗中亦展现周人在面对外患时的尚武精神，如《江汉》曰："江汉浮浮，武夫滔滔。"又曰："式辟四方，彻我疆土。"① 《常武》言："如雷如霆，徐方震惊。"亦言："王奋厥武，如震如怒。"②

第三，突出主帅的文韬武略，君子之风。《小雅·六月》曰："文武吉甫，万邦为宪。"③ 诗中高度赞扬了尹吉甫文武兼备，是天下万国的榜样。《小雅·出车》描述的南仲是周宣王时期的主帅，能够在"王事多难，维其棘矣"之时临危受命，集结军队"设此旐矣，建彼旄矣"，出征行军前的准备工作井然有序。作为三军统帅，南仲能够运筹帷幄，取得反击猃狁、进讨西戎的胜利。④ 《小雅·采芑》中的方叔亦是老成持重、谋划周密、统率有方、威风凛凛、正气凛然的威武君子形象："方叔元老，克壮其犹。方叔率止，执讯获丑。戎车啴啴，啴啴焞焞，如霆如雷。显允方叔，征伐猃狁，蛮荆来威。"⑤ 还有《大雅·江汉》中的主持淮夷战事的召虎。等等。

第四，浓厚的家国情怀。《诗经》中反映家国情怀的诗歌主要有《小雅》《采薇》《出车》《六月》《采芑》《江汉》《常武》等，平叛诗有《豳风·东山》《豳风·破斧》等。如《小雅·六月》反映的是周宣王命令尹吉甫北伐猃狁之事。此次战事起源完全是由于猃狁的入侵："猃狁孔炽，我是用急。王于出征，以匡王国。"⑥ 此时正是六月间，是周人的农忙时节，正如朱熹指出："《司马法》：'冬

---

① 《诗经·大雅·江汉》。
② 《诗经·大雅·常武》。
③ 《诗经·小雅·六月》。
④ 《诗经·小雅·出车》。
⑤ 《诗经·小雅·采芑》。
⑥ 《诗经·小雅·六月》。

夏不兴师。'今乃六月而出师者，以狎狁甚炽，其事危急，故不得已，而王命于是出征，以正王国也。"①虽然事出突然，面对来势汹汹的狎狁入侵，周人未显现出丝毫的慌乱，仍能迅速做出反应，并紧急出动军队："戎车既饬。四牡骙骙，载是常服。"②又言"比物四骊，闲之维则"③，显示了周军训练有素，兵强马壮。其中，诗句"元戎十乘，以先启行。戎车既安，如轾如轩。四牡既佶，既佶且闲"④，显示了周军在战场上进退有度，战法得当，阵容整齐。"有严有翼，共武之服。共武之服，以定王国"⑤的记载表明了周军在战场上谨慎应敌，丝毫不马虎大意，最终达到了匡王国、定王国的目的。此诗显示了将士对家国的责任，彰显了周王室的声威和全军将士面对强敌侵略毫不畏惧、积极向上的爱国主义情怀。即使是在以思乡为主题的《采薇》中，我们亦能发现，在描写到战场情景时依然斗志昂扬："彼尔维何，维常之华。彼路斯何，君子之车。戎车既驾，四牡业业。岂敢定居，一月三捷。驾彼四牡，四牡骙骙。君子所依，小人所腓。四牡翼翼，象弭鱼服。岂不日戒，狎狁孔棘。"诗人通过"不遑启居""不遑启处""岂敢定居""岂不日戒"来与士兵对家人的浓浓思念进行强烈对比，其对家人的思念愈烈，愈能展现出其爱国情怀的真切与崇高。

第五，征夫思妇在战争中彼此的思念之情。《诗经》中亦大量存在征夫想念妻子，思妇盼望丈夫平安归来的诗歌。其中《小雅·采薇》就是以士兵的视角来展现对家人的思念，全诗以"采薇"起兴，从种植、发芽到枯萎干硬，来表现其长期在外出征："采薇采薇，薇亦作止。曰归曰归，岁亦莫止。靡室靡家，狎狁之故。不遑启居，狎狁之故。采薇采薇，薇亦柔止。曰归曰归，心亦忧止。忧

---

① 朱熹：《诗集传》，中华书局，2011 年，第 151 页。

② 《诗经·小雅·六月》。

③ 《诗经·小雅·六月》。

④ 《诗经·小雅·六月》。

⑤ 《诗经·小雅·六月》。

心烈烈，载饥载渴。我戍未定，靡使归聘。采薇采薇，薇亦刚止。曰归曰归，岁亦阳止。王事靡盬，不遑启处。忧心孔疚，我行不来!"① 而在采薇每一次的变化中，士兵都会期盼回家，即"曰归曰归"。全诗以"昔我往矣，杨柳依依。今我来思，雨雪霏霏。行道迟迟，载渴载饥。我心伤悲，莫知我哀"结尾，展现了其对狁犬入侵的痛恨和无奈，眼前的雨雪更是加深了其内心的哀痛和对家人的深切思念。在《小雅·出车》中亦展现了妇女对在外出征的君子的思念与担忧："喓喓草虫，趯趯阜螽。未见君子，忧心忡忡。既见君子，我心则降。赫赫南仲，薄伐西戎。"②

以上我们从五个方面对《诗经》中所反映的兵学内容进行了分析，周人的基本观念还是以修德为本，威服为辅，文武结合。如果我们用一句话来展示《诗经》的兵学观念的话，那么孔子对《诗经》的评价是再合适不过了："诗三百，一言以蔽之，曰：思无邪。"③

五、《周礼》所反映的西周兵学思想

《周礼》又称《周官》，与很多先秦典籍一样，成书年代都有许多的争论，如周公所作，西周成书说，春秋成书说，战国成书说，周秦之际成书说，汉初说，刘歆伪造说，等等。近现代以来学界对此争议亦颇多，④ 如杨向奎根据《周礼》的思想内容判定是战国中叶前后的作品，可能出于齐国，其思想近于杂家，又是具有儒家气息的法家作品。⑤ 顾颉刚对《周礼》的认识前后有变化，顾颉刚学术生涯早期认为其为刘歆伪造，晚年其著文论定《周礼》为战国时的法家著作，明确指出"原是一部战国时代的法家著作，在散亡之

---

① 《诗经·小雅·采薇》。
② 《诗经·小雅·出车》。
③ 《论语·为政》。
④ 可参见刘丰：《百年来〈周礼〉研究的回顾》，《湖南科技学院学报》2006年第2期。
⑤ 杨向奎：《"周礼"的内容分析及其成书时代》，《山东大学学报》1954年第4期。

余，为汉代的儒家所获得，加以补苴增损，勉强凑足了五官；然而由于儒、法两家思想的不同，竟成了一个'四不像'的动物标本！这就是我写这篇文字的结论"①。我们认为顾颉刚前后认识的差异固然有其学术环境的差别，但是更重要的是反映了《周礼》成书问题的复杂性。另外，如彭林认为是西汉初年所作，其思想由儒、法、阴阳五行三家熔铸而成，② 徐复观认为《周礼》王莽草创于前，刘歆整理于后。③ 晁福林通过对《周礼》官制的统计，指出"总之，从春秋职官、西周职官与《周礼》相同或相近的数字比较上看，只能认定《周礼》一书的作者所参照的主要是春秋时期的职官体系，他是一位更了解春秋典章制度的'宿儒'"④。面对学者的各种讨论，那么我们如何来看待《周礼》中所反映的兵学思想内容？

我们认为著作成书的年代与著作所反映的思想内容的年代其实是有一定区分的，学界的论述往往将此并不完全明晰化。即使是春秋战国甚至是西汉初年成书，其仍可反映周代的制度和思想，如张亚初与刘雨通过对西周金文官制的长期研究，明确指出《周礼》中356 种官有 96 种官与已发现的西周金文官制相同或相近。⑤ 高本汉（Klas Bernhard Johannes Karlgren）的弟子布罗曼（Sven Broman）明确指出："曾以《周礼》所列官职之名与先秦未经儒家篡改诸书作详细比较，发现38% 职官之名皆相符合。《周礼》官名统计上大部以低级者居多，而周代其他文献中往往仅言及较多高级官名。若以下大夫以上职官比较，则相符率高至80%。准此，西周广义礼制之

---

① 顾颉刚：《"周公制礼"的传说与〈周官〉一书的出现》，《文史》第 6 辑（1979 年）。

② 彭林：《〈周礼〉主体思想与成书年代研究》（增订版），中国人民大学出版社，2009 年。

③ 徐复观：《〈周官〉成立之时代及其思想性格》，见氏著《徐复观论经学史二种》，上海书店出版社，2002 年。

④ 沈长云、李晶：《春秋官制与〈周礼〉比较研究——〈周礼〉成书年代再探讨》，《历史研究》2004 年第 6 期。

⑤ 张亚初、刘雨：《西周金文官制研究》，中华书局，1986 年。

粲然大备，确可从现存《周礼》得到相当部分地反映。"① 因此，我们认为，《周礼》不论其成书年代如何，其仍能在很多层面上反映西周的兵学内容，而且从某种程度上说，由于《周礼》是以国家建制的方式呈现，因此更系统化，早在清代，王鸣盛就以《周礼注疏》为本，参照其他经说典籍，著成《周礼军赋说》4 卷，② 对《周礼》中所反映的周代军制以及兵学思想进行了梳理。以下我们在学术界已有成果的基础上，③ 对《周礼》所反映的西周兵学内容予以全面论述。

第一，战争的目的是征讨不义。《周礼》关于战争目的的论述就非常深刻，它主张战争的出发点是征讨不义，所以非常注重战争的正义性。所谓正邦国的"九伐之法"④ 便是这一观念的具体注脚："冯弱犯寡则眚之，贼贤害民则伐之，暴内陵外则坛之，野荒民散则削之，负固不服则侵之，贼杀其亲则正之，放弑其君则残之，犯令陵政则杜之，外内乱鸟兽行则灭之。"⑤ 所以说，只有当对方犯有"冯弱犯寡""贼贤害民""放弑其君"等九种严重罪过时，才可以兴师征讨，并且根据罪过的不同，处理的方式亦相应有所差异。⑥这样既肯定了征伐的必要性，又防止了穷兵黩武的行径，实为"重战"与"慎战"并重的正确观念，亦体现了战争的正义性。

第二，"兵农合一""寓兵于农"为主的建军思想。西周实行井田制，其兵役制度与井田制息息相关。班固就曾总结周代的建军思

① Sven Broman："Studies on the Chou Li", Bulletin of the Museum of Far Eastern Antiquities, No. 33（1961）. 转引自何炳棣：《原礼》，见氏著：《何炳棣思想制度史论》，中华书局，2017 年，第 172 页。

② 王鸣盛：《周礼军赋说》，清乾隆三十六年刻本，嘉庆三年秦氏汗筠齐刊本，皇清经解本。

③ 李严冬：《〈周礼〉军制专题研究》，吉林大学博士学位论文，2010 年。

④ 《周礼·夏官·大司马》。

⑤ 《周礼·夏官·大司马》。

⑥ "九伐之法"的内容，亦见于今本《司马法·仁本》，文字与《周礼》表述稍微有异："会之以发禁者九：凭弱犯寡则眚之，贼贤害民则伐之，暴内陵外则坛之，野荒民散则削之，负固不服则侵之，贼杀其亲则正之，放弑其君则残之，犯令陵政则杜之，外内乱，禽兽行，则灭之。"

想："殷周以兵定天下矣……因井田而制军赋……有税有赋，税以足食，赋以足兵。"① 又曰："殷周之盛……民受田……有赋有税，税谓公田什一及工商衡虞之入也，赋供车马甲兵士徒之役，充实府库赐予之用。"② 周代的井田制与兵役制度到底是如何结合在一起，其具体又是如何操作的呢？我们可以参考《周礼注疏》中郑玄引《司马法》的具体内容："六尺为步，步百为亩，亩百为夫，夫三为屋，屋三为井，井十为通，通为匹马。三十家，士一人，徒二人。通十为成，成百井，三百家革车一乘，士十人，徒二十人。十成为终，终千井，三千家革车十乘，士百人，徒二百人。十终为同，同方百里，万井，三万家革车百乘，士千人，徒二千人。"③ 从《司马法》具体内容我们可以发现，作为周代经济制度基础的井田制是如何与军役、军赋紧密结合在一起，基本上以"通""成""终""同"作为征兵的基本单位，以十进制为基本计算方式。在此种制度之下，军政长官在周代也是二而一的，正如学者所言，"《周礼》上的'六乡'和'六军'制度，也是地域组织和军事组织密切结合的"④。当然，周人也有部分训练有素的职业军人——虎贲，依据《周礼》的记载，其基本编制为 800 人，其主要职能为："虎贲氏掌先后王而趋以卒伍。军旅、会同亦如之。舍则守王闲。王在国，则守王宫。国有大故，则守王门。大丧，亦如之。及葬，从遣车而哭。适四方使，则从士大夫。若道路不通，有征事，则奉书以使于四方。"可见虎贲正是拱卫周王、随王出行的职业军人，此可视为"兵农合一"军制的补充。在"兵农合一"的制度下，国家掌管了兵器、马匹等军事设施，在临战之际，将会由国家统一分发，平时有不同的国家部门分管养护，如"掌五兵五盾，各辨其物与其等，以待军事。及授兵，

---

① 《汉书·刑法志》。
② 《汉书·食货志》。
③ 《司马法》佚文，见《周礼·小司徒》郑玄注。
④ 杨宽：《西周史》，上海人民出版社，2003 年，第 417 页。

从司马之法以颁之"①。又如，"掌戈盾之物而颁之"②。其他如，校人掌管马匹，司常掌管旗帜，鼓人掌管战鼓，车仆掌管战车，③ 等等，兹不一一列举。

　　第三，建立以周王为核心的军事指挥系统。在宗法制、分封制下，周王为天下共主，如何在军事系统中来体现周王对天下军事力量的具体指挥？《周礼》在制度设计中，主要是以军事指挥系统的构建来凸显以周王为核心的领导地位，主要表现在三个方面。其一，在职官的设计中，整个《夏官》系统以及其他与军事相关的制度设计均以周天子为核心。正与《周礼》制度设计的初衷相合，即《天官》《地官》《春官》《夏官》《秋官》均曰："惟王建国，辨方正位，体国经野，设官分职，以为民极。"其二，如何在军事训练、战场上具体执行王命呢？旗鼓是周代核心的指挥媒介。如《大司马》中记载在中春时节"教振旅"时，战鼓在指挥系统中的运行方式："司马以旗致民，平列陈，如战之陈，辨鼓铎镯铙之用，王执路鼓，诸侯执贲鼓，军将执晋鼓，师帅执提，旅帅执鼙，卒长执铙，两司马执铎，公司马执镯，以教坐作进退疾徐疏数之节。"④《大仆》亦载："凡军旅田役，赞王鼓。"⑤《戎右》亦曰："掌戎车之兵革使，诏赞王鼓，传王命于陈中。"⑥ 在中秋时节"教治兵"，也有对军旗的运行方式的具体描述："如振旅之陈，辨旗物之用，王载大常，诸侯载旂，车吏载旗，师都载旐，乡遂载物，郊野载旐，百官载旟，各书其事与其号焉，其他皆如振旅。"⑦ 并且我们在《春官·司常》中看到，司常一官，就是协助司马掌管旌旗："王建大常，诸侯建旂，孤卿建旃，大夫、士建物，师都建旗，州里建旟，县鄙建旐，

---

① 《周礼·夏官·司兵》。
② 《周礼·夏官·司戈盾》。
③ 参见《周礼》之《校人》《司常》《鼓人》《车仆》。
④ 《周礼·夏官·大司马》。
⑤ 《周礼·夏官·大仆》。
⑥ 《周礼·夏官·戎右》。
⑦ 《周礼·夏官·大司马》。

道车载旞，斿车载旌。"① 与《夏官·大司马》可以对应，可见其旌旗制度的规范与细致。其三，会同制度的具体体现。"会同"在《周礼》中多次提到，即巡守诸侯以及兵车之会。会同的功用，郑玄注曰："王巡守若会同，司马起师合军以从，所以威天下、行其政也。"在会同活动中，完全彰显了周天子的指挥权。在具体征战中，周王亦命令各诸侯国随王征伐，周王对诸侯军队拥有军事指挥权。

第四，制度为本的兵学思想。《周礼》提出了一套非常完备、具体的军事制度设计，在《夏官·叙官》中提出"司马"最重要的就是执掌军事，并对其具体编制以及人员配置有着非常明确的规定："大司马，卿一人。小司马，中大夫二人。军司马，下大夫四人。舆司马，上士八人。行司马，中士十有六人，旅下士三十有二人。府六人，史十有六人，胥三十有二人，徒三百有二十人。"② 在具体军队编制方面，对"军""师""旅""卒""两""伍"等人数有非常具体和明确的规定。周人的军事制度以分封制和宗法制为基础，在制度上对王、大国、次国、小国的军队数量有一定规定，从而以军事制度来确保周天子拥有绝对的军事实力，这是中国兵学史中最早明确提出"强干弱枝"的思想："凡制军，万有二千五百人为军，王六军，大国三军，次国二军，小国一军，军将皆命卿。二千有五百人为师，师帅皆中大夫；五百人为旅，旅帅皆下大夫；百人为卒，卒长皆上士；二十五人为两，两司马皆中士；五人为伍，伍皆有长。一军则二府、六史、胥十人、徒百人。"③ 在整个《夏官》的制度设计中，有关人员设计非常细致，执掌非常明确，④ 每个职官所配备

---

① 《周礼·春官·司常》。
② 《周礼·夏官·叙官》。
③ 《周礼·夏官·叙官》。
④ 《周礼·夏官》中与军事相关的职官包括：司勋，马质，量人，小子，司爟，掌固，司险，掌疆，候人，环人，挈壶氏，射人，服不氏，射鸟氏，罗氏，掌畜，司士，诸子，司右，虎贲氏，旅贲氏，大仆，隶仆，弁师，司甲，司兵，司戈盾，司弓矢，缮人，槁人，戎右，齐右，道右，戎仆，齐仆，道仆，田仆，驭夫，校人，趣马，巫马，牧师，圉师，圉人，职方氏，土方氏，怀方氏，合方氏，训方氏，形方氏，山师，川师，原师，匡人，撢人，家司马。

的"士""府""胥""徒"均根据执掌不同而有不同的人员配备数量，其中配备人数最多的当为"虎贲氏"，在其他文献以及金文中亦称"虎臣"①，"虎贲氏"包括"下大夫二人、中士十有二人、府二人、史八人、胥八十人、虎士八百人"②，此处并没有依照"士""府""胥""徒"的惯例配置"徒"，郑玄对此解释，注曰："不言徒，曰虎士，则虎士徒之选有勇力者。"③

第五，严格治军的思想。《周礼》中并没有专门提到治军的内容，但是我们从其严格的军事刑罚、军事法规等内容亦可钩沉其治军思想。④ 在《秋官·士师》所述"士师"的执掌，即"士师之职，掌国之五禁之法，以左右刑罚"，其中"五禁"之中就有"军禁"，即军中禁令。另有"五戒"，其中"一曰誓，用之于军旅"，亦是军中戒令。在军事训练中，对后至者"诛"："田之日，司马建旗于后表之中……各帅其民而致，质明，弊旗，诛后至者。"⑤ 不仅如此，对训练中"不用命者"亦斩杀之："乃陈车徒如战之陈，皆坐，群吏听誓于陈前，斩牲以左右徇陈曰：不用命者斩之。"⑥ 在周王率领军队出征时，对不按照约定时间前来的，亦诛杀："及致，建大常，比军众，诛后至者。"⑦ 在战争中，周王会根据作战的勇敢与否进行严格的赏罚："及战，巡陈，视事而赏罚。"⑧ 西周主要以阵战为主，因此军阵的整齐与否，对战争的胜负有着非常直接的影响。因此在战争中，周人非常注重保持军阵严整，对扰乱军阵的士兵惩罚亦非常严厉，《周礼》称其为"犯师禁"⑨，并屠戮之。

---

① 《毛公鼎》曰："雩三有司、小子、师氏、虎臣雩朕亵事。"可见其为周制无疑。
② 《周礼·夏官·叙官》。
③ 《周礼注疏》，第 1795 页。
④ 张全民：《〈周礼〉所见法制研究（刑法篇）》，法律出版社，2004 年。
⑤ 《周礼·夏官·大司马》。
⑥ 《周礼·夏官·大司马》。
⑦ 《周礼·夏官·大司马》。
⑧ 《周礼·夏官·大司马》。
⑨ 《周礼·秋官·士师》。

第六，《周礼》非常重视军事训练与教育。《周礼·大司马》中，记载了在兵农合一的情况下，如何在农闲之时进行一年四次的军事训练，即春蒐、夏苗、秋狝、冬狩的具体规制，此处不再赘述。我们仅仅从《周礼》职官设计的细节亦可发现。众所周知，在进行大规模的军事训练时，必须要有较大的训练场地，我们发现《周礼》中多次提到专门管理训练场地除草的官员："凡田事赞焚莱。"① "若大田猎，则莱山田之野。"② "若大田猎，则莱泽野。"③ 在教育方面，国家有专职的官员，如《保氏》亦曰："保氏……而养国子以道，乃教之六艺。一曰五礼，二曰六乐，三曰五射，四曰五驭，五曰六书，六曰九数。"④ 其中，礼乐射驭均与军事教育相关。

综上而言之，《周礼》是一部非常完备的国家治理方案，其中涉及的内容非常广泛，亦非常细致，尤其是"其所述之军队建制、军政管理、军令发布、四时田猎、宫廷禁卫、军法执行、后勤保障等各个与军事建设有关之方面，或由专官负责，或由各官联合处置，都有较为完备的制度规定"⑤。其中，军事制度设计中所体现出的兵学内容非常丰富，非常严整，非常体系化，与西周的国家制度基本相合，是我们认识西周兵学思想的重要文献之一。⑥

---

① 《周礼·夏官·牧师》。
② 《周礼·地官·山虞》。
③ 《周礼·地官·泽虞》。
④ 《周礼·地官·保氏》。
⑤ 李严冬：《〈周礼〉军制专题研究·绪论》，吉林大学博士学位论文，2010 年。
⑥ 刘起釪：《〈周礼〉真伪之争及其书写成的真实依据》，见氏著《古史续辨》，中国社会科学出版社，1991 年，第 619—653 页。

第四章　春秋时期的军事变革与兵学的
　　　　嬗变：从尚德到尚智

公元前 771 年，犬戎攻破西周都城镐京，在骊山脚下杀死了周幽王，幽王身死国灭，为天下笑，也宣告了统治中原地区将近 300 年的西周灭亡。公元前 770 年，周平王宜臼东迁，历史进入春秋时期。春秋时期（前 770—前 476）①，始于周平王东迁至东都洛邑（今河南洛阳），终于周敬王四十四年（前 476）。春秋时期经过了长达 200 多年的历史变迁，是中国历史上变化最剧烈的时期，亦是中国历史上思想文化灿烂发展的繁荣时期。

春秋时期的最大特点就是大动荡、大变革、大发展、大繁荣。经济上，社会生产力迅速提高，井田制走向瓦解，新的生产关系形成并开始确立。政治上，礼乐文明遭遇到极大冲击，王室衰微，强卿擅权，诸侯争霸。文化上，学术下移，私学开始勃兴。在春秋时期，曾发生过弑君事件 36 起，亡国 72 个，大大小小军事行动多达 500 次。而绵延 200 多年大大小小的战争，更使战争成为这一时期居特殊地位的时代主题，兵学遂在这样的背景下得到了迅速发展，主

---

① 春秋时期与战国时期的具体断代一直以来就存在着很大的争议，在古代社会中，具有代表性的观点有：司马迁的《史记》认为战国始于公元前 475 年（周元王二年）；司马光的《资治通鉴》认为战国始于公元前 403 年（即韩赵魏三家分晋），战国结束于秦统一中国（前 221 年）。马克思主义史学传入中国后，在马克思主义的历史观下，春秋战国的断代为奴隶社会与封建社会的分界，学术界亦有不同观点，20 世纪有关此讨论的梳理可参见陈民镇：《奴隶社会之辩——重审中国奴隶社会阶段论争》，《历史研究》2017 年第 1 期。

要体现在以下七个方面。

第一，军事指挥权下移。春秋时期的中国社会充满了动荡，也充满了变革，在军事领导体制上则突出地表现为军事指挥权的下移。名义上全国武装力量的统帅——周王室很快被弃置一边。随着时间的推移，春秋列国军事领导权下移的现象尤为突出，具体表现是周天子名义上的天下武装力量的最高统帅地位已完全丧失，相继崛起的诸侯霸主利用旧有的军事领导体制的某些传统，代替周天子行使武装力量的统帅权，各诸侯国国君手握武装力量，成为军政首脑。及至春秋后期，各诸侯国君对军队的最高领导权也被逐渐削弱。国君亲自统兵出征的指挥制度被军将统兵所取代。就军事指挥权而言，军权下移在春秋时期是一个普遍现象，成为一个无可逆转的趋势。①

第二，战争类型基本齐全。除上古已出现的战争类型外，当时的战争还包括了诸侯争霸和兼并战争，统治集团内部夺权战争，新兴势力向守旧势力夺权战争，等等。其中，诸侯争霸战争乃是春秋时期战争的主流，对中国历史进程曾产生过重大而深远的影响。

第三，战争方式急剧变化。自春秋中期起，随着战争的频繁发生，规模的不断扩大，军队结构的彻底改变，青铜兵器制作工艺的改良，强弩与铁兵器等新型兵器的使用，战争区域的扩大以及与戎狄族步卒作战的需要，步兵遂重新崛起，步战再次占据主导地位。②同时，水军出现，水战在南方吴、楚、越等地区开始流行，并对战争的胜负发挥着至关重要的作用。

第四，多种战法各擅胜场。当时野战的军阵虽然大多采用三军阵，但是五军阵也开始成为比较常用的阵形。其战术运用，除了疏散方阵进攻外，较为普遍地转化为纵队进攻，并由早期的徐缓推进向快速进击的方向过渡，出现了"车驰卒奔"③、剽疾迅猛的场面。同时，城池攻守战、关隘要塞战、伏击包围战、奇袭战、火攻、水

---

① 黄朴民：《春秋时期列国军权下移现象考析》，《求是学刊》1996 年第 1 期。

② 蓝永蔚：《春秋时期的步兵》，中华书局，1979 年，第 23 页。

③ 《左传·宣公十二年》。

淹等战法也先后在作战中得到广泛使用。

第五，战争观念的根本性变革。这一时期在兵学思想上的最大特点是战争指导观念的变化。春秋中期之前，人们普遍遵循和崇尚西周延续而来的"军礼"传统，主张进行"结日定地，各居一面，鸣鼓而战，不相诈"①为特征的"偏战"。但是，从春秋晚期起，这种"正正之旗""堂堂之阵"②的战法开始遭到全面否定，"诡诈"战法原则在战争领域内得到普遍认可和运用，即班固所言："自春秋至于战国，出奇设伏，变诈之兵并作。"③

第六，武器装备进步巨大。春秋时期军队的武器装备发展的主要标志是铁兵器的使用，而与此同时，传统的青铜兵器制作工艺亦十分精良和成熟。从考古发掘和有关文献记载来看，当时是我国古代青铜兵器发展的鼎盛时期，同时也是我国钢铁兵器发展的初始阶段。战车的形制和性能得到了很大的改进，战船数量已相当可观。戈、戟、矛、剑等常用刺杀格斗兵器的形制有了新的改进，杀伤力增强。甲胄干盾等防护装具更加多样，牢固耐用。轒辒、云梯、巢车、铁蒺藜、地听等攻守城器械被广泛使用，在战争中发挥了积极作用。筑城虽仍然采用版筑夯土方式，但是筑城数量与版筑质量均有长足的进步。④

第七，兵学的高度繁荣。春秋时期涌现出一批杰出的兵学思想家，如孙武、司马穰苴、伍子胥、范蠡等等；产生了《孙子兵法》《司马法》《伍子胥水战法》《盖庐》等著名兵书。这一时期兵学思想的繁荣主要表现为三个方面：以理性的态度对待战争，主张慎战，重视备战，致力于追求"全胜"的理想用兵境界；以正确的理念指导治军，提倡恩威兼施，文武并用；以科学的审断指导作战，主张

---

① 《公羊传解诂·桓公十年》。

② 《孙子兵法·军争篇》。

③ 《汉书·艺文志·兵书略序》。

④ 参见蓝永蔚等：《五千年的征战：中国军事史》，华东师范大学出版社，2001年，第37页。

先胜后战、奇正相生、避实击虚、因敌制胜、大创聚歼。春秋时期兵学的迅速发展，奠定了中国古典兵学理论的基础，规范了中国古代兵学文化的基本特质和主导倾向。①

第一节　春秋时期的军事变革与战争形态的演变

一、战争的频繁与车战战术的演进

车战是春秋时期作战方式的主流，在前期和中期尤其如此。通常而言，车战是以阵战的形式进行的，所以车战的核心战术就是方阵战术。作为典型的阵地作战方式，车战特别适合于当时争霸战争的中心地带——中原地区的地理环境。

有关历史文献记载表明，春秋时期车战的规模进一步扩大，车兵在当时各国军队中居于毋庸置疑的主力兵种地位。当时，衡量国家实力强弱的指标就是该国拥有战车的数量，所以一些军事强国通常被称为"千乘之国"。当时在中原地区进行的重大战事，一般都是以战车交锋来决定胜负的。一些对春秋时期局势产生过重要影响的具有代表性的会战，如繻葛之战、长勺之战、城濮之战、韩原之战、崤之战、邲之战、鄢陵之战、艾陵之战等等，都是数百辆兵车的大会战。各国扩军的重点也是增加战车数量，加强车兵的建设。如，晋国军队在城濮之战时仅有700乘的兵力，春秋后期，晋国的兵力已经递增到5000~6000乘，增加了几倍。楚军全盛时发展到近万乘的兵力，齐军由齐桓公时的近千乘增至春秋后期的2000~3000乘，

---

① 参见于汝波、黄朴民主编：《中国历代军事思想教程》，军事科学出版社，2000年，第1—35页。

甚至连莒国这样的小国到春秋后期也都拥有战车千乘了。① 所以著名兵家孙武在计算军队数量时也是以战车为单位，"凡用兵之法，驰车千驷，革车千乘，带甲十万"②，这正是以车兵为中心的典型的车战计军方法。

从《左传》等典籍所反映的史实来看，一场典型的车战一般经历四个程序。首先，次，或称军、舍，即敌对两军开进预定战场后首先扎营集结，准备约期会战，即《孙子兵法》所说的"合军聚众，交和而舍"③。其次，致，或称致师，即以单车或少量部队对敌进行挑战，试探敌军虚实动静。再次，阵，即列阵，根据兵力和敌方情况，将军队部署为特定的军阵，准备交锋。即所谓"轻车先出居其侧者，阵也"④。最后，战，即两军展开决战，以定胜负。

车战交战的方式大致有三种。一是先敌发动进攻，迫击敌阵。晋楚邲之战中楚军主动攻击晋军即采取此法。二是固守阵形待敌来攻，寻找战机。齐鲁长勺之战中鲁军的作战指导即是如此。三是双方同时发起攻击，决出胜负。通常来说，当时车战时间持续并不长，几个时辰，最多一天就见分晓。只有极个别情况是当天未能决出胜负，夜间暂行休战，以等待次日再战，如，鄢陵之战中楚军最初的作战计划所反映的情况就是这样。⑤

与西周时期相比，车战战术在春秋时期又有了相当大的发展。

其一，车战的阵形有了较大的发展，这不但表现为交战双方已比较普遍地采用了三军阵、五军阵，而且也表现为军阵内部，如车步兵力配置、战术协同、武器装备配置、实施机动等方面日益合理化，更有利于战斗力的充分发挥。

其二，由于阵形以密集队形逐渐发展演化为疏散的配置，部队

---

① 参见童书业：《春秋左传研究》，上海人民出版社，1980 年，第 201—204 页。

② 《孙子兵法·作战篇》。

③ 《孙子兵法·军争篇》。

④ 《孙子兵法·行军篇》。

⑤ 《左传·成公十六年》。

交战时的机动性亦趋于增强。这反映在进攻方式上，就是速度的加快，攻击力的加强，即由传统的保持队形，徐缓推进，所谓"虽交兵致刃，徒不趋，车不驰，逐奔不逾列"①，向快速进击的方向过渡，形成了"疾进师，车驰卒奔"②"车骤徒趋"③ 的攻击场面。

其三，出现了初步的野战防御方法。在这一时期，次军（军队屯驻）已经开始设置营垒。这些营垒一般都设有障碍物，能够阻碍或延迟敌方战车的冲击，即所谓"深垒固军以待之"④，它在一定程度上起到了使自己一方避免不利条件下交战的防御作用。

其四，战术观念逐渐发生重大的变化。这主要表现为早期战争重信轻诈的传统开始遭到冲击，"不鼓不成列"⑤ 的惯例开始受到怀疑和否定，并渐渐趋于没落，趁对方尚未列好阵形就突然发起攻击的现象时有发生，并成为许多兵学家和战场指挥者认可的新观念。

其五，战车阵地战逐渐运用多种较为灵活机动的作战方法。包括有迂回侧后，攻其不虞；出其不意，晦日进兵；欲取先予，乱敌阵形；避实就虚，由弱及强；诱敌先进，侧翼夹击；巧妙设伏，大创聚歼；等等。⑥

《六韬》论述"三军器用，攻守之具"时，排列在最前面的不是戈矛刀剑，而是各类战车，其作用是"陷坚陈，败强敌"⑦。这实际上是对春秋战争历史基本特点的概括。而车战战术的进步与嬗变，恰好表明这一时期正是中国古代车战的鼎盛阶段。

二、步兵的崛起

自西周后期到春秋前期，由于车战成为主要的作战方式，步兵

---

① 《司马法·天子之义》。
② 《左传·宣公十二年》。
③ 《周礼·夏官·大司马》。
④ 《左传·文公十二年》。
⑤ 《左传·僖公二十二年》。
⑥ 参见《中华文明史》（第二卷），河北教育出版社，1992 年，第 108—111页。
⑦ 《六韬·虎韬·军用》。

在大多数诸侯国中地位普遍降低，成为隶属步兵而非建制步兵。但是，车战毕竟要受地形条件的制约，只适宜在平原地带进行，而步兵作战的领域则要广阔得多，因此步兵在当时战争中仍占有一定的地位。

据《左传》等文献记载，春秋前期诸侯列国中建立步兵并单独用于作战的，主要有郑、晋诸国。郑国立国于无险可守的平原地区，最早使用步兵守卫疆土和反击戎狄少数民族的袭扰。根据《左传》记载，郑国在抗击宋、卫多国联军的作战中，曾动用步卒应敌，"诸侯之师败郑徒兵，取其禾而还"①。又如，据《左传》记载，郑国又一次以步兵抵御诸侯之师，"晋韩厥、荀偃帅诸侯之师伐郑，入其郛，败其徒兵于洧上"②。这些记载透露了以下信息：第一，郑国的确拥有独立的步兵部队，且经常投入战斗。第二，在平原地带，在极具冲杀力的战车面前，步兵往往处于劣势地位，很难与车兵相抗衡。但是，尽管郑国步兵数次战败，然而并未因此没落，反而在困难中寻找出路，不断寻求改进，并得到发展壮大，而且在一定的条件下起到其特有的作用，如，曾在镇压"萑苻之盗"的作战中，郑国的步兵就发挥了强大的战斗力，"（大叔）兴徒兵以攻萑苻之盗，尽杀之"③。

晋国地形多山，邻接戎狄，因此，晋国比较早地建立独立的步兵部队，称之为"行"。早在晋献公时，晋国已经初建有"左行"与"右行"；到晋文公时，更在作"三军"的同时，又作"三行以御狄"④，即在原有"二行"的基础上增设"中行"。这些步兵不隶属战车部队的编制，主要承担与戎狄作战、保卫和开拓晋国疆土的任务。但是，总的看来，在春秋前期和中期，与车兵相比，步兵处于劣势，其发展速度十分缓慢，其数量规模亦非常有限。

---

① 《左传·隐公四年》。
② 《左传·襄公元年》。
③ 《左传·昭公二十年》。
④ 《左传·僖公二十八年》。

这种情况一直持续到春秋后期才出现大的变化，步兵开始了全面复兴。这一现象的发生，我们认为主要是缘于下列几个因素。

第一，军队成分的改变。随着井田制逐渐瓦解，"国人当兵、野人不当兵"的传统遭到重大冲击，普通民众（庶人、野人）被允许加入军队。他们从军后，由于没有当甲士的权利和接受"射""御"等专业训练的条件，只能充当徒卒，所以造成步兵数量剧增。

第二，作战方式的日益复杂化。由于受到与戎狄作战之急切需要的驱使，春秋时期的作战方式日益复杂化。当时戎狄擅长步兵机动作战，而受地形限制较大、队形较稀疏、攻防阵式较呆板的战车部队难以对付灵活机动的步兵进攻的现实，极大地推动了步兵的发展。

第三，南方地区盛行步战的刺激。春秋后期步兵的重新崛起，也与吴、越诸国迅速壮大并参与中原地区争霸直接有关。当时地处东南一隅的吴、越等国国势勃兴，而其受丘陵、水网等特殊地形条件的制约，故步兵十分发达，如，在黄池之会上，吴国曾"百人以为彻行，百行"[1]，以步兵排列成万人方阵，威慑以晋国为首的中原诸侯国，即是例证。而在实战中，吴、越等国的步兵也有突出表现，在多场战事中发挥了支配性的作用。如，吴王阖闾伐楚之所以能够长驱直入，五战入郢，主要原因之一，就在于拥有一支轻甲利兵的先锋队，它由约500名大力士和3000名善奔走的勇士组成，长途奔袭，连续追击，将楚军追赶得没有喘息的空隙。[2] 又如，吴越笠泽之战中，越军以两翼步兵佯攻，掩护越王勾践率主力偷渡，一举大败吴军。这次战斗中，越王亲自率领的中军就是由6000名"私卒君子"组成的步兵精锐。[3] 中原诸国为了同它们抗衡，也自然要进一步重视步兵的建设，如此南北呼应，遂有力地促进了步兵的全面复兴。在实战中，步兵的战术亦进一步发展，为战国时期步兵再次跃

---

① 《国语·吴语》。

② 《吕氏春秋·简选》。

③ 《左传·哀公十七年》。

居各兵种之首，成为战场的主宰者，奠定了坚实的基础。

据《左传》记载，公元前 541 年，晋国在攻伐太原一带的"无终戎"和"群狄"时，晋将魏舒曾"毁车以为行"："晋中行穆子败无终及群狄于大原，崇卒也。将战，魏舒曰：'彼徒我车，所遇又厄，以什共车，必克。困诸厄，又克。请皆卒，自我始。'乃毁车以为行，五乘为三伍。"[①] 魏舒将车兵全部改作步兵，组成了第一个独立的步兵方阵。这一"毁车以为行"之举，是春秋后期步兵全面复兴的重大标志性事件，实为步兵发展史上的一座里程碑。从此，步兵迅速发展，在战争中发挥出越来越大的作用。公元前 493 年，在铁丘之战中，晋军将领公孙龙以 500 名步兵乘夜偷袭郑军，夺回赵鞅的帅旗，就明显地反映出步兵重新崛起后在战争中所具有的优越性。[②]

步兵的重新崛起，大大提高了军队行动的机动能力，在南方复杂地形、西北山地和要塞城邑的攻坚战中，步兵都是不可或缺的重要角色，从而使冷兵器时代的战争又呈现出新的面貌、新的特点，这在中国古代兵学发展史上的意义是不容低估的。

三、军阵的进步

阵，同"陈"，原义是指战车与步兵的排列，也就是军队的战斗队形。据甲骨卜辞记载，早在商代，就已经出现了按照左中右的队形排列的作战形式。经过商周时期的改进，阵法得到了一定的发展。到了春秋时期，军阵更受到战争指挥者的重视，也得到了进一步的发展，重大军事行动无不与阵联系在一起。所以我们要知道当时的战术发展，不能不考察当时军阵的有关情况。[③]

所谓"军阵"，就是指军队在投入战斗时，根据地形条件、敌我

① 《左传·昭公元年》。
② 《左传·哀公二年》。
③ 有关春秋时期军阵的相关问题，可参见金大伟：《春秋军阵研究》，中国社会科学出版社，2016 年。

实力等具体情况而布置的一定的战斗队列和队形，从最基础的一卒、一伍、一列开始，直到全队、全营、全军，都做到"立卒伍，定行列，正纵横"①。这种一定的排列与布置，就是特定的"阵"。要言之，军阵就是各种战斗队形的排列组合。每一次作战，也就是以自己一定的阵式去冲击敌人的军阵，或以自己的军阵去迎击敌人一定阵式的进攻。

战争是敌对双方总体力量的全面角逐，其胜负不但取决于投入战车、步兵数量的多寡，而且还取决于军阵所发挥出来的整体力量，"善于保持战术协调和队形严整的一方，必将大大优越于不能做到这一点的另一方"②。这表明，在交战中，整齐而适当的阵形是将士们相互依托作战的基本要求，使得勇敢者或怯懦者都不能擅自独立前进或后退，从而有力地保证了战斗的胜利。总之，严整而适当的队形是发挥军队整体战斗力、实现指挥意图所必备的条件。正是在这个意义上，古代兵学家都高度重视军阵的布置和运用，提倡先阵而后战，强调军队在行军、作战时均要严守既定的阵形，以充分保障整体作战优势的发挥。

春秋时期战争频繁，这一客观形势使得当时的军阵日趋进步。这表现为军阵名目繁多，形式复杂，实战效果突出，遂成为古代兵学发展史上的一个显著标志。

第一，军阵以"三阵""五阵"为主。

从军阵的基本形式看，春秋时期的军队，无论是步兵，还是车兵，基本上都采用"三阵"或"五阵"。所谓"三阵"，是指中军和左翼、右翼三部分军队相配置的宽正面横向阵形，一般以中军为主力，以两翼相配合。缤葛之战中，郑军以"曼伯为右拒，祭仲足为左拒，原繁、高渠弥以中军奉公"③，就是一种典型的"三阵"。如，

① 《司马法·严位》。
② 中共中央编译局编译：《马克思恩格斯全集》（第14卷），人民出版社，1975年，第32页。
③ 《左传·桓公五年》。

据《左传》载，楚子与宋公、郑伯田于孟诸，楚子居中，"宋公为右盂，郑伯为左盂"①；城濮之战，楚令尹子玉"以若敖之六卒将中军"，"子西将左，子上将右"②，晋国原轸、郤溱将中军，狐毛、狐偃将上军，栾枝、胥臣将下军：其采用的阵形也都是"三阵"。到了春秋晚期，"三阵"仍相当流行。如，吴国在黄池之会上列三个万人大方阵，越王勾践在破吴的笠泽之战中"乃中分其师以为左右军，以其私卒君子六千人为中军"③，就是明显的例子。

所谓"五阵"，是由"三阵"发展而来的，在春秋期间不断完善。"五阵"最早当属于一种行军阵法，见于《左传》，名曰"荆尸之阵"，其曰："军行，右辕，左追蓐，前茅虑无，中权，后劲。"④即系一个由开路的先锋军、保护兵车的右军、搜寻粮草的左军、主力中军和殿后的精兵所组成的"五阵"。其他如《左传》所载的齐军行军队形，也明显是以"前、后、左、中、右"结构的"五阵"。⑤

我们根据现存史料分析，"五阵"在春秋中期以前并不流行，它在当时更多的是作为一种行军队形，而并非作战阵形。"五阵"在春秋后期的发展，主要与步兵的重新崛起有关。魏舒毁车以为行，大败无终山戎及群狄于太原，其采取的步兵军阵就是"五阵"："为五阵以相离，两于前，伍于后，专为右角，参为左角，偏为前拒，以诱之。"⑥ 这可以说是"五阵"实际应用于作战的较早记载，所以说春秋时期的"军阵"，有一个从"三阵"独盛到"三阵""五阵"并行的演变过程，而其又与步战、车战的递嬗相同步。如，魏舒"五阵"的特点就是将甲士与步卒混合组编成五个方阵，按照前拒和前、后、左、右五个方位配置，组成了第一个独立的步兵大方阵。它具

---

① 《左传·文公十年》。
② 《左传·僖公二十八年》。
③ 《国语·吴语》。
④ 《左传·宣公十二年》。
⑤ 《左传·襄公二十三年》。
⑥ 《左传·昭公元年》。

有较大的纵深，各方阵之间易于实现兵力机动，可互相支持与掩护，"五阵"不仅适用于步兵作战，而且由于春秋后期战车实行 75 人制，隶属步兵人数大增，所以"五阵"这种大纵深的疏散配置也便于战车部队展开，可充分发挥兵器的威力，并提高了对复杂地形的适应能力。

除"三阵"和"五阵"以外，当然也有仅以左、右相配置的阵形。如，公元前 704 年，在速杞之战中，楚军即仅排列左、右两阵。至于最基本的单一阵形，即一军阵，在此时期的小型战斗中仍有使用，但它们都不是当时军阵的主导形态。

第二，战术编队的调整与改进。

在传统上、中、下（或称左、中、右）"三阵"内部，也根据客观战争状况的变化，而有了必要的战术编队调整和改进，从而加强了车步兵的战术协调，提高了军阵的战斗力。繻葛之战中的"鱼丽之阵"，正是这方面的典型。据《左传》记载，鱼丽阵的特点是"先偏后伍，伍承弥缝"①。杜预注云："《司马法》车战二十五乘为偏，以车居前，以伍次之，承偏之隙而弥缝阙漏也。"② 具体而言，"鱼丽之阵"取消了原配置在战车前方的第一线步兵横队，把战车置于军阵的前列，大大提高了方阵的运动速度；同时，将步卒疏散配置在战车的两侧和后方，密切了步车协同作战。可见，其阵是以 25 辆战车组成一个战斗单位，而将以伍为单位的徒兵疏散配置于战车之间，其位置稍居后。这就是在"三阵"的框架内将车步配置进行了局部的调整，它很好地发挥了车步协同作战的能力，为郑军击败周王室联军提供了重要的保证。另外，繻葛之战中郑军首先攻击周室联军的左、右两翼，然后再集中兵力从三面攻击周军中军，此亦说明当时的"三阵"已采用了翼侧攻击方法，有别于西周时期平行推进的全正面进攻。其他如，以 15 乘兵车为一偏，两偏为一卒；或以 50 乘兵车为一个战斗单位，也都属于同样的性质。这种阵内战术

---

① 《左传·桓公五年》。
② 杜预注，孔颖达正义：《春秋左传正义》，中华书局，2009 年，第 3795 页。

单位的调整，使得战阵中的战车与徒卒的配置更趋合理，反映了车战阵形的进步。其基本特征是，逐渐抛弃了西周和春秋初年步卒居前列的配置方式，而将步卒分散于战车的两侧和前后方，以加强步卒掩护战车的作用以及在四个方向上机动作战的能力。与之相适应的是，战车多采用疏散的队形，方阵作错落有致的纵深配置，这样就增强了抗击敌军进攻的能力，同时也便于战车迅速调动，能够适应瞬息万变的战场形势的变化，从而为快速进攻和持续追击创造条件。用于追击的战斗队形在此时也产生了。它通常是在追击中迅速将军阵展开成"角"的形式，从两侧对敌军战车和步卒实施包抄，阻止敌军逃逸，从而达到聚而歼之的目的。

由此可见，在以"三阵"为基本形式的条件下，军阵内部的结构（战术编组）处于不断地演进改革过程之中。有学者曾对此做过概括总结，随着历史的发展进程，车阵的进攻战术有了很大变化，其大体经历了三个阶段：第一阶段是春秋初期，这时的进攻队形是大正面的密集方阵，其基本特点是前进速度慢，机动性差，步车协同不密切；第二阶段是春秋中期，以车兵为主、步兵人数剧增的疏散方阵进攻，其特点是队形配置疏散，纵深加大，步车协同密切；第三阶段则是春秋末期的纵队进攻，其更适宜于长途奔袭，连续作战，成为战国时期雁形阵的前身。[1] 我们认为这一大体脉络的勾勒是合乎实际情况的。

第三，春秋时期军阵的主要形式。

从军阵的战术特点看，春秋时期的军阵主要可分为方阵和圆阵两大类，而从军阵的作战方式分类，则当时的军阵还可以划分为立阵和坐阵两种。《李卫公问对》指出，阵法变化，"皆起于度量方圆也"[2]。所谓方阵，乃因其呈正方形或长方形而得名，这是春秋时期（亦可说是整个中国古代）阵法的最基本形态。因为军队中各级建制单位都有自己的行伍队列，排列整齐时总是呈现为正方形或长方形。

---

① 参见蓝永蔚：《春秋时期的步兵》，中华书局，1979 年，第 221—231 页。
② 吴如嵩、王显臣：《李卫公问对校注》，中华书局，2016 年，第 49 页。

在缬葛之战中，郑军的"左拒""右拒"，也就是"左矩""右矩"，即两边呈矩形的方阵。关于春秋时期的方阵，大量见于有关典籍的明确记载："万人以为方阵"①"方阵而行"②，其主要特点是"前后正齐，四方如绳"③。这大多是进攻型的阵式。

所谓圆阵，乃因其呈圆形或半圆形而得名。它是方阵的变形，车队首尾连成环形，步卒紧挨战车在外围以接敌，这大多是防御型的阵式。其特点是将疏散的队伍收拢为密集的队形，消弭易遭敌人攻击的翼侧，即把防御正面缩小到最低限度。圆阵最适宜于实施野战防御。从《孙子兵法》所提到的"浑浑沌沌，形圆而不可败也"④的情况来看，在春秋时期，圆阵不但已广泛应用，而且曾在防御作战中发挥着不可替代的作用。

春秋时期的"军阵"，如果从作战方法和姿式上分类，则可以分为立阵和坐阵。所谓立阵，就是采取"立"姿作战的战斗队形；所谓坐阵，就是采取"跪"姿作战的战斗队形。就现存史料考察分析，立阵与坐阵基本上与步兵作战有关，当属步兵重新全面崛起后的产物。其中，立阵当为进攻型阵形，坐阵则是一种用于防御的基本阵形。它们各有其功能与优势，"立进俯，坐进跪，畏则密，危则坐"⑤。在作战中，指挥者根据战场形势的变化而交相运用，互为补充，即军阵中的士卒，要根据不同的作战情况，及时变换作战姿态，所谓"立阵所以行也，坐阵所以止也。立坐之阵，相参进止"⑥，从而使军队的战斗力得以最大限度的发挥。

四、水师的出现

舟船在商周时期就已经开始用于军事行动，大体而言，基本局

---

① 《国语·吴语》。
② 《吴越春秋·夫差内传》。
③ 《淮南子·兵略训》。
④ 《孙子兵法·势篇》。
⑤ 《司马法·严位》。
⑥ 《尉缭子·兵令上》。

限于军事后勤补给等狭窄范围，并不参与直接的作战。① 到了春秋时期，随着战争范围的扩大，战场逐渐延伸至江、河、湖、海各类水域，舟兵遂得到初步创建。当时，疆土内水域范围较为广阔的齐、楚、吴、越等国相继建立了舟师，在必要时开展水战，在战争中发挥独特的作用，舟师遂成为这些诸侯国的独立新兵种。

据《左传》载，公元前549年，"夏，楚子为舟师以伐吴"②。这可视为文献中有明确年代记载的最早成型舟师。据《左传》《国语》等典籍的记载，吴、楚、越、齐等国之间，曾多次爆发过规模不小的战争，舟师均在其中扮演了较重要的角色。这表明，至迟到春秋晚期，随着舟战战术的进步和造船能力的提高，舟师已经开始在战争中崭露头角了。当时，吴国舟师已经配备有"余皇""大翼"等一类的大型战船；越国的舟师号称"习流"，战船名目亦有"戈船"③"楼船"④；等等。

据文献记载，吴、楚、越诸国舟师的主要职能有两项。第一，作为辅助部队运输陆战主力抵达预定作战区域及时投入战斗。据《左传》载，吴大夫"徐承帅舟师将自海入齐，齐人败之，吴师乃还"⑤。《国语》亦载，越王勾践伐吴时，"率师沿海溯淮"，并"率中军溯江以袭吴"⑥。这些都反映了当时舟师运输陆战部队的助战性质。同时也表明水军在当时已有了较大的发展，成为南方地区国家军队中比较重要的兵种。第二，以作战主力投入水上会战，歼敌之舟师等有生力量，控制水上作战的主动权，并进而实现既定的总体战略目标。应该说，这一职能是舟师存在和发展的根本原因，亦是舟师成为独立兵种的基本标志。

---

① 孟世凯：《夏商时代军事后勤问题探讨》，见军事科学院战略部、后勤学院学术部历史室编：《先秦军事研究》，金盾出版社，1990。

② 《左传·襄公二十四年》。

③ 《越绝书·记地篇》。

④ 《吴越春秋·勾践伐吴外传》。

⑤ 《左传·哀公十年》。

⑥ 《国语·吴语》。

当时，舟师投入水上作战的现象相当普遍。如，公元前525年，在吴楚长岸之战中，由于楚国的舟师控制了大江上流，结果击败了吴国的舟师，俘获吴子馀昧所特乘的战船"余皇"；又如，吴越争战中，双方舟师也曾"舟战于江"①；再如，楚越舟师之间同样发生过大规模的水战，《墨子》对此曾予以追叙："昔者，楚人与越人舟战于江。楚人顺流而进，迎流而退，见利而进，见不利则其退难；越人迎流而进，顺流而退，见利而进，见不利则其退速。越人因此若势，亟败楚人。"②

五、车乘编制演变

春秋前期各国仍保持着"国人当兵，野人不当兵"的传统，当时列国军队的兵员来源主要是"国人"。他们"三时务农，一时讲武"③，亦兵亦农，按时训练，积极备战，交纳军赋；战事发生，就有"执干戈以卫社稷"④ 的权利与义务。但这种格局随着时间的推移已越来越难以维持下去。自春秋中叶起，"国人兵役制"开始向"国人""野人"共同参与的普遍兵役制过渡。

我们认为，这一变化是由两个方面的原因所导致的。一方面，这是诸侯国大规模扩军所引起的直接后果。以晋国为例，公元前677年，晋国还仅仅只有一军；公元前661年，"晋侯作二军"⑤；公元前633年，"作三军"⑥；公元前629年，"作五军"⑦；公元前588年，"作六军"⑧。晋国在这短短的89年间，军队规模竟扩大到六倍。其他如，郑、宋等二等诸侯国的军力也随之攀升，军备竞赛愈

① 《国语·吴语》。
② 《墨子·鲁问》。
③ 《国语·周语上》。
④ 《礼记·檀弓下》。
⑤ 《左传·闵公元年》。
⑥ 《左传·僖公二十七年》。
⑦ 《左传·僖公三十一年》。
⑧ 《左传·成公三年》。

演愈烈。这样的扩军速度使各国均感兵源匮乏，于是不得不设法在"野人"阶层的身上打主意，以寻求兵源问题的解决。这说明由国人兵役制向普遍兵役制的过渡已成为当时的大势所趋。另一方面，由于生产力的发展，当时人口增长迅速，居民点密集，"国""野"之间有了较多的交往与渗透，两者的界线已不太分明，特别是大量自耕农的出现，更提高了"野人"的身份地位。这说明在当时由国人兵役制向普遍兵役制的过渡也已有了现实的可能性。

正是出于这双重原因，各国先后打破了"国人"才能当兵的格局，扩大了征兵范围，开始实行普遍兵役制。公元前 645 年，晋国首先"作州兵"①，把征兵范围从"三郊"扩大到"三遂"（野）②，随后，鲁、郑等国也纷纷效法，打破了"国人"与"野人"的界限，如，鲁国在鲁成公元年（前 590）"作丘甲"③，郑国在鲁昭公四年（前 538）"作丘赋"④，把国人服兵役的权利给予野人，同时把"国人"承担的军赋义务也强加到"野人"的身上。

"国""野"普遍兵役制的实行不但扩大了军队规模，也改变了车兵与步兵的比例，使军队编制发生了重大的变化，一乘从 30 人制变为 75 人制，使步兵在兵员构成中的比例明显增大，从而带来了军事上的一系列新的特点。战车在车战中逐渐退居次要地位，由步兵取而代之。战国时期四大兵种协同作战，步骑联合作战逐渐成为战争的主要方式。而"野人"阶层在取得了当兵的权利后，又转而促使其社会地位进一步提高，最后导致"国""野"界限趋于彻底泯灭。在当时，步兵中不仅有野人、手工业者、商人，还有人臣、隶、

---

① 《左传·僖公十五年》。
② 徐中舒指出"作州兵"是"使野人也服兵役"。见氏著：《左传选》，中华书局，1979 年。蒙文通亦云："作州兵就是取消三郊才能当兵的规定，扩大及于三遂。"见氏著：《孔子和今文学》，《经学抉原》，上海人民出版社，2006 年，第 252 页。
③ 《左传·成公元年》。
④ 《左传·昭公四年》。

圉等各色奴仆。如果立了军功，野人可以晋升甲士，奴仆可以获得自由，① 这又进一步打破了甲士的限制，提高了步兵的地位。

春秋时期军队编制相当复杂，按性质区分，主要有三种，包括：一般编制及隶属系统，协调兵种的车步混合编制以及用于实践的临时战斗编成。当然，由于春秋时期兵役、训练等制度处于不断调整、发展变化之中，因而，当时的军队编制亦非一成不变，而经常有所变化。我们以下仅对这三种军队编制进行说明。

第一，一般编制及隶属系统。

春秋时期大多数诸侯国大体上均为《周礼》所载的"军、师、旅、卒、两、伍"② 六级编制。其中，"军"是春秋时期新出现的最高建制单位。在"伍"至"军"六级编制中，逐级相辖，层层递进，最终构成了"万人"左右的最大战役集团——"军"。晋国的军队编制代表了当时军队编制的一般状况，它分别拥有"军、师、旅、卒、两、伍"的编制单位，其与《周礼·夏官·大司马》所载军队编制系统相一致。据史籍记载，晋国先后作"二军""三军"乃至"六军"，可见"军"为其最高建制单位。另外，晋国军队中亦有"师""旅"的建制，"百官之正长，师旅及处守者，皆有赂"③。也有"卒、两、伍"的建制，"以两之一卒适吴"④，"卒伍治整，诸侯与之"⑤。

春秋时期各国军队编制有所不同。如，齐国实行的是"军、旅、卒、小戎、伍"五级编制，分别辖有万人、二千人、二百人、五十人和五人。又如，吴国，以现存已有文献考察，其军队编制可能只有四级，即"军、旅、卒、伍"。其中伍为五人，卒为百人，"陈土卒百人，以为彻行百行"，旅为千人，"十行一嬖大夫"，军为万人，

① 参见《左传·哀公二年》所载赵简子的著名"铁地誓师辞"。
② 《周礼·夏官·大司马》。
③ 《左传·襄公二十五年》。
④ 《左传·成公七年》。
⑤ 《国语·周语中》。

"十旌一将军……万人以为方阵"①。这在《孙子兵法》中亦有间接反映，"全军为上""全旅为上""全卒为上""全伍为上"② 等等，即透露了这方面的相关信息。

第二，车步混合编制及其变化。

"乘"是春秋时期车战占主导形态的最核心的编制单位，属于车兵与步兵两大主力兵种混合编组的基本形式，体现了车步协同作战条件下军事编制的主要属性和根本要求。从这层意义上说，"乘"是服务于实战的军事编制，而前述的"军、师、旅、卒、两、伍"则是平时军队内部隶属关系的编制安排。

在"乘"这一级编制之中，战车居于中心位置，车兵与步兵的配置都围绕它而展开，每乘战车配备有一定数量的甲士与步兵，以隶属系统而言，它相当于《周礼》六级编制中的"卒"。在春秋前中期，"乘"的兵力配备与西周的编制相同，即实行"三十人制"，每辆战车配有甲士10人，步兵20人。甲士10人中有3人居战车上，分任御者、车左、车右，另7人配置于战车左右两翼。步卒20人中战斗人员15人，后勤保障人员为5人。③

春秋后期，"乘"的编制有了很大的变化，其最显著的标志，就是随着军赋征收标准的改变，每乘30人制开始向每乘75人制过渡，正如史籍所载，"长毂一乘，马四匹，牛十二头，甲士三人，步卒七十二人，戈楯具备，谓之乘马"④。每乘甲士减为3人，即战车上的御者和车左、车右，而步兵则激增至72人。一乘的兵力相当于3个"两"的编制（15个伍）；加上附属的"守车"（辎重车）上的后勤

---

① 《国语·吴语》。
② 《孙子兵法·谋攻篇》。
③ "三十人制"，最主要的史料依据为《周礼·地官·小司徒》注引《司马法》逸文："革车一乘，士十人，徒二十人。"另外，它还可以从《诗·鲁颂·閟宫》《吕氏春秋·简选》《左传·闵公二年》《孟子·尽心》等文献记载中获得充分的佐证。
④ 《诗·小雅·信南山》孔颖达疏引《司马法》逸文，又，《左传·成公元年》服虔注引、《礼记·坊记》疏引。

补给人员 25 人，合计 100 人，即为 4 个"两"，也即一个"卒"。据《周礼·夏官司马》所示五进位制，则一军当有兵车 125 乘，甲士与步卒之数合计当为 12500 人。

春秋时期的建制步兵编制，史籍记载语焉不详。大致情况是，最基本编制单位为"伍"，"伍"以上相对固定的编制单位有"两"和"卒"。当时最大的编制单位当是"行"。据《左传》记载，鲁僖公二十八年（前 632），晋国"作三行以御狄"①，到了鲁僖公三十一年（前 629），更作五军以御敌，罢去三行，改置上下新军。可知"行"的兵力规模当略小于"军"而稍大于"师"，大约在 7000—8000 人。

第三，战车与步兵的战斗编成。

春秋时期各国的步兵与车兵还有形式不一的战斗编成，它们具有临战排阵编组的性质，往往是战场指挥者应敌变化，随机制宜的产物。"偏"与"两"是战车战斗编成的主要形式，每"两"由数量不等的"乘"组成，并分为两"偏"，一般多称为"左偏""右偏"。根据实战的需要，"偏""两"的兵车数可随时进行调整。故文献上有大偏、小偏之分。据《司马法》逸文记载，当时有以 9 乘为小偏，15 乘为大偏，或 25 乘为偏，50 乘为两（或为卒），81 乘为专，125 乘为伍等不同的战斗编组形式。②

步兵的战斗编成仅见于《左传》魏舒"毁车以为行"的记载，步兵的具体战斗编组是"为五陈以相离，两于前，伍于后，专为右角，参为左角，偏为前拒"③。并在此基础上，组合为一个统一的作战整体投入战斗。

---

① 《左传·僖公二十八年》。
② 此可据典籍注疏中引《司马法》逸文，如，《左传·成公七年》注："百人为卒，二十五人为两，车九乘为小偏，十五乘为大偏。"《周礼·夏官·司右》疏："五十乘为两，百二十五乘为伍。"《左传·昭公元年》正义："八十一乘为专，二十九乘为偏。"《尚书·费誓》正义："万二千五百人为军。"
③ 《左传·昭公元年》。

第二节 春秋时期的兵学思想转折

春秋时期作为中国历史上的重大转折阶段，具有动态性、过渡性以及多样性等鲜明的时代特征，其社会生活各个方面都经历着剧烈而深刻的嬗变过程，这在兵学领域也不例外。其中又可以春秋中期为界，将这一时期的战争划分为前后不同的阶段。这在战争观念上，就是对西周以来的"军礼"传统的逐渐突破。即由"以礼为固"向"兵以诈立"过渡，由重"偏战"（各占一面相对）的"堂堂之阵、正正之旗"演变为"出奇设伏、兵不厌诈"。在作战方式上，则是由春秋前中期车战的全盛逐渐向春秋晚期步战的重新崛起演进，车战战术日趋复杂多变，军阵趋于成熟并在战争中发挥重大作用。

一、春秋前期"以礼为固"的观念

春秋中期以前的战争，由于受到浓厚的尊崇旧军礼社会氛围影响，除了铁血厮杀残酷的一面以外，还存在着比较多的以迫使敌方屈服为基本宗旨的温和一面。即便是在铁血残酷较量战争中，也并不缺乏崇礼尚仁的特色。①

具体地说，当时战争更多地是以迫使敌方屈服为基本宗旨，因而军事威慑多于主力会战。换言之，即以军事威慑和政治外交谋略迫使对方屈服而接受自己的条件，成为这一时期普遍存在的战争指导原则。真正以主力进行会战来决定胜负的战争为数相对有限。当时所谓的"霸主"，一方面固然兼并小国，壮大自己；另一方面，在同其他大、中型国家发生战争时，则多以双方妥协或敌方屈服为结

---

① 参见黄朴民：《从"以礼为固"到"兵以诈立"——对春秋时期战争观念与作战方式的考察》，《学术月刊》2003 年第 12 期。

局，而彻底消灭对方武装力量、摧毁对方政权的现象则比较罕见。于是，会盟、"行成"与"平"乃成为当时军事行动中的重要方式。

应该说，在春秋战争史上，以屈服为战争目标的情况比较多见，这在《左传》中有很多的例子，都充分反映了当时战争以屈服敌方为宗旨的普遍性。这种以军礼原则规范、指导战争活动的时代特征，究其原因，应是与当时的大中型政权都属于贵族阶级掌权，且相互又有宗族、姻亲关系分不开的。《左传》引管仲语："诸夏亲昵，不可弃也。"① 即是对这种情况的概括性揭示，而它反映在战争指导观念上，就自然笼罩着一层温情脉脉的色彩。可见"兄弟之国""甥舅之国"名分的存在，决定了当时的战争指导讲究的是正而不诈，而任何不遵循这一原则的做法，均被视为违背军礼的行为："合诸侯而灭兄弟，非礼也。"② 班固在《汉志》中曰："下及汤武受命，以师克乱而济百姓，动之以仁义，行之以礼让，《司马法》是其遗事也。"③ 可谓是对春秋前中期战争指导基本特征非常贴切的概括和揭示。

我们认为，从更深层次考察，当时指导战争的军礼精神还具体表现为以下四个方面。

第一，军礼所主张的战争目的是征讨不义。这在典籍中有很多的记载，如，《左传》曰："征伐以讨其不然。"④ 又曰："凡君不道于其民，诸侯讨而执之。"⑤《国语》曰："伐不祀，征不享。"⑥《司马法》曰："兴甲兵以讨不义。"⑦ 战事并非随便发动，必须师出有名，征讨不义、违礼的行为。

---

① 《左传·闵公元年》。
② 《左传·僖公二十八年》。
③ 《汉书·艺文志·兵书略序》。
④ 《左传·庄公二十三年》。
⑤ 《左传·成公十五年》。
⑥ 《国语·周语上》。
⑦ 《司马法·仁本》。

　　第二，军事行动中"不加丧，不因凶"① 的限制。如果不得已而从事战争，就必须在军事行动中贯彻"礼""仁"一类的原则，即"以礼为固，以仁为胜"②。《左传》亦云："不待期而薄人于险，无勇也。"③ 这都是本"礼"宗"仁"的意思。郤至之所以在鄢陵之战后自我欣赏——"吾有三伐"，也在于他曾做到了"勇而有礼，反之以仁"④ 这一点。正因为征伐归宗于"礼""仁"，所以"不加丧，不因凶"，乃成为对敌军事行动重要原则之一。覆案史实，信而有征，据《左传》载："三月，陈成公卒。楚人将伐陈，闻丧乃止。"⑤ 又载："晋士匄侵齐，及穀，闻丧而还，礼也。"⑥

　　第三，在战场交锋中正大不诈的原则。当进行正式的战场交锋时，当时的军礼也有许多具体的原则，要求作战双方共同遵循。这在《司马法》《左传》《穀梁传》《公羊传》中均有相当具体的反映。《司马法》云："成列而鼓，是以明其信也。"⑦ 宋襄公在泓水之战后面对国人的质疑和责备，解释道："古之为军也，不以阻隘也。寡人虽亡国之余，不鼓不成列。"⑧《司马法》又云："不穷不能而哀怜伤病，是以明其仁也。"⑨ 又云："见其老幼，奉归勿伤。虽遇壮者，不校勿敌。敌若伤之，医药归之。"⑩《穀梁传》亦云："战不逐奔，诛不填服。"⑪ 而这在宋襄公的口中，便是"君子不重伤，不禽二毛"⑫。这不能简单地断定为是《司马法》《穀梁传》或宋襄公的迂

---

① 《司马法·仁本》。
② 《司马法·天子之义》。
③ 《左传·文公十二年》。
④ 《国语·周语中》。
⑤ 《左传·襄公四年》。
⑥ 《左传·襄公十九年》。
⑦ 《司马法·仁本》。
⑧ 《左传·僖公二十二年》。
⑨ 《司马法·仁本》。
⑩ 《司马法·仁本》。
⑪ 《穀梁传·隐公五年》。
⑫ 《左传·僖公二十二年》。

腐，而恰恰应视为其对古军礼的申明和执着。故《淮南子》曰："古之伐国，不杀黄口，不获二毛，于古为义，于今为笑。古之所以为荣者，今之所以为辱也。"①

第四，战争善后措施上的宽容态度。"服而舍人"是古军礼中的又一项重要原则。春秋中期以前的战争指导者，其从事战争，所追求的是战而服诸侯的旨趣与境界，即通过武力威慑或有限征伐的手段，树立自己的威信，迫使其他诸侯臣服于自己。这一目标既已达到，便偃旗息鼓，停止军事行动，给予敌方继续生存的机会。这在《左传》等典籍中有着充分的反映。《司马法》云："又能舍服，是以明其勇也。"②《左传》云："贰而执之，服而舍之。德莫厚焉，刑莫威焉。"③又曰："叛而不讨，何以示威？服而不柔，何以示怀？"④亦曰："叛而伐之，服而舍之，德、刑成矣。伐叛，刑也；柔服，德也，二者立矣。"⑤说的都是这层意思。在"既诛有罪"，完成了战争使命之后，进一步行动纲领就是《司马法》所说的："王及诸侯修正其国，举贤立明，正复厥职。"⑥参之以《左传》，信而有征。鲁昭公十三年（前529），"（楚）平王即位，既封陈、蔡，而皆复之，礼也。隐大子之子庐归于蔡，礼也。悼大子之子吴归于陈，礼也"⑦。孔夫子所谓"兴灭国，继绝世，举逸民，天下之民归心焉"⑧的真切含义，正在于此。

历史表明，传统是一种巨大的惯性力量。春秋前中期的战争，就是在军礼传统的影响下进行的。但是传统也不是一成不变的，随着社会条件的改变，军事领域中的旧军礼传统受到了越来越大的冲

---

① 《淮南子·氾论训》。
② 《司马法·仁本》。
③ 《左传·僖公十五年》。
④ 《左传·文公七年》。
⑤ 《左传·宣公十二年》。
⑥ 《司马法·仁本》。
⑦ 《左传·昭公十三年》。
⑧ 《论语·尧曰》。

击，无可避免地要一步步走向式微。

二、"兵以诈立"的观念萌芽

春秋后期，随着社会变革的日趋剧烈，战争也进入了崭新的阶段。当时的战争指导者，已比较彻底地抛弃了旧军礼的束缚，使战争指挥的艺术呈现出夺目的光彩。这集中表现为战争指导观念和兵学思想的根本性进步。

新型战争指导观念的形成，当然主要取决于战争方式的演变。在春秋中叶以前，军事行动中投入的兵力一般不多，① 范围尚较为狭小，战争的胜利主要通过战车兵团的会战来取得，在很短的时间之内即可决定战争的胜负。而进入春秋晚期，随着各国"作丘甲""作丘赋"等一系列改革措施的推出，"国人当兵，野人不当兵"的旧制逐渐被打破，军队人员成分亦发生巨大变化，实际上已经开始推行普遍兵役制。与此同时，战争地域也明显扩大，战场中心渐渐由黄河流域南移至江淮汉水流域。弓弩的改进，各种新型武器杀伤力的迅速提高，使得作战方式也发生重大的演进，具体表现为步战的地位日渐突出，车步协同作战增多，激烈的野战盛行，战争开始具有较为持久的性质，进攻方式上也比较带有运动性了。以吴军破楚入郢之战为例，其纵深突袭、迂回包抄等特点，体现了运动歼敌、连续作战的新战法，这是以往战争的规模和方式所无法比拟的，标志着战争的形态进入一个新的阶段。而与上述变化相适应，春秋晚期起战争的残酷性也达到了新的程度。而《墨子》所载"入其国家边境，芟刈其禾稼，斩其树木，堕其城郭，以埋其沟池，攘杀其牲牷，燔溃其祖庙，劲杀其万民，覆其老弱，迁其重器"②，即是形象的描述。

春秋后期战争的最大新特色还在于当时战争指导观念的重大变

---

① 著名的城濮之战，晋国方面所动用的兵车仅700乘而已，楚国方面稍多一些，但亦不超过1000乘，于此可见春秋前期战争规模之一斑。

② 《墨子·非攻下》。

化。这就是诡诈战法原则在战争领域内的普遍运用，过去那种"鸣鼓而战"，堂堂之阵的战法遭到全面的否定和彻底的抛弃。用班固的话说，便是"自春秋至于战国，出奇设伏，变诈之兵并作"①。

当然，冰冻三尺，非一日之寒。以诡诈奇谲为特色的战争指导现象，在春秋前期、中期的一些战例中即已露出端倪。如，在郑卫制北之战中，郑军正合奇胜打败燕师，既是迂回作战，也是兵分奇正而用的先例。又如，晋国借道灭吞虞国之战，晋军以"借道"为名，行攻伐之实，一石二鸟，兼并对手。再如，郑国抗击北戎之役中的设伏诱敌，齐鲁长勺之战中的后发制人，晋楚鄢陵之战中楚军晦日用兵，出其不意，先敌列阵，等等，都无不充满了作战指导上的诡诈特色。然而需要指出的是，与大量军礼笼罩下的军事行动相比，这类战争指导方式在当时并不占据主导地位。到了春秋后期，欺敌误敌、示形动敌、避实击虚的诡诈战法开始占据主导地位，进入了全面成熟的阶段。当时南方地区吴、楚、越诸国之间的几场大战就是这方面的典型。

公元前 570 年，楚国令尹子重"使邓廖帅组甲三百、被练三千以侵吴"②。吴军利用楚师轻敌疏忽的弱点进行截击，大破楚师，擒获邓廖，并乘胜进击，夺取驾（楚地）。公元前 560 年，吴楚庸浦之战中，楚军诱使吴师深入预先设伏地区，突现伏兵，大破之。公元前 548 年，吴楚舒鸠之战，楚军运用诱敌推进，尔后进行内外夹击的战法，战胜吴军。公元前 525 年，吴楚长岸之战爆发。吴军初战失利，吴王乘船余皇落入楚军之手。吴公子光为夺回余皇，先派人埋伏在余皇附近，夜间派人袭击楚军并高呼余皇，潜伏者轮番呼应，造成楚军大乱，吴军乘势发动全面进攻，大败楚军，夺回余皇。公元前 508 年，楚囊瓦率军伐吴，进至豫章（今大别山以东、巢湖以

---

① 《汉书·艺文志·兵书略序》。又，刘向《战国策》亦云："潜然道德绝矣……贪饕无耻，竞进无厌；国异政教，各自制断；上无天子，下无方伯；力功争强，胜者为右；兵革不休，诈伪并起。"
② 《左传·襄公三年》。

西，淮南、江北一带）。吴军伪示怯战之意，故意将大量船只集中于豫章南部江面上，示以守势；而同时秘密将主力潜伏于巢（楚邑，今安徽桐城、安庆一带）地附近。囊瓦中计，误以为吴军尽在江上，对陆上方向松懈戒备。吴军乘机从侧背突袭楚师，大破之，并乘胜攻占巢城，俘楚大夫公子繁。公元前482年，吴越姑苏之战进入最后阶段，是役，越王勾践同样采用战略偷袭的手段，乘隙蹈虚，一举攻克吴都姑苏（今江苏苏州市）。

其他诸如吴楚鸡父之战、吴越槜李之战、吴越笠泽之战等等，亦多运用设伏诱敌、突然袭击、避实击虚、奇正相生、攻其不备的诡诈奇谲的战争指导。在此时已很难看到过去中原战争中所遵循的"成列而鼓"的做法，也不曾见到像鄢陵之战中郤至遇敌君必下，"免胄而趋风"这类现象，更不曾听到类似于宋襄公那样的"宏论"。而所谓"出奇设伏，变诈之兵并作"亦由此而得到历史的验证。

这种战争指导观念的变革，不仅反映在当时的战争实践上，而且也体现在这一时期的兵学理念建树方面。这方面孙子、伍子胥、范蠡等人的有关战争指导的论述，可以说是这一时期的主要代表。以《孙子兵法》为例，《孙子兵法》注重于探讨作战指导，并指出"兵者，诡道也"①，这是对以往战争注重申明"军礼"做法的历史性变革的提炼。在战争目的方面，《孙子兵法》明确提出"伐大国"②，这是对以往"诛讨不义""会天子正刑"③的否定。在战争善后上，《孙子兵法》主张拔其城，隳其国，这是与以往"又能舍服""正复厥职"④的对立。在作战方式上，与以往"军旅以舒为主""虽交兵致刃，徒不趋，车不驰"⑤情况所截然不同的是，《孙

---

① 《孙子兵法·计篇》。
② 《孙子兵法·九地篇》。
③ 《司马法·仁本》。
④ 《司马法·仁本》。
⑤ 《司马法·天子之义》。

子兵法》一再强调"兵之情主速，乘人之不及，由不虞之道，攻其所不戒也"①。在后勤保障及执行战场纪律方面，《周礼》《司马法》等主张"入罪人之地，无暴神祇，无行田猎，无毁土功，无燔墙屋，无伐林木，无取六畜、禾黍、器械"②，而到了孙子那里，则是宣扬"因粮于敌"③，主张"掠于饶野"④ "掠乡分众"⑤。凡此种种，不胜枚举，均反映了春秋后期的战争指导思想，较春秋前期有许多显著的变革、发展和差异。南宋郑友贤曰："《司马法》以仁为本，孙武以诈立；《司马法》以义治之，孙武以利动；《司马法》以正不获意则权，孙武以分合为变。"⑥ 正是对此种差异性的高度概括。

其他像伍子胥、范蠡等人的战争指导观念也和孙子基本相一致。伍子胥提出高明卓越的"疲楚误楚"策略方针，主张"亟肆以罢之，多方以误之"⑦ 就是"变诈之兵"勃兴条件下的必然产物。范蠡主张"随时而行，是谓守时"，提倡"得时无怠，时不再来"⑧，其后发制人、把握战机、及时出击的思想，同样属于符合历史潮流的进步战争指导观念。这些思想观念来源于春秋晚期变化了的战争实践活动，同时又更好地指导着新形势条件下的战争，从而使春秋晚期的战争呈现出充满生机的新面貌。

三、要塞防御思想与筑城技术进步

春秋时期，各诸侯国一般并不驻守关塞。一国之军通常都在国郊之内，遇有征战大事则由军将召集于国（都城）门。这从《周礼》《国语》等史籍记载中可以获得证实。如，据《国语》载，越

---

① 《孙子兵法·九地篇》。
② 《司马法·仁本》。
③ 《孙子兵法·作战篇》。
④ 《孙子兵法·九地篇》。
⑤ 《孙子兵法·军争篇》。
⑥ 郑友贤：《十家注孙子遗说并序》，见杨丙安：《十一家注孙子校理》，中华书局，1999年，第322页。
⑦ 《左传·昭公三十年》。
⑧ 《国语·越语下》。

王勾践"乃命有司大令于国曰：'苟任戎者，皆造于国门之外'"①。又如，《周礼·大司马》郑玄注曰："古者军将盖为营治于国门。"②这就是《孙子兵法》所说的"将受命于君，合军聚众"③的意思。这种情况存在的原因，当与此一时期的战争样式相关，即当时的战争是由双方军队的一次性会战来决定胜负，胜利者可以向战败国提出条件，占据领土对于会战并不具有什么意义，故通常不必驻守关塞。

当然，春秋时期也有少数列国开始在一些关塞驻防。据《左传》载，"晋侯使詹嘉处瑕，以守桃林之塞"④，亦有晋国派遣"女宽守阙塞"⑤的记载。但是从总体上看，对关塞要津的驻防，在春秋时期始终未曾成为普遍的现象，这正如清代学者顾栋高在遍考《左传》所作"春秋列国不守关塞论"断言："春秋时列国用兵相斗争，天下骚然，然是时禁防疏阔，凡一切关隘陋塞之处，多不遣兵设守，敌国之兵平行往来如入空虚之境。"⑥

作为战争中重要防御体系的城池，高墙、深堑、悬门相锁，乃是保存己方有生力量和财富物资，阻止敌人进攻的理想设施。因此，当时各处诸侯国都重视城池防御，纷纷投入大量的人力、财力与物力进行筑城。

春秋时期的筑城已形成相当规模，据《左传》等文献提及的情况粗略统计，仅黄河中下游及淮河上中游地区的周、晋、齐、鲁、卫、曹、宋、郑、陈、蔡、秦、许、莒、邾、滕、薛等十几个大小诸侯国，就筑有城池约 300 座。不过，当时城池本身的规模还不大，通常是"城虽大，无过三百丈者；人虽众，无过三千家者"⑦。一般

---

①　《国语·吴语》。

②　郑玄注，贾公彦疏：《周礼注疏》，中华书局，2009 年，第 1806 页。

③　《孙子兵法·军争篇》。

④　《左传·文公十三年》。

⑤　《左传·昭公二十六年》。

⑥　顾栋高：《春秋大事表》，中华书局，1993 年，第 995 页。

⑦　《战国策·赵策三》。

诸侯国的国都周围不过 900 丈，而卿大夫的都邑只有国都的三分之一、五分之一甚至九分之一，正如《左传》所载："都城过百雉，国之害也。先王之制：大都，不过参国之一；中，五之一；小，九之一。"①

根据防御的要求，当时的城邑一般由城墙、城楼、垛堞等组成。城墙往往不止一重，而有数重，也即所谓"内为之城，城外为之郭"②。城墙的修筑方法，主要是夯土板筑，夯土成墙，挖沟为池。夯土的方法有两种：一是平夯，即两面夹板，层层平筑；一是方块夯，即分段筑。城门构筑更加高大、复杂，悬门的设置，是城门设防的一大进步。为了加固城门，当时已经开始使用金属铆钉。城邑的修筑，一般都是围绕原有居民的聚居地进行，一切从防御的目的出发，力求坚固。

由于缺乏有效的攻坚手段，攻城部队往往钝兵挫锐于深沟高垒的坚城之下，导致伤亡惨重，师老兵疲，铩羽而归。因此，春秋时期的兵家和军事指挥者都视攻城为畏途。如，孙子就认为"攻城则力屈"，是用兵的下策，"其下攻城"③。一般情况之下，战争指挥者都尽量避免进行攻城作战。但是这并不意味着放弃攻城战。因此，随着要塞攻坚作战的需要，攻城器械逐渐得到发展，主要有掩护士兵进行土工作业的轒辒，防避矢石攻击的大橹，登城用的云梯，用于观察敌情的巢车以及撞击城门的重型冲车，等等。而守城用的器械，除了干盾、弓弩、刀剑、石块等物之外，还有专门的武器装备钩拒等。这在《墨子》《孙子》等先秦有关文献中曾有零星的记载，但是很多史籍记载的攻守器械尚缺乏地下考古出土实物的验证。

---

① 《左传·隐公元年》。
② 《管子·度地》。
③ 《孙子兵法·谋攻篇》。

第三节　争霸战争与兵学思想

春秋时期邦国林立，见于史书记载的就有几十个。在这些诸侯中，比较重要的有 14 个。《史记·十二诸侯年表》记载了其中 12 个诸侯国的世系，分别是鲁、齐、晋、秦、楚、宋、卫、陈、蔡、曹、郑、燕，另外两个诸侯国是南方的吴国和越国。这些诸侯国活跃在春秋时期的历史舞台上，互相展开了以争夺土地和人口、掠夺财物为目的的争霸战争。春秋时期争霸的主要是齐、晋、楚、秦四国，其中以晋楚争霸为主线，而宋国也曾有过昙花一现的短暂霸业。吴越争霸已是春秋晚期，且仅局限于东南一隅，对中原地区影响不大。

春秋时期出现大国争霸的主要原因有三个方面：第一，周天子失去了对天下的控制，这是大国争霸出现的前提和根本原因。第二，各诸侯国政治、经济发展的不平衡，导致了弱肉强食的争霸局面。第三，戎狄蛮夷等少数民族进入中原，为大国争霸提供了可乘之机。

一、郑庄公"小霸"的战略指导思想

谁也不曾料想到，用巨手揭开春秋时期争霸战争序幕的，居然是国土面积不大、分封较晚、立国不久的郑国。由于郑国的霸业完成于郑庄公之手，所以，在历史上史家习惯性将郑国在春秋初年的兴盛称为"郑庄公小霸"。

郑庄公，姬姓，名寤生，是郑国的第三代君主。他在位 40 余年，非常老辣地平定了共叔段的叛乱，稳定政局。同时，支持发展农业，扶植工商业，繁荣经济，富国强兵。在对外事务中，郑庄公合理利用身为王室卿士的特殊关系，挟天子而令诸侯，远交近攻，联合齐、鲁，打击宋、卫，以战争的手段为主导，以外交的方式为辅助，使郑国在春秋初年率先迅速崛起，争雄天下，成就一代霸业。有学者认为郑庄公以其卓越的政治、军事才能，为东迁之后新郑的

生存发展打下了坚实的基础，提高了郑国的实力和影响力。当然，也正是郑庄公之文化性格，使郑之强盛，及身而衰，失去历史的机遇，沦为附庸而艰难自保。[①]

郑庄公之所以能率先称霸，开创春秋政治、军事的新格局，除了郑国本身具备有利的国际环境，强大的经济军事实力，雄厚的政治资本，稳定的内部条件之外，郑庄公能够根据天下时势正确地制定战略方针，高明地运用斗争谋略乃是关键所在。

概括而言，郑庄公在争霸战争中的战略指导是十分成功的，它反映了春秋初年军事谋略和作战艺术所能达到的新的高度和水平，其特点主要集中体现在以下几个方面。

第一，制定正确的战略方针。

郑庄公善于分析列国战略态势，在此基础上制定正确的战略方针，远交近攻，联合与国，选择主要的对手为打击对象，先弱后强，各个击破。春秋早期，与郑国实力相近、并驾齐驱的中原诸侯国主要有鲁、齐、宋、卫、陈、蔡等国，它们都是郑国争霸道路上的障碍。但是仅仅凭借郑国有限的军事实力，实不能全线出击，多线作战，四面树敌，而只能根据兵要地理条件与各国的实力，正确选择战略主攻方向，联合与国，最大限度地孤立和打击主要敌人，从而逐一击破。从这一战略指导思想出发，郑庄公采取了远交近攻的策略。[②]

从当时的具体形势来看，鲁、齐两国不仅力量相对强盛，难以在短时间内加以制服，而且距离郑国较远，也无法对郑国构成明显的威胁。相反，宋、卫诸国与郑国相毗邻，郑国如果想要向外扩张称霸，势必要与它们发生直接的军事冲突，只有在军事上征服它们，郑国才有可能实施下一步的战略方针。同时，与齐、鲁相比，宋、卫诸国的实力也要略逊一筹，对其用兵亦有一定的取胜把握。郑庄

---

① 蒋凡：《〈左传〉郑庄公传叙》，《兰州大学学报》（社会科学版）2015 年第 6 期。

② 黄朴民：《春秋军事史》，军事科学出版社，1998 年，第 158 页。

公敏锐地认识到这一态势，遂制定和推行远交近攻、各个击破的策略。郑庄公遂联合齐、鲁形成从东到西的横向统一战线，打击宋、卫、陈、蔡、许诸国的纵向联合阵线。

为此，郑庄公先是极力拉拢齐国，先后与齐僖公在卢、石门（均在今山东境内）举行盟会，并主动引荐齐僖公朝觐周天子，① 通过外交斡旋，将齐国争取到自己的阵营。与此同时，郑庄公又积极与鲁国修好，将郑国助祭泰山时的汤沐邑祊田，和鲁君朝见周王时安宿之邑许田进行了交换，大大改善了两国的关系，② 鲁国亦从此成为郑国的有力盟国。这样就形成了对宋、卫两国进行东西夹击的有利态势。

在顺利达到"远交"目的形势下，郑国积极联合齐、鲁两国对宋、卫等对手多次发动"近攻"，给宋、卫以沉重的打击。其中，公元前713年，在戴之战中，郑军全歼宋、卫、蔡三国之师，大大削弱了宋、卫的军事实力。③ 自此之后，郑国拥有了在中原争霸称雄的明显优势，夺取了战略上的主动权。

第二，争取政治主动，争霸战争中有理有据有节。

郑庄公巧妙利用周王室卿士的地位，打着周王室的旗帜，争取政治上的主动。同时在争霸活动中做到谨慎节制，以博得天下诸侯的同情支持。综观他发动的几次大的作战行动，大多是以遵周天子之命的名义进行的。如，周桓王六年（前714），郑庄公以宋殇公未按礼制朝见周天子一事为由，"以王命讨之"④，即假托周天子之命率郑军并邀集齐、鲁之师联合攻打宋国。另外，郑庄公还多次以周王室卿士的身份指挥周天子的军队或他国之师进行征讨作战。如，公元前718年，郑庄公统率周军会同邾军攻打宋国；公元前712年，郑庄公以周室左卿士身份指挥周室军队进攻宋国并重创宋军，就是

① 《左传·隐公三年》。
② 《左传·隐公八年》。
③ 《左传·隐公十年》。
④ 《左传·隐公九年》。

这方面的典型事件。郑庄公这类做法，实为极高明的谋略，它给郑庄公的争霸活动披上了一层合法的外衣。在争霸过程中，郑庄公经常给予那些听命于己、参与自己组织的军事活动的盟国一些实际利益，使其更加坚定地追随自己。如，公元前713年，郑国将其所攻占的宋邑郜（今山东成武东南）、防（今山东金乡西）之地划归给鲁国。郑庄公此举也博取了正大的名声。"君子谓郑庄公：'于是乎可谓正矣，以王命讨不庭，不贪其土，以劳王爵，正之体也。'"[1]真可谓名惠而实至，一举而多得。

值得注意的是，郑庄公在缔造霸业时，能够做到量力而行。他既不放过打击和削弱对手的机会，又适可而止，给对手留有余地，以减轻自己在争霸活动中的损失。例如，公元前715年，在军事和外交均占据优势的情况下，郑庄公以捐弃前嫌的姿态，接受齐国的调解，不计较公元前719年宋、卫、陈、蔡四国联军侵郑国都城的东门之役，在瓦屋会盟中主动与宋、卫诸国修好讲和。又如，在繻葛之战中，在胜局已定之后，郑庄公拒绝部属乘胜追击的建议，见好便收，"君子不欲多上人，况敢陵天子乎？苟自救也，社稷无陨，多矣"[2]。他迅速派人前往慰问受伤的周天子，以缓和双方矛盾，等等。这些举动都能反映出郑庄公善后能稳、老谋深算的政治智慧与掌控能力。

第三，寻求战机，一战定霸业。

公元前707年，周桓王以郑庄公攻占许国，并与鲁国擅自交换许田为借口，宣布剥夺郑庄公王室左卿士的职位，试图彻底将郑国赶出周王室的权力中心。郑庄公选择消极抵抗，不再去朝觐周天子。忘乎所以的周桓王早已忘记了周王室的真正实力，竟在同年秋天贸然发动了对郑的战争。周桓王亲自统率周、陈、蔡、卫四国联军讨伐郑庄公。早已忍无可忍的郑庄公闻讯，决定自卫反击，也亲率大军迎战，双方在繻葛地区遭遇，一场规模不大但具有深远历史意

---

① 《左传·隐公十年》。

② 《左传·桓公五年》。

义的战争揭开了序幕。

很快，周郑两军在繻葛摆开阵势，一场大战不可避免。为了赢得胜利，双方都在紧锣密鼓地调兵遣将，排兵布阵。周桓王将周王室联军分为右、左、中三军。其中，卿士虢公林父指挥右军，蔡、卫之军从之；卿士周公黑肩指挥左军，陈军附于其中；中军则由周桓王亲自指挥，是整个军阵的主力，战斗力也最强。根据周室联军这一布阵形势和特点，郑庄公针锋相对做了必要而充分的部署。他将郑军也编组为三个部分：中军、左拒和右拒，① 郑庄公及原繁、高渠弥等人率领中军，祭仲指挥左拒，曼伯统率右拒。

交战之前，郑国大夫公子元针对周室联军的组成情况，对敌情进行了准确的分析。他认为陈国国内正发生动乱，因此陈国军队必定是最没有斗志的，如果首先对陈军所在的周左军军阵实施打击，陈军一定会迅速崩溃，周师左翼必定混乱；而蔡、卫两军战斗力不强，在郑军的强力进攻之下，将难以抗衡，必定会先行溃退，周师右翼也必将溃散。鉴于这一实际情况，公子元建议郑军避实就虚，首先击破周室联军相对薄弱的左军、右军，然后再集中兵力攻击周桓王亲自指挥的周室联军主力中军。公子元的分析非常合理，郑庄公欣然接受。

郑国另一位大夫高渠弥鉴于以往诸侯联军与北狄作战时，前锋步卒被击破，后续战车失去掩护，以致无法出击而失利的教训，他提出改变以往车兵、步兵简单排列的笨拙协同作战方式，编成鱼丽之阵以应敌的建议。② 所谓"鱼丽之阵"，其特点便是"先偏后伍，

---

① 拒，即方阵。

② 关于"鱼丽之阵"的具体阵法学者有很多争论。杜预在《春秋左传正义》中引《司马法》："车战二十五乘为偏，以车居前，以伍次之，承偏之隙而弥缝缺漏也。五人为伍，此盖鱼丽阵法。"蓝永蔚在《春秋时期的步兵》（中华书局1979年）、杨英杰在《战车与车战》（东北师范大学出版社1988年）、赵长征在《周郑繻葛之战与"鱼丽"之阵》（《文史知识》2012年第3期）中均有不同论述，笔者此处采用蓝永蔚的说法。

伍承弥缝"①，就是将战车布列在军阵的最前面，将步卒疏散配置于战车两侧及后方，从而形成步车协同配合、攻防灵活自如的作战整体。由于这一阵法是通过对长期的实战经验教训的思考而进行改进的，郑庄公十分认同，欣然采纳了高渠弥新战法的建议。

双方交战开始后，郑庄公先严明军纪，要求将士旗动而鼓，击鼓而进。郑军按照既定作战部署向周王室联军发起猛烈进攻。郑大夫曼伯指挥郑右军方阵迅速攻击周室联军左翼军阵中的陈军。正如战前所料，陈军果然毫无斗志，一触即溃，迅速逃离战场，周王室联军左翼军阵即刻解体，左翼军阵中的周军也乱作一团。与此同时，祭仲也指挥郑左军方阵进攻周右翼军阵中的蔡、卫两国军队，蔡、卫军队曾受到郑国的巨大打击，情况比陈军也好不了多少，刚刚交锋，便纷纷败退，周王室联军右翼军阵也瞬间土崩瓦解。由于两翼瞬间溃败，周桓王所率领的主力中军完全暴露在郑军面前，兵士皆无心恋战，阵势顿时大乱。郑庄公见状，立即摇旗指挥原繁的中军向周桓王率领的中军发动猛烈攻击。同时，祭仲、曼伯所分别指挥的左右两军阵也乘势合击，猛烈夹击周桓王中军。失去左右两翼掩护的周王室中军显然无法抵挡郑国三军的合击，大败后撤，周桓王本人也被祝聃射中肩膀，身负箭伤，被迫下令撤出战场。

郑军见周师溃不成军，周桓王受伤落荒而逃，振奋不已。祝聃等人建议立即追击扩大战果，但郑庄公并没有被胜利冲昏头脑，下令停止追击，并非常冷静地说："君子不欲多上人，况敢陵天子乎？苟自救也，社稷无陨，多矣。"② 于是繻葛之战的战场便沉寂下来。郑庄公明白，周天子地位虽已今非昔比，但余威仍在，名义上还是天下共主，所以，作为诸侯国不可过分冒犯周天子，以防引起天下诸侯的敌视和反对。为此，他当晚还专门委派祭仲去周军营慰问负伤的周桓王以及其身边近臣，以缓和周郑间的矛盾。当然，周桓王刚刚惨败，已经领教了郑庄公的实力，也自知无法再与郑国抗衡。

---

① 《左传·桓公五年》。

② 《左传·桓公五年》。

看到郑庄公主动向他示好，周桓王便见好就收，也找到一个挽回颜面的机会，正合自己心意，所以也就勉强接受了这个现实。

周桓王繻葛之战的失败，是周王室衰微的关节点，即所谓"夷王足下堂，桓王箭上肩"，从此周天子颜面扫地，"礼乐征伐自天子出"的周礼传统也走向消亡。郑庄公在繻葛之战胜利后，称霸中原，同时也揭开了春秋争霸的序幕。

第四，革新作战方式，灵活运用战术。

郑庄公在争霸战争中主动顺应战争形势的变化，革新作战方式，灵活运用战术，为保证战略方针的顺利实施创造必要的条件。从现存史料考察，郑庄公高超的作战指挥艺术在制北之战、抗击北戎之战以及繻葛之战中均有集中的反映。

制北之战中的夹击迂回战术。周桓王二年（前718），郑庄公发兵攻打卫国，大军进抵卫郊。卫国即以其属国南燕军南下反击郑军。郑大夫祭仲、原繁、泄驾率三军北上迎敌。为出奇制胜，郑庄公命公子忽、公子突暗中率领一军迂回到燕军背后。燕军按传统战法，全力对付正面的郑军，而对自己侧后疏于防范。是年六月，太子忽等率所部及制北驻军向燕军侧后方发起突然袭击，一举击溃燕军。是役可以说是见于文献记载的中国战争史上最早的实施迂回夹击的成功战例。

抗击北戎之战中的设伏追击战术。周桓王六年（前714），北戎（又称山戎，活动于今河北一带）军南下侵郑。郑庄公采纳公子突的建议，针对以步兵为主体的北戎军队"轻而不整，贪而无亲；胜不相让，败不相救"以及"先者见获，必务进；进而遇覆，必速奔。后者不救，则无继矣"① 等弱点，制订了以一部兵力佯败诱敌，将郑军主力分作三部，设伏于北戎军追击必经之途附近，寻机聚歼的作战方案。战斗打响后，郑军一部佯败，北戎军果然中计，深入郑军的伏击地域，郑军三支伏兵同时出击，迅速切断北戎前军与后军之间的联系，其前军为郑大夫祝聃部所围歼，后军也仓皇溃逃，郑

---

① 《左传·隐公九年》。

军大获全胜。这是中国战争史上较早的一次因势利导、设伏邀击的成功战例。

缭葛之战中各个击破战术与鱼丽之阵的使用。郑国势力的不断增长，郑庄公急于进取的风格，削弱了周王室的权威，周郑之间出现了矛盾并日趋激化，终于酿成了缭葛之战。公元前707年，周桓王率周王室联军进攻郑国，郑庄公起兵抵御，双方在缭葛兵戎相见，一决雌雄。是役，郑庄公采纳公子元建议，制定了先弱后强，各个击破的作战指导方针，即先击破联军中薄弱的左右两翼，尔后再集中兵力攻击周桓王亲自指挥的联军主力中军。在布阵上，郑庄公又采纳高渠弥的建议，布列鱼丽之阵。这是一种经改良的先进三军阵。就三军阵的特点而言，是军队部署两翼靠前，中军稍后的倒"品"字形，似张网捕鱼似的打击敌人。就各自军队内部兵力部署特点而言，是"先偏后伍""伍承弥缝"，即把战车布列在前面，将步卒疏散配置于战车的两侧及后方，从而形成步车协同配合、攻防灵活自如的整体。[1] 这种阵法，是在周代军阵原有的基础上，进行了必要的革新，"取消了原配置在战车前面的第一线步兵横队，把战车放在前列，提高了方阵的运动速度，将步兵疏散配置在战车的两侧和后方，密切了步车协同作战"[2]。这种革新，增强了车兵和步兵合作的密切程度，一方面可以使得战车、步兵的战斗力得到充分发挥，另一方面也使得战车、步兵互相保护、相互照应。这一次变革使中国古代战法逐渐趋向严密、灵活，有力推动了古代战术的革新和演进。由于郑军正确选择了作战主攻方向，制订了合理的进攻方案，高明地运用了鱼丽之阵等先进战法，因此，在缭葛之战中射伤周桓王，大破周室联军。而郑庄公本人也因引导时代潮流，实施高明的战略指导，运用先进的战法战术，而在中国古代兵学史上无可非议地居有了一席之地。

---

[1] 《左传·桓公五年》及杜预注。

[2] 蓝永蔚、黄朴民、刘庆、钟少异著：《鼓角争鸣》，上海：华东师范大学出版社，2006年，第62页。

二、齐桓公争霸的战略指导特色

大国争霸是春秋历史的主旋律，而在这个舞台上真正扮演主角的第一人，乃是赫赫有名的齐桓公。正如战国思想家孟子所言："五霸，桓公为盛。"① 我们认为孟子此语有两层含义，一是说他最先正式称霸，二是说他的霸业最为正大显赫。

齐桓公即位后，任用管仲等贤能，围绕"富国强兵""称霸诸侯"的目标展开全方位的改革，相继推行"相地而衰征"②"设轻重九府"③"参（三分）其国而伍其鄙"④"作内政而寄军令"⑤ 等一系列重大改革措施，使齐国在经济、内政、军事等各个方面均呈现崭新的面貌，齐国"卒伍政定于里，军旅政定于郊"⑥，一跃而成当时首屈一指的强国。⑦ 在此基础上，齐桓公开始对外争霸活动，兼并小国，增强自身实力，多次主持诸侯间的盟会，"九合诸侯，一匡天下"⑧，开创皇皇霸业，同时亦打出"尊王攘夷"的鲜明旗号，团结、统率中原诸侯，北抗戎狄，救助燕国，迁徙邢国，保存卫国，通过召陵之盟，阻遏南方强楚咄咄逼人的北进势头，最后借举办葵丘大会之际，使自己的霸业真正走向极盛。

齐桓公在从事争霸战争中所运用的战略，具有鲜明的时代特色，并卓有成效，达到了其既定的战略目标。这种战略运筹和实施上的特点，集中表现为以下四个方面。

第一，"尊王攘夷"口号的提出，取得了政治先机。

齐桓公提出鲜明的政治口号"尊王攘夷"，为他开展争霸战争创

---

① 《孟子·告子下》。
② 《国语·齐语》。
③ 《史记·货殖列传》。
④ 《国语·齐语》。
⑤ 《国语·齐语》。
⑥ 《管子·小匡》。
⑦ 参见《管子·中匡》《管子·霸言》。
⑧ 《史记·管晏列传》。

造有利的政治条件，从而起到了团结诸侯，扩大政治影响，实现具体战略目标的作用。齐桓公是在"尊王攘夷"这面大旗下进行争霸战争的，这在当时是一个极为明智的战略抉择。周王室东迁之后，周天子的地位已今非昔比，实力也急剧衰落，但是传统毕竟是一种巨大的惯性力量，所谓"春秋时共主悉臣之义犹在人心"①。周天子在名义上仍是天下的共主和宗法制上的大宗，具有一定的政治号召力。齐桓公非常清楚其中的利害关系，于是就把"尊王"作为自己从事军事行动的政治依据。至于"攘夷"，也是当时特殊政治、军事背景下的产物，因为戎狄势力不断南下侵扰，严重威胁着中原列国的安宁，造成了中原地区人力物力的巨大损失。而南方楚国势力强大，不断向北推进，进逼中原，亦动摇着华夏文化的地位，给中原诸国带来了极大的压力。中原列国都渴望有一个强大的诸侯国，能够发挥此前周天子在天下秩序中的作用，出面领导中原国家抵御戎狄与"蛮楚"的进攻。齐桓公提出的"攘夷"即可满足中原诸国的这一现实需要，鼓动起同仇敌忾的情绪，因而博得了广大华夏中原国家的认同和拥护。由此可见，"尊王攘夷"这面旗帜是齐桓公实现争霸军事目的的政治保障。在它的指引下，齐桓公的争霸战争自始至终占据着主导地位，开展顺利，成就卓著。

第二，运用军事威慑手段，达到有限战争的目的。

齐桓公在从事军事活动的过程中，很少与对方主力进行决战性的战斗，而基本上是将军事威慑的作用发挥到极致，即"伐谋""伐交"，达到有限战争的目的。在进行的一些有限战争中，齐桓公往往也是通过会盟，使诸侯国出兵组成联军进行的。尽管有时只是几个较弱的小国参加联军，但以联军的名义出现，这在政治上、军事上都能给对手造成很大的心理震慑和军事威胁。这是齐桓公在争霸战略运用上的一个显著特点，也是齐桓公与其他霸主的显著区别。这一战略的运用，同时，以"尊王"作为政治号召，大大减少了齐军作战上的损失，常常可以达到"不战而屈人之兵"的目的。

---

① 高士奇：《左传纪事本末》，中华书局，2015 年，第 5 页。

第三，把握军事行动的时机，以最小的代价赢得最大的政治、军事利益。

齐桓公在对战争时机的把握上，也有高人之处。他常常是在齐军做好充分的战争准备，确有把握的情况下才开始采取行动的。如迁邢、存卫，并不是在邢国、卫国一遭到戎狄的攻击便仓促出兵驰救，而是在自己做好充分准备之后，才实施增援。实际上，当齐兵抵达邢、卫时，邢、卫已被戎狄攻破，齐军并未与戎狄军队展开正面交锋，而主要是掩护、收容邢、卫两国的逃散军民，然后予以抚慰。这样，齐军并未遭到实质性的损失，却收到了抗击戎狄、拯救危难的美誉。凡是大规模的军事行动，齐桓公总是要先会盟诸侯，组织联军，然后才出师，这就为军事行动争取了充分的准备时间。

第四，实施避实击虚的作战指导，主动灵活地打击敌人，夺取战场的主动权。

齐军的作战行动，常常采取避实击虚的战法。一般情况下，齐军不主动强行攻击，尽量避免与强敌正面交锋。如，齐桓公三十年（前656）齐国联合七国攻伐楚国时，就是在兵临楚境后，订立召陵之盟，不战而归。又如，齐桓公四十三年（前643）出兵救徐时，齐国不直接攻击楚军，而去攻打厉国（楚的附庸小国）。齐国攻打厉国虽未奏捷，但客观上却达到了解除徐国之围的战略目的。从古文献记载的齐桓公进行的20多次作战来看，只有为数很少的几场作战（如乾时之战、长勺之战），算是进行了主力交锋。因此孔子说："晋文公谲而不正，齐桓公正而不谲。"① 这实际上就是对齐桓、晋文两人争霸战略运用不同特点的概括。

当然，齐桓公在争霸战略运用上也有不足之处。如，他对楚国采取专守、围阻的策略，而没有设法增强力量，与楚军进行决战，予敌以歼灭性的打击，使得楚军得以保存实力。待齐国霸业衰落后，楚国立即加快兼并小国的步伐，卷土重来，挺进中原。这不能不说是齐桓公战略上的失策。可见，一味地依靠盟会，试图以"不战而

---

① 《论语·宪问》。

屈人之兵”的途径来完全实现争霸战略目的，是多少有其局限性的。

三、晋楚争霸角逐的方略及其得失

大国争霸是春秋历史的主旋律。一部春秋史，在某种意义上可以理解为大国争霸战争史。当时的诸侯国为了争夺霸主的名号，控制其他中小国家，曾持续不断地从事征伐活动，先后爆发了一系列激烈的战争。

在大国争霸战争中，晋楚两国曾扮演了主要角色。春秋争霸战争，其实就是晋楚两国争夺中原霸主的冲突与斗争。在双方争霸过程中，有三次具有里程碑意义的重大战役，它们分别是城濮之战、邲之战和鄢陵之战。其中，晋国取得了城濮之战、鄢陵之战的胜利，而楚国则打赢了邲之战。三场战争的胜利归属，都反映出很高的战略指导与战术运用水平，在一定程度上可以看成是春秋争霸战争以及兵学学术发展的典型，亦是一个缩影。

（一）城濮之战

城濮之战是我国春秋时期晋楚两国为争夺中原霸权而进行的第一次战略决战。其对当时中原局势的演变具有重大而深远的影响。这就是使屈服于楚国的鲁、曹、卫、陈、蔡、郑诸国得以脱离楚国，重新回到中原集团，结束了齐桓公死后十余年间中原“诸侯无伯”的混乱状态，确立了以晋文公为霸主的相对和平稳定局面，同时也决定了楚国最终不能独霸中原的命运。自此之后，在晋国的领导下，中原诸侯与楚国抗衡长达 100 年左右，春秋历史进入了晋楚两国长期争霸中原、互有攻守、相持不下的阶段。从这一点上说，城濮之战的意义远远超出了一次重大战役的本身。

在城濮之战中，楚军在实力上占有相对的优势，但是由于晋军出色的“伐谋”“伐交”，并在战役指导上采取了扬长避短、后发制人的合理方针，从而最终击败了不可一世的楚军，“取威定霸”[1]，雄踞中原。由此可见，双方在这场决战中的胜败，不仅仅在于军队

---

[1] 《左传·僖公二十七年》。

的数量，而在于战争主观指导的正确和错误。

楚国在泓水之战获胜后，威震中原，俨然如同霸主。所以楚国应该乘势展开政治攻势，采取善邻政策，以调解中原诸侯之间矛盾为己任，争取各诸侯国向心于楚；应以军事威胁作为辅助手段，不宜轻易出兵攻伐。若此，则以楚国当时的军力与国势是有可能独霸中原的。但楚国不善于运用政治策略，无法做到政治与军事两种手段的巧妙结合，只一味仰仗军事力量和战争征服手段，企图单纯以武力压服他国，这就往往会导致在政治上陷自己于孤立的境地。

城濮之战的起因是齐鲁冲突。当时，楚国既然已经答应鲁国的请求，决定出兵伐齐救鲁，就应该以齐国为主要打击目标，集中力量对付齐国，然后西向击破晋、秦，采取先弱后强、各个击破的策略，而不应半途改变主要攻击方向，去对付宋国。因为在宋国背弃楚国倒向晋国的情势下，攻打宋国势必会引起晋国的干预，楚国会提前与强大的晋国交锋，难免陷于被动。但楚国君臣不能审时度势，贸然分兵伐宋、伐齐，这样就犯了两线作战的错误。此外，楚军在泓水之战胜利后骄傲自满，不重视争取与国和利用同盟军，既得不到鲁国等同盟军的配合策应，又轻率拒绝齐、秦主导的调停，为丛驱雀，陷于外交上的孤立，在战略指导上犯下无可挽回的错误。

当晋国出师救宋之势已成，楚国本当适时调整，及早放弃围宋作战，集中优势兵力以对付晋军，如在晋军渡河侵卫时，楚军若以优势兵力救卫，也许能挫败晋军的锋芒；或者在晋师攻曹时，若以大军逼迫晋军于曹国都城之下决战，亦有可能战胜晋国，因为当时齐、秦两国尚未打破中立，晋军远道征战，势单力孤，楚国若能和鲁国对晋军实施夹击，则晋军处境将会十分不利。无奈楚国留恋围宋的方略，顿兵挫锐于坚城之下，坐失时机，终陷被动。

在晋军已经攻占曹、卫，并取得齐、秦出兵相助之际，楚军战略上处于被动的形势已经非常明朗。楚成王决心退兵是正确的，但楚军前敌统帅子玉却囿于个人名利地位，不顾大局，不听训令，刚愎自用，骄躁轻敌，遂加速了战局的恶化。而楚成王虽已决心退却，却又抱侥幸取胜心理，因此未能坚决制止子玉的错误决策，也不愿意增派更多的军队。这种内部的分歧以及由此引起的指挥混乱，注定了一支军队即将陷于失败的命运。

楚军的作战指导也笨拙呆板，缺乏机动灵活性。楚军为对手晋文公决战前夕"退三舍辟之"① 的策略所迷惑，大举追击，既劳师疲众，又失道亏理，实为被动的做法。在战场上，楚军主将也只是固守一般战法，列阵对战，对战局上出现的异常情况不能及时判明真相，识破对方企图，灵活采取对策，而为对方的诡道战术所诱骗、迷惑，不断陷入混乱、被动。当楚军左、右军遭到攻击，情况危急之时，主力中军却迟迟按兵不动，未作及时策应，致使左、右军被晋军逐一歼灭。

总之，楚军方面君臣不睦，指挥不一，将骄兵惰，君主昏庸无能，主帅狂妄轻战，既不知妥善争取与国，又不能随机多谋善断，再加上作战部署上的失宜，军情判断上的错误，临战指挥上的笨拙，最终导致了战争的失败，白白地将楚国争霸中原的优势地位拱手让人，给后人留下了极其深刻的教训。

晋军胜利的原因也是多方面的。首先，胜于政治，即在政治清明的前提下，善于运用政治谋略。晋文公在秦国的协助下，回国即位后，稳定内部，改良吏治，选拔和任用了一批智能之士，又采取了正确的对外政策，尤其是抓住周襄王处于危难中的良机，出兵勤王，一下子把"尊王"的旗号掌握到手中，拥有了团结中原诸侯最重要的政治资本。同时，晋文公把握机遇，应宋国的请求出兵抗楚救宋，从而再次举起了"攘夷"这面大旗。这样，晋文公便造就了自己继承齐桓公霸业的政治态势，树立了"尊王攘夷"的霸主形象。晋文公此举对争取中原诸侯向晋国靠拢是关键的步骤。其次，晋国的取胜，也有其浓厚的经济和军事原因。晋国在统一后几十年中，经济有了较大的发展，军队逐渐得到了扩充，尤其是在实行"作爰田""作州兵"两项改革后，国力发展迅速。晋文公又在数年之内

---

① 《左传·僖公二十八年》。

"轻关易道，通商宽农，懋穑劝分，省用足财"①，教民"知义""知信""知礼"，成为"可用"之民，从而能够在城濮之战前夕"作三军"，顺利建立起一支强大的军队。再次，晋国自西周初年分封建国后，一直和戎狄相邻，晋国军队习惯了戎狄的生活方式，而且在长期与戎狄部族的作战过程中，提升了晋军的作战能力，培养了士兵强悍善战的军事作风，使晋军成为一支具有强大战斗力的部队。晋军内部和睦团结，指挥统一而又机动灵活，纪律严明，作战英勇，临战又能谨慎对敌，不骄不躁，这些条件都是楚军所不具备的。晋文公出兵抗楚救宋，就是建立在这样的政治、经济和军事条件的基础之上。

城濮之战初期，晋军兵力劣于对手，又渡过黄河，远在外线作战，处于相对不利的地位。但是晋文公善察战机，虚心采纳先轸、狐偃等人的合理建议，选择邻近晋国的曹、卫，即这两个楚之与国为突破口，采取先胜弱敌，调动楚军北上，解救宋围的作战方针，从而取得了以后作战前进的基地。随后，晋文公又根据楚军没有北上，解围目的未曾达到的这一新情况，审时度势，因地制宜，及时运用高明的谋略争取齐、秦两个大国与自己结成统一战线，并激怒敌人，诱使其失去理智而蛮干，从而使晋军夺取了军事上的主动权，为赢得决战的胜利奠定了坚实的基础。

当城濮决战之时，晋军敢于贯彻诱敌深入、后发制人、伺机聚歼的作战方针，主动"退避三舍"避开楚军的锋芒，以争取政治、外交和军事上的主动，诱敌冒险深入，伺机决战。同时赢得齐、秦、宋各国军队在战略上的遥相呼应，给敌人造成精神上的压力和战略上的威慑，并集中兵力，鼓励士气。一切就绪后，晋文公又能针对敌人的作战部署，利用敌人内部不团结的错误和兵力部署上的过失，乘隙蹈虚，灵活机智地选择主攻方向，集中优势兵力先攻打楚军军阵的薄弱环节，并迅速加以击溃，带动全局，扩大战果，从而获得了这场关系到晋、楚命运及中原形势走向的战略决战的辉煌胜利。

---

① 《国语·晋语四》。

　　（二）邲之战

　　邲之战是春秋中期的一次著名会战，是当时两个最强大的诸侯国——晋国和楚国争霸中原的第二次重大较量。在作战中，楚军充分利用晋军内部分歧、指挥无力等弱点，适时出击，一举战胜对手，从而一洗城濮之战失败的耻辱，在中原争霸斗争中暂时占据上风。至于楚庄王本人，也正是由于此役的胜利，而无可争辩地挤入了为后世史家所称道的"春秋五霸"① 之列。

　　邲之战的胜负与城濮之战不同，胜负易主。两场大战有某种类似之处，但胜负的原因，不在于双方军力强弱，而在于双方战争指导者主观指挥上的正确或谬误。我们认为晋军在邲之战中遭受失败的原因也是多方面的。其一，援郑之师出动过迟，尚未渡河而郑都已破，这时楚军已从围郑之战中解脱出来，得以腾出手来集中兵力，主动对晋军作战。正所谓主客地位不同，晋军一开始便处于被动。其二，晋军内部将帅不和，意见分歧。晋军主帅荀林父缺乏威信且遇事犹豫不决，不能集中统一指挥，为部属所强迫，被动应战。其三，晋方轻信楚军的求和请求，在和谈尚未取得成功之时就放松戒备，丧失警惕，给敌人以可乘之机。其四，当个别部将擅自挑战而引起战斗全面爆发后，晋军统帅惊慌失措，轻率下令军队渡河退却，自陷危险。其五，晋军在敌人威胁下贸然渡河，既未能组织战斗击退敌人，又未能妥善实施防御掩护退却，导致全军一片混乱，损失严重，由此而丧失作战的主动权，陷于失败。

　　楚军的胜利，则在于战略指导和作战指挥的高明。楚军在围郑之前，即已在蔡地建立了战略前进基地，有了在中原持久作战的准

---

　① 历史上对"春秋五霸"的具体所指，尚有不同的说法。如，齐桓公、晋文公、秦穆公、宋襄公、楚庄王（《史记》）；齐桓公、晋文公、楚庄王、阖间、勾践（《荀子·王霸》）；齐桓公、晋文公、秦穆公、楚庄王、阖间（《白虎通·号篇》）；齐桓公、晋文公、秦穆公、楚庄王、勾践（《四子讲德论》）；齐桓公、宋襄公、晋文公、秦穆公、夫差（《汉书·诸王侯表序》）；齐桓、晋文、晋襄、晋景、晋悼（《鲒埼亭集外编》）。当然，对于楚庄王的霸业，大多史学家还是比较认可的。

备。故围郑之战持续数月后，仍能保持军队较旺盛的战斗力。楚军在晋军渡河前即已完成军队集结和战备动员，形成了以有备临无备的优势。楚庄王亲自统率楚军，指挥集中，军令统一，不像晋军那样各自为政。楚庄王正是善于利用晋军内部战和不定、意见分歧的弱点，在战前一再遣使侦察晋军的虚实，佯装求和以争取政治上的主动并松懈了晋军的防卫。在作战中，楚军又抓住晋军擅自挑战者的轻妄行动，由小战变为大战，迅速展开奇袭突击的攻势，一举击败了晋军。至于有论者以为楚军没有实施猛烈的追击，以致未能取得更大的战果，这其实是不谙春秋前中期作战遵循"逐奔不远，纵缓不及"① 军礼原则而产生的历史认识的错位。在当时军礼原则的规范下，楚军的选择只能是"不穷不能"②，而我们无法脱离具体历史条件，以后世的兵学原则要求楚军去聚歼晋军。

　　邲之战的影响和意义均远不及城濮之战。是役，楚虽胜晋，但由于受到历史时代所限，并未予晋军以毁灭性的打击；晋军虽败，但并未真正大伤元气。这也就为尔后的晋国继续与楚国争霸中原保存了相当的实力。

　　（三）鄢陵之战

　　鄢陵之战是晋楚争霸中第三场战争，也是最后一次两国军队的主力会战。此后虽仍有湛阪之战（晋楚争霸最后一战）等战事，但其规模与影响均不能与城濮之战、邲之战、鄢陵之战等三次会战相比。因此，鄢陵之战在历史上具有重要的意义，它标志着楚国对中原霸权的争夺从此走向颓势；晋国方面虽然试图借此得以重振霸业（即所谓的晋悼公复霸），但事实上其对中原诸侯的控制力已经远不及前，且逐渐减弱了。

　　在鄢陵之战中，晋国谋定而动，先计后战，善察战机，巧妙指挥，击败同自己争霸中原的老对手——楚国，进一步巩固了自己在中原地区的优势地位，使其军事势力发展到鼎盛。这场战争后，晋

---

①　《司马法·天子之义》。

②　《司马法·仁本》。

楚两国都因各自的内外条件变化，而逐渐失去以武力争霸中原的强大势头，中原战场开始相对沉寂下来。从这层意义上来说，鄢陵之战也可以称作是当时晋楚争霸的最后一幕。① 我们认为楚军遭到这场会战失败的原因归结起来有以下几个方面。

第一，楚国在战略上一开始就陷入了被动地位。当时除郑国之外，中原较重要的诸侯国如齐、鲁、宋、卫诸国均已集结在晋国的旗帜之下，战前形势明显对楚国不利。而在如此严峻的形势下，楚国又缺乏对晋国根本战略意图的了解，为晋国虚假的和好姿态所迷惑。楚国先与晋国举行西门之盟，后又自我毁坏秦楚联盟。这些举动使得晋国从容战胜秦国，并进而专力对付楚国。同时，晋国在吴国经营多年，吴国已经是晋国重要的支持者，此时吴国在侧后进行掣肘，楚国实际上已处于多面受敌的状态。在这种恶劣的战略环境下与晋国决战，其胜算本来就微乎其微。

第二，在具体军事决策方面，楚军也有严重失误之处。楚国出兵后，仓猝兴师，行军太急，"其行速，过险而不整"②，结果造成军队疲劳，队列不整，士气难振，斗志削弱，楚军不顾实际情况，一味强调要赶在齐、鲁、宋等国军队到达前与晋军会战，过于急躁，使晋国得以在预先待定的战场上，以逸待劳，而楚国自己却是以劳对逸，并且失去选择战场的主动权，一开始便处于会战的不利地位。

第三，楚军的战场指挥亦存在着重大失误，加速了其会战的失败。楚共王虽然能够注意"相敌"，观察到晋军具体活动情况，却未能判明晋军的真实作战意图，并采取相应的对策。在会战中，楚军除中军一度主动出击（但很快后退）外，其他军队基本上是消极防御。当晋军实施灵活打击时，楚军又缺乏权宜机变的能力，以致被

---

① 鄢陵之战在清华简《系年》第十六章中，采取类似后世纪事本末体的方式，亦有完整记载，可参考。
② 《左传·成公十六年》。

动挨打，任人宰割。对于楚军中善战之士，如善射之士养由基①等，楚共王不仅不能善加使用，甚至还打击他们的积极性，限制他们的作战行动，致使楚军中精兵良将的作用根本得不到发挥。楚军主帅子反对局势判断失误，骄傲自大，不守军纪，醉酒误事，致使楚共王丧失再战的信心。这些因素结合在一起，最终导致了楚军遭到重大失败的结果。

相对而言，晋军的胜利亦绝非偶然。在战略上，晋国坚定不移地把同楚国决战、赢得中原霸权作为其长期奋斗的战略目标。国内外的一切行动都围绕这个核心而进行。为此晋国联齐联吴，拆散秦楚联盟，使楚国陷于不利的战略地位。在这些基础上再寻求同楚国进行战场上的决战，从而始终牢牢把握了战争的主动权。同时，晋军在此战中还表现出较高的作战指导能力。首先，晋国出动军队比较及时，先敌进入预定战场，"先处战地而待敌"②，以逸待劳，以整击乱，赢得一定的主动。其次，会战之前，能够认真"相敌"，料敌察机，制订出较适宜的作战方案。再次，在会战过程中，晋军既能根据楚军的阵势和地形特点，灵活机动实施指挥，又能当机立断，先发制人。最后，晋军能在作战中根据形势的变化及时调整部署，加强两翼的兵力，对敌实行先弱后强、各个击破的方针，从而一举击败楚、郑联军，达到称霸中原的战略目的。

四、春秋争霸战争中的军礼现象

西周时期所确立的古典礼乐文明，表现在兵学领域，就是以一整套军礼来指导、制约具体的军事活动。在春秋前中期，这种军礼的外在形式与内在宗旨开始遇到一定的冲击，这从子鱼、舅犯等人对军礼的批评言辞中可以窥见一斑，如子鱼曾指出："三军以利用也，金鼓以声气也。利而用之，阻隘可也；声盛致志，鼓儳可

---

① 据《战国策·西周策》载："楚有养由基者，善射，去柳叶者百步而射之，百发百中。"

② 《孙子兵法·虚实篇》。

也。"① 然而，从春秋前中期整个历史现实进行总体考察，军礼的基本精神却依旧得到当时大多数人的尊重和奉行，尤其是贵族阶层。

齐桓公争霸所从事的战争，就突出反映了这一战争指导原则。齐桓公在位 43 年，参与战争多达 20 余次。其中除了长勺之战、乾时之战等个别战例外，大多的战争都是凭借军事行动的威慑作用，来达到预期的战略目的，即所谓"九合诸侯，不以兵车"②。这是齐桓公战争指导上的一大特色，也是儒家人物异口同声称道其功业的缘由。③

在春秋战争史上，齐桓公的所作所为并非孤立的现象。《左传》中就有很多类似的历史现象。据《左传》载："惠公之季年，败宋师于黄。公立，而求成焉。九月，及宋人盟于宿。"④ 又如："齐人卒平宋、卫于郑。秋，会于温，盟于瓦屋，以释东门之役，礼也。"⑤ 再如："秋，随及楚平，楚子将不许。鬭伯比曰：'天去其疾矣，随未可克也。'乃盟而还。"⑥ 其他如，前 770 年，屈瑕率楚军大败绞师，结城下之盟而还。前 571 年，晋、卫、宋三国之师攻郑。冬，城虎牢，逼迫郑国求和。凡此等等，不胜枚举，都充分反映了春秋时期战争以屈服敌方为宗旨的普遍性。

这里，我们也可先看晋楚争霸中几组有趣的历史镜头。在晋楚邲之战进行过程中，"晋人或以广队不能进，楚人惎之脱扃。少进，马还，又惎之拔旆投衡，乃出。顾曰：'吾不如大国之数奔也。'"⑦当两军阵上致刃交锋之际，晋军困于占城无法自脱，楚军居然教敌人如何摆脱困境遁逃，结果还招致对手的一番奚落，在今天看来，未免太不合乎情理。然而在当时，却又是完全符合军礼的做法。在

---

① 《左传·僖公二十二年》。

② 《论语·宪问》。

③ 孔子表彰齐桓公"正而不谲"，孟子推崇齐桓公，称"五霸，桓公为盛"。

④ 《左传·隐公元年》。

⑤ 《左传·隐公八年》。

⑥ 《左传·桓公八年》。

⑦ 《左传·宣公十二年》。

晋楚鄢陵之战中，"晋韩厥从郑伯，其御杜溷罗曰：'速从之！其御屡顾，不在马，可及也。'韩厥曰：'不可以再辱国君。'乃止。郤至从郑伯，其右茀翰胡曰：'谍辂之，余从之乘，而俘以下。'郤至曰：'伤国君有刑。'亦止"①。晋军将领韩厥、郤至等人在交战过程中，均曾有机会擒获协同楚军作战的郑国国君，然而他们却拒绝了部下的建议，停止追击，让敌手逃逸。郤至本人还曾"三遇楚子（楚共王）之卒，见楚子，必下，免胄而趋风"②，向敌国国君竭尽恭敬之礼，而楚共王也不含糊，"使工尹襄问之以弓"③，回报以礼物与慰问，令人不可思议。其实这不过是郤至等人忠实遵循军礼的要求行事而已。《国语》明确道出了这一点："见其君必下而趋，礼也；能获郑伯而赦之，仁也。"④

五、吴、楚、越战争与争霸中心南移

经过鄢陵之战、三驾之役等战事后，春秋争霸两大主角晋国与楚国都感到继续从事战争的困难，晋国认为自己"实不能御楚"⑤，楚国更意识到自己无力与晋抗争，称："当今吾不能与晋争。"⑥ 又曰："宜晋之伯也，有叔向以佐其卿，楚无以当之，不可与争。"⑦所以，晋楚双方都希望停止大规模的战争，赢得一个相对和平的时间。至于郑、宋等裹挟其中的中小国家的治理者、贵族、普通民众，则更是盼望着大国争霸能够止息，和平生活能够降临。

其实早在鄢陵之战前，即公元前579年，由宋国大夫华元向晋、楚两大国提出倡议，各国在宋国会盟，订立盟约。三年后，楚国北侵郑、卫。公元前575年，晋国在鄢陵之战中大败楚国。鄢陵之战

① 《左传·成公十六年》。
② 《左传·成公十六年》。
③ 《左传·成公十六年》。
④ 《国语·周语中》。
⑤ 《左传·襄公十年》。
⑥ 《左传·襄公九年》。
⑦ 《左传·襄公二十七年》。

的爆发，第一次弭兵之会宣告失败。在公元前 546 年，宋大夫向戌再次发起弭兵之会。由向戌出面牵线，通过外交穿梭、斡旋，促成晋、楚弭兵大会于当年顺利召开。这次弭兵大会共有晋、楚、齐、秦、宋、鲁、郑、卫、曹、许、陈、蔡、滕、邾等 14 个诸侯国参加。会议决定，以晋、楚为首，各国共订盟约，不再打仗，晋、楚共为盟主，自此以后中小国家对晋、楚要同时朝贡，"晋、楚之从交相见"①。由此可见，弭兵大会的实质，是晋、楚两大国承认战略均势，互相妥协，平分霸权。向戌主持的弭兵之会是在晋、楚两大国势力均衡的情况下产生的。这次会盟之后，晋、楚之间 40 多年没有发生大的战争，其他国家间的战争也很少。

弭兵大会后，中原地区出现了较长时间的相对和平的局面。当时，晋、楚、齐、秦四大强国，或因国势趋于衰弱，国内矛盾激化而被迫放慢对外扩张争霸兼并活动的步伐，或因国家战略的调整，退出了中原争霸。与此同时，偏处于东南地区的吴国和越国则先后兴盛起来，开始加入了大国争霸的行列。由此，争霸战争的重心也从黄河流域转移到了淮河、长江流域，从中原诸侯国转移到了楚、吴、越等国，吴楚与吴越之间近百年争霸兼并战争正是这种战略新格局背景下的产物。

吴国建国历史十分悠久，其政治中心在今江苏南部一带。自其第 19 代君主寿梦登位后，开始使用"王"的称号，"寿梦立而吴始益大，称王"②。也是从这时开始，吴王寿梦开始向中原先进国家学习"礼乐"，改良政治，发展经济，繁荣文化，扩大对外交往，加强军队建设，吴国迅速崛起，很快就成为一个新兴强大的国家。

吴国的崛起，与其西边的强国楚国之间产生了尖锐的矛盾与冲突。而晋国的有意介入，更使得吴楚之间本已十分紧绷的关系增添变数。当时，晋国出于自己同楚国争霸中原的需要，采纳楚国亡臣申公巫臣联吴制楚的建议，主动与吴国缔结战略同盟，让吴国在侧

---

① 《左传·襄公二十七年》。
② 《史记·吴太伯世家》。

后骚扰、打击楚国，以牵制楚国势力的北上。吴王寿梦二年（前584），晋景公派遣申公巫臣出使吴国，具体落实以吴制楚的战略目标。日渐强大起来的吴国，亦正需要寻找大国作为后盾，故欣然接受晋国的主张，摆脱与楚国的盟属关系，并积极动用武力，同楚国争夺江淮流域的控制权。

自寿梦开始，吴国先后历经诸樊、馀祭、馀眛诸王，直至吴王僚。在前后60余年间，吴楚两国互相攻战不已，先后爆发了多次较大规模的战争，包括州来之战、鸠兹之战、庸浦之战、舒鸠之战、夏汭之战、乾溪之战、长岸之战、鸡父之战等等。60年间，爆发了10次大规模的战争，其中吴国6胜，1败，3平，非常明显，吴国胜多负少。这些战事大都是吴的进攻和楚的反进攻，以争夺淮河流域与长江北岸地区为重点。总的趋势是楚国日遭削弱，国势颓落；吴国兵锋咄咄逼人，渐渐占据上风。到吴王阖闾时，终于爆发了双方决定性的战争——柏举之战。

公元前506年，柏举之战爆发，此战是春秋晚期一次规模宏大、战法灵活、影响深远的大战，也是"春秋末期吴楚之间最大的一次战争"①。是役，吴军在阖闾、伍子胥、孙武、夫概等人的指挥下，被分为三部分，每次仅仅派遣其中的一军前往骚扰楚国，"彼出则归，彼归则出"②，正是以此种"疲肆以罢之，多方以误之"③方式疲楚误楚，消耗楚国。同时，吴国也积极剪楚羽翼，伐谋伐交，争取唐国和蔡国，创造了十分有利的进攻态势。待一切就绪后，吴军果断进击，灵活机动，因敌用兵，以迂回奔袭、后退疲敌、寻机决战、深远追击等战法，长驱直入，五战入郢，一举战胜多年的敌手楚国；从而在很大程度上改变了春秋晚期的整个战略格局，为吴国的进一步崛起，进而争霸中原奠定了坚实的基础。

---

① 军事科学院战争理论研究部、《中国古代战争战例选编》编写组：《中国古代战争战例选编》（第一册），中华书局，1981年，第29页。
② 《左传·昭公三十年》。
③ 《左传·昭公三十年》。

　　柏举之战在中国古代战争发展史上也具有里程碑式的意义。此战一改以往战争约日定期，一战即见胜负的传统模式，突出体现了"兵以诈立""上兵伐谋""避实击虚""示形动敌""致人而不致于人"，连续作战、运动歼敌、灵活机动、出奇制胜的新特点，成为中国古代战争史上一次革命性的飞跃。经过这场决定性的战争，吴楚之间80年的战事得到基本平息，历史由此而进入了吴越长期争霸的新的阶段。①

　　越国是古代越族人建立的国家，政治中心在今浙江绍兴一带。越国的崛起是在春秋晚期，据《国语·越语》载，在允常和勾践的统治时期，越国的实力有相当大的提升，疆域纵横数百里，成为南方地区仅次于楚、吴的大国。然而，越国想要北上，试图进一步强盛，首先，在国力上要胜过吴国，这就势必导致两国政治、经济利益上的冲突，出现"争三江、五湖之利"② 的局面，这是吴越争战发生的内在根源。

　　至于晋楚争霸，争取战略外线的影响，则是导致吴越战争的外在因素。晋国的联吴方略，置楚国于两线作战的不利地位。楚国为了摆脱这种被动的战略态势，遂利用越国与吴国争夺江湖河泽之利，各自拓展疆域的矛盾，也积极争取和扶植越国在侧后威胁吴国，以减轻吴国对楚国的军事压力。而越国为了抗衡吴国，实现自身的强大，亦正需要有楚国这样的大国提供必要的支援。于是双方出于各自的利益而联合起来，构成相对稳定的战略同盟。这样，吴越争霸就因复杂国际背景因素的介入，而渐渐激烈起来。柏举之战后，吴越争霸战争发展成为主导当时天下战略格局的全面战争。

　　吴越争战经历了多年，柏举之战后比较重要的战争先后有槜李之战（前496），夫椒之战（前493），越军偷袭姑苏之战（前482），笠泽之战（前478），越军占领姑苏、灭亡吴国之役（前473）。其间还伴随着著名的艾陵之战和黄池之会。吴国统治者由于战略决策的

---

① 黄朴民：《春秋军事史》，军事科学出版社，1998年，第305页。
② 《国语·越语下》。

重大错误，逐渐在争战中失去雄厚的优势地位，而越王勾践经过20余年的卓绝努力，"十年生聚，而十年教训"①，卧薪尝胆，终于转危为安，转弱为强，后发制人，大创聚歼，彻底灭亡了世仇吴国，成为春秋后期的最后一位霸主："当是时，越兵横行于江、淮东，诸侯毕贺，号称霸王。"②而越军在笠泽诸役中所体现的指挥艺术，如乘虚蹈隙、示形诱敌、中路突破、乘胜追击等等，也为中国古代战争史、兵学史的画卷上增添了绚丽的光彩。

无论是吴楚战争，还是吴越角逐，其规模与影响已远不及当年晋楚争霸的势头了，这预示着春秋兵学史这一页行将翻过，战国兵学的新气象正呼之欲出。

六、内线与外线——春秋兵要地理

战争总是在一定的时间和空间中进行，兵要地理环境的优劣，直接制约和影响战争的过程和结局，这一点在春秋时期有着显著的体现，也是这一时期兵学发展的重要内容。

第一，在激烈的争霸兼并战争中，中原边缘国家具有更广阔、更有利的生存、发展空间。随着其疆域的日益扩大，实力的日趋增强，遂成为主导当时天下政治、经济、军事、外交形势的核心力量。

殷商晚期的周方国，春秋时期的秦、晋、楚、齐，战国时期的秦、赵，正是由于其地处中原边缘，据有山河之险，地理条件的便利极大地催化了它们的勃兴，所谓"晋阻三河，齐负东海，楚介江淮，秦因雍州之固，四海迭兴，更为伯主"③。首先，这些国家和争霸兼并战争的中心地带——黄河中下游流域保持着相对的距离，在战略上处于外线作战的有利地位，在军事行动中不复存在"诸侯自战其地"④的被动状态。其作战行动基本上都在中原腹心地域展开，

---

① 《左传·哀公元年》。
② 《史记·越王勾践世家》。
③ 《史记·十二诸侯年表序》。
④ 《孙子兵法·九地篇》。

而本土则较少遭受战争的灾祸。周室攻打黎、邗，剪灭崇国；春秋时期的城濮之战、邲之战、鄢陵之战，就属于这种情况。这样就大大减轻了这些国家的财富损耗、人员损失，可谓攻守皆宜，进退主动。① 其次，这些国家在相当长的时间内，多与文化发展相对落后的"夷蛮戎狄"等少数部族为邻，背临空旷地带，所谓"戎狄之与邻，而远于王室"②。这些少数部族，虽曾不同程度地对周、晋、秦、楚诸国构成某种威胁，但此种威胁亦仅仅局限于骚扰劫掠的层面，远不曾发展到倾覆社稷的程度。相反，倒是这些国家往往对错杂混居的少数部族占有压倒性的优势，可以运用战争手段蚕食吞并之。尤其当其在逐鹿中原中暂时受挫，南下北上或东进西出受阻而对中原地区采取战略守势时，往往会适时调整战略方针，转而加强对少数部族的进攻和兼并，巩固后方，扩张疆域，积聚力量，为将来进一步争霸中原或兼并列强创造条件。周在灭商之前率先征服犬戎、密须、阮、共等方国部落，春秋时期晋国先后攻灭长狄、赤狄，秦国吞灭西戎，楚国荡平淮夷、群舒等，就是这方面典型的例子。再次，由于这些国家在地理上都不属于中原腹心范围，受中原文化圈的影响相对较小，旧传统的包袱较轻，容易更新观念，因时变革，符合时代前进的要求。就春秋时期的情况来看，打破旧礼制所规定的限额军制最为坚决，扩军规模最庞大、速度最快的，是晋、楚、齐、秦等国；田制改革走在前列，官制建设自成特点，立足于理顺战时管理体制需要的，亦是它们；根据地形特点，结合对少数部族作战的需要，改革车兵，发展步兵，采用奇谲诡诈战法的，仍是它们。

第二，中原腹心地区的诸侯列国生存空间狭窄，战略回旋余地局促，又处于列国争霸兼并战争中心的四战之地。同时，这些国家浸染旧文化传统较深，政略、战略相对保守，缺乏开拓创新意识，积贫积弱，日趋衰微，使其发展受到了严重的限制。因此，在当时

---

① 参见黄朴民《先秦喋血》，华夏出版社，1996年，第138页。
② 《左传·昭公十五年》。

的历史舞台上，它们一般只能充当配角，任凭更强大国家的摆布。

　　所谓中原腹心地区的国家，在春秋时多半为"虞、夏、商、周之胤"①，以东迁以后的周王室为中心，包括了郑、卫、宋、曹、鲁、许、陈、蔡等国。这些国家地处黄河的中下游地区，"尽管中原地带有优越的农业资源条件，生产和贸易比较发达，人口稠密；但是那里的华夏诸族与东夷邦族在政治上力量分散，相当软弱，无法和外围的弧形中间地带列强抗衡"②。据学者研究，整个先秦时期的战争主要也集中在黄河两岸中下游地区，其中以河南地区最为集中，有记载的在河南地区发生的战争就多达 203 次，基本上占了此一时期战争总数的三分之一。"春秋时期河南除本境有郑、宋、卫等重要诸侯国外，其东有齐、鲁，其西有秦、晋，其北有燕，其南有楚，大国争霸时，此为必争或必经之地。"③ 从文化上说，中心腹心地带是当时重要的文化中心，却因国土狭小、力量单薄，很少能拓展疆域，主宰当时战略局势，大都沦为二等国家，成为强国争夺或兼并的对象，"介于大国，诛求无时"④。虽然其间也曾产生过几位颇引人注目的"霸主"，如，春秋时期的郑庄公、宋襄公，但都是稍现即逝，虎头蛇尾，难以为继。

　　导致这一现象的发生，原因当然是多方面的，但是毋庸置疑，其所处兵要地理环境的不利，是一个重要的原因。这种不利大致包含两个方面。一是其地四通八达，多面受敌，是兵家必争之地，在战略上，往往陷于内线作战的被动处境。这些特点，决定了它们只能成为争霸战争的主战场，兵连祸结，内外交困，以致严重破坏了农业生产，限制了经济发展、政治稳定和军事强盛。二是这些中原腹心国家，作为个体存在时，其周围都是与自己疆域大小相仿，实

---

① 《左传·成公十三年》。

② 宋杰：《先秦战略地理研究》，首都师范大学出版社，1999 年，第 55 页。

③ 胡阿祥主编：《兵家必争之地——中国历史军事地理要览》，河海大学出版社，1996 年，第 43 页。

④ 《左传·襄公三十一年》。

力强弱相近的同类国家，虽说各国之间有一定数量的隙地可供争夺，但毕竟范围有限，绝不像中原边缘大国那样背临广袤的空旷地带，能供自己开拓经略。因此它们当中任何一国的战略动向，都为其他诸侯国高度警惕，一切针对他国的军事行动，都势必引起对方的强烈反应，甚至引发天下诸侯的震动。而由于彼此实力相近，任何一国都无法拥有置对方于死地的优势，所以只好长期拉锯相持。就在这样不死不活的僵持中，它们错过了战略发展的有利时机，沦为次等国家。春秋时郑国"小霸"局面昙花一现，战国时魏国迅速由盛转衰，即为例证。①

第三，春秋列国的兵要地理，直接制约着当时各国之间战略关系的确定和变化，整个天下战略格局的平衡或动荡。当时列国战略主攻方向的制定和调整，外交结盟关系的建立或破裂，都可从特定的兵要地理条件中寻找到原因。

春秋时期，秦晋两国由盟邦转变为世仇，彼此攻战不休，即系兵要地理决定国与国之间关系的一个缩影。春秋初期，秦晋之间往来频繁，关系密切，互通婚姻，实为同盟。尤其是秦国，在先后扶持晋惠公、晋文公回国登基，稳定晋国政局，巩固秦晋同盟方面，发挥过重要作用。如，晋文公自秦归晋时，秦穆公曾予以兵力上的援助，"秦伯送卫于晋三千人，实纪纲之仆"②。在晋文公回国后，秦穆公还协助晋文公铲除晋怀公的残余势力。史载秦穆公"东平晋乱"③，这洵非虚言。然而，两国所处的兵要地理条件，决定了它们之间战略结盟关系必然会随着时间的推移而趋于恶化。秦国要染指中原，必定要东进争霸；而晋国要独占中原，也势必要把秦国拒于西方一隅。两强相遇，兵戎相见遂不可避免，双方的关系也自然要由同盟互助转化为尖锐的敌对状态，且不存在任何调和缓解的可能。

---

① 黄朴民：《刀剑书写的永恒：中国传统军事文化散论》，国防大学出版社，2002年，第103页。

② 《左传·僖公二十四年》。

③ 《史记·秦本纪》。

公元前 627 年，崤函之战爆发，这是双方关系彻底破裂的标志。在这场战争之后，两国间又先后发生了彭衙之战、河曲之战、麻隧之战、栎之战、械林之战等一系列战事。这些战争的根本症结，正是秦国要克服东进争霸的障碍，将自己的势力延伸到中原腹心地区，争取战略上的外线主动权。而晋国则要千方百计地挫败秦国的战略企图，维护自己在中原的根本利益。双方作战的焦点，是争夺战略要地桃林塞、崤山的控制权。由于晋国在这场斗争中，将"其地皆河流翼岸，巍峰插天，绝谷深委，峻坂迂回"① 的"崤函之险"牢牢地掌握在自己的手中，因此秦国终春秋之世亦未能得志于中原。可是这种因兵要地理利益而引起的秦晋联盟破裂，致使秦国转而同楚国结盟，并极大地牵制了晋国的行动，使晋国无法集中力量对付楚国。而楚国则得以乘机拓展疆域，增加实力，甚至发展到"问鼎中原"的地步，使春秋中期整个战略格局发生了巨大的改变。

制定和推行"远交近攻"策略方针，从侧后牵制主要对手，使之陷于多面作战的被动处境，以实现己方的争霸或兼并战略意图，这是当时列国军事外交斗争的重要内容，也是当时兵学发展中高明卓越的表现。早在春秋初年，郑庄公初霸实践中就呈现出端倪。当时，郑国就是通过远交齐、鲁且近攻宋、卫而雄视中原的。其后，齐、晋联手对付楚、秦，晋国联吴制约强楚，楚国借越国牵制吴国，越国"亲于齐，深结于晋，阴固于楚，而厚事于吴"②，以力克句吴，所遵循的也是类似的策略。而这类举动之所以层出不穷，且屡试不爽，在很大程度上也是由当事国当时当地的兵要地理条件所决定的。因为在地理距离上间隔很远，彼此间暂不会发生直接冲突的情况下，自然可以互相借助对方的力量来首先打击主要的敌人，从而由点及面，各个击破。

当然，这种格局也并非一成不变，一旦共同主要对手被削弱或消灭，双方的地理位置接近，原先的盟国也可能反目成仇，势同水

① 顾祖禹：《读史方舆纪要》，中华书局，2005 年，第 2100 页。
② 《吴越春秋·勾践归国外传》。

火。如，在春秋时期，向戌弭兵之议实现后，随着楚国势力的退缩，中原列国与楚国的矛盾冲突缓解，齐、晋两大国的结盟关系就无法维系，曾多次兵戎相见，先后爆发平阴之战和太行之战。又如，晋、吴两国本为战略盟国，但在吴国五战入郢击破强楚，夫椒之战迫使越国臣服后，吴国就开始经营中原，而与中原霸主晋国为敌了，于是就出现了黄池争霸的一幕。再如，越国，它在进行灭吴战争时，曾亲齐、厚晋、结楚，可是一旦实现了吞并吴国的战略目的，使自己的疆域推进到淮泗流域，也就放弃了原先的策略，而要同中原列国一争高低了，"横行于江、淮东，诸侯毕贺，号称霸王"①。

---

① 《史记·越王勾践世家》。

第五章　春秋时期兵学思想的繁荣

春秋时期是中国历史上的大变革时代，随着战争活动的频繁，战争方式的变化，战争规模的扩大，战争激烈程度的提高以及文武殊途、将相分职等新情况的出现，兵学思想也开始进入了快速发展的阶段。如，在《左传》《国语》《逸周书》《诗经》《晏子春秋》等典籍中，对兵学问题予以了大量的记载和高度的重视，就战争观念、治军原则、作战指导等兵学理论内涵进行了充分的阐述，在此基础上初步形成了独到的兵学思想。同时，此时还涌现了一批开风气之先的杰出兵学家，如伍子胥、孙武、范蠡、司马穰苴等等。他们的军事实践和兵学理论创造，为春秋时期兵学思想发展规范了基本的面貌，注入了盎然的生机，充当了卓越的代表。尤其是《孙子兵法》，是中国兵学史上最优秀的著作之一，是中国兵学史上的首座丰碑，对中国后世兵学产生了非常深远的影响。

第一节　伍子胥的兵学造诣

一、伍子胥的主要事迹

伍员，字子胥，封于申，又称申胥。伍子胥是春秋时期的楚国人，生卒年不详，"少好于文，长习于武，文治邦国，武定天下"①，

---

① 《吴越春秋·王僚使公子光传》。

先后辅佐吴王阖闾与吴王夫差。其于吴王僚五年（前522）抵达吴
国，吴王夫差十二年（前484）"属镂之剑以死"①，在吴国的政治
舞台上活动将近40年之久，"勇于策谋"②，是春秋时期著名的政治
家、军事家、兵学家，《史记》《越绝书》《吴越春秋》对其主要事
迹均有较为详细的记载。

　　伍子胥是楚国人，其先人伍举曾侍奉楚庄王，由此开始了伍氏
家族在楚国政治舞台上的活动。伍子胥的父亲伍奢在楚平王时任太
子太傅，由于太子少傅费无忌唆使，楚平王见色起意，强娶秦女。
此事导致楚平王与太子建因夺妻之恨而心生罅隙，以致太子建逃亡。
伍奢太子太傅的身份，导致伍子胥父兄被杀，伍子胥历经各种艰难
险境，终于抵达吴国，最终得到吴王阖闾的重用。此时吴国正处于
国力上升时期，吴、楚两国之间的矛盾逐渐凸显，并时有战争爆发。
伍子胥希望通过吴国的力量实现对楚国的打击，以复父兄之仇。伍
子胥还向吴王阖闾推荐了对兵学具有精深造诣的孙武，"一旦与吴王
论兵，七荐孙子"③。最终吴王阖闾召见孙武，孙武以"十三篇"见
吴王，亦得到吴王阖闾的重用。"阖庐举伍子胥、孙武为将，战胜攻
取，兴伯名于诸侯。"④ 伍子胥、孙武参与谋划了对楚国的柏举之战
等，展现出其出色的兵学造诣和军事指挥才能。就伍子胥的地位而
言，在吴国霸业上发挥的作用应该远大于孙武，但是，就兵学理论
建树而言，几千年来，《孙子兵法》作为中国兵学的第一个高峰，在
兵学史的地位难出其右。伍子胥的兵学造诣可能不及孙武精深，但
是亦有著作，根据《汉书·艺文志·兵书略》所载，在"兵技巧"
下著录有"《五（伍）子胥》十篇，图一卷"。"杂家"著录"《五
（伍）子胥》八篇"⑤。《通志》亦载有伍子胥《兵法》一卷，但是

---

① 《史记·吴太伯世家》。
② 《吴越春秋·王僚使公子光传》。
③ 《吴越春秋·阖闾内传》。
④ 《汉书·地理志下》。
⑤ 《汉书·艺文志》。

由于种种原因，伍子胥的兵学著作未能传世，因此学术界对其兵学思想的研究较少。① 以下我们主要依据传世文献的钩沉，借助出土文献的契机对伍子胥兵学思想进行较为全面的研究。

二、传世文献中伍子胥兵学思想钩沉

虽然没有伍子胥的兵书传世，但是其兵学思想亦散见于各种文献中，我们借助这些文献，主要从以下几个方面进行述论。

第一，把握全局，具有大战略的眼光。就吴国的地理位置而言，吴国东临大海，南接越国，西临楚国，北有齐国、晋国。在当时争霸的局面下，吴国应如何制定国家战略？伍子胥力主伐楚，虽然有借助吴国复仇的想法，但并非完全出于私心。从当时的战略全局来考虑，楚国自灵平以来，国势有所衰颓，庸臣当道，离心离德，外交昏招频出，军队指挥亦是互相掣肘，在晋楚争霸中亦处于劣势。当时，晋国推行"联吴疲楚"的战略，极力拉拢吴国以制衡楚国，并且晋景公派申公巫臣出使吴国。在晋楚争霸为主导的天下大势中，伍子胥和吴王阖闾亦选择联晋攻楚的战略。于是晋国派巫臣、狐庸等人远赴吴国，协助吴国训练军队。据史书载："与其射御，教吴乘车，教之战阵，教之叛楚。"② 在晋国的协助下，吴国军队的战斗力迅速提高，"蛮夷属于楚者，吴尽取之"③。柏举之战，吴军攻入郢都。在吴越关系上，伍子胥一直主张攻灭越国。阖闾亦多次出兵越国，并死于伐越之战中。吴王夫差即位后，为报父仇，兴师攻越，并在会稽打败勾践。勾践派文种前来议和，伍子胥坚决反对，并从地缘政治的角度进行分析："夫吴之与越也，仇雠敌战之国也；三江环之，民无所移。有吴则无越，有越则无吴。将不可改于是矣！员闻之：陆人居陆，水人居水，夫上党之国，我攻而胜之，吾不能居

---

① 徐勇、黄朴民：《关于伍子胥军事思想的几个问题》，《苏州大学学报》（哲学社会科学版）1992 年第 3 期。
② 马端临：《文献通考》，中华书局，2011 年，第 4728 页。
③ 《左传·成公七年》。

其地,不能乘其车;夫越国,吾攻而胜之,吾能居其地,吾能乘其舟。此其利也,不可失也已。君必灭之! 失此利也,虽悔之,必无及已。"① 但是,伍子胥的谏言并未被吴王夫差采纳。同时,伍子胥坚决反对夫差北上争霸,认为此举并不符合吴国的国家根本利益,并分析道:"夫齐、鲁譬诸疾,疥癣也,岂能涉江、淮而与我争此地哉? 将必越实有吴土。"② 伍子胥力主吴王应将吴国战略重心转移到对付越国上来:"夫越,腹心之病,今信其浮辞诈伪而贪齐。破齐,譬犹石田,无所用之。"③ 可见,伍子胥能够根据当时天下的局势,顺势而发,及时调整吴国的国家战略,当然他的伐楚建议得到了吴王阖闾的采纳;但是他的灭越、反对北上争霸的建议遭到了吴王夫差的否定。一成一败,尽显伍子胥的战略眼光。

第二,注重政治建设。伍子胥注重政治治理与军队建设的关系,在吴王阖闾询问如何安君治民时,伍子胥回答:"凡欲安君治民,兴霸成王,从近而制远者,必先立城郭,设守备,实仓廪,治兵库。"④ 伍子胥建议吴王阖闾率先厉行节俭,勤政爱民,君民如一,史籍记载:"食不二味,居不重席,室不崇坛,器不彤镂,宫室不观,舟车不饰;衣服财用,择不取费。在国,天有灾疠,亲巡孤寡而共其乏困。在军,熟食者分而后敢食,其所尝者,卒乘与焉。勤恤其民,而与之劳逸,是以民不罢劳,死知不旷。"⑤

第三,重视舟师的军备建设与军事训练。伍子胥最重要的成就并非兵学思想方面,而可能是"兵技巧"方面。据《汉志》记载,"兵技巧"的特征为:"技巧者,习手足,便器械,积机关,以立攻守之胜者也。"⑥ 因此,伍子胥非常注重军备建设,他谏言吴王"请干将铸名剑……复命于国中作金钩。令曰:能为善钩者,赏之百金。

---

① 《国语·越语》。
② 《国语·吴语》。
③ 《史记·伍子胥列传》。
④ 《吴越春秋·阖闾内传》。
⑤ 《左传·哀公元年》。
⑥ 《汉书·艺文志》。

吴作钩者甚众"①。伍子胥亦特别重视"修法制，下贤良，选练士，习战斗"②，命令士兵训练各种具体的作战技巧，包括"术、战、骑、射、御之巧"③。我们根据伍子胥兵学内容的佚文发现，伍子胥尤其重视、擅长舟师的训练和指挥，这当然与吴国所处地理位置以及对手楚国、越国相关。据载："阖闾见子胥：敢问船军之备何如？对曰：船名大翼、小翼、突冒、楼船、桥船。令船军之教，比陵军之法，乃可用之。大翼者，当陵军之重车。小翼者，当陵军之轻车。④ 突冒者，当陵军之冲车。楼船者，当陵军之行楼车。桥船者，当陵军之轻足骠骑也。"⑤ 可见伍子胥对舟师中各种战船的功能作用非常熟悉，并对其基本配备与建制亦了熟于心，据伍子胥《水战兵法内经》载其对大翼、中翼、小翼基本建制的论述："伍子胥《水战兵法内经》曰：大翼一艘，广一丈五尺二寸，长十丈。⑥ 容战士二十六人，棹五十人，舳舻三人，操长钩矛斧者四，吏仆射长各一人，凡九十一人。当用长钩矛长斧各四，弩各三十二，矢三千三百，甲兜鍪各三十二。中翼一艘，广一丈三尺五寸，长九丈六尺。⑦ 小翼一艘，广一丈二尺，长九丈。"⑧ 同时，伍子胥对舟师的阵法和指挥亦非常熟悉，据载："吴王阖闾问伍子胥军法，子胥曰：'王身将

① 《吴越春秋·阖闾内传》。
② 《吕氏春秋·首时》。
③ 《吴越春秋·阖闾内传》。
④ 钱培名注："《书钞》百三十七引云：'小翼可载践饷也。'"见李步嘉：《越绝书校释·附录一：越绝书佚文校笺》，中华书局，2013 年，第 420 页。
⑤ 李昉、李穆、徐铉：《太平御览》卷七七〇，文渊阁《四库全书》本。见李步嘉：《越绝书校释·附录一：越绝书佚文校笺》，中华书局，2013 年，第 420 页。
⑥ 钱培名注："《文选·侍游曲阿后湖诗注》《御览》三百十五作'广丈六尺，长十二丈'。"见李步嘉：《越绝书校释·附录一：越绝书佚文校笺》，中华书局，2013 年，第 419 页。
⑦ 钱培名注："原作'五丈六尺'，依《七命》注改。"见李步嘉：《越绝书校释·附录一：越绝书佚文校笺》，中华书局，2013 年，第 419 页。
⑧ 李步嘉：《越绝书校释·附录一：越绝书佚文校笺》，中华书局，2013 年，第 419 页。

即疑船旌旄兵戟与王船等者七艘，将军疑船兵戟与将军船等三（艘），船皆居于大阵之左右。有敌，即出就阵，吏卒皆衔枚，敖歌击鼓者斩。'"①

第四，知彼知己，合理用间。我们知道《孙子兵法》中有《用间篇》，体现了先秦兵学用间思想的高度。在传世典籍中，伍子胥在这方面没有具体论述，但是我们从吴国伐楚战争的具体情况来看，伍子胥至少认同或持有与孙武类似的用间思想。据《韩非子·内储说》载："吴攻荆，子胥使人宣言于荆曰：'子期用，将击之；子常用，将去之。'荆人闻之，因用子常而退子期也。吴人击之，遂胜之。"伍子胥从楚国逃亡，对楚王的昏庸以及楚国的政局人事非常清楚，尤其对其将帅的才能十分了解，如对子常指挥无能的认识。同时使用间谍，在楚国大肆宣扬，混淆视听，迷惑敌人，最终楚人换将，吴国趁机进攻并取胜。

第五，具体指挥中的虚实思想。伍子胥在具体确定伐楚战略时就提出了"多方以误之"的"疲楚误楚"战略。这一战略使得楚国不知虚实，疲于奔命。据《左传》载："吴子问于伍员曰：'初而言伐楚，余知其可也，而恐其使余往也，又恶人之有余之功也。今余将自有之矣，伐楚何如？'对曰：'楚执政众而乖，莫适任患。若为三师以肄焉，一师至，彼必皆出。彼出则归，彼归则出，楚必道敝。亟肄以罢之，多方以误之。既罢而后以三军继之，必大克之。'阖庐从之，楚于是乎始病。"② 吴子，即吴王阖闾，伍员，即伍子胥。在柏举之战中，吴王和伍子胥指挥吴军避实击虚，避开楚军主要防线，实行远距离突袭，并诱敌至柏举，"遂败楚人于柏举，而成霸道，子胥之谋也"③。

---

① 李步嘉：《越绝书校释·附录一：越绝书佚文校笺》，中华书局，2013年，第420页。

② 《左传·昭公三十年》。

③ 《新序·善谋》，刘向编著，石光瑛校释，陈新整理：《新序校释》，中华书局，2009年，第1152页。以下引用《新序》均出此书，仅标篇名。

三、张家山汉简《盖庐》与伍子胥兵阴阳的面向

在传世典籍中，我们对伍子胥兵学思想的认识仅仅限于为吴国谋划攻伐中所体现的兵学思想以及兵技巧的内容。而新文献的发现，使我们对伍子胥兵学思想的认识更加全面。[①] 1983 年底，在湖北江陵张家山 247 号汉墓中发现了一批汉代竹简，其中就包括《盖庐》一书。[②] "盖""阖"通假，所以"盖庐"正是《左传》所载吴王阖庐，阖庐正是吴王阖闾。汉简《盖庐》共 55 支，全文以吴王阖闾与伍子胥的对话形式展现其思想内容，其中吴王阖闾仅是提问，主体是伍子胥的回答，题目《盖庐》书于末简的背面。《盖庐》全书共 9 章，3000 字左右，是一部兵阴阳家的兵书。[③] 亦有学者认为，其主体有浓厚的兵阴阳家色彩，同时还可能与黄老之学有一定的关联。[④] 当然，其在《汉志》中与伍子胥相关的归属到底是"兵技巧家"，还是"杂家"，我们不得而知。邵鸿认为其当归属为"杂家"的"《五子胥》八篇"中的一篇，[⑤] 可备一说。无论其在《汉志》的归属如何，其仍是反映伍子胥兵学思想的重要的新出土文献。按照其他先秦问答类兵书的命名方式，此篇或为"申胥""申胥子""申子"更为合适。当然此书的命名方式亦符合春秋时期以及战国中前期的实际情况，即以篇首两字来命名的基本习惯，我们认为这从侧面也反映了其成书年代可能相对较早。

在《越绝书》卷六记载吴王阖闾与伍子胥的对话时，伍子胥曾曰："虹蜺牵牛，其异女，黄气在上，青黑于下。太岁八会，壬子数

---

① 田旭东：《张家山汉简〈盖庐〉所反映的伍子胥兵学特点》，《西部考古》2007 年第 1 期。

② 张家山二四七号汉墓竹简整理小组：《张家山汉墓竹简（二四七号墓）》，文物出版社，2001 年。

③ 李学勤：《失落的文明》，上海文艺出版社，1997 年，第 412 页。

④ 邵鸿：《张家山汉简〈盖庐〉研究》，文物出版社，2007 年。

⑤ 邵鸿：《张家山汉墓古竹书〈盖庐〉与〈伍子胥兵法〉》，《南昌大学学报》（人社版）2002 年第 4 期。

九。王相之气，自十一倍。死由无气，如法而止。太子无气，其异三世。日月光明，历南斗。吴越为邻，同俗并土，西州大江，东绝大海，两邦同城，相亚门户，忧在于斯，必将为咎。越有神山，难与为邻。愿王定之，毋泄臣言。"此语前半段论述中涉及云气、分野、"太岁八会，壬子数九""日月光明，历南斗"等后世难以理解的内容，属于古代的风角望气之术，与《汉志》所载"兵阴阳"相似："阴阳者，顺时而发，推刑德，随斗击，因五胜，假鬼神而为助者也。"① 由于内容难解，兵阴阳家的研究亦不充分，学者多对此材料未有太多重视，对伍子胥兵阴阳家的身份亦未有太多重视，以张家山汉简《盖庐》的发现为契机，学者开始梳理伍子胥兵阴阳的思想，② 并对其进行深入的研究。③ 具体而言，《盖庐》共 9 章，从内容上来分，部分论述属于兵政类，也有论述行军用兵具体之法的，最重要的就是有关兵阴阳家的论述。以下我们从三个方面简要论述《盖庐》所反映的伍子胥的主要思想。

首先，重视治民之道，"德政为首"。

在兵书中谈及政治治理，这在中国古代兵书中亦非常常见，与上文所论及的重视政治建设的内容相关，如第一章"治民之道"的部分内容、第八章论述"救民之道"和第九章"德攻"的大部分内容。第一章"治民之道"曰："凡有天下，无道则毁，有道则举；行义则上，废义则下。治民之道，食为大葆，刑罚为末，德政为首。使民之方，安之则昌，危之则亡，利之则富，害之有殃。循天之时，逆之有祸，顺之有福。行地之德，得时则岁年熟，百姓饱食；失时则危其国家，倾其社稷。"④ 其中指出在国家治理中，应当"有道"

---

① 《汉书·艺文志》。
② 邵鸿：《张家山汉简〈盖庐〉研究》，文物出版社，2007 年，第 8—10 页。
③ 田旭东：《试析张家山简〈盖庐〉中的兵阴阳之术》，《历史研究》2002 年第 5 期。
④ 张家山二四七号汉墓竹简整理小组：《张家山汉墓竹简（二四七号墓）》（释文修订本），文物出版社，2006 年，第 161 页。以下《盖庐》引文均出此书第 161—168 页。

"行义""德政为首",使用民众应当"安之""利之",同时还要"循天之时"。在重视德政的同时,面对敌方的失德,治理无道,己方亦可以以此为出师之名,即"德攻",又称"救乱之道",伍子胥提出了十条基本原则,这是伍子胥对用兵目的的理解,如第九章吴王阖闾问道:"以德攻何如?"伍子胥回答:"以德攻者:其毋德者,自置为君,自立为王者,攻之。暴而无亲,贪而不仁者,攻之。赋敛重,强夺人者,攻之。刑政危,使民苟者,攻之。缓令而急征,使务胜者,攻之。外有虎狼之心,内有盗贼之智者,攻之。暴乱毋亲而喜相诖者,攻之。众劳卒罢,虑众患多者,攻之。中空守疏而无亲□□者,攻之。群臣申,三日用暴兵者,攻之。地大而无守备,城众而无合者,攻之。国□室毋度,名其台榭,重其征赋者,攻之。国大而德衰,天旱而数饥者,攻之。此十者,救乱之道也。"

其次,用兵的具体军法与《孙子兵法》多有类似,即《盖庐》中所论述的"军之道""军之法"。

伍子胥曰:"……当陵而军,命曰申固;背陵而军,命曰乘势;前陵而军,命曰范光;右陵而军,命曰大武;左陵而军,命曰清施。背水而军,命曰绝纪;前水而军,命曰增固;右水而军,命曰大顷;左水而军,命曰顺行。军恐疏遂,军恐进舍,有前十里,毋后十步。此军之法也。"其内容详细论述了如何在山水之旁驻军。如,在山陵旁边驻扎军队,具体到"当陵""背陵""前陵""右陵""左陵"等具体方位如何驻军的基本原则。在河流周围驻军,"背水""前水""右水""左水"等不同方位具体内容与《孙子兵法·行军篇》中的处军之法非常类似。这可视为春秋时期在具体兵技巧法层面上的基本共识。

最后,伍子胥兵阴阳家的思想倾向。

《盖庐》总体是以兵阴阳家思想为主体,其在论述政治的时候,亦有阴阳之内容:"建执四辅,及彼太极,行彼四时,还彼五德。日为地繁,月为天则,以治下民,及破不服。其法曰:天为父,地为母,三辰为纲,列星为纪,维斗为击,转动更始。苍苍上天,其央安在?洋洋下之,孰知其始?央之所至,孰知其止?天之所夺,孰知其已？祸之所发，孰知其起？福之所至，孰知而喜？东方为左，西方为右，南方为表，北方为里，此谓顺天之道。"此处谈及的"维斗为击"与《汉志》兵阴阳家论述的"随斗击"相一致。如第四章谈及"战之道"的顺逆问题中，先后多次提到"天之八时""顺天之时""战有七术""日有八胜""五行胜""四时胜"等，第五章讲述"攻之道"时讲到"五行之道""四时之道""日月之道"，这些均属兵阴阳家之语。以下我们对其兵阴阳思想的内容从三个方面进行详细论述。

第一，"顺天之时"择日择地之方术。

伍子胥对天时的论述，并非我们一般意义上的理解，却更能体现阴阳学的这一特征："九野为兵，九州为粮，四时五行，以更相攻。天地为方圜，水火为阴阳，日月为刑德，立为四时，分为五行，顺者王，逆者亡，此天之时也。"其论述与兵阴阳家"顺时而发，推刑德……因五胜"的论述又如出一辙。其中"九野""九州"当作何解？李零指出，此当与九宫划分天宇有关，与之对应为"九野""九州"等，简单讲"九野"当指天，"九州"当指地，① 当然"九野"在《淮南子·天文训》中有具体的论述，② 此在后世兵书亦有用例，为古代数术的重要内容之一。③ 如，在第四章中对"顺天之时"的论述："左太岁、右五行可以战；前赤乌、后背天鼓可以战，左青龙、右白虎可以战，招摇在上、大陈其后可以战，壹左壹右、壹逆再背可以战，是谓顺天之时。"其中如"左太岁"的讲法，"太岁"即太阴，《淮南子》曰："凡用太阴，左前刑，右背德。击钩陈

---

① 连劭名：《张家山汉简〈盖庐〉考述》，《中国历史文物》2005年第2期。
② "何谓九野？中央曰钧天，其星角、亢、氐。东方曰苍天，其星房、心、尾。东北曰变天，其星箕、斗、牵牛。北方曰玄天，其星须女、虚、危、营室。西北方曰幽天，其星东壁、奎、娄。西方曰颢天，其星胃、昴、毕。西南方曰朱天，其星觜嶲、参、东井。南方曰炎天，其星舆鬼、柳、七星。东南方曰阳天，其星张、翼、轸。"
③ 田旭东：《新公布的竹简兵书——〈盖庐〉》，《中华文化论坛》2003年第3期。

之冲辰，以战必胜，以攻必克。"① "赤乌"当为朱雀，"天鼓"又是什么？据《史记》记载："南斗为庙，其北建星。建星者，旗也。牵牛为牺牲。其北河鼓。河鼓大星，上将；左右，左右将。婺女，其北织女。织女，天女孙也。"② 《史记索隐》引用《尔雅》指出："河鼓谓之牵牛。"③ "招摇"又是什么呢？据《淮南子》记载："顺招摇，挟刑德。"高诱注曰："招摇，斗杓也。"④ 即北斗七星中的第五至第七颗星。那我们据此可以推测，此处的"顺天之时"可以分为两个部分来理解，其中"左太岁、右五行可以战"当为以方向定吉凶的择日之术。⑤ 同时，据《吴子》所载："必左青龙，右白虎，前朱雀，后玄武，招摇在上，从事于下。将战之时，审候风所从来，风顺致呼而从之，风逆坚阵以待之。"⑥ 因此我们可以推测"前赤乌、后背天鼓可以战，左青龙、右白虎可以战，招摇在上、大陈其后可以战"当为择地之方位之术。又如，"太白入月、荧惑入月可以战，日月并食可以战，是谓从天四殃，以战必庆"，其为可以出兵的天象之吉日。"丙午、丁未可以西向战，壬子、癸亥可以南向战，庚申、辛酉可以东向战，戊辰、己巳可以北向战，是谓日有八胜"，其为每月当中出兵的吉日。其他如："黄麦可以战，白冬可以战，德在土、木、在金可以战；昼背日、夜背月可以战。""春击其右，夏击其里，秋击其左，冬击其表，此谓背生击死，此四时胜也。"

第二，五行相胜之术。《盖庐》第四章曰："彼兴之以金，吾击之以火；彼兴以火，吾击之以水；彼兴以水，吾击之以土；彼兴之以土，吾击之以木；彼兴以木，吾击之以金。此用五行胜也。"此为五行相胜的理论，其具体所指，尚不清楚，有学者认为可能指"时

---

① 《淮南子·天文训》。

② 《史记·天官书》。

③ 《尔雅·释天》作"何鼓谓之牵牛"。

④ 《淮南子·兵略训》。

⑤ 田旭东：《试析张家山简〈盖庐〉中的兵阴阳之术》，《历史研究》2002 年第 5 期。

⑥ 《吴子·治兵》。

日"，并举《淮南子·天文训》以及《盖庐》第五章"大白，金也，秋金强，可以攻木；岁星，木也，春木强，可以攻土；填星，土也，六月土强，可以攻水；相星，水也，冬水强，可以攻火；荧惑，火也，四月火强，可以攻金。此用五行之道也"为例，其中提到的"大白""岁星""填星""相星""荧惑"等五星可能与时日相关。当然亦有学者认为其"提出上述战法的火、水、土、木、金大约各有一套固定的阵型或战术"[①]。

第三，望气之术。《盖庐》第六章讲到"攻军回众之道"时曰："慎其尘埃，与其縩气。旦望其气，夕望其埃，清以如云者，未可军也。埃气乱孛，浊以高远者，其中有动志，戒以须之，不去且来。"此处明确提到"旦望其气，夕望其埃"的具体方法，当然我们看到此处"夕望其埃"的方法与《孙子兵法》中的相敌之法颇有类似之处，通过敌军驻扎营地尘埃来判断敌军的动向。而"旦望其气"，如《史记索隐》中指出："凡敌阵之上，皆有云气，气强则声强，声强则其众劲。"望气之术在古代军事活动中经常出现，此处伍子胥并未具体展开来讲，但是我们推测伍子胥本人对望气之术非常熟悉，对其是服膺认可并予以践行的。

从以上几个方面我们可以发现，伍子胥的兵学思想亦非常丰富，是我国春秋时期与孙武等人齐名的重要军事家、兵学家之一，尤其在吴国的崛起与霸业中发挥了卓越的作用，是吴国兵学思想的重要代表，其重视水战与吴国的地理实际环境息息相关。伍子胥兵学思想非常丰富，他认同"以正守国，以奇用兵，先计而后战"的"兵权谋"思想，又擅长"兵技巧""兵阴阳"的主张，是春秋晚期一位博采众长的兵学家、政治家。我们认为，伍子胥兵学典籍后世不传的原因大概与其兵学思想的倾向有一定关系，正如吕思勉所言："阴阳、技巧之书，今已尽亡。权谋、形势之书，亦所存无几。大约兵阴阳家言，当有关天时，亦必涉迷信。兵技巧家言，最切实用。

---

① 田旭东：《试析张家山简〈盖庐〉中的兵阴阳之术》，《历史研究》2002 年第 5 期。

然今古异宜，故不传于后。兵形势之言，亦今古不同。惟其理多相通，故其存者，仍多后人所能解。至兵权谋，则专论用兵之理，几无今古之异。兵家言之可考见古代学术思想者，断推此家矣。"① 而伍子胥所长的"兵技巧""兵阴阳"著作，在后世的流传是非常困难的，几乎消失殆尽。而现在出土的有关伍子胥"兵阴阳"思想的材料仍需进一步研究。

第二节　《左传》的兵学思想

《左传》是中国历史上第一部叙事完备的编年体史学巨著。关于《左传》的作者和成书年代，学术界历来有不同的意见，但是不少说法都缺乏强有力的根据。从《左传》记事的年代下限、书法以及思想倾向来看，今天所见《左传》一书的写定，并非出于一世一人之手，正如顾炎武所指出的那样："左氏之书，成之者非一人。录之者非一世，可谓富矣。"② 近现代以来，我们认为众家之说中比较接近历史事实的是徐中舒的观点，《左传》是在春秋末期瞽史传诵的基础上，写定于战国前期的第一部编年体史书。③ 至于其相对具体的时间断限，则可能当如杨伯峻所言："《左传》成书在公元前403年魏斯为侯之后，周安王十三年（公元前389年）以前。"④

一、《左传》兵学思想的特点

《左传》一书系统地记述了春秋时期的历史，也追叙了春秋以前的若干历史片断。《左传》记事详尽全面、准确生动，其中对春秋时

① 吕思勉：《先秦学术概论》，东方出版中心，2008年，第94页。
② 顾炎武：《日知录》卷四《春秋阙疑之书》。
③ 徐中舒：《〈左传〉的作者及其成书年代》，《历史教学》1962年第11期。
④ 杨伯峻：《春秋左传注·前言》，中华书局，1981年，第41页。

期军事制度、军队建设，尤其是对当时的战争有大量精彩记述，在先秦典籍中更堪称佼佼者。因此，古人有称它为"相斫书"之说。①从一定意义上讲，《左传》也是一部断代战争史、断代军事史、断代兵学史。这一性质，决定了其书包含了相当丰富的兵学思想。所以，童书业认为《左传》的作者"当为儒家后学，而有少量早期法家思想，于军事甚感兴趣，似长于兵家之学"②。我们认为这是客观公允的看法。但由于《左传》是一部历史著作，因此其所反映的兵学思想，与一般兵书或诸子论兵之作中所揭示的兵学思想相比，也具有自己的特点。大体而言，我们认为其主要体现为以下几个方面。

第一，《左传》的兵学思想，明显地带有社会思潮的属性，反映了当时人们在兵学问题上的共识。如果说，兵书或诸子论兵之作主要体现了某个兵学家或诸子对兵学问题的理性认识，那么，《左传》的兵学思想则更多地表述了当时社会上大多数政治家、思想家、兵学家和战争指挥者在兵学问题认识上所达到的普遍深度。这不是个体的认识和智慧，而是具有群体意义的，思想上是更加多元和丰富的。综观《左传》的兵学思想，是通过其书对多次战争的叙述，对众多人物有关兵学言论的记载而得以反映的，是零星分散的兵学理性认识的综合和概括。在某种意义上，《左传》真正体现着春秋时期兵学思想的主流，反映出当时社会思潮的面貌。因为春秋时期的兵学思想，虽说是由孙子、老子、孔子、伍子胥、范蠡等代表人物建立范畴，显示水准和高度的，但同时更是依靠了其他政治家、思想家和军事家的努力以及普通人的认同，才得以完成并发生巨大影响的。《左传》实际上体现着整个社会所普遍达到的认识水平，在相当程度上标志着春秋兵学思想的大致水平和一般状况。

第二，《左传》的兵学思想具有分散零乱，往往局限于经验罗列，缺乏高度思辨抽象的明显特点。正因为《左传》兵学思想系当

---

① 陈寿：《三国志·魏书》裴注引鱼豢《魏略》，中华书局，1982年，第422页。

② 童书业：《春秋左传研究》，上海人民出版社，1980年，第351页。

时社会大多数人对兵学问题认识的混糅融合，因此，缺乏完整的体系和严谨的逻辑也就在所难免。它往往就事论事，片言只语，蔓芜分散，虽不时闪烁耀目的思想火花，却难以燃烧为熊熊的大火，展现出系统性。同时，《左传》作为一部历史学著作，它虽记录了大量的战例和众人的论兵言辞，但受其史书编撰体例的限制，往往囿于具体战争经验的铺陈罗列，而未能把它总结为系统性的内容，并将其抽象上升为纯粹的理论。清代学者李元春曾说："孙、吴所言，空言也；左氏所言，验之于事者也。"① 此语一针见血地道出了这一特点。这一特点也就影响了《左传》兵学思想走向高度成熟、系统理论的完臻境界。

第三，《左传》的兵学思想表现出明显的二重性，体现了春秋时期思想意识形态领域中新旧观念斗争和递嬗的时代特色。由于《左传》兵学思想所反映的是群体的意识，而群体中的个体又因为环境、地位、经历以及利益的不同而导致观念上的差异和对立，所以反映到《左传》中，就自然而然地呈示出兵学思想认识上的对立和冲突，使其表现为复杂、多元的特征。同时，这种特征更随着社会变革的深化，新旧观念的递嬗而日益突出。这样就决定了《左传》兵学思想具有两重性。

所谓《左传》兵学思想的两重性，具体而言，就是它既有因袭传统的一面，又有重视现实的一面。如，在战争观问题上，它既以禁暴还是行暴来区分战争的义与不义，认为战争的目的就在于"威不轨而昭文德"②；与此同时，其又不一概否定兼并，指出"疆埸之邑，一彼一此，何常之有……封疆之削，何国蔑有"③，为新兴阶级国家从事争霸战争寻找历史和理论的依据。又如，在对待战争指导问题上，既讲求传统的"天道"，认为战争胜负，国家兴亡，都可以从天道、鬼神的意志那里获得解释，甚至找到征验，又高度重视

① 李元春：《左氏兵法》，丛书集成本。
② 《左传·襄公二十七年》。
③ 《左传·昭公元年》。

"人事"，指出"有德不可敌"①，强调战争能否取胜归根结蒂取决于人事的努力，包括注重民心向背，厉行富国强兵的措施，进行实力建设，等等。再如，在作战指导问题上，《左传》既讲求"礼""义"，认为"不待期而薄人于险，无勇也"②，指出"闻丧而还，礼也"③；同时，又重视"利"，追求功利的实现，认为"谋不失利，以卫社稷，民之主也"④，强调"义"与"利"的统一，即所谓"义以建利"⑤。主张在两军交锋之时，立足于发挥主观能动作用，全力去夺取作战的胜利。在治军问题上，《左传》的兵学思想也体现了两重性，即提倡"礼"与"刑"（法）的包容。其中"德、刑、详、义、礼、信，战之器也"⑥，就集中体现了这一基本特征。

二、《左传》兵学思想的基本内容及地位

如前所述，《左传》一书的思想内容基本上代表着兵学发展的方向。因此，与之相适应，虽然《左传》的兵学思想存在着不够系统的缺陷，具有迷恋于传统和尊重现实的两重性特色，但积极的现实性仍占据主导的地位。通观《左传》全书，我们认为其主导兵学思想集中体现在以下几个方面。

第一，积极、丰富的战争观。

《左传》一书展现了积极而丰富的战争观。首先，表现为对战争性质的朴素认识。《左传》区分战争"义"与"不义"的范畴，主张从事"义战"，实现一定的政治利益，认为"征伐以讨其不然"，⑦"凡君不道于其民，诸侯讨而执之"⑧。与之相应，《左传》反对非正

---

① 《左传·僖公二十八年》。
② 《左传·文公十二年》。
③ 《左传·襄公十九年》。
④ 《左传·宣公十五年》。
⑤ 《左传·成公十六年》。
⑥ 《左传·成公十六年》。
⑦ 《左传·庄公二十三年》。
⑧ 《左传·成公十五年》。

义性质的军事行动，指出"背盟而欺大国，此必败。背盟，不祥；欺大国，不义"①；认为光凭暴力、不讲仁义的不义行为，即使得逞于一时，但最终必将走向失败："强以克弱而安之，强不义也。不义而强，其毙必速。""夫以强取，不义而克，必以为道。道以淫虐，弗可久已矣。"②《左传》还将战争的正义性和非正义性提升到"曲"和"直"的范畴来加以概括，提出了著名的"师直为壮，曲为老"③的重要命题。其次，《左传》在战争观理论上的又一个重要内容，是反对"去兵"，肯定战争的历史合理性。《左传》认为，战争在当时的社会条件下是不可避免的。因此，《左传》对当时社会上"去兵"论调进行了非常有力的驳斥。如，借子罕之口，指出："谁能去兵？兵之设久矣……圣人以兴，乱人以废，废兴存亡昏明之术，皆兵之由也。而子求去之，不亦诬乎？"④　这里，《左传》肯定了战争是历史上长期存在的客观现象，强调在当时社会条件下战争的不可避免性，反映出当时各国统治阶级都竭力保持和发展自己的实力，以图夺取诸侯兼并和大国争霸战争胜利的心理状态。再次，注意正确处理政治和军事的对立统一关系，充分重视民众在战争中的作用。《左传》吸收了春秋时期的"民本"思想，提出了"无民，孰战"⑤"无众必败"⑥　的基本观点。《左传》开始从众多胜败兴亡的战争实践中认识到战争胜败与民众有着密切的关系，并善于从是否得到民众支持这一点去考察探讨战争胜败的原因。如晋、楚城濮之战后，人们在分析楚国战败的原因时就指出："非神败令尹，令尹其不勤民，实自败也。"⑦　而晋国之所以在城濮之战中取胜，尽管原因很多，但重要的一点，是其军事行动得到了民众的坚决支持，使"民

① 《左传·成公元年》。
② 《左传·昭公元年》。
③ 《左传·僖公二十八年》。
④ 《左传·襄公二十七年》。
⑤ 《左传·成公十五年》。
⑥ 《左传·僖公十三年》。
⑦ 《左传·僖公二十八年》。

听不惑，而后用之"①。

第二，顺应时代潮流的作战指导思想。

《左传》根据春秋时期作战方式变化的实际情况，在有保留地奉行某些旧的作战指导思想的同时，也鲜明地提出了不少新的作战指导原则。首先，《左传》强调审时度势，"观衅而动"②，正确地选择和把握有利的战机。齐、鲁长勺之战，实力处于劣势地位的鲁军一举击败实力占优的强大齐师，以至于鲁庄公本人在战后尚感莫名其妙，曹刿便向他解释了其中的奥秘："夫战，勇气也。一鼓作气，再而衰，三而竭，彼竭我盈，故克之。"③ 这里曹刿提出了准确把握战机的一个重要原则，就是应当选择"彼竭我盈"之时，对敌发起进攻。其次，《左传》主张知彼知己，正确选择攻击方向。《左传》认为攻击的方向应选在敌人的虚弱之处。周、郑繻葛之战中，由于郑国选择了正确的主攻方向，所以取得了作战的胜利。楚、随的速杞之战中，随军违背了这一作战指导原则，结果导致惨败。再次，《左传》强调"不备不虞，不可以师"④ "备豫不虞，善之大者也"⑤，反对骄傲轻敌，指出骄兵必败。《左传》以大量的战例说明在作战指导上，如果麻痹轻敌，疏于戒备，轻则丧师，重则丧国："秦师侵芮，败焉，小之也。"⑥ 秦国作为一个大国，竟败于小小芮国之手，原因就在于"小之也"，即自大轻敌。

第三，以礼系法的治军思想。

《左传》在治军问题上主张德、刑并重，即把礼作为道德手段和优先方式，法作为强制手段，用来经武治军。《左传》认为"礼以

---

① 《左传·僖公二十七年》。
② 《左传·宣公十二年》。
③ 《左传·庄公十年》。
④ 《左传·隐公五年》。
⑤ 《左传·成公九年》。
⑥ 《左传·桓公四年》。

行义"①，即用"礼"的道德原则来规范军队的思想和行动；"刑以正邪"②，即用"刑"的强制性能确保道德规范的实行，③ 从而沟通了"礼"与"法"之间的联系，以礼系法，以法明礼。"戎，昭果毅以听之之谓礼，杀敌为果，致果为毅。易之，戮也。"④ 这里的意思是说，在战场上，将士服从命令，勇敢杀敌，才算有礼，反之就是失礼，必须依法诛戮。这一见解，正是《左传》治军思想礼、法并重的具体注脚。基于这样的认识，《左传》中有不少有关严法的记载。如，在城濮之战中晋文公先后三次诛杀违命的将士，《左传》赞誉文公："其能刑矣，三罪而民服……不失赏刑。"⑤ 在《左传》看来，正因为如此，晋文公故能成其霸业。鸡泽之会，晋悼公之弟杨干扰乱军行，中军司马杀杨干之仆以示惩罚。《左传》详记其事，并借魏绛之口指出："师众以顺为武，军事有死无犯为敬。"⑥ 当然，《左传》在治军问题上的严法主张，是受旧军礼制约的，并不坚决和彻底，与战国时期法家以法治军理论有很大的差异。

《左传》的兵学思想除了上述几个方面外，还包括注重军事、外交相结合，特别重视运用外交手段以达到战争目的，等等。同时，《左传》也记述了不少具有新战术思想的战例，如，伏击战、迂回战、侧击战、包围战、袭击战等等。凡此种种，不一而足。⑦

《左传》的兵学思想比较丰富，是春秋社会变革作用于军事领域的产物，具有社会思潮体现者的属性。这是我们今天考察古代兵学思想在新旧交替过程中外在表现的主要参照物，对于我们认识春秋时期兵学思想的总体发展面貌、主要特点以及历史影响具有重要的

---

① 《左传·僖公二十八年》。
② 《左传·僖公二十八年》。
③ 张丽荣：《论〈左传〉军事观的二重性》，见军事科学院战略部、后勤学院学术部历史室编：《先秦军事研究》，金盾出版社，1990年。
④ 《左传·宣公二年》。
⑤ 《左传·僖公二十八年》。
⑥ 《左传·襄公三年》。
⑦ 黄朴民：《孙子兵学与古代战争》，《浙江学刊》1995年第2期。

意义。《左传》反对"去战"，区别战争性质，立足民本立场的战争观念，对于后世兵学的发展不无深远影响。其中某些新的作战指导思想，也给后来的兵学家一定的历史启迪。当然，《左传》对道德和功利双重价值的包容和追求，更在此后古典兵学理论体系构建过程中，发挥着积极和消极两方面的作用。从这个意义上说，这份兵学思想文化遗产，是值得我们充分加以重视和总结的。

第三节　《逸周书》的柔武思想

一、《逸周书》的争议

《逸周书》是一部汇编性质的文献，记述非常广泛。就记述内容的性质来讲，主要"有礼书、有兵书、有史纪、有训诰、有政令、有政论、有说教"①。《逸周书》在《汉志》中著录"《周书》七十一篇"，颜师古曰："刘向云：'周时诰誓号令也，盖孔子所论百篇之余也。'"②古代学者多认为《逸周书》为孔子删《书》之余。至许慎《说文解字》引用时称《逸周书》。我们现在看到的《逸周书》就是西晋时期的五经博士孔晁最早为其作注之书，西晋学者关注《逸周书》当与"汲冢书"有关，此为《逸周书》研究中非常重要的问题，兹不展开。③由于《逸周书》各篇成书问题比较复杂，因此长期以来学者对其的关注和研究不够。黄怀信较早对《逸周书》进行较为系统的考辨，指出其并非一人一时一地之作，并对现存 69 篇的编订时间、编订者、内容、性质和时代等问题进行逐一考订和

---

① 黄怀信：《〈逸周书〉源流考辨》，西北大学出版社，1992 年，第 126 页。
② 《汉书》，中华书局，1962 年，第 1706 页。
③ 可参见黄怀信：《逸周书校补注译》（修订本）《前言》第二部分"'汲冢'问题"的相关论述，三秦出版社，2006 年，第 9—20 页。

全面研究，并指出："七十一篇的编订时间，就初步可以限定在前532 年至前 339 年之间……当系周人于孔子删《书》之后，取其所删除不录者，以及传世其他周室文献（如《左传》狼瞫所引《周志》之类），又益以当时所作（如《太子晋》等），合为七十篇，又依《书》之体，按时代进行编次，再仿《书序》作《序》一篇，合订而成。其时代，大约在晋平公卒后的周景王之世。"①

就现存《逸周书》的编纂而言，其有一定的特点和指导思想，基本上以所载内容的时间顺序编纂：《度训》至《文传》记载文王事迹，共25 篇；《柔武》至《五权》记载武王事迹，共 21 篇；《成开》至《王会》记载周成王与周公事迹，共 13 篇；《祭公》《史记》《职方》记载周穆王事迹，共 3 篇；《芮良夫》记载周厉王事迹；《太子晋》至《器服》共 7 篇，记载的内容时代不详，因此系于书末。

二、《逸周书》兵学思想略说

《逸周书》中存在大量兵家之言和兵学内容，仅以篇名而言，其中以"武"作为篇名的多达 12 篇，多为军法、兵令和谋略等内容。因此，我们可以大胆地推测，这亦可能是其作为孔子删书对象的重要原因之一。关于《逸周书》中有丰富的兵家思想，吕思勉、杨宽等学者早已指出，吕思勉在《经子解题》中认为"《武称》《允文》《大武》《大明武》《小明武》《武顺》《武穆》《武纪》诸篇，则明明为兵家言……吾国之兵家言，固多涉及治国。其记周事之篇特多者，著书托古，古人类然。亦或诚有所祖述。今《六韬》即如此，岂能附之书家乎。然则此书入之子部兵家，实最妥也"②。可见其兵学内容之丰富。但是《逸周书》的真伪等问题迟迟未有结论，学者更多注重其真伪流变的考订，对其内容研究相对较少，尤其是其中

---

① 黄怀信：《〈逸周书〉源流考辨》，西北大学出版社，1992 年，第 78、89页。

② 吕思勉：《经子解题》，华东师范大学出版社，1995 年，第 37—38 页。

兵学的内容，长期未能得到应有的重视和充分的研究。我们将在前人研究的基础上对《逸周书》中所反映春秋时期的兵学思想进行研究。①

据考证，《逸周书》中属于春秋早期的兵学作品有《武称》《允文》《大明武》《小明武》《武顺》《武穆》等，作于春秋中期的兵学作品有《柔武》《大开武》《小开武》《武纪》。② 我们认为《逸周书》的基本思路就是要将仁义的观念与兵权谋略结合起来，我们可以称之为"柔武"的思想。以下我们拟在学术界已有研究成果的基础上，对《逸周书》中有关春秋时期的兵学内容予以论述。

第一，客观认识战争，主张合理、恰当使用武力，重战亦慎战。《逸周书》并不简单地否定战争，反对战争，当然也不宣扬暴力，《逸周书》对待战争是一种非常审慎、合理、冷静的理性态度。《逸周书》认为"文武"均为立国的基本方面："文武不行者，亡。"文事与武备同等重要，其中举例无武备必遭灭亡："昔者西夏性仁非兵，城郭不修，武士无位，惠而好赏，财屈而无以赏，唐氏伐之，城郭不守，武士不用，西夏以亡。"③《武称》中对武事的各种名称以及原则有专门的论述，明确提出"武之经"（武事之常道）、"武之顺"（武事之和顺）、"武之用"（武事之功用）、"武之毁"（武事之毁坏）、"武之间"（武事之离间）、"武之尚"（武事之崇尚）、"武之时"（武事之时令）、"武之胜"（武事取胜之原则）、"武之追"（武事之追击原则）、"武之抚"（武事之安抚原则）、"武之定"（武事之最终目的），涉及兵学的方方面面，其主旨正如潘振所言："止戈为武，得其当之谓称。"④ 如，其对"武之经"的论述："大国

---

① 牛鸿恩与邱少华在《先秦经史军事论译注》（军事科学出版社，1987年）中对《逸周书》中的《度训》《武称》《允文》《大武》《大明武》《小明武》《柔武》《酆谋》《武穆》《史记》《武纪》等篇章进行注译，对其兵学思想进行了概括，并指出其兵学思想的核心当为仁义之师和安抚怀柔。

② 黄怀信：《〈逸周书〉源流考辨》，西北大学出版社，1992年，第126页。

③ 《逸周书·史记》。

④ 潘振：《周书解义》，嘉庆十年月林堂刊本。

不失其威，小国不失其卑。敌国不失其权。岠崄伐夷，并小夺乱，□强攻弱而袭不正，武之经也。"① 在当时诸侯林立的环境中，武事的常道就是力量强大的国家不失其尊严，实力弱小的国家不失其谦卑，力量不相上下的国家不失其相互间的平衡。在具体战争中，凭借天险，攻伐平易之地的敌人，兼并小国，攻取乱国，以强胜弱，攻打不正义的国家。即使发动正义的战争，也要慎之又慎："不知所取之量，不知所施之度，不知动静之时，不知吉凶之事，不知困达之谋，疑此五者，未可以动大事。"② 从五个方面谨慎考察，进而确定是否可以发动战争，稍有疑惑，便不能贸然开战。在临战时，亦要谨慎决定战还是不战："既践戎野，备慎其殃，敬其严君，乃战赦。"③ 战争是实现正义的必要手段，并非恃强凌弱的爪牙，《武穆》篇明确指出："小国不凶不伐。"④《逸周书》对穷兵黩武亦持反对态度："武不止者，亡。"并举例说明："昔阪泉氏用兵无已，诛战不休，并兼无亲，文无所立，智士寒心，徙居至于独鹿，诸侯叛之，阪泉以亡。"⑤

第二，从天命的角度来论述武力，《逸周书》认为武力是天命得以实现和贯彻的重要力量。在《大明武》中指出："畏严大武，曰维四方，畏威乃宁，天作武，修戎兵以助义正违。顺天行五官，官候厥政，谓有所亡。"⑥ 就是说，武力是非常威严和神圣的，正是因为治理者畏惧武力的威武，天下四方才会安宁，对武力的重要作用有着较为深刻的认识。武力是天命呈现的重要方式，也就是说上天创造了武力之事，创设了军队和各种武器，目的就是用来实现天下的正义，矫正各种违背正义的行为。所以作为统治者本身要顺从上天的意志设置军官，被任命的军官一定要恪守职责，如此就不会有

① 《逸周书·武称》。
② 《逸周书·武纪》。
③ 《逸周书·大明武》。
④ 《逸周书·武穆》。
⑤ 《逸周书·史记》。
⑥ 《逸周书·大明武》。

任何的凶险。《逸周书》中还明确提出"以义为术"①，指出战争应当遵从义的原则。那为什么会产生战争呢？《柔武》以武王与周公旦的对话引出："维在文考之绪功，维周禁五戎，五戎不禁，厥民乃淫。一曰土观幸时，政匮不疑；二曰狱雠刑蔽，奸吏济贷；三曰声乐□□，饰女灭德；四曰维势是辅，维祷是怙；五曰盘游安居，枝叶维落。"② 此处以周武王向周公叙述先王事迹的形式，表达了其对战争产生的基本看法。战争产生的主要原因有五个方面，称之为"五戎"。周的先王禁止了导致民众变得邪恶的五个方面，即：大兴土木，赋税匮乏；收受贿赂，导致仇人和弱者受刑；纵情歌舞，贪恋女色；依附权势，迷信祈祷；游手好闲，无人辅佐。如果这五个方面不严加禁止的话，那必然会导致战争："五者不距，自生戎旅。"③ 同时，在具体的战事成败中，天命亦发挥至关重要的作用，《寤儆》以武王和周公的对话形式呈现，其中记述了在伐商之前周武王的一个梦，梦中武王受到了商人的惊吓，由此怀疑周人灭商的计划已泄露。周公向武王解释此梦："天下不虞周，惊以寤王，王其敬命，奉若稽古维王。克明三德维则，戚和远人维庸，攻王祷，赦有罪，怀庶有兹封福。"④ 意思说上天不让周人太过安逸，因此才专门以此梦来惊吓王，王一定要敬天命。能够奉天命遵循古道，这就是成为天下王的条件。能够以三德为法则，能够使远人来服就是功绩，举行祈祷，赦免有罪之人，安抚庶民百姓，这就是大福。周公所言既有人文理性政治经验的总结，亦有宗教迷信层面的内容。《小明武》亦曰："敦行王法，济用金鼓。上下祷祀，靡神不下。"⑤ 上下所有的神祇一起祈祷，那么所有的神灵都会前来佑助，以取得军事斗争的胜利。那么在《逸周书》作者看来，是否祈祷可以达成任何

---

① 《逸周书·柔武》。

② 《逸周书·柔武》。

③ 《逸周书·柔武》。

④ 《逸周书·寤儆》。

⑤ 《逸周书·小明武》，此段错乱难读，此处参考黄怀信写定本。见黄怀信：《逸周书校补注译》（修订本），三秦出版社，2006年，第64页。

目的呢？显然不是，《逸周书》亦是以灭商前武王与周公的讨论为背景而提出的："由①祷不德，不德不成，害不在小，终维实大，悔后乃无。帝命不谞，应时作谋，不敏殆哉。"② 明确指出不正的祈祷就不会应验，就不会成功。不能怀疑已有的天命，一定要顺时而谋，若不顺从天命，就会有危险。虽然《逸周书》中有许多强调天命，甚至迷信的层面，但是我们也能看到其中亦非常强调人的主观能动性的作用："兵强胜人，人强胜天。"③ 就是说兵力强大就能够战胜人，那人如果强大，也能够战胜天。

第三，主张"柔武"。《逸周书》中专门有《柔武》一篇，其曰："见寇□戚，靡适无□。胜国若化，不动金鼓，善战不斗，故曰柔武，四方无拂，奄有天下。"④ 尤其是"胜国若化，不动金鼓，善战不斗"的说法，显然这里就有"不战而屈人之兵"的意味。而若是要真正达到"柔武"的效果，其实是需要一定的前提条件，如德、义、信、成（诚）、决、节、时、和等各个方面的前期战略准备："故必以德为本，以义为术，以信为动，以成为心，以决为计，以节为胜。务在审时，纪纲为序。和均□里，以匡辛苦。"要实现柔武的目标，就必须要以德为本，将义作为重要的方式，以守信作为行动的基本准则，以至诚为心，在具体的谋划中一定要坚决，不能拖泥带水、犹豫不决，以治理军队有节制有法度为胜利。全身心致力于审时度势，运筹帷幄，以节制法度作为统率军队的首要之务。治理者用兵时还要注意政治上的考量与争取，如应当协调平均乡间的秩序，重点去匡救那些贫穷劳苦的人，只有这样才能达到"柔武"的目的。在《武纪》中亦提出类似观点："太上，敬而服；其次，欲而得；其次，夺而得；其次，争而克；其下，动而上资其力。"⑤ 此

---

① 由，此处当为"曲"。据孔晁注："曲为非义。""曲祷"就是不正直、不正义的祷告。
② 《逸周书·酆谋》。
③ 《逸周书·文传》。
④ 《逸周书·柔武》。
⑤ 《逸周书·武纪》。

论述与《孙子兵法》中"上兵伐谋，其次伐交，其次伐兵，其下攻城"的思想与思路基本一致，但是其论述相对比较具体和质朴，当在《孙子兵法》之前。在《大武》中亦有："武有六制：政、攻、侵、伐、搏、战。善政不攻，善攻不侵，善侵不伐，善伐不搏，善搏不战。"① 其中亦是追求"柔武"之胜的理想境界。在具体作战的纪律中亦能体现出其"柔武"的精神："按道攻巷，无袭门户。无受货赂，攻用弓弩……无食六畜，无聚子女。"② 而"柔武"最终要实现的目标是："民之望兵，若待父母。是故天下，一旦而定有四海。"③ 实现不战而统一天下的目标。

第四，攻防一体的战略战术。在攻伐中，哪些层面是有利于己方的时机选择？《逸周书》中多处有相关的论述："攻有四攻、五良……四攻者，一攻天时，二攻地宜，三攻人德，四攻行利。五良：一取仁，二取知，三取勇，四取材，五取艺。"《小明武》亦曰："凡攻之道，必得地势，以顺天时，观之以今，稽之以古，攻其逆政，毁其地阻，立之五教，以惠其下。矜寡无告，实为之主。五教允中，枝叶代兴。"④ 此处有关天时地利人和的论述基本上与孟子一致。当然我们也能够发现，其论述的内容虽没有孟子精练，却更为丰富，还提到了"五教"等问题，相关类似的论述还有："七顺：一顺天得时，二顺地得助，三顺民得和，四顺利财足，五顺得助明，六顺仁无失，七顺道有功。"⑤ "五和：一有天维国，二有地维义，三同好维乐，四同恶维哀，五远方不争。"⑥ 在攻伐中，《逸周书》非常注重时机的选择，有"伐之机"的说法："伐有四时、三兴……四时：一春违其农，二夏食其谷，三秋取其刈，四冬冻其葆。

---

① 《逸周书·大武》。
② 《逸周书·小明武》。
③ 《逸周书·允文》。
④ 《逸周书·小明武》。
⑤ 《逸周书·小开武》。
⑥ 《逸周书·大开武》。

三兴：一政以和时，二伐乱以治，三伐饥以饱。此七者，伐之机也。"① 在《武纪》中也提出了"六时""五动""四顺"的说法："伐国有六时、五动、四顺，间其疏，薄其疑，推其危，扶其弱，乘其衰，暴其约，此谓六时。扶之而不让，振之而不动，数之而不服，暴之而不革，威之而不恐，未可伐也，此谓五动。立之害，毁之利，克之易，并之能，以时伐之，此谓四顺。"② 其中"六时"所述正是乘虚而入的各种时机，而"五动"正是通过各种手段试探敌人之后，未能找到时机而决定不主动进攻，"四顺"就是主动创造有利条件攻打敌人。在谈到攻伐的同时，《逸周书》亦有防守的相关论述，尤其是在《武纪》中，将国家防御分为三种不同的防守："国有三守，卑辞重币以服之，弱国之守也；修备以待战，敌国之守也；循山川之险而固之，僻国之守也。伐服不祥，伐战危，伐险难，故善伐者不伐三守。"③ 弱国的防守主要依靠卑辞重币，势均力敌的国家防守主要依靠防御工事，偏远而有地利优势的国家防守主要依靠各种天险。面对这三种防守，一般真正善于攻伐并懂得军事指挥的人不会主动讨伐这三种国家，因为其中蕴藏着巨大的危险。

第五，对军事占领后的安抚工作非常重视。《逸周书》注重对占领区的安抚与善后工作在战时就有所体现："按道攻巷，攻用弓弩。无袭门户，无受货赂。降于列阵，无悗怒之。无食六畜，无聚子女。胜国若化，故曰明武。"④ 进入敌国作战，一定要有严格的作战纪律，要求军队必须顺着道路去进攻街巷，只使用弓箭和弩机攻击负隅顽抗的敌人，以免伤及无辜。要求士兵不要随意袭击门户，也不能收受老百姓的财物。一定要优待在阵前投降的敌方将士，不能随意凌辱。不能随意杀食六畜，也不能随意抢夺妇女，任意抓丁。只要做到这些，那么战胜后，敌国就会自然而然地归服，这样才可以

---

① 《逸周书·大武》。
② 《逸周书·武纪》。
③ 《逸周书·武纪》。
④ 《逸周书·小明武》，此段错乱难读，此处参考黄怀信写定本。见黄怀信：《逸周书校补注译》（修订本），三秦出版社，2006 年，第 64 页。

称得上真正的深谙武事之精髓。在战胜之后，对于敌国的安抚，如果盛气凌人的话，那必然会失去威望："克□事而有武色，必失其德。"① 对于战后如何安抚，《逸周书》中的《允文》有专门论述："思静振胜，允文维记。昭告周行，维旌所在。收武释赇，无迁厥里，官校属职，因其百吏。公货少多，振赐穷士，救瘠补病，赋均田布。命夫复服，用损忧耻，孤寡无告，获厚咸喜。咸问外戚，书其所在，迁同氏姓，位之宗子。率用十五，绥用□安，教用显允，若得父母。宽以政之，孰云不听？听言靡悔，遵养时晦。晦明遂语，于时允武，死思复生，生思复所。人知不弃，爱守正户。上下和协，靡敌不下。"② 其核心的意思说战后安抚必须以文德作为基本准则。具体而言，一定要在人口密集的地方遍发告示，让占领区的民众充分了解安抚政策，稳定民心。为了防止残余势力负隅顽抗，必须收缴武器，同时发放财物给普通民众，维持原有的秩序，不随意搬迁。合理使用原有的愿意配合的高官和小吏，以便服务于新的治理系统。公家的财物全部都要拿出来赈济穷士。救济贫困者，为其分配土地。使大夫恢复其命服，消除其亡国的忧伤和耻辱。让百姓民众，尤其是孤儿寡母等弱势群体都因安居乐业而心生欢喜。寻找外戚，有所安顿。选择同姓者，立宗族的宗子，对贵族势力有所安置。用什伍制度来治理百姓，以诚心来教化百姓，如此等等，百姓定视其为父母。以如此宽政治理，那还有谁不感恩戴德呢？那么他们一定会尊奉新的君主。如此一来，民众就会安居，官员就会尽职，上下协同，那将无往不胜了。《大明武》亦曰："既克和服，使众咸宜。竟其金革，是谓大夷。"③ 攻取城池后，一定要以怀柔的方式进行占领，使得民众能够更好地适应新的秩序，结束兵革之事，这样才真正实现了天下太平。这也是《逸周书》"柔武"实现的最终落脚点。

　　以上我们从五个方面对《逸周书》中的兵学思想进行了较为全

---

① 《逸周书·武纪》。
② 《逸周书·允文》。
③ 《逸周书·大明武》。

面的论述，基本反映了春秋时期兵学发展的基本状况，又有其柔武的基本特征。除此之外，《逸周书》中亦有大量有关阵法、具体攻城的战术等方面的论述，兹不一一列举。

第四节　《诗经》中战争诗反映春秋时期的兵学内容

春秋时期，随着人文理性的崛起，宗教权威下降。早在西周末期，"天"的地位和形象就与西周早期完全不同。如周幽王时期的《小雅·雨无正》，诗文开始便埋怨"天"的不仁慈："浩浩昊天，不骏其德。降丧饥馑，斩伐四国。旻天疾威，弗虑弗图。"① 《王风·黍离》也展现了西周灭亡后西周旧都的一片景象，作者三章以"中心摇摇""中心如醉""中心如噎"来展示他不断加深的痛苦，亦不断质问："悠悠苍天！此何人哉？"②

春秋时期，各种否定"天"的权威的言论更是层出不穷。郑国执政子产拒斥裨灶的占星术提出了"天道远，人道迩，非所及也，何以知之"③；史嚚在论述虢的政治时说："虢其亡乎！吾闻之：国将兴，听于民；将亡，听于神。神，聪明正直而壹者也，依人而行。"④ 同时，在具体的社会生活中，也有"祸福无门，唯人所召"⑤ 的思想。与之相应，此时《诗经》中所反映的兵学内容就与西周时期有着完全不同的呈现。

首先，家国情怀的延续。《卫风·伯兮》曰："伯兮朅兮，邦之桀兮。伯也执殳，为王前驱。自伯之东，首如飞蓬。岂无膏沐？谁

---

① 《诗经·小雅·雨无正》。
② 《诗经·王风·黍离》。
③ 《左传·昭公十八年》。
④ 《左传·庄公三十二年》。
⑤ 《左传·襄公二十三年》。

適为容！其雨其雨，杲杲出日。愿言思伯，甘心首疾。焉得谖草？言树之背。愿言思伯，使我心痗。"① 我们发现，诗中虽然展现了妻子对出征在外丈夫的威武高大形象的描述，对丈夫军事才能、勇敢坚毅的夸赞，对其能够随王出征发自内心的自豪，妻子替为国出征的丈夫而骄傲，爱国情怀、家国责任跃然纸上；但是从思妇个人角度来讲，她对丈夫的思念无时无刻不在，无心修饰自身形象，一想到丈夫还未归家就心痛，忧思成病。诗歌真实而积极地展现了思妇对保家卫国的丈夫的真切情感，这说明西周早期战争诗传统此时仍在延续。

其次，对战争的控诉和不满。所谓春秋无义战，春秋时期，天下失序，"天"不再是战争正义性的根本保障。因此，对征战的周王或诸侯不再是至高的崇敬与赞扬，反而更多是讽刺与不满。如《君子于役》，《诗序》就明确指出："《君子于役》，刺平王也。君子行役无期度，大夫思其危难以风焉。"② 诗歌展现了思妇对"君子于役，不知其期""君子于役，不日不月"③ 的不满，每次出外服役没有任何明确的时间期限，也没有合情合理的礼乐法度。《扬之水》中三次不断咏叹："怀哉怀哉，曷月予还归哉？"④ 展现出周平王时期士兵长期在外戍守申国、甫国、许国，难以回家时的无奈和不满，真实而震撼。

再次，对徭役繁重的控诉。春秋时期大大小小的战争逐渐开始增多，这对普通民众最直接的影响就是徭役的繁重、兵役的增多，因此这一时期的诗中充满了对徭役的无情控诉，其中以《击鼓》的描述最为经典："击鼓其镗，踊跃用兵。土国城漕，我独南行。从孙子仲，平陈与宋。不我以归，忧心有忡。爰居爰处？爰丧其马？于以求之？于林之下。死生契阔，与子成说。执子之手，与子偕老。

---

① 《诗经·卫风·伯兮》。
② 《毛诗正义》，第698—699页。
③ 《诗经·王风·君子于役》。
④ 《诗经·王风·扬之水》。

于嗟阔兮，不我活兮。于嗟洵兮，不我信兮。"① 此诗描写作者跟随孙子仲前往平定陈、宋两国，一心想回家，对妻子的誓言竟然成为空话。《诗经·唐风·鸨羽》也展现了繁重的劳役："王事靡盬，不能艺稷黍"，民众根本无法从事正常的农业生产，那么"父母何怙""父母何食""父母何尝"，正如《诗序》曰："《鸨羽》，刺时也。昭公之后，大乱五世，君子下从征役，不得养其父母，而作是诗也。"②

最后，《秦风》所展现出高亢的尚武精神。《秦风》在十五国风中展现出一种独特情调，这与秦地的风俗有关，正如《汉书》曰："天水陇西，山多林木，民以板为室屋，及安定、北地、上郡、西河，皆逼近戎狄，修习战备，高上气力，以射猎为先。"③ 其中《秦风》中的《车邻》《驷驖》《小戎》《无衣》均反映了秦人的风貌，尤其以《无衣》最慷慨悲壮，体现出秦人同仇敌忾、团结一心的兄弟之情，展现出其深厚的爱国情感："岂曰无衣？与子同袍。王于兴师，修我戈矛。与子同仇！岂曰无衣？与子同泽。王于兴师，修我矛戟。与子偕作！岂曰无衣？与子同裳。王于兴师，修我甲兵。与子偕行！"④

我们认为，《诗经》中所反映的春秋时期的兵学内容已经与西周早期、中期有所不同，虽然仍有部分诗歌延续西周早期的家国情怀，但是由于"天"权威的丧失，周天子地位的下降，社会逐渐处于动荡状态，战事渐趋频繁，更多的出兵往往师出无名。频繁的战争、长期的戍守导致士兵与家人长期分离，对每个家庭都会造成伤害，因此对战争的刺诗越来越多。当然，由于地域的差别以及秦国在春秋时期的战争更多是对周边蛮夷族群，所以《秦风》中往往还能展现出高亢的尚武精神以及爱国情怀。

---

① 《诗经·邶风·击鼓》。
② 《毛诗正义》，第774页。
③ 《汉书·地理志》。
④ 《诗经·秦风·无衣》。

第五节　《晏子春秋》的兵学思想

一、晏子其人其书

晏子，字仲，谥平，齐国"莱之夷维（今属山东高密）人"①，春秋时期著名的思想家、政治家和外交家，史籍多以晏平仲、晏子称之。齐灵公二十六年（前556），其父晏弱病逝，在世卿世禄制的选官制度下，晏婴继任上大夫，步入齐国的政坛。晏子曾先后辅佐齐灵公、齐庄公、齐景公三代齐国君主，主政齐国长达半个世纪，盛名显扬天下。我们今天了解晏子的事迹主要依据《史记·管晏列传》和《晏子春秋》这两部典籍。晏婴给后人留下的重要印象，一个是他的身高，大约一米四的样子；一个是他的出众辩才，不辱使命，雄辩四方。晏婴主政齐国期间，在外交上多次维护齐国尊严。晏子为人所熟知和称道的外交活动有两件大事：一是他在樽俎之间成功地打消了晋平公出兵齐国的想法，孔子赞扬其"不出于樽俎之间，而知千里之外"②；二是晏子出使楚国，在具体外交礼仪中成功维护了齐国的尊严。

晏子所处的时代是春秋中后期，此时中原霸权已经为晋国所掌控，此时的齐国所采取的已经远非齐桓公称霸时期的国家战略，因此在晏子思想中更多体现的是内政治理思想。从思想倾向上来说，其与儒家思想非常接近，如，晏子主张爱民、节俭、重礼、尊贤等思想。晏子这一思想倾向在《汉志》《隋志》中亦可见一斑，如，

---

① 《史记·管晏列传》。

② 《晏子春秋·内篇杂上第五·晋欲攻齐使人往观晏子以礼侍而折其谋第十六》，张纯一：《晏子春秋校注》，中华书局，2014年，第246页。以下《晏子春秋》引文均出自此书，仅注篇名。

《汉书·艺文志·诸子略》在"儒家者流"中首列"《晏子》八篇"，《隋书·经籍志》亦因之，将"《晏子春秋》七卷"列入儒家。但是，在长期的儒学发展与研究中，《晏子》始终未产生重要的影响。清代《四库全书》又将"《晏子春秋》八卷"列入"史部传记类"。

《晏子春秋》以记言为主，主要为晏子与齐景公的对话，亦有齐灵公、齐庄公等君主与叔向、孔子等贤者的对话。全书包括内、外2篇3卷215章，其中《内篇》相对比较整齐，《外篇》显得比较杂乱。

关于《晏子春秋》一书的学派①、思想等相关问题，学术界一直未有深入讨论。我们认为这可能与流传至今的《晏子春秋》一书长期被定为伪书，很长一段时间未能进入学者的研究视野有关。1972年，银雀山汉墓竹简出土，发现《晏子》书16章，其内容均见于今本《晏子春秋》18章中，而且其中较为完整的9章与传世本相差不大。② 同时，学者普遍认为，《上海博物馆藏战国楚竹书（六）》中第一篇《景公疟》亦当与《晏子春秋》相关。可见《晏子春秋》一书并非伪书，而是先秦时期的一部古籍，我们也基本认同其成书时代当在战国时期，正如裘锡圭根据银雀山汉简本所推断的基本结论："字体看，其时代略早于墓葬，当属西汉前期。我们知道，从一部书的开始出现到广泛传抄，通常总要经历一段不太短的时间。西汉前期既然已经在传抄《晏子》，可以想见这部书的出现大

---

① 唐代柳宗元就提出"吾疑其墨子之徒有齐人者为之"（《柳宗元集》卷四），如《晏子春秋·问下第十一》中"先民而后身"的提法与《墨子·兼爱下》"吾闻为明君于天下者，必先万民之身，后为其身"相似；"强不暴弱，贵不凌贱，富不傲贫"的提法与《墨子·天志中》的"强不劫弱，众不暴寡，诈不谋愚，贵不傲贱"相似，兹不一一列举。因此，日本学者谷中信一认为"《晏子春秋》包含了儒、墨两家的思想"，见谷中信一著，孙佩霞译：《先秦秦汉思想史研究》，上海古籍出版社，2015年，第292页。

② 关于简本和今本之间的关系，可参见李天虹：《简本〈晏子春秋〉与今本文本关系试探》，《中国史研究》2010年第3期。

概不会晚于战国，把它定为秦或汉初作品，仍嫌太晚。"① 姑且不论其成书年代，我们基本上仍认为《晏子春秋》是"搜集晏婴的佚著、言辞、事迹及传说故事编成"②，在一定程度上仍然能够反映晏子的基本思想。

《晏子春秋》作者的争议也很大。在《隋志》《直斋书录解题》等书中，均认为《晏子春秋》的作者为晏婴。柳宗元在《辩晏子春秋》率先质疑："吾疑其墨子之徒有齐人者为之……盖非齐人不能具其事，非墨子之徒则其言不若是。"③ 北宋时期的《崇文总目》亦承袭柳宗元的基本观点："此书盖后人采婴行事为之，以为婴撰，则非也。"④ 孙星衍在《晏子春秋序》认为："《晏子》文最古质。"⑤ 并明确指出该书系晏婴宾客所作，"婴死，其宾客哀之，集其行事成书。虽无年月，尚仍旧名……书成在战国之世，凡称子书，多非自著，无足怪者"⑥。而学术界影响较大的说法主要有齐人说或稷下学者说，⑦ 亦有学者指不一定与稷下学者有关。⑧ 当然，我们基本认为《晏子春秋》当为齐国某位学者或学者群体整理的一部反映晏子思想

① 裘锡圭：《出土古文献与其他出土文字资料在古籍校读方面的重要作用》，《古籍整理出版情况简报》1981 年第 6 期。
② 赵逵夫：《〈晏子春秋〉为齐人淳于髡编成考》，《光明日报》2005 年 1 月 28 日，第 6 版。
③ 柳宗元：《柳宗元集》，中华书局，1979 年，第 113 页。
④ 王尧臣等：《崇文总目》卷五《儒家类》，文渊阁《四库全书》本。
⑤ 孙星衍：《问字堂集》，中华书局，1996 年，第 77 页。
⑥ 孙星衍：《问字堂集》，中华书局，1996 年，第 77 页。
⑦ 持此说的学者主要有：吴则虞在《晏子春秋集释·序》（中华书局，1962 年）中提出"很可能是六国灭后流寓于秦国的齐国人"，并推测为淳于越之类的人。高亨在《〈晏子春秋〉的创作时代》（《文学遗产增刊》第 8 辑）一文中继续推测："或者与稷下大夫有关。"胡家聪在《稷下学宫史钩沉》（《文史哲》1981 年 4 期）指出其"有可能经稷下先生整理编成而流传下来"。吕斌在《淳于髡著〈晏子春秋〉考》（《齐鲁学刊》1985 年第 1 期）、赵逵夫在《〈晏子春秋〉为齐人淳于髡编成考》（《光明日报》2005 年 1 月 28 日，第 6 版）中均认为，该书是战国中期稷下学者淳于髡所作。
⑧ 袁青：《〈晏子春秋〉是稷下学者所作吗？——兼与赵逵夫等先生商榷》，《学术界》2015 年第 8 期。

的著作，但是对其作者具体化的处理，在没有确凿证据的情况下，显然风险很大，亦并非完全科学的态度。

《晏子春秋》以语录对话体的形式来反映晏子的思想，当与《论语》反映孔子基本思想的情况相类似。虽然即使到现在，学术界对《论语》的编纂者和时代仍存在着很大的争议，但并不影响其作为研究孔子思想最基本、最可靠的典籍。所以，我们认为对《晏子春秋》与晏子思想关系的认识亦当如此。

二、晏子以政为本的兵学思想

由于晏子思想未受关注，因此晏子的兵学思想长期以来学者研究甚少。1972 年，银雀山汉墓竹简出土《晏子》一书后，学术界逐渐关注晏子的兵学思想。银雀山汉墓竹简《晏子》一书中有两篇与兵学直接相关，即传世本《景公将伐宋瞢二丈夫立而怒晏子谏》《景公问伐鲁晏子对以不若修政以待其乱》两章。1973 年河北定县八角廊西汉中山怀王墓，1977 年安徽阜阳双古堆汉墓均出土了与之相关的新材料，可以看出《晏子春秋》在汉初影响还是比较大的。

我们认为《汉志》《隋志》将晏子思想归入儒学有一定的见地，其谨慎对待战争的态度、重视政治对战争的作用等方面与儒家的兵学思想有着一定的相通之处。无独有偶，银雀山汉墓竹简出土的《晏子春秋》两章均为晏子谏止齐景公出兵，而晏子劝阻的理由也是因时、因事而异，一方面体现晏子的慎战思想，另一方面也展现了晏子的政治智慧。当然，有关《晏子春秋》及晏子兵学思想的学术成果亦不多，① 我们结合《晏子春秋》文本，主要从以下几个方面介绍。

首先，"为众屏患"的思想。

晏子出使吴国，当吴王问其"长保威强勿失之道"时，晏子全面谈论了自己的看法，在用兵问题上他明确指出"其用兵为众屏患，

① 姜国柱：《晏婴的军事思想》，《管子学刊》1989 年第 4 期；贾海鹏：《为民慎战：〈晏子春秋〉军事思想探析》，《齐鲁师范学院学报》2016 年第 4 期。

故民不疾其劳",这是君主"长保威强勿失之道也。失此者危矣"。①
但是晏子此番陈述却得到吴王"忿然作色不说"的回应。晏子生活
在春秋晚期,他强烈反对春秋时期倚强凌弱,以大欺小,好起战端
的种种现象。当然,晏子并非一味反对战争本身,他认为战争的目
的应当是"为众屏患",即为天下民众摒除忧患与祸乱。晏子作为一
个成熟的政治家和外交家,"为众屏患"的思想不仅体现在他的兵学
思想中,关键在于晏子能在齐国的具体政务中,利用自己的口才和
政治影响力去阻止一些谋划中或者即将发生的战争。如,在传世本
和竹简本同时出现的齐景公将要伐宋与齐景公将要伐鲁,均被晏婴
谏止。

　　齐景公举兵攻伐宋国,当军队经过泰山时,齐景公梦见两个男
子非常愤怒地对着他,齐景公从梦中惊醒了。齐景公醒来后,找来
了占梦的人,他将梦中的情形告诉了占梦者,占梦者告诉齐景公是
因为齐景公军队经过泰山而没有举行祭祀,使泰山山神愤怒,所以
应该赶快召祝史祭祀泰山。第二天,晏子朝见,齐景公也将此事告
诉了晏婴,晏婴告诉他,这不是泰山山神,而是宋的先祖商汤和伊
尹。齐景公将信将疑,结果晏子竟然当场将商汤和伊尹的形象描述
出来,景公惊讶不已,竟然与梦中的形象完全相同,晏子趁机谏言:
"夫汤、太甲、武丁、祖乙,天下之盛君也,不宜无后。今惟宋耳,
而公伐之,故汤伊尹怒,请散师以平宋。"② 此时齐国大军已经出
发,齐景公并未听从晏子的建议,还是执意要攻打宋国,晏子无奈
说道:"伐无罪之国,以怒明神,不易行以续蓄,进师以近过,非婴
所知也。师若果进,军必有殃。"③ 齐景公继续行军了 60 华里,结

---

① 《晏子春秋·内篇问下第四·吴王问保威强不失之道晏子对以先民后身第十
　一》。
② 《晏子春秋·内篇谏上第一·景公将伐宋瞢二丈夫立而怒晏子谏第二十
　二》。银雀山竹简本:"惟宋耳,而公伐之,故汤、伊尹怒,请散师和平。"
③ 《晏子春秋·内篇谏上第一·景公将伐宋瞢二丈夫立而怒晏子谏第二十
　二》。银雀山竹简本:"公伐无罪之国,以怒神明,不易行□□□,进师以
　战,祸非婴之所智也。师若果进,军必有戋。"

果先后遭遇战鼓毁坏、大将死亡等不吉的征兆。这时，齐景公也开始担心战事终将对齐国不利，于是向晏子请罪，解散军队，不再攻打宋国。

还有一次，齐景公准备举兵讨伐鲁国，向晏子请教。晏子声称绝对不可，并对鲁国的政治治理有很高的评价："鲁公好义而民戴之。"并解释道："攻义者不祥，危安者必困。且婴闻之，伐人者德足以安其国，政足以和其民，国安民和，然后可以举兵而征暴。"同时，对齐景公提出了批评并建议："不若修政而待其君之乱也。其君离，上怨其下，然后伐之，则义厚而利多，义厚则敌寡，利多则民欢。"①

当然，亦有晏子未能谏止的情况，如齐庄公意欲攻伐晋国，询问晏子，晏子反对，并对齐庄公的"得合而欲多""养欲而意骄"②提出批评，但是齐庄公并未听从晏子建议，最终，齐庄公也得到了应有的惩戒，落得身死于崔杼的悲惨下场。

其次，"修道立义"以政为本的存亡观。

晏子在国家存亡问题上更多体现了其以政为本的思想，如在齐景公与晏子讨论"天下之所以存亡"③时，晏子从六个方面对其作出回答，未直接谈及兵学问题，在齐景公提出"可以逮先君桓公之后乎"的问题时，晏子却是从用人方面提出了质疑与批评："桓公从车三百乘，九合诸侯，一匡天下者，左有鲍叔，右有仲父。今君左为倡，右为优，谗人在前，谀人在后，又焉可逮桓公之后乎?"④在齐景公主动表达了自己想要整顿齐国政治，称霸诸侯的愿望时，晏子的回答却是"官未具"，就是齐景公的属官并未配备齐全，体现了军事应以政事为本的基本思路。晏子解释道："今君之朝臣万人，兵车千乘，不善政之所失于下，霣坠下民者众矣，未有能士敢以闻者。

---

① 《晏子春秋·内篇问上第三·景公问伐鲁晏子对以不若修政以待其乱第三》。
② 《晏子春秋·内篇问上第三·庄公问伐晋晏子对以不可若不济国之福第二》。
③ 《晏子春秋·内篇问上第三·景公问天下之所以存亡晏子对以六说第十五》。
④ 《晏子春秋·内篇问下第四·景公问欲逮桓公之后晏子对以任非其人第三》。

臣故曰：'官未具也。'"① 在晏子看来，齐桓公之所以能称霸，在于其政治清明、选贤举能、任用有方，尤其是有一批敢于进谏并有效规避其缺点的臣子："先君能以人之长续其短，以人之厚补其薄，是以辞令穷远而不逆，兵加于有罪而不顿。是故诸侯朝其德，而天子致其胙。"② 同时，晏子在与齐景公讨论如何"谋必得事必成"时，以三代之兴衰为鉴，明确提出了："昔三代之兴也，谋必度其义，事必因于民。及其衰也，建谋不及义，兴事伤民。故度义因民，谋事之术也。"③

由于晏子在齐国政治中更多是一个政治家和外交家的身份，因此晏子在对兵学问题的思考、存亡之道的考量，更多是站在政治的立场之上。当然，这也与《孙子兵法》在"五事七计"中均首谈政治问题的思路暗合，不过各有侧重而已。

再次，"折冲千里"的大战略。

晋平公（前 557 年—前 532 年在位）时，试图恢复晋国在中原地区的霸权。晋国先后在湛阪之战中打败强楚，又与宋国、卫国等国结盟，多次攻打齐国。齐景公时，晋平公试图攻打齐国。为了确保知彼知己，晋平公便派大夫范昭以使者的名义前往窥探齐国的政治情况。范昭抵达齐国后，齐景公为了表达对大国使者的尊重，专门设宴款待。宴会上，觥筹交错，酒过三巡，在齐国君臣上下兴致正浓之际，范昭便想借酒意试探一下齐国君臣对晋国使者过分举动的反应，故意提出用齐景公的酒杯斟酒喝。齐景公倒也没有在意，笑着说："那就用我的酒杯给客人斟酒吧！"当范昭喝完自己杯中的酒，正想换杯斟酒时，晏子立即派人撤掉景公酒杯，仍用范昭所用之杯斟酒进客。范昭诡计没有得逞，心里有点不高兴。过了一会儿，

① 《晏子春秋·内篇问上第三·景公问欲善齐国之政以干霸王晏子对以官未具第六》。
② 《晏子春秋·内篇问上第三·景公问欲善齐国之政以干霸王晏子对以官未具第六》。
③ 《晏子春秋·内篇问上第三·景公问谋必得事必成何术晏子对以度义因民第十二》。

范昭又假装喝醉了，扭动身子，晃来晃去，竟跳起舞来，回头对齐国太师说："能为我演奏一支成周乐曲吗？我将随乐而起舞。"太师淡然回答："盲臣未曾学过。"范昭在宴会片刻的工夫，连碰两个软钉子，非常无趣地离开了筵席。齐景公非常恐惧，害怕晏子和太师的举动会给晋国留下口实，不停地责备他们："晋国，那是个大国啊！晋平公派范昭来观察我国政局，我心里当然非常明白。如今你们却不断地触怒大国的使臣，这可怎么办呢？"晏子理直气壮地说道："范昭并非不懂礼仪的人，他这是在故意羞辱大王，所以我不能服从您的命令，用大王的酒杯给他斟酒。"这时太师也接着说："成周之乐乃是天子享用的乐曲，只有国君才能随之而起舞。如今范昭不过是一介大夫，却想享用天子之乐伴舞，所以我不能为他演奏。"齐景公也觉得他们说的在理，没再过多责备他们。当然范昭明知自己违反礼制在先，也不便多加追究。范昭回到晋国后，立刻向晋平公报告："大王，眼下齐国万万不可进攻。因为我想羞辱齐景公，结果被晏子一眼就看穿了，并强行阻止；想冒犯他们的礼乐，又被齐国太师识破了，也没有得逞。"晋平公听后，不得不暂时放弃了攻打齐国的计划。

孔子听到这件事后，非常高兴，赞叹："夫不出于尊俎之间，而知千里之外，其晏子之谓也。可谓折冲矣！而太师其与焉。"[1]

最后，"不劫人以兵甲，不威人以众强"的思想。

晏子在其兵学思想中，非常重视道义在战争胜负、国家存亡中的根本价值。当齐景公"外傲诸侯，内轻百姓，好勇力，崇乐以从嗜欲，诸侯不说，百姓不亲"[2]时，面对治理困境，他向晏子提出："古之圣王，其行若何？"晏子从君主修养、用人、使民、外交策略等方面给出了全面的建议，在有关兵学思想方面的论述有："不劫人

---

① 《晏子春秋·内篇杂上第五·晋欲攻齐使人往观晏子以礼侍而折其谋第十六》。

② 《晏子春秋·内篇问上第三·景公问圣王之行若何晏子对以衰世而讽第五》。

以兵甲，不威人以众强，故天下皆欲其强。"① "不以威强退人之君，不以众强兼人之地。"② 晏子亦爱兵如子。据《晏子春秋》记载，齐景公命令士兵抟土为砖，当时正值寒冬腊月，民多冻馁，没有完成预期任务。齐景公非常生气，要杀死士兵二人，试图杀一儆百。晏子以庄公伐晋国仅杀四人为说："今令而杀兵二人，是师杀之半也。"③ 最终成功谏止了景公试图滥杀无辜的行为，此亦反映了晏子以仁义为本的治军原则。同时，晏子在善后问题上亦有自己独特的看法，如齐景公在伐鼗（即莱国）胜利后问如何赏赐时，晏子提出了自己的看法，即他眼中的"古之善伐者"："以谋胜国者，益臣之禄；以民力胜国者，益民之利。故上有羡获，下有加利。君上享其民，臣下利其实。故用智者不偷业，用力者不伤苦，此古之善伐者也。"④

综上而言，我们从晏子的兵学思想中仍然能够看出春秋时期争霸战争的思维。重视道义、重视内政、重视外交等，"为众屏患""修道立义""折冲千里""不劫人以兵甲，不威人以众强"是其兵学思想非常重要的特征。

第六节　《老子》的兵学思想

道家是中国历史上与儒家齐名的思想学派，《老子》一书是道家学派的代表性著作，包含有非常丰富精彩的兵学思想。

---

① 《晏子春秋·内篇问上第三·景公问圣王之行若何晏子对以衰世而讽第五》。
② 《晏子春秋·内篇问下第四·吴王问保威强不失之道晏子对以先民后身第十一》。
③ 《晏子春秋·内篇谏下第二·景公以抟治之兵未成功将杀之晏子谏第四》。
④ 《晏子春秋·内篇问上第三·景公伐鼗胜之问所当赏晏子对以谋胜禄臣第四》。

一、《老子》作者和成书年代的争议

关于《老子》一书的作者和成书年代，长期以来一直是学术界聚讼纷纭的问题。《史记》记载："老子者，楚苦县厉乡曲仁里人也。姓李氏，名耳，字聃。周守藏室之史也。"① 这也是学术界比较通行的观点。因此，《老子》是春秋时期大思想家老聃学说的实录与发挥，其书的雏形当形成于春秋末年，而基本定型则是在战国初年。近现代学者马叙伦、唐兰、郭沫若、吕振羽、高亨、胡适、任继愈等大多持这一看法。但是亦有不少学者，如梁启超、冯友兰、范文澜、罗根泽、侯外庐、杨荣国等认为老子是战国时代人，所谓的老聃即是李耳或太史儋、老莱子，《老子》其书也是战国时代的书。更有一些学者（顾颉刚、刘节等）在疑古史观的指导下，推断《老子》当成书于秦汉之际。②

我们认为，第一种观点比较接近于历史的真实。因为据《汉志》有关"道家者流，盖出于史官"③ 以及"知秉要执本，清虚以自守，卑弱以自持"④ 的记载，并参考《庄子》《荀子》《韩非子》《吕氏春秋》等先秦典籍多所引述《老子》，都不曾对老子其人和他的学说的关系产生怀疑的情况，可知老子就是《史记》中所说的老聃。老子正是老聃，是春秋末期楚国苦县人，曾经做过周王室管理图书典籍的史官，其生活年代与孔子大略同时而稍早，孔子曾向老子问礼在先秦很多典籍中都有记载，汉代画像砖中亦有反映。老子之学

---

① 《史记·老子韩非列传》。

② 笔者按：在《古史辨》第四册和第六册中留下的文字有"三十五六万言"，其中各种不同的见解，罗根泽在《古史辨》第六册的《自序》中列出了29种（包括由宋至清的10种）有关成书年代和作者的不同看法，兹不一一列举。归纳起来，不外《老子》一书是早出还是晚出两种见解，在晚出的见解中又有《老子》一书成于战国的前期、中期、末期以至秦汉之际的不同。

③ 关于老子与史官、史学的关系，参见王博：《老子思想的史官特色》，文津出版社，1993年。

④ 《汉书·艺文志》。

的基本取向是"无为自化,清静自正"①,在当时享有较高的声望。后因不满于社会动荡变革的现实而悄然隐退,不知其所终。他是先秦时期主要思想学派之一——道家的创始人,《老子》一书是其理论学说的主要载体,其书虽然可能有后人所附益的成分,不少表述方式以及相关内容带着战国社会思潮的特色,但是基本上仍保存了老聃的遗说,所反映的主要是春秋晚期的哲学政治思想。《老子》的学说,乃是时代的产物。众所周知,春秋战国之际全面激烈的社会变革,极大地调整了各种社会阶级关系,使得相当一部分贵族丧失往日的显赫地位和种种特权,而沦为普通民众。他们对社会变革深怀不满,多所指责,但又无可奈何,孤芳自赏,流露出浓厚的彷徨失落的思想情绪。由于这些人具有丰厚的文化素养,因此比较善于站在哲学和历史的高度,对自然规律进行探讨,对社会现象进行反思,对人生意义进行认识,对生存方式进行领悟。《老子》这部著作正是这部分人心态的表露和意愿的宣泄。

《老子》在战国以及汉初非常流行,除了王弼本、河上公本、傅奕本等传世本外,还有影响较大的出土文献本。20 世纪 70 年代以来出土的、影响较大的有三种,分别是马王堆帛书本、郭店竹简本和北大简本。

首先,马王堆帛书本。1973 年,湖南长沙马王堆三号汉墓出土了帛书《老子》甲、乙本,释文于 1974 年 11 月公布,② 其中甲本为半幅帛,用篆书抄写,不避"邦"字讳,约前 206—前 195 年抄成。乙本是整幅帛,用隶书抄写,避"邦"字讳而写为"国",约前 179—前 169 年抄成。甲、乙本均不避"恒"字讳(孝文帝刘恒),说明帛书甲、乙本均抄于汉初,甲本当抄于刘邦称帝之前,乙本抄于刘邦称帝之后。马王堆帛书本是出土文献中最早发现《老子》

① 《史记·老子韩非列传》。
② 马王堆汉墓帛书整理小组:《马王堆汉墓出土〈老子〉释文》,《文物》1974 年第 11 期。

的，其对于研究《老子》有非常重要的价值和意义。①

　　其次，郭店竹简本。1993 年，湖北荆门郭店楚墓中出土的战国竹简本。其中发现了甲本、乙本和丙本三种不同的本子，各本的主题各有不同，可能是完整本《老子》的三种不同的摘抄本。② 如，乙本的主题是修道，丙本的主题是治国，甲本的第一部分的主题与丙本相似，主要讨论治国方法，第二部分的主题是关于道、天道与修身的。郭店竹简本是目前发现的抄写年代最早的《老子》，对于人们了解战国中期《老子》的形成与流传有着非常重要的价值。

　　最后，北大简本。2009 年，北京大学藏西汉竹书（北大简）《老子》。竹书《老子》现存竹简 221 枚，5300 余字，其残缺部分仅 60 余字，是迄今保存最为完整的简帛《老子》古本。③ 全卷共分 77 章，保存了完整的篇章结构，与传世 81 章本《老子》不同，为探讨古本《老子》分章问题提供了宝贵资料。在竹书《老子》两枚竹简的背面写有“老子上经”和“老子下经”篇题，这是《老子》书名在出土简帛中的首次发现，也印证了有关《老子》称“经”的文献记载。《老子》是“北大汉简”中目前发现的保存最为完整、篇幅较大的一部古书，也是已发现的《老子》出土文献本子中保存最为完整的一件。该简对了解汉代简书制作和校勘《老子》一书具有重要帮助，也使学界对《老子》一书产生、发展、定型的过程有更为清晰的认识。④

---

① 高亨、池曦朝：《试谈马王堆汉墓中的帛书〈老子〉》，《文物》1974 年第 11 期。

② 裘锡圭：《郭店〈老子〉简初探》，陈鼓应主编：《道家文化研究》（第 17 辑），生活·读书·新知三联书店，1999 年，第 25—63 页；王博：《关于郭店楚墓竹简〈老子〉的结构与性质——兼论其与通行本〈老子〉的关系》，陈鼓应主编：《道家文化研究》（第 17 辑），生活·读书·新知三联书店，1999 年，第 149—166 页。

③ 韩巍：《北大汉简〈老子〉简介》，《文物》2011 年第 6 期。

④ 可参见高华平：《先秦〈老子〉文本的演变——由〈韩非子〉等战国著作中的〈老子〉引文来考察》，《中州学刊》2019 年第 10 期。

二、《老子》的思想体系及兵学特征

《老子》，约5000言，共81章，因其书着重"言道德之意"①，而又被称为《道德经》，分上、下两篇，上篇道经37章，第38章以后为下篇德经，通行本道经在前，帛书本德经在前。《道德经》是先秦道家学派的奠基之作，内容丰富，思想深邃，说理透彻，文字隽永，堪称中国文化宝库中的一颗璀璨明珠，在中国思想文化发展史上具有重要的地位。

（一）老子的思想特征

《老子》全书虽仅5000言，却体大思精，胜义迭呈。概括地说，主要包括以下四个方面的内容。

第一，以"道"为主宰和天下万物所生本源的宇宙生成论。"道"是《老子》全书思想体系的核心，是其哲学的最高范畴。它先于万物存在而又凌驾于万物之上，既是产生孕育天地万物的总根源，又是制约和规定宇宙间一切事物运动发展的总规律，具有至高无上的地位。如，陈鼓应指出老子所言的道是"形而上的实存之道，和现实界的任何经验事物不同，它不是一个有具体形象的东西……它超越了人类一切感觉知觉的作用"②。它是永恒的，无限的，不可感知、不可言说的，"视觉、听觉、触觉都对它无效。它浑然一体，无可分析，无可辨别。无上无下，无前无后。自古即存，作用于今天"③。"道"的这一根本属性决定了人类社会活动不过是"道"的衍化和外延，这样就为《老子》的社会政治学说和策略思想的提出

---

① 《史记·老子韩非列传》。

② 陈鼓应：《老子注译及评介》（修订增补本），中华书局，2009年，第115页。

③ 刘笑敢：《老子古今》（修订版），中国社会科学出版社，2006年，第217页。

奠定了哲学上的基础。①

第二，事物相互依存、相互对立、相互转化、循环重复的朴素辩证法。《老子》认为事物都是矛盾的对立统一。这种对立统一，表现为事物的相互依存和相生相克，并决定着事物双方各自朝着其相反的方向发展转化，即"反者道之动"② 为事物运动变化的基本属性。然而《老子》的辩证法并不彻底，它将事物的转化看成是无条件的、绝对的，是同一层次上的循环往复，否定人的主观能动性在这一过程中的作用，片面强调柔弱、虚静、卑下的一面对于事物转化的决定性意义，从而压抑了其辩证法的旺盛生机。

第三，"无为而无不为"③、以退为进、柔弱胜刚强的策略论。在《老子》看来，"无为而无不为"是圣人治理天下的方式和效果，正如刘笑敢所言："道家之圣人能够无为而无不为的关键是创造万物自然发展的条件和环境，万物有了好的发展条件，能够健康发展，就自然达到了'无不为'的效果。总之，无为是圣人治理天下的方式，无不为是圣人辅万物之自然的效果。为百姓提供了安居乐业的条件，百姓能够安心生产，自然可以达到'功成事遂'的'无不为'的目的。"④ 所谓"弱者道之用"⑤，按《老子》的理解，处于柔弱卑下地位的一面，其实往往拥有最强大的生机与力量，与之相反，一切刚强的东西实际上蕴含着衰败死亡的趋势，即所谓"物壮

----

① 当然，关于"道"的讨论，学术界也有不同的看法，如徐复观指出："老学的动机与目的，并不在于宇宙论的建立，而依然是由人生的要求，逐步向上推求，推求到作为宇宙根源的处所，以作为人生安顿之地。因此，道家的宇宙论，可以说是他的人生哲学的副产物。他不仅是要在宇宙根源的地方来发现人的根源；并且是要在宇宙根源的地方来决定人生与自己根源相应的生活态度，以取得人生的安全立足点。"见徐复观：《中国人性论史·先秦篇》。

② 《老子·四十章》。

③ 《老子·三十七章》。

④ 刘笑敢：《老子古今》，第511—512页。

⑤ 《老子·四十章》。

则老"①"兵强则灭，木强则折"②。基于这样的认识，《老子》主张贵柔、守雌，"进道若退"③，以退为进，反对刚强和进取。并把这一原则引申为制定参与一切社会活动基本策略的出发点，以达到以弱胜强、以屈求伸的目的。

第四，"无为而治""小国寡民"的社会政治思想。《老子》对社会现实持否定批判的态度，认为造成社会动乱的原因在于人们的好事妄为，为此他构建出一个理想的社会："小国寡民。使有什伯之器而不用；使民重死而不远徙。虽有舟舆，无所乘之；虽有甲兵，无所陈之。使人复结绳而用之。甘其食，美其服，安其居，乐其俗，邻国相望，鸡犬之声相闻，民至老死，不相往来。"④ 为此，他主张摈弃社会文明成果，实行"无为"之政，"处无为之事，行不言之教"⑤，以"不争"的手段，达到"天下莫能与之争"⑥ 的目的。指出这样坚持不懈地贯彻下去，就能进入无为政治的美妙境界："其政闷闷，其民淳淳。"⑦

由此可见，《老子》的确是一部博大精深的哲学政治著作，是对历史和现实生活中"成败存亡祸福"现象的哲学概括和理论总结。

（二）老子思想的兵学特征

《老子》一书中朴素辩证法思想和贵柔守雌策略论思想在一定程度上揭示了事物运动的某些本质属性，可被引入兵学的领域，成为很好的以弱胜强、避实击虚、后发制人的指导原则。而其"无为"虚静的社会政治思想，也直接影响了《老子》对战争的基本立场和态度——反对和抨击各类战争，在客观上丰富和深化了中国古代有关战争观问题的理性认识。正因如此，所以在历史上《老子》曾被

---

① 《老子·五十五章》。
② 《老子·七十六章》。
③ 《老子·四十一章》。
④ 《老子·八十章》。
⑤ 《老子·二章》。
⑥ 《老子·二十二章》。
⑦ 《老子·五十八章》。

不少人视为兵书，当然，其是否为兵书，在历史上以及当代学术界也是见仁见智了，但是毋庸置疑，《老子》一书的确谈到兵学问题，而且的确对后世的兵学有一定的影响。如，唐代学者王真认为："五千之言……未尝有一章不属意于兵也。"① 宋代文豪苏辙也指出："……此几于用智也，与管仲、孙武何异。"② 而《隋书·经籍志》子部兵家类则著录有"《老子兵书》一卷"。近代开眼看世界的第一人魏源亦言："《老子》其言兵之书乎！"③ 他们的看法虽不一定完全恰当，但多少注意到了《老子》包含有较丰富的兵学思想这一事实，并初步揭示了它在古代兵学思想发展史上的地位。近现代学者也注意到《老子》与兵家思想的密切关系，如，顾颉刚指出："《老子》中所包涵的学说甚复杂，自杨朱的贵生，宋钘的非斗，老聃④的柔弱，关尹的清虚，慎到庄周的弃知去己，战国末年的重农愚民思想，以及兒良的兵家言，都有。"⑤ 李泽厚亦明确指出："《老子》的思想来源可能与兵家有关。《老子》是由兵家的现实经验加上对历史的观察、领悟概括而为政治—哲学理论的。其后更直接衍化为政治统治的权谋策略（韩非）。这是中国古代思想中一条重要线索。""这不是说《老子》一定是直接从孙子或兵家而来，只是说《老子》哲学的基本观念可能与先秦的兵家思潮有关。""《老子》一书是对当时纷纷扰扰的军事政治斗争，和在这些频繁斗争中大量氏族邦国灭亡倾覆的历史经验的思考和概括。"⑥ 因此，我们认为，《老子》一书中存在的大量的兵学思想还是值得我们重视和深入研究的。

---

① 王真：《道德真经论兵要义述·叙表》。
② 苏辙：《老子解》卷二。
③ 魏源：《孙子集注序》。
④ 笔者按：顾颉刚认为老聃并非《老子》一书的作者，故有此说。
⑤ 顾颉刚：《从〈吕氏春秋〉推测〈老子〉之成书年代》，见罗根泽编著：《古史辨》（第四册），上海古籍出版社，1982 年，第 516 页。
⑥ 李泽厚：《孙、老、韩合说》，《哲学研究》1984 年第 4 期。

三、《老子》对战争的立场和态度

与孔子一样，《老子》对战争持基本反对和否定的态度。明确认为战争是不吉利的事物，"兵者不祥之器，非君子之器"①，《老子》对战争采取避而远之的立场，"故有道者不处"②。换言之，就是主张"以道佐人主"，而反对"以兵强天下"③。

第一，《老子》坚持这种反战观点，不是偶然的。这首先是其立足于无为立场观察探讨兵学问题的必有之义。《老子》主张"无为"，就是不妄为，认为"无为之益，天下希及之"④，因为"无为故无败"⑤"无为而民自化"⑥，所以高明的治理者应该致力于"无为""损之又损，以至于无为"⑦，认为若此则可"无不为"，达到理想政治的最高境界。与"无为"相对立的，则是"有为"。在《老子》看来，它是妄为，是无事生非，背"道"离"德"，害莫大焉。而战争则是最严重的"有为"，是违反自然本性的极致，因此理所当然要坚决加以排斥和反对。

第二，《老子》反对战争，也是其考察了历史和现实中的战争，充分看到战争种种消极后果的自然产物。《老子》认为战争的后果非常消极。一是战争给农业生产带来了严重的破坏，"师之所处，荆棘生焉。大军之后，必有凶年"⑧，给社会物质文化造成可怕的损失。二是战争势必导致惨重的伤亡，"杀人之众"⑨，违背"天道"厚生好德的本性，并酿成尖锐激烈的社会冲突，实是有百害而无一利。

---

① 《老子·三十一章》。
② 《老子·三十一章》。
③ 《老子·三十章》。
④ 《老子·四十三章》。
⑤ 《老子·六十四章》。
⑥ 《老子·五十七章》。
⑦ 《老子·四十八章》。
⑧ 《老子·三十章》。
⑨ 《老子·三十一章》。

从这个意义上说，战争也应予以否定。

第三，《老子》反对战争，更是其朴素辩证法思想指导下战争观构建的客观反映。《老子》认为事物相互依存、相互转化，是矛盾的对立和统一。在矛盾中，柔弱、虚静的一方占据着主导地位，制约着刚强、躁动的被动一方，"坚强者死之徒，柔弱者生之徒"①。而战争的本质乃是刚强、强暴，表现的形式则是骚动、躁乱，因此它最终会走向反面。换言之，战争本身意味着衰败和死亡，即所谓"兵强则灭，木强则折"②。因此，从"柔弱胜刚强"的理论出发，对以"刚强"为本质属性的战争活动也一定会采取贬斥的态度。

然而，面对现实，《老子》也只好不情愿地承认，在"不得已"的情况下，可以暂时凭借战争的手段，来达到一定有限的政治目的。但是，即使在"不得已而用之"的情况下，《老子》也强调不应该对战争进行赞扬，更不能以兵逞强，炫耀武力，忘乎所以，而应"恬淡为上，胜而不美"③。具体地说，就是"善有果而已，不敢以取强。果而勿矜，果而勿伐，果而勿骄，果而不得已，果而勿强"④。这里所谓的"果"，是指达到某种目的或取得有限的胜利。它的实现并非主观的愿望，而是被迫的选择，所以即使打了胜仗，也要视之如凶丧之事："战胜以丧礼处之。"⑤ 如果治理者忘却了这一点，以战争取胜而得意，这实际是以杀人为乐事，最终必定会碰得头破血流："美之者，是乐杀人。夫乐杀人者，则不可以得志于天下矣。"⑥

第四，《老子》表明了自己反战立场的同时，也初步探讨了战争的起因问题。这在中国古代兵学思想发展史上具有首创的意义。《老子》认为有"五音""五色""五味""驰骋畋猎""难得之货"等

---

① 《老子·七十六章》。
② 《老子·七十六章》。
③ 《老子·三十一章》。
④ 《老子·三十章》。
⑤ 《老子·三十一章》。
⑥ 《老子·三十一章》。

享受，就会大大刺激人们的欲望和邪念，有欲望就会引起争夺，争夺发展到一定程度就会导致战争。在《老子》看来，当时社会上之所以会出现战争不休、兵连祸结的"不道"现象，就在于统治者受贪得无厌的欲望的驱使，而不能做到清静无为："罪莫大于可欲，祸莫大于不知足，咎莫大于欲得。"① 为此，《老子》向治理者们发出警告说，"故知足之足，常足"②。这种对战争起因加以探讨的情况表明，《老子》不但旗帜鲜明地反对战争，而且已开始注意寻找消弭战争的根本途径了。

总之，《老子》是以战争的有无或多少，来区分天下是否"有道"和社会机制是否健康："天下有道，却走马以粪；天下无道，戎马生于郊。"③ 为了消弭战争，除了从根本上做到贵柔、守雌，"清静无为为天下正"外，《老子》还幻想用"以静为下"的道理来劝说当时的诸侯国，让大国、小国都能够"以下"对方，从而"各得其所欲"④；彼此相安无事，和平共存，在放弃武力、制止战争的前提下，协调处理好当时错综复杂的"国际"关系。《老子》认为，这样一来，社会就真正迈入了没有战争的太平盛世："虽有甲兵，无所陈之。"⑤ 其孜孜追求的社会与自然之间均衡协调、和谐发展的理想就能获得圆满的实现。当然，《老子》的理论是自洽的，但是在现实中，却与先秦诸子大多数思想家一样，难以真正在现实中获得治理者的青睐，并予以贯彻实施。

四、《老子》的战争指导思想

《老子》否定和反对战争，但这并不意味着它忽视对兵学问题的思考和探讨。为了达到有限的政治目的，并进而减少战争的损失，

---

① 《老子·四十六章》。
② 《老子·四十六章》。
③ 《老子·四十六章》。
④ 《老子·六十一章》。
⑤ 《老子·八十章》。

最终消弭战争,《老子》提出了不少重要的原则,作为在"不得已"情况下实施战争的指导。而其丰富的朴素辩证法思想,更与军事斗争有着密不可分的联系,成为指导战争的有益思想启示。

首先,"善胜敌者,不与"的战略指导。《老子》从"不以兵强于天下"的基本立场出发,明确提出在战略上所应追求的最高理想境界为"善胜敌者,不与"。《老子》曰:"善为士者,不武;善战者,不怒;善胜敌者,不与;善用人者,为之下。"① 所谓"不与",就是"不争而善胜",即避免和敌人产生正面的冲突,以"无为""不争"的方式来实现战略上的全胜。《老子》的这一思想和孙子"善用兵者,屈人之兵而非战也,拔人之城而非攻也,毁人之国而非久也,必以全争于天下""不战而屈人之兵,善之善者也"② 的全胜战略颇有相通之处。只不过孙子所说的"全胜"立足于"兵不顿而利可全"③ 的原则,且有"伐谋""伐交"等积极有效的手段作为保障;而《老子》所言的"不与",则是其"无为"思想在战争问题上的演绎、贯彻,同时亦未曾提出保证其目的得以实现的具体方法,仅仅是侈谈"以无事取天下"④,这样就不免陷于主观臆想的泥淖了。

其次,《老子》揭示了用兵打仗的基本特点以及克敌制胜的重要条件。《老子》在中国历史上、中国兵学史上第一次区别了治国与用兵的不同方法要领:"以正治国,以奇用兵。"⑤ 这充分体现了它对从事军事活动和政治活动不同特点的认识,准确概括了军事斗争崇尚奇变、诡诈的本质属性。这是对西周以来旧军礼传统的一个否定。尽管《老子》对"奇""正"范畴的基本内容以及如何"以奇用兵"还没有作出具体深入的阐述,但提出"奇""正"范畴这件事本身,

---

① 《老子·六十八章》。
② 《孙子·谋攻篇》。
③ 《孙子·谋攻篇》。
④ 《老子·五十七章》。
⑤ 《老子·五十七章》。

已足以表明《老子》开始触及军事斗争的内在规律，这对于中国古代兵学思想的充实和发展是具有深远影响的。至于对克敌制胜条件的认识，《老子》的识见也不乏精辟独到之处。《老子》强调在战争中要注意避免犯"轻敌"的错误，认为轻敌自大是用兵的最大灾祸，会使自己走向彻底失败的深渊："祸莫大于轻敌，轻敌几丧吾宝。"①这一观点与孙子"惟无虑而易敌者，必擒于人"②的思想实相吻合。在说明"轻敌"危害性的同时，《老子》还进而阐述了不"轻敌"的益处："故抗兵相加，哀者胜矣。"③敌我兵力相当，哀兵一方之所以取胜，就是因为它能意识到自己处于不利的地位，从而引起警戒，激起斗志，全力以赴，克敌制胜。《老子》十分重视政治条件优劣对夺取战争胜利的意义。《老子》指出："夫慈，以战则胜，以守则固。"④所谓"慈"，就是仁慈、宽容。《老子》认为，统治者如能做到谦恭自律，以宽容、仁慈的态度对待臣民、士卒，就会赢得他们的信任，获得他们的支持，这就叫做"善用人"，善"用人之力"。无论进攻抑或防守，都将应付自如，无往而不利。应该说，《老子》这一思想是同春秋时期民本主义思潮勃兴的历史趋向相一致的，具有一定的进步性。

最后，《老子》主张"后发制人"。

这也是最重要的一点，就是《老子》的战争指导思想，表现为对"不敢为天下先"后发制人原则的阐发。"后发制人"是兵学史上的一个重要命题，其实质就是积极防御，即以防御为手段，创造有利条件，以实现反攻歼敌为目的的攻势防御。"后发制人"与"先发制人"是辩证的对立统一，"先发制人"重在先机之利，而"后发制人"重在待机破敌。古代兵家都重视"后发制人"在战争

① 《老子·六十九章》。
② 《孙子·行军篇》。
③ 《老子·六十九章》。
④ 《老子·六十七章》。

中的作用，早在《军志》中就有"后人有待其衰"① 的论述。《老子》是中国历史上最早从哲学高度阐述"后发制人"作用和地位的著作。《老子》思想的基本特色之一，是主张以退为进，以柔克刚。这反映在战争指导上，就是欲取先与，后发制人，即所谓"将欲歙之，必固张之；将欲弱之，必固强之；将欲废之，必固兴之；将欲夺之，必固与之"②。其含义就是要战胜敌方，首先要实施退却防御，使对手骄横自满，忘乎所以，然后再寻找战机予以打击，一举破敌。在《老子》看来，如果主动进攻，便会陷于失败："舍后且先，死矣。"③ 真正高明的战争艺术，在于"进道若退"，在于"不敢为天下先"。不过，受其哲学贵柔守雌思想的制约，《老子》对后发制人原则的阐述存在着拘泥偏颇的局限，这体现为它一味主张"吾不敢为主而为客，不敢进寸而退尺。是谓行无行，攘无臂，扔无敌，执无兵"④，把防御提高到适当的位置，而不敢实行有利条件下的主动进攻。这样就等于将后发制人的原则凝固消极化了，以致窒息了它本身的生命力。

五、《老子》兵学思想的特色与地位

明清之际著名思想家王夫之曾指出，《老子》一书，"言兵者师之"⑤。近代学者章太炎也认为《老子》撮录了古代兵书的要旨："老聃为柱下史，多识故事，约《金版》《六韬》之旨，著五千言，以为后世阴谋者法。"⑥ 这些评论，都比较准确地揭示了《老子》在中国兵学史上的地位。我们认为，《老子》的兵学思想具有鲜明的时代特色和重要的学术地位。这主要表现在以下四个方面。第一，《老子》明确提出了诸如"以奇用兵"等重要命题，丰富了中国古代兵

---

① 《左传·昭公二十一年》。
② 《老子·三十六章》。
③ 《老子·六十七章》。
④ 《老子·六十九章》。
⑤ 王夫之：《宋论》，中华书局，1964年，第127页。
⑥ 章太炎：《訄书·儒道》。

学思想的内涵；第二，《老子》的反战思想，具有批判社会现实，揭露战争弊端的合理一面，客观上亦表达了饱受兵燹灾难的广大民众渴望社会安宁、稳定生活的良好愿望，反映了《老子》的作者追求和平的积极努力；第三，《老子》"善胜敌者，不与"的战争效果和反对"轻敌"、主张"慈爱"的战争条件论，反映了其对用兵理想境界的向往和追求，标志着人们对兵学问题理性认识的进一步深化；第四，《老子》以退为进、以静制动、以柔克刚的"后发制人"战争指导原则的提出，从一个很重要的方面满足了兵学学术思想发展的需要，对后世兵学理论的构建和军事实践活动的开展，具有深远的启示指导意义，为弱小的一方如何扬长避短、转弱为强、因敌制胜提供了有力的思想武器。

当然，毋庸讳言，《老子》的兵学思想也存在着明显的局限性。《老子》对当时的争霸兼并战争持完全否定的立场、态度，不区分战争的性质而一味加以反对，不能看到这乃是历史发展的客观要求和统一的内在需求，具有特定的时代合理性，这显然是片面、偏激的。同时，《老子》朴素辩证法的不彻底性质，也决定了其往往会夸大柔弱、退守原则在军事上的地位和作用，从而在很大程度上限制了其不少兵学理论命题的生命活力，给后人留下了诸多的遗憾。所有这些，都是我们今天在总结和评价《老子》兵学思想时所需要注意的。

第七节　范蠡的兵学观

春秋时期频繁丰富的战争实践活动，直接推动了兵学思想的发展，当时的政治家、外交家、军事家、思想家都高度重视对兵学问题的探讨和总结，从而大大深化了人们对兵学问题的理性认识。在这个历史过程中，范蠡作为当时南方兵学的代表人物之一，曾起过相当重要的作用，在春秋兵学思想发展史上占有显著的地位。在今天，我们对其兵学思想的基本面貌与时代特色进行扼要的归纳和分析，这对于梳理先秦兵学思想的演变脉络，无疑是一个不可或缺的环节，也是一项富有意义的工作。

一、范蠡事略

范蠡，字少伯，其生卒年不详，春秋末年楚国宛（今河南南阳）人，著名政治家和军事家。当时列国纷立，争霸兼并无已，晋、楚、齐、秦等大国为了牵制和打击各自的主要对手，纷纷"伐谋""伐交"，争取和联合多国，以为己援，力图使争霸敌手陷于两线作战甚至多线作战的被动局面。晋国曾积极扶植和支持吴国对付楚国，使其从侧后骚扰进攻楚国，使得楚国疲于奔命，备受打击，有效遏制了楚国北上争霸的势头。当然，楚国也不会坐以待毙，所谓以其人之道还治其人之身，楚国为了摆脱这种被动的战略态势，也利用越与吴争夺江湖河泽之利，各自拓展疆域而导致的矛盾，积极鼓动越国侧后威胁和打击吴国，以减轻吴国对楚用兵的压力。而越国为了抗衡吴国，正需要有楚国这样的大国支持。于是双方一拍即合，出于各自的利益而联合起来，构成相对稳定的战略同盟。正是在这种错综复杂的形势之下，身为楚人的范蠡和文种跋山涉水来到越国，为越国攻打吴国出谋划策。由于范蠡政见卓荦，智谋超群，很快就获得了越王勾践的充分信任，官拜上将军，与文种一文一武，辅佐勾践经国治军，正所谓："种躬正内，蠡出治外。内不烦浊，外无不得。臣主同心，遂霸越邦。"[1] 经过多年坚持不懈的努力，终于使越国转弱为强，在政治、军事上彻底战胜并攻灭吴国，帮助勾践登上了"霸主"的地位。事成之后，范蠡审时度势，功成身退，挂冠归隐，泛舟五湖，"十九年之中三致千金"[2]，成为一代巨商，世称"陶朱公"。

---

[1] 《越绝书·外传纪策考》。
[2] 《史记·货殖列传》。

二、范蠡的主要兵学思想

范蠡在兵学上有很高的造诣与重大的建树，对此，他本人也不无自负，曾云："兵甲之事，种不如蠡。"① 班固《汉书·艺文志·兵书略》著录有《范蠡》二篇，属"兵权谋家"，颜师古注云："越王勾践臣也。"这说明，范蠡曾有兵书流传于世。但令人遗憾的是，其书早在唐代以前即已失传，《隋书·经籍志》就已不曾著录，我们今天只能从《国语》《史记·货殖列传》《吴越春秋》《越绝书》等史籍中，钩沉某些有关内容，并据此初步考察范蠡兵学思想的大致情况以及基本特色。

《司马法》云："人方有性，性州异。"② 范蠡的兵学思想同样也具有鲜明的地域特征和文化特色。他出身于南方文化的中心区域——楚国，深受《老子》哲学思想以及阴阳五行观念的熏陶和影响，这就决定了其兵学思想包含有丰富的朴素辩证法内涵。而他所从事建功立业的场所——越国，在吴越两国的实力对比中明显处于被动、弱势的一方，要战胜强大的吴国，必须韬光养晦，积蓄实力，逐渐完成战略优劣态势的转换。这就决定了其兵学思想又立足于后发制人的立场，即以积极防御为主要手段，最终实现反攻胜敌的战略目的。具体而言，我们认为范蠡的兵学思想集中体现在以下几个方面。

第一，加强战备，为克敌制胜创造必要条件。

"慎战"与"备战"并重的战争观，是中国古代兵学思想中的积极因素，历史上绝大多数兵学家都十分强调做好战备，以待不虞的重要性。在这一问题上，范蠡的认识亦没有例外。他认为从事战争必须具备一定的条件，这些条件既包括政治、经济因素，同时也包含军队实力状况："兵之要在于人，人之要在于谷，故民众，则主安；谷多，则兵强。王而备此二者，然后可以图之也。"③ 范蠡进一

---

① 《史记·越王勾践世家》。
② 《司马法·严位》。
③ 《越绝书·枕中》。

步指出："古之圣君莫不习战用兵，然行陈队伍军鼓之事，吉凶决在其工。"① 其基本原则就是，高度重视，充分准备，措施得力，以应万变。用范蠡他自己的话来说，即"审备则可战。审备慎守，以待不虞，备设守固，必可应难"②。

第二，"随时以行"的攻守原则。

中国传统文化的显著特点之一，是它的整体性与融合性。历史上思想家在进行理性思辨活动时，其逻辑起点通常植根于"天人合一"的宇宙模式，追求人与自然、人与社会的和谐与圆融，注重以普遍联系、相互依存的观点、立场和方法来全面认识和宏观把握问题。反映在军事斗争领域，即是以"天道"推论"人道"，以"政事"推论"兵事"。

这一点在范蠡的兵学思想中也有鲜明的体现。在他的哲学观念中，"天道"与"人道"是和谐一致的。他认为，"天道"的属性是"盈而不溢，盛而不骄，劳而不矜其功"③。因此，人们在从事社会活动时，也应当因循自然，顺应天时，"自若以处，以度天下"④。这一思想引进到军事斗争领域，就是所谓的"随时以行"⑤。这里所说的"时"，是指时机，也可引申为战机。"随时"，就是依据时机是否有利、战机是否成熟来决定作战行动展开与否，既不超前，也不滞后，这也叫作"守时"，正所谓："随时以行，是谓守时。"⑥

范蠡的"随时""守时"原理落实到具体的攻守行动中，实质上包含有两层基本意思。其一，"时不至，不可强生；事不究，不可强成"⑦。意谓当有利的时机还没有出现时，条件还不具备的时候，切不可主动发起进攻，而应积极防御，等待时机，以求克敌制胜。

---

① 《吴越春秋·勾践阴谋外传》。
② 《吴越春秋·勾践伐吴外传》。
③ 《国语·越语下》。
④ 《国语·越语下》。
⑤ 《国语·越语下》。
⑥ 《国语·越语下》。
⑦ 《国语·越语下》。

范蠡曰："待其来者而正之，因时之所宜而定之。"又曰："按师整兵，待其坏败，随而袭之。"① 他严肃指出在时机不成熟情况下盲目对敌进攻，那就会"逆于天而不和于人"②，这就叫作"强孛"。他明确指出"强孛者不祥"，必然招致惨重的失败，"王若行之，将妨于国家，靡王躬身"③。其二，"得时无怠，时不再来"④。这是要求战争指导者根据战场的实际情况，善于捕捉战机，一旦遇到有利的时机，就要适时地转防御为进攻，而绝不能犹豫不决，拖泥带水，贻误战机，纵敌遗患。范蠡明确指出："从时者，犹救火，追亡人也。蹶而趋之，唯恐弗及。"⑤ 即应该以最快的速度去进攻敌人，实现自己后发制人的作战目的。他指出，如果错过了有利的时机，就会给自己带来诸多不利，留下祸患，即"得时不成，反受其殃"⑥。

范蠡"随时而行"的攻守指导原则，在吴越战争中得到了充分的体现和高明的运用。当越国尚处于被动、劣势地位之时，范蠡多次谏阻越王勾践主动攻吴的计划，反复用"事无间，时无反，则抚民保教以须之"⑦ 的道理说服勾践采取持久防御的策略，劝说越王勾践在削弱敌人力量的同时提高自己的实力，为实现敌我优劣态势的转换、发起最后的反攻创造条件。而当吴国实力衰微，有可乘之机出现之时，则当机立断辅佐勾践及时发动灭吴之战，打得对手措手不及，全线崩溃。并坚决实施连续进攻，扩大战果，顺利攻占吴都姑苏（今江苏苏州），攻灭吴国，赢得吴越战争最后的胜利。

第三，"变易主客"的实力运用方针。

所谓"主客"，是中国古代兵学的一对重要范畴。"主"，通常是指战争中在自己的土地上实施防御的一方；"客"，则通常是指战

---

① 《吴越春秋·勾践归国外传》。
② 《国语·越语下》。
③ 《国语·越语下》。
④ 《国语·越语下》。
⑤ 《国语·越语下》。
⑥ 《国语·越语下》。
⑦ 《国语·越语下》。

争中进入他国境内实施进攻的一方。根据战场形势选择适宜的主客位置，或反客为主，或变主为客，是从事作战指导中的重要问题，也是战争指挥者夺取战争主动权，克敌制胜的基本保证。如后世兵书《李卫公问对》之所以受到广泛的推崇，被视为古典兵学宝库中的瑰宝，原因之一，是其作者在"变易主客"方面有精辟深刻的阐述。正如《四库全书总目》所称的那样："其书分别奇正，指画攻守，变易主客，于兵家微意时有所得。"①

理解了"主客"关系的丰富内涵和其对作战指导的重要性，那么我们对范蠡有关"变易主客"的实力运用方针的价值也就容易认识和把握了。应该说，这一方针在范蠡的兵学思想体系中占有重要的地位，具有积极意义。概括地说，与《孙子兵法》中提倡进攻速胜的战略指导稍有不同的是，范蠡在战略指导上更侧重于持久防御，强调为主而不轻率为客。这当然可能是同越国在吴越争霸战争中相当长时期内处于战略劣势地位的特殊形势有关。

范蠡非常注重为主之道，反复阐述"天时不作，弗为人客；人事不起，弗为之始"②的必要性。为此，他积极主张持久防御，避敌锋芒，防止出现过早决战而导致的被动不利局面，指出"彼来从我，固守勿与"③，做到以静制动，以逸待劳，以屈求伸，以主应客。

但是范蠡的高明卓越之处，在于他的持久防御并非是消极无为的举措，而是积极能动的作为。换句话说，它仅仅是手段而绝非目的。其最终目标还是"变易主客"，即适时由战略防御中"主"的地位转为战略进攻中"客"的地位，先主而后客，殄灭以为期。而实现"变易主客"的关键，就在于通过各种积极的手段，转化双方的优劣态势，不断消解、剥夺敌人有利的条件，暗中增强己方的实力，从而逐渐摆脱被动，立于主动的地位。这用范蠡自己的话来讲，

---

① 永瑢等：《四库全书总目》，中华书局，1965 年，第 837 页。
② 《国语·越语下》。
③ 《国语·越语下》。

就是"尽其阳节，盈吾阴节而夺之"①。这种以暂时的退守换取最后的攻取的战略指导，乃是高超英明的实力运用方针，是范蠡兵学思想中的优秀内核，它对于中国古代积极防御思想的形成和发展，具有极其深远的影响。

第四，"因情用兵"的制胜之道。

《孙子兵法》提出的"因敌而制胜""致人而不致于人"② 是作战指导思想的精髓，也是古往今来战争指导者所孜孜以求的用兵理想境界。作为春秋时期屈指可数的军事家、兵学家，范蠡在这方面与兵圣孙子实有相通之处，同样以"因情用兵"作为指导战争活动的最高原则。

在范蠡那里，"因情用兵"乃是"天道"运行规律在军事斗争领域的衍化，是"天道"作用于"兵事"的必有之义。范蠡认为，"天道"运行是"赢缩转化"的，即所谓"阳至而阴，阴至而阳；日困而还，月盈而匡"③。世间万事万物同样也处于不断变化、循环往复的运动过程之中。这就要求人们善于相因，"因阴阳之恒，顺天地之常"④。这一基本原则同样也可应用于军事斗争领域。他因此明确指出："因而成之，是故战胜而不报，取地而不返，兵胜于外，福生于内，用力甚少而名声章明。"⑤ 这里所说的"因"，就是因情用兵，因敌制胜，也即根据战争客观实际情况的变化来决定作战行动。正是在这一原则指导之下，后发制人和先发制人的内在关系乃是辩证的、相辅相成的。后发制人固然占据主导地位，但这并不排斥一定条件下的先发制人。善于用兵打仗的战争指挥者，在作战指导上，后发制人和先发制人方针的不同应用，都必须随时随地，灵活机宜加以处置。在实行后发制人的原则时，一定要取法于阴象，即沉着应付，不动声色，持重待机；而在先发制人时，则要取法于阳象，

---

① 《国语·越语下》。
② 《孙子兵法·虚实篇》。
③ 《国语·越语下》。
④ 《国语·越语下》。
⑤ 《国语·越语下》。

即雷厉风行，迅猛进攻，所向披靡！对此，范蠡本人曾作过深刻系统的论述："古之善用兵者，因天地之常，与之俱行。后则用阴，先则用阳；近则用柔，远则用刚。"①

从范蠡"因情用兵"的理性认识中，我们可以清楚地看到，范蠡的思想既脱胎于《老子》，但又发展并丰富了《老子》。《老子》一书在讲进退、刚柔、强弱、先后时，总是无条件地强调退、柔、弱、后的一面，提倡所谓的"不敢进寸而退尺"②"不敢为天下先"③"守其雌"④，重视"柔弱"⑤，而一味否定进、刚、强、先这一面。范蠡则不同，他避免了机械化、简单化对待倾向，主张量敌用兵，灵活机动，或进或退，或刚或柔，或先或后，强调"因"的层面。他的这一认识，比较《老子》而言，无疑是要辩证全面深刻得多了。

综上所述，范蠡的兵学思想具有丰富的内涵，鲜明的特色，其所揭示的许多有关战争指导的基本原则，已上升为抽象的哲学理论，包含着超越时空的普遍意义。对这份珍贵的兵学思想文化遗产进行总结，乃是面对现实、走向未来的需要。

---

① 《国语·越语下》。
② 《老子·六十九章》。
③ 《老子·六十七章》。
④ 《老子·二十八章》。
⑤ 《老子·三十六章》。

第八节　曹沫与《曹沫之陈》的兵学思想

一、曹沫其人

曹沫，即曹刿①，是春秋时期的鲁国人。有关曹刿的事迹，《左传》中有两处集中的记载。一处是有关长勺之战的前后以及过程。在长勺之战战前，曹刿向鲁庄公提出应当取信于民，然后才可以战的建议，并提出"肉食者鄙，未能远谋"②的著名说法。曹刿与鲁庄公指挥长勺之战的过程，《左传》更多记载其对战场形势的判断，并以对话的方式展现："公与之乘。战于长勺。公将鼓之。刿曰：'未可。'齐人三鼓，刿曰：'可矣。'齐师败绩。公将驰之。刿曰：'未可。'下，视其辙，登轼而望之，曰：'可矣。'遂逐齐师。既克，公问其故。对曰：'夫战，勇气也。一鼓作气，再而衰，三而竭。彼竭我盈，故克之。夫大国，难测也，惧有伏焉。吾视其辙乱，望其旗靡，故逐之。'"③此处曹刿所表现的是一个在场上能够准确把握战机，谨慎指挥的形象，尤其是他对"气"的描述，更是脍炙人口，并与《孙子兵法》中的治气说有异曲同工之妙："朝气锐，

---

① 关于曹沫与曹刿是否为一人，学术界有一定的争议，如苏辙、叶适、王应麟、泷川资言、杨伯峻等人均认为曹沫、曹刿并非一人，而李零、谢祥皓等认为曹沫、曹刿是一人，我们认为后一种观点更为可靠。参见苏辙：《春秋集解》，中华书局，1985 年，第 27 页；叶适：《习学记言序目》，中华书局，1977 年，第 131 页；王应麟：《困学纪闻》，商务印书馆，1959 年，第 641—642 页；[日] 泷川资言、水泽利忠：《史记会注考证》，上海古籍出版社，1986 年，第 219 页；杨伯峻：《春秋左传注》，中华书局，1990 年，第 194 页；李零：《为什么说曹刿和曹沫是同一人》，《读书》2004 年第 9 期；谢祥皓：《曹刿、曹沫辨》，《齐鲁学刊》1995 年第 3 期。
② 《左传·庄公十年》。
③ 《左传·庄公十年》。

昼气惰，暮气归。善用兵者，避其锐气，击其惰归，此治气者也。"① 另一处是在鲁庄公二十三年（前671）夏，鲁庄公准备前往齐国去观看祭祀社神之礼，但是这并不合乎礼制，于是曹刿谏曰："不可。夫礼，所以整民也。故会以训上下之则，制财用之节；朝以正班爵之义，帅长幼之序；征伐以讨其不然。诸侯有王，王有巡守，以大习之。非是，君不举矣。君举必书，书而不法，后嗣何观？"② 当然，鲁庄公仍然坚持前往，曹刿的劝谏并未产生实际效果，但是从曹刿的谏言中我们能看到曹刿对礼制的熟悉与遵从，也符合春秋时期的社会状况。

　　司马迁在《史记·刺客列传》中首载曹沫，而曹沫此处的形象是一个刺客，重点记述的是柯之盟中曹沫的勇猛形象。曹沫也是鲁庄公时期的人，"以勇力事鲁庄公"③，作为鲁将的曹沫似乎并不成功，与齐国交战，多次败北，鲁庄公只能割地求和，但即使如此，仍然十分信任曹沫，"犹复以为将"④。在鲁庄公与齐桓公举行的柯之盟中，"曹沫执匕首劫齐桓公，桓公左右莫敢动，而问曰：'子将何欲？'曹沫曰：'齐强鲁弱，而大国侵鲁亦甚矣。今鲁城坏即压齐境，君其图之。'桓公乃许尽归鲁之侵地。既已言，曹沫投其匕首，下坛，北面就群臣之位，颜色不变，辞令如故"⑤。当然，在春秋时期的以君子之风为主导的社会风气中，最终齐桓公还是遵守承诺，

① 《孙子兵法·军争篇》。
② 《左传·庄公二十三年》。此事在《国语·鲁语上》中亦有记载，而内容更为详细："庄公如齐观社。曹刿谏曰：'不可。夫礼，所以正民也。是故先王制诸侯，使五年四王、一相朝。终则讲于会，以正班爵之义，帅长幼之序，训上下之则，制财用之节，其间无由荒怠。夫齐弃太公之法而观民于社，君为是举而往观之，非故业也，何以训民？土发而社，助时也。收攟而蒸，纳要也。今齐社而往观旅，非先王之训也。天子祀上帝，诸侯会之受命焉。诸侯祀先王、先公，卿大夫佐之受事焉。臣不闻诸侯相会祀也，祀又不法。君举必书，书而不法，后嗣何观？'公不听，遂如齐。"
③ 《史记·刺客列传》。
④ 《史记·刺客列传》。
⑤ 《史记·刺客列传》。

将原先占领鲁国的国土尽数归还鲁国，即"曹沫三战所亡地尽复予鲁"①。

当然，有关曹沫的事迹，其他如《穀梁传》《公羊传》《国语》《战国策》《孙子兵法》《管子》《吕氏春秋》以及《史记》其他篇章中亦有简单记载，但是其事件亦仅限于此，未有更多信息。② 并且很多学者认为《左传》中的曹刿、《史记》中曹沫并非一人。因为两个形象有冲突，一个是沉着冷静的军事指挥者，一个是勇敢的刺客，但是我们认为其为一人，不仅不冲突，而且暗含着其人物性格中的冷静勇敢，并且还展现了其多样、丰富的人格形象，而非一个扁平、脸谱化的人物形象。曹沫认为战前一定要取信于民，得到民众的支持，在战争指挥时，其智慧、谨慎，对气机的把握非常精准，在治理国家时依礼行事，以礼正民。同时，在外交领域中，能够抓住机会，出其不意，勇敢谋取利益。当然，曹沫在所指挥的齐鲁两国战争中接连失败，并丧失土地的事件，可能更多与春秋时期齐鲁两国军事实力密切相关，而非简单地认定为曹沫军事指挥能力的问题。

长期以来，我们对曹沫的了解也就仅限于此，其也没有任何著作传世。所幸的是在上博简中发现了以曹沫命名的文献，即《曹沫之陈》。《曹沫之陈》从未见于任何著录，是现存发现年代最早的唯一的一部战国写本的兵书。1994 年，上海博物馆分两批（其中第一批为 1200 余枚，第二批为 497 枚）从香港文物市场收购大量战国楚简，竹简内容以儒家类为主，兼及道家、兵家等多方面内容，很多古籍未有传世本，尤为珍贵。其中，2004 年，上海古籍出版社出版发行的《上海博物馆藏战国楚竹书》第四册中，有《曹沫之陈》一文，整简 45 支，残简 20 多支，近 2000 字，在第二简的简背有篇名《曹沫之陈》，是第四册中篇幅最长也是最受关注的一篇。这为我们进一步研究曹沫的兵学思想提供了新材料。当然，有关其编联情况

---

① 《史记·刺客列传》。
② 陈文丽：《〈曹沫之陈〉与曹沫》，西北大学硕士论文，2010 年。

我们此处不展开，学术界争议较大。《曹沫之陈》以鲁庄公与曹沫的对话形式展开，就其文本的基本格局来讲，前半部分主要论政，篇幅较短，但残简较少，相对而言语句较为完整，内容清晰；后半部分主要论兵，核心内容是两军对阵中应敌的措施，篇幅比较长，但是残简较多，因此内容比较有限，而且许多用语传世文献不见，因此理解颇为困难。

二、曹沫的兵学思想

有关《曹沫之陈》的成书年代，学术界存在着一定的争议，我们认为《曹沫之陈》在一定程度上反映了曹沫的兵学思想，但是已非实录。如，其文本中提到的"黔首""便嬖""并兼""厮徒"等，已然是战国时期流行的语言，因此其当为战国时期写成。其记载的内容，如有关鲁国的军制、鲁国的兵力，关于动员大量的民众作为步兵出现，应当是春秋晚期的情况，其成书年代的上限应当是春秋晚期。当然，其中并未提到有关骑兵的战术等，因此其成书年代的下限应当是骑兵大规模出现以前。① 关于其书的性质，学术界有一定的争议。刘光胜、欧阳祯人等学者认为其为儒家论兵之作，② 并认为"这是笔者所见最早的儒家兵书"③。日本学者浅野裕一、王青等学者认为其当为成书年代早于《孙子兵法》的兵学著作，④ 田旭东认为其当为战国写本的鲁兵书⑤，"书中所谓的'为君之道''爱

① ［日］浅野裕一：《上博楚简〈曹沫之陈〉的兵学思想》，简帛研究网 2005 年 9 月 25 日。

② 刘光胜：《上博简〈曹沫之陈〉研究》，《管子学刊》2007 年第 1 期；欧阳祯人：《论兵书〈曹沫之陈〉的思想史价值》，简帛研究网 2008 年 4 月 18 日；欧阳祯人：《先秦儒家的战争观——从竹书〈曹沫之陈〉到〈孟子〉》，《衡水学院学报》2017 年第 3 期。

③ 欧阳祯人：《先秦儒家的战争观——从竹书〈曹沫之陈〉到〈孟子〉》，《衡水学院学报》2017 年第 3 期，第 29 页。

④ 这方面已经有专著出现，如王青：《上博简〈曹沫之陈〉疏证与研究》，北京师范大学出版社，2017 年。

⑤ 田旭东：《战国写本兵书——〈曹沫之陈〉》，《文博》2006 年第 1 期。

民之道''赏罚之道'等内容均为比较简单的一般道理，远不如先秦其他兵书如《司马法》《六韬》等论述得全面系统而又详细，从对比我们可以清楚地看到《曹沫之陈》作为早期兵书论述简单粗浅、尚未形成系统等过渡性的特点"①。我们认为《曹沫之陈》并不一定为儒家论兵之作，其应当是鲁国兵学的重要组成部分，其政治优先的提法，非常注重政治对战争的影响与制约，也反映了鲁文化的基本特征，如果一定要对其定性的话，我们认为其可能仍属兵书性质，是典型的政论性兵书。而在楚地出土，亦可反映当时中原文化对楚地文化的影响。《曹沫之陈》属问答体、劝谏类文献，其内容大体分为两个部分，第一部分是曹沫劝谏鲁庄公"邦弥小而钟愈大"之事而引发鲁国政治的变化，第二部分是鲁庄公和曹沫君臣之间以齐国为假想敌的兵学问答。从基本内容来看，《曹沫之陈》作为一部兵书，但其又不仅仅着眼于战争，而是始终立足于政治来谈战争。②我们认为《曹沫之陈》的兵学思想与传世典籍所载的内容有相通之处，结合学术界已有的研究成果，我们认为其兵学思想主要包括以下四个方面。

第一，"修政而善于民"政治为本的思想。在《左传》中就有鲁庄公与曹刿的对话，在曹刿问道："何以战？"鲁庄公先后说道："衣食所安，弗敢专也，必以分人。""牺牲玉帛，弗敢加也，必以信。"而曹刿认为这是"小惠""小信"，不足以战。鲁庄公曰："小大之狱，虽不能察，必以情。"曹刿才说："忠之属也，可以一战。战则请从。"③曹刿认为对普通民众而言，争讼一类的事件，如果国君能够根据实情进行合理的裁决，才是对百姓尽了本职，维护了民众的基本利益，才能取信于民，获得民众的支持。而在《曹沫之陈》

---

① 田旭东：《失传已久的鲁国兵书——〈曹沫之陈〉》，《古代兵学文化探论》，北京：中国社会科学出版社，2010 年，第 48 页。

② 王青：《上博简〈曹沫之陈〉的军事思想》，《军事历史研究》2016 年第 2 期。

③ 《左传·庄公十年》。

中，文本以"鲁庄公将为大钟，型既成矣"开始，此时大钟的模型已经做好了，曹沫正是这个时候劝谏："昔周室之邦鲁，东西七百，南北五百，非山非泽，亡有不民。今邦弥小而钟愈大。君其图之。昔尧之飨舜也，饭于土簋，欲于土铏，而抚有天下。此不贫于美而富于德与！"曹沫非常不客气地指出当时鲁国领土不断遭受齐国的蚕食，对鲁庄公铸造大钟提出了不满，当然此处未明言为何不满，我们根据下文提出的"恭俭"，推测鲁庄公此举一方面可能违背了礼制，另一方面也是劳民伤财，太过奢靡。当庄公问曹沫如何应对"邻国"（即齐国），曹沫提出："君其毋惧，臣闻之曰：邻邦之君明，则不可以不修政而善于民。不然任亡焉。邻邦之君亡道，则亦不可以不修政而善于民。不然亡以取之。"不论"邻国"是"君明"还是"君亡道"，作为鲁国君主都应当"修政而善于民"。在具体主张方面，曹沫强调恭俭的美德，并明确提出："然而古亦有大道焉。必恭俭以得之，而骄泰以失之。"当然，鲁庄公最终"毁钟型而听邦政"，接受曹沫以恭俭为本的建议，并且做到了"兼爱万民，而亡有私也"。鲁庄公经过一段时间的励精图治，认为鲁国可以与齐国一战，进而询问阵法和守城之法："吾欲与齐战。问陈奚如？守边城奚如？"曹沫答曰："臣闻之：有固谋而亡固城，有克政而亡克陈。三代之陈皆存，或以克，或以亡。"显然，曹沫还是认为政治为先，而城池、阵法居于次要地位，而且三代的阵法都在，各国或以其存，或以其亡，根本原因就在于政治比军事更为根本。当然，曹沫此处所提及的三代之阵，具体内容我们现在已经不可考。曹沫进而系统提出："不和于邦，不可以出豫。不和于豫，不可以出陈。不和于陈，不可以战。是故夫陈者，三教之末。"在与鲁庄公的具体对话中提出"为和于邦"的措施："毋获民时，毋夺民利。申功而食，刑罚有罪，而赏爵有德。凡畜群臣，贵贱同待，禄毋负。"因此就总体思路而言，不夺农时，不与民争利，赏罚得当，《曹沫之陈》正是表达了以政为本的思想。这种思想当然与儒家或者鲁国有一定的关联，但其论述方式与儒家论兵之作也有一定的差距。同时，对政治的重视，亦是兵家的重要内容，中国古代兵书也往往是从政治讲起的，如《司马法》以《仁本》始，《吴子》以《图国》始，《孙子兵法·计篇》讲到的影响战争胜负的"五事七计"也是将政治问题摆在了首位。

第二，"勿兵以克"的兵学思想，而其实现主要是依靠以国君为首的贵族集团的示范作用。《曹沫之陈》提出"勿兵以克"的思想，并认为其为"战之显道"，我们认为这亦是其重视政胜的延伸。具体而言，曹沫指出："人之兵不砥砺，我兵必砥砺。人之甲不坚，我甲必坚。人使士，我使大夫。人使大夫，我使将军。人使将军，我君身进。此战之显道。"就是说在战场上，无论是在兵器上，或是人才使用的优劣上，还是指挥者身份地位以及军事素质上，要全面压制敌军，威慑敌军，那就会获胜。在战场上，《曹沫之陈》多次提到君主应当身先士卒，以身作则，主张君主应当"君身进""君自率""君如亲率"，以提高军队的士气与战斗力。曹沫将战争的进程基本划分为邦、豫、陈、战等四个阶段，君主都应当身处其中，在回答庄公"为和于豫如何"的问题时，曹沫曰："三军出，君自率，必聚群有司而告之：'二三子勉之，过不在子在〔君〕。'期会之不难，所以为和于豫。"明确指出国君应当集结军队，亲自指挥，并且向诸将说明，战争胜负的责任皆为国君一人承担，与诸将无关，鼓励将军放手指挥作战，同时也体现了国君对诸将的信任。同时，《曹沫之陈》提出"为和于陈"，具体而言："车间容伍，伍间容兵，贵有常。凡贵人思处前位一行，后则见亡。进必有二将军。毋将军必有数辟大夫，毋俾大夫必有数大官之师、公孙公子。凡有司率长，伍之间必有公孙公子。是谓军纪。五人以伍，一人……"阵法作为春秋时期非常重要的作战基本方式，此处并未就具体阵法内容进行介绍与叙述，仅仅提出了一个大的原则，就是应当实行战车与步兵的配合，即"车间容伍，伍间容兵"。毋庸置疑，此种战车与步兵的配置一定是综合了两种兵种的优势。而"为和于陈"的重点仍是要求贵族在面对生死存亡的战争时，应当有主动的担当意识，而不是畏畏缩缩，即"凡贵人思处前位一行"，一定要站在阵列的最前方，冲锋在前，充当战阵的先锋。进击时一定有左右将军在前指挥，若有特殊情况，也至少必须有"大官之师、公孙公子"等贵族成员。同时，在步兵人员配置中，必须有公孙公子在其中。这些布阵的基本人员配备，当为"军纪"。其他地方也有类似的提法，其曰："卒有长，三军有帅，邦有君。此三者所以战。是故长必约邦之贵人及邦之奇士，御卒使兵。"只有贵族统治者在战场上有不怕牺牲的示范作用，才能激励将士，提高士气。只有这样才有可能打败敌人、威慑敌人，甚至能够达到不战而屈人之兵的效果。

第三，以"出师之忌""散裹之忌""战之忌""既战之忌"等为主要内容的战争指导原则。《曹沫之陈》中有关"出师之忌"的内容："三军出〔乎〕境必胜，可以有治邦。《周志》是存……其将卑，父兄不荐，由邦御之。此出师之忌。"可见，曹沫还是非常强调政治的基本保障，同时其还提到如果主将在整个军队指挥系统中地位卑微，无法获得父兄的支持，并且国君还在国内掣肘控御其在前方的军事指挥，这会是军队的大忌。因此，在军队开赴战场之前，这些问题，即政治的支持、将帅的地位以及绝对的军事指挥自主权，一定要彻底解决。"散裹之忌"指军队尚未成阵时，在集散、行军时切忌穿越一些地形比较复杂的地区："三军未成，陈未豫，行阪济障，此散裹之忌。"在战场上，所谓的"战之忌"是："其去之不速，其就之不附，其启节不疾，此战之忌。是故疑陈败，疑战死。"所谓兵情主速，进入战场后，一定要迅速集结成阵，形成战斗力，否则将会遭受敌军打击。同时，主将应当指挥果断，切忌瞻前顾后、犹豫不决、拖泥带水。战争结束后，还要进行必要的赏罚慰问等，其中要注意的问题，即"既战之忌"，其曰："其赏浅且不中，其诛厚且不察，死者弗收，伤者弗问，既战而有殆心，此既战之忌。"当然，曹沫是以否定的方式表达的，有军功者赏赐太少而不得其人，战场犯错有过失者仅仅一味地重罚而不加明察，对于战死疆场的人没有郑重地收殓其尸体，对受伤者并没有前往慰问抚恤，这样的话，国内民众就会有懈怠之心，这些都是善后的大忌。《曹沫之陈》提出的这些思想在《司马法》《孙子兵法》《吴子》《尉缭子》等兵书中都有反映，就其价值而言，《曹沫之陈》是较早较系统提出此问题并对其进行大篇幅论证的。

第四，"复战之道"的提出。《曹沫之陈》中最具特色的可能就是其有关"复战之道"的内容。从已有文本来看，"复战之道"主要包括"复败战之道""复盘战之道""复甘战之道""复欿战有道"，核心的关注点是军队处于不利状况下如何应对，当然由于缺简相对比较严重，因此具体所指，学术界仍有争议。所谓"复败战之道"，其曰："三军大败不胜，卒欲少以多……［死］者收之，伤者问之。善于死者为生者，君不可不慎。不依则不恒，不和则不辑，不兼畏……"其意思大概为在三军战败之后，应当做好基本善后，抚恤死伤，提高士气，再次组织军队投入战斗。所谓"复盘战之道"，其曰："既战复豫，号令于军中曰：缮甲利兵。明日将战，则旗旄伤亡，盘就行……□人。吾战敌不顺于天命，返师将复。战毋殆，毋思民疑。及尔龟策，皆曰胜之。改祕尔鼓，乃失其服。明日复陈，必过其所。此复盘战之道。"现存古籍中未有"盘战"的内容，学术界未有定论，我们根据其内容来判断，其应当是春秋时期阵战，当天并未决出胜负，所以有"明日将战"的提法，但是由于"旗旄伤亡"等问题，所以核心的要务是要"缮甲利兵"，同时还要进行占卜，询问天命，最重要的是以天命的方式鼓舞士气。"复甘战之道"，编联可能存在问题，根据学者的重新编联，认为其当为"复醋战之道"，并重新编联，其内容为："必秩车甲，命之毋行。明日将战，思为前行。谍人来告曰：'其将帅尽伤，车辇皆载，曰将早行。'乃□白徒：'早食拱兵，各载尔赆，既战将掠。'为之赏获謟蒽，以劝其志。勇者喜之，慌者悔之，万民黔首皆欲或之。此复甘战之道。"① 其对战车甲士提出要求，在第二天的战斗中，其居于阵前；同时通过间谍手段，向将士透露出敌人的败象已现，准备撤退，鼓励士兵明日前往掠夺敌人的物资，以此来鼓舞士气。"复欿战有道"，其曰："收而聚之，束而厚之，重赏薄刑，思忘其死而见其生，

---

① 董珊：《〈曹沫之陈〉中的四种"复战"之道》，2007-06-06，http：//www. bsm. org. cn/show_article. php？id=577。

思良车良士往取之耳。思其志起，勇者思喜，蒀者思悔，然后改始。此复敀战之道。""敀"的隶定存在争议，如田旭东隶定为"故"，浅野裕一隶定为"缺"。当然就其内容而言，应指如何在不利的情况下以赏罚为基本的手段，迅速恢复士气和军队的战斗力。

总体而言，《曹沫之陈》中谈兵的内容，是鲁庄公与曹沫以齐国作为假想敌，模拟了齐鲁之间战争的情形而展开的一次对话。而其中所涉及的战争样式是典型的春秋时期"堂堂正正"阵战，其未谈及骑兵，所涉及的军制等内容均符合春秋时期的军队结构。就《曹沫之陈》的内容而言，从鲁庄公所问以及曹沫的回答，基本上反映的是弱者如何处理在战争中遇到的问题，符合春秋时期齐鲁两国的基本军事实力状况。其以政治为先导的基本立场，也符合鲁国的风俗，是一部典型的鲁国兵书。

第六章　中国兵学的首座丰碑：《孙子兵法》

春秋时期是中国历史上第一个大动荡大变革的时代，当时天下混乱，社会失序，战争频繁，礼坏乐崩。新兴阶层迫切需要用系统、深刻的兵学理论来指导新形势下的战争实践，完成社会形态的彻底转变，这就为《孙子兵法》的诞生提供了时代的契机。

《孙子兵法》全书13篇，约5900余字，是我国现存最古老也是最重要的一部兵法经典著作，历来被列为我国古代兵书之首，《四库全书总目》称其为"历代谈兵之祖"[1]，是中国古典兵学文化遗产中的璀璨瑰宝。《孙子兵法》的内容博大精深，思想深邃富赡，逻辑缜密严谨，文采典雅绚丽。自春秋末期问世以来，对中国兵学文化传统的形成和发展影响至为深远，在世界兵学史上亦占有突出的地位。《孙子兵法》成书于我国历史上的春秋晚期，作者是享有"百世兵家之师"美誉的兵圣孙武。《孙子兵法》的篇幅虽然不长，但是其所包含的兵学思想却异常丰富和深刻，因此我们有必要对其进行专门的研究。

第一节　孙武其人与《孙子兵法》

孙武，字长卿，齐国乐安人，春秋晚期人，生卒年月大约与儒学创始人孔子（前551—前479）同时而略晚。孙武是齐国新兴势力

---

① 永瑢等：《四库全书总目》，中华书局，1965年，第836页。

代表田氏的后裔，后因避齐国内乱，移居南方的吴国。经伍子胥的力荐，孙武有机会向吴国阖闾进呈兵法13篇，深得吴王赞许与信任，被任命为吴国将军，辅佐阖闾经国治军，多有建树。

孙子出身于著名的兵学世家，其祖父田书就是齐国历史上一位著名的将领，也是田完的五世孙，主要活动于齐景公时期。齐景公二十五年（前523）秋，齐国派遣高发率兵攻打莒国，这时已官至大夫的田书也参加了这场战争，并且在这场战争中发挥了至关重要的作用。由于伐莒之战的战功卓越，齐景公论功行赏，封田书于乐安（今属山东惠民）为食邑，赐姓孙氏。

齐国兵学传统的影响，[①] 兵学世家良好的教育与熏陶，为孙子撰写这部不朽兵学著作奠定了坚实的基础。孙子本人又曾亲身参加过重要的军事实践活动，并从南方吴楚等国兵学思想中汲取了有益的营养，因而为其兵学理论建树创造了优越的条件。因此，综合性、博容性是《孙子兵法》一书思想文化精神的重要体现。与之相联系，其书所打上的地域文化特征乃是一个极其复杂、极其多样的现象。而在这中间，吴文化在它身上所留下的深刻烙印与广泛影响也不应该被忽视，[②] 唯有如此，才能真正全面认识《孙子兵法》一书的意蕴及其不朽价值。

《孙子兵法》的面世，乃是历史的必然，其在历史上产生重大的影响亦绝非偶然。根据司马迁《史记》对孙武事迹的记载，主要就是吴宫教战，这展现了孙武不畏权势严厉治军的基本思想。同时，银雀山汉墓竹简《见吴王》中对此事有更为详细的记载。

孙武撰成兵法后，南下前往正在图谋霸业的吴国。在伍子胥的多次力荐下，吴王阖闾得以看到孙武的"十三篇"兵法。约公元前

---

① 黄朴民：《齐文化与先秦军事思想的发展》，《学术月刊》1997年第11期；李零：《齐国兵学甲天下——兵法源流概说》，《中华文史论丛》第50辑；李零：《待兔轩文存·读史卷》，广西师范大学出版社，2011年，第268—286页。

② 黄朴民、宋培基：《〈孙子兵法〉的吴文化特征》，《光明日报》2006年5月9日。

512 年，吴王阖闾召见孙武。阖闾向孙武表示自己非常喜欢战争，问是否可以训练士兵，考验孙武实践能力的意图十分明显。孙武虽然研究兵学，但是并非穷兵黩武的好战之人，他对战争的认识是非常深刻而清醒的，孙武非常严肃地回答：“兵，利也，非好也。兵，□（也），非戏也。君王以好与戏问之，外臣不敢对。”① 阖闾看到孙武非常严肃，也连忙表示自己就是想看看孙武用他的兵法如何练兵。孙武向阖闾表示：“唯君王之所欲，以贵者可也，贱者可也，妇人可也。”② 吴王阖闾狡黠地看着孙武，回头看了看自己身旁的那些柔弱宫女，表示想要用妇人练兵。孙武当然看出了阖闾的意思，犹豫了一下。他知道以妇人练兵的确有些不忍心，尤其是吴王的宫女更有不同，他还是担心会出现无法预知的意外，于是试图请求更换练兵对象。孙武的犹豫正中阖闾下怀。孙武从吴王阖闾的眼中看出，已经没有什么讨价还价的余地了，但是他还是提醒了一下阖闾，训练中若是出现意外，希望吴王阖闾不要后悔。双方商定练兵的场所就在吴宫的苑囿中进行。

吴国君臣与孙武一行前往苑囿之中，听说孙武要用宫女练兵，吴王宫女都非常好奇，觉得好玩，跃跃欲试。阖闾选定了 180 人，分左右两队。孙武任命阖闾最宠爱的宫女任左右队长，持戟而立。孙武上前大声喊道：“汝知而心与左右手背乎?”③ 众宫女表示知道，孙武接着说：“前，则视心；左，视左手；右，视右手；后，即视背。”④ 孙武讲完这些最简单的军事训练法规之后，命令军士设置斧钺，以明军法，并反复宣明纪律和军法。

一切准备就绪，孙武命令击鼓操练。当鼓声发出右的命令时，这些宫女并没有执行，早已笑得直不起腰了，顿时陷入混乱之中。当然这一切在孙武的预料当中，他并没有慌张，对着宫女继续大声

---

① 《银雀山汉墓竹简·见吴王》，文物出版社，1985 年，第 34 页。
② 《银雀山汉墓竹简·见吴王》，文物出版社，1985 年，第 34 页。
③ 《史记·孙子吴起列传》。
④ 《史记·孙子吴起列传》。

喊道："约束不明，申令不熟，将之罪也。"① 于是，他再次向宫女宣告操练的纪律，当鼓声再次发出左的命令时，这些宫女还是我行我素，目无军纪。孙武非常严厉地喊道："约束不明，申令不熟，将之罪也；既已明而不如法者，吏士之罪也。"② 孙武决定依照军法斩杀吴王的两个宠姬，以正军法。吴王阖闾在台上观看，发现情况不对，立刻派使者前去制止，表示自己已经知道孙武能用兵了，没有两个宠姬，他会食不甘味的。当吴王的使者赶到面前，刚刚还惊魂未定的吴王爱姬顿时又耀武扬威，非常不屑地看着孙武。令吴王阖闾没有想到的是，孙武义正词严地说："臣既已受命为将，将在军，君命有所不受。"③ 孙武一声令下，吴王的两个宠姬人头落地，顿时香消玉殒。吴王使者被眼前的情况惊呆了，苑囿中空气异常紧张，大家都为孙武捏把汗。孙武并不理会其他状况，命令队列中两个宫女为队长，继续操练。苑囿中鼓声雷雷，宫女们个个立刻像换了个人似的，训练得极其认真，所有的动作都规规矩矩。紧接着，孙武训练复杂的阵法，不论是圆阵，还是方阵，整整齐齐，丝毫不乱，俨然一支训练有素的军队。孙武邀请吴王观看训练效果。此时的阖闾还陷在对爱姬之死的悲痛和对孙武的愤怒中，摆摆手，说道："将军罢休就舍，寡人不愿下观。"④ 事情过去了六天，孙武没有等到任何消息，但最终阖闾还是来了。当然，阖闾并非铁石心肠，看到宠姬被斩杀，悲痛不已，这是人之常情；但阖闾能够亲自前来谢罪，并任命孙武为吴国将军，主持吴国军务，可见阖闾确实是一位具有雄才大略的英明之主。吴宫教战是典籍中对孙武事迹的唯一记述，而我们更为关注的是孙武在吴国的功绩，《史记·孙子吴起列传》中却一笔带过，称："西破强楚，入郢，北威齐、晋，显名诸侯，孙子与有力焉。"⑤ 当然，孙武在史籍记载中的军功不显，这与春秋时期

---

① 《史记·孙子吴起列传》。
② 《史记·孙子吴起列传》。
③ 《史记·孙子吴起列传》。
④ 《史记·孙子吴起列传》。
⑤ 《史记·孙子吴起列传》。

的特殊军事制度相关。

《孙子兵法》的作战指导思想是全书中最具特色的内容，也是孙子兵学理论的精髓之所在。在"兵者诡道"这一基本原则的指导下，《孙子兵法》提出了一系列精辟、卓越的见解。例如，主张夺取作战主动权，"致人而不致于人"①；强调集中优势兵力，主动实施进攻性作战，"顺详敌之意，并敌一向，千里杀将"②；提倡正确选择作战方向，做到"避实而击虚"③；主张军事欺骗，示形动敌，"能而示之不能，用而示之不用；近而示之远，远而示之近"④"形人而我无形""形兵之极，至于无形"⑤；要求做到灵活机动，因敌制胜，即所谓"践墨随敌，以决战事"⑥；主张奇正相生，奇正多变，主动灵活，出其不意地打击敌人，"以正合，以奇胜"⑦；提倡察知天候地理，巧妙利用地形，"知天知地，胜乃不穷"⑧，指出"夫地形者，兵之助也。料敌制胜，计险厄、远近，上将之道也"⑨。凡此种种，均突出地反映了《孙子兵法》作战指导的杰出思想，其所提出的许多兵学范畴，如"奇正""虚实""攻守""形势""主客""迂直"等等，均成为后世兵家构筑兵学理论的思想来源和理论指导。

《孙子兵法》的治军思想同样丰富精邃，享誉古今。它提倡"令之以文，齐之以武"的治军原则，主张明法审令，恩威兼施，刑赏并用，爱护士卒，善待俘虏；重视对将帅队伍的培养与建设，主张将帅应拥有战场机动指挥权限，即"君命有所不受"⑩；重视加强对士卒的训练和管理，主张统一号令，令行禁止。所有这一切都为

---

① 《孙子兵法·虚实篇》。
② 《孙子兵法·九地篇》。
③ 《孙子兵法·虚实篇》。
④ 《孙子兵法·计篇》。
⑤ 《孙子兵法·虚实篇》。
⑥ 《孙子兵法·九地篇》。
⑦ 《孙子兵法·势篇》。
⑧ 《孙子兵法·地形篇》。
⑨ 《孙子兵法·地形篇》。
⑩ 《孙子兵法·九变篇》。

后世社会的军队建设奠定了坚实的理论基础。此后《尉缭子》《六韬》《三略》在治军理论上的深化和发展，均受了《孙子兵法》这些论述的启迪。

第二节　《孙子兵法》的成书年代和作者

关于《孙子兵法》成书年代，学术界长期存在着巨大的分歧。在宋代以前，学者均认同《史记·孙子吴起列传》中司马迁对孙武事迹的相关记载，即《孙子兵法》十三篇系孙武所作，它反映的是春秋时期的兵学理论高度，没有任何异议。到了宋代，随着辨伪学的逐渐兴起，自梅尧臣开始，一些学者开始对《孙子兵法》的作者和成书年代等问题提出自己的看法，有学者认为《孙子兵法》的完全成书当是战国时期，《孙子兵法》无论从思想倾向还是从文字内容上来讲都有着浓厚的战国色彩。如曾为《孙子兵法》作注的梅尧臣就指出"此战国相倾之说也"①，由此开始怀疑《孙子兵法》一书成书年代及作者的先河。到了南宋著名思想家叶适，他怀疑《孙子兵法》其书及孙武其人其事的真实性，他认为《左传》中关于当时吴、楚战争的记载，没有一次提到孙武的名字。《史记》有关孙武其人并非真实，《孙子兵法》十三篇是"春秋末、战国初山林处士所为，其言得用于吴者，其徒夸大之说也"，《史记》记载的吴宫教战，竟然以妇人操练，"尤为奇险不足信"②。与叶适同一时代的陈振孙在《直斋书录解题》中同样认为："孙武事吴阖闾，而事不见

---

① 欧阳修：《欧阳修全集》卷四二《〈孙子〉后序》，中华书局，2001年，第606页。
② 叶适：《习学记言序目》卷四六《孙子》，中华书局，1977年，第675页。

于《春秋传》，未知其果何代人也。"① 此说得到全祖望、姚际恒等学者赞同，并进一步发挥其说。如，全祖望指出："吴、楚交兵，吴本胜，而用兵实无胜算。《左氏内外传》纪吴事颇详，绝不及孙武。即《越绝》诸书出于汉世，亦不甚及《孙子》。水心疑吴原未尝有此人，而其事其书皆纵横家所伪为者，可补《七略》之疑，破千古之惑。至若十三篇之言，自然出于知兵者之手。"② 清代学者姚鼐也认为《孙子兵法》为战国兵家典籍，主要理由是："春秋大国用兵不过数百乘，未有兴师十万者也，况在阖闾乎？田齐三晋既立为侯，臣乃称君曰主，主在春秋时，大夫称也。是书所言皆战国事耳。"③ 姚鼐承认吴国实有孙武其人，但《孙子兵法》的作者并非孙武。

　　近代以来，随着疑古思潮的发展，《孙子兵法》多战国色彩的观点，在论证上又有了长足的进展，逐渐成为学术界主流观点。如，在 20 世纪 30 年代，齐思和作《〈孙子兵法〉著作时代考》就是典型，此文分别以其书所见的作战方式、战争规模、军事制度以及著述体例等方面，将《孙子兵法》的成书年代确定在战国时期。④ 大体而言，战国成书说主要的论据有以下几个方面。其一，《左传》《国语》述吴国事甚详，而不载孙武；其二，成书于东汉的《越绝书》也很少记载孙武；其三，《孙子兵法》所述为战国战术，非三代战术；其四，《孙子兵法》讲权诈，与春秋时讲礼义不合；其五，春秋时大国用兵不过数百乘，《孙子兵法》动辄称"兴师十万""出征千里"，不可信；其六，春秋时各国都由卿率师出征，没有专任将军的，《孙子兵法》多次提到"将"，与春秋制度不合；其七，春秋时大夫的家臣称大夫为"主"，三家分晋和田氏代齐以后才称国君为"主"，《孙子兵法》称国君为"主"；其八，"弩"的使用大概在公元前 400 年左右，而《孙子兵法》中有"弩"的记载。由于《孙子

---

① 陈振孙：《直斋书录解题》卷一二"兵书类"，丛书集成（四编），商务印书馆，第 346 页。
② 全祖望：《鲒埼亭集·孙武论》。
③ 姚鼐：《惜抱轩文集·读〈孙子〉》。
④ 齐思和：《〈孙子兵法〉著作时代考》，《燕京学报》第 26 期，1939 年。

兵法》内容与《战国策》中所载孙膑之言相似，学术界甚至还出现了《孙子兵法》为孙膑所作的观点。如日本学者斋藤拙堂、武内义雄，① 中国著名学者钱穆、金德建②等，这种观点一度影响非常大。

　　1972 年，银雀山汉简的出土使得《孙子兵法》成书年代与作者问题再度受到学术界的关注。银雀山汉墓同时出土了《孙子兵法》与《孙膑兵法》两部竹简兵书，将"吴孙子"与"齐孙子"混为一谈，认为《孙子兵法》一书的真正作者当为孙膑的观点获得了纠正。当然，其成书年代与作者问题仍然引起很大的争议。银雀山汉简公布后，齐思和仍坚持其观点，1981 年，在其出版的《中国史探研》中收入《〈孙子兵法〉著作时代考》一文，他在后记中专门指出："一九七二年在山东省临沂县银雀山西汉墓中所发现的竹简写本《孙子兵法》和《孙膑兵法》两书的残简，为本文提出的基本论点增加了两个强有力的证据。（一）竹简本《用间篇》有：'燕之兴也，苏秦在齐。'一语不见于今本，足证此书系战国时人所作。（二）《孙膑兵法》残简的发现，足证《孙子兵法》和《孙膑兵法》并非一书。一九七八年九月补记。"③ 同时，李零通过对银雀山汉简的研究，也指出《孙子兵法》并非孙子所作，而是"孙子学派"的著作，可能经过了从吴国到齐国，自春秋末期到战国的时空变迁，最终成书，而且也不能排除孙膑参与其中的可能性。④ 杨丙安也持类似观点，甚至认为《孙子兵法》最终定型于西汉校理兵书时期。⑤

---

① 日本学者斋藤拙堂与武内义雄具体观点又各有不同，斋藤拙堂认为孙武、孙膑实为一人，武是其名，膑是其绰号；武内义雄认为孙武、孙膑各有其人，但是《孙子兵法》作者为孙膑。

② 金德建：《论〈孙子〉十三篇作于孙膑》，见氏著《司马迁所见书考》，上海人民出版社，1963 年，第 399—406 页。

③ 齐思和：《中国史探研》，中华书局，1981 年，第 227 页。

④ 李零：《关于银雀山简本〈孙子〉研究的商榷——〈孙子〉著作时代和作者的重议》，《文史》第 7 辑。

⑤ 杨丙安、陈彭：《孙子兵学源流述略》，《文史》第 27 辑。

郑良树推断《孙子兵法》当成书于孙武去世后的 40 年,① 亦可备一说。1984 年,郭化若在缜密研究的基础上进行推测:"《孙子兵法》的思想体系属于孙武而无疑,而其成书时间大概是春秋末至战国初这一过渡时期。至于成书过程,我们的推测:当阖闾去世、伍子胥被伯嚭排斥时,孙武见机引退,总结过去的和亲身经历的战争经验,整理成较有系统的军事理论,从事讲学,经由许多门徒、学生和专门前来请教者们口传笔录,代代相传,从春秋末到战国初,逐渐形成一部丰富而比较完整的兵法。"②

　　当然,自宋代以后,历代一直有学者坚持《孙子兵法》为孙武所作,成书于春秋末期,对自宋代以来主流观点予以辩驳。如宋濂、胡应麟、纪昀、孙星衍、章学诚等人,也从不同角度指出战国成书说等观点的漏洞或不严密之处。如,针对叶适提出孙武事迹不载于《左传》的说法,宋濂在《诸子辨》针锋相对指出:"叶适以不见载于《左传》,疑其书乃春秋末战国初山林处士之所为,予独不敢谓然。春秋时,列国之事赴告者则书于策,不然则否。二百四十二年之间,大国若秦、楚,小国若越、燕,其行事不见于经、传者有矣,何独武哉!"③《四库全书总目》亦认为:"武书为百代谈兵之祖,叶适以其人不见于《左传》,疑其书乃春秋末战国初山林处士之所为。然《史记》载阖闾谓武曰:'子之《十三篇》,吾尽观之矣。'则确为武所自著,非后人嫁名于武也。"④ 以孙子后裔自称的清代学者孙星衍明确指出:"诸子之文皆由没世之后,门人小子撰述成书,惟此是其手定,且在列、庄、孟、荀之前,真古书也。"⑤ 何炳棣亦明确

---

① 郑良树:《〈孙子〉的作成年代》,见氏著:《竹简帛书论文集》,中华书局,1982 年。
② 郭化若:《孙子译注·再版的话》,上海古籍出版社,2006 年,第 174 页。
③ 宋濂:《诸子辨·孙子》,朴社出版,1928 年,第 24—25 页。
④ 永瑢等:《四库全书总目》,中华书局,1965 年,第 836 页。
⑤ 孙星衍:《孙子略解·叙》,《问字堂集》卷三,中华书局,1996 年,第 81 页。

提出《孙子兵法》是中国现存最古的私家著述的观点。① 银雀山汉简出土后，吴如嵩在《〈孙子兵法〉浅说》中，以历史唯物主义思想为主导，并将《左传》中的战争分门别类进行梳理，全部引用春秋时期的战例来论证孙子的观点，从而得出《孙子兵法》完全有条件成书于春秋时期的结论，② 并在《〈孙子兵法〉新说》中仍坚持《孙子兵法》成书于春秋的观点。③ 蓝永蔚撰写《〈孙子兵法〉时代特征考辨》一文，从思想倾向、战略思想、军制特征等方面进行全面的论述，尤其指出《孙子兵法》在速决的进攻战、回避攻城、集中兵力以及有关战场选择等方面的主张，具有鲜明的春秋末期的时代特征。④

大体而言，我们认为，随着 1972 年银雀山汉简的出土以及 1978 年青海大通县上孙家寨汉简《孙子兵法》佚文"孙子曰：夫十三篇"⑤ 等新文献的出土，证明了《史记》对《孙子兵法》以及孙武事迹记载是基本可靠的。《孙子兵法》具有一个不断成书的过程，其初次成书可能是春秋末期的孙武。同时，综观《孙子兵法》全书，其受战国百家之学的影响，亦是明显可见的。正如余嘉锡在《四库提要辨证》中指出："嘉锡以为吴王与孙武问答，未必武所自记。古人之学，大抵口耳相传，至后世乃著竹帛，此盖战国时人所追叙耳，至其后乃合而编之，或即刘向校书时所定著，未可知也。"⑥ 要而言之，战国时期泛滥起来的五行学说与其有涉；《孙子兵法》关于军事活动的强烈功利倾向，与墨家与法家似有纠葛；《孙子兵法》的朴素辩证法与方法论，不仅精神实质与道家老子学说如出一辙，而且两者遣词用句都颇有相合处；《孙子兵法》的愚兵观念以及手段，与法

① ［美］何炳棣：《中国现存最古的私家著述〈孙子兵法〉》，《历史研究》1999 年第 5 期。

② 吴如嵩：《孙子兵法浅说》，解放军出版社，1994 年，第 7 页。

③ 吴如嵩：《孙子兵法新说》，解放军出版社，2007 年，第 4 页。

④ 蓝永蔚：《〈孙子兵法〉时代特征考辨》，《中国社会科学》1987 年第 3 期。

⑤ 朱国炤：《上孙家寨木简初探》，《文物》1981 年第 2 期。

⑥ 余嘉锡：《四库提要辨证》，中华书局，2007 年，第 594 页。

家并无差异；而它的主导思想倾向，又是与孟子为代表的儒家道德学派兵学思想基本特征完全相左的。《孙子兵法》书中这些复杂的思想倾向，正是战国时期诸子学术思想既对峙又融合的基本现实，在具体学科领域——兵学领域中的渗透与具体体现。

第三节　《孙子兵法》的著录、流传及版本

一、《孙子兵法》的著录与流传

据现存文献资料记载，《孙子兵法》一书最早见于《史记》载述。《史记·孙子吴起列传》云："世俗所称师旅，皆道孙子十三篇。"可见当时称是书为"孙子十三篇"。此后，历代对《孙子兵法》均有著录，其源流大致如下所述。①

西汉时期是《孙子兵法》一书正式见于著录的重要开端，也是其书基本定型和开始流传的关键阶段。当时汉廷对兵书进行了三次大规模的搜集和校理。第一次是汉初"韩信申兵法"，"张良、韩信序次兵法，凡百八十二家，删取要用，定著三十五家"②。第二次是在汉武帝时期，"军政杨仆捃摭遗逸，纪奏兵录"③。颜师古注云："捃摭，谓拾取之。"第三次是在汉成帝时期，"光禄大夫刘向校经传诸子诗赋，步兵校尉任宏校兵书，太史令尹咸校数术，侍医李柱国校方技。每一书已，向辄条其篇目，撮其指意，录而奏之"④。在这三次兵书整理过程中，一定都包括了最重要的《孙子兵法》一书。尤其是第三次任宏校订兵书，其对于传世本《孙子兵法》篇名的确

---

① 可参见于汝波主编：《孙子兵法研究史》，军事科学出版社，2001年。
② 《汉书·艺文志·兵书略》。
③ 《汉书·艺文志·兵书略》。
④ 《汉书·艺文志·序》。

定，篇次的排定，内容的厘正，文字的校定，具有重要的意义。这次校书之事，由刘向总其成。刘向曾为整理校订后的书作《叙录》，附于其书之中，上奏皇帝。《叙录》的重要内容之一就是著录书名和篇题。根据其书这一性质，我们可以推断《叙录》是古代目录书中著录《孙子兵法》的第一部。刘向卒后，其子刘歆继承父业，"总括群书篇，撮其指要，著为《七略》"①。因此，《七略》也当著录有《孙子兵法》。同时，需指出的是，经过刘向、任宏的校书，《孙子兵法》遂形成定本，并由国家收藏。正如学者指出"这三次整理对《孙子兵法》的定位、定型和流传都具有重要意义"②。

《汉书·艺文志》源于刘歆《七略》，其对《孙子兵法》有明确之著录，"《吴孙子兵法》，八十二篇，图九卷"，称"吴孙子"是为了有别于"齐孙子（孙膑）"。至于其篇数缘何由司马迁所言的"十三篇"（包括汉简本的提法）增至 82 篇，且附有图 9 卷，对此一问题如何理解，学者有一定的争议，如，杜牧认为《孙子兵法》本为 82 篇，后曹操注解时削减为 13 篇。此种看法章学诚认为不妥："杜牧谓魏武削其数十万言为十三篇者，非也。盖十三篇为经语，故进之于阖间，其余当是法度名数。有如形势、阴阳、技巧之类，不尽通于议论文词，故编次于中下，而为后世亡佚者也。十三篇之自为一书，在阖间时已然，而《汉志》仅记八十二篇之总数，此其所以益滋后人之惑矣。"③

我们认为原因不外乎二：一是自刘向到班固百余年间，人们对《孙子兵法》不断增益，使其篇数大大增加。二是人们重新编纂篇次所致。其中，当以第一种因素可能性为大。三国年间曹操注《孙子兵法》，即指明宗旨："世人未之深亮训说，况文烦富，行于世者，

---

① 王钦若等编纂，周勋初等校订：《册府元龟》卷六〇八《目录》，凤凰出版社，2006 年，第 7010 页。

② 于汝波：《〈中国孙子学史〉弁言》，《军事历史研究》1999 年第 4 期。

③ 章学诚：《校雠通义》，商务印书馆，1939 年，第 49 页。

失其旨要，故撰为《略解》焉。"① 汲汲于恢复《孙子兵法》之
原貌。

曹操之《孙子注》，系现存世的《孙子兵法》最早注释本。其
注简明切要，具有很高的兵学价值，问世后即备受人们的称誉推崇。
其注为三卷十三篇，正与阮孝绪《七录》著录《孙子》三卷相契
合，这说明曹氏乃就太史公所云《孙子》十三篇作注，至于孙子之
佚文和他人所增附的内容则阙而不论。这亦从侧面进一步证实"十
三篇"才是《孙子兵法》的主体。曹操注《孙子》后，有《六朝钞
本旧注孙子断片》，不知何人注本，日人香川默识《西域考古图谱》
曾予以收录。需附带指出的是，在两汉、魏晋南北朝期间，人们通
常以"兵法"来特指《孙子兵法》这部兵书。其正式命名为《孙子
兵法》当属隋唐以后之事。虞世南的《北堂书钞》、李善《文选》
注均称引"《孙子兵法》"，即是明证。

《隋书·经籍志》著录有"《孙子兵法》二卷，吴将孙武撰，魏
武帝注，梁三卷""《孙子兵法》一卷，魏武、王凌集解""《孙武兵
经》二卷，张子尚注""《钞孙子兵法》一卷，魏太尉贾诩钞。梁有
《孙子兵法》二卷，孟氏解诂；《孙子兵法》二卷，吴处士沈友撰；
又《孙子八阵图》一卷。亡"②。此处还提到了孟氏、沈友诸人注释
解诂。由此可见，《孙子兵法》在唐初已有多种注解本。但从其篇幅
看（少则一卷，多则二卷），当未尝逾越"十三篇"的范围，其或
均以曹注整理本为底本使然。

唐代以降，随着社会经济文化的繁荣，印刷技术的进步，《孙子
兵法》的流传也进入了一个新的发展阶段。人们对《孙子兵法》的
尊崇有增无减，习学《孙子兵法》成为较普遍的社会风尚。注家蜂
起，各种单注本、集注本以及合刻本纷纷面世。尤其是在宋代，当
时统治者有憾于国势积贫积弱，痛心于边患屡起迭至，出于扭转改
变这一颓败局面的目的，便以较大的注意力投入兵学领域，提倡研

① 曹操：《曹操集》，中华书局，2013 年，第 212 页。

② 魏徵、令狐德棻：《隋书·经籍志三》，中华书局，1973 年，第 1012 页。

读兵书，探求富国强兵之道。北宋神宗元丰年间，正式将《六韬》《孙子》《吴子》《三略》《尉缭子》《司马法》《唐李问对》诸书勒为一编，号曰《武经七书》，颁行于武学，为将校所必读。《孙子兵法》自此而成为国家钦定的武学经典著作。此种情况一直沿袭至明清时期而不变，如清代"武试默经"，依然是"不出孙、吴二种"①。

与此相应，对《孙子》的著录也成为历代各类公私目录书编写时所关注的重点之一。《隋书·经籍志》《旧唐书·经籍志》《新唐书·艺文志》《宋史·艺文志》《明史·艺文志》等正史以及《郡斋读书志》《直斋书录解题》《遂初堂书目》《崇文总目》《秘书省续编到四库阙书目》《四库全书总目》等公私目录书，对《孙子兵法》的各种版本、注家均有详略不同的著录。据不完全统计，唐宋以来，为《孙子兵法》作注的学者不下于 200 家，存世的亦在 70 家以上。其中著名的注家，在隋唐时期有李筌、陈皞、贾林、杜佑、杜牧等；在宋代有张预、梅尧臣、王晳、施子美、何延锡、郑友贤等；在明代有赵本学、刘寅、李贽、黄献臣等；在清代则有邓廷罗、顾福棠、朱墉、黄巩等。可谓名家辈出，蔚为大观。

二、《孙子兵法》的主要版本

《孙子兵法》一书版本繁富，流传甚广，但穷本溯源，不外乎三大系统，竹简本、武经本和十一家注本，② 我们以下分别予以述说。

（一）竹简本

1972 年山东临沂银雀山汉墓竹简《孙子兵法》是迄今为止所发现的《孙子兵法》最早的手抄本。据专家研究，汉简本《孙子兵法》陪葬的年代大约在建元元年（前 140）到元狩五年（前 118）

---

① 朱墉：《武经七书汇解·吴子序》。
② 当然，李零认为可以将《孙子兵法》的主要版本归纳为魏武帝注本、武经七书本和十一家注本，见李零：《现存宋代〈孙子〉版本的形成及其优劣》，《文史集林》第 2 辑。我们认为魏武帝注本可以与武经七书本归为一个系统，而竹简本理应独立为一系统。

之间。从字体风格来看，其抄写年代当在秦代到汉代文景时期，较历史上早期著录《孙子兵法》的《史记》要早数十到上百年。有的学者据此而论定汉简本与传世本相比，更接近于孙武的手定原本。①我们认为，这一说法有一定的道理，汉简本在校勘传世本《孙子兵法》方面确有相当的价值，却不尽全面。因为汉简本虽弥足珍贵，但终非完璧。且刘向、任宏诸人校书，乃是综合勘比众多《孙子兵法》古抄本，多方征考，择善而从，而成定本的，其质量当较汉简本为胜。从这个意义上说，汉简本可资参考，然不宜过于迷信。汉简本的最佳整理本，系文物出版社 1985 年出版的《银雀山汉墓竹简（壹）·孙子》。当然，通过汉简，我们也可以发现《孙子兵法》中的一些佚文，如青海大通县上孙家寨 115 号汉墓中发现的《孙子》佚文简牍，其中《军斗令》《合战令》中多次提到"孙子曰"，因此有学者认为，其有可能也是《孙子兵法》佚篇。②当然亦有学者明确反对，指出其"是引用《孙子》文句的古代军令类文书"③。银雀山汉墓竹简中亦有《吴问》《四变》《黄帝伐赤帝》《地形二》《见吴王》等五篇，整理小组将其列入《孙子兵法》的"下编"。

（二）武经本

武经本即指宋刻《武经七书·孙子》。《武经七书》最早著录在尤袤《遂初堂书目》中，称之为《七书》，后因"武举以七书试士，谓之武经"④。宋本《武经七书·孙子》，是现存的《孙子兵法》最重要的版本之一，原为陆氏皕宋楼藏书，后为日本岩崎氏购得，收藏于静嘉堂。今有《续古逸丛书》影印本。自宋代至明末清初，《孙子兵法》一书流传始终以武经本为主导。相对而言，十一家注本的影响则比较微弱。与武经本有一定联系的是《魏武帝注孙子》，收

---

① 吴九龙：《简本与传本〈孙子兵法〉比较研究》，北京大学考古文博学院编《考古学研究》（五），科学出版社，2003 年，第 730—737 页。

② 朱国炤：《上孙家寨木简初探》，《文物》1981 年第 2 期。

③ 李零：《青海大通县上孙家寨汉简性质小议》，《考古》1983 年第 6 期。

④ 陈振孙：《直斋书录解题》卷十二。

录在清代孙星衍《平津馆丛书》卷一《孙吴司马法》内。它为现存的《孙子兵法》最早注本，也是后世各种传写本、刊刻本的祖本，有影宋本传世。有学者认为，它与武经本属同一版本系统，但年代更早，错讹之处也较武经本、十一家注本为少。① 历史上武经本系统中质量上乘、影响广泛的研究著作主要有：金代施子美的《武经七书讲义·孙子》、明代刘寅的《武经七书直解·孙子直解》、明代赵本学的《孙子书校解引类》、明代黄献臣的《武经开宗·孙子》、清代朱墉的《武经七书汇解·孙子》等等。

（三）十一家注本

十一家注本即宋本《十一家注孙子》，上海图书馆藏本，1961年中华书局影印本。它也是传世《孙子兵法》书中最重要的版本之一，乃与武经本共同构成《孙子兵法》书传本两大基本系统的源流。② 其书著录初见于尤袤《遂初堂书目》，《宋史·艺文志·子部》共著录三种《孙子兵法》集注本，均从属于十一家注本系统。其中吉天保《十家孙子会注》15 卷当是十一家注本的重刻本。但在相当长一段时间内，十一家注本在社会上并不十分流行。这种状况，一直到清代学者孙星衍才得以改变。当时，孙星衍以华阴《道藏》本《孙子集注》为底本，对十一家注本作了一番认真细致的校订考辨工作，使之重新焕发青春，声名鹊起，一举打破了自宋以来《孙子兵法》主要以武经本流传的格局。孙校《孙子十家注》也就成了近世流传最广、影响最大、最敷实用的《孙子兵法》读本。当然，对于"十家注""十一家注"的说法还存在一定的争议。学术界一般认为，魏晋南北朝的曹操、孟氏，唐代的李筌、贾林、杜牧、陈暤，宋代的梅尧臣、王晳、何氏、张预，此为"十家"，另有《通典·兵典》中杜佑的注释，共"十一家"。当然亦有异议，如毕以珣《孙子叙录》中专门排除了杜佑注，他明确指出："今《孙子集注》本由华阴《道藏》录出，即宋吉天保所合十家注也。十家者：一曹

---

①　李零：《银雀山汉简〈孙子〉校读举例》，《中华文史论丛》1981 年第 4 辑。
②　杨丙安、陈彭：《孙子书两大传本系统源流考》，《文史》第 17 辑。

操、二李筌、三杜牧、四陈皞、五贾林、六孟氏、七梅尧臣、八王
晳、九何延锡、十张预也。十家本内又有杜佑君卿注。案:杜佑乃
作《通典》引《孙子兵法》语而训释之,非注也。"[1]

第四节　《孙子兵法》的兵学理论体系

一、《孙子兵法》的哲学基础

任何思想家都是按照一定的哲学观念来构建自己的学说体系的,
一定的哲学观念制约和指导着思想家的基本价值取向,这方面孙武
也没有例外。孙武丰富的兵学思想之所以具有进步性、合理性,归
根结底,是孙武在自己的兵学著作中始终坚持了一条正确的思想认
识路线,整部《孙子兵法》完全建立在合理的哲学基础之上。[2]

（一）朴素唯物主义理论指导

《孙子兵法》的哲学基础表现为朴素唯物主义理论指导。孙武反
对鬼神天意,崇尚事实分析。在《孙子兵法》中,孙武对"天"作
了唯物主义的解释,认为"天者,阴阳、寒暑、时制也"[3],肯定天
道不过是一种自然现象,而不复再有主宰的性质。这样就和当时影
响犹存、视天为人格神的宗教神学观划清了界限。基于这样的认识,
孙武明确强调"先知者,不可取于鬼神,不可象于事,不可验于度,
必取于人,知敌之情者也"[4],反对用阴阳杂占的方法去认识战争,

---

① 毕以珣:《孙子叙录》,见杨丙安:《十一家注孙子校理》,第354页。

② 当然,亦有学者从其他角度论述孙子的哲学基础,如钮先钟从"二元论"
"未来学""行动学"等方面论述,见钮先钟:《孙子三论——从古兵法到
新战略》,广西师范大学出版社,2003年,第217—226页。

③ 《孙子兵法·计篇》。

④ 《孙子兵法·用间篇》。

主张"禁祥去疑"①。因此，在对待战争的问题上，孙武着眼于"道、天、地、将、法"等"五事""七计"，②提倡在客观事实基础上作出判断，预测胜负。在孙子那里，战争是被当作客观现象来对待的，注重实际，不尚空谈，乃是其兵学思想的最大特色之一。如孙武指出"地生度，度生量，量生数，数生称，称生胜"③，就是一种把战争胜负的终极原因归结于物质条件的努力。特别值得指出的是，《孙子兵法》中有许多以征引"五行"观念来论证战争的客观物质性的内容，"声不过五，五声之变，不可胜听也；色不过五，五色之变，不可胜观也；味不过五，五味之变，不可胜尝也"④，就是一例。这里的"五行"与《左传》等书的"五行"一样，都是被当作物质世界万事万物的最基本属性来看待的。而且孙武还更进了一步，将万事万物的演绎、派生和变化归结为"五行"的本质内涵了，并在此基础上，引申出"奇正""虚实"等作战指导范畴。由此可见，孙武的战争理论，其出发点正是他的朴素唯物主义理论。

（二）朴素辩证法的思辨特征

《孙子兵法》的哲学基础亦表现为朴素辩证思想的思辨特征。孙武能够以普遍联系、相互依存的观点、立场和方法来认识和把握兵学的基本问题。

首先，在孙子的兵学思想中，兵学问题始终是被作为一个整体来对待的。其一，他讲"道、天、地、将、法"的"五事"，就是以联系的观点将兵学与政治、天时、地利、将才拔擢、法制建设等各项因素作为完整系统来进行考虑。其二，孙武的兵学基本范畴，如"奇正""虚实""主客""攻守"等等，也无不以相互依存、互为关系的形式而存在，一方不存在，对方也就不存在，如无"虚"也即无"实"，无"正"也即无"奇"，彼此间有着对立的统一和普遍的联系。其三，孙子承认，不仅相互对立的事物具有联系统一性，

① 《孙子兵法·九地篇》。
② 《孙子兵法·计篇》。
③ 《孙子兵法·形篇》。
④ 《孙子兵法·势篇》。

就是同一事物内部也存在着不同倾向相互对立、互为渗透的属性,并将它用于战争指导:"是故智者之虑,必杂于利害。杂于利,而务可信也,杂于害,而患可解也。"① 又曰:"故不尽知用兵之害者,则不能尽知用兵之利也。"② 正是这些辩证联系的观点,使得孙武的兵学理论具有最大的圆融性。

其次,朴素辩证法思想的重要内容之一,是主张把握事物转化上的"节"与"度"。遵循这一思想,孙武在对待战争时,既高度重视,透彻研究,又非常谨慎,努力追求"不战而屈人之兵"③ 的理想境界。这正是其备战与慎战观念的哲学前提。在具体作战、治军问题上,这种朴素辩证法思想也得到了有力的贯彻。如孙武既强调"军争",认为这是克敌制胜的必要环节,又主张"军争"必有节制,指出过犹不及。又如,孙子论述将之"五危":"必死,可杀也;必生,可虏也;忿速,可侮也;廉洁,可辱也;爱民,可烦也。"④ 其实勇于牺牲,善于保全,同仇敌忾,廉洁自律,爱民善卒,等等,本来都是将帅应具备的优良品德,然而,如果超过了一定的度量分界的话,即发展到了"必"这一程度,那么其性质也就起了转化,走向反面,而成为"覆军杀将"悲剧的起因了。在治军上,孙武既主张"视卒如婴儿""视卒如爱子",又指出"厚而不能使,爱而不能令,乱而不能治"⑤;作战指导上既强调"胜可知,而不可为"⑥,又肯定"胜可为也"⑦;等等,也均是本着朴素辩证法思想观念的重要阐述。

最后,朴素辩证法关于事物发展普遍性理论对《孙子兵法》亦有重大的启迪和影响。其中较为典型的例子,就是孙武运用发展变

① 《孙子兵法·九变篇》。
② 《孙子兵法·作战篇》。
③ 《孙子兵法·谋攻篇》。
④ 《孙子兵法·九变篇》。
⑤ 《孙子兵法·地形篇》。
⑥ 《孙子兵法·形篇》。
⑦ 《孙子兵法·虚实篇》。

化的观点来阐述缕析"奇正"问题的哲学意义："故善出奇者，无穷如天地，不竭如江河。终而复始，日月是也；死而复生，四时是也……战势不过奇正，奇正之变，不可胜穷也。奇正相生，如循环之无端，孰能穷之？"① 这里无论是遣词用句，还是精神实质，都显然与老子等人的论述有非常相似的一面。其他如，"乱生于治，怯生于勇，弱生于强"② 以及"五行无常胜，四时无常位，日有短长，月有死生"③ 等等，亦同样体现了这种精神。

当然，《孙子兵法》对古代朴素辩证法思想是既有继承又有发展的，这主要表现为两个方面。第一，孙武注意辨别真伪，抓住事物本质。他看到，在战场上，为了迷惑敌人，真真假假、虚虚实实乃是一种常见的现象。因此，只有透过现象，抓住本质，不为外在的表面现象所迷惑，才能赢得胜利。他详细分析列举的30余种"相敌"之法，就是从纷繁复杂的战争现象中所揭示的认识本质、抓住关键的经验总结。这标志着孙武真正吃透了朴素辩证法的精髓。第二，孙武反对消极被动，强调发挥人的主观能动作用。与老子朴素辩证法一味主张贵柔守雌，反对刚强进取又有明显的保守性有所区别，《孙子兵法》中的朴素辩证法思想则充满了积极主动的进取精神，在尊重客观实际的同时，提倡发挥人的主观能动作用。所以主张"择人而任势"④ "形人而我无形"⑤ "计利以听，乃为之势"⑥ "敌佚能劳之，饱能饥之，安能动之"⑦。总而言之，是要辩证观察问题，积极创造条件，实现克敌制胜的目的。正如学者对其价值与意义的评价："《孙子》的军事辩证法思想，是《孙子》兵法的精髓，它反映了中国古代辩证思维所达到的最高水平，对于辩证思维

---

① 《孙子兵法·势篇》。
② 《孙子兵法·势篇》。
③ 《孙子兵法·虚实篇》。
④ 《孙子兵法·势篇》。
⑤ 《孙子兵法·虚实篇》。
⑥ 《孙子兵法·计篇》。
⑦ 《孙子兵法·虚实篇》。

的发展产生了深远的影响。《孙子》军事辩证法思想不仅在中国军事科学发展史上占有重要地位，而且在中国哲学史上也占有重要地位。"①

（三）民本思想的洋溢

《孙子兵法》的哲学基础还表现在强调民本思想上。春秋时期是我国古代民本主义思潮兴起的重要阶段，当时的思想家都普遍注意考虑民心的向背，尊重民众的愿望，关心民众的生计，争取民众的归附。这在《孙子兵法》中亦有集中的反映。孙武的许多精彩命题和论述，都是在民本主义精神的指导和规范下提出并展开的。诸如"道者，令民与上同意也，故可以与之死，可以与之生，而不畏危"②"上下同欲者胜"③"善用兵者，修道而保法，故能为胜败之政"④"令素行者，与众相得也"⑤"进不求名，退不避罪，唯人是保"⑥等等，就是明证。很显然，孙武在这里已经将战争的胜负同政治的清明与否直接加以联系和对应了。至于清明的政治，在孙子眼里则等同于关心民生，争取民心，使上下和谐，同心同德，即所谓"令民与上同意""上下同欲""与众相得"云云。而达到这一目标的手段、方式，就是"修道而保法""唯人是保"等等。所有这一切，均打上了民本主义的深深烙印，也是孙武兵学理论具有历史进步性的具体表现。

二、慎战与备战并重的战争观念

春秋时代战争频繁，诸侯列国争霸一日无已。《孙子兵法》的思想当然反映了这一时代特色，这就决定了孙武在战争问题上鲜明地

---

① 中国人民解放军军事科学院战略研究部:《中国军事百科全书·军事辩证法分册》，军事科学出版社，1996年，第88页。
② 《孙子兵法·计篇》。
③ 《孙子兵法·谋攻篇》。
④ 《孙子兵法·形篇》。
⑤ 《孙子兵法·行军篇》。
⑥ 《孙子兵法·地形篇》。

提出慎战与备战并重的主张，换言之，即"安国全军"是孙武战争观的基本主线。

孙武对战争采取的是十分慎重的态度，《孙子兵法》开宗明义就展现出了这一态度："兵者，国之大事，死生之地，存亡之道，不可不察也。"[1] 既然战争是关系到国家存亡、民众生死的头等大事，所以孙武多次告诫并提醒统治者，必须慎重对待战争，指出："亡国不可以复存，死者不可以复生。故明君慎之，良将警之。"[2] 对于那种缺乏政治目标和战略价值而轻启战端的愚蠢做法，孙武持坚决反对的态度："主不可以怒而兴师，将不可以愠而致战。"[3] 并要求战争指挥者做到"战道不胜，主曰必战，无战可也"[4]。

然而主张慎战并不意味着反对战争。《孙子兵法》提倡慎战的主旨，在于它强调进行战争的政治目的应当遵循功利主义原则，即做到兵"以利动"[5]"非利不动，非得不用，非危不战"[6]"合于利而动，不合于利而止"[7]，不战则已，战则必胜。这种既重战又慎战的观点，使孙武的兵学观念既不同于儒、墨的非战主张，也与法家的嗜战立场有所区别。由此可见，孙武慎战的出发点是"安国全军"，以最终赢得战争的胜利。

孙武是清醒的现实主义者，深知战争不可避免，战争对社会经济、国家前途的影响巨大。因此，他把准备战争和指导战争的问题提到了极其重要的高度，强调一定要做到有备无患："用兵之法：无恃其不来，恃吾有以待也；无恃其不攻，恃吾有所不可攻也。"[8] 这就是说，要把立足点放在做好充分准备，不打无准备之仗，以强大

---

① 《孙子兵法·计篇》。
② 《孙子兵法·火攻篇》。
③ 《孙子兵法·火攻篇》。
④ 《孙子兵法·地形篇》。
⑤ 《孙子兵法·军争篇》。
⑥ 《孙子兵法·火攻篇》。
⑦ 《孙子兵法·火攻篇》。
⑧ 《孙子兵法·九变篇》。

的军事实力迫使敌人不敢轻易发动战争的基点上,而非其他。

　　基于慎战和备战并重的战争观念,孙武逻辑地推导出用兵的理想境界,这就是一个"全"字。所谓"全"就是全胜。《孙子兵法》中提到"全"的地方有十余处,最主要的篇章是《谋攻》。孙武认为"百战百胜"非"善之善者",高明的战争指导者应该做到"屈人之兵而非战也,拔人之城而非攻也,毁人之国而非久也"①,从而实现战略、战役、战斗的全胜,即"必以全争于天下,故兵不顿而利可全"②,用全胜的谋略争胜于天下,"不战而屈人之兵"。为了达到这一理想境界,孙武提出了"上兵伐谋,其次伐交"③ 的主张,认为指导战争的上策是挫败敌人的谋略,其次是展示强大的兵威,通过军事威胁慑服敌人。至于"伐兵""攻城",那就等而下之了。由此可见,孙武的"全胜"思想,实际上仍然是其慎战和备战思想在作战指导上的反映。慎战与备战、重战思想犹如一条红线,贯穿于《孙子兵法》十三篇中。

　　如果不得已进行战争,孙武主张实行进攻和速胜战略。他明确提出:"兵贵胜,不贵久。"④ 又曰:"兵闻拙速,未睹巧之久也。夫兵久而国利者,未之有也。"⑤ 战争的目的是以最小的成本取得最大的胜利,因此只有速胜才能最大可能地降低战争成本,所谓"久则钝兵挫锐,攻城则力屈,久暴师则国用不足"⑥。无论从战前准备来看——"驰车千驷,革车千乘,带甲十万,千里馈粮,则内外之费,宾客之用,胶漆之材,车甲之奉,日费千金,然后十万之师举矣"⑦,还是从战争给国家和民众带来的巨大损失来看——"力屈、财殚,中原内虚于家。百姓之费,十去其七;公家之费,破车罢马,

---

① 《孙子兵法·谋攻篇》。
② 《孙子兵法·谋攻篇》。
③ 《孙子兵法·谋攻篇》。
④ 《孙子兵法·作战篇》。
⑤ 《孙子兵法·作战篇》。
⑥ 《孙子兵法·作战篇》。
⑦ 《孙子兵法·作战篇》。

甲胄矢弩，戟楯蔽橹，丘牛大车，十去其六"①，一场旷日持久的战争，毫无疑问，对国家来说是一场灾难。同时，为了最大可能地降低成本，孙武以明确的语言表明了自己的进攻战略："夫霸王之兵，伐大国，则其众不得聚；威加于敌，则其交不得合。"② 从历史发展的角度看，孙武这一战争观，是符合新兴阶层的要求的，与当时社会大变革的潮流相一致，具有突出的进步意义。

三、"令文齐武"的治军思想

为了适应新兴地主阶级建设军队、从事战争的需要，孙武曾提出过不少治军原则，形成了比较系统的治军思想。归纳起来说，其治军思想主要包括严明赏罚、重视选将、将权贵一、严格训练、统一号令、爱卒善俘诸方面。

能否严明赏罚，是调动将士积极性，提高部队战斗力的重要途径之一。孙武对此予以高度重视。在《计篇》中他将"法"列为"五事"的一项，把"赏罚孰明"作为判断战争胜负的重要因素之一。他说："令之以文，齐之以武，是谓必取。"③ 所谓"文"，就是精神教育、物质奖励；所谓"武"，就是军纪军法，强调重刑严罚。他认为治军必须拥有文武两手，做到恩威并施："卒未亲附而罚之，则不服，不服，则难用也；卒已亲附而罚不行，则不可用也。"④ 否则就不能造就一支具有强大战斗力的部队："厚而不能使，爱而不能令，乱而不能治，譬若骄子，不可用也。"⑤

要严明赏罚，关键在于做到有法可依，有律可循，否则严明赏罚便无从谈起。所以孙武非常重视军队的法制建设，把"法令孰行"也列为判断战争胜负的标准之一。他认为部队必须有一定的组织编

---

① 《孙子兵法·作战篇》。
② 《孙子兵法·九地篇》。
③ 《孙子兵法·行军篇》。
④ 《孙子兵法·行军篇》。
⑤ 《孙子兵法·地形篇》。

制，明确各级人员的职守："法者，曲制、官道、主用也。"① 他指出："治乱，数也。"② 又曰："凡治众如治寡，分数是也。"③ 至于法制建设的重点，孙武认为是统一号令，加强纪律。他说："斗众如斗寡，形名是也。"④ 主张用金鼓旌旗来统一将士的耳目，约束部队的行动，从而达到"勇者不得独进，怯者不得独退"⑤ 的目的。当然，孙武主张在执法问题上也应该做到随时变宜，以更好地发挥法纪的作用。所谓"施无法之赏，悬无政之令"⑥ 就是这层意思。这体现了《孙子兵法》既讲求执法严肃性又注重执法灵活性的实事求是态度。

军事指挥员的素质优劣，在很大程度上影响到军队建设和战争胜负。孙武对这层道理有较深刻的认识，因此强调将帅在战争中的地位和作用，对将领的选拔提出了具体而严格的要求。他指出将帅是国君的助手，辅佐周密，国家就一定强盛；辅佐有缺陷，国家就一定衰弱。显然，他是把优秀将帅的作用提到"生民之司命，国家安危之主也"⑦ 的高度来认识的。为此，他重视将帅队伍的建设，认为一名贤将必须具备"智、信、仁、勇、严"⑧ 等条件。在处事上，要"进不求名，退不避罪，唯人是保"⑨；在才能上，要"知彼知己""知天知地"⑩"通于九变"⑪；在管理上，要"令素行以教其

---

① 《孙子兵法·计篇》。
② 《孙子兵法·势篇》。
③ 《孙子兵法·势篇》。
④ 《孙子兵法·势篇》。
⑤ 《孙子兵法·军争篇》。
⑥ 《孙子兵法·九地篇》。
⑦ 《孙子兵法·作战篇》。
⑧ 《孙子兵法·计篇》。
⑨ 《孙子兵法·地形篇》。
⑩ 《孙子兵法·地形篇》。
⑪ 《孙子兵法·九变篇》。

民"① "与众相得"②，使士卒亲附；在修养上要"静以幽，正以治"③，提醒将帅要避免犯骄横自大、轻举妄动、勇而无谋、贪生怕死等毛病。

为了确保将帅在战争中进行有效、灵活的指挥，孙武主张将权适当地集中和专一，反对国君脱离实际情况干涉、遥控部队的指挥事宜。《谋攻篇》指出，国君危害军事行动的情况有三种：不了解军队不能前进而硬让军队前进，不了解军队不能后退而硬令军队后退，这叫作束缚军队；不了解军队的内部事务，而去干预军队的行政，就会使得将士困惑；不懂得军事上的权宜机变，而去干涉军队的指挥，就会使得将士产生疑虑。他进而认为，出现这类情况，就会导致"乱军引胜"④ 自取败亡的结果。可见，军事上的成败，其前提之一是"将能而君不御"。正是在这个意义上，《孙子兵法》提倡"君命有所不受"⑤，将它确定为一条重要的治军原则。

《孙子兵法》也比较注重部队的训练问题，主张严格练兵，提高战斗力，把"士卒孰练"作为重要的制胜因素。孙武指出，"教道不明""兵无选锋"⑥ 是造成作战失败的重要原因，切不可等闲视之，"将之至任，不可不察"⑦。为了训练出一支英勇善战的劲旅，孙武提倡爱护士卒，认为做到"视卒如婴儿……视卒如爱子"⑧，乃是训练好部队的先决条件。孙武这一爱兵主张的动机是明确的，即由此而造成"上下同欲"⑨、上下一致的良好官兵关系，保证部队达到"投之无所往，死且不北""犯三军之众，若使一人"⑩ 这样的最

---

① 《孙子兵法·行军篇》。
② 《孙子兵法·行军篇》。
③ 《孙子兵法·九地篇》。
④ 《孙子兵法·谋攻篇》。
⑤ 《孙子兵法·九变篇》。
⑥ 《孙子兵法·地形篇》。
⑦ 《孙子兵法·地形篇》。
⑧ 《孙子兵法·地形篇》。
⑨ 《孙子兵法·谋攻篇》。
⑩ 《孙子兵法·九地篇》。

佳临战状态。同时《孙子兵法》还提出对敌军战俘要"卒善而养之",从而在削弱敌人的同时,使自己变得更加强大,"胜敌而益强"①。这一思想也是值得肯定的。

四、以"五德"为核心的重将思想

春秋以前的职官制度有一个很大的特点,即文武基本不分职,这是与当时军政合一、兵民一体,"作内政而寄军令"② 的社会政治生活情况相一致的。到了春秋中晚期,随着社会经济、政治、军事、文化等领域新因素的出现,尤其是争霸兼并战争步入更激烈的阶段,这种文武不分职的社会现象也就不能不受到大的冲击。当时军队的人数日益庞大,战场的区域相当广阔,作战的方式趋于复杂,杀伤的程度愈加残酷,这样就决定了需要有一定军事才能的将领负责作战指挥,从而开始了文武分职、将相殊途的漫长历史过程。

据历史记载,春秋时代已有将军的名称,如晋国的六卿,《墨子》称为"六将军"③,《银雀山汉墓竹简·孙子佚文·吴问》也提到"六将军专守晋国之地"④。另外文献中还有"郑人以詹伯为将军"⑤ "十旌一将军"⑥ 等记载。这些都是文武分职、将相殊途的萌芽。⑦

专职将帅的出现,在历史发展长河中是值得大书特书的重大事件。⑧ 它不但是中国古代职官制度发展上的一次巨大变革,更是中

---

① 《孙子兵法·作战篇》。

② 《国语·齐语》。

③ 《墨子·非攻中》。

④ 银雀山汉墓竹简整理小组:《银雀山汉墓竹简(壹)》,文物出版社,1985年,第30页。

⑤ 《国语·晋语四》。

⑥ 《国语·吴语》。

⑦ 黄朴民、马丁:《对先秦"文武分职"问题的再考察》,《中国人民大学学报》2004年第1期。

⑧ 赵一平:《中国古代将帅思想发展史概述》,《南京政治学院学报》2000年第4期。

国古代军队建设上的一个质的飞跃。从此军队拥有了专门的治理者和指挥者，成功地理顺了军事领导体系，军队职业化走上了正常发展的轨道。总之，此制度使军队呈现出全新的面貌，使古代战争进入了新的阶段。这是符合军事斗争内在规律的逻辑选择的。

孙子是站在时代前列的兵学思想家，对专职将帅这一新生事物自然持积极拥护的态度，并从理论上对培养、选拔、任用军事人才问题进行深入的探讨，在此基础上形成了相当完整系统的选将任将思想，其中包括对将帅地位的认识、将帅品德才能的要求以及将帅职权的界定等众多方面的内容。

从《孙子兵法》的内容看，孙子是高度重视将帅的地位和作用的。他将"将孰有能"置于判断制胜条件的第二位，就充分显示了这一点。孙子认为军事指挥者各方面素质的优劣高低，在很大程度上决定着军队建设的成败、作战行动的胜负和国家命运的安危："故知兵之将，生民之司命，国家安危之主也。"[1] 在孙子看来，将帅在整个国家政治生活中的地位，仅次于最高统治者——国君，十分关键，非常重要，其作用须臾不可忽视。

鉴于对将帅地位重要性的认识，孙子十分重视对将帅队伍的建设，他认为作为一名良将，必须具备突出的优良素质。这些优良素质，根据孙子的意见，就是所谓的"五德"，即为将的五条标准："智、信、仁、勇、严。"[2]

唐代杜牧在其《孙子注》中曾对上述"五德"作过精辟而具体的解释："盖智者，能机权，识变通也；信者，使人不惑于刑赏也；仁者，爱人悯物，知勤劳也；勇者，决胜乘势，不逡巡也；严者，以威刑肃三军也。"[3] 明代兵学家赵本学在《孙子书校解引类》中亦总结和丰富："达人之情，见事之微，诈不能欺，谗不能入，应变无常，转祸为福，此将之智也。进有重赏，退有重罚，赏不私亲，罚

---

① 《孙子兵法·作战篇》。
② 《孙子兵法·计篇》。
③ 杨丙安：《十一家注孙子校理》，第7页。

不避贵，此将之信也。知人饥渴，同人劳苦，问病戚容，抚伤出涕，此将之仁也。见机则发，遇敌则斗，陷阵必入，被围必出，虽危不惧，虽败不挫，此将之勇也。军政整齐，号令如一，三军畏将而不畏敌，奉令而不奉诏，可望而不可近，可杀而不可败，此将之严也。五德皆备，然后可为大将。"① 由此可见，孙子对良将品质的界定，乃是指为将者要做到多谋善断（智）、赏罚有信（信）、爱抚部属（仁）、勇敢能战（勇）和明法审令（严）。五者互为条件，缺一不可。这表明孙子既对将帅政治德操提出了标准，也对将帅军事才能提出了要求。其核心含义就是力求达到德才兼备、文武双全的极高境界。

以"智、信、仁、勇、严"为总纲，孙子进而对将帅立身处世的行为准则提出了严格的要求。具体而言，第一，将领要具备高尚的道德操守，"进不求名，退不避罪，唯人是保，而利合于主"②。置个人荣辱得失于度外，忠于国君，爱护民众。第二，将领要具备卓越的指挥才能，"知彼知己"③ "知天知地"④ "知九变之术"⑤ "识众寡之用"⑥ "知迂直之计"⑦，要知阵法，识战机，而最根本的是要掌握"战道"，即战争规律。将领足智多谋，善于临机应变，"因敌而制胜"⑧，能够游刃有余地履行自己的本职任务。第三，将领也要具备杰出的治军本领，这包括以"信""严"为本的管理手段和以"仁""勇"为核心的带兵作风。将领必须恰当地掌握好爱与令、厚与使、乱与治的分寸，既爱兵抚士，身先士卒，以求士卒

---

① 赵本学：《孙子书校解引类》，见《中国兵书集成》编委会：《中国兵书集成》（第12册），解放军出版社，辽沈书社，1990年，第42—43页。
② 《孙子兵法·地形篇》。
③ 《孙子兵法·谋攻篇》。
④ 《孙子兵法·地形篇》。
⑤ 《孙子兵法·九变篇》。
⑥ 《孙子兵法·谋攻篇》。
⑦ 《孙子兵法·军争篇》。
⑧ 《孙子兵法·虚实篇》。

"亲附""与众相得"①；又严格管理，令行禁止，做到"令素行以教其民"②。总之，将帅必须文武并用，恩威兼施，赏罚俱行。第四，在个人性格修养上，将领也要具备高度自控的能力。用孙子自己的话说，就是"将军之事，静以幽，正以治"③，意即沉着镇定，喜怒不露声色；待人接物公正无私，处理事务条理井然。

　　孙子在从正面阐明将帅具备"五德"必要性的同时，又从反面告诫将帅要防止出现性格行为上的五种缺陷，指出这些行为是随时可能导致"覆军杀将"的根源："故将有五危：必死，可杀也；必生，可虏也；忿速，可侮也；廉洁，可辱也；爱民，可烦也。凡此五者，将之过也，用兵之灾也。覆军杀将，必以五危，不可不察也。"④ 由此可见，无论是死拼蛮干，还是贪生怕死，不论是急躁易怒，还是沽名钓誉，或者不分主次、姑息求全，在孙子看来，都是断断要不得的，必须坚决反对，力求避免。类似的观点，在《孙子兵法》中还有许多，如他告诫将帅"惟无武进"⑤，认为"夫惟无虑而易敌者，必擒于人"⑥，同样是反对有勇无谋，轻敌盲动。孙子的这些论述，表明了他分析问题的辩证性和全面性，是值得后世治军者引以为鉴的。

　　为了确保将帅在战争中进行有效、灵活的指挥，孙子主张保持将权适当的集中和专一，即在作战指挥上，应由将帅根据战争的一般规律和战场的具体情况来确定打还是不打："战道必胜，主曰无战，必战可也；战道不胜，主曰必战，无战可也。"⑦

　　孙子对军事行动中的瞎指挥、瞎管理、瞎监督等做法深恶痛绝，严词抨击，坚决反对国君脱离实际情况随意干涉部队的指挥事宜。

---

① 《孙子兵法·行军篇》。
② 《孙子兵法·行军篇》。
③ 《孙子兵法·九地篇》。
④ 《孙子兵法·九变篇》。
⑤ 《孙子兵法·行军篇》。
⑥ 《孙子兵法·行军篇》。
⑦ 《孙子兵法·地形篇》。

他的这一思想在《谋攻篇》中有集中反映。孙子根据当时军队的实际状况指出,国君危害军事行动的情况有三种,这些都是束缚军队极不明智的行径,只会使将士疑虑困惑,无所适从。一旦发生这类情况,敌人便会乘机进犯,己方将处于十分不利的位置,灾难不可避免,这叫作"乱军引胜"①。孙子进而指出,一支军队要强大有力,战胜敌人,夺取胜利,重要的前提条件之一,便是必须真正做到"将能而君不御"②。正是在这个意义上,孙子不遗余力地强调"君命有所不受"③,并把它作为一条很重要的原则,用于指导处理复杂的君将关系。

需要指出的是,孙子所说的"君命有所不受",仅仅是就将帅的机断指挥权范围而言的,并不涉及军队领导权问题。关于军队领导权,孙子认为毫无疑问归属于国君,即所谓的"将受命于君"④。作为将领,必须对国君负责,"利合于主"⑤。因此"君命有所不受"绝不等同于拥兵自重、割据称雄。

当然,孙子的将帅论也存在着明显的局限性。这主要表现为两个方面:其一,就内涵而言,他虽然指出了将帅地位的重要性,也阐述了为将之道的五德标准,却缺乏对选将任将具体手段和方式的论述。其二,就性质而言,他对将帅在社会政治生活中地位的论述,多少有过分夸大将帅个人作用的倾向,带有英雄史观的浓厚色彩,这反映出他作为贵族阶级兵学思想家的时代局限性。

五、主动灵活、因敌变化的制胜之道

"善战"思想在整部《孙子兵法》中占有主导地位,"兵以诈立,以利动,以分合为变"是孙子兵学实用理性的集中体现;一部

---

① 《孙子兵法·谋攻篇》。
② 《孙子兵法·谋攻篇》。
③ 《孙子兵法·九变篇》。
④ 《孙子兵法·军争篇》。
⑤ 《孙子兵法·地形篇》。

《孙子兵法》，归根结蒂是教人如何用兵打仗，去夺取战争的胜利的。这正是我们今天正确把握《孙子兵法》的重心所在。

《孙子兵法》中制胜之道的内容非常丰富，简要归纳，大致有以下几个方面。

第一，"知彼知己""知天知地"，全面了解和掌握各种情况，在此基础上筹划战略全局，实施战役指导，赢得战争胜利。孙武认为，从事战争的先决条件是要做到"知彼知己"，因为只有正确估量敌我情况才能作出正确的判断，定下正确的决心，制定正确的方针。为此，他主张在开战之前就要对敌我双方的主客观条件——"五事""七计"有全面的了解，进行仔细周密的考察，以期对战争胜负趋势作出正确的预测，并据此制定己方的战略战术。在实施作战指导过程中，也要随时将"知彼知己""知天知地"作为行动的纲领："不知诸侯之谋者，不能豫交；不知山林、险阻、沮泽之形者，不能行军；不用乡导者，不能得地利。"① 为了了解和掌握敌情，《孙子兵法》提倡用间，把这看成是"知彼"亦即"知敌之情实"的主要手段。《用间篇》集中论述了用间的原则和方法，主张"五间并起"而以"反间"为主。在战场交锋中，孙武也强调最大限度地查明敌情，《行军篇》中著名的 30 余种"相敌"方法就是在这样的背景下提出的。由此可见，"知彼知己"乃是《孙子兵法》制胜之道的出发点和基础。

第二，"致人而不致于人"，牢牢掌握战争主动权。孙武认为要确保自己在战争中永远立于不败之地，就必须创造条件，始终把握战争的主动权，而掌握主动权的核心，关键在于做到"致人而不致于人"，调动敌人而不为敌人所调动。关于如何争取主动权，《孙子兵法》中有精辟的论述，其主要内容不外乎以下三个方面。其一，加强军队实力，造成对敌力量对比上的绝对优势："胜兵若以镒称铢。"又曰："胜者之战民也，若决积水于千仞之溪者，形也。"② 其

---

① 《孙子兵法·军争篇》。
② 《孙子兵法·形篇》。

二，造势任势，发挥主观能动性，主动灵活地打击敌人。孙武认为："善战者，求之于势，不责于人，故能择人而任势。"① 所以他重视战场的造势和任势，指出"善战者，其势险，其节短，势如彍弩，节如发机"②。这表明孙武是把造势和任势列为争取主动权的重要环节之一来对待的，其含义就是要在强大的军事实力基础上，发挥将帅的杰出指挥才能，创造和利用有利的作战态势，主动有效地克敌制胜。其三，奇正并用，避实击虚。孙武认为要造成有利的态势，掌握战场主动权，在作战指挥上，一是要解决战术的"奇正"变化运用问题，指出"战势不过奇正"，用兵打仗要做到"以正合，以奇胜"，同时，高明的将帅还应根据战场情势的变化而灵活变换奇正战法："奇正之变，不可胜穷也"③；二是要正确贯彻"避实而击虚"的原则，避开敌人的强点，攻击敌人虚弱却关键的部位，从根本上战胜敌人，达到"善攻者，敌不知其所守；善守者，敌不知其所攻"④ 的目的。可见，"致人而不致于人"，掌握战争主动权，实为《孙子兵法》制胜之道的精髓和灵魂。

　　第三，"示形动敌""兵者诡道"，不拘一格，因敌制胜。这是《孙子兵法》制胜之道的主要手段和方式。孙武认为要掌握战场主动权，就必须在作战指挥上坚决贯彻"兵者诡道"的原则。他指出，军事家指挥艺术的奥妙，就在于"能而示之不能，用而示之不用，近而示之远，远而示之近。利而诱之，乱而取之，实而备之，强而避之，怒而挠之，卑而骄之，佚而劳之，亲而离之"⑤。唯有如此，方可"攻其无备，出其不意"。这种诡诈战法的核心，则是"示形动敌"："善动敌者，形之，敌必从之；予之，敌必取之；以利动之，以卒待之。"⑥ 战场上克敌制胜的最上乘境界乃是"形人而我无形"

---

① 《孙子兵法·势篇》。
② 《孙子兵法·势篇》。
③ 《孙子兵法·势篇》。
④ 《孙子兵法·虚实篇》。
⑤ 《孙子兵法·计篇》。
⑥ 《孙子兵法·势篇》。

"形兵之极，至于无形"①。一旦做到这一点，那么进行防御，即可"藏于九地之下"；实施进攻，即可"动于九天之上"，置敌于死地，"自保而全胜"。与此同时，孙武也充分认识到用兵打仗贵在灵活机动，随机应变。所以他特别强调"因敌制胜"的重要性，指出"兵无常势，水无常形，能因敌变化而取胜者，谓之神"②；"践墨随敌，以决战事"③。它们的主旨，均立足于"战胜不复，而应形于无穷"这一点上。可见，不拘一格，"因敌制胜"，既是实践"诡道"战法的前提，也是《孙子兵法》制胜之道之所以高明的体现。

第四，"兵贵胜，不贵久"，强调速战速决，推崇作战行动的突然性、进攻性、运动性，这是《孙子兵法》制胜之道的显著特点。孙武对战争给国家、民众所带来的严重后果有着清醒的认识。所以他坚决主张速战速决，在最短的时间里以最小的代价取得最大的战果，反对使战争旷日持久，疲师耗财。为此他反复阐述"兵贵胜，不贵久"的道理，指出"善用兵者，役不再籍，粮不三载，取用于国，因粮于敌"④。为了达到速战速决的战略目的，《孙子兵法》主张在采取军事行动时，一是要做到突然性，使敌人处于猝不及防的被动状态，"兵之情主速，乘人之不及，由不虞之道，攻其所不戒也"⑤，努力达到"动如脱兔，敌不及拒"的最佳效果。二是要做到运动性，即提倡野外机动作战，调动敌人并在野战中予以歼灭性打击："顺详敌之意，并敌一向，千里杀将。"⑥ 又曰："以迂为直，以患为利。故迂其途，而诱之以利，后人发，先人至。"⑦ 总之是要"悬权而动"，使部队始终保持主动地位，行动自如："其疾如风，

---

① 《孙子兵法·虚实篇》。
② 《孙子兵法·虚实篇》。
③ 《孙子兵法·九地篇》。
④ 《孙子兵法·作战篇》。
⑤ 《孙子兵法·九地篇》。
⑥ 《孙子兵法·九地篇》。
⑦ 《孙子兵法·军争篇》。

其徐如林，侵掠如火，不动如山；难知如阴，动如雷震。"① 三是要做到隐蔽性，使对手无从窥知我方的作战意图，如同聋子、瞎子一样，从而确保我方军事行动的突然性能够达到，运动性能够实现："易其事，革其谋，使人无识；易其居，迂其途，使人不得虑。"② 又曰："因形而错胜于众，众不能知。人皆知我所以胜之形，而莫知吾所以制胜之形。"③ 孙武认为，只要在军事行动中真正做到了隐蔽、突然、机动，那么就能够速战速决，出奇制胜。

第五，正确选择主攻方向，集中优势兵力，各个歼灭敌人，这是《孙子兵法》制胜之道的突出环节。作战双方，谁具有优势的战场地位，谁就拥有军队行动的主动权，这是战争运动的通则。《孙子兵法》对此作了充分的揭示，强调"识众寡之用者胜"④。所谓"众寡"，就是指兵力的对比，而"用"则是指兵力的使用。孙武认为，要取得战争的胜利，就必须在战场交锋时以优势兵力去对付劣势之敌，集中兵力，以镒称铢。所以他反复阐述集中兵力问题的重要性，并一再提出具体的集中优势兵力的主张："并力"⑤ "并敌一向"⑥ "并气积力"⑦，从而达到"以众击寡"的目的。当然，战场的态势是千变万化的，集中兵力的方法也应该因敌制宜，所谓"十则围之，五则攻之，倍则分之"⑧ 就是这个意思。孙武进而指出，通过众寡分合以求集中兵力、掌握主动，关键在于发挥主观能动作用，善于创造条件。从战术上说，即要做到"形人而我无形，则我专而敌分；我专为一，敌分为十，是以十攻其一也，则我众而敌寡，能以众击寡者，则吾之所与战者，约矣"⑨。他认为，在兵力部署上，不分主

---

① 《孙子兵法·军争篇》。
② 《孙子兵法·九地篇》。
③ 《孙子兵法·虚实篇》。
④ 《孙子兵法·谋攻篇》。
⑤ 《孙子兵法·行军篇》。
⑥ 《孙子兵法·九地篇》。
⑦ 《孙子兵法·九地篇》。
⑧ 《孙子兵法·谋攻篇》。
⑨ 《孙子兵法·虚实篇》。

次方向，单纯企求"无所不备"，则势必"无所不寡"，也就失去了主动地位。据此，《孙子兵法》一再提醒战争指导者要避免犯"以一击十""以少合众"这一类分散兵力的错误，因为那样做即是"败之道也"，到头来一定会覆军杀将，自取其辱。

第六，察知天候地理，巧妙利用地利，根据地形条件制定切合实际的战略战术，确保作战胜利，这是《孙子兵法》制胜之道的重要内容。众所周知，在冷兵器时代，掌握和利用地形，对于战争的胜负关系甚大。孙武是中国古代第一位系统探讨地形条件与军事斗争成败相互关系的军事大师。他撰写《九地篇》，阐述战略地理问题，提出了军队在九种不同战略地理条件下作战的基本指导原则；又在《行军》《地形》诸篇中着重论述了战术地理问题。他指出，在行军作战中，要善于"处军"，利用有利的地形，避开不利的地形。为此他列举了在山地、江河、沼泽、平原等四种地形环境中的处军原则，并进而将利用地形的基本特点归纳为"凡军好高而恶下，贵阳而贱阴，养生而处实"①。从当时的实战要求出发，孙武还具体分析了军队在作战中可能遇到的"通""挂""支""隘""险""远"等六种地形，并就这六种不同的地形条件，提出了具体而又适宜的用兵方法。总之，《孙子兵法》主张将帅要熟悉和巧妙利用地形条件："夫地形者，兵之助也。料敌制胜，计险厄、远近，上将之道也。"② 这显示出，孙武是中国古代军事地理学的奠基者，《孙子兵法》有关巧妙利用地形地理问题的论述，是其制胜之道的重要组成部分，极大地丰富了古典军事理论，在军事学术发展史上占有重要的地位。

综上所述，《孙子兵法》中的制胜论思想既具有完整系统性，又不乏深刻精辟性，它是孙武兵学思想的主体内容，是《孙子兵法》一书精华之所在。它以无可怀疑的事实向人们昭示：孙武无愧于"一代兵圣"的光荣称号！《孙子兵法》无愧于"百世谈兵之祖"的不朽殊遇！

---

① 《孙子兵法·行军篇》。
② 《孙子兵法·地形篇》。

第五节　《孙子兵法》的吴文化特色

作为中国古典兵学文化的最杰出代表,《孙子兵法》既是中华民族传统文化的璀璨瑰宝,也是先秦时期地域文化的珍贵结晶。长期以来,人们一般都将它归入齐文化的范围。笔者本人亦持类似的观点,在拙著《孙子评传》《孙子兵法详解》《孙子兵法选评》以及相关论文中按齐国兵学文化体系解读《孙子兵法》的文化地位与历史贡献。

但是,随着关于《孙子兵法》研究的进一步深化,"《孙子兵法》为齐地兵学代表"这一传统看法正遭到越来越多的质疑,笔者本人虽然不否认齐文化与《孙子兵法》之间的内在联系与深厚渊源,却认为仅仅这样观察问题,阐释背景是不够全面的。至于将齐文化作为《孙子兵法》唯一来源的判断更是武断偏颇的,在笔者看来,比较公允的意见应该是《孙子兵法》显示着多元综合的文化品格,它在弥漫着齐文化基本精神的同时,也带有深厚的吴文化特色,它的成书实际上是齐鲁文化与吴越文化碰撞、沟通、融合的产物,反映了中国古典兵学开放进取、兼容博采、随时创新的时代精神。

《孙子兵法》与吴地文化具有密切的关系,这一点既可以从有关古代文献典籍中寻找到有力的依据,也能够在《孙子兵法》一书中获得比较充分的内证。

就《史记》等文献的记载而言,孙武虽是齐人,但自从其因避齐国内部动乱而出奔定居吴地起,他的活动基本上都是在吴地展开的,换言之,史籍所载可供采信的孙子生平大事,如吴宫教战、辅佐阖闾富国强兵、对楚实施战略欺骗、五战入郢等等,均以吴国大地为广阔的舞台。从这个意义上说,孙子所创作的兵书,逻辑上自然是吴文化的有机组成部分。对这个问题,先秦两汉时期的人们是不曾持有什么异议的。故班固沿袭西汉刘向诸人的考辨意见，称《孙子兵法》为"吴孙子"，著录为"吴孙子兵法，八十二篇，图九卷"①；《汉书·刑法志》评论汉以前的著名军事家与军事理论家，也直言孙子系吴地的历史人物："雄杰之士因势辅时，作为权诈以相倾覆。吴有孙武，齐有孙膑，魏有吴起，秦有商鞅，皆禽敌立胜，垂著篇籍。"② 类似的记载，亦见于《史记》："自是之后，名士迭兴，晋用咎犯，而齐用王子，吴用孙武，申明军约，赏罚必信，卒伯诸侯，兼列邦土。"③ 班固并推论协助吴王阖闾成就一代霸业的孙子尽管立有"西破强楚，北威齐晋，南服越人"④ 的赫赫功勋，但依旧逃脱不了兔死狗烹、卸磨杀驴的悲惨下场："至于末世，苟任诈力，以快贪残，争城杀人盈城，争地杀人满野。孙（武）、吴（起）、商（鞅）、白（起）之徒，皆身诛戮于前，而国灭亡于后。"⑤

　　其他先秦两汉时期的重要典籍、重要历史人物，同样视《孙子兵法》诞生于吴国大地，为吴国波澜壮阔、绚丽多彩军事实践的卓越理论总结。《尉缭子》称："有提三万之众而天下莫当者，谁？曰武子也。"⑥ 吴军在公元前 506 年的破楚入郢之役中所动用的水陆兵力约为 3 万人，史有明载，可见这里提及的"武子"即为吴孙子"孙武"无疑。又，《吕氏春秋》亦云："阖庐之教，孙、吴之兵，不能当也。"⑦ 汉代高诱注云："孙、吴，吴起、孙武也。吴王阖庐之将也，《兵法》五千言是也。"这里，《吕氏春秋》的作者以及高诱，也是将孙子视为吴地人士，将《孙子兵法》一书看作吴越兵学文化杰出成就的。东汉王充同样将孙子及其著述置放到吴国争霸事

① 《汉书·艺文志》。
② 《汉书·刑法志》。
③ 《史记·律书》。
④ 《史记·伍子胥列传》。
⑤ 《汉书·刑法志》。
⑥ 《尉缭子·制谈》。
⑦ 《吕氏春秋·上德》。

业的大背景下进行考察，从而曲折地透露了《孙子兵法》归属吴文化系统的价值判断:"孙武阖庐，世之善用兵者也。知或学其法者，战必胜;不晓什伯之阵，不知击刺之术者，强使之军，军覆师败，无其法也。"①

正是因为《孙子兵法》有十分浓厚的吴地背景，所以《吴越春秋》的作者赵晔干脆不再提孙武的原籍问题("齐人")了，而根据孙武的主要活动事迹以及兵书著述的吴地文化背景而径称孙武为"吴人"，指出其"善为兵法，辟隐深居，世人莫知其能"②。这虽然是对《史记》有关孙子生平记载的误解与曲说，但是也从一个侧面反映了《孙子兵法》与吴地文化渊源之深，纠葛之重，似乎要愈于它与齐鲁文化的关系。

就《孙子兵法》本书内证而言，笼罩在全书身上的吴地南方兵学文化特征更是十分显著的，这在此书所反映的军队体制编制、军事地理特点与战争外部环境、作战指导理念与方法、吴越争霸兼并战争背景诸环节中均可以获得充分的印证。

这首先表现为《孙子兵法》所提到的"军、旅、卒、伍"四级基本编制在春秋时期为吴国所特有，而与晋国军队的六级编制与齐国军队的五级编制有较大的区别。春秋时期正规的军队一般编制及隶属系统系《周礼·夏官·小司马》所称的"军、师、旅、卒、两、伍"的六级编制。在当时，晋国的军队编制可谓是这种六级编制的典型代表。据文献记载，晋国先后作"二军""三军"乃至"五军""六军"。可见"军"是晋国军队的最高建制单位。另外，晋国军队中有"师"与"旅"的建制:"百官之正长、师旅及处守者皆有赂。"③ 也有"卒、两、伍"的中下层建制:"以两之一卒适

———————————

① 《论衡·量知篇》。

② 《吴越春秋·阖闾内传》。

③ 《左传·襄公二十五年》。

吴。"① 又载："卒伍治整，诸侯与之。"②

　　齐国的情况有所不同，据《国语·齐语》以及《管子》相关篇章的记载，齐国军队实行的是五级编制，其成建制的军事单位为"军、旅、卒、小戎、伍"。又载："五家为轨，故五人为伍，轨长帅之；十轨为里，故五十人为小戎，里有司帅之；四里为连，故二百人为卒，连长帅之；十连为乡，故二千人为旅，乡良人帅之；五乡一帅，故万人为一军，五乡之帅帅之。三军，故有中军之鼓，有国子之鼓，有高子之鼓。"③ 即"军"至"伍"五级编制，分别辖有万人、二千人、二百人、五十人和五人。

　　吴国的军队编制既不同于晋国，也不同于齐国，而有其独特的体制编制结构。以现存的文献考察，其军队的基本编制当为四级，即"军""旅""卒""伍"。其中"伍"为五人；"卒"为百人，"陈士卒，百人以为彻行百行"④；"旅"为千人，"十行一嬖大夫"⑤；"军"为万人，"十旌一将军……万人以为方阵"⑥。这一点恰好在《孙子兵法》一书中得到颇具说服力的证明，《孙子兵法》云："凡用兵之法：全国为上，破国次之；全军为上，破军次之；全旅为上，破旅次之；全卒为上，破卒次之；全伍为上，破伍次之。"⑦ 而《孙子兵法》所涉及的军队编制不以晋国的六级编制或齐国的五级编制为基本对象，却与吴国的四级编制相一致，这有力地说明了《孙子兵法》的吴文化属性。

　　其次，表现为《孙子兵法》所记述的"地形""相敌之法"等内容，恰好与《尚书·禹贡》《史记·货殖列传》《汉书·地理志》等典籍所描述的南方地区地形地理环境的基本特征相吻合。

---

① 《左传·成公七年》。
② 《国语·周语中》。
③ 《国语·齐语》。
④ 《国语·吴语》。
⑤ 《国语·吴语》。
⑥ 《国语·吴语》。
⑦ 《孙子兵法·谋攻篇》。

《禹贡》称吴国所在的扬州之地的特点是"厥草惟夭,厥木惟乔,厥土惟涂泥"①。《史记·货殖列传》所云东楚,就地理范围言,即春秋时期吴国疆域之所在,"彭城以东,东海、吴、广陵,此东楚也"。其地之特点之一,为有"三江五湖之利","江南卑湿",② 而《汉书·地理志》则同样云:"吴东有海盐章山之铜,三江五湖之利""江南卑湿,丈夫多夭"③。由此可见,吴地地理环境的主要特征是卑湿泥泞,江河湖泊纵横,草木茂盛,等等,观于《孙子兵法》,其所描述的大部分地理环境,正好与史籍所载的吴地地理环境相同,如其曰:"绝斥泽,惟亟去无留,若交军于斥泽之中,必依水草而背众树。"④ 又曰:"众草多障者,疑也。"⑤ "行山林、险阻、沮泽,凡难行之道者,为圯地。"⑥ 正是吴地卑湿泥泞、多江河湖泊、杂草丛生、乔木森森之地理环境的形象写照。而孙子有关"处山之军""处水上之军"以及"处斥泽之军"的行军屯驻要领,也恰恰是基于吴地特定作战地理条件的具体产物。总之,《孙子兵法》所论述的作战地理对象,与齐地地理环境多不相类,而接近于史籍所载的吴地地理环境的特征。这同样是《孙子兵法》立足于吴地自然条件、文化特色的一个有力内证。

再次,表现为《孙子兵法》所汲汲倡导的诡诈作战指导原则,与中原地区所流行的"以礼为固,以仁为胜"之"军礼"传统相对立,与所谓"结日定地,各居一面,鸣鼓而战,不相诈"⑦ 的"偏战"战法相区别,而体现了深厚的南方兵学文化的历史渊源。

南方文化的中心地带是江汉淮水流域,它受西周传统文化的影响较小,具有自己独特的风格,对中原礼乐文化持保留乃至批判的

---

① 《尚书·禹贡》。
② 《史记·货殖列传》。
③ 《汉书·地理志》。
④ 《孙子兵法·行军篇》。
⑤ 《孙子兵法·行军篇》。
⑥ 《孙子兵法·九地篇》。
⑦ 《公羊传·桓公十年》。

态度，是老庄道家文化及其后学黄老思想的大本营。其基本特色是崇尚自然，鄙薄仁义礼智，故孟子斥责为"南蛮鴃舌之人，非先王之道"①。这一文化性格在其兵学思想中同样有鲜明的反映，所谓"诡诈谲变"的作战指导原则，最早就发轫于南方地区。它的提出乃是对旧军礼"以礼为固，以仁为胜"传统的否定。泓水之战前夕，宋国司马子鱼指出楚人狡诈多变即是例证。

具体而言，南方兵学文化的基本特征是讲究人道与天道的统一，从自然规律中汲取营养，以求为指导战争提供启示，晦日进兵、设伏诱敌、突然袭击、避实击虚、奇正相生、化迂为直等是其最热衷的命题与战争理想境界，诡诈用兵、阴阳变化、刚柔并济是其兵学的基本精神。伍子胥、范蠡的兵学实践，《鹖冠子》《经法》的理论建树，堪称这方面的代表。范蠡认为，天道的运行是"赢缩转化"的，即所谓"阳至而阴，阴至而阳；日困而还，月盈而匡"。世间万事万物同样也处于不断变化、循环往复过程之中。这就要求人们善于相因，"因阴阳之恒，顺天地之常"。这一基本原则同样也可应用于军事斗争。他为此而指出："因而成之，是故战胜而不报，取地而不反，兵胜于外，福生于内，用力甚少而名声章明。"②

以此为参照系数，考察《孙子兵法》的时代精神与文化特征，我们必须承认它与南方兵学文化的风格一致，而与提倡"逐奔不远，纵绥不及""不鼓不成列"原则的《司马法》为代表的中原以及齐地兵学之风格迥异其趣。《孙子兵法》一再强调兵者"诡道"③，宣称"兵以诈立，以利动，以分合为变"④，强调"形兵之极，至于无形"⑤，又曰"始如处女，敌人开阖；后如脱兔，敌不及拒"，追求"攻其无备，出其不意"⑥的用兵境界，云云，很显然是南方兵学风

---

① 《孟子·滕文公上》。
② 《国语·越语下》。
③ 《孙子兵法·计篇》。
④ 《孙子兵法·军争篇》。
⑤ 《孙子兵法·虚实篇》。
⑥ 《孙子兵法·计篇》。

格的集中体现，是对旧的中原"以礼为固，以仁为胜"① 这一"军礼"兵学传统的全面否定。这多少也透露出《孙子兵法》的地域文化特征与吴地文化相一致的重要信息。

最后，现存的《孙子兵法》近六千言之中，曾多次提及"吴、越"之争，"越人之兵"云云，将越国视为吴国主要的假想敌之一，这也表明它是立足于南方战争形势与战备格局基础之上的，是有关南方地区军事实践活动的理论总结与思想升华。

《孙子兵法》有云:"以吾度之，越人之兵虽多，亦奚益于胜败哉?"② 又云:"夫吴人与越人相恶也，当其同舟而济，遇风，其相救也如左右手。"③ 这里，孙子处处以越人为吴国的主要对手与具体作战对象，总是站在吴越争战的角度来阐说自己兵法的重要作战原理，应该说这绝对不是偶然的，而恰恰是春秋的争霸战争具体形势的写照。众所周知，晋、楚争霸是春秋战略格局演变发展的一条主线。它们之间的长期争霸，直接制约与影响着吴、越诸国的战略选择与形势变化。当时，晋国曾拉拢吴国以求从侧后牵制打击楚国，公元前584年，晋国派遣楚叛臣申公巫臣出使吴国，与吴国国君寿梦缔结实质性的对楚战略同盟:"乃通吴于晋，以两之一卒适吴，舍偏两之一焉。与其射御，教吴乘车，教之战陈，教之叛楚。"④ 楚国也如法炮制，利用越国来抗衡吴国，日后越国在吴越兼并战争中发挥关键作用的两人，范蠡与文种，皆为楚国人士，其中，范蠡为楚国宛（今河南南阳）人，文种系楚之郢（今湖北荆州）人，他们都是肩负楚国的战略重托，跋山涉水，千里迢迢奔赴越国，充当外臣，为越国灭吴殚精竭虑，不懈努力，而最终实现楚国的战略意图的。即便是孙子本人的"由齐奔吴"之举，其谜底也很有可能有晋、齐联手扶持吴国对付楚国的战略因素在内，因为，当时的齐是晋的同盟，在攘夷、共同抗击楚国问题上，齐对晋国是亦步亦趋的，孙子

① 《司马法·天子之义》。
② 《孙子兵法·虚实篇》。
③ 《孙子兵法·九地篇》。
④ 《左传·成公七年》。

参与其中，从逻辑上讲是能够成立的。

在这样的背景之下，吴越两国之间多年征战不已，两国遂为世仇。孙子为吴王阖闾论兵，自然要以越国为吴国的主要假想作战对象了。不过这样一来，又恰好反映了孙子作《孙子兵法》主要是在其流寓吴地期间，《孙子兵法》书中所体现的地域文化特色，主要是吴地文化而不是大家所惯常认为的齐地文化。

当然，我们肯定《孙子兵法》具有鲜明的吴文化特点，并不等于是要否定其书同样富有齐文化之因子的基本事实；而只是想强调指出，《孙子兵法》的成书是一个融会贯通中国早期兵学的历史过程，因此综合性、博容性是其书文化精神的重要体现，与之相联系，其书所打上的地域文化特征乃是极其复杂、极其多样的。而在这中间，吴文化在它身上所留下的深刻烙印与广泛影响不应该被忽视，唯有如此，才能真正全面认识《孙子兵法》一书的意蕴及其不朽价值。

第六节 《孙子兵法》的历史地位和深远影响

兵学思想在春秋战国时期的成熟，就其内涵而言，则表现为战争认识的系统化、理性化，建军治军理论的进步化、丰富化，战略、作战指导思想的全面化、深刻化。尤其是《孙子兵法》的出现，在兵学思想发展上具有划时代的意义。在战争观问题上，它主张慎战，重视备战，致力于追求"安国全军"的目标。在治军上，它提倡"令之以文，齐之以武"，恩威兼施，文武并用，重视训练、讲究严明赏罚，注重培养和拔擢将才，致力于实现"修道而保法"的宗旨。在战略上，它推崇"不战而屈人之兵"的全胜战略，主张在战略谋划上做到胜敌一筹，"先为不可胜"，在力量对比上争取占有强大的优势，"以镒称铢"，在战争准备上做到周密细致，"无恃其不来，恃吾有以待也"，在实现方式上重视"伐谋"与"伐交"，在作战行动上强调突然袭击,速战速决,"兵贵胜而不贵久"。作战指导思想是《孙子》的精髓,它主张争取作战主动权,"致人而不致于人";强调集中优势兵力,实施进攻性作战,"顺详敌之意,并敌一向,千里杀将";提倡正确选择作战方向,"避实而击虚";主张军事欺骗,示形动敌,"形人而我无形";要求灵活机动,因敌制胜,"践墨随敌,以决战事",而且要"以正合,以奇胜",奇正相生,奇正多变,出奇制胜;重视察知敌我状况和天候地理,巧妙利用地形,"知彼知己,胜乃不殆;知天知地,胜乃可全"。由此可见,《孙子》的诞生,标志着中国古代兵学思想已趋于全面的成熟,《武备志·兵诀评》称"前《孙子》者,《孙子》不遗;后《孙子》者,不能遗《孙子》",准确地揭示了这一文化现象的本质。

一、《孙子兵法》历史地位的确立与影响

《孙子兵法》最早见于《史记·孙子吴起列传》,司马迁称其为"十三篇"。此后,历代都有著录,《汉书·艺文志》著录为"《吴孙子》,八十二篇,图九卷"。两汉、魏晋南北朝期间,人们通常以"兵法"来特指这部兵书,但亦有称"孙子兵法"① 与"孙武兵经"② 的。不过普遍命名为《孙子兵法》当属隋唐以后的事情。如虞世南《北堂书钞》和李善《文选注》均称引"《孙子兵法》云"即是明证。1972 年山东临沂银雀山汉墓竹简《孙子兵法》为迄今发现的最早传世本,而足本宋刻《十一家注孙子》《武经七书·孙子》和平津馆丛书卷一《孙吴司马法》则为世存的最佳《孙子兵法》版本。

《孙子兵法》在历史上具有崇高的地位和深远的影响。它在中国古代兵学思想史上历史地位的确立,有一个比较长的历史过程。战国时期,《孙子兵法》即已在社会上广为流传。《韩非子》曰:"境

---

① 《后汉书·冯异传》。

② 刘勰著,黄叔琳注,李详补注,杨明照校注拾遗:《增订文心雕龙校注·程器》,中华书局,2012 年,第 596 页。

内皆言兵，藏孙、吴之书者家有之。"① 由此可以想见当时人们学习《孙子兵法》的盛况。而《吴子》《孙膑兵法》《尉缭子》《荀子》《鹖冠子》等典籍对孙武其人其书的记载，也同样反映了这一社会现象。

西汉初年，著名军事家"张良、韩信序次兵法，凡百八十二家，删取要用，定著三十五家"②。汉武帝时，命令"军政杨仆捃摭遗逸，纪奏《兵录》"③。此后，汉成帝认为杨仆《兵录》"犹未能备"④，遂又命令步兵校尉任宏校理兵书，"论次兵书为四种"⑤。此处"四种"实际是指兵书的四个大类，即兵权谋家、兵形势家、兵阴阳家、兵技巧家。《孙子兵法》作为"兵权谋家"的代表作之一，在当时最受尊崇，流传最广。所以，司马迁说："世俗所称师旅，皆道《孙子》十三篇。"⑥ 1972 年，在山东临沂银雀山西汉古墓中，发现了迄今为止最早的《孙子兵法》竹简；1978 年，在青海大通上孙家寨西汉墓中，亦发现了《孙子兵法》佚文《军斗令》《合战令》等木简。这就从考古实物资料的角度印证了文献关于《孙子兵法》在秦汉时期已经广泛流传的记载之可信性。

秦汉以降，《孙子兵法》的地位更是日见崇高，这主要反映在以下两个方面。

第一，社会上普遍重视和学习《孙子兵法》。

早在东汉时期，当时朝廷就作出规定："立秋之日……兵、官皆肄孙、吴兵法六十四阵，名曰乘之。"⑦ 北宋神宗元丰年间（1078—1085），宋朝统治者鉴于国势衰弱、边患迭至的实际情况，于是专门组织人力整理编纂兵书，从我国浩繁的兵书战策中遴选出以《孙子

① 《韩非子·五蠹》。
② 《汉书·艺文志》。
③ 《汉书·艺文志》。
④ 《汉书·艺文志》。
⑤ 《汉书·艺文志》。
⑥ 《史记·孙子吴起列传》。
⑦ 《后汉书·礼仪志》。

兵法》为首,包括《司马法》《尉缭子》《六韬》《吴子》《三略》和《李卫公问对》等七部兵书,号为《武经七书》,颁行于武学,以此来培养将才。南宋高宗时,亦指定《武经七书》为考核选拔将领的主要考试内容。从此以后,《孙子兵法》被正式确定为官方的兵学经典。这一情况一直沿袭至明清而不变。如,清代"武试默经",依然"不出《孙》《吴》二种"①。

第二,《孙子兵法》注家蜂起,各呈异彩,大量印行,广为流传。

三国时期,曹操是恢复《孙子兵法》"十三篇"本来面目并为其作注的第一人,其注也是所有《孙子兵法》注中最有价值的一家。唐宋时期为《孙子兵法》作注进入了新的阶段,出现了多种单注本、集注本以及合注本。据不完全统计,历代为《孙子兵法》作注者近200家,注本流传的也有70余家。② 其中较著名的注家在六朝时期有孟氏等,在隋唐时期有李筌、杜佑、杜牧、陈皞、贾林等,在宋代有张预、梅尧臣、何延锡、郑友贤、施子美等,在元代有张贲等,在明代有赵本学、李贽、刘寅、王世贞、茅元仪、黄献臣等,在清代则有邓廷罗、顾福棠、黄巩、朱墉等。这么多的兵学家为《孙子兵法》作注,充分说明了它在中国古代兵学思想史上的重要地位。

明代兵书《投笔肤谈》开篇引言中便明确指出:"然《七书》之中,惟《孙子》纯粹,书仅十三篇,而用兵之法悉备。"③《孙子兵法》堪称古代兵学理论的集大成者,构筑了古典兵学理论的框架,使后世许多兵学家难以逾越。后世的兵学理论建树,多是在《孙子兵法》基本精神与原则的指导下进行的。《孙子兵法》对后世兵学理论的影响,主要有以下四个方面。

首先,袭用和征引《孙子兵法》文字和句意。袭用和征引《孙

---

① 《武经七书汇解·吴子序》。
② 参见于汝波主编:《孙子学文献提要》,军事科学出版社,1994年。
③ 西湖逸士:《投笔肤谈》,见《中国兵书集成》编委会:《中国兵书集成》(第26册),解放军出版社,辽沈书社,1994年,第609页。

子兵法》文字和句意作为自己兵学理论依据的现象在中国兵学史上非常普遍。兵学家在其兵学著作中征引《孙子兵法》文句的，可以举出《吴子》《孙膑兵法》《尉缭子》《鹖冠子》《战国策》《吕氏春秋》《淮南子》《潜夫论》等等。至于唐代的《李卫公问对》，宋代的《百战奇法》，明代的《登坛必究》《投笔肤谈》，等等，那更是或全书或某篇以发挥《孙子兵法》的原理来树立自己的学术观点。以《吴子》为例，其暗用、明引、袭抄《孙子兵法》文字和思想者，就有十多处。① 可以这么说，中国古代兵书，不但精神上是《孙子兵法》的孳乳，而且在外貌上也深深地打上了《孙子兵法》的烙印。

其次，对《孙子兵法》所提出的基本兵学范畴的继承和发展。《孙子兵法》在兵学理论建树上的突出点之一，是基本形成了一整套独特的反映兵学理论认识对象的范畴，诸如虚实、奇正、主客、形势、攻守、迂直等等。后世兵学家在构筑自己兵学体系的过程中，无不借用这些基本兵学范畴来阐述自己的兵学思想。同时，他们也在各自不同的时代主题下，借鉴当下或历史上的战争经验，通过缜密的独立思考，丰富和发展孙子所规定的兵学范畴。"奇正"的缘起和充实，即是明证。奇正，作为范畴最早出于《老子》，"以正治国，以奇用兵"②。但真正把它用于军事领域并作系统阐发的，则是《孙子兵法》："凡战者，以正合，以奇胜。"又曰："战势不过奇正，奇正之变，不可胜穷也。"③ 奇正的含义，显然是指兵力的使用（以正兵当敌，用奇兵取胜）和战术的变换（奇正相生，奇正相变）。孙子确立的"奇正"这一范畴，后世兵家无不奉为圭臬，广为沿用和阐述。如《孙膑兵法》说："形以应形，正也；无形而制形，奇也。"④ 此则是孙子"奇正"第二层意思的继续阐释。《尉缭子》言：

① 　郭沫若：《述吴起》，见氏著：《青铜时代》，人民出版社，1954 年。
② 　《老子·五十七章》。
③ 　《孙子兵法·势篇》。
④ 　《孙膑兵法·奇正》。

"正兵贵先，奇兵贵后。"①　曹操《孙子注》说："正者当敌，奇兵从傍击不备也。"②　此两说是孙子"奇正"第一层意思的表述，而在《李卫公问对》一书中，"奇正"范畴则有了新的发展，其对"奇正"的论述更完备，分析更透彻，并提出了一个重要论断："善用兵者，无不正，无不奇，使敌莫测。故正亦胜，奇亦胜。"③　相比较而言，《李卫公问对》的论述比《孙子兵法》的"奇正"理论显然更全面、更深刻，但它依旧是祖述和发展《孙子兵法》的逻辑结果。

再次，对后世兵书编修风格与体裁的广泛影响。《孙子兵法》阐述兵学思想极具特色，突出的特点就是舍事而言理，词约而义丰，具有高度的哲理色彩和抽象性。后世兵书大多祖述《孙子兵法》，很自然形成了中国古代兵学以哲理谈兵的历史传统。如《孙膑兵法》《吴子》《尉缭子》《六韬》《三略》《李卫公问对》《阵纪》《兵经百篇》《草庐经略》《投笔肤谈》等著名兵书都以哲理性强而著称。一些大型综合性兵书如《武经总要》《武备志》等也收录了很丰富的兵学理论内容。即使那些阵法、兵器等技术型兵书，也大都以理论为纲，进行编纂，从而形成了中国兵书"舍事言理"或"以理系事"的创作风格。至于编修形式上，后世兵书亦多有模仿《孙子兵法》者，如《投笔肤谈》作者自称"仿《孙子》之遗旨，出一隙之管窥，谬成十三篇"④。

最后，《孙子兵法》对后世兵学的深远影响也表现在战争实践之中。中国古代历史上创造了许许多多的以弱胜强、以少克多的战例，有不少便是指挥者活用和暗用《孙子兵法》的结果。如，战国时期的齐魏之间的桂陵之战、马陵之战，显然是孙膑借鉴运用其先祖孙

---

① 《尉缭子·勒卒令》。
② 杨丙安：《十一家注孙子校理》，第 87 页。
③ 吴如嵩、王显臣：《李卫公问对校注》，中华书局，2016 年，第 12 页。
④ 西湖逸士：《投笔肤谈》，见《中国兵书集成》编委会：《中国兵书集成》（第 26 册），解放军出版社，辽沈书社，1994 年，第 610 页。

武"避实而击虚"①"用而示之不用"② 诸原则的杰作；又如，秦汉之际韩信背水布阵攻灭赵国，即系灵活运用孙武"陷之死地而后生"③ 思想的手笔；再如，三国时期邓艾偷渡阴平灭蜀汉之举，可视为对孙子"攻其无备，出其不意"④"以迂为直，以患为利"⑤ 理论淋漓尽致的发挥；还如，努尔哈赤对明军的萨尔浒之战，则无疑是孙子集中兵力"并敌一向"⑥ 用兵艺术的实战诠释。唐代杜牧在其《注孙子序》中说："孙武所著十三篇，自武死后凡千岁，将兵者有成者，有败者，勘其事迹，皆与武所著书一一相抵当，犹印圈模刻，一不差跌。"⑦ 杜牧此语虽不免有些绝对化，但古往今来为将者莫不视《孙子兵法》为"兵经"，重视其实战功效，这确是无可辩驳的事实。战争无论胜负，我们大都可以从《孙子兵法》中找到个中原因。

正因为《孙子兵法》一书具有巨大的兵学价值和崇高的历史地位，后世兵家对它的肯定和赞誉史不绝书。此类盛誉就其性质而言可以划分为两个基本大类。第一类是对《孙子兵法》全书作基本概括的评价，从总体上把握它的学术价值和深远意义。后世兵家对《孙子兵法》的第二类盛誉，表现为在把握其书总体情况的基础上，对孙子某些基本原则和观点的评述和肯定。古人在这方面的言辞实在不胜枚举，而此处我们只能挂一漏万地作些介绍，以再现古人心目中的"孙子"观。

首先，对《孙子兵法》全书的评价。

早在三国时期，曹操曾在《注孙子序》中说："吾观兵书战策

---

① 《孙子兵法·虚实篇》。
② 《孙子兵法·计篇》。
③ 《史记·淮阴侯列传》。
④ 《孙子兵法·计篇》。
⑤ 《孙子兵法·军争篇》。
⑥ 《孙子兵法·九地篇》。
⑦ 杜牧著，吴在庆校注：《杜牧集系年校注》，中华书局，2008 年，第 784 页。

多矣，孙武所著深矣。"① 与曹操同时代的蜀汉丞相诸葛亮在《便宜十六策》也说："战非孙武之谋，无以出其计运。"② 唐太宗李世民对《孙子兵法》更是推崇备至，据《李卫公问对》记载，他曾由衷赞叹："深乎，孙武之言！"③ 又盛赞道："朕观诸兵书，无出孙武。"④ 宋代学者对《孙子兵法》予以高度评价的，更不在少数，如王安石指出："但用孙武一二言，即可成功名。"⑤ 苏洵认为："其书论奇权密机，出入神鬼，自古以兵著书者罕所及……词约而义尽，天下之兵说皆归其中。"⑥ 陈傅良也说："自六经之道散而诸子作，盖各有所长，而知兵未有过孙子者。"⑦ 明代抗倭名将戚继光则这样赞美《孙子兵法》："兵法其武库乎？用兵者其取诸库之器乎？兵法其药肆乎？用兵者其取肆之材乎……孙武之法，纲领精微莫加焉。第于下手详细节目，则无一及焉，犹禅家所谓上乘之教也。"⑧ 明代王世贞对《孙子兵法》的评价是："《孙子》十三篇，其精切事理，吾以为太公不能过也。"⑨ 而明代李贽甚至把他不能广泛传授《孙子兵法》视为终身遗憾，并感叹道："吾独恨其不以《七书》与《六经》合而为一，以教天下万世也。"⑩ 从上文所征引的古人评论来看，后世学者对《孙子兵法》在兵学史上的重要地位是有深刻认识的，普遍将其书视为历史上的兵学鼻祖、兵学高峰而充分肯定和推崇，这是客观的看法，亦是经受过历史实践检验的结论。

其次，对《孙子兵法》一些原则的评价。

---

① 曹操：《曹操集》，中华书局，2013 年，第 65 页。
② 诸葛亮：《诸葛亮集》，中华书局，2009 年，第 68 页。
③ 吴如嵩、王显臣：《李卫公问对校注》，中华书局，2016 年，第 49 页。
④ 吴如嵩、王显臣：《李卫公问对校注》，中华书局，2016 年，第 42 页。
⑤ 韩淲：《涧泉日记》，文渊阁《四库全书》本。
⑥ 苏洵：《嘉祐集》卷三《孙武》，文渊阁《四库全书》本。
⑦ 陈傅良：《止斋集》卷四〇《孙子发微序》，文渊阁《四库全书》本。
⑧ 戚继光：《纪效新书·自序》（十八卷本），中华书局，2001 年，第 2 页。
⑨ 王世贞：《读书后》卷一《书司马穰苴孙武传后》。
⑩ 李贽：《孙子参同·自序》，见《中国兵书集成》编委会：《中国兵书集成》（第 12 册），解放军出版社，辽沈书社，1990 年，第 518—519 页。

后世兵家对《孙子兵法》的第二类盛誉，表现为在把握其书总体情况的基础上，对孙子某些基本原则和观点的评述和肯定。诸葛亮曾说："孙武所以能制胜于天下者，用法明也。"① 这里就是突出赞扬孙子的严厉治军思想。李世民指出："孙武十三篇，无出虚实。"② 李靖认为："千章万句，不出乎'致人而不致于人'而已。"③ 此处所特别强调的是《孙子兵法》的制胜之道，把"避实击虚"、掌握主动权看成是用兵艺术的精髓所在。戴少望评《孙子兵法》云："孙武之书十三篇，众家之说备矣。奇正、虚实、强弱、众寡、饥饱、劳逸、彼己、主客之情状，与夫山泽、水陆之阵，战守攻围之法，无不尽也。微妙深密，千变万化而不可穷。"④ 其对孙子其人其书的肯定，着眼点也在于孙子的主要兵学范畴和作战指导上。梅国桢认为："孙子之言曰：'奇正之变，不可胜穷也。'又曰：'微乎微乎，至于无形，神乎神乎，至于无声。'合而言之，思过半矣。"⑤ 此处梅氏是把"奇正之变"和"因敌制胜"看成为《孙子兵法》的要旨妙道的。他指出，只要真正理解和掌握了这些原则，那就等于完全认识了《孙子兵法》的兵学理论，便可在复杂的战争中无往而不胜。

以上所引，主要是后人对《孙子兵法》某些原则的看法和评价。与第一类评价高屋建瓴、立足于总体把握《孙子兵法》地位与影响的侧重点不同，但它们乃是从更具体、更深层的方面对《孙子兵法》主要价值的挖掘和总结，是关于《孙子兵法》内在哲理更细致的探索，这也充分反映了后人对《孙子兵法》认识的深度和广度。应该

---

① 陈寿：《三国志·蜀书·马良传附马谡传》注引《襄阳记》，中华书局，1982年，第984页。
② 吴如嵩、王显臣：《李卫公问对校注》，中华书局，2016年，第42页。
③ 吴如嵩、王显臣：《李卫公问对校注》，中华书局，2016年，第43页。
④ 戴少望：《将鉴论断》卷一《孙武》，四库全书存目丛书编纂委员会编：《四库全书存目丛书·子部·第30册》，齐鲁书社，1995年，第663页。
⑤ 梅国桢：《孙子参同·叙》，见《中国兵书集成》编委会：《中国兵书集成》（第12册），解放军出版社，辽沈书社，1990年，第521—522页。

承认的是，这些评价者的目光如炬，他们基本上领悟了《孙子兵法》全书的主旨，从而揭示了其主要价值。因为，他们所涉及的主要命题，在今天看来，恰恰是《孙子兵法》中超越时空的精华部分。

明代茅元仪在《武备志·兵诀评序》中指出:"先秦之言兵者六家，前《孙子》者，《孙子》不遗;后《孙子》者，不能遗《孙子》。谓五家为《孙子》注疏可也。"① 这段话很好地概括了《孙子兵法》在兵学史上的地位和意义。作为中国古代兵学宝库的一笔珍贵遗产，《孙子兵法》是不朽的。

进入近现代以来，传统史书、史籍的研究受到了巨大的冲击，《孙子兵法》的地位和影响并没有因社会历史条件的变化而有所下降。恰恰相反，它受到了更大的尊崇，影响范围更加扩大，应用领域更加普遍。学者对《孙子兵法》的研究不仅仅局限在军事领域，而是进行了更为全面、更为多样的研究。②

伟大的中国革命先行者孙中山就非常崇敬古代兵家的思想，将《孙子兵法》尊为军事智谋的理论源泉，指出:"就中国历史来考究，二千多年前的兵书，有十三篇……那十三篇便成立中国的军事哲学。"③ 从而充分肯定了《孙子兵法》一书的历史地位。蒋介石对《孙子兵法》的价值亦非常肯定:"大家对于现代战术，固然要研究，对于从前《孙子》等古书，更要研究才好，因为各种原则是自古至今不会变的。"④ 又说:"我们中国两三千年以前的《孙子》和《孙吴兵略问答》这些书，到现在还是同样的有价值，并且其意义亦

① 茅元仪:《武备志·兵诀评序》，见《中国兵书集成》编委会:《中国兵书集成》(第27册)，解放军出版社，辽沈书社，1989年，第185—186页。
② 参见黄朴民:《本世纪孙子研究概述》，《中国史研究动态》1998年第8期;黄朴民:《〈孙子兵法〉研究一百年》，《管子学刊》2003年第4期;侯昂妤:《融合与构建:民国〈孙子兵法〉研究》，《滨州学院学报》2014年第5期;姚振文、吴如嵩:《新中国成立以来〈孙子兵法〉研究述略》，《滨州学院学报》2014年第5期。
③ 孙中山:《孙中山选集·三民主义》，人民出版社，2011年，第672页。
④ 蒋介石:《科学办事与应敌教兵接物之方》，1926年1月14日对黄埔三期学员的讲话。

与日俱新。比方孙子讲：'善攻者动于九天之上，善守者藏于九地之下。'这不是讲现代的战术吗？所以书中所讲的东西，有很多就是现在外国人最新最进步的战术原则。"①

毛泽东最注重总结、继承前人的有益经验，并能结合新的形势和条件加以创造性的发展。在研究和运用《孙子兵法》方面，同样体现了这位伟大战略家、思想家的特点。他高度重视《孙子兵法》，指出："中国古代大军事学家孙武子书上'知彼知己，百战不殆'这句话，是包括学习和使用两个阶段而说的，包括从认识客观实际中的发展规律，并按照这些规律去决定自己行动克服当前敌人而说的，我们不要看轻这句话。"② 他又说："孙子的规律，'知彼知己，百战不殆'，仍是科学的真理。"③ 观察毛泽东的相关军事著作和指导战争的具体实践，我们可以发现毛泽东对《孙子兵法》的掌握和运用已完全达到了炉火纯青、出神入化的境界，这标志着中国兵学思想水平达到了前所未有的高度。其他中国共产党的军事家，如，刘伯承、叶剑英元帅等人，对《孙子兵法》也有非常精深的研究和十分透彻的理解。刘伯承就发表过这样精辟的见解："正兵和奇兵，是辩证的统一，是为将者必须掌握的重要法则。奇中有正，正中有奇，奇正相生，变化无穷。"④ 他们把《孙子兵法》中具有生命力的原则创造性地应用于战争实践，为中国共产党最终夺取全国政权作出了重大的贡献。

二、《孙子兵法》在世界兵学领域的影响

真正优秀的文化遗产是属于全人类的，《孙子兵法》就是这一类

---

① 蒋介石：《抵御外侮与复兴民族》，1934 年 7 月蒋介石对庐山军官训练团的讲话。

② 毛泽东：《中国革命战争的战略问题》，《毛泽东选集》（一卷本），人民出版社，1966 年，第 163—236 页。

③ 毛泽东：《论持久战》，《毛泽东选集》（一卷本），人民出版社，1966 年，第 429—526 页。

④ 转引自陶汉章：《孙子兵法概论》，解放军出版社，2009 年，第 27 页。

的遗产。它的影响也早已越出国界，而成为世界人民的共同精神财富。早在公元 8 世纪的唐玄宗时期，日本遣唐学生吉备真备就将《孙子兵法》携带到日本，并亲自进行讲解。到 9 世纪，在藤原佐世的《日本国见在书目录》中就著录了六种《孙子》。再到德川家纲时期（17 世纪），日本有了《孙子兵法》的日译本，从而有力推动了《孙子兵法》在日本的普及和研究。《孙子兵法》的西传，最早是在 1772 年，当时法国神父约瑟夫·阿米欧（P. Josephus Maria Amiot）在巴黎翻译出版了法文版《中国军事艺术》丛书，其中就收有《孙子兵法》。1905 年，英人卡尔思罗普（E. F. Cilthrop）根据日文版的《孙子兵法》将其翻译成英文，并在东京出版。1910 年，英国汉学家贾尔斯（Lionel Giles）的《孙子兵法——世界最古之兵书》英译本在伦敦出版。同年，布鲁诺·纳瓦拉（Bruno Navarre）的《中国的武经》德译本在柏林出版。自此之后，《孙子兵法》的各种文本如雨后春笋般纷纷涌现。据不完全统计，目前《孙子兵法》在世界上被译成外文的，有英、日、俄、法、德、意、捷、西班牙、荷兰、希腊、罗马尼亚、阿拉伯、泰、缅、越南、朝鲜、希伯来、马来西亚等 20 种以上。这表明《孙子兵法》得到广泛流传，受到普遍推崇。这是孙武的光荣，也是中华民族的骄傲。

《孙子兵法》在国外也受到众多人士异口同声的赞美。阿多俊介在《孙子之新研究》的《自序》中说:"孙子为富于天才之人……其头脑之甚有组织，思想之博大，读者不胜惊叹，而有不及古人之感。……故学者复称孙子为兵圣，其书称为兵经。"[1] 日本学者尾川敬二称孙武为"兵圣"，誉其为"东方兵学的鼻祖，武经的冠冕"[2]；福本椿水称孙子是"兵家之神"[3]；北村佳逸称孙子是"兵学家、哲

---

[1] ［日］阿多俊介:《孙子之新研究》，来伟良、孔霭如译，共和书局，1931年，第5—6页。

[2] ［日］尾川敬二:《战纲典令原则对照孙子论讲·自序》，昭和九年（1934）菊地屋书店排印本。

[3] ［日］福本椿水:《孙子评注之训注·自序》，昭和十年（1935）诚文堂新光社排印本。

学家，且是东方第一流的大文豪"①。美国战略学家约翰·柯林斯（John Collins）说："孙子是古代第一个形成战略思想的伟大人物。"② 英国战略学家李德·哈特（B. H. Liddell Hart）说："《孙子兵法》是世上最早的兵法著作，但其内容之全面与理解之深刻，迄今还无人超过。"③ 俄国人郭泰纳夫（Anatol Michaelivrtch Kotenev）也说："孙子确实可以算是世界上第一流的军事学家。"④ 费正清（John King Fairbank）对《孙子兵法》亦有很高的评价："《孙子兵法》清晰地说明，暴力只是战争的一部分，却不是受到推崇的部分。总之，战争的目的是使对手屈服，改变他们的观点，劝其顺从。最经济的方式就是最好的方式：通过欺骗、震慑、劝说其放弃不切实际的目标等方式，使其相形见绌，进而投降或至少撤退，而你不需要与之作战。"⑤

与此同时，各国军事家也纷纷将《孙子兵法》的基本原理用于指导战争实践。如，在日俄战争期间，日本海军大将东乡平八郎在对马海战中遵循孙子"以逸待劳"的作战方针，"先处战地而待敌"，一举歼灭远道赶来的俄军舰队。亦有学者以《孙子兵法》的兵学原则对近现代战争进行研究或解释，如钱基博的《孙子章句训义》⑥ 和贝文·亚历山大（Bevin Alexander）的《孙子兵法与世界近现代战争》⑦ 就是这方面的代表。又如，在 20 世纪 70 年代初期爆发

① ［日］北村佳逸：《孙子解说·自序》，昭和九年（1934）立命馆出版部排印本。

② ［美］约翰·柯林斯：《大战略：原则与实践》，中国人民解放军军事科学院译，中国人民解放军战士出版社，1978 年。

③ ［英］李德·哈特：《战略论：间接路线》，钮先钟译，上海人民出版社，2010 年。

④ ［苏］郭泰纳夫：《中国军人魂》，韦有徽译，别发洋行，1937 年。

⑤ ［美］弗兰克·基尔曼、费正清：《中国的战争行为》，门洪华、刘笑阳、李晓寒、周璐铭译，门洪华校，人民出版社，2016 年，第 10 页。

⑥ 钱基博：《孙子章句训义》，上海古籍出版社，2011 年。

⑦ ［美］贝文·亚历山大：《孙子兵法与世界近现代战争》，孙建中译，新华出版社，2014 年。

的印巴战争中,印军成功地运用孙子"以迂为直"的战术,实施深远的战略迂回,分割、包围巴军,各个击破,占领达卡(Dhaka),赢得了战争的胜利。

《孙子兵法》反映了战争指导的一般规律,因此在今天仍具有重要借鉴价值。毋庸讳言,现代高科技条件下的作战,参战兵种众多,作战系统构成复杂,战场范围广阔,情况变化急剧,军队机动性大大增强,武器装备日趋先进。可是,这些新因素的出现,并不能改变战争的本质属性。正确全面的战略运筹和灵活机动的作战指挥,仍然是决定战争胜负的重要环节。就在这样的情况下,《孙子兵法》的思想和现代作战现实之间完成了圆满的契合,沟通了时代的鸿沟,亦获得了新的生机。

正因如此,世界各国在总结战争经验、发展现代军事理论时,都十分重视《孙子兵法》的借鉴意义。许多国家都把《孙子兵法》列为军校的必修课程;许多军事家都按照《孙子兵法》所揭示的原理,来考察自己战争实践和兵学理论的得与失。可以毫不夸张地说,从不少现代西方的国家战略和军事战略上,我们能够看到《孙子兵法》基本思想的影子。如,受孙子"不战而屈人之兵"全胜思想的启发,制定了以"伐谋""伐交"为中心内容的"孙子核战略"。又如,美国军方在制定著名的"空地一体战"理论过程中,从知彼知己、突然性、速战速决、机动作战、兵力使用和攻坚作战等六个方面,对《孙子兵法》的有关军事原则作了有益的借鉴。就我军而言,《孙子兵法》的不少原则更能对我军的现代化、正规化建设事业提供理论参照和历史启迪。比如,其"兵非益多"的精兵思想,就可给我军加强质量建军、提高单兵军事素养、提高军队的现代化水平等工作予以有益的启示。

三、《孙子兵法》在其他领域的影响

《孙子兵法》虽是一部兵学著作,但它的影响却并不仅仅囿于军事领域。在哲学思想发展史上,《孙子兵法》包含有丰富的朴素唯物论和辩证法思想,成为中国古代辩证法的源头之一,并且以其特有的理性精神影响着古代辩证法的发展。《孙子兵法》中许多矛盾概念如奇正、虚实、动静、主客等，丰富了古代的哲学范畴，为历代哲学家所重视和阐发。同时，《孙子兵法》"舍事言理"的思维模式，也与诸子（《老子》例外）说理广征博引典故和史实有异，体现了很高的形而上逻辑思辨特色。

《孙子兵法》对古代商业经营活动也是有一定的影响的。据《史记》记载："白圭乐观时变，故人弃我取，人取我与……故曰：'吾治生产，犹伊尹、吕尚之谋，孙吴用兵，商鞅行法是也。'"[1] 所谓"人弃我取，人取我与"，实际上就是《孙子兵法》"致人而不致于人""避实而击虚"原则的商业衍化。只是由于历史上统治者推行"崇本抑末"政策，《孙子兵法》在商战中的运用当时才没有普及开来。

在中医学领域，《孙子兵法》的影响同样可以见到。清初名医徐大椿在其所著《医学源流论》中说："兵之设也以除暴，不得已而后兴；药之设也以攻疾，亦不得已而后用，其道同也。"他列举了很多实例，说明在中医上如何运用孙武"知彼知己"和"兵因敌而制胜"等原则，并最后总结说："孙武子十三篇，治病之法尽之矣。"[2]

《孙子兵法》文采斐然，对后世文学语言艺术的影响亦极为深远。刘勰赞誉："孙武兵书，辞如珠玉。"[3] 宋代郑厚在《艺圃折衷》中认为："《孙子》十三篇，不惟武人之根本，文士亦当尽心焉。其词约而缛，易而深，畅而可用。《论语》《易大传》之流，孟、荀、扬著书皆不及也。"[4] 这种文学成就对后人行文的影响，同样为人们所重视。宋代严羽指出："少陵诗法如孙吴。"[5] 清代林纾在《春觉

---

① 《史记·货殖列传》。

② 徐大椿：《医学源流论·用药如用兵论》，文渊阁《四库全书》本。

③ 刘勰著，黄叔琳注，李详补注，杨明照校注拾遗：《增订文心雕龙校注》，中华书局，2012年，第596页。

④ 曾枣庄、刘琳：《全宋文》卷四二一〇，第191册，上海辞书出版社，安徽教育出版社，2006年，第175页。

⑤ 严羽：《沧浪诗话·诗评》，文渊阁《四库全书》本。

斋论文·也字用法》中亦通过对"也"字用法的剖析，阐述了"十三篇"句法用词对后世文章章法的影响："《始古录》谓欧阳修《醉翁亭记》用'也'字，东坡《酒经》用'也'字，王荆公《度支郎中萧公墓铭》亦皆用'也'字，不知谁相师法，然皆出《孙武子》十三篇中。"①

　　在现代社会生活中，《孙子兵法》的哲理启示与文化借鉴的意义更为显著。因为它所揭示的实事求是、关照全局、预测发展、掌握情况、权衡利害、辩证分析、主动积极、扬长避短等基本原理和思想方法，始终是我们在从事各项工作时所必须遵循的认识路线和指导原则。特别是在外交、经济、体育这些竞争激烈、变化迅捷的社会领域，尤其需要当事者寻找主客观结合的契机，从实际出发，发挥主观能动性，在复杂多变的环境中应变自如，游刃有余，稳操胜券，有所建树。在这种情况下，《孙子兵法》总揽全局、综合比较、求实超前的战略运筹理论和辩证能动、因利制权的作战指导思想就可以被引入这些社会领域，对其实践活动产生影响，给人们以思想方法上的极大启迪。正是在这样的意义上，近年来《孙子兵法》在企业管理、商业经营、体育竞技等领域大显身手，掀起一阵阵的"孙子热"。这可以看作是《孙子兵法》在当今社会生活中宝贵价值的又一种具体体现，显示着《孙子兵法》的生命力永远旺盛，生生不息！

① 林纾：《春觉斋论文》，人民文学出版社，1959 年，第 135 页。

第七章 战国时期的军事变革与兵学成就

明末清初思想家王夫之曾指出："战国者，古今一大变革之会。"①战国时期经过了长达300多年的历史变迁，是中国历史上变化最剧烈的时期，亦是中国历史上思想文化灿烂发展的繁荣时期，中国历史开始了由以周制为典型的三代文明向以秦制为典型的统一多民族中央集权制社会形态转变的过程，又被称周秦之变。经济上，社会生产力迅速提高，新的生产关系全面确立。政治上，各国先后兴起的变法改革方兴未艾。军事上，大国兼并，天下统一是大势所趋。文化上，诸子蜂起，百家争鸣，孙膑、吴起、商鞅等等；诞生了《孙膑兵法》《吴子》《尉缭子》《六韬》等著名兵书。儒、墨、道、法等主要思想学派也纷纷从哲学、政治学、伦理学、运筹学角度对兵学问题进行探讨，使时人对兵学的认识逐渐深化。

大体而言，历史进入战国后，在制度创建方面，职官上的文武殊途，将相分职制有了一定程度的发展，决策上的廷议制，军队调动上的兵符制，赏罚上的军功爵制，形成了一整套的运行机制。在武装力量构成上，形成中央军、禁卫军与地方军三位一体制，私属武装逐渐被取缔，常备军数量增加。在兵役制度方面，开始向基于地域关系的郡县普遍征兵制过渡。兵员成分主要来自国家的"编户齐民"的农民，而"武卒""技击"等出现则表明募兵制业已滥觞。在兵种构成方面，基本上形成了步、车、骑、舟四个主要兵种，其在战争中的地位作用，则随战争条件的变化处于不断的调整之中。军队编制日趋复杂，通常以五进制重以四进制，并且与居民的地域

---

① 王夫之：《读通鉴论》，中华书局，1975年，第954页。

行政组织相对应，而具体编制又被区分为一般隶属编制、基本作战编制以及临时战斗编成三个主要层次。练兵制度开始由田猎式的训练向以"一教十"以"十教百"逐次递进的单兵、多兵合成正规训练体制演变。在军事法规方面，逐渐形成了以封建的"法令"为指导，出现了非常严格的军事成文法规。总之，战国时期形成的军制基本上确立了中国历代军制的大致框架。①

战国时期的战争规模更大，战争方式更加多样，战争异常残酷以及文武殊途机制相对成熟，因此，战国时期的兵学思想也进入了全面繁荣、高度发达的阶段。战国时期诸子也对兵学问题非常关注，提出许多非常有价值的思想，尤其是儒、墨、道、法等重要思想学派的代表人物，如孟子、荀子、墨子、老子、战国黄老学者、商鞅、韩非等，这些学者的著作中，对兵学问题的思考与论述，占有重要的篇幅，就战争观、战争指导、治军思想、作战原则提出了重要的命题，丰富了中国古代有关兵学问题的理性认识。换言之，诸子论兵之作的风行，反映了兵学思想在当时整个思想领域中处于显学的地位。战国时期的兵学家吴起、商鞅、孙膑、尉缭子等人的军事实践和兵学理论创造，推动了战国兵学思想的全面繁荣。这一时期诞生了许多著名的兵书，如《孙膑兵法》《吴起》《司马法》《尉缭子》《六韬》《子晚子》《公孙鞅》《庞煖》《兒良》《魏公子》等等。中国历史上最重要的七部兵书——"武经七书"，有四部面世于战国时期。兵家作为独立的思想流派，与儒、墨、道、法等学派共同成为当时思想领域中的主要角色，大显身手。"吴起、孙膑、带佗、兒良、王廖、田忌、廉颇、赵奢之伦制其兵。"② "孙膑贵势，王廖贵先，兒良贵后。"③ 所反映的正是这种文化气象。

---

① 参见黄朴民：《春秋军事史·绪论》，军事科学出版社，1998 年。吴如嵩、黄朴民、任力、柳玲：《战国军事史·绪论》，军事科学出版社，1998 年。
② 《过秦论》。
③ 《吕氏春秋·不二》。

第一节 青铜兵器制造的鼎盛与钢铁兵器的出现

军事技术在战国时期取得了巨大的进步。这种进步，突出反映在武器装备领域中，它既表现在对旧有武器装备的改进，亦表现在新型武器装备的孕育、研制、改进和推广。与之相应，前者表现为青铜兵器的发展进入了鼎盛阶段，后者则预示着钢铁兵器阶段的来临。

一、青铜兵器的制造技术日臻完善与钢铁兵器的出现

青铜是铜锡合金，总体而言，青铜的机械性能会随含锡量的变化而发生变化，青铜器含锡量增加，其强度随之提升，但塑性随之降低，脆性增加。[1] 当时的工匠已精确掌握了铸造各种兵器的不同合金比例，并根据兵器各部位的不同功能，通过精确控制青铜合金比例，制造出性能不同的复合兵器。据《考工记》记载："金有六齐：六分其金而锡居一，谓之钟鼎之齐；五分其金而锡居一，谓之斧斤之齐；四分其金而锡居一，谓之戈戟之齐；三分其金而锡居一，谓之大刃之齐；五分其金而锡居二，谓之削杀矢之齐；金锡半，谓之鉴燧之齐。"[2] 所谓"六齐"，就是指在青铜器冶炼中，根据不同的用途而划分的六种铜锡比例，这是长期以来总结形成的一个基本经验和标准，"有了统一规范的配比标准，自然保证了兵器生产质量的稳定性"[3]。那当时真正的青铜器制造是否依照这一标准呢？学者们根据已经发现的青铜戈（戈戟之齐，含锡量20%）、青铜剑（大

---

[1] 路迪民、王大业：《中国古代冶金与金属文物》，陕西科学技术出版社，1998年，第16页。

[2] 《周礼·考工记》。

[3] 杨泓：《考古学与中国古代兵器史研究》，《文物》1985年第8期。

刃之齐，含锡量25%）为例进行了专门研究，符合《考工记》的记载，并且指出含锡量20%的青铜合金兵器的强度、硬度性能均很优秀，耐用且杀伤力强，因此"战国时期的青铜冶炼技术已经非常成熟，不仅工艺上统一、精细，在青铜合金用料上也有一套系统科学的配比"[1]。

战国时期冷兵器器柄制作技术、制弓技术和皮甲制作工艺都达到了前所未有的水平。同时，攻守城器械发展迅速，战船多样，战车性能进一步改善。《考工记》的相关记载就集中反映了当时包含武器制作在内的手工业技术的水平。《考工记》记载了以"轮人""舆人""辀人""车人"等为代表的制车系统，"筑氏""冶氏""桃氏""凫氏""段氏"等为代表的铜器铸造系统，"弓人""矢人""庐人""函人"等为代表的弓矢兵器护甲制作系统。根据这些记述情况来看，当时制造兵器的工艺和规范，诸如原材料选择、加工工艺、检验手段等都已有了非常严格的流程和比较科学的要求。

战国时期青铜兵器的生产进步显著，具有鲜明的特点，这主要表现在以下三个方面。

首先，数量大，产地广。各国为了满足不断扩大的战争需求，都专门设立专产兵器的作坊，批量生产青铜兵器，往往在兵器上还铸刻制造机构、监造管理和工匠的姓名等。因此，当时青铜兵器的生产规模相当可观，数量达到了惊人的程度。目前在各地已发现许多矿冶和铸造遗址，亦出土了大量的青铜兵器。从已出土的青铜兵器以及铭文来看，中原列国大多具备制造青铜兵器的能力。另外，在北方草原地区、云南、巴蜀、两广等地也都发现不少各具特色的青铜或铁质兵器，其冶铸工艺和装饰技艺均已达到相当高的水平，不乏上乘之作。

其次，工艺精湛，质量上乘。许多兵器在制作过程中采用了镶嵌、镂空、错金、漆、失蜡法，器物表面刻画花纹等多种工艺，使兵器造型和图案更加和谐、美观，给人以凝重古朴之感。这一时期

---

[1]　钟博超：《战国时期青铜兵器制作工艺研究》，《文物世界》2017年第5期。

青铜兵器的质量也有了新的提高，许多器物虽埋藏地下两三千年，出土时却锋利如新，光可鉴人。戈、矛、铍、殳、戟等兵器的柄部采用积竹木柲，使器物更加牢固，不易折断，光滑美观。在技术上，当时，已经能够生产出脊部和刃部分铸的复合剑，此种复合剑，根据剑不同部分的功用而分别铸造。据学者研究，"脊部材料含锡较低，故性坚韧，两刃含锡较高，故性刚而锋利"①。

最后，各种青铜兵器的形制更趋完善，具有较高的作战效能。战国时期青铜剑的剑身逐渐加长，矛体逐渐变窄，戈沿逐渐弧曲，等等，从而增加了杀伤力。已发现的秦青铜长剑，是战国时期最长的剑。这些青铜剑的表面经过了铬盐氧化处理，可以防锈，非常锋利。秦的青铜剑显然是经过了加长的处理，当然这与剑在实际战斗中的作用息息相关，剑的主要功能就是刺杀敌人，所谓一寸长一寸强，比对方长的青铜剑更容易刺中对方。在秦始皇陵墓中出土的大量铜矛、铜戟、铜弩机、铜镞等兵器，亦能证明此时青铜兵器的繁荣与制作工艺的精良。

早在商代，人们就懂得将陨铁锻造加工并与青铜铸接成武器。1972 年，河北藁城出土的商代铁刃铜钺，其铁刃即以陨铁为原料。1990 年，在三门峡西周晚期虢国墓中发现的一把铜柄铁剑，以块炼法锻制而成，为我国目前已知最早的人工冶铁实物。大约在春秋末年，人们又掌握了生铁冶铸技术，从而为较大批量生产铁器创造了条件。与此同时，比铁质兵器更为锐利、坚韧的钢质兵器也开始萌芽。到战国时期，由于铸铁柔化技术的运用，使通过热处理脱碳过程的铸铁铸件强度和韧性大幅度提高，从而加快了铁兵器发展的历史进程。战国晚期，钢铁兵器以更快的速度登上战争的舞台，南方的楚国和中原的三晋都开始用钢铁兵器装备部分部队，锋利的铁兵器"惨如蜂虿"，它与"发于肩膺之间，杀人百步之外"② 的远射强弓劲弩相互配合，使得当时军队的战斗力得到明显的提高，齐国军

---

① 杨泓：《考古学与中国古代兵器史研究》，《文物》1985 年第 8 期。
② 《孙膑兵法·势备》。

队"疾如锥矢，战如雷电，解如风雨"①，楚国军队"轻利僄遬，卒如飘风"②，等等，就是这方面的形象写照。可见，战国时期钢铁兵器的初露头角，不仅孕育着青铜兵器盛极而中衰的契机，而且也必然成为推动作战方式、编制体制等发生变化的活跃因素，为大规模的步、车、骑战提供了物质条件。

二、类型齐全的冷兵器系统形成

战国时期的冷兵器主要可以分为刺杀格斗兵器、抛射兵器、防御兵器、攻城守城器械等四种类型，我们以下分别简要予以论述。

（一）格斗兵器

格斗兵器种类主要有戈、矛、戟、殳、剑等。

戈是当时主要刺杀格斗兵器之一。春秋时期戈的形制较商、周时代又有所改进。戈援比前向上扬起，援部有脊，其上刃和下刃前伸后都作约135度的内折而聚成前锋，呈弧形而尖锐，即所谓"主锋"状，更利于啄击和勾割。战国时期戈的形制又有新的改进，戈体逐渐由宽变窄，更加灵活轻便；戈内上翘，并做出锐利的边刃，使这一部分也具有了击敌的功能。戈的长度不一，从80厘米到3米左右皆有。一般而言，步战所用之戈长度较短，车战所用之戈长度较长。

春秋时期的矛，其矛头多为青铜材质，但形制开始从凸脊扁体双叶形趋向三叶窄长棱锥形，前锋更加锐利，刺透力增强。战国时期青铜矛的形制更趋成熟，其特点是窄体、直刃、筒身、骹部有钉孔或双纽。战国后期还出现了一种新的矛型，矛身中脊线上凸起两个刃，形成较深的血槽，具有更强的杀伤力。同时，钢铁矛头在当时也开始出现。矛的长度一般近3米，分别装备于车兵和步兵。

戟在春秋战国时期已成为常用兵器之一。根据《左传》等史籍的记载，有大量当时作战用戟的事件。它既被应用于车战，也被用

---

① 《战国策·齐策一》。

② 《荀子·议兵》。

于步战和骑战。当时青铜戟的戟刺（矛头）与戟援（戈头）分别铸制，然后再联装在木（竹）杆上。春秋晚期，在南方地区，还出现了一种在一根3米长左右的柄上联装两个或三个戈头的戟，有的不装戟刺，称为"多果（戈）戟"，勾割效果较好，是重要的车战兵器。由于戟具有勾刺兼备的优点，较戈和矛的杀伤效能为佳，因此大受欢迎，在战国时期已有取代铜戈的趋势。战国晚期，将块炼铁加热渗碳、折叠锻打的新工艺开始被采用，使通体呈"卜"字形的钢铁戟开始走上战争舞台，但数量极其有限，目前发现的实物多集中于当时燕、楚诸国的境内。

在春秋中期以前，中原地区只有青铜短剑，多用于近战护体，尚不是重要的格斗兵器。春秋后期起，情况有显著变化，青铜剑的剑身加长，从短剑发展为长剑，而且形制趋于统一化和规范化。尤其是地处东南丘陵水网地区的吴、越、楚诸国，为满足步兵战斗兵器轻便锋利的要求，剑的制作技术有更大的飞跃，出现了技艺精湛的铸剑大师（欧冶子、风胡子、干将、莫邪），冶铸出"利如霜雪，光如云霞，陆斩犀兕，水断蛟龙"[1] 名传千古的宝剑。已出土的"吴王光剑""吴王夫差剑""姑发间反剑""越王勾践剑"，就集中代表了当时铸剑的工艺水平。战国时期，中原各国的铸剑术也有空前发展，钢铁剑开始出现，其制造工艺主要采用块炼铁固态渗碳制成低碳钢件，然后多层叠打而成，刃部一般经过淬火处理，异常锋利。剑的长度一般可达1米，个别的已达1.4米。

当时的格斗兵器还有殳、铍、钺、斧、匕首等。其中铍（锬、铦）由青铜铍头、长柄构成，铍头尖锋直刃、扁茎，刺透力很强，它出现于春秋时期，大量使用于战国时期。斧钺，在战国时期的实战中地位已大大降低，一般作为仪仗之用，象征军权。

（二）抛射兵器

抛射兵器的主要种类有弓箭和强弩，它们的使用，大大延伸了

---

[1]　江淹：《铜剑赞》，严可均：《全上古三代秦汉三国六朝文》，中华书局，1958年，第6347页。

战场格斗的空间距离，在战争中发挥了重要的作用。

　　根据《考工记》所载内容和出土的实物来看，当时弓的制作技术已相当成熟，弓的质量大为提高。制弓的主要材料有六种，称之为"六材"，即"干、角、筋、胶、丝、漆"，各有其用："干也者，以为远也；角也者，以为疾也；筋也者，以为深也；胶也者，以为和也；丝也者，以为固也；漆也者，以为受霜露也。"① 其中，选材、配料、制作程序和规格都有非常严格的规定，在竹、木材（干）的内侧粘贴动物角片，以增加弓体的坚韧和弹力，再粘缚筋、胶，然后用丝线缠紧，通体髹漆，挂弦的弭用动物角制作，弓弦采用丝或动物筋。这种弓已经是很成熟的复合弓，弹力大，经久耐用，文献中通常称为"角弓"。各诸侯国都用它装备部队，大量使用于战争之中。

　　弩是由弓发展而来的射远兵器，它通常由弓、木质弩臂和青铜弩机三部分组成，弓横装于臂的前端，弩机安装在臂的中部偏后尾处，弩臂用以承弓、撑弦，并供使用者托持。弩机用以扣弦、发射。使用时将弦张开，挂在弩机上，将箭镞装在弩臂的箭槽中，扳动弩机，使张开的弦脱钩，利用张开的弓所储存的能量，急速收弦化为动能，将箭镞弹射出去。由于弩将张弦装箭和纵弦发射分解为两个动作，使得射手有瞄准目标和寻觅放箭时机的时间，因此既提高了命中率，又增加了弓的储能量，提高了箭镞的射程和穿透力。弩从春秋中后期起开始较广泛应用于战争之中，战国时期，弩的使用更为普遍，其种类主要有臂张上弦的臂张弩和足踏上弦的蹶张弩，在当时，强弩成为装备列国军队的利器。

　　弩特别有利于步兵野战布阵、设伏和守城防御作战，它的使用大大增加了军队的作战能力。弩的构造要比弓远为复杂，是弓向机械操作迈出的重要一步，弩的发明称得上是抛射兵器发展史上的一座里程碑。

　　随着以弓弩为主体的远射兵器制作工艺水平提高，积弩齐发成

---

① 《周礼·考工记·弓人》。

为战场制胜的重要手段。现代考古发掘中已经发现了很多战国时期的弩机或者弩机上的铜部件。如，在湖南长沙扫把塘楚墓中出现了一件保存相当完整的战国弩。① 甚至此时已经出现了能够连发的弩。1986 年，在湖北江陵秦家嘴一座战国墓中就发现一件保存完好的弩，并与弩箭一起放在一个竹筒中。据学者研究，将其定名为"双矢并射连发弩"，"弩臂中插有一根可前后活动的木杆，前端伸出在弩臂之前。射手把这木杆抽插一次，可以同时射出两支箭并使弩回复待发射状态"②，其活动木杆内部有铜质机件，比后世"诸葛弩"结构还要复杂。2015 年，在秦兵马俑一号坑的第三次发掘中，考古工作者在一把保存完整的弩机上发现了用于平时养护弓弩的两根名为"檠"的配件，据考古工作人员介绍："这是秦兵马俑发掘以来所发现的最完整的一个弓弩，尤其是保护弓弩韧性的'檠'的发现更为重要。作为弓弩的辅助构件之一，'檠'在使用弓弩时需要拿掉，但其在弓弩闲置时，却是弓弩保持完整形象和材料韧性的重要方式。"③ 同时，据考古人员的推测，秦兵马俑发现主要有两种弓弩，其中小型弓弩的射程在 150 米左右，大型弓弩的最远射程可达 800米，由此可见此一时期弓弩技术的发达。

箭（矢、镞）的制作在这一时期也有了较大进步，制作上也更趋于科学化和规范化。如，箭镞、箭杆、羽毛间的比例，箭杆的长度与直径，箭杆的前后部的重量、比例，等等，都有了一定的规定。箭镞虽多青铜质，但形制有了较大变化，即由传统的双翼扁体形而改为三翼三棱锥体形，镞锋小而锐利，大大提高穿透力和杀伤力。战国时期还使用了铁镞，其中以三棱形居多，基本上承袭了铜镞的形制。箭杆多为竹制，也有木制，尾装羽毛，起平衡作用。弓用的

① 高至喜：《记长沙、常德出土弩机的战国墓——兼谈有关弩机、弓矢的几个问题》，《文物》1964 年第 6 期。
② 林沄：《弩的历史》，《中国典籍与文化》1993 年第 4 期。
③ 《秦兵马俑专家首次"考古复原"2200 多年前完整弓弩》，《人民日报》（海外版）2015 年 3 月 21 日（第 4 版）。

箭较长，为 70 厘米左右；弩用之箭较短，在 50 厘米上下。

（三）防御兵器

春秋战国时期战争频繁激烈，因此防护装具的制作和使用也均有一定的进步。这反映了随着刺杀格斗兵器和抛射兵器的发展，以防御为目的的军事装备也必然会有所改进，这主要包括盾、甲、胄等。

当时的盾仍然以木和皮革为制作材料，其形状较西周时期稍有变化，其上部大多做成对称的双弧形，下部一般为长方形，表面髹漆，并大多绘有精美的图案。盾高一般有 60 多厘米，宽约 45 厘米。除此之外，长方形和梯形的盾牌也同时使用。当时，盾作为军中主要护体器具，用于车、步、骑、水等各种作战环境，以蔽刺兵和矢石。在防御战中，城头上遍设盾橹，以防御敌人自城下射上来的飞石与箭镞。

当时的甲一般由皮革制成，分人甲和马甲两种。甲片为长方形，用绳组、丝组或细皮条连缀在一起，表面髹漆。就人甲而言，由身甲、甲裙、甲袖三部分组成。另外，还有一种数量很少的木胎皮甲，以木为胎，外贴皮革，表面髹漆。战国时期还出现了少量的铁铠甲，河北易县燕下都墓葬中就发现了铁甲片，这说明战国后期已有了铁制的防护装备。马甲用于保护拉战车的马匹。《左传》所谓“介马而驰”①，即指将战车驾马披甲，然后发起冲锋。当时的马甲一般也是以皮革制作，工艺与人甲制作基本相同。

胄用以防护人或马的头部。春秋时期的胄多以皮革制作，其工艺与甲的制作基本相似，即由甲片编缀。胄一般中有脊梁，下有垂缘护颈。战国时除皮胄外，还出现了铁胄（铁兜鍪）。

（四）攻城守城器械

春秋战国攻守城器械多见于文献资料记载，其种类主要有云梯、轒辒、巢车、铁蒺藜、地听等，但目前尚无考古实物发现。

云梯是用于登城的工具。据《墨子》载，鲁国巧匠公输般曾为

---

① 《左传·成公二年》。

楚王造云梯攻打宋国。① 战国时期的云梯据战国铜鉴水陆攻战纹饰所示，大约可以分为两种，一种是斜靠在墙头，供士卒攀缘之用，至于是独竿式还是双竿式，则不可分辨。另一种是底部装有轮子，可移动，梯身仰俯角度可变化，用人力抬举，云梯前端有钩状物，可钩住城垣，利于士卒攀登和防止城上守敌推拒。

巢车又称楼车，是一种设有观察点，可登而望远的特种车辆。春秋时期，巢车已在战争中广泛使用。据《左传》载，晋楚鄢陵之战时，"楚子（共王）登巢车，以望晋军"②。

据文献记载，铁蒺藜在战国时期已普遍用于城邑守备和要道布防，但实物目前考古尚未发现。后世所用蒺藜一般由四根铁刺组成，凡着地均有一刺朝上，状如草木植物蒺藜。其作用是撒布于敌人经过的交通要地，以迟滞敌军前进；再则布设于城池、军营四周，以防敌军突袭，增强防御能力。

地听又称瓮听，用于侦测有声源目标方位的器材，战国时已用于城防战中。当守城者发现敌人开掘地道时，立即在城内八方墙下凿出竖井，置一口新缸，上蒙薄牛皮，令听力好的人趴伏其上仔细辨听，以察知敌人挖掘的方位，从而采取迎敌对策。

第二节　四大兵种及其地位与作用

自战国中期起，以赵武灵王"胡服骑射"的改革为标志，骑战也被大规模引入中原地区，作为新的作战样式。至此，步、车、骑、舟诸兵种完整形成，并出现诸兵种协同作战的格局，奠定了冷兵器时代作战的基本样式。

---

① 《墨子·公输》。
② 《左传·成公十六年》。

一、步兵跃居诸兵种之首

进入战国时期，各国步兵开始大规模组建。这一格局的出现与当时推行的郡县普遍征兵制、铁兵器的出现以及新式弩机投入战场直接相关。

随着战争规模的不断扩大，郡县普遍征兵制的推行，使得大量民众进入军队，由于没有资格当甲士，不具备接受专门训练的条件，入伍门槛相对较低，因此他们大多只能成为步兵，由此造成战国时期步兵数量的急剧增加。

步兵的大量组建更与当时兵器的改良与战术的发展密不可分。战国时期的弩可射六百步以外。有一种"连弩"，射程更可达九百步之远，"积弩齐发"成为步兵在宽大正面上遏制密集车阵进攻最具威力的手段。另外，当时铁制兵器被广泛地应用于战争。铁资源丰富，价格低廉，铁兵器可以大量生产，这就为大量步兵的组建提供了必要的物质条件。

战国时期各国均拥有数量庞大的步兵部队。当时人们在列举军事力量时，已经普遍将"带甲"与"车乘"分开称呼。所谓"带甲"，就是成建制的步兵部队，它们一般都置放于"车""骑"之前，显示出步兵已成为各国的第一兵种，地位最为重要。《战国策》中对秦国军力的记载是"带甲百余万，车千乘，骑万匹"[①]，可见在各个兵种中，步兵的数量相当巨大。魏国则拥有由招募的勇士组成的精锐步兵"武卒"（亦称"武力"）20 余万，其他步兵 50 万，数量亦十分可观："武士二十万，苍头二十万，奋击二十万，厮徒十万。"[②] 秦、魏两国的步兵状况实际上就是当时各国步兵建设的一个缩影。

步兵的全面发展，也表现为当时步兵编制体制的完善和军事训练重心的转移。当时魏国军队的编制体制就是十进制重以五进制的

---

① 《战国策·韩策一》。
② 《史记·苏秦列传》。

什伍制度，秦国军队的编制是 5 人为一伍，50 人设屯长，100 人设百将，500 人设五百主。① 这表明建制步兵的结构体系已相当完备。同时，各国的军事训练的重点，也由原先的主要训练车士熟习"射""御"技能，而变为主要训练步卒的队列和击战技术等战术，包括行军宿营、信号识别、阵法布列等等。这种军事训练重心的转移，也从一个侧面反映了步兵的发展及其地位的日趋重要。

从战国时期的战争情况看，步兵也是当时作战中的主体，对战争胜负发挥着相当关键的作用。如，韩国的步兵在战场上素以勇力著称："被坚甲，跖劲弩，带利剑，一人当百，不足言也。"② 又如，在长平之战中，秦赵双方投入的步兵均多达 50 万人，战线绵延 100 多里，持续作战达 6 个月之久，成为战国时期步兵重兵集团大规模野战的典型战例，这充分显示出步战的成熟和步兵在战争中的主导地位。

二、车兵地位的变化

自春秋晚期起，步兵重新崛起，车兵在军队中的地位相对降低，这一过程递嬗到战国，遂导致战车不再成为战争中的核心，而成为步、车、骑协同作战中的一部分，车兵的地位也退居到步兵之后。这种情况的产生，原因是多方面的，其中荦荦大端者，不外乎战场地域的扩大，士兵成分的改变，战争规模的增大，新式兵器的出现，作战方式的改变，等等。但尽管如此，车兵在当时军队中仍是主力兵种之一，在战争中亦发挥着重要作用。

第一，战车数量的多寡，仍是衡量一国军力的重要标志。张仪、苏秦、苏代、公孙衍等人，在游说各国诸侯，论及某国军力时，总要指出"车千乘""车七百乘""车六百乘"之类，同时盛赞一些国家战车的精良，如，苏秦之称道"齐车之良"③。由此可知，战车在

---

① 《商君书·境内》。
② 《战国策·韩策一》。
③ 《战国策·齐策一》。

战争中仍占有重要的地位。

第二，先秦文献中对车战的描述比比皆是，这可以说是当时动用兵车作战的史实。据《史记》载："（楚王）警四境之内，兴师言救韩，命战车满道路。"① 又如，前405年，韩、赵、魏三国联合伐齐，"大败之，齐将死，得车二千"②。楚国诗人屈原的《国殇》诗中，对当时车战盛况有极其生动的描绘："操吴戈兮被犀甲，车错毂兮短兵接。旌蔽日兮敌若云，矢交坠兮士争先。凌余阵兮躐余行，左骖殪兮右刃伤。霾两轮兮絷四马，援玉枹兮击鸣鼓。天时坠兮威灵怒，严杀尽兮弃原野。"③ 屈原描写了盾牌手里拿，身披犀牛甲，敌我车轮两相错，刀剑相砍杀。战旗一片遮了天，敌兵仿佛云连绵，你箭来，我箭往，恐先争后，谁也不相让。阵势冲破乱了行，车上四马，一死一受伤。埋了两车轮，不解马头缰，擂得战鼓冬冬响。天昏地暗，鬼哭神号，片甲不留，死在疆场上④。在这里，屈原把一车四马的配备，车兵的甲胄兵器，指挥用的旗鼓，双方弓箭的对射，双方兵车驰击位置相错时发生的格斗等生动情景，都如实地描绘出来，让我们仿佛置身于历史现场。屈原作为战国中叶人，他能以车战为题材进行文学描写，说明了在当时车战仍然是比较频繁的。

第三，当时兵书大量论述了战车的使用及其在作战中的特点，这也表明车战在当时仍是重要的作战方式之一，车兵在军队中仍居于较高地位。《孙膑兵法》道："易则多其车。"⑤ 可见，在当时平原地带作战时，战车依然被广泛使用。《吴子》亦云，魏"革车掩户，缦轮笼毂"⑥，形象描述了当时兵车的形制。至于《六韬》，则更是全面论述了战车的作战特点，并对其功能作了细致的阐述。《六韬》

---

① 《史记·韩世家》。
② 《吕氏春秋·不广》。
③ 金开诚、董洪利、高路明校注：《屈原集校注》，中华书局，1996年，第283页。
④ 参见郭沫若：《屈原赋今译》，人民文学出版社，1953年。
⑤ 《孙膑兵法·八阵》。
⑥ 《吴子·图国》。

专列《战车》一篇，列举战车之"十死之地""八胜之地"，系统总结了兵车作战的十种不利地形和八种有利情况，并在《均兵》中突出强调了战车的作用："车者，军之羽翼也。所以陷坚陈，要强敌，遮走北也。"[①] 非常准确概述了车兵在平原地区的威力。

第四，地下考古发掘也表明车战和车兵在战国时代占有比较重要的地位。陕西临潼秦始皇兵马俑坑的布列情况是车兵、骑兵、步兵分别编组，协同作战。战车部队作为一支独立的兵种，仍具有相当的规模。这样就印证了文献材料关于战国车兵情况记载的可信性。

三、"胡服骑射"与骑兵的全面发展

乘骑之习最早起源于殷商时代，这见于甲骨文的记载。但当时单骑主要是用于驿传联络，并无军事上的意义。春秋时期，主要是西北边远地区的一些游牧民族使用骑兵，受此风影响，晋国军队中配属少量零散的骑兵，但在中原战场上似乎还看不到他们的踪影。

直到春秋战国之交，骑射才开始较为广泛地应用于实战，骑兵开始在中原战场出没。在先秦史料中，"骑"字最早出现于《墨子》和《吴子》中，就是一个很好的证明。《战国策》追述春秋末年有关史实，称赵襄子"使延陵王将车骑先之晋阳"[②]。此处将车、骑并提，表明骑兵已经单独建制，在行军序列中占有一席之地了。《吴子》中讲到"千乘万骑，兼之徒步""分车列骑"[③]，孙膑讲到"用骑有十利"[④]，这些情况表明了当时的兵学家、军事指挥者已经开始总结经验，从理论角度论述骑兵的相关情况。到了公元前 4 世纪末，赵国的武灵王出于边防作战的需要，命令民众改穿窄袖的胡服操练骑射，组成了一支独立的骑兵部队。这是一次重大的军事改革，骑

---

① 《六韬·犬韬·均兵》。
② 《战国策·赵策一》。
③ 《吴子·应变》。
④ 《通典·兵二·法制》，杜佑撰，王文锦等点校：《通典》（全五册），中华书局，1988 年，第 3810 页。以下《通典》引文均出自此书，仅注篇名。

兵因此作为独立兵种在中原各国普遍地发展起来。至于匈奴等北方少数民族，更是精于骑射，拥有强悍善战的骑兵队伍。

战国时期各大国的骑兵建设规模相当可观。当时，骑兵与步兵、车兵均为各国军队的主力兵种。从张仪、苏秦等策士的描述来看，当时各国拥有"骑万匹（秦、赵、楚）""骑六千匹（燕）""骑五千匹（魏）"数量不等的骑兵部队。赵国骑兵部队的建设和运用，正是当时骑兵发展的一个典型和缩影。赵武灵王"胡服骑射"之后，骑兵遂成为赵国军队中最重要兵种，在征服中山国和对林胡、楼烦"辟地千里"① 的战争中，曾发挥过重要的作用。赵奢、廉颇、李牧等赵国名将都善于使用骑兵。如，李牧"常居代雁门，备匈奴……日击数牛飨士，习射骑"②，曾亲率骑兵 13000 人，与车、步兵联合作战，斩杀匈奴 10 余万骑。

其他诸侯国动用骑兵作战并在战争中发挥积极作用的事例也不在少数。如在长平之战中，秦国骑兵奇袭赵营，与步兵协同作战，为战争的胜利立下汗马功劳。又如，齐国的骑兵也经常用于作战，董说《七国考》引《孙子笺》云："齐宣王以文骑六百匹伐燕。"③

古代兵家认为骑兵作战的特点是"急疾捷先"④"驰骤便捷，利于邀击奔趋，而不宜于正守老顿"⑤。这就决定了在战国时期，骑兵是作为快速机动部队而与战车配合使用的，主要用于担负正面突击、邀敌、侧翼包抄、奇袭、长途追击、敌后骚扰等作战任务。在战场上，骑兵常常部署于军阵的侧翼，相机攻击敌人的侧后。由于战国时期骑兵规模已有大的发展，骑兵战术已达到一定水平，故当时的兵书遂注重对骑兵的建设和运用进行理论上的总结。如《六韬》曾将骑兵的基本战术归纳为"十胜"和"九败"⑥。其中，"十胜"

---

① 《战国策·赵策二》。
② 《史记·廉颇蔺相如列传》。
③ 董说：《七国考》，中华书局，1956 年，第 304 页。
④ 《吕氏春秋·论威》。
⑤ 何良臣：《阵纪》卷四，文渊阁《四库全书》本。
⑥ 《六韬·犬韬·战骑》。

（今本仅存"八胜"）为进攻战术，包括进攻时机和地点的选择；"九败"乃是骑兵作战应注意避免的事项，如，要避免中敌埋伏、防止敌方断绝退路等等。

从骑兵在作战中担负的任务可以看出，战国时期的骑兵，在军队中的地位是在步兵和车兵之下的。当时一些史书与兵书，在讲到各国兵力时，都把骑兵列在步兵和车兵之后；而衡量一国国力的强弱，主要不是以骑兵的多少，而是以战车的多少为标准的，如称"千乘之国""万乘之国"等等；在记述作战行动时，往往把战车放在重要的位置，而较少提及骑兵。如，《战国策》记述的秦国与魏国、楚国的数次战争，只提到秦国军队战车和步兵的数量，而未提及骑兵。《司马法》在讲战术时，也只讲到战车和步兵。地下考古发掘也反映了这种情况。举世闻名的秦陵兵马俑共分三组，第一组是步兵排成的大方阵，是整个军阵的主力配置，其中队间有 6 乘兵车，似为指挥官的乘具；第二组由多部分组成，其中第一部分为步弩支队，第二部分为车兵支队，由战车排成的小方阵，第三部分为步车骑联合支队，第四部分为骑兵支队，第二组具有独当一面作战的性质；第三组是 1 乘战车和 68 名武士，当为军队指挥所。这反映了当时各级指挥者主要还是乘坐战车指挥作战的，战车比骑兵具有更重要的作用。[①] 正如李靖所言，"步为腹心，车为羽翼，骑为耳目，三者相待，参合乃行"[②]，这样的作战格局正是在战国时期形成的。

为了适应骑兵发展的需要，战国时期，一方面，各国从北方游牧民族那里引进大批良马；另一方面，北方的燕、赵地区和西方的秦国也开辟了牧马场，大规模牧养马匹。养马技术在当时有了长足的进步，出现了一批非常专业的养马专家，并撰写出了一批养马学专著。如，长沙马王堆三号汉墓出土的战国晚期帛书《相马经》，即为目前所能见到的世界上最早有关马匹外形学的专著。对战马的训

---

① 白建钢:《秦俑军阵初探》,《西北大学学报》（哲学社会科学版）1981 年第 3 期。

② 《通典·兵一·叙兵》。

练与饲养，在当时受到各国统治者与兵学家的普遍重视，这在《吴子》中有比较充分的反映，既要"戢其耳目，无令惊骇，习其驰逐，闲其进止"，又要"安其处所，适其水草，节其饥饱"①。出土的秦律《厩苑律》对战马的管理也作出了具体规定，说明马政事业在当时也开始出现并发展起来。

四、舟师的发展

战国时期，舟师作为一支特殊和新型的兵种，在滨海和江河较多的诸侯国中获得了相当程度的发展，成为一支配合陆地作战的有生力量。② 在战国诸雄中，以楚国与秦国的舟师实力、作用最可称道。楚国的舟师自春秋以来经历了多次战斗，在当时拥有相当的实力。秦国虽然地处关中，但是为了达到从水陆多个方面兼并六国的目的，也大力加强水军的建设。据《蜀王本纪》记载："秦为太白船万艘，欲以攻楚。"③《战国策》载，秦国警告楚国说："蜀地之甲，轻舟浮于汶，乘夏水而下江，五日而至郢。汉中之甲，乘舟出于巴，乘夏水而下汉，四日而至五渚。"④ 这些记载表明秦国在巴蜀地区已经拥有运兵船万余艘，可以沿长江东下。史实也证实了此言非虚，当年司马错曾率军 10 万，携米 600 万斛，乘舫船万艘"浮江伐楚"。⑤

在魏国方向，秦国则有黄河舟师配合陆路的军事行动。据《战国策》记载："秦正告魏曰：'我举安邑，塞女戟，韩氏太原卷。我下枳，道南阳、封、冀，包两周，乘夏水，浮轻舟，强弩在前，铦戈在后，决荥口，魏无大梁；决白马之口，魏无济阳；决宿胥之口，

---

① 《吴子·治兵》。

② 吴如嵩、黄朴民、任力、柳玲：《战国军事史》，军事科学出版社，1998 年，第 78 页。

③ 《蜀王本纪》。

④ 《战国策·燕策二》。

⑤ 《华阳国志》卷三《蜀志》，《初学记》卷二十五，等等。

魏无虚、顿丘。陆攻则击河内，水攻则灭大梁。'魏氏以为然，故事秦。"① 这段记载对秦国黄河舟师的实力及其在作战中的地位作出了生动的描绘。

战国时期的战船有多种名称，如大翼、小翼、突冒、楼船、桥船等等。船上的战士，有的被称为"船军"。1935 年，河南汲县彪镇出土的战国前期"水陆攻战图"铜鉴，纹饰完整清晰，用精美的图案细致地展现了当时战船的特点和激烈的水战场面。战船形制修长，无帆无舵，由棹手划桨操纵。一艘战船分上下两层，上层武士多人分别手持戈、戟、矛、弓箭等长短兵器与敌格斗。同时，还有挥旗、击鼓等指挥者。指挥者击鼓，水兵奋力拼杀，远距离用弓箭杀伤敌人，近身用戈、矛、短剑格斗。下层水手持桨划水，并身佩短剑。这真实而完整地反映了战国时期舟师的情况，也表明水战已成为一种习见的战争形式。

尽管战国时期舟师已有了较大的发展，但总的说来尚处于初创的阶段，具体表现在以下三个方面。一是规模不大，基本上只对陆战起一定的配合作用。二是作战水域不广。三是当时兵书尚未对水战作专门而系统的总结和研究。《孙膑兵法·十阵》中虽有"水战之法"②，但所讲内容亦较简略。舟师的较大规模建设和水战的进一步发展是在秦汉魏晋南北朝时期。

第三节　战国时期战争性质和方式的演变

战国七雄之间频繁而激烈的兼并战争，逐步转化为统一的战争。战国时期的兼并战争大体上可划分为四个阶段。战国初年，魏国经过李悝变法，率先成为最强盛的国家，西攻强秦，北伐中山，东败

① 《战国策·燕策二》。
② 《孙膑兵法·十阵》。

齐军，南控淮、泗，声威大振。但是，桂陵之战和马陵之战是魏国开国以来从未有过的惨败，也是魏国由盛而衰的转折点。马陵之战以后，齐、秦、赵从三面夹攻魏国，魏国很快衰落下去。魏国衰落以后，出现了秦、齐两大强国东西对峙的局面。两国展开了争取与国、孤立敌国的斗争，而魏、赵、韩等国内部也分成联秦抗齐和联齐抗秦两派，各国展开了合纵与连横的活动。五国破齐后，齐国虽然勉强复国，但元气大伤，国势从此一蹶不振。秦、齐对峙的局面也被打破了。齐国衰落后，东方六国中无论从实力还是从战略位置上讲，唯一可以抗衡秦国的就只有赵国了，但是长平一战，赵国再也无力与秦抗争。从公元前230年到公元前221年，秦王政用10年的时间相继灭掉了韩、赵、燕、魏、楚、齐六国，完成了统一大业，结束了春秋战国以来长达500多年的诸侯割据局面，建立了中国历史上第一个统一多民族中央集权制的国家，对中国历史的发展产生了巨大而深远的影响。

一、战国七雄各具特点的地理环境

战国时期，华夏族的活动范围西起渭水流域，东至黄河下游，南到长江中下游流域，北达蓟辽地区。在这广阔的地域上，主要有秦、楚、赵、齐、魏、韩、燕等七个诸侯大国，此外，还在相当长的一段时间里，存在着宋、鲁、赵、周等次等诸侯国。这些大小诸侯国还分别形成了四个大的文化类型，即三晋文化、荆楚文化、燕齐文化、邹鲁文化，其中，以三晋文化为主导。由于周、宋、鲁等小国对当时战略格局的演变没有太大的影响，所以我们分析论述战国时期的兵要地理，当以七雄为具体的对象。

战国七雄中，以秦、楚、齐为头等强国。秦国是所谓"有吞天下之心"的"虎狼之国"[①]。楚国的实力也很可观，时称"凡天下强国，非秦而楚，非楚而秦，两国敌侔交争，其势不两立"[②]，亦有

---

① 《战国策·楚策一》。
② 《战国策·楚策一》。

"横成则秦帝，从（纵）成则楚王"① 之说。齐国自西周以来始终为东方大国，战国中期更一跃而为第一流强国，史称齐湣王为东帝、秦昭王为西帝即是证明。魏国与赵国为第二等强国，典籍记载"魏王拥土千里，带甲三十六万"②，以至于"秦王恐之，寝不安席，食不甘味"③。至于赵国，则是"当今之时，山东之建国，莫强于赵"④。不同的是，魏国强盛于战国之初，赵国崛起于战国中后期。韩国与燕国相对较为弱小，史称韩国的战略地位是"今天下散而事秦，则韩最轻矣；天下合而离秦，则韩最弱矣"⑤。称燕国"燕固弱国，不足畏也"⑥。这些说法均说明韩、燕在七雄竞争中处于软弱无力的境地。以上为战国七雄的大致情况，以下分别具体论述七国的政治形势、军事实力及其地理条件。

（一）秦国

秦国是春秋时期四强之一，雄踞西方的强国，据有今陕西省大部和甘肃省一部分，即东据黄河桃林、崤函之塞，南接秦岭，西依陇山，北抵平凉、泾川附近。但由于强晋在崤函一带设防，扼其咽喉，使秦国长期无法东出逐鹿中原，"秦僻在雍州，不与中国诸侯之会盟，夷翟遇之"⑦。然而到了战国，历史为秦国提供了新的机遇，强晋分裂为魏、韩、赵三国，力量大大削弱，秦国遂把握时机，重新启动东进的战略。而秦孝公任用商鞅进行变法，开阡陌，废井田，致力耕战，推行"尚首功"的政策，建立军功爵制，遂使秦国迅速强盛起来，为秦国夺得相对于山东六国的战略优势，并进而为兼并天下打下了坚实的基础。在此基础上，秦国又实施以破合纵的连横策略、远交近攻等一系列正确的策略方针，为达到其战略目标开辟

① 《战国策·秦策四》。
② 《战国策·齐策五》。
③ 《战国策·齐策五》。
④ 《史记·苏秦列传》。
⑤ 《战国策·韩策三》。
⑥ 《战国策·赵策二》。
⑦ 《史记·秦本纪》。

了道路。至战国中期，秦国的实力已远远超过了山东六国中任何一国："秦地半天下，兵敌四国，被险带河，四塞以为固。虎贲之士百余万，车千乘，骑万匹，积粟如丘山。法令既明，士卒安难乐死，主明以严，将智以武，虽无出甲，席卷常山之险，必折天下之脊，天下有后服者先亡。"① 尤其是秦国的民风尚武乐战，在军功爵制的刺激下，② 士兵个个骁勇强悍，"勇于公战，怯于私斗"③，所以秦国的军队战斗力在七雄中为最强。史籍载："魏氏之武卒不可以遇秦之锐士。"④ 又曰："秦性强，其地险，其政严，其赏罚信，其人不让，皆有斗心，故散而自战。"⑤ 这样的军队在作战中自然是战无不胜，攻无不克，所向披靡，攻守皆宜："山东之士被甲蒙胄以会战，秦人捐甲徒裼以趋敌，左挈人头，右挟生虏。夫秦卒与山东之卒，犹孟贲之与怯夫；以重力相压，犹乌获之与婴儿。"⑥

　　秦国战略优势地位的形成，与其兵要地理位置的优越性密切联系在一起。班固曾曰："秦地天下三分之一，而人众不过什三，然量其富居什六。"⑦ 特别是秦统治中心关中地区的兵要地理条件更是十分优越，它作为四塞之地，正如张晏所言："秦地带山河，得形势之胜便者。"⑧ 因此，秦地险固，处于进可攻、退可守的有利地位，占有了它，对敌便拥有主动和行动的自由。兼之关中地区地势平坦，气候适宜，土地肥饶，水利灌溉系统发达，特产丰富，非常适宜于农业生产的发展，"号称陆海，为九州膏腴""沃野千里，民以富饶"⑨，能够支持长期的战争活动，故一直是秦国实施兼并统一战略

---

① 《史记·张仪列传》。
② 参见朱绍侯：《军功爵制研究》（增订版），商务印书馆，2017 年。
③ 《史记·商君列传》。
④ 《荀子·议兵》。
⑤ 《吴子·料敌》。
⑥ 《史记·张仪列传》。
⑦ 《汉书·地理志》。
⑧ 《史记·高祖本纪》裴骃《集解》引注张晏说。
⑨ 《汉书·地理志》。

的有力保障。值得注意的是，秦国长期根据天下形势，适时地选择东进、西进或南下方略，贯彻拓土开疆，扩展战略纵深，巩固战略后方，争夺战略要枢的方针，先后攻占河西、上郡、陕等地，完全控制黄河天险与崤函要塞，向南灭亡巴蜀，夺取汉中，向西北攻灭义渠，并进而占领黔中、陶邑、南阳、河内等战略要地，几乎将这一地区的兵家必争的战略形胜地区大部分都划入了自己的疆域，进一步占有了地理环境上的优势，为展开席卷天下、统一六国的战略行动创造了非常有利的条件。用苏秦的话说，就是"秦四塞之国，被山带渭，东有关河，西有汉中，南有巴蜀，北有代马，此天府也。以秦士民之众，兵法之教，可以吞天下，称帝而治"①。

（二）楚国

楚国在战国七雄中疆域最大，全盛时其地奄有今湖北、湖南、安徽三省之全部以及贵州、陕西、河南、山东、江苏之一部分。楚文化滋生于江汉流域，具有独特的风格，很少受周礼传统文化的束缚，故自其立国以来，始终以兼并小国、逐鹿中原为战略上的根本选择，并取得了重大的成果，成为战国时期能与秦国全面抗衡的唯一强国："秦之所害莫如楚，楚强则秦弱，秦强则楚弱，其势不两立。"② 战国时期，楚国扮演了合纵抗秦的中坚力量，曾多次出面组织合纵阵线，扼制秦国咄咄逼人的进攻势头。而楚国能发挥这样的作用，在很大程度上是与其地大物博、人口众庶、军力充足、兵要地理条件优越直接相关。众所周知，在战国大部分时间里，楚国的统治中心在郢（今湖北荆州），它地处南北中枢，北据汉沔，襟带江湖，东连吴会，西通巴蜀，远接陕秦，具有独特的战略纵深优势，且内阻山河之险，易守难攻。故苏秦有云："楚，天下之强国也；王（指楚威王），天下之贤王也。西有黔中、巫郡，东有夏州、海阳，南有洞庭、苍梧，北有陉塞、郇阳，地方五千余里，带甲百万，车千乘，骑万匹，粟支十年。此霸王之资也。夫以楚之强与王之贤，

①　《史记·苏秦列传》。
②　《史记·苏秦列传》。

天下莫能当也。"①

　　然而，楚国在地缘战略上拥有种种优势，却随着其政治的腐朽、外交的失败、楚国的国势逐渐衰弱而抵消，并渐渐消磨殆尽。战国时期，楚国旧的宗族贵族势力始终强盛，政治黑暗，吏治腐败，上下离心，民怨沸腾，除了楚悼王任用吴起进行改革，稍有振作之外，楚国长期走下坡路，直到走向灭亡。对此，秦将白起曾有准确的分析："楚王恃其国大，不恤其政，而群臣相妒以功，谄谀用事，良臣斥疏，百姓心离，城池不修，既无良臣，又无守备。"② 吴起也指出楚军的弱点："楚性弱，其地广，其政骚，其民疲，故整而不久。"③ 尤为致命的是，楚国在外交事务上也屡犯错误，虽然组织和参加合纵抗秦，却往往瞻前顾后、虎头蛇尾，没有全力以赴。后来，楚怀王又昏庸地听信纵横家张仪之言，企图与秦国约为"兄弟之国"，轻率地"闭关绝约于齐"④，瓦解了与齐国的战略同盟，终陷于孤立挨打的处境。在这样的背景之下，楚国地虽广，人虽众，兵虽多，地理环境虽优越，也不能不江河日下，危亡必至了。等到秦国据有汉中、巴蜀、黔中之地，"起两军，一军出武关，一军下黔中"⑤，对楚国形成两路夹击之势后，楚国大势尽去，只能坐以待亡了。

　　（三）齐国

　　战国中期，齐威王发愤图强，改革吏治，任用邹忌、田忌、孙膑等贤能之士，发展农业生产，增强军事实力，在战国七雄中崭露头角，"齐，负海之国也。地广民众，兵强士勇"⑥。及至宣王、湣王之世，"齐之强，天下不能当"⑦。短短近百年内，齐国先后大破魏军于桂陵和马陵，终结了魏国的霸权；伐燕灭宋，张扬齐国声威

---

① 《史记·苏秦列传》。
② 《战国策·中山策》。
③ 《吴子·料敌》。
④ 《史记·张仪列传》。
⑤ 《史记·苏秦列传》。
⑥ 《史记·张仪列传》。
⑦ 《战国策·齐策一》。

于天下，左右着当时的战略局势，齐国进入了国势最鼎盛的阶段，"齐地方二千余里，带甲数十万，粟如丘山。三军之良，五家之兵，进如锋矢，战如雷霆，解如风雨"①。但是由于齐湣王外交战略接连失误，导致五国伐齐，齐国几近灭亡。到了乐毅率五国联军伐齐之后，齐国虽然凭借田单即墨保卫战的胜利而免于覆灭，但实力已受到根本性的损伤，难以重振雄风，偏安一隅，更无法对战国后期的历史进程施加决定性的影响了。

齐国在战国期间的兴衰存亡，固然与其政治的得失、军事的成败、经济的利弊、外交的正误直接有关，但也不能不看到其地理环境、民风习俗所发挥的作用，换言之，在齐国所秉持的基本国策、所制定的军事战略或外交斗争方针的背后，蕴含有齐国特定的地理环境以及民风习俗的深层次因素。

齐国擅有渔盐之利，农业发达，工商业繁荣，民众生活比较富裕，这一点司马迁在《史记》中曾有概括的描述："齐带山海，膏壤千里，宜桑麻，人民多文采布帛鱼盐。临菑亦海岱之间一都会也。其俗宽缓阔达，而足智，好议论，地重，难动摇，怯于众斗，勇于持刺。"② 齐国天然优越的环境，齐人生活优裕，民众不乐意于耕战，这直接导致齐国军队战斗力不强，所谓"齐之技击不可以遇魏氏之武卒"③；史籍又载"夫齐性刚，其国富，君臣骄奢而简于细民，其政宽而禄不均，一陈两心，前重后轻，故（齐阵）重而不坚"④ 云云，正反映了齐军缺乏战斗力的事实。从战略地理环境来看，齐国处于中原争战之地的边缘，既可西进，雄霸诸侯；亦可退守，固据山川形势，自成格局。正如田肯所云："夫齐，东有琅邪、即墨之饶，南有泰山之固，西有浊河之限，北有勃海之利，地方二

---

① 《史记·苏秦列传》。
② 《史记·货殖列传》。
③ 《荀子·议兵》。
④ 《吴子·料敌》。

千里，持戟百万，县（悬）隔千里之外，齐得十二焉。"① 正因为如此，在较长的时间里，强秦的兵锋对齐国并不构成太大的威胁，齐国自能御土自守，南面称孤。正如苏秦所言："今秦之攻齐则不然。倍韩、魏之地，过卫阳晋之道，径乎亢父之险，车不得方轨，骑不得比行，百人守险，千人不敢过也。秦虽欲深入，则狼顾，恐韩、魏之议其后也。是故恫疑虚猲，骄矜而不敢进，则秦之不能害齐亦明矣。"② 但是正由于齐国拥有"县（悬）千里之外"的兵要地理环境，它遂丧失了主动进攻的积极态度，在强秦面前，甘于做"自守之国"，不受兵长达40余年，到了战国末年，更朝秦输诚，坐视秦国连年攻打三晋以及楚、燕，使得秦能够逐一灭掉五国。五国既亡，所谓唇亡齿寒，当秦军大举伐齐，兵入临淄，齐国最终未能逃脱彻底覆灭的命运。

（四）魏国

魏国是从晋国分裂出来的一个诸侯国。地方千里，经济发达，"南有鸿沟、陈、汝南、许、郾、昆阳、召陵、舞阳、新都、新郪，东有淮、颖、煮枣、无胥，西有长城之界，北有河外、卷、衍、酸枣，地方千里。地名虽小，然而田舍庐庑之数，曾无所刍牧。人民之众，车马之多，日夜行不绝，輷輷殷殷，若有三军之众"③。魏文侯在位时，礼贤卜子夏、田子方、段干木等儒家人物，重用吴起、李悝、西门豹等才能之士，实行改革，富国强兵，先后伐秦、攻打中山，使魏国在战国初年率先崛起，称霸中原。传至其孙魏惠王时，魏国势力达到极盛，史称"梁君伐楚胜齐，制赵、韩之兵，驱十二诸侯以朝天子于孟津"④，就是魏国强盛，号令诸侯的具体写照。魏国的军队数量庞大、战斗力强劲，在当时也是遐迩闻名，在吴起为西河守期间，魏军在吴起统率下，"与诸侯大战七十六，全胜六十

---

① 《史记·高祖本纪》。
② 《史记·苏秦列传》。
③ 《史记·苏秦列传》。
④ 《战国策·秦策五》。

四，余则钧解。辟土四面，拓地千里"①。故苏秦曰："魏，天下之
强国也。"②

　　然而，从兵要地理环境角度考察，魏国的处境十分不利。它生
存空间比较狭窄，战略回旋余地局促，这主要表现为其地四通八达，
多面受敌，无险可守，为兵家所必争，在战略上非常容易陷于内线
作战或多线作战的被动局面，这一点张仪曾有扼要的评述："魏地方
不至千里，卒不过三十万。地四平，诸侯四通辐凑，无名山大川之
限。从郑至梁二百余里，车驰人走，不待力而至。梁南与楚境，西
与韩境，北与赵境，东与齐境，卒戍四方，守亭鄣者不下十万。梁
之地势，固战场也。梁南与楚而不与齐，则齐攻其东；东与齐而不
与赵，则赵攻其北；不合于韩，则韩攻其西；不亲于楚，则楚攻其
南。此所谓四分五裂之道也。"③张仪所言，虽或有夸张之处，但基
本上是准确的。魏国的这一地理形势特点，决定魏国只能成为兼并
战争的主战场，兵连祸结，内外交困，以致严重限制了其经济发展、
政治稳定和军事强盛，加上魏国选择了错误的四面出击战略方针，
导致河西之地失守于秦国，桂陵、马陵之战惨败于齐国，更加速了
其由盛转衰的步伐。

　　（五）赵国

　　赵国亦是从晋国分裂出来的诸侯国。赵国的国土是三晋国家中
最大的，其疆域，北邻林胡、楼烦，东北与燕、东胡接界，东与中
山、齐为邻，南与卫、魏、韩交错，西亦与魏、韩毗连。赵建国伊
始，赵烈侯即任用牛畜、荀欣、徐越、公仲等贤能之士，初行改革，
国内称治。赵武灵王在位时，更是推行了以胡服骑射为标志的大规
模改革，使国家实力迅速增强，取得了攻灭中山，北逐楼烦、东胡
的重大胜利，成为七雄中后起的强国，"当今之时，山东之建国，莫
如赵强。赵地方二千里，带甲数十万，车千乘，骑万匹，粟支十

―――――――――

① 《吴子·图国》。
② 《史记·苏秦列传》。
③ 《史记·张仪列传》。

年"①。赵国强盛之后，多次充当合纵抗秦的首领，成为阻挡秦国东进的头号对手，"收率天下以宾（摈）秦，秦兵不敢出函谷关十五年"②。

赵国之所以能够支撑战国后期抗秦大局，同样是与其民风习俗与兵要地理环境相联系的。赵地居北，"地薄人众"，各地民风不同，如赵、中山地区，"丈夫相聚游戏，悲歌慷慨"，太原、上党地区"矜夸功名，报仇过直"，钟、代、石、北等接近胡人的地区"民俗懁忮，好气为奸，不事农商，自全晋时，已患其剽悍，而武灵王又益厉之"，定襄、云中、五原等原为戎狄的地区"其民鄙朴，少礼文，好射猎"③，总之其特点是"号为难治"。这样的民风，决定了赵国的军队拥有十分强大的战斗力，造就了廉颇、李牧、赵奢等一代名将，从而能够在兼并战争中战胜攻取、拓土开疆。就兵要地理环境而言，赵国也处于有利的位置，"西有常山，南有河漳，东有清河，北有燕国"④，居高临下，易守难攻。

秦国对赵国的强盛和抗秦威胁是心中有数的，秦国看到"天下之士，合从（纵）相聚于赵，而欲攻秦"⑤，是自己兼并天下的巨大障碍，所以必然要以赵国为主要打击对象。于是，秦国适时改变出豫西通道以东进的战略方针，改由出晋南豫北通道以攻击赵国，它先是"举安邑而塞女戟，韩之太原绝；下轵道、南阳、高，伐魏绝韩，包二周，即赵自消烁矣"⑥，对赵国构成战略包围之势，"断赵之右臂"⑦。待时机成熟后，又直接给赵国以凌厉的打击。赵国虽利用地势之便，且殊死抗衡，亦曾取得过阏与之战等胜利，但终因实力不逮，攻守异势，而处于战略被动的境地，长平一战，赵军主力

----

① 《战国策·赵策二》。
② 《史记·张仪列传》。
③ 《汉书·地理志》。
④ 《战国策·赵策二》。
⑤ 《战国策·秦策三》。
⑥ 马骕：《绎史》，中华书局，2002年，第3260页。
⑦ 《史记·张仪列传》。

悉被歼灭，其亡国绝祚，也就指日可待了。地理形势之胜，终竟未能挽救赵国。

（六）韩国

韩国作为三晋之一，在战国七雄中国力较弱，地瘠民贫，又是四战之地，连年兵祸，处境极为艰难。张仪尝言："韩地险恶山居，五谷所生，非菽而麦，民之食大抵饭菽藿羹。一岁不收，民不厌糟糠。地不过九百里，无二岁之食。"① 应该说，张仪的描述基本上符合韩国实际情况。然而韩国的兵要地理环境也有其优长之处，其疆域虽然不广，但韩国"北有巩、成皋之固，西有宜阳、商阪之塞，东有宛、穰、洧水，南有陉山，地方九百余里，带甲数十万"②，形势亦堪称险要。尤其是韩国的兵器驰名天下，"天下之强弓劲弩皆从韩出……（其剑戟）皆陆断牛马，水截鹄雁，当敌则斩坚甲铁幕"③。其军队的战斗力也相应而非常强劲，"以韩卒之勇，被坚甲，跖劲弩，带利剑，一人当百，不足言也"④。韩昭侯在位时，曾任用申不害进行改革，"内修政教，外应诸侯，十五年终申子之身，国治兵强，无侵韩者"⑤。地理环境的有利条件，兼之其他因素，使韩国能够在七雄争战中坚持很长一段时间，这也算得上是一个奇迹了。然而，毕竟韩国国土面积小，实力弱，暂时的抗争并不能改变日益削弱的趋势。等到秦军一旦"下甲据宜阳，断韩之上地，东取成皋、荥阳"⑥，割裂韩国为两部，韩国所剩下的唯有坐以待毙而已。

（七）燕国

燕国都蓟（今北京市西南），其疆域"东有朝鲜、辽东，北有林胡、楼烦，西有云中、九原，南有滹沱、易水"⑦。在春秋时期，

---

① 《史记·张仪列传》。
② 《史记·苏秦列传》。
③ 《史记·苏秦列传》。
④ 《史记·苏秦列传》。
⑤ 《史记·老子韩非列传》。
⑥ 《史记·张仪列传》。
⑦ 《史记·苏秦列传》。

燕僻处中原北陲，其战略地位并不显得十分重要。进入战国后，燕国真正开始崛起，与秦楚等六国并驱而争先，"地方二千余里，带甲数十万，车六百乘，骑六千匹，粟支数年。南有碣石、雁门之饶，北有枣栗之利，民虽不佃作而足于枣栗矣。此所谓天府者也"①。尤其是燕昭王任用乐毅率领五国大军伐齐，大获全胜，更使燕国声威远播，震动诸侯。

但是，燕国毕竟是战国七雄中最弱小的一国，其军队的战斗力从总体上说也不算强，"燕性悫，其民慎，好勇义，寡诈谋，故守而不走"②。燕国能够在六国中灭亡较晚，主要原因是僻在边陲，远离强秦的兵锋，兵要地理环境对其生存有利。对秦国来说，其主要的打击目标是三晋和楚国；而对山东诸国来说，其当务之急，也是设法与强秦抗衡，僻处北方的燕国并不是它们的攻击对象，这诚如苏秦所言，"夫燕之所以不犯寇被甲兵者，以赵之为蔽其南矣……且夫秦之攻燕也，逾云中、九原，过代、上谷，弥地数千里，虽得燕城，秦计固不能守也。秦之不能害燕亦明矣"③。燕国正是凭借这一有利的兵要地理形势，在强国的争战夹缝中顽强地生存了下来，然而，一旦秦国灭亡了三晋，燕国便自然而然地成为秦国刀俎上的鱼肉。

二、战国时期兵要地理与战国七雄的军事战略

战国时期，无论是国与国之间的关系，国势的盛衰，还是各国在一定时期内战略方针的制定、战略结盟、列国军队的建设或作战方式的变革，都与特定的兵要地理条件有关。这种错综复杂的关系，大致集中体现在以下几个方面。

第一，兼并统一的大势与攻守方针的异同。

伴随着铁马金戈、鼙鼓旌旗，历史进入了战国时期，同时战争的形式也以不可阻拦的气势进入了新的阶段。在当时，随着旧的生

---

① 《史记·苏秦列传》。

② 《吴子·料敌》。

③ 《史记·苏秦列传》。

产关系大厦的倾覆，土地占有权也相对分散。有土地就有人口，有人口就有赋税，就能组建军队，也就意味着拥有了财富和权力。因此，对土地和人口资源的争夺和控制，也就合乎逻辑地成为战国时期战争活动的根本宗旨。换言之，对土地的争夺如同一条红线，贯穿于战国战争的始终，这一兼并战争的属性，是与以往争夺霸主名分和地位的春秋争霸战争迥异其趣的，所以刘向曾说："万乘之国七，千乘之国五，敌侔争权，盖为战国。贪饕无耻，竞进无厌；国异政教，各自制断；上无天子，下无方伯；力功争强，胜者为右；兵革不休，诈伪并起。"① 战争目的决定战争手段，当时兼并战争的激烈和残酷程度也要远远超过春秋时期的争霸战争。

随着兼并战争的不断发展，在政治上，各诸侯国的交流和联系日趋加强，统一的曙光已渐渐从东方地平线上升起。战国中期的孟子在回答梁襄王时指出"（天下）定于一"②，十分确切地反映了这一历史发展趋势。在经济上，由于社会生产力的迅速发展，商业和交通的不断繁荣，各个地区之间的经济依赖与联系已相当密切，这一点杨宽在《战国史》一书中曾有翔实的论说。③ 它表明到了战国晚期，已出现了"四海之内若一家"④ 的新气象，这种政治上、经济上的大一统社会发展大势，势必要在兵学领域得到深刻的体现，通过战争完成全国的统一，遂成为历史发展的方向和当时天下人的共识。

统一战争的进程，使得地理环境对各国攻守形势的影响日益突出。这种影响集中体现为七雄在战略环境中所处的不同地位。大致而言，秦、楚、燕、齐诸国处于战略外线的有利位置。三晋，尤其是魏、韩则处于战略内线的不利位置。具体地说，强秦诸国拥有战

---

① 刘向：《战国策书录》，严可均：《全上古三代秦汉三国六朝文》，中华书局，1958 年，第 662 页。

② 《孟子·梁惠王上》。

③ 杨宽：《战国史》，上海人民出版社，2003 年，第 89—150 页。

④ 《荀子·王制》。

略进攻或对敌包围的态势，其军队通常处于主动地位，与战争的中心地区——中原（黄河中下游流域）保持着相对的距离，时常采取外线作战的行动，不复存在"诸侯自战其地"①的被动状态，而其所据的山河之险，又保证了其能够攻守皆宜，进退主动。反之，韩、魏等国则处于战略防御或被敌人战略包围的态势。它们地处中原腹地，韩、魏分别被称为"天下之咽喉""天下之胸腹"②，四周大国环列，西有秦，东临齐，北接赵、燕，南邻楚，是十分典型的"四战之地"，很容易陷入多面作战的不利境地，战略地理环境较为恶劣。其军事行动的特点往往是陷于内线作战而不能自拔，被动挨打，成为失败的一方。

当然，仅仅拥有地理形势之胜尚不足以确保自己在统一战争中的最终胜利，楚、齐等国的覆灭即为明证。然而，如果既拥有兵要地理的优势，又能推行彻底改革，实现富国强兵，兼之实施高明的战略策略方针，那么就可以最终横扫六合，完成统一。在这里，孙子所说"夫地形者，兵之助也。料敌制胜，计险厄、远近，上将之道也"③的价值，也就能够真正得到体现。秦国的情况正是如此，"因四塞之固，据崤、函之阻，跨陇、蜀之饶，听众人之策，乘六世之烈，以蚕食六国，兼诸侯，并有天下"④。由此可见，在兼并统一的大趋势中，诸侯列国攻守方针的异同，在很大程度上源于各自的兵要地理环境，这是我们在研究战国兵学史时不可忽略的问题。

第二，"合纵连横"的运用与"远交近攻"的实施。

战国七雄的兵要地理环境，直接制约着当时各国之间战略关系的确定和变化，整个天下战略格局的平衡或动荡。换言之，战国时期列国战略主攻方向的制定和调整，外交结盟关系的建立或破裂，都可以从列国的兵要地理特定条件中找到一定的原因。其中，"合纵

---

① 《孙子兵法·九地篇》。

② 《战国策·秦策四》。

③ 《孙子兵法·地形篇》。

④ 《战国策书录》。

连横”"远交近攻"两种战略方针的提出和实施，就是这方面比较典型的例子。

　　"合纵连横"是战国时期军事外交斗争的集中体现。所谓"合纵"，即"合众弱以攻一强"，就是众多弱国联合起来，抵抗一个强国，以防止强国的兼并。所谓"连横"，即"事一强以攻众弱"①，就是由强国拉拢某些弱国来进攻另外一些弱国，以达到兼并土地的目的。这一策略开始登台时，七雄或合纵，或连横，并无定数，如秦国也搞合纵，派兵参加五国合纵攻齐之役就是典型的例子；楚、齐诸国也搞过连横，但到了战国中后期，秦国独强的基本格局形成之后，连横便成了秦国的专利，而山东六国则主要通过合纵来抵御秦国的东进。

　　战国时期的纵横家对合纵连横的重要性予以了充分的强调："安民之本，在于择交，择交而得则民安，择交而不得则民终身不安。"② 身为法家的韩非也对此作出肯定的评价："从（纵）成必霸"，"横成必王"。③ 他们在这一问题的着眼点，很大程度上也落实在列国兵要地理形势以及实力对比方面。如，主张六国合纵抗秦的苏秦指出："臣窃以天下之地图案之，诸侯之地五倍于秦，料度诸侯之卒十倍于秦，六国为一，并力西乡（向）而攻秦，秦必破矣。"④ 苏秦还认为，山东六国如果不合纵，那么秦国必定乘机东进，占领更多的战略要地，使六国兵要地理环境尤为不利，最终为秦所灭："魏弱则割河外，韩弱则效宜阳，宜阳效则上郡绝，河外割则道不通。"⑤ 所以，六国合纵的目的之一，是扼阻秦国于函谷关以西，不让它东进占据更多的战略要地，即"六国从（纵）亲以摈秦，秦必不敢出兵于函谷关以害山东矣"⑥。同样的道理，秦国重用张仪搞连

---

① 《韩非子·五蠹》。
② 《史记·苏秦列传》。
③ 《韩非子·忠孝》。
④ 《史记·苏秦列传》。
⑤ 《史记·苏秦列传》。
⑥ 《战国策·赵策二》。

横，其战略目标之一，也是要占领关东的重要战略据点，使自己的兵要地理环境变得更为有利，从而为统一六国创造条件。事实证明，秦国的连横活动取得了很大成果，"拔三川之地，西并巴、蜀，北收上郡，南取汉中""散六国之从（纵），使之西面事秦"①。

制定和推行"远交近攻"政策，从侧后牵制主要敌手，使之陷入多面作战的被动处境，以实现己方的战略意图，这也是战国七雄军事外交斗争的重要内容，而秦国做得最为成功。"远交近攻"作为一种多国并峙背景下的战略策略方针，起源很早，在春秋时期，郑、齐、晋、楚、吴、越等国在争霸战争中都曾运用过此策，但是作为一个明确的外交政策提出来，则始于范雎。他在向秦昭王献策时建议："王不如远交而近攻，得寸则王之寸也，得尺亦王之尺也。"②范雎强调："今夫韩、魏，中国之处而天下之枢也，王其欲霸，必亲中国以为天下枢，以威楚、赵。楚强则附赵，赵强则附楚，楚、赵皆附，齐必惧矣。齐惧，必卑辞重币以事秦。齐附而韩、魏因可虏也。"③秦昭王纳其策，作为秦国对外战争的基本方略，果然在战争中取得重大的胜利，为秦国攻灭六国、统一天下增加了非常重要的筹码。④

从更深的层次考虑，"远交近攻"方针的制定和实施，在很大程度上也是由当事国当时当地的兵要地理环境所决定的。就秦国而言，与自己利害最相关的是韩、魏两国，它们在晋南、豫西的土地上与关中平原相邻，在秦国卧榻之侧，是秦国东进的第一道障碍，正如商鞅和范雎所言："秦之与魏，譬若人之有腹心疾，非魏并秦，秦即并魏。"⑤"秦韩之地形，相错如绣，秦之有韩，若木之有蠹。"⑥ 所

① 《史记·李斯列传》。
② 《史记·范雎蔡泽列传》。
③ 《史记·范雎蔡泽列传》。
④ 可参见孙闻博：《范雎"远交近攻"与秦对外战略的北移》，《西北大学学报》（哲学社会科学版）2020 年第 1 期。
⑤ 《史记·商君列传》。
⑥ 《战国策·秦策三》。

以秦国为了排除这种威胁，打通东进统一天下的道路，自然要把魏、韩列为首要打击对象。反之，对齐、燕这样的地理距离上间隔甚远的诸侯国，在彼此间暂时不会发生直接冲突的前提下，秦国自然可以远交，互相借助对方的力量来首先打击主要的敌人，从而由点及面，最终实现各个击破的目的。

第三，战略纵深的延伸与战略要地的争夺。

所谓战略纵深，即指战略部署的纵向深度，也指战略部署的纵深地区。在战略纵深地区通常部署有大量战争预备力量，设置重要的军事基地，是人力、物力资源的重要基地和前方作战的核心依托，对支持战争、保障战略全局的稳定具有重要意义。战国七雄都高度重视战略纵深的拓展和延伸，这种情况的存在说明兵要地理环境对列国军事战略的影响的确不容忽视。

七雄之中，致力于战略纵深的延伸并收到显著效果者，首推秦国和赵国。秦国自春秋以来，始终重视对周边少数部族的进攻和兼并，对周边的拓展，巩固后方，扩张疆域，延伸战略纵深，积聚力量，为争霸中原创造条件。进入战国时期，秦国在拓展战略纵深方面更为积极，先后南下吞并巴蜀，北上攻灭义渠就是最具典型意义的例子。对于进攻巴蜀的重要战略意义，司马错曾作过精辟的分析："夫蜀，西僻之国也，而戎翟之长也，有桀纣之乱。以秦攻之，譬如使豺狼逐群羊。得其地足以广国，取其财足以富民缮兵，不伤众而彼已服焉。"[1] 据此，司马错建议先攻巴蜀，以扩展秦国的战略纵深。秦惠王采纳了司马错的意见，"起兵伐蜀，十月，取之，遂定蜀"[2]。后来，秦国又多次出兵攻打西北的义渠，经过长年的战争，最终彻底消灭义渠，进一步扩大了秦国的疆域，延伸了秦国的战略纵深。应该说，秦国致力扩展战略纵深的做法，对于进一步改善其兵要地理环境意义十分重大，对秦国的强盛和统一战争的进行具有

---

[1] 《史记·张仪列传》。
[2] 《史记·张仪列传》。

突出的作用，"蜀既属秦，秦以益强，富厚，轻诸侯"①。

赵国在扩展自己的战略纵深方面，亦有可圈可点之处。这突出表现在赵武灵王实行胡服骑射改革后，实力增强，遂先后五次起兵攻打中山，终于在公元前295年灭亡中山，除去了心腹之患。并"攘地北至燕、代（在今河北蔚县东北），西至云中（在今内蒙古托克托县东北）、九原（在今内蒙古包头市西）"②，大大延伸了赵国的战略纵深，改善了赵国的兵要地理环境，"北地方从，代道大通"③。此举为赵国在战国中后期的崛起，而后成为抗秦的主力，奠定了坚实的基础。

兵要地理对战国七雄军事战略的制约，还表现在各国均重视对战略要地的争夺和控制。所谓战略要地，是指对战略全局有重大影响的地区，亦称战略重地。它包括重要的交通枢纽，地理上具有战略地位的要地、要塞等。在战国时期，战略要地的得失对战争的进程乃至结局具有重大的影响，所以七雄十分重视控制和夺取战略要地。

这里，我们仍以秦国为例来说明战略要地的得失对兵要地理环境的变化以及统一战争的进程所产生的重大影响。从整个攻守形势来说，魏、韩地处中原腹心，相当于现代地缘学说所讲的"心脏地带"，谁控制了这一"心脏地带"，谁就控制了整个天下的格局。所以，秦国对战略要地的争夺，从大的方面讲，就是进攻和控制魏、韩，"以绝从（纵）亲之要（腰）"④。而山东六国的合纵抗秦，重要的目的之一，也是不让韩、魏这一"心脏地带"落入秦国的手中，"秦攻梁者，是示天下要断山东之脊也，是山东首尾皆救中身之时也"⑤。然而，秦国毕竟棋高一着，通过外交上的纵横捭阖和军事上的凌厉打击，终于控制了韩、魏这一"心脏地带"，迫使韩、魏倒向

---

① 《史记·张仪列传》。
② 《史记·赵世家》。
③ 《史记·赵世家》。
④ 《战国策·秦策四》。
⑤ 《战国策·魏策四》。

秦国的阵营："称东藩，筑帝宫，受冠带，祠春秋。"① "出则为扞蔽，入则为席荐。"②

从具体的战略要地的争夺来看，在很长的一段时间里，秦国用兵的重点是指向河西（今陕西境内黄河西岸一带）、崤函以及河内（今河南北部与河北南部地区）。秦与魏争夺河西这一战略要地历经多年，其间该地曾数易其手。公元前330年，秦国终于从魏国手中夺得河西地区，不久又攻占上郡以及河东的部分土地。从此，黄河天险便为秦国所完全掌握，秦国的声威也就震动一时了，秦国亦随即开始了东进扩张，把战火燃向山东六国。正如顾栋高在《秦疆域论》中指出："盖有桃林以塞秦之门户，而河西之地复犬牙于秦之境内，秦之声息，晋无不知。二百年来秦人屏息而不敢出气者，以此故也。"③ 由此可见，秦国占领河西之地，为其实施兼并统一战略迈出了重要的第一步。

对崤函的争夺和控制，是秦国改善自身战略地理环境、从事统一活动的又一重要步骤。④ 崤函之固的军事价值，顾祖禹曾有十分精准的评价："自新安以西，历渑池、硖石（渑池县至硖石驿七十里）、陕州、灵宝、阌乡而至于潼关，凡四百八十里。其地皆河流翼岸，巍峰插天，绝谷深委，峻坂纡回，崤、函之险，实甲于天下矣。"⑤ 其实早在春秋中期，秦晋之间就为争夺对战略要地桃林、崤函的控制而兵戎相见，大打出手。然而由于晋国的实力更胜一筹，因此始终将"崤函之险"牢牢掌握在自己的手中，因此使秦国终春秋之世也未能得志于中原，亦如顾栋高在《春秋秦晋交兵表·叙》中所指出的："贾生有言：'秦孝公据崤、函之固，拥雍州之地，君臣固守以窥周室。'呜呼！此周、秦兴废之一大机也。考春秋之世，

---

① 《战国策·魏策一》。

② 《韩非子·存韩》。

③ 顾栋高：《春秋大事表》，中华书局，1993年，第540页。

④ 参见宋杰：《秦对六国战争中的函谷关和豫西通道》，《首都师范大学学报》（社科版）1997年第3期。

⑤ 顾祖禹：《读史方舆纪要》，中华书局，2005年，第2100页。

秦晋七十年之战伐，以争崤、函。而秦之所以终不得逞者，以不得崤函。"① 正因为崤、函具有这样重要的战略地位，故秦国从公元前329 年起便对此处全力进攻，志在必得。经过激烈的争夺，秦国终于全面控制了崤函，在那里设置函谷关，关在谷中，深险如函，因名函谷。函谷关"北面是大河滚滚东流，南面是一片崇山峻岭，古代中原地区人们东西相互交往，这里是必经之地，只有穿越山谷而过。山谷中两边悬崖峭壁，深险如函"②，从而确保秦国退可以守住关中门户，使八百里秦川安全无虞；进可以出兵豫东，争雄天下，完成统一。事实上，战国后期，东方诸侯多次联合起来攻打秦国，但是秦国正是凭借函谷关的天险，亦多次击退东方六国，六国军队未能进入函谷关以西。

晋南豫北通道东端的河内之地属魏，是赵、魏、齐三国交界之处，战略地位亦十分重要，所以也是秦国争夺的主要对象。秦军经过苦战，于公元前三世纪中叶占领此地，从而在黄河以北建立了一个楔入中原地区的桥头堡，并截断了赵、燕与楚、魏、韩诸国的联系，同时，秦国亦可东边陈兵迫近齐境，使之不敢轻易加入合纵联盟。秦国对这一战略要地的控制，其意义正如后人所评论的那样："夫以常山为天下脊，则此卫及阳晋当天下胸，盖其地是秦、晋、齐、楚之交道也。以言秦兵据阳晋，是大关天下胸，则他国不得动也。"③

当秦国占领了河西、崤函以及河内等战略要地后，其兵要地理环境遂得到根本的改善，其统一六国的前景也就变得平坦无阻、水到渠成了。

三、关塞防御与城池攻守的策略方针

到了战国时期，由于战争的目的由单纯的争霸称雄一改而发展

---

① 顾栋高：《春秋大事表》，中华书局，1993 年，第 2039 页。
② 胡阿祥：《兵家必争之地》，河海大学出版社，1996 年，第 183 页。
③ 《史记·张仪列传》司马贞《索隐》。

为兼并土地、鲸吞人口资源，使得春秋时期那种"津梁未发，要塞未修，城险未设，渠答未张"①的军事现象成为历史的陈迹，关塞遂成为战争中激烈争夺的目标。当时各国都强调"四塞以为固"②，希望通过扼守要点，争取战场优势，因此纷纷派遣重兵守御关塞，正如史籍所言："诸侯之有关梁……盖自战国始也。"③又曰："备边境，完要塞，谨关梁，塞蹊径。"④于是，关塞的设置与建设成为战国时期各国国防建设的重要内容。

战国时期天下具有战略意义的重要关塞，据董说《七国考》统计，大抵有40余处。诸如，秦国东有函谷关（今河南灵宝西），南有武关（今陕西丹凤县东），西有散关（今陕西宝鸡西南），北有萧关（今宁夏固原东南）。楚国"自巫山起方城，属巫、黔中，设扞关以拒秦"⑤。齐国西有博关（今山东博平东北），南有阳关（今山东宁阳东北）。赵国，北有无穷之门（今河北张北南）、句注塞（今山西代县西），西北有高阙塞（今内蒙古乌拉特后旗西南）、挺关（今陕西榆林西北）、井陉塞（今河北井陉西北）。魏国有蒲坂塞（今山西永济市西）。韩国有成皋险塞（今河南荥阳西），商孤之塞（今陕西商洛南）。至于燕国，则有令疵塞（今河北迁安西），居庸塞（今北京昌平居庸关），并且"却背沙漠，进临易水，西至君都，东至于辽，长蛇带塞，险陆相乘"⑥。

这些关塞平时多有驻军防守，如，韩国用于"守徼亭障塞"⑦者有10万人之多。魏国"卒戍四方，守亭障者参列，粟粮漕庾，不

---

①　《尉缭子·攻权》。

②　《史记·范雎蔡泽列传》。

③　《盐铁论·险固》。

④　《吕氏春秋·孟冬》。

⑤　《盐铁论·险固》。

⑥　《博物志》。

⑦　《战国策·韩策一》。

下十万"①。王龁"陷赵军，取二郭四尉"②，可见赵国对关塞亦予以防守。《管子·地图篇》中提到，战争中要求指挥者对险隘、困阻之地的情况了如指掌，这也从侧面透露了战国时期对驻兵防守关塞要地的重视。平时的守御，为战时启用关塞御敌奠定了基础。一旦战争爆发，各诸侯国就"夷关折符"③，力争拒敌于国门之外。

战国时期城池的修筑有了新的发展，城邑数量急剧增多，规模也迅速扩大，"千丈之城，万家之邑"④ 比比皆是。如通过考古发掘查明，齐国都城临淄共有内外两城，内城周长 7000 米，外城周长达 14000 米。又如，邯郸城遗址，分王城和东北郭城，仅郭城东西宽约 3200 米，南北长约 4800 米，有 20 米左右宽的城墙。

当时各国都普遍注意城邑的修筑，致力于加强其防守的能力，"为城郭者，非特费于民聚土壤也，诚为守也"⑤，故"量土地肥硗而立邑。建城称地，以城称人，以人称粟"⑥，努力做到"池深而广，城坚而厚"⑦。

战国时期，各国重视城邑的修筑和防守绝非偶然。其一，从战略上考虑，当时的城邑往往是经济、政治、文化发达地区，又是关系到全局或某个地区的战略要地。或控制着交通之要冲，或控制着一大片地区的经济命脉，成为常说的"兵家必争之地"，起着整个战局的支撑点作用。如，在邯郸之战中对邯郸的争夺，燕齐之战中对即墨、莒的争夺，都是关系到社稷存亡的角逐。又如，秦、韩之激战宜阳，就在于宜阳的得失直接关系到秦国东进战略的成败。其二，对指挥艺术高明的将帅来说，在城邑攻守中，可以以其为依托，大量歼灭或牵制敌军，达成一定的战略目标，如齐国田单凭依"三里

---

① 《战国策·魏策一》。
② 《史记·白起王翦列传》。
③ 《孙子兵法·九地篇》。
④ 《战国策·赵策三》。
⑤ 《尉缭子·守权》。
⑥ 《尉缭子·兵谈》。
⑦ 《尉缭子·守权》。

之城，五里之郭"① 的即墨城，长期固守，适时出击，终于复国。其三，城邑作为战争的重要后勤基地，粮食、衣物、武器、钱财乃至兵员，基本上都聚藏于其中："豪杰雄俊，坚甲利兵，劲弩强矢，尽在郭中，乃收窖廪，毁拆而入保。"② 所以，从兵员补充和物资供应来说，城邑就是各种军事行动的主要支撑点，守住了城邑，既可保全己方军队和物资供应来源，同时亦可削弱敌军及其在这一地区的物资供应来源。

　　战国城邑防御方法也因此得到长足进步。据《墨子》《商君书》《孙膑兵法》《六韬》《尉缭子》等相关典籍的论述，当时的城邑防御是一种全民动员的整体作战。主要包括以下几个方面：第一，充分做好守城的准备，"池深而广，城坚而厚，士民备，薪食给，弩坚矢强，矛戟称之"③。"（城）厚以高，壕池深以广，楼撕修，守备缮利。"④ 第二，妥善部署兵力，发动和组织全民投入守城作战，"壮男为一军，壮女为一军，男女之老弱者为一军"⑤，全城民众分别担任守城中适宜的任务。第三，在城外修建各种防御性工事，拆去城外房屋，坚壁清野，"使客无得以助攻备"⑥；同时，搞好己方的战争物资储备，做好持久作战的准备，做到"薪食足以支三月以上"⑦。第四，守城作战之时，先是凭据外围工事阻滞和消耗敌人，逐次撤退至城邑主阵地，以各种手段抗击敌军的攻城方法，积极防御，内外配合，即所谓"中外相应""十万之军顿于城下，救必开之，守必出之"⑧。实施顽强坚守与适时出击相结合的作战方式，对攻城敌军予以猛烈阻击，等待条件成熟时再予以歼灭。

---

① 《战国策·齐策六》。
② 《尉缭子·守权》。
③ 《尉缭子·守权》。
④ 《墨子·备城门》。
⑤ 《商君书·兵守》。
⑥ 《商君书·兵守》。
⑦ 《墨子·备城门》。
⑧ 《尉缭子·守权》。

四、防御观念与列国长城的修筑

春秋以前，各诸侯国直接控制的只有国都所在城邑及其附近地区，彼此孤立自守，各城邑间或居民点间都有大片的荒地，无人理会与经营。因此，当时防御偏重于"点"的概念。春秋战国之交，一些诸侯国在一些重要城市之间陆续建立起比较密切的政治、经济联系，这就形成了"线"的概念。进入战国之后，城邑星罗棋布，规模越来越大，大片荒芜的土地也得到了开垦，这才逐渐有了"面"的概念。各国内地长城的修筑，实际上就是战国军事上"线"和"面"的概念之形成作用于国防建设之结果。

当时，各国在重点守御关塞要津和城邑的同时，也需要修筑更大规模的防御工程，以尽可能阻止敌国军队深入自己的腹地，捍卫国家的安全。于是，各国就利用修筑河流堤防以及构筑城垒的经验和技术，将边境上原有的大河堤防连接险要之地加以扩建，将原先的水利工程或障塞亭燧等改造为军事上的防御设施。其中规模较大、延伸较长的，被称作"长城"，当时战国七雄出于防御的需要都在修长城。正如董说指出的："战国之世，各有长城：秦昭王筑长城以备边；楚有长城，又有扞关以拒巴；赵肃侯筑长城以备边；齐宣王乘山岭之上，筑长城，东至海，西至济州，以备楚；燕筑长城，自造阳至襄平，置上谷、渔阳、右北平、辽东，以拒敌；魏之长城，自惠王筑也……城自郑滨洛以北有上郡。当是时，秦数侵魏，而西戎义渠称王，窥中国，故筑长城焉。"[1]

大体而言，战国时期的长城可以分为内地长城和边地长城两种类型，以下分别述之。其中内地长城主要是七国之间针对他国的防御系统，边地长城主要是为了防御周边少数民族的进攻。

（一）内地长城

齐国内地长城。齐国为御诸侯入侵，曾修筑长城，公元前 368

---

① 董说：《七国考》，中华书局，1956 年，第 135 页。

年，齐国"筑防以为长城"①。大致走向为西自平阴防门，沿泰山北岗而东，历经莱芜、博山、临朐、沂水、莒县、日照，一直至胶州湾的大珠山、小珠山，并最终从琅邪台入海。齐国的长城是利用原有的堤防连接山脉陆续修筑而成的，被称为"长城巨防"②，平地多用黄土夯筑，山岭多为石块垒砌。由于齐国的对手先有晋国、后有楚国，因此齐国的长城也基本上是先西后东，到战国中期基本完成。

楚国长城。楚国的长城也叫"方城"，东半部早在春秋时期就已筑成，从鲁关（今河南鲁山西南）向东经犨县（今鲁山东南）、潕水抵达沘阳（今河南泌阳）。形若矩状，可见楚国长城是利用山脉高地连接沘水和潕水的堤防筑成，因此楚长城也称为"连堤"。进入战国后，楚国对这一国防设施进行了扩建拓长，这主要是在楚顷襄王时楚长城西半部的修筑；自鲁关向西，东北连翼望山（今河南栾川南）一直向南而到达穰县（今河南邓州）。其中《水经注》对其有详细记载："叶东界有故城，始犨县东，至潕水，达比阳界，南北联联数百里，号为方城，一谓之长城。云郦县有故城一面，未详里数，号为长城，即此城之西隅，其间相去六百里，北面虽无基筑，皆连山相接，而汉水流其南。"③

魏国长城。关于魏国修筑长城的记载，如《竹书纪年》曰："龙贾帅师筑长城于西边。"④《史记》亦载："（惠王）十九年，诸侯围我襄陵。筑长城，塞固阳。"⑤ 总体而言，魏国内地长城有两处。一是通常所称的"魏长城"。它由洛水（北洛水）的堤防扩建而成。由于其位置偏于魏国西部，因此也被称为魏"西长城"。同时，魏还修筑了"中原长城"，它位处魏国的南部，故也被称为魏的"南长城"。魏国修筑长城的战略意图很明确，就是为了抵御秦国的

---

① 《史记·苏秦列传》张守节《正义》注引《竹书纪年》。
② 《战国策·燕策一》。
③ 陈桥驿：《水经注校证》，中华书局，2007年，第733页。
④ 郝懿行：《竹书纪年校证》，见《郝懿行集》，齐鲁书社，2010年，第3936页。
⑤ 《史记·魏世家》。

东进。

赵国南长城。赵国南长城大约修筑于战国中叶，据《史记》载："（赵武灵王）召楼缓谋曰：'我先王因世之变，以长南藩之地，属阻漳、滏之险，立长城。'"[1] 可见，赵南长城系由漳水、滏水的堤防连接扩建而成。赵国南城墙主要就是防御魏国或者齐国的进攻，西起今河北武安西南，沿漳河北岸东南向，到磁县西南又转向东北，继续沿漳河到今肥乡，呈弧形走向。

燕国南长城。燕国南长城是在燕昭王时期开始修建，主要是为了防御赵国和齐国的进攻，保卫新都下都。南长城主要由易水的堤防扩建而成，故当时即以"易水长城"相称，"今大王不事秦，秦下甲云中、九原，驱赵而攻燕，则易水、长城非大王之有也"[2]。

（二）边地长城

战国后期，位于北部地区的燕、赵、秦三国，还时刻面临着北方游牧民族骚扰的问题。当时，林胡、东胡、楼烦、匈奴等游牧民族，经常活动于燕、赵、秦等国的北部边疆地区，甚至深入黄河北岸，进行骚扰劫掠，这给北方民众的生产与生活造成灾难。这些游牧民族精于骑射，机动灵活，来去迅疾，非中原各国的步兵车兵所能够制约。所以赵、燕、秦诸国在发展骑兵正面抗击游牧部族袭扰的同时，也通过修筑长城来进行防御。这就是所谓的"以墙制骑"。这一做法，不仅成为燕、赵、秦等国战略指导思想的组成部分，而且也成为这三国国防设施建设体系的重要构成，此乃战国边地长城修筑的社会、军事背景。

燕国边地长城。燕国的边地长城大约修筑于燕将秦开破东胡之后，据《史记》记载："燕亦筑长城，自造阳至襄平，置上谷、渔阳、右北平、辽西、辽东郡以拒胡。"[3] 显然，其作用就是"拒胡"。燕国边地长城多在山地，因此其大部分的城墙是由石块垒砌而成，

---

① 《史记·赵世家》。
② 《史记·张仪列传》。
③ 《史记·匈奴列传》。

其中亦建有许多烽火台和障城，甚至还修筑有方形的小土城。

赵国边地长城。据《史记》记载："（赵武灵王）北破林胡、楼烦。筑长城，自代并阴山下，至高阙为塞。"① 由此可见，赵国的边地长城始筑于赵武灵王时期，它大体上有前后两条。前条在今内蒙古乌加河以北，沿今狼山一带修筑。后条在今内蒙古乌拉特旗而东，经包头市北，沿乌拉山向东，经呼和浩特北、集宁南，抵达今河北张北县南。长城沿线南侧，亦建有许多烽火台和障城。

秦国边地长城。据《史记》载，秦"宣太后诈而杀义渠戎王于甘泉，遂起兵伐残义渠，于是秦有陇西、北地、上郡，筑长城以拒胡"②。可知，秦长城修筑于秦灭义渠之后，是沿陇西郡、北地郡、上郡的北边修筑的。秦长城地处黄土高原，修筑时因地制宜，多在高地的脊部修筑，墙体往往是由墙外挖沟取黄土夯筑而成，由于夯筑结实，现在很多地方仍有遗迹保存。同时，沿长城修筑有"亭燧""障城"等军事设施，秦国边地长城，西起临洮（治今甘肃岷县），沿黄河经今兰州至宁夏。

燕、秦、赵三国北方的边地长城修筑，对抵御北方游牧部族的侵扰，维护内地人民生产、生活的安宁具有积极意义。根据学者研究以及实地考察，边地长城有一些共同点，如在构筑方法上，因地制宜，就地取材，或取土夯筑，或采石筑砌，或巧妙利用天然屏障稍加修整；在地形选择上，往往都是尽可能地利用山、河等自然地理优势；在军事设施上，往往都有烽火台以及障城的修筑；在防御作用上，可以依托城墙墙体对小规模骚扰进行有效防御，对大规模的骑兵主要发挥障碍和迟滞的作用，争取时间，减少损失。③

燕、秦、赵三国的边地长城是我国古代国防建设发展史上的重大创举，也在中国古代兵学史的演进中占有突出的地位。秦始皇统

① 《史记·匈奴列传》。
② 《史记·匈奴列传》。
③ 《中国军事史》编写组：《中国历代军事工程》，解放军出版社，2006年，第92页。

一中国后，曾以燕、赵、秦原有的边地长城为基础，修筑起连绵千里、雄伟险峻的秦长城。这正是战国"以墙制骑"国防建设思想以及实践的逻辑归宿。

第四节　战国时期的军事变革

一、兵制变革的实践与理论

殷商、西周时期，由于生产力不够发达，并受"国人兵役制"的束缚，军队的总数量相对有限。这从当时军队的组织编制上就可以看出来，军队的最高建制是"师"级，"军"的建制尚未出现。进入春秋后，周王室权力下移，诸侯国之间不断进行争霸兼并战争，由此导致军队数量相应得到递增，"军"的建制开始出现。尤其是晋、楚、齐、秦等大国，扩军增兵的规模更为迅速和庞大。如，按照周礼的原则，晋国只能拥有一军的兵力，但晋献公时即扩为二军加二行（步兵），晋文公在城濮之战前夕"蒐于被庐，作三军，谋元帅"[1]，并别建步兵"三行"，到稍后更扩充到四军、五军、六军，完全打破了《周礼》中"王六军，大国三军，次国二军，小国一军"[2] 的框架。当然，总的来说春秋前期军队数量还不是很大，管仲治齐，士乡十五，共三军，为三万人；晋文公"作三军"，亦不过三万余人，即使后来扩至五军、六军时，兵员也不过六七万人。[3]

到春秋中后期，各国军队数额的扩充规模与速度遂出现大的飞跃。其动因主要有三：一是"国""野"普遍征兵制的实行；二是物质的丰富能够装备更多的军队；三是激烈战事频繁的需要。可以

---

① 《左传·僖公二十七年》。
② 《周礼·夏官司马·叙官》。
③ 童书业：《春秋左传研究》，上海人民出版社，1980 年，第 203 页。

说，物质上的可能、组织上的条件、现实中的需要三者结合，使各国军队在春秋末年急剧扩增。如晋国在春秋末期全国有 49 县，每县可征发 100 乘兵力，全国共有 4900 乘兵力。这比之于城濮之战中晋国动员 700 乘兵力，增加了近 6 倍。又如楚国，楚灵王在位时仅是陈、蔡、东不羹、西不羹等四个大县，赋皆千乘，若再加上申、息等地的军队，兵力当有万乘，兵数达数十万人。所谓"万乘之国"便在这时出现了。

进入战国后，兵员的数量更是以无可遏制的势头上升，秦、楚两国都是带甲百万，车千乘，骑万匹；齐、赵、魏、韩、燕诸国也都拥有带甲数十万，车数百乘，骑数千匹不等。伊阙之战，秦军在白起统率下阵斩韩、魏联军 20 余万人，长平之战，白起坑杀赵军降卒 40 余万人，均从一个侧面反映出当时军队人数之庞大。

需要指出的是，无论是春秋晚期的各国兵额，还是战国时期的七雄兵力，都不能看成是各国实有的现役兵力数额，而应该视为当时各国所能征发的兵额总数。苏秦在估算齐国兵力时指出："临淄之中七万户，臣窃度之，下户三男子，三七二十一万，不待发于远县，而临淄之卒，固以二十一万矣。"[1] 这里苏秦所讲的即是以一户三男子从征所能组建的军队员额。这表明，春秋、战国时期各国所谓"赋皆千乘""带甲百万""带甲数十万"，应该指的是可供征发的兵员数额，而并非指齐装满员的军队数额。从当时总人口 2000 万总数与军队的数额之间的比值关系来看，上述各国军队的数额也应该看作是可征兵数，是理论上的兵额。[2]

战国时期，随着郡县制在各国得到普遍推行，兼并统一战争进入高潮，"争地以战，杀人盈野；争城以战，杀人盈城"[3]，各个国家就全面实行以郡县为单位的征兵制度，即一律按照郡、县、乡、里等地方行政体系征发"编户齐民"的民众入伍从战。但这种郡县

---

① 《战国策·齐策一》。
② 黄朴民：《战国兵员数额辩议》，《中国史研究》1994 年第 1 期。
③ 《孟子·离娄上》。

征兵制，在性质上依然是临战征聚，每逢大战，全面征兵。如，在长平之战中，秦昭王亲临第一线，征发河内一带"年十五以上悉诣长平"①。又如，秦国在灭楚之战中，"空秦国甲士"②，征集 60 万人，由名将王翦统领伐楚。

在郡县普遍征兵制条件下，军人的身份完全平民化，不仅丁壮男子要入伍从征，在特定情况下，连普通妇女儿童也要入伍服役，担任守城、修筑工事、转运粮秣的任务。各国为之纷纷建立以征发兵役为中心内容的"傅籍"制度。所谓"傅籍"，就是指普通男子（像秦国甚至包括妇女）在达到一定服役年龄后，必须将姓名登记在公家的适役名籍上，"四境之内，丈夫女子皆有名于上，生者著，死者削"③，并根据需要，服一定期限的徭役和兵役。

战国郡县普遍征兵制是春秋晚期国野普遍征兵制的完善与发展，奠定了中国古代征兵制的基本方式与特征，它满足了当时步战再次成为主要作战样式、战争规模不断扩大的要求，是合乎历史发展趋势的。但是它在实际推行过程中，也给普通民众带来了沉重的负担。如果说，春秋以前的兵役制度是国人权利与义务的结合，"执干戈以卫社稷"④ 曾被视作一种光荣，那么，战国的兵役则是强制性的、无条件的，完全变成了一种单纯的义务了。

随着战争条件和作战方式的变化，对士兵的素质、作战技能提出了更高的要求，所以各国在推行郡县征兵制的同时，也开始初步尝试实行募兵制。

当时，各国通过训练、考核，招募选拔了一批精锐士卒，被称为"选练之士"。这样的部队，在齐国叫作"技击"，在魏国称之为"武卒"，在秦国则称作"锐士"。有的国家具有不同特征的人"聚

---

① 《史记·白起王翦列传》。
② 《史记·白起王翦列传》。
③ 《商君书·境内》。
④ 《礼记·檀弓下》。

为一卒"①，组成近似于"特种兵"一类的部队："民有胆勇气力者，聚为一卒；乐以进战效力，以显其忠勇者，聚为一卒；能逾高超远，轻足善走者，聚为一卒；王臣失位而欲见功于上者，聚为一卒；弃城去守，欲除其丑者，聚为一卒。"② 同时，在军中亦有类似于"敢死队"一类队伍，即"死士"："众军之中有材力者，乘于战车，前后纵横，出奇制敌也。"③ 此种军队在战争中往往会发挥重要的作用。

对这类部队的考核训练，标准十分严格。如，魏国武卒的考选要求是："衣三属之甲，操十二石之弩，负服（箙）矢五十个，置戈其上，冠胄带剑，赢三日之粮，日中而趋百里。"④ 由于标准严格，入选不易，所以这些士兵一经选取，就获得优厚的待遇，或免除其家庭的赋役，或"利其田宅"，分给好的田宅。如果能在作战中立功，则颁赐以"锱金""五甲首而隶五家"⑤。这实际上是将社会上"庸徒鬻卖之道"⑥ 引入军队建设。这样招募而来的"百金之士"具有相当优良的军事素质，乃是技艺较高的职业军人，成为各国军队中的重要力量，人数虽不很多，却在作战中发挥着关键作用。

这种通过招募途径所组成的部队，与郡县征兵制下的士卒已有所不同：不再从事农业生产，而成为严格意义上的常备军、职业兵。秦国商鞅变法，设法招徕三晋地区的农民在秦国从事耕作，供给"当粮"，而秦民则专力习武，这也是军、民各司其职的一种制度。

当然，战国时期招募兵员的方法，仍然是建立在普遍征兵制基础上的，所谓的"技击""武卒""锐士"，基本上是从业已服役的兵卒中遴选拔擢，并不完全是面向社会广泛招募。这与后世严格意义上的募兵制尚有一定的差别。那么从这个意义上说，战国时期那

① 《吴子·图国》。
② 《吴子·图国》。
③ 《尉缭子·兵教下》。
④ 《荀子·议兵》。
⑤ 《荀子·议兵》。
⑥ 《汉书·刑法志》。

种招募"选士"的方法，只能视之为募兵制的滥觞。

二、军事训练的新特征及其理念创新

终春秋之世，列国军队在军事训练上的主流，仍是承袭商周时期以来那种以"蒐""狝"为基本形式的方法和措施，并有所改进和发展。

"蒐狝"军事训练与演习方式在春秋时期相当普遍。据《左传》等文献记载，鲁国在 200 余年间，就进行过五次"大蒐"，四次"狝"；晋国对开展大规模"蒐狝"军事演习，尤为重视。"蒐于被庐"①"蒐于清原"②"蒐于夷"③"蒐于绵上以治兵"④ 等记载不绝于书。另外，如楚、郑、宋诸国，亦经常举行这类训练演习。

但自春秋中后期起，传统"蒐狝"式的训练已渐渐发生了一些变化，军事训练专门化的趋势开始出现。这主要表现在以下几个方面。其一，"蒐狝"活动中田猎的性质已逐渐减少，正规军事训练性质日益加强，因此它有时就被称为"简车马"⑤ 了，一些诸侯大国为了培养专门军事人才，提高部队整体作战能力，已开始设立专门的军事训练机构，并由有一技之长的人负责不同科目的军事训练。其二，公私学校的军事教育也进一步得到加强。其三，在继续加强以射、御为中心的车战技能训练的同时，列国开始注意对步卒的训练。其四，列国军事训练内容主要包括单兵动作和队列动作等，具体地说，有立、坐、跪、曲踊、距跃（单兵动作）和进、退、左、右（队列动作）等要领的掌握。

军事训练专门化趋势的初步形成，对当时各国军队建设的发展，尤其是作战能力的提高，曾发挥过积极的作用。当时楚国军队中有

---

① 《左传·僖公二十七年》。
② 《左传·僖公三十一年》。
③ 《左传·文公六年》。
④ 《左传·襄公十三年》。
⑤ 《左传·桓公六年》。

被称为"组甲三百，被练三千"① 的劲卒，吴、越诸国有所谓"利趾""习流君子"的勇士，均系受过专门训练，具有强悍战斗力的特种部队。他们的出现标志着"蒐狝"式军事训练方式由盛转衰，专业性、正规化的军事训练方式即将全面推行。

至战国时，新式的以"一"教"十"，以"十"教"百"循序渐进、系统正规的军事训练方式就完全占据了主导地位。据《吴子》载："一人学战，教成十人；十人学战，教成百人；百人学战，教成千人；千人学战，教成万人；万人学战，教成三军。"② 《尉缭子》亦曰："百人而教战，教成，合之千人；千人教成，合之万人；万人教成，会于三军。三军之众，有分有合，为大战之法，教成，试之以阅。"③ 这些记载说明当时由单兵到多兵，由分队到部队，由分练到合练的经常性正规化训练已具有普遍性。通常是在各级军官的直接指挥下进行的，即"伍长教成，合之什长；什长教成，合之卒长"④，主要方式是先伍后什，先什后卒，先卒后伯，层层递进，最后由大将总其成，即所谓"有分有合"；三军循序教成后，进而开展作战演习，即所谓"教成，试之以阅"⑤。

战国时期正规化军事训练的主要内容包括有队列的训练、识别信号的训练、阵法的系统训练、将士的技击训练等等，我们以下分别予以简要叙述。

队列的训练。此种训练的内容主要是进退、左右、纵横、分合、起坐、跪跑等动作的要求和变化，把握各种动作疾徐快慢的节奏。训练的基本目的是做到人人定位，行列整齐；进退左右，俱成行列；起坐跪伏，俱从号令；疾徐迅缓，俱循节制。

识别信号的训练。据《司马法》《六韬》《尉缭子》等兵书记载，当时识别信号的训练内容严格而具体，军队制定旗铃金鼓和徽

① 《左传·襄公三年》。
② 《吴子·治兵》。
③ 《尉缭子·勒卒令》。
④ 《尉缭子·兵教上》。
⑤ 《尉缭子·勒卒令》。

章符节，来指挥进退和约束部伍："凡领三军，有金鼓之节，所以整齐士众者也。"① 具体而言"金、鼓、铃、旗，四者各有法"②，是击鼓则进，并根据鼓声的轻重缓急来决定行动徐疾，"鼓之则进，重鼓则击"③。鸣金则退，根据金音或止或退，"金之则止，重金则退"④。士卒也要服从旌旗的指挥，"旗，麾之左则左，麾之右则右"⑤。各部队的旗帜有不同的颜色，各行列的将士佩带不同颜色的徽章，以资识别。所有这些，都属于平时训练的内容。通过训练，使将士能够"审金鼓""辨旗帜"，熟悉旗鼓的指挥，并养成服从旗鼓指挥信号的良好军事素养。

阵法的系统训练。此种训练要求士卒了解自己在军阵中的位置，在立阵、坐阵时各采取什么姿势，得到命令后知道怎样迅速有序地集中或分散；同时还要求士卒适应各种阵法的变化和高山、丘陵、大川、沼泽等复杂地形。

将士的技击训练。此种训练主要有手搏（类似于现代的拳击）、角抵（又名角力，类似于现代的摔跤）、射技、剑术等等，并且不同的训练内容均提出了各自严格的训练标准。

三、军事指挥中文武分职与指挥艺术的进步

早在春秋时期就出现了文武分职的萌芽。春秋时期，由于战事频繁、军队扩大、战争指挥复杂以及职官制度逐步走向健全成熟，各国军事行政系统的职官设置以及职能的确有了长足的进步。这具体表现为以下几个方面的变化。

第一，司马的普遍设置和职权的相对明确化。有些诸侯国的司马，已经开始偏重于统兵作战，如宋国、楚国的大司马以及下设的

---

① 《六韬·犬韬·教战》。
② 《尉缭子·勒卒令》。
③ 《尉缭子·勒卒令》。
④ 《尉缭子·勒卒令》。
⑤ 《尉缭子·勒卒令》。

左、右司马或少司马。据《左传》记载，鄢陵之战中，楚国司马子反任中军帅，协助楚共王统兵出征。① 而更多诸侯国所设的司马，则基本上成为该国各级车、马、军赋等军事事务的具体管理者，如鲁国的都司马、家司马以及楚国的县司马等等。②

第二，各国都根据军事活动的需要，新设了一些军事行政事务系统的职官。据《左传》记载，晋悼公即位伊始，就任命了一批执掌军事行政事务的职官，其中，公族大夫荀家等主持贵族子弟的文化教育和军事训练，御戎弁纠负责全军御者的平时训练，司马籍偃主管车兵与步兵协同作战技能的训练，乘马御程郑负责管理和培训全军养马人员。③ 他们都属于比较专业的军务方面职官。除此之外，晋国基层的军政职官还有"三十帅""军大夫""军尉""军司马""侯奄"等等。

第三，军事后勤职官的大量设置。春秋时期专职军事行政职官的设置，在很大程度上体现为军事后勤职官体制的日趋完善和精细。这些职官各司其职，为军队从事征战活动提供了较为充分的保障，其有关情况分别见于《周礼》的记载："掌五兵五盾，各辨其物与其等，以待军事。"④ "掌戈盾之物而颁之。"⑤ "掌王马之政……凡军事，物马而颁之。"⑥ 据《左传》载，宋国"使皇郧命校正出马，工正出车，备甲兵，庀武守"⑦。这里的"司兵""司戈盾""校人""校正""工正"等，均属于军事后勤系统中的专职官员。

第四，文武分职的萌芽出现。春秋时期列国政令、军令系统的职官设置，仍体现着"官事可摄"的传统，权责不分的现象司空见惯。在军令系统，当时各国一般都实行"军将皆命卿"的制度，表

① 《左传·成公十六年》。
② 黄朴民：《春秋军事史》，军事科学出版社，1998 年，第 59 页。
③ 《左传·成公十八年》。
④ 《周礼·夏官·司兵》。
⑤ 《周礼·夏官·司戈盾》。
⑥ 《周礼·夏官·校人》。
⑦ 《左传·襄公九年》。

现为军与政的统一，其执政首领或上卿，在平时是诸侯以下全国的政务官，在战时就是高级的战场指挥官，构成了以国君为核心、卿将合一的军事指挥体制。在这种体制之下，军队的将帅基本上由"命卿"和有卿爵者担任。① 换言之，军令系统的文武同途、卿将合一在当时各国间是普遍实行的。如周王室二卿士辅佐周天子主持政务，但遇有战事时则领兵作战，虢公、周公在繻葛之战中分将左军、右军即是明证。又如晋国的执政之卿，既是国内政务上的执政，又是中军元帅，可谓是"出将入相"。再如楚国长时间实行二卿士执政制，二执政一为令尹，一为司马，表面上，似乎令尹多偏重于治文，司马多偏重于经武，但实际上令尹、司马皆亦文亦武，职权可以互摄，并无严格的分工。另外，像齐国的国、高"二守"，鲁国的司徒，郑国的当国与为政，宋国的左师与右师，其性质也与晋之卿、将，楚之令尹与司马相同，既是政务长官，又是军事首长。

　　然而，也是在春秋时期，随着社会经济、军事、政治、文化等领域各种新因素的出现，职官制度方面也呈现出权限分工逐渐明确化的趋势，并酝酿着军令系统文武分职的因素。当时人们已比较倾向于用"将军"或"将"来称呼军事主官。如，晋国的"六卿"，《墨子》即称为"六将军"②；《吴问》也明确提到"六将军专守晋国之地"③。又如，据《左传》载，阎没、女宽谓魏献子曰："岂将军食之而有不足？"④ 杜预注云："魏子中军帅，故谓之将军。"⑤ 可见，春秋晚期晋国的"军将"已普遍被称为"将军"了。另外，在文献中还有"郑人以詹伯为将军"⑥"十旌一将军"⑦ 等记载。当然

① 刘展主编：《中国古代军制史》，军事科学出版社，1992 年，第 79 页。
② 《墨子·非攻中》。
③ 银雀山汉墓竹简整理小组编：《银雀山汉墓竹简（壹）》，文物出版社，1985 年，第 30 页。
④ 《左传·昭公二十八年》。
⑤ 杜预注，孔颖达正义：《春秋左传正义》，中华书局，2009 年，第 4603 页。
⑥ 《国语·晋语四》。
⑦ 《国语·吴语》。

从总体上看，他们基本上仍是合兵政于一身，正如韦昭及王引之注曰："平时为卿，而此时为将军，故《周官》云：'军将皆命卿也。'""十旄，万人；将军，命卿。"① 而非纯粹意义上的专职军事统帅。

但"将军"称谓的出现，毕竟意味着军令方面文武分职、将相殊途契机的存在。所以，在春秋末年，军令上的文武分职萌芽已是依稀可见。据《论语》记载，孔子的两个弟子冉有、子路同为季孙氏家宰。其中，冉有长于"千室之邑，百乘之家，可使为之宰"，像是偏于文职；而子路则长于"千乘之国，可使治其赋"②，似乎是偏于武职。至于将相比较明确的分职，亦当是发生在春秋战国之交。《战国策》追述张孟谈告赵襄子语："故贵为列侯者，不令在相位；自将军以上，不为近大夫。"③ 就是这种历史文化现象萌芽的证据。成书于春秋末年的《孙子兵法》13 篇，亦多处提到"将"，对将德有完整的论述："将者，智、信、仁、勇、严。"④ "料敌制胜，计险厄、远近，上将之道也。"⑤ "将能而君不御者胜。"⑥ "将之至任，不可不察也。"⑦ 此处的"将""上将"等，已是比较纯粹意义上的专职将帅了。这也从一个侧面进一步证实了军令系统的文武分职之萌芽滋生于春秋之末，它为战国时更广泛的文武分职局面的形成奠定了基础。

进入战国之后，新型的生产关系在各国基本得以确立，兼并战争随之进入新的阶段。与此相适应，当时军队的数额十分庞大，战场的区域相当广阔，作战的方式日趋复杂，杀伤的程度愈加残酷。战争关乎国家的存亡与更多士兵、民众的生死，成为列国生存的头

---

① 徐元诰：《国语集解》，中华书局，2002 年，第 549 页。
② 《论语·公冶长》。
③ 《战国策·赵策一》。
④ 《孙子兵法·计篇》。
⑤ 《孙子兵法·地形篇》。
⑥ 《孙子兵法·谋攻篇》。
⑦ 《孙子兵法·地形篇》。

等大事，这就需要由具备较高军事素质的将领来专门负责具体的作战指挥事宜，这样对军事指挥的专业化、规范化提出了更高的要求。于是一些精通兵法的名将和善理政务的贤相也就在这个时期纷纷涌现出来，从而有力地加速了军令政令系统文武分职、将相殊途这一历史进程。以战国初期率先崛起的魏国为例，魏文侯曾先后以魏成子、李悝、翟璜为相，而以乐羊、翟角为将；魏惠王以惠施为相，而以庞涓为将；魏哀王以田繻为相，而以公孙衍（犀首）为将。①其他如齐、秦、燕、赵诸国，也先后分别设置了"相"与"将军"。至于南方地区的楚国，虽无将相之名，但仍有将相之实，其令尹相当于中原地区各诸侯之"相"，而上柱国则略近于其他诸侯国的"将"。由此可见，政令军令方面的文武分职，在当时业已成为职官制度建设上的一种主导趋势。

这种文武分职的历史新事物，也在当时诸子百家的论著中得到充分的反映。《尉缭子》指出："官分文武，惟王之二术也。"②《六韬》也说："将相分职，而各以官名举人，按名督实。"③《韩非子》亦曰："国家必有文武。"④ 其他先秦文献也有类似的说法。这表明文武分职、将相分置已成为当时思想家、兵学家所共同关注和普遍肯定的新生事物，并从理论上作了深入论证。

应该说，文武分职、将相殊途对于健全和巩固国君集权的军事领导体制，对于提高军事指挥艺术水平，都是具有重大意义的。因为在这种情况下，将帅基本无权过问政治事务，这样，既有力保证了国家政治权力的独立和集中，也充分保证了国君本人对军政大权的高度控制。同时，也渐渐造就了一支专职的将帅队伍，促进了军事指挥艺术水平的提高，并推动兵学理论的总结日趋成熟，这对于中国古代军队的建设和兵学思想的发展，均曾产生过极其广泛而深

---

① 见《史记·魏世家》《战国策·魏策一》《说苑·尊贤》的记载。
② 《尉缭子·原官》。
③ 《六韬·文韬·举贤》。
④ 《韩非子·解老》。

远的影响。

但是需要指出的是，文武分职、将相殊途在战国时代并非一蹴而就，同时这一制度在各国的建设状况和时间早晚上也存在着很大的差异。换言之，文武分职在战国时期，始终处于不断发展和完善的过程之中。如，在战国初年，文武分职情况就显然不如后来那样相对纯粹，当时的大政治家像李悝、吴起、商鞅等人，都是以主要精力处理政务，同时也经常担任军队统帅，率兵征战。至于个别国家，如秦、楚等在文武分职上起步则更晚于其他各国，战国中期秦国行政首脑——相，长时间保持着出将入相的格局，像张仪、樗里疾、甘茂、魏冉等人虽官拜丞相，但据《史记》等文献的记载，他们都曾率军出战，立有军功。一直到范雎为相后，丞相才更侧重主管行政，而军事则由大良造、国尉等负责。所以，战国中期以后，专职的将帅如白起、王翦、廉颇、李牧、项燕、王贲、赵奢等相继涌现，成为叱咤风云的将星，成为中国历史上最早一批职业的军事指挥家。但尽管如此，在整个战国时期，文武分职、将相殊途并不十分严格，职事兼容互摄现象始终相当普遍。①

第五节　战国重大战争所体现的兵学成就

一、从争霸到兼并：晋阳之战的兵学史意义

爆发于公元前 455 年的晋阳攻守战，是春秋战国之际，晋国内部四个强卿大族智、赵、韩、魏之间为争夺统治权，兼并对手而进行的一场战争。是役前后历时长达两年左右，以赵、韩、魏三家联合，共同攻灭智伯氏，瓜分其土地而告终。这对中国历史的发展具

---

① 黄朴民、马丁：《对先秦"文武分职"问题的再考察》，《中国人民大学学报》2004 年第 1 期。

有非常重要的影响，因为在这场战争之后，逐渐形成了"三家分晋"的历史新局面，历史学家多将此事看作是揭开战国历史帷幕的重要标志。

春秋末年，晋国政治生态出现了晋君权力被剥夺，强卿大宗"六卿"主宰国内政治的局面。公元前458年，范氏、中行氏覆灭，智、赵、韩、魏把持国政。但"四卿"同样不能和平相处，很快出现激烈的冲突，这样便点燃了晋阳之战的导火索。

"四卿"之中，智伯瑶一族实力最雄厚，但智伯遂利令智昏，向韩、赵、魏三家索取土地，韩、魏两家实力较弱，被迫献地，但赵襄子却拒绝了智伯的要求。智伯怒火中烧，便于周贞定王十四年（前455）调集军队攻打赵氏，并胁迫魏、韩两氏出兵协同作战。赵襄子采纳谋臣张孟谈的建议，起兵抗击智伯的进攻，制定了依托坚城固守、持久抗敌、伺机反攻的防御方针，并选择了墙高池深、粮草充足的晋阳（今山西太原西南）进行固守。

攻守双方在晋阳城下相持一年有余，智伯决定引晋水（汾水）灌淹晋阳城，晋阳城浸泡在洪水之中，形势十分危急，但守城军民斗志旺盛，殊死抵抗，仍将智伯联军阻挡在危城之外。

在战事最激烈的时候，张孟谈潜出城，秘密会见韩康子和魏桓子，劝说他们暗中倒戈，基本上确定了三家联合进攻智氏的方针。一切就绪后，赵襄子在韩、魏两氏的秘密配合策应下，派遣精兵实施偷袭，放水倒灌智伯军大营，智伯军在突袭面前惊慌失措，乱成一团。赵军主力乘势从晋阳城中正面出击，韩、魏两军则从侧翼发起夹攻，大破智伯军，擒杀智伯瑶，尽灭智宗族，瓜分其土地，为日后"三家分晋"奠定了坚实的基础。[1]

在晋阳攻守战中，赵襄子做到了指挥若定。他善于利用民心，激发士气，充分准备，"先为不可胜，以待敌之可胜"[2]，挫败了智伯围攻孤城、速战速决的作战企图。当智伯以水灌淹城池，守城作

---

① 黄朴民：《先秦喋血》，华夏出版社，1996年，第97—99页。
② 《孙子兵法·形篇》。

战进入最艰难的阶段时，赵襄子及守城军民又临危不惧，誓死抵抗，并采纳谋士张孟谈的建议，利用韩、魏两家与智伯瑶之间的深刻矛盾，加以争取，瓦解了智伯的统一战线，使其陷入彻底的孤立，为日后的决战创造了有利的态势。当"伐谋""伐交"顺利得手后，赵襄子又能及时制定正确的破敌之策，以其人之道还治其人之身，用大水倒灌智伯的营垒，予敌以出其不意的打击。同时，赵襄子还牢牢地把握战机，迅速全面出击，摧枯拉朽，横扫千军，取得了聚歼敌人的彻底胜利。

智伯的失败，在很大程度上也是他咎由自取，其失误是多方面的。他恃强凌弱，一味迷信武力，丧失民心，在政治上陷入了被动；四面出击，到处树敌，在外交上陷入了孤立；在作战过程中，他违背"兵贵胜而不贵久"的原则，长年顿兵挫锐于坚城之下，白白损耗了实力；同时，在战争过程中也昧于对自己"同盟者"动向的了解和掌握，以至于为敌手所乘。当对方用水攻转而对付自己之时，又惊慌失措，计无所出，未能做到随机应变，组织起积极有效的抵御，终于一败涂地，身死族灭，为天下所笑。

晋阳之战规模虽然不大，但意义却相当突出。它的最大特色，就是标志着春秋时期以争霸为主流的战争的终结，战国时代以兼并为本质的战争的到来。

春秋战国之交，随着旧的生产关系大厦的倾覆，土地占有权也相对分散。有土地就有人口，有人口就有赋税，就能组建军队，也就意味着拥有了财富和权力。因此，对土地和人口资源的争夺和控制，也就合乎逻辑地成为当时战争活动的根本宗旨。在这方面，晋阳之战具有开创性和代表性的意义。此战以智氏向韩、魏、赵勒索土地而开始，又以三家瓜分智氏的土地而告终；智伯胁迫韩、魏与己联合攻赵，是以三分赵地为诱饵；而赵襄子策动韩、魏倒戈，也是以瓜分智伯土地为条件。由此可见，对土地的争夺如同一条红线，贯穿于这场战争的始终。这一兼并战争的属性，是与以往争夺霸主名分和地位的春秋争霸战争迥异其趣的。① 战争的手段是由战争的目的所决定的。兼并战争的激烈和残酷程度要远远超过以往的争霸战争，这一点在晋阳之战中同样表现得十分明显。智伯决晋水灌淹城池，长围晋阳两年，必欲置赵氏势力于死地而后快；同样，赵、韩、魏击败智伯瑶军队以后，也是擒杀智伯，尽诛其族，瓜分其地。这里已丝毫见不到邲之战、鄢陵之战中那种彬彬有礼的旧"军礼"遗风，而只有无所不用其极的酷烈，这正是兼并战争条件下的必然结果。所以，无论是从战争的目的来看，还是从战争的手段来看，晋阳之战都具有里程碑式的地位，它标志着战国时代兼并战争即将全面上演。

二、桂陵之战、马陵之战的指挥艺术

韩、赵、魏三家分晋，标志着历史上新的一页又打开了。魏、韩、赵、齐、秦、楚、燕七个大国占据了历史舞台的中心位置，上演了一幕幕纵横捭阖、干戈不休、争雄兼并、你死我活的精彩话剧。根据这一时代特色，将这一历史阶段命名为"战国"，是名副其实的。

（一）魏国的崛起

在战国七雄之中，最先崛起的是地处天下之中心的魏国。周贞定王二十四年（前445）魏文侯即位，先后任用李悝、吴起、西门豹、段干木等贤能之士，进行各方面的改革。在政治上，基本废除了世袭的禄位制度，推行因功授禄的政策，建立起比较清明、健全的官僚体制。在经济上，改变不适应生产力发展的井田旧制，"尽地力之教"②，抽"什一之税"，创制"平籴法"，兴修水利，鼓励开荒，促进了社会秩序的稳定和农业生产的发展。在军事上，加强军队建设，推行"武卒"选拔制度，重视军事训练，提高部队的战斗

---

① 吴如嵩、黄朴民、任力、柳玲：《战国军事史》，军事科学出版社，1998年，第162页。
② 《汉书·食货志》。

力。通过这些改革，魏国一跃而成为战国初期最强盛的国家。魏惠王继位以后，继承文侯、武侯的霸业，继续积极向外扩张，更使魏国称霸天下，不可一世。

但是魏国本身也存在着先天性的不足。它地处腹心，被称为"天下之胸腹"①，四周大国环列，西有秦，东临齐，北接赵，南邻楚，是典型的"四战之地"，很容易陷入多面作战的不利境地，战略地理环境较为恶劣。可是魏国几代统治者对这一点缺乏清醒的认识，反而采取了战略上"四面出击"的错误方针，这不但分散了力量，消耗了实力，而且也容易四面树敌，陷于被动。所以在魏国最为兴盛的同时，也埋下了其日后衰落的根子。

魏国的勃兴和称霸，直接威胁和损害了楚、齐、秦等国的利益，引起这些国家的普遍恐惧和忌恨，其中，尤以齐、魏之间的矛盾最为尖锐。

齐国自西周以来一直是东方地区的大国，公元前 356 年，齐威王即位，选贤任能，改革吏治，强化中央集权，进行国防建设，国势日渐壮大。面临魏国向东扩张的严重威胁，齐国积极利用韩、赵诸国和魏国之间的矛盾与冲突，趁魏国深深地陷入数面受敌的内线作战之际，展开了对魏国的激烈斗争。

（二）桂陵之战

战争是政治的继续，齐、魏的矛盾冲突在当时只能通过战争的手段来加以解决。就在这样的背景下，公元前 353 年，齐魏爆发了桂陵之战。

当时赵成侯为了摆脱魏国霸权的控制，进而达到兼并土地、扩张势力的目的，于公元前 356 年在平陆（今山东汶上）和齐威王、宋桓侯相会结好，同时又和燕文公在阿（今河北境内）相会。赵国的连番外交举动引起魏惠王的极大不满。适逢公元前 354 年，赵国向依附于魏国的卫国动武，迫使卫国屈服称臣。于是，魏国便借口保护卫国，出兵攻打赵国，并很快包围了赵国的国都邯郸。赵国与

———————

① 《战国策·秦策四》。

齐国有同盟关系，这时，赵国见局势危急，遂于前353年遣使向齐国求援。

齐威王闻报赵国告急，迅速召集文武大臣进行商议。丞相邹忌坚决反对出兵救赵。齐将段干朋则认为不出兵救赵既会失去对赵国的信用，又会给齐国争雄天下造成困难，因而主张救赵。但他同时又指出，从战略全局考虑，如果立即出兵前赴邯郸，赵国既不会遭到损失，魏军也不会消耗实力，这对于齐国长远的利益来说是弊大于利。因此，他主张实施使魏与赵相互削弱，而后"承魏之弊"的战略方针。具体地说，齐国先派少量兵力南攻襄陵，以牵制魏国。待魏军攻破邯郸，魏、赵双方均师劳兵疲之际，齐国再予以正面的攻击。段干朋这一谋略显然有一石三鸟的用意。第一，南攻襄陵，牵制魏军，使其陷于两面作战的窘境。第二，向赵国表示信守盟约、提供援助的姿态，帮助赵国坚定抗击魏国的决心。第三，让魏、赵继续互相攻伐，最后导致赵国遭受重创、魏国实力削弱的后果，从而为齐国战胜魏国和日后控制赵国创造有利的条件。段干朋的计谋，为齐威王所采纳。于是，齐威王决定以部分军队联合宋、卫南攻襄陵，主力暂时按兵不动，静观事态的发展，准备伺机出动，以求一举成功。

当时魏国的扩张，也引起了楚国的敌视。因此，楚宣王便乘魏国出兵攻赵、后方空虚之际，派遣将军景舍率领部队向魏国南部的睢、濊地区进攻。而西方的秦国也不甘落后，发兵先后攻打魏国的少梁、安邑等战略要地。这样，魏国实际上已处于四面作战的困难境地。幸亏它实力相当雄厚，主将庞涓又决心破赵，丝毫不为其他战场的局势所动摇，因而一直勉力维持着邯郸方向的主攻局面。

魏国以主力攻赵，两军相持近一年。当邯郸形势危在旦夕，在赵、魏两国均已非常疲惫之时，齐威王认为出兵与魏军决战的时机业已成熟，于是就任命田忌为主将，孙膑为军师，统率齐军主力救援赵国。

田忌打算直奔邯郸，同魏军主力交锋，以解救赵围。孙膑不赞成这种硬碰硬的战法，提出了"批亢捣虚""疾走大梁"的正确建议。他说："夫解杂乱纷纠者不控捲，救斗者不搏撠，批亢捣虚，形格势禁，则自为解耳。今梁赵相攻，轻兵锐卒必竭于外，老弱罢于内。君不若引兵疾走大梁，据其街路，冲其方虚，彼必释赵而自救。是我一举解赵之围而收弊于魏也。"① 孙膑意思是说，要解开乱成一团的丝线，不能用手硬拉硬扯；要排解别人的聚殴，自己不能直接参加进去打。派兵解围的道理也是一样，不能以硬碰硬，而应该采取"批亢捣虚"的办法，就是撇开强点，攻击弱点，避实击虚，冲其要害，使敌人感到形势不利，出现后顾之忧，自然也就解围了。孙膑进一步分析，现在魏、赵相攻多时，魏军的精锐部队全在赵国，留在魏国国内的是一些老弱之卒。根据这一情况，他建议田忌迅速向魏国的都城大梁（今河南开封）进军，切断魏国的交通要道，攻击它防备空虚的地方。他认为一旦这么做，魏军必然被迫回师自救，齐军可以一举而解赵国之围，同时又能使魏军疲惫于路，便于最终战胜它。

田忌虚心采纳了孙膑这一作战建议，统率齐军主力迅速向大梁方向挺进。大梁是魏国政治、经济、文化中心，此时处于危急之中，魏军不得不以少数兵力控制历尽艰辛刚刚攻克的邯郸，而由庞涓率主力急忙回救大梁。这时候，齐军已把桂陵（今山东菏泽东北一带）作为预定的作战区域，迎击魏军于归途之中。魏军由于长期攻赵，兵力消耗很大，加上长途跋涉急行军，士卒疲惫不堪，面对占有先机之利、休整良好、士气旺盛的齐军的截击，顿时陷入了被动挨打的困境，遭受到一次沉重的失败。魏国所攻占的邯郸等地，至此也就得而复失了。

战国前中期，魏国的实力要胜过齐国，其军队精锐，也比齐军善战，然而齐军却在桂陵之战中重创了魏军。其主要原因，就是齐国战略方针的正确和孙膑作战指挥艺术的高明。在战略上，齐国适宜地表示了救赵的意向，从而使赵国坚定了抵抗魏军的决心，拖延疲顿魏军；齐国又及时对次要的襄陵方向实施佯攻，使魏军陷入多

---

① 《史记·孙子吴起列传》。

线作战的被动处境；同时，孙膑能够正确把握住魏、赵双方精疲力竭的有利时机，果断出击。在作战指导方面，孙膑能够正确分析敌我形势，选择适宜的作战方向，进攻敌人既是要害又呈空虚的国都大梁，迫使魏军回师援救，然后以逸待劳，乘敌之隙打了一个漂亮的阻击战，一举而克，齐军自始至终都牢牢掌握住了战场主动权。另外，主将田忌虚怀若谷，从善如流，也为孙膑实施高明作战指导、夺取胜利提供了必要的前提。至于魏军的失败，也在于战略上未能掌握天下诸侯列国的动向，长期顿兵坚城之下，造成将士疲敝，后方空虚，再加上作战指导上消极被动，让对方牵着自己的鼻子走，最终遭到惨败的命运。

（三）马陵之战

魏国虽在桂陵之战中遭到重创，但毕竟因实力雄厚而没有一蹶不振。周显王二十七年（前342），魏国又穷兵黩武，贸然派兵去攻打比它弱小的兄弟之邦——韩国。弱小韩国自然不是魏国的对手，危急中赶忙派遣使者奉书向魏国的克星——齐国求救。齐国君臣又聚在一起商议对策。邹忌依然充当反对派，不主张再次出兵，而田忌则力主发兵救援。齐威王征求孙膑的意见，孙膑既不同意不救，也不赞成早救，而是主张"深结韩之亲而晚承魏之弊"[1]。即首先向韩国表示必定出兵相救，促使韩国全力抗魏，当韩国处于危亡之际，再发兵救援，从而"尊名""重利"，一举两得。为国家战略利益计，齐威王采纳了孙膑这一计策，决定助韩国一臂之力。

韩国得到齐国将来援救的允诺，人心振奋，上下一心，竭尽全力抵抗魏军的进攻，但结果仍然是五战皆败，只好再次向齐国告急。齐威王抓住魏、韩都已疲惫的时机，再次任命田忌为主将，田婴为副将，率领齐军直趋大梁。孙膑在齐军中的角色，一如前次桂陵之战那样，充任军师，居中调度。

魏国见齐军出动，便将兵锋指向齐军。任命太子申为上将军，庞涓为将，统率雄师10万之众，气势汹汹地向齐军直扑过去，企图

---

[1] 《史记·田敬仲完世家》。

和齐军一决胜负。

这时齐军已进入魏国境内纵深地带，魏军尾随而来，一场鏖战无法避免。敌强我弱，这仗该怎么打？孙膑胸有成竹，指挥若定。他针对魏军剽悍善战，素来轻视齐军的实际情况，正确判断魏军一定会骄傲轻敌，急于求战，轻兵冒进。根据这一分析，孙膑觉得战胜貌似强大的魏军是完全有把握的。其手段不是别的，正是要充分利用敌人的轻敌心理，示形误敌，诱其深入，尔后伺机予以出其不意的致命打击。他的设想，深受齐军主将田忌的赞同。于是在认真研究了具体战场地形条件之后，共同定下了"减灶诱敌"、设伏聚歼的作战指导方针。

战争的进程完全按照齐军的预定计划进行。齐军同魏军稍稍接触，就立即佯败后撤。为了诱使魏军进行追击，齐军按照孙膑预先的部署，施展了"减灶"的高招。第一天，齐军挖了10万人煮饭用的土灶，到了第二天，减少成为5万灶，第三天，又减少到3万灶。齐国故意造成在魏军的紧紧迫逼下，士卒大批逃亡的假象。

魏军主将庞涓见齐军退却避战而又天天减灶，便不禁得意忘形起来，武断地认定齐军斗志涣散，士卒已经逃亡过半。于是，庞涓丢下步兵和辎重，只带着一部分轻装精锐骑兵，昼夜兼程追赶齐军，一门心思直奔而去。

孙膑根据魏军的行军速度，判断魏军将于三日后黄昏时分进抵马陵（今山东莘县西南，一说今山东郯城南）。马陵一带道路崎岖狭窄，树木草丛茂盛，地势相当险峻，是打伏击战的绝佳处所。于是孙膑利用这一有利地形，选择齐军中10000名善射的弓箭手事先埋伏在道路的两侧，约定到夜间以火光为号，一齐放箭。并让人把路旁一棵大树皮剥掉，在上面大书"庞涓死于此树之下"① 的字样。

庞涓带领魏军骑兵，果真在孙膑预计的时间里一头撞入齐军的伏击圈中。庞涓发现剥了皮的大树干上写着字，但天色昏暗，看不清楚，便派人点起火把照明。可是树上的字还没有读完，只听得战

---

① 《史记·孙子吴起列传》。

鼓如雷声隆隆，齐军万弩齐发，箭如飞蝗，给魏军以迅雷不及掩耳的打击。魏军顿时惊慌失措，大败溃乱，不是被杀，就是投降。庞涓智穷力竭，眼见败局已定，愤愧莫名，只好拔剑自刎。齐军乘胜追击，又连续大破魏军，前后歼敌10万余人，并将魏军名义上的主帅太子申生擒活捉。马陵之战就这样以魏军惨败而告终结。

马陵之战是我国历史上一场典型的"示假隐真"、欺敌误敌、设伏聚歼的成功战例。齐军的凯旋奏捷，除了其把握救韩时机得当，将帅之间密切合作，正确预测战场地点和作战时间以外，知彼知己，善于"示形"，巧设埋伏，后发制人，乃是克敌制胜的关键性因素。"减灶"就是这次作战中"示形"的主要方式，它实际上就是孙武"能而示之不能，用而示之不用"① 以及"以利动之，以卒待之"② 等"诡道"作战原则在实战活动中的具体体现。

桂陵、马陵之战是战国前中期齐、魏两个大国之间的两场著名战争，这两场战争在历史发展中具有深远的影响，对于战国时期整个战略格局的演变，意义十分重大。具体地说，桂陵之战和马陵之战的先后失败，从根本削弱了魏国的军事实力。从此，魏国一步步走下坡路。公元前334年，齐、魏两国国君在徐州会盟，魏国只得将霸主地位拱手让给了齐国。而秦国趁魏国遭到削弱之际，乘机于公元前330年进攻魏国的河西地区，大败魏军于雕阴（今陕西甘泉县南），俘获魏西部防线主帅龙贾，歼灭魏军45000人，魏国被迫将河西之地又割让给秦国。河西之地的丧失，对魏国以及天下局势造成非常重要的影响。至此，魏国最终失去来之不易的列国首强地位。而齐国则挟战胜之余威，力量得到进一步的发展，成为当时数一数二的强大国家，战国的历史也就进入了齐、秦两强东西并峙的新阶段。

---

① 《孙子兵法·计篇》。
② 《孙子兵法·势篇》。

三、济西、即墨之战的指挥艺术

战国中期，随着魏国霸权的衰落，齐国和秦国两强局面开始形成，成为左右天下局势的主导力量。它们东西对峙，互争短长，使当时的争雄兼并战争进入了新的发展时期。

（一）济西之战

在齐、秦各自称雄东西的战略大背景下，由于地缘关系，齐、燕两国的矛盾也十分紧张。当时，较弱的燕国是齐的近邻，双方曾结下过不共戴天的仇恨。公元前318年，燕王哙演出一场"禅让"的闹剧，将君位让于相国子之，结果导致太子平与子之因争夺王位而发生内乱。公元前314年，齐宣王乘机发兵攻燕，在50天之内攻下燕都蓟（今北京一带），杀燕王哙和子之。但由于齐军在燕国大肆烧杀抢掠，燕国民众纷纷起来反抗，各诸侯国也准备出兵救燕，迫使齐军撤退，太子平即位为王，即燕昭王。燕昭王即位后，广招贤士，改革内政，发展生产，增强军力，积极准备报齐破国之仇。

当然，从两国的实力对比来看，齐国占有明显的优势。可是自周赧王十五年（前300）齐愍王即位以来，齐国极盛的势头却面临着夭折的可能。齐愍王毫无战略头脑，只知道穷兵黩武，四面树敌，南攻宋、楚，西击三晋，连年征战，劳师疲众，弄得国力日耗，处境孤立。

齐国内政外交的困局，被一直想要复仇的燕国君臣捕捉到了，他们准备乘机攻打齐国。但是从燕国的土地、人口和经济条件看，燕国远不如齐国，单凭燕国本身的力量，是不可能战胜齐国的。在此形势下，燕将乐毅和燕相苏秦提出争取其他五国，孤立齐国；并怂恿齐国灭宋，以加剧齐国与其他各国的矛盾，尔后联合各国，大举攻齐。燕昭王欣然采纳了这一计策。

为此，燕国表面上臣服于齐国，并派遣苏秦入齐进行离间活动，取得了齐愍王的信任。齐国被燕国表面的屈服所迷惑，放松警惕，对燕国丝毫不加戒备，甚至连防备燕国的兵力也全部从北部边境撤回。公元前288年，魏冉提议秦昭王称帝，并于同年10月前往齐国，约齐愍王同时称帝，结成联盟。燕国再一次派苏秦到齐国从事离间活动，劝说齐愍王撕毁齐、秦盟约，废除帝号，而后伺机灭亡宋国。昏庸的愍王果然被打动，于同年年底废除帝号，转而与各国合纵攻秦，迫使秦国"废帝请服"①。齐愍王取得攻秦之战的胜利后，又经过三次战争，灭掉了宋国。此举不仅加剧了齐国同秦、赵之间的矛盾，也对韩、魏、楚形成了相当的威胁。因此，灭宋之举导致齐国与各国矛盾异常尖锐。燕国利用这种形势，积极活动，终于和各国结成攻齐联盟。

周赧王三十一年（前284），燕昭王任命乐毅为上将军，统兵伐齐，乐毅同时佩戴赵国相印，与赵、秦、魏、韩等国军队约期会师，组成五国联军，浩浩荡荡向齐国进军。

当齐愍王发现燕军已攻入齐国时，匆忙任命触子为将，率领齐国军队主力渡过济水，西进拒敌。双方兵力各20余万，在济水之西（今山东高唐、聊城一带）展开决战。齐军由于连年征战，士气低落。齐愍王为了迫使将士死战，以挖祖坟、行杀戮之手段相威胁，更使将士离心，斗志消沉。结果，当联军发起进攻时，齐军一触即溃，遭到惨败，退保都城临淄。联军主帅乐毅鉴于当时齐军主力已被消灭，难以组织有效抵抗的实际情况，果断遣返秦、韩两国的军队，并让魏军去攻取宋国的故地，让赵军去攻占河间，免得诸国继续分享伐齐的胜利成果。尔后，他针对齐国兵力空虚，主力被歼后的恐惧心理，指挥燕军实施战略追击，长驱直入，直捣齐都临淄，一举加以占领，从而摧毁了齐军的指挥中枢。齐愍王被迫逃至莒（今山东莒县）。此时楚顷襄王为分占齐地，便以救齐为名，派淖齿率兵入齐。齐愍王幻想借楚军力量抵抗燕军，便委任淖齿为相。淖齿在莒地杀掉了齐愍王，并夺回了以前被齐国侵占的楚之淮北之地。

燕军攻克临淄后，主将乐毅根据战局的发展，进一步制订了征服齐国的作战计划。一方面，乐毅采取布施德政、收取民心的政策，申明军纪，严禁掳掠，废除残暴法令和苛捐杂税，进行政治攻心。

---

① 《史记·赵世家》。

另一方面，乐毅将燕军兵分五路，以期彻底消灭齐军，占领齐国全境。其中，左军东渡胶水，攻取胶东、东莱（今胶东半岛）；右军沿黄河和济水，向西攻克阿城、鄄城（今山东西南部）；前军沿泰山东麓直至黄海，攻取琅邪（今山东青岛市黄岛区琅邪台西北）；后军沿北海（今山东临淄东北沿海一带）出击攻占千乘（今山东高青东北）；中军则镇守齐都临淄策应其他四路。燕军五路大军进展顺利，仅在6个月的时间里，就攻取了齐国的70余城，只剩下莒和即墨（今山东平度东南）两座孤城侥幸未被攻克。强盛一时的齐国此时已濒临亡国的边缘。

（二）即墨之战

齐国毕竟是一个有尚武传统的大国，齐国军民也不是任人宰割的羔羊，在十分困难的局面下，他们奋起抵抗燕军的入侵，从而为扭转战局、摆脱覆亡带来了一线生机。

周赧王三十二年（前283），齐国大臣王孙贾等人设计杀死趁火打劫的楚将淖齿，拥立齐愍王之子法章为齐襄王，坚守莒城，并传檄齐地，号召广大民众奋起抵抗燕国的侵伐。另一座未曾沦陷的城池——即墨的军民，也在其守将战死殉国之后，一致公推有勇有谋的齐宗室田单为守将，万众一心，共同坚守城池，抗击燕军，这样便形成了齐国当时两个抗燕的坚强堡垒。燕军统帅乐毅只好重新调整自己的军事部署，集中右军和前军攻打莒城，左军和后军进攻即墨。

可是，燕军这次却打得很不顺手，进攻莒和即墨一年有余，除了损折了一些兵将，其他方面毫无进展。乐毅在无可奈何之下只能改换了战法，全面采用攻心战，下令燕军后撤至距离两城9里的地方筑营建垒，以示长期围困，并传令凡城中居民有外出的一律不加拘捕，有困难的予以赈济，想借此来动摇齐国守城军民的意志，努力争取不战而下两城。可是，转眼间三年时间悄悄过去了，两城依然没有被攻克。

即墨是齐国境内较大的都邑，地处比较富庶的胶东，依山傍海，土地肥沃，财物丰富，有坚固的城池和较雄厚的人力可用于防守。

田单被推举为将后，为挽救危局，除了大力开展争取人心的工作外，还将所带的族兵及收容的残兵 7000 余人，及时加以整顿和扩充；又身先士卒，带头构筑城防工事，加固城墙，浚深濠池；甚至把族人、妻妾编入军营参加守城。由于田单与将士同甘共苦，在各方面作出表率，致使即墨城的军民群情振奋，斗志昂扬，决心为保卫自己的生命财产、光复祖国山河而同燕军周旋到底。

田单复齐的机会终于出现了。公元前 279 年，燕国一代名君燕昭王撒手告别人世，燕惠王即位。这位国君早在做太子的时候便和乐毅有矛盾，这时见乐毅数年攻齐不能最后平定，自然是既不满又怀疑。田单及时捕捉到这一信息，立即派人潜入燕国进行间谍活动，到处宣扬，乐毅借攻齐为名，想控制军队乘机在齐国为王，所以故意缓攻莒和即墨。假如燕国另派主将，这两座孤城指日可下。燕惠王被敌人蒙骗，果然中计，委派骑劫前去替代乐毅为主将。乐毅被临时撤换，不仅使田单少了一个难以对付的敌手，而且也使得燕军将士愤愤不平，军心不稳。

骑劫到任后，一反乐毅的做法，改长围为强攻，但在齐国军民的殊死抵抗面前，燕军依然被阻于坚城之下。田单为了进一步激励士气，便四处散布谣言，齐军最害怕割掉鼻子，挖掘祖坟。骑劫不辨真伪，上当中计。即墨军目睹燕军的暴行，个个恨入骨髓，怒不可遏，纷纷要求同燕军决一死战。田单见时机成熟，便积极部署反攻措施。他先是命令精壮士卒全部隐伏起来，让老弱、妇女登城守望，使燕军误以为齐军青壮已经伤亡殆尽，失去继续作战的能力；然后派人出城与燕军洽谈投降事宜。燕军信以为真，一心坐待受降，完全放松了对齐军的警惕。

田单在欺敌误敌的同时，也抓紧了己方的反攻准备。他收集了千余斗牛，在牛角上扎上锋利的尖刀，牛身上画上斑斓的花纹，牛尾巴上绑上浸透油脂的芦苇干草，并预先在城脚上挖好几十个大洞，直通城外。同时，田单又亲自挑选了 5000 名精壮勇士，随之出城。田单下令全城军民备好锣鼓以便出击时呐喊助威。一切准备就绪后，在一个漆黑的夜间，一把火点燃牛尾巴上的芦苇干草，驱赶 1000 多头火牛从城墙洞中突出，向燕军大营猛冲狂奔；5000 名勇士随之呼啸杀出，全城军民擂鼓击器以壮声势。一时间火光通明，杀声震天动地。燕军将士正在熟睡之际，毫无防备，纷纷抛弃甲仗，四处逃命，结果死伤无数。骑劫本人也未能幸免，死于乱军之中。至此围攻即墨的燕军主力彻底溃败。

田单奇袭破围得手后，认为燕军肝胆已破，不能再作有效的抵抗，于是就决定全线反攻，乘胜追击。齐国民众痛恨燕军的暴行，群起响应，很快就将燕军逐出国境，迅速收复了沦陷的 70 余座城池。

（三）济西、即墨之战的指挥艺术

在济西、即墨之战的第一个阶段，乐毅采用诱齐攻宋策略，形成了天下联合攻齐的有利形势。在作战中又善于适时展开决战，大破齐军主力于济西，并抓住敌我强弱态势已发生变化的有利时机，乘胜追击，直捣齐都，因而取得了重大胜利。而齐愍王自恃强大，穷兵黩武，四处树敌，落入燕国的圈套而不自知。当五国联军攻齐时，仓促应战，过早集中主力与强大的联军交锋，因而惨败，几致亡国。

至于齐军在后来的即墨保卫战中能先坚守后反攻，最终一举击败燕军，光复国土，其主要有以下几个方面的原因。一是由于即墨城有较好的防御条件；二是燕军兵分多路攻齐，发展过快，攻城克坚的准备和力量不够充分；三是田单面对优势之敌，采取有效措施，取得守城军民的信任和支持，为挽救危局、实施反攻创造了条件；四是田单巧使反间计，借敌人之手除去最难对付的主将乐毅，同时，又针对骑劫愚妄无能、燕军士气不振等弱点，以诈降手段造成敌人错觉，使之麻痹松懈；五是实施夜间奇袭，出其不意地击破围攻即墨城的燕军主力，打好了反攻初期的关键性一仗，取得了战场上的主动权；六是在首战告捷的情况下，田单准确判断形势，不给敌人以任何喘息的时机，乘胜追击，在齐国民众的坚定支持下，终于夺取了复国斗争的胜利。司马迁对田单此役指挥水平赞誉颇多："兵以正合，以奇胜。善之者，出奇无穷。奇正还相生，如环之无端。夫始如处女，适人开户；后如脱兔，适不及距：其田单之谓邪！"①

当然不容忽视的是，田单复齐虽然取得了辉煌的成功，但是在经历了五国合纵伐齐这一场大浩劫之后，齐国的实力已急剧削弱，今非昔比，不再是东方头号强国了。战国诸雄之间的战略平衡再一次被打破了。这在客观上就为秦国实施东进战略，兼并六国，席卷天下，提供了极佳的机会。

四、长平之战与野战歼敌思想

秦国自孝公任用商鞅实行变法以来，制定正确的兼并战略，为秦国的崛起奠定了坚实的基础。尤其在奖励耕战政策的刺激下，在富国强兵观念的主导下，国势如日中天，在外交中又以连横破纵，远交近攻，连连得手。在与东方六国的军事斗争中，旌旗麾指，铁骑驰骋，军事捷报频传。百余年间，秦国几代君臣蚕食缓进，重创急攻，破三晋，败强楚，弱东齐，构成了对山东六国的战略进攻态势。在秦国的咄咄兵锋面前，韩、魏只能屈意奉承，朝不保夕；南方的楚国自顾不暇；东方的齐国在五国破齐勉强复国后也是力有不逮；北方的燕国无足轻重。只有赵国，自公元前302年赵武灵王推行"胡服骑射"军事改革以来，国力较雄厚，军队较强大，对外战争胜多负少，而且拥有廉颇、赵奢、李牧等一批能征惯战的将领，还可以同强秦进行一番周旋。

当时，天下的形势非常明朗，秦国要完成兼并六国、统一天下的殊世伟业，一定得拔去赵国这颗钉子；自然，赵国亦不肯任他人宰割。双方之间一场战略决战势所难免。

秦昭王根据丞相范雎"远交近攻"的战略构想，从周赧王四十七年（前268）起，先后出兵攻占了魏国的怀（今河南武陟西南）、邢丘（今河南温县东），迫使魏国亲附于己。接着又大举攻韩，先后攻取了陉城（今山西曲沃东北）、高平（今河南济源西南）、少曲（今河南济源西）等重要战略据点。并于公元前261年攻克野王（今

① 《史记·田单列传》。

河南沁阳），将狭长的韩国拦腰截为两段。消息传来，韩国朝廷上下一片惊恐，急忙派遣使者入秦，以献上党郡（今山西长治一带）为条件，屈辱地向秦国求和。

然而，韩国的上党太守冯亭却不愿如此屈辱献地入秦，他将韩王的指令放置在一边，做出了献上党之地给赵国的抉择。他的用意当然很清楚，转移秦国的锋芒，促成赵、韩携手，共同抵御秦国，挽救被灭亡的命运。

面对冯亭献地上党郡，赵国君臣意见并不统一。平阳君赵豹坚决反对，他指出："韩氏所以不入于秦者，欲嫁其祸于赵也。"① 赵豹认为："秦被其劳，而赵受其利，虽强大不能得之于小弱，而小弱顾能得之强大乎？今王取之，可谓有故乎？且秦以牛田水通粮，其死士皆列之于上地，令严政行，不可与战。王自图之！"② 赵豹看到，赵国如果接受上党郡，必然会引起秦国不满，但是赵国并不具备战胜秦国的条件，显然是引火烧身，所以坚决反对赵国接收韩上党郡。但是，赵王认为："夫用百万之众，攻战逾年历岁，未见一城也。今不用兵而得城十七，何故不为？"③ 平原君赵胜、赵禹也赞成赵国接收韩上党郡。于是赵王派遣平原君赵胜去接收上党郡，并封冯亭为华阳君。

赵王目光短浅，在不计后果的情况下，将上党郡并入自己的版图。赵国的这一举动，无异于虎口夺食，秦国岂肯善罢甘休，秦、赵之间长期以来积聚的矛盾因此而全面激化了。范雎于是建议秦昭王乘机出兵攻赵。昭王便于周赧王五十四年（前261）命令秦军一部进攻韩国缑氏（今河南偃师东南），直趋荥阳，威慑韩国，迫使其不敢增援赵国；同时命令左庶长王龁率领虎狼之师扑向赵国，攻打上党。上党赵军力不能支，退守长平（今山西高平西北）。赵王闻报秦军长驱东进，只好兴师应战，委派宿将廉颇率赵军主力开往长平，

① 《史记·赵世家》。
② 《战国策·赵策一》。
③ 《战国策·赵策一》。

企图以武力重新夺回上党。廉颇抵达长平前线后，即向秦军发起攻击。遗憾的是，秦强赵弱，赵国数战不利。廉颇不愧为一名久经沙场的老将，见进攻遭受挫折，便及时调整作战方略，转取守势，依托有利地形，筑垒固守，以逸待劳，疲惫秦军，静候其变。廉颇的改变颇为奏效，秦军想要速决的势头被抑制住了，两军在长平一带相持不下。

秦赵交兵，赵军屡屡受挫，赵孝成王与大夫楼昌、虞卿商议对策。赵孝成王甚至想自己亲率军队与秦军决一死战。楼昌认为即使是赵王亲自征战，也并不能改变战局，应该派使臣去秦国议和。但虞卿认为秦国攻赵蓄谋已久，不会轻易罢兵，直接遣使议和恐怕难以成功。虞卿建议赵国应该派使臣带重金珍宝去游说楚国、魏国，楚魏接受贿赂，这样秦国自然会怀疑六国合纵抗秦，议和才有可能成功。但非常遗憾的是赵孝成王并没有采纳虞卿的意见，仍然坚持派遣郑朱直接到秦国议和。郑朱顺利进入秦国，赵孝成王非常高兴地告诉虞卿这一消息，谁料虞卿认为和议肯定不能成功。虞卿认为，此时各国诸侯贺胜的使者都在秦国，那么秦昭襄王和范雎一定会隆重招待郑朱，并向其他诸侯制造秦、赵两国已经议和的假象。这样，楚国、魏国就会以为秦赵已经媾和，肯定不会派兵救援赵国。到那时赵国就被完全孤立，秦国知道诸侯不会再来救赵，必然拒绝与赵国议和。同时，秦国暗中还将韩国的垣雍割让给魏国，稳住魏国，防止魏国派兵救援赵国。东方六国本来都比较惧怕秦国，现在赵国又外交不慎，被秦国假和议的外交活动迷惑，各国纷纷远离赵国，赵国的处境更为不妙。

秦国不仅在出兵之前大打外交战，从战略上孤立赵国，同时秦国还从内部瓦解赵国的团结。自从廉颇根据秦强赵弱的形势迅速调整战略，凭借天险，固守长平，避战不出，秦赵两国在长平一线50多里的山地上对峙长达三年多。秦赵两国常年暴师在外，秦国国内已是粮尽仓空，赵国也是无以为食。秦军虽然屡屡攻击，偶然也有得手的机会，但廉颇的坚守不出，使得秦国始终无法与赵军主力正面接触。赵孝成王由于国内粮食危机，以赵军伤亡颇多，并错误认为廉颇避不出战是由于胆怯，所以多次派人要求廉颇应当转守为攻，主动出击秦军。廉颇非常冷静，始终不肯听从赵孝成王的错误指示。秦国正是利用赵国君臣在攻守问题上的分歧与矛盾，果断采用离间计，派人携带财物前往赵都邯郸收买赵王的左右权臣，挑拨离间赵王与廉颇的关系，并四处散布流言："秦之所恶，独畏马服子赵括将耳。廉颇易与，且降矣。"① 赵王对廉颇不服从命令已经忍无可忍，又听闻廉颇要降秦，更是怒不可遏，所以赵王最终决定要以赵括代廉颇为赵军主将。蔺相如见状急忙进谏："王以名使括，若胶柱而鼓瑟耳。括徒能读其父书传，不知合变也。"② 但赵王还是坚持要以赵括为将。赵括的母亲得知赵括即将奔赴长平战场时，又上书阻止赵王，并说明理由："始妾事其父，时为将，身所奉饭饮而进食者以十数，所友者以百数，大王及宗室所赏赐者尽以予军吏士大夫，受命之日，不问家事。今括一旦为将，东向而朝，军吏无敢仰视之者，王所赐金帛，归藏于家，而日视便利田宅可买者买之。王以为何如其父？父子异心，愿王勿遣。"赵王一意孤行，甚至在赵括母亲说出了"王终遣之，即有如不称，妾得无随坐乎？"③ 后，赵王仍然任命赵括为将。

秦国的战争指导者老谋深算，运用谋略来打开缺口，使局势朝着有利于秦国的方向发展，为尔后的战略进攻创造条件。赵括走马上任后，一反廉颇所为，更换将佐，改变军中制度，搞得赵军上下离心离德，斗志消沉。他还改变了廉颇制定的行之有效的战略防御方针，积极筹划战略进攻，企图一举而胜，夺回上党。

秦国在搞乱赵国的同时，也适时调整了自己的军事部署：立即增加军队，同时起用骁勇善战的武安君白起为上将军，替代王龁统率秦军。为了避免此事引起赵军的警惕，秦王下令军中严守这一军

① 《史记·白起王翦列传》。
② 《史记·廉颇蔺相如列传》。
③ 《史记·廉颇蔺相如列传》。

事机密，命令："有敢泄武安君将者斩。"①

　　白起到任后，针对赵括实战经验不足，求胜心切、鲁莽轻敌等弱点，制定了诱敌入伏、分割包围而予以聚歼的正确作战方针，对兵力作了周密细致的部署，造成了"以石击卵"的强大态势。其一，白起以原先的第一线秦军为诱敌部队，调动赵军，等待赵军出击后，立刻向预设主阵地的方向撤退，诱敌深入。其二，巧妙利用长壁构筑袋形阵地，以秦军主力坚守营垒，抵挡赵军主力的攻势。其三，动用奇兵25000人埋伏在侧翼，待赵军出击后，及时穿插到赵军后方，切断已经出击的赵军的退路，协同主阵地长壁上的秦军主力，完成对出击赵军的包围。其四，用5000精锐骑兵插入渗透到赵军营垒的中间，牵制和监视赵军营垒中的剩余军队。其五，组织一支轻装勇猛的突击队，等到赵军被围后，主动出击，不断消耗赵军的有生力量，从意志上彻底摧毁赵军。

　　战局果然按着白起所预定的方向发展。公元前260年八月，对秦军战术布置茫然无知的赵括统率赵军主力贸然向秦军发起了大规模的出击。两军刚刚交锋，秦军的诱敌部队便佯败后撤。鲁莽的赵括不问虚实，立即率军实施追击。而担任诱敌任务的秦军且战且退，退至秦军的预设阵地——壁垒。赵军遭到了秦军主力的顽强抵抗，攻势受挫，被阻于坚壁之下。秦预设的阵地位于丹河以西，秦军依据地形，背靠山峰，建立一个近似半圆形的防御阵地，并且丹河以西的地形和河岸并非平原地带，赵军"胡服骑射"以来训练有素的骑兵并不能发挥其应有战斗力，战场不利于赵军优势兵力的发挥。秦国军队最擅长的弓弩箭阵却在这种地形下非常容易对赵军步兵造成强有力的压制。赵括见攻势不利，想要退兵，但为时已晚，预先埋伏于两翼的25000秦奇兵迅速出击，及时穿插到赵军进攻部队的侧后，抢占了西壁垒（今山西高平北的韩王山高地），截断了轻率出击的赵军主力与赵军营垒之间的联系，构成了对出击赵军的包围。另外，5000秦军精骑也迅速穿插到了赵军的营垒之间，牵制、监视

① 《史记·白起王翦列传》。

留守在营垒的部分赵军，并切断赵军的所有粮道。在完成对赵军的分割包围之后，白起下令突击部队轮番出击被围困的赵军。赵军数战不利，情况十分危急，被迫就地构筑营垒，转攻为守，等待救援。这时，赵国粮食缺乏，后勤补给严重不足。齐国周子建议齐国应当援助赵国，提供粮食，他认为："夫赵之于齐楚，扦蔽也。犹齿之有唇也，唇亡则齿寒。今日亡赵，明日患及齐、楚矣。救赵之务，宜若奉漏瓮沃焦釜也。且救赵，高义也；却秦兵，显名也。义救亡国，威却强秦。不务为此而爱粟，为国计者过矣。"① 但齐王并没有听从周子的建议，拒绝支援赵国。

秦昭襄王得知白起已经完成了对赵军主力分割包围，便亲赴河内（今河南沁阳及其附近地区）动员民众参战。宣布凡参战者，赐爵一级，将当地 15 岁以上的男丁全部编组成军，增援长平战场，倾全国之力与赵国决战。这支部队开进到长平以北的丹朱岭及其以东一带高地，进一步断绝了赵国的援军和后勤补给，从而确保了白起能彻底歼灭被围赵军。

公元前 260 年九月，赵军断粮已经 46 天，军营中已经出现偷偷互相残杀以食的残忍情形，赵军军心动摇，死亡的阴影时刻笼罩着这支疲惫之师，局势非常危急。在这千钧一发的时刻，赵括只得准备突围，拼死一搏，做困兽之斗。他组织了四支突围部队，轮番冲击秦军阵地，希望能杀出一条血路，突围成功，但都未能奏效。绝望之下，赵括只得孤注一掷，亲率赵军精锐部队强行突围，但仍不敌秦军的万弩齐发，遭遇惨败，他本人也丧身于秦军的箭镞之下。

赵括已死，赵军失去主将，斗志全无，乱作一团，也不再作抵抗，40 余万饥疲之师全部向秦军解甲投降。对于这 40 余万赵军降卒，秦国如何处理？白起认为："秦已拔上党，上党民不乐为秦而归赵，赵卒反覆，非尽杀之，恐为乱。"② 所以，除幼小的 240 人之外，其余降卒全部被白起坑杀，六国震恐。当然，长平之战，秦赵

① 司马光：《资治通鉴》，中华书局，1956 年，第 169 页。
② 《史记·白起王翦列传》。

两军相持三年多，秦军也死伤过半，"国虚民饥"①。但是空前激烈而残酷的长平之战以秦国的胜利而结束。

长平之战秦胜赵败的结局并不是偶然的。除了总体力量上秦对赵占有相对优势外，双方的战略得失和具体指挥水平的高低也起着决定性的作用。

秦军之所以取胜的重要原因就是能够时刻掌握战争的主动权，"致人而不致于人"，不断调动敌人。具体来讲主要有以下六个方面的原因。第一，秦国在外交上利用关东六国复杂的利益关系，以威慑、贿赂等手段分化瓦解关东六国，成功阻止"合纵"局面的形成。第二，充分利用廉颇与赵王在攻守问题上的不同主张而导致的不和，巧妙使用离间计，诱使赵王犯下置将不当的致命性错误。第三，针对赵国临阵换将，秦国针锋相对，起用富于谋略、骁勇善战的白起为主将，并严格保密。第四，白起善察战机，用兵如神。白起战术安排得当，利用赵括骄傲轻敌，急于出击的心理，诱敌出击，然后用正合奇胜的战法分割包围赵军，聚歼赵军。第五，秦国选择有利于自己的战场。秦国诱敌深入，使赵军最精锐的骑兵并不能发挥作用，秦国的弓弩箭阵却能够对赵军予以压制性的打击，时刻控制着战场局势。第六，在战争最艰苦的时刻，秦王亲自出面协调配合，动员民众及时增援，断敌之援，为白起实施正确作战指挥提供了必要的保证。

相比较而言，赵军之所以惨败，是由一系列战略战术错误的累积而造成的。具体来讲主要有以下四个方面的因素。第一，在接收了上党郡这块烫手的山芋之后，并没有意识到潜在的风险和问题的严重性，未能立即主动增兵上党，展开对秦的积极防御。第二，中了秦人的离间计，临阵易将，让实战经验不足的赵括替代执行正确防御战略的廉颇统帅赵军，仓促转守为攻。正如司马光所说："廉颇一身用与不用，实为赵国存亡所系。此真可以为后代用人殷鉴矣。"第三，在外交上不善于利用各国仇秦、惧秦的心理，积极争取齐、

---

① 《战国策·中山策》。

魏等国，反而被秦破坏，未能开展"合纵"战略。第四，主将赵括骄傲轻敌，纸上谈兵。赵括无正确的作战方针，在不知秦军虚实的情况下，放弃有利地形，贸然出击，秦军佯退，未能看出破绽，并不断追击，致使被围。在被围之后，也没有因地制宜，摆脱困境的智谋，只知道消极强行突围，不能进行内外配合，未能对秦军形成反包围的态势，终于导致赵军全军覆灭的悲惨下场。

长平之战不仅在中国历史上影响深远，加速了秦统一天下的进程，同时在中国兵学史上亦有重要的意义。长平之战是战国时期规模最大、杀伤最惨烈的一场战役，也是中国历史上最早、规模最大的包围歼灭战。长平之战中，虽然秦军损失过半，但秦军前后共歼灭赵军45万人，从根本上削弱了关东六国中最强劲的对手——赵国，彻底清除了秦国兼并六国、统一天下的障碍。同时，长平之战的残酷性也给关东六国造成了极大的震慑。长平之战后，除紧接着的邯郸之战，由于秦王不听白起的建议而导致秦国失败之外，秦国对六国的战争所向披靡，关东六国已经无法与秦国进行真正意义上的战略决战，秦统一六国的道路变得畅通无阻了。

第六节　诸子学说对战国兵书的渗透与影响

中国古代兵学思想在春秋战国时期得到很大的发展，取得了突出的成就。这既表现在《左传》等史书和儒、墨、道、法学派的著作中对兵学问题的高度重视和深刻论述，更体现为以《孙子兵法》为代表的成熟兵书的纷纷面世。它们为中国古代兵学思想的发展奠定了坚实的理论基础。从更深的层次考察，诸子论兵之作的丰富和兵书理论体系的完善，在当时是互为关系、相辅相成的，即兵书的发展，给予诸子兵学思想的成熟以有力的推动；而诸子的基本理论，又对兵学文化精神的构建产生了深刻的影响。战国晚期文化上的重大特征之一，是学术兼容成为不可逆转的历史趋势。在这样的背景之下，稍晚出的兵书，如《司马法》《吴子》《孙膑兵法》《尉缭子》《六韬》等等，就开始较多地受到诸子学说的某些渗透与影响，传递当时各家学说的不同政治文化信息。

诸子学说对战国兵书文化精神构建的影响，比较集中地体现为在战国兵书中，较多地带上政治伦理学的色彩，这是由中国古代学术的本质特征所决定的。因为政治、伦理思想占有主导地位，乃是中国古代思想史的重要特征。所谓"六合之外，圣人存而不论"①，就是这个含义。梁启超在《先秦政治思想史》中也明确指出了中国古代学术的这一基本特色："中国学术，以研究人类现世生活之理法为中心，古今思想家皆集中精力于此方面之各种问题。以今语道之，即人生哲学及政治哲学所包含之诸问题也。盖无论何时代何宗派之著述，未尝不归结于此点。"② 受这一文化传统的影响和制约，战国兵书注重将兵学问题较大限度地从属于政治伦理学的主体，换言之，就是使其许多兵学思想在一定程度上成为政治伦理学的具体诠释。战国兵书中都有大段大段的政治色彩浓厚的论述，而且一般都放在全书的首篇或靠前位置，如，《司马法》的《仁本》《天子之义》，《尉缭子》的《天官》《兵谈》《制谈》《战威》诸篇，《孙膑兵法》中的《见威王》，《六韬》中的《文韬》，《吴子》中的《图国》，等等，就是明证。它们均不是纯粹从兵学的角度立论，而是从政治学的本体基础上对兵学问题进行理性的认识和总结。这应该说是诸子学说对战国兵书文化构建施加影响的必然结果。

儒、道、墨、法、名、阴阳这六家是战国时期主要的思想学术流派，集中地体现了当时社会思潮的基本面貌。战国兵书文化精神构建中对诸子学说的汲取和提炼，也主要表现为对这六家学派思想理论的接受。

儒家学说是战国时期的"显学"，它在社会中影响极大，它的基本精神对战国兵书的影响是非常显著的。儒家学说在战国时虽有孟、

---

① 《庄子·齐物论》。
② 梁启超：《先秦政治思想史》，中华书局，2016 年。

荀不同流派之间的差异，如，思孟学派更为恪守孔子的立场，侧重于对仁义的阐述，特别重视道德上的自我完善；而荀子的思想则具有批判地综合各家的特色，侧重于对"礼制"和"礼教"的阐述。但其基本精神却是一致的，即讲究"仁义"，提倡"礼乐"，严格等级名分，注重道德伦理教育和自我修身养性，重视"民本"，追求由"小康"臻于"大同"的理想社会，等等。它们的影响所及，使得战国兵书普遍注意强调战争与政治的关系，注意民心的向背对战争胜负的影响。这些构成了战国兵书指导原则上的浓厚儒学色彩。具体言之，即表现为当时兵书通常以儒学精神来判断战争的性质，把握战争的目的，认识战争的成败。

　　战国兵书中有关战争目的与性质的论述，就比较突出地体现了儒家在把握这些问题上的基本精神。它们对军事活动必要性以及根本宗旨之认识，基本上与儒家"吊民伐罪"的原则相一致。这就是《尉缭子》所说的"故兵者，所以诛暴乱，禁不义也"①。然而，它们同儒家一样，称赞寝兵息战为圣德之治，肯定"兵不血刃"而定天下为用兵的最理想境界，如《司马法》曰："狱弭而兵寝，圣德之治也。"②《六韬》曰："全胜不斗，大兵无创，与鬼神通。"③《尉缭子》也认为兵为凶器，不得已而用之："兵者，凶器也；战者，逆德也。争者，事之末也。故王者伐暴乱，本仁义焉。"④《孙膑兵法》亦指出一味依赖武力，频繁用兵，乃自取其辱之道，必然招致败亡："然夫乐兵者亡，而利胜者辱。兵非所乐也，而胜非所利也。"⑤

　　战国兵书对于战争成败关键的理解，也大多本于儒家的看法。它们认为战争的成败得失，多取决于政治的清明与否，仁义礼乐的推行与否，如《司马法》曰："以礼为固，以仁为胜。"⑥《尉缭子》

---

① 《尉缭子·武议》。

② 《司马法·仁本》。

③ 《六韬·武韬·发启》。

④ 《尉缭子·兵令上》。

⑤ 《孙膑兵法·见威王》。

⑥ 《司马法·天子之义》。

强调人是决定战争胜负的重要因素："天时不如地利，地利不如人和。圣人所贵，人事而已。"①《吴子》亦强调："百姓皆是吾君而非邻国，则战已胜矣。"②

值得充分注意的是，儒家的"民本"思想，在战国兵书之中得到了有力的体现。这是儒家思想对当时兵书文化精神构建最富有积极意义的影响。这种"民本"思想，在《司马法》中的表述，就是"战道：不违时，不历民病，所以爱吾民也；不加丧，不因凶，所以爱夫其民也；冬夏不兴师，所以兼爱其民也"③。在《尉缭子》中，是："励士之道，民之生不可不厚也；爵列之等，死丧之亲，民之所营不可不显也。"④ 而《六韬》中则表述为："无取民者，民利之；无取国者，国利之；无取天下者，天下利之。"⑤ 战国兵书中这些渗透着儒学精神的"民本"概念，如果不单纯考虑其实施的效果，而从理性的角度分析，那么就应该承认它含有相对的真理因素，值得后人借鉴和给予抽象的继承。

法家学说对战国兵书的影响也是显而易见的。法家的要义是"尊主卑臣"，提倡"不别亲疏，不殊贵贱，一断于法"⑥，倡导"信赏必罚，以辅礼制"⑦，主张"循名而责实"⑧，强调加强君主专制，以严刑峻法治民，厉行赏罚，奖励耕战，巩固封建土地所有制，建立统一的集权国家，以农致富，以战求强，以法为教，以吏为师。所有这一切，都说明法家学说的本质特征为具体的可供操作的政治权力思想。在现实生活中，它比"迂远而阔于事情"⑨ 的儒学显得

———————————

① 《尉缭子·战威》。
② 《吴子·图国》。
③ 《司马法·仁本》。
④ 《尉缭子·战威》。
⑤ 《六韬·武韬·发启》。
⑥ 《史记·太史公自序》。
⑦ 《汉书·艺文志》。
⑧ 《韩非子·定法》。
⑨ 《史记·孟子荀卿列传》。

更为高明和理性。兵书要积极发挥自己适应治理阶层需要的现实功能，自然完全有必要融合汲取法家学说的某些内容。

从现存的战国兵书内容来看，它们都充分吸收了法家厉行赏罚的主张，极力提倡在军事活动中明赏严罚，以保证军队上下统一号令，强化军事纪律。这就是《尉缭子》中所言的"吾用天下之用为用，吾制天下之制为制。修吾号令，明吾刑赏，使天下非农无所得食，非战无所得爵。使民扬臂争出农战，而天下无敌矣"①。这里不仅讲求赏罚，而且将赏罚直接与奖励耕战结合起来，这与《商君书》《韩非子》《管子》的思想实有相一致之处。另外如《六韬》中说："将以诛大为威，以赏小为明，以罚审为禁止而令行。故杀一人而三军震者，杀之；赏一人而万人悦者，赏之。杀贵大，赏贵小。"②《吴子·治兵》中称"若法令不明，赏罚不信，金之不止，鼓之不进，虽有百万，何益于用"③ 等等，也同样体现了法家的赏罚理论。从实际操作角度看，法家赏罚严明的主张的确符合军事活动的组织要求，因此为战国兵书所广泛吸收，其中尤以《尉缭子》一书最为显著。

战国兵书普遍强调军队的集中管理，主张以君权至上为军事活动的遵循规范，这显然是深受法家"尊主卑臣""专制独断"理论的影响。《尉缭子》对这一问题是如此论述的："守法稽断，臣下之节也。明法稽验，主上之操也。"④ 意思是说，最高统治者有主宰一切的权限，臣下只能毫无保留地为主上尽忠效命而已。《六韬》中所反映出来的集权思想更为深刻，它一再提倡君主千方百计巩固权柄，以便左右一切："无疏其亲，无怠其众，抚其左右，御其四旁。无借人国柄，借人国柄，则失其权……无借人利器，借人利器，则为人

---

① 《尉缭子·制谈》。
② 《六韬·龙韬·将威》。
③ 《吴子·治兵》。
④ 《尉缭子·原官》。

所害，而不终其正也。"① 这与法家慎到对"势"的论述如出一辙。其实，战国兵书中这种君权本位倾向的存在并不奇怪，因为时至战国封建专制主义日益成熟之际，兵书中贯彻专制集权的要求，乃是与社会历史发展的总趋势相一致的。

法家的"循名责实"理论，也为战国兵书所充分汲取和肯定。《六韬》云："将相分职，而各以官名举人，按名督实，选才考能，令实当其名，名当其实。"② 这就是要求在用人之时，必须严格职责权限，根据职责的名分，来考察其职责的实绩。这种辨名析实的军事管理手段，的确是法家"循名责实"理论的流韵余泽。

法家提倡极端专制主义，认为君臣之间、平民百姓之间的关系，都是建立在相互的利害权衡取舍基础上的："臣尽死力以与君市，君垂爵禄以与臣市。"③ 战国兵书也深受其影响，提倡在军事活动的人际关系问题上，利用人的私欲，利用人的好利本性，借满足人们的欲望，来达到战争的目的，为治理阶层服务。例如，《尉缭子》就主张："因民所生而制之，因民所荣而显之。"④ 同时，它更强调封建统治者应努力使广大民众"去私""无欲"，至少不敢"有欲"，指出："善政执其制，使民无私。为下不敢私，则无为非者矣。"⑤ 这实质上就是法家"不以小功妨大务，不以私欲害人事"主张的翻版。总之，战国兵书文化精神的构建受到法家学说的影响，乃是明显不争的事实。这与法家注重解决现实问题，适应当时封建统治者实行专制主义的需要这一特征是紧密地联系在一起的。

道家的基本思想倾向，《汉书·艺文志》中有比较扼要而准确的表述："道家者流，盖出于史官，历记成败存亡祸福古今之道，然后知秉要执本，清虚以自守，卑弱以自持，此君人南面之术也。合于尧之克攘，《易》之嗛嗛。一谦而四益，此其所长也。及放者为之，

---

① 《六韬·文韬·守土》。
② 《六韬·文韬·举贤》。
③ 《韩非子·难一》。
④ 《尉缭子·战威》。
⑤ 《尉缭子·治本》。

则欲绝去礼学，兼弃仁义，曰独任清虚可以为治。"① 具体地说，道家的要义大抵有四个主要层次，即：以"道"为主宰和天下万物所生本源的宇宙生成论；事物相互依存、相互对立、相互转化、循环重复的朴素辩证法；"无为而无不为"②，以退为进，柔弱胜刚强的策略论；无为而治，"小国寡民"③ 的社会政治理想。其中清静无为，贵柔守雌，"无为而无不为"的处世原则和思维方式，尤其为人们所重视，被运用于社会生活的诸多领域。

战国兵书对道家的学说同样情有独钟，充分加以汲取。其中以《六韬》尤为突出。它们对神秘玄虚的道家语言多有搬用，以努力显示自己的深奥玄妙，不可捉摸。如《尉缭子》言："治兵者，若秘于地，若邃于天，生于无。"④《六韬》亦曰："至事不语，用兵不言……倏而往，忽而来，能独专而不制者，兵也。"⑤ 这种形式上的模仿还不是最主要的，更突出的是，《六韬》主张在治军、作战中贯彻"无为而无不为"的原则，计大利而不计小利："不以役作之故，害民耕绩之时。削心约志，从事乎无为。"⑥ 并且认为这样做的有利之处就在于："无取于民者，取民者也；无取于国者，取国者也；无取于天下者，取天下者也。"⑦ 而道家以退为进，以静制动，以柔克刚的后发制人策略原则，则更得到《六韬》的青睐："安徐而静，柔节先定，善与而不争，虚心平志，待物以正。"⑧《尉缭子》也认为："正兵贵先，奇兵贵后。或先或后，制敌者也。"⑨ 在《孙膑兵法》中，更总结为"让威"的具体作战原则。

同时，战国兵书对社会动荡原因的分析，也常常采取道家学说

---

① 《汉书·艺文志·诸子略》。
② 《老子·三十七章》。
③ 《老子·八十章》。
④ 《尉缭子·兵谈》。
⑤ 《六韬·龙韬·军势》。
⑥ 《六韬·文韬·盈虚》。
⑦ 《六韬·武韬·发启》。
⑧ 《六韬·文韬·大礼》。
⑨ 《尉缭子·勒卒令》。

的价值标尺予以衡量。如《六韬》说:"圣人务静之,贤人务正之。愚人不能正,故与人争。上劳则刑繁,刑繁则民忧,民忧则流亡。"① 这种评论社会问题的价值取向,同样表明战国兵书文化精神构建过程受道家学说的影响之深厚。

其他诸家如墨家、阴阳家等,对战国兵书文化精神的构建,也或多或少有所渗透和影响。概略而言,墨家的影响体现为战国兵书大多强调"尚贤""节用"以及"兼爱""救守"。而阴阳家的影响,则主要表现为某些战国兵书也注重论述"五行",谈说"六甲",等等。《六韬》中有《五音》《兵征》诸篇,侈言"五行之符,佐胜之征,成败之机"云云,即是明证。

战国时代,由于诸子学说存在着一种相互兼容的总趋势,所以战国兵书对诸子学说的借鉴和吸收,就自然而然地体现为多元而混杂,很不纯粹。同一部兵书之中,往往既有儒、法的痕迹,也不时有道、墨的影子。有时甚至在同一段话中,各家学说的影响也交相混糅。例如,在《六韬·文韬·盈虚》中,所谓"鹿裘御寒,布衣掩形,粝粱之饭,藜藿之羹"之类,是墨家的余泽;所谓"削心约志,从事乎无为",乃是道家的流风;"以法度禁邪伪。所憎者,有功必赏;所爱者,有罪必罚",乃是法家的要义;而"其自奉也甚薄,其赋役也甚寡,故万民富乐而无饥寒之色",则又是儒家的面孔了。这种现象的存在,充分表明战国兵书文化精神的构建实乃笼罩在诸子学说的氛围之中,可谓诸子学说在当时兵学领域中的一种信息传递。

综上所述,诸子学说对战国兵书文化精神的构建,都有不同程度的渗透和影响,其中尤以儒家与法家学说最为突出。这不仅表现为这两派学说的基本语言、概念范畴以及思想观点在战国兵书中出现的频率远较其他学派为高,而且也表现为它们在实质上决定了战国兵书的价值取向和基本文化特征。具体而言,儒家学说为战国兵书规范了用兵的根本宗旨与目的,对待战争的基本态度以及战争与政治之间的内在逻辑关系等问题。一句话,即儒家学说从总揽全局

---

① 《六韬·武韬·文启》。

的高度，为战国兵书解决了政治原则问题，从而使战国兵书在哲理上获得了升华。而注重实事的法家学说，亦从政治操作的角度，为战国兵书提供了具体而丰富的政治实践理论，并从实用的层次上满足了社会大变革条件下对兵书的要求。理想的境界与成熟的经验这两者的密切结合，互为弥补，这就是儒、法两派学说对战国兵书文化精神构建最富有积极意义的渗透和影响。

诸子学说对战国兵书文化精神构建的影响，既然表现为诸子政治思想在兵书中的贯彻和落实，使战国兵书在很大程度上受到一定的政治、伦理学的规范，那么它的历史意义也就自然而然地具有了双重的性质。

一方面，由于战国兵书受到政治、伦理的规范，笼罩着比较浓厚的政治色彩，这样，就在相当程度上淡化了其兵学学术的独立存在价值，使得兵学沦落为政治的附庸。换言之，将政治与兵学问题加以等同的做法，显然是偏颇的。就认识论而言，这是片面、机械的；就实践而言，这又是迂腐、空疏的。同时，诸子学说影响渗透到当时的兵家著作之后，也使得后世兵家难以摆脱政治伦理精神的束缚，并使古代兵学的创造性的发展受到极大的压抑。在漫长的古代社会里，兵学著作无有出《孙子兵法》之右者，以至产生"前《孙子》者，《孙子》不遗；后《孙子》者，不能遗《孙子》"① 这样的说法，其重要的原因恐怕一在于斯。

另一方面，战国兵书受到浓厚的政治、伦理的规范，也使它具有了一定的历史合理性。因为战争的确是政治活动的最高表现形式，用现在通行的话来说，即战争是政治的继续。政治、伦理对于分析、判断战争的性质，理解战争的成败，认识战争的宗旨，都是有帮助的。从这个意义上讲，战国兵书从政治、伦理的角度认识战争的基本规律，探讨战争问题，这一逻辑思路应该说是正确的，因为它合乎理性思维的正常途径。同时，战国兵书吸收儒家学说，提倡仁义爱民，主张调和社会矛盾，使得其战争观具有温和、人道的色彩，

---

① 茅元仪：《武备志·兵诀评》。

这无疑是宝贵的识见，显示了对待战争应有的正确态度，对后人不无积极的启迪意义。而它们重视民心向背对于战争胜负的影响，同样是非常卓越的见解，具有超越时空的价值。至于战国兵书吸收法家的实用政治学说，用来充实自己的治军、作战理论，乃是顺应时代潮流的选择，具有历史的必然性和逻辑的合理性，在今天更有必要予以公正的评价。其他像道家、墨家、阴阳家学说对战国兵书渗透与影响的意义，也应作如是观。

总而言之，战国兵书文化精神的构建深受诸子学说的渗透和影响，乃是一种客观存在的历史现象。对此，我们既不可简单贬低它的应有地位，也不应人为地拔高它的历史意义，而必须以科学的态度进行缜密的分析和认真的总结。这是我们研究战国兵书的客观要求，也是我们对中国古代兵学发展嬗变历史进一步进行科学认识的必要前提。

第八章　战国时期三晋兵学的繁荣

　　三晋文化指春秋晋国和战国韩、赵、魏一带的中原文化，关中地区的秦文化主要受三晋文化的影响，缺乏自己的显著特色，故也可以归入三晋文化类型。三晋处于四战之地，战略上为内线作战态势，地理上缺少天然屏障和回旋余地。为了在激烈残酷的争霸兼并斗争中争取主动，求得生存和发展，这些诸侯国对内注意改革、练兵、储粮，提倡法治，广揽人才，致力于富国强兵；对外则随时权衡"国际"形势，利用矛盾，结交与国，合纵连横、纵横捭阖。这样的历史文化背景，决定了三晋地区（也可以理解为中原地区）的兵学文化，注重将厉行耕战、增强实力、推行法制、严明赏罚等措施置放于优先的位置。具体地说，这就是在战争观上积极主战，强调通过战争的手段达到一定的政治目的，"国之所以兴者，农战也"①。在治军观上，主张高度集权，严格治军，追求令行禁止的效果，"故先王明赏以劝之，严刑以威之。赏刑明，则民尽死；民尽死，则兵强主尊"②。在作战指导上，强调以实力发言，先为不可胜，讲求打歼灭战。在战略上，特别重视处理政治与军事的辩证关系，提倡文武并用，"凡战法必本于政胜"，"政久持胜术者，必强至王"③；"兵者，以武为植，以文为种；武为表，文为里"④。这些特征在《尉缭子》等三晋兵学著作和《商君书》《韩非子》《荀子》

---

① 《商君书·农战》。
② 《韩非子·饰邪》。
③ 《商君书·战法》。
④ 《尉缭子·兵令上》。

的论兵之作中都有显著的体现。

第一节　体系完备的《吴子》

《吴子》，又称《吴起兵法》《吴子兵法》，是战国时期成书的著名兵书，宋代《武经七书》之一。吴起是当时杰出的政治家、兵学家、军事指挥家。《吴子》一书是吴起对兵学问题理性认识的集中体现，深刻反映了战国时期军事斗争的一般规律，具有鲜明的时代特色和重要的学术价值，并对后世兵学理论的发展产生过深远的影响。

一、吴起其人

吴起，生年不详，卒于公元前 381 年。战国初年的卫国人，先后在鲁国、魏国和楚国出仕，均有战功。吴起曾就学于儒家，善于用兵，又主持过楚国的变法。他以其一生无败绩的赫赫战功和兵书《吴子》流传于世。

吴起"家累千金，游仕不遂"[1]，但是他仍不愿放弃，始终坚持。后来由于别人嘲笑他碌碌无为，败坏家业，吴起一气之下杀人获罪，逃离卫国。他不得不与老母亲诀别，临走前，他狠狠地咬着自己的胳膊对母亲说："起不为卿相，不复入卫。"[2] 吴起离开卫国，辗转来到鲁国，向曾参之子曾申学习儒学。没过多久，吴起的母亲去世，吴起并没有回国奔丧，继续在曾申处学习儒学。孝道是儒学的重要特征，得知吴起母死不奔丧，曾申与其绝交。吴起于是又转而开始学习兵法，因其有极高的天赋，很快就以善用兵闻名，得以侍奉鲁穆公。

齐国大兵压境，鲁国上下慌作一团。鲁穆公环视一番，论才能

---

① 《史记·孙子吴起列传》。
② 《史记·孙子吴起列传》。

或许只有吴起能够胜任鲁军主将，但吴起的妻子是齐国人，这让鲁穆公多少有一些担忧。吴起得知这个消息后，竟杀妻求将，向鲁穆公表明自己不会亲附齐国的心志。最终，吴起如愿出任鲁军主将，大破前来进犯的齐国军队。吴起终于在鲁国得到了他梦寐以求的功名。

吴起母死不奔丧，杀妻求将的反人情行为，终究会遭到世人的非议，尤其在鲁国这样一个国家。鲁国人纷纷说吴起是一个性情非常残忍的人。一些大臣慑于齐国的强大，也对吴起此次战胜之功说三道四，说鲁国不过是个小国，如今却背负着战胜之名，很快就会成为众矢之的，其他诸侯国肯定会对鲁国不利。鲁穆公听了这些话之后，也觉得有理，有了卸磨杀驴的想法，逐渐产生了疑虑，最终不再起用吴起。

吴起在鲁国已经前途无望，他得知魏文侯向天下发布求贤令，广招贤才，于是准备前往魏国。魏文侯得知后，向李悝询问吴起的为人，李悝如实回答："起贪而好色，然用兵，司马穰苴不能过也。"① 魏文侯深谙用人之道，于是任命吴起为魏国大将。

吴起身为主将，能与士卒同甘共苦，"与士卒最下者同衣食。卧不设席，行不骑乘，亲裹赢粮，与士卒分劳苦。卒有病疽者，起为吮之"②。吴起的自律、公平，得到了魏国将士的爱戴。吴起不仅爱民如子，他在战场上也赏罚严明，毫不徇情。在吴起卓有成效的训练和指挥下，魏军经过大约两年的艰苦奋战，先后夺取了秦国的临晋（今属陕西大荔）、元里（今属陕西澄城）、洛阴（今属陕西大荔）、合阳（今属陕西合阳）等河西之地的重要城池，秦国被迫退守洛水，这样黄河以西的大片土地尽归魏国所有。为了进一步巩固对河西之地的统治，魏文侯建立西河郡，任命吴起为西河守，全权处理西河地区的军政大务，主持魏国与秦国、韩国的战事。吴起在魏国期间，先后与其他诸侯国大战 76 次，从未失败过，其中 64 次

---

① 《史记·孙子吴起列传》。

② 《史记·孙子吴起列传》。

大获全胜，其余 12 次打了个平手，可见其军事能力。可以说，魏国能在战国初年称霸天下，吴起功不可没。

魏文侯去世后，吴起继续辅佐魏武侯，任西河守，解除了秦国对魏国的威胁，吴起将西河地区治理得井井有条，在魏国上下享有很高的名望。公叔继任魏相，并且娶了魏国的公主，地位显赫。心胸狭窄的公叔继任后，非常忌惮吴起在魏国的影响力，就开始构陷吴起。大臣中也有一些人对在外建功立业的吴起非常不满，他们时不时在魏武侯面前说吴起的各种坏话，魏武侯也担心吴起长期领兵在外，容易形成尾大不掉之势，于是就将他召回到魏都，解除兵权。吴起的军事才能的确非常出众，但是正直的他却难以应对魏国朝政中险恶的政局。吴起逐渐感到不妙，害怕招来无端的祸患，他于是找了个机会，离开效力了 20 多年的魏国。

公元前 390 年，吴起离开魏国。当他得知楚悼王向来非常仰慕他的才华，于是就南下抵达楚国。吴起一到楚国，楚悼王立刻任命其为相国，位极人臣，并委任他在楚国主持变法。吴起开始了大刀阔斧的改革：制定法律，以法治国，令出必行；精简机构，撤除不必要的官职，剥夺三世以外关系疏远王族的爵禄，以节省的费用来奉养前线军队。吴起认为治理国家最重要的事情是富国强兵，不能轻信那些纵横家，他揭穿他们的谎言，破除楚人对纵横家的迷信。在吴起凌厉的改革之下，楚国很快就强大起来，南下平定百越，北上兼并陈、蔡两国，并且击退三晋的进攻，把势力扩展到黄河以北的地区，向西进攻强秦，一时间楚国势力大增，天下诸侯都因楚国的强大而忧虑。吴起改革虽然取得了显著的成就，但是那些在改革中利益受损的世家大族个个视吴起为寇仇，都想杀之而后快，但是慑于楚悼王，也一直未敢动手。

公元前 381 年，楚悼王去世。楚悼王刚死，楚国的宗室大臣趁机作乱攻杀吴起。吴起自知在劫难逃，赶忙逃至楚悼王尸体停放之处，趴在楚悼王的尸体上。此时这些宗室对吴起早已恨之入骨，用箭射杀吴起，同时也射中了楚悼王的尸体。这些宗室甚至还将吴起的尸体残忍地肢解来泄愤。太子臧先是安葬了楚悼王，即位后为楚肃王，他命令楚国的令尹将那些射杀吴起时误伤到楚悼王尸体的宗室全部处死，在此事件中被灭族的楚宗室多达70余家。

不甘碌碌无为的吴起一生辗转鲁国、魏国和楚国，建立了不世功勋。身处战国初年的变革时代，他代表着历史前进的方向。同时，吴起的军事指挥能力非常出众，《尉缭子》中评价吴起的军事才能时称道，带兵七万，能够无往而不胜的人就是吴起。吴起在领兵作战的同时，还进行兵学理论探索，完成了著名的《吴子兵法》。《汉书·艺文志》著录《吴起》48篇，大部分亡佚，今仅存6篇，即《图国》《料敌》《治兵》《论将》《应变》《励士》。吴起兵法对后世影响很大，在战国末期已经产生了深远的影响，当时天下称道兵书时往往是《孙》《吴》并称，《吴子》在宋代被编入《武经七书》，成为当时的官方兵学教科书。

《吴子兵法》在很多兵学思想方面对《孙子兵法》都有所发展，提出的很多重要兵学思想在今天仍发挥着重要的影响。如，在战争观上他主张慎战，反对穷兵黩武；在制胜因素上他更强调"道"的层面，即"人和"；他主张政治军事的配合，认为治国者应当"内修文德，外治武备"①。在战、守之间更重视守，他认为"战胜易，守胜难"②。

二、《吴子》兵书的真伪与流传

吴起为变法而抛洒鲜血，英勇捐躯，这无疑是一出历史悲剧。然而在千秋万载的历史天幕上，他永远是一颗光彩夺目、从不陨落的星斗。他的伟大既缘于他一生中经国治军，卓有成就；也是因为他和兵圣孙武一样，为后世留下一部价值不朽的兵学理论名著——《吴子》。

《吴子》，今存本二卷六篇，全书约近5000字，是吴起兵学思想的主要载体，也记载了一些吴起的生平活动事迹。我们认为《吴子》

---

① 《吴子·图国》。
② 《吴子·图国》。

一书当是由吴起及其门人编缀成书。从这个意义上说，《吴子》一书是吴起兵学流派的集体性创作，成书于战国时期，但所反映的主要还是吴起本人的兵学思想。

但是，长期以来人们对《吴子》一书的真伪和作者都存在着不同的看法。有人认为《吴子》系吴起本人自著，有人认为其书出于吴起门人的笔录。我们认为，这些分歧并不是实质性的问题，因为它仅仅牵涉到吴起与此书的关系是"作"或"述"的问题，并未否定此书所反映的是吴起本人的兵学思想。从古书成书的一般规律考察，《吴子》的成书当是上述两种情况兼而有之，其中，既不乏吴起本人的手笔，也多少带有其门人宾客增补润饰的内容。由于时代久远、资料缺乏，我们今天已很难将其一一区分清楚了，可以略而不论。

然而历史上也有一些学者对《吴子》一书予以全盘的否定，简单认为《吴子》系后人伪托或杂抄成书，从而断定其为一部"伪书"。这一观点主要流行于清代和近现代。清代学者姚际恒云："其论肤浅，自是伪托。"[1] 姚鼐则云："魏晋以后，乃以笳笛为军乐，彼吴起安得云'夜以金鼓笳笛为节'乎？苏明允言'起功过于孙武，而著书颇草略不逮武'，不悟其书伪也。尉缭之书，不能论兵形势，反杂商鞅形名之说，盖后人杂取，苟以成书而已。"[2] 现代学者郭沫若、黄云眉、张心澂、金建德等人也持同样的观点，其中尤以郭沫若的疑伪观点最为系统。郭沫若认为《汉志》所载"《吴起》四十八篇"已经亡佚了，现存的《吴子》六篇系伪书。郭沫若的论证主要有三个方面：其一，"现存的《吴子》……半系吴起与魏文、武二侯之问答，非问答之辞者率冠以'吴子曰'。辞义浅屑，每于无关重要处袭用《孙子兵法》语句"。其二，《吴子》多处袭用《曲礼》《淮南子·兵略训》等书的语句。其三，青龙、白虎、朱雀、玄武四兽配以方色，时间在战国末年以后，"用知四兽为物，非吴起

---

[1]　姚际恒：《古今伪书考》，朴社出版社，1933年，第39页。

[2]　姚鼐：《惜抱轩文集》卷五《读司马法六韬》，《四部丛刊》本。

所宜用"。最后的结论为"今存《吴子》实可断言为伪。以笔调觇之，大率西汉中叶时之人所依托"①。

我们认为，这些"伪书"论调，乃是疑古思潮影响下的产物，往往是主观臆断，难以成立。首先，判断古书的真伪，不能以其书行文是否典雅优美为依据。仅以"辞意浅薄""辞义浅屑"而将其书打入"伪书"行列，未免过于武断轻率，不足为凭。当代人为文，尚有雅俗畅涩之别，我们怎么要求古人为文都达到同一境界呢？其次，吴起作为政治家、军事家，在个人事业上固然要胜过孙子，但其撰写兵书的水平与实际经国治军能力之间并不能简单地画等号。所以我们不能要求《吴子》的理论水平一定高于《孙子》，否则白起、韩信等人就要留传兵法著作，而且应该是最上乘的。更何况《吴子》与《孙子》各有千秋，不能简单地判别轩轾。最后，《吴子》书中提到的"箛笛""四兽"等问题，随着学者研究的深入和考古发掘的进展，这些证据已不能作为否定其书真实性的根据。如考古发掘随县擂鼓墩曾侯乙墓时，其中"发现的一具漆衣箱，盖上以漆为地，朱绘青龙、白虎，中央有象征北斗的大'斗'字，环以古文的二十八宿名称，是非常珍贵的天文学史资料……至于青龙、白虎、朱雀、玄武四神，长期以来被指为汉代较晚才产生的。擂鼓墩这具二十八宿图漆箱的发现，足以纠正流传的错误观念"②。曾侯乙墓的年代要略早于吴起的活动年间，故《吴子》书中提及青龙等"四兽"也是很自然的事情。至于"箛笛"，也见于《六韬·虎韬·军略》的记载。《六韬》在山东临沂银雀山汉墓中已经出土，被证实是战国兵书。由此可见，《吴子》中提到"箛笛"云云并不足为怪。况且，学界现在对古书成书已经有了一个普遍的共识，即古书的成书是一个漫长的历史过程，其中均免不了有后人所增添附益的内容，我们要判定某本古书的真伪，只能依据其书的主体思想立论，而不宜以个别的名词或提法作为取舍的标准。所以，即使退一步说，

---

① 郭沫若：《青铜时代》，人民出版社，1982年，第510—511页。
② 李学勤：《东周与秦代文明》，文物出版社，1984年，第285页。

《吴子》中的"箛笛""四兽"等文字内容确凿是晚出的，也完全不足以动摇其书的真实性，更不能以此而否定吴起及其后学的著作权。

从各种情况来看，《吴子》一书系吴起和其门人共同撰写，是可以成立的。

第一，《吴子》一书在历史上见于多种史籍的著录，这是其书性质判断上的重要依据之一。《韩非子》言："境内皆言兵，藏孙、吴之书者家有之。"[①] 这表明吴起曾著有兵书，其书与《孙子》一样，早在战国晚期就风行于世，为人所重。司马迁在《史记》中也提到"《吴起兵法》，世多有"[②]，这说明在西汉初年，《吴子》的流传也很广泛。又据《史记》记载，"天子（汉武帝）尝欲教之孙、吴兵法"[③]，这显示当时统治者对吴起的兵书予以了高度的重视。

东汉以来，史籍对《吴子》的著录仍不胜枚举。《汉书》著录有"吴起，四十八篇"[④]。可见《吴起兵法》不仅依然流传，而且篇数众多，内容丰富，不仅如此，《吴子》还和《孙子》一样，受到军事家和兵学家的普遍重视和广泛应用，如，《后汉书》中提到东汉大将军鲍永"观孙、吴之策"[⑤]。又如，《三国志·魏书·武帝纪》注引王沈《魏书》云："（曹操）行军用师，大较依孙、吴之法，而因事设奇，谲敌制胜，变化如神。"[⑥] 再如，《晋书》亦记载："（李玄盛）颇习武艺，诵孙、吴兵法。"[⑦] 这些都是明显的事例。

当然，在长期的流传过程中，《吴子》一书有不少内容佚失了。到了唐初，《吴子》只存下一卷。《隋书·经籍志》著录"《吴起兵法》一卷，贾诩注"[⑧]，即系这方面的标志。然而残本《吴子》与古

---

① 《韩非子·五蠹》。
② 《史记·孙子吴起列传》。
③ 《史记·卫将军骠骑列传》。
④ 《汉书·艺文志·兵书略》。
⑤ 《后汉书·冯衍列传》。
⑥ 陈寿：《三国志》，中华书局，1982 年，第 54 页。
⑦ 《晋书·凉武昭王李玄盛列传》。
⑧ 魏微、令狐德棻：《隋书》，中华书局，1973 年，第 1012 页。

本《吴子》之间仍有密切关系，这是因为《隋志》说得很清楚，当时一卷本《吴起兵法》的注者是三国时人贾诩。所以并不存在两晋南北朝人"伪托"的问题。

《新唐书·艺文志》著录吴起的兵书为"贾诩注《吴子兵法》一卷，吴起"①，当与《隋志》所录是同一部书。《宋史·艺文志》、晁公武《郡斋读书志》、王应麟《〈汉书·艺文志〉考证》则均著录吴起兵书为"《吴子》三卷"。此后历代公私录书对《吴子》均有著录，唯卷数上有一卷、二卷、三卷的区别。

晁公武《郡斋读书志》云："《吴子》三卷，右魏吴起撰。言兵家机权法制之说。唐陆希声类次为之说，《料敌》《治兵》《论将》《变化》《励士》，凡六篇云。"② 这里面的篇数、篇次与今存本基本相同，除篇名未提到《图国》，《变化》为《应变》外，其余亦相同。由此可见，今传世本《吴子》在唐代即已基本定型。到北宋神宗元丰年间将《吴子》编入《武经七书》，其更是广为流传，不复再有大的变化。

综上所述，历代对《吴子》的著录史不绝书。其间虽有篇数、内容佚失的情况存在，但是《吴子》一书的部分内容却自战国以来一直流传了下来，今本《吴子》的真实性无可怀疑。

第二，今本《吴子》中的不少内容，与史书有关吴起的史实记载相吻合，同时也与战国时期的战争特点以及吴起兵学思想的要义相一致。

这方面的例证是很多的。如，吴起曾受业于儒家曾申门下，故其论治军时，多袭用儒家"仁""义""礼""德""教"等儒家学说的重要范畴。又如，《吴子》主张"以治为胜"，强调明法令、重刑赏等等，这与《史记》本传记载的"明法审令"立场完全一致。再如《吴子》要求在对待士卒问题上做到"与之安，与之危，其众

---

① 欧阳修，宋祁：《新唐书》，中华书局，1975 年，第 1549 页。
② 晁公武：《郡斋读书志》后志卷二，文渊阁《四库全书》本。

可合而不可离，可用而不可疲，投之所往，天下莫当，名曰父子之兵"①，这和《史记》本传中记载的"起之为将，与士卒最下者同衣食……与士卒分劳苦"② 做法一脉相承。

另外，《吴子》提倡"内修文德，外治武备"③ 的图国方略，充分反映了战国时期诸侯列国重视内政建设，扩充军事实力，以求在兼并战争中立于不败之地的历史趋势；《吴子》高度重视选将任将，提出"总文武者，军之将也"④ 的为将标准，体现了当时文武分职、将相殊途的现实背景；《吴子》主张"简募良材"⑤，建设一支强大常备军，这乃是当时募兵制悄然萌芽的具体写照；《吴子》强调"备千乘万骑，兼之徒步，分为五军"⑥，以攻击敌人，夺取战争的胜利，这正是当时兵种建设上车、步、骑并重，诸兵种协同作战的实际在兵学理论著作中的投影。所有这一切，都完全说明了《吴子》成书于战国时期，强加在它头上的"伪书"说不实之辞理应推倒。

第三，今本《吴子》中的一些内容，亦见于先秦其他兵书的记载，这样就从比勘互参的角度，进一步证实了《吴子》一书的成书年代和作者身份。如，《孙膑兵法·威王问》云："'两军相当，两将相望，皆坚而固，莫敢先举，为之奈何？'孙子答曰：'以轻卒尝之，贱而勇者将之，期于北，毋期于得，为之微陈（阵）以触其厕（侧），是胃（谓）大得。'"⑦ 其问对的内容与文字表达方式均与《吴子·论将》篇中的有关记载大体一致。而《孙膑兵法》东汉以后即已佚失，银雀山汉墓竹简出土后方重见天日，故《吴子》若为后出，根本不可能抄袭《孙膑兵法》，而应该说是《孙膑兵法》继承了《吴子》的这一作战指导思想。再如《吴子》言军事训练的要

---

① 《吴子·治兵》。
② 《史记·孙子吴起列传》。
③ 《吴子·图国》。
④ 《吴子·论将》。
⑤ 《吴子·图国》。
⑥ 《吴子·应变》。
⑦ 《孙膑兵法·威王问》。

领为：“一人学战，教成十人；十人学战，教成百人；百人学战，教成千人；千人学战，教成万人；万人学战，教成三军。”① 类似的记载亦见于《尉缭子·勒卒令》和《六韬·犬韬·教战》。又如，《吴子》言：“用兵之害，犹豫最大；三军之灾，生于狐疑。”② 《六韬》则作：“用兵之害，犹豫最大；三军之灾，莫过狐疑。”③ 两者除个别文字外，也完全一致。随着银雀山汉简出土，《尉缭子》与《六韬》的成书年代在战国期间这一问题已获得彻底解决，所以《吴子》同样应为战国成书的兵学著作。而且从文字、体例等情况来看，它的成书年代当在《六韬》与《尉缭子》之前。在这种情况下，仍然怀疑《吴子》的真实性，无疑是不能自圆其说的。

总之，今本《吴子》二卷六篇应为《史记》《汉书》等史籍所著录的《吴起兵法》（或称《吴起》）部分内容，其作者是吴起和他的门人。虽有少量后人附益的内容，但基本上真实地反映了吴起的兵学思想。

《吴子》自宋神宗元丰年间编入《武经七书》之后，一直为武学的基本教科书，是历代将校的必读之书，在历史上产生过重大的影响。这一情况沿袭至明清而不变，如明洪武十三年（1380），朱元璋诏令兵部复刻元版《武经七书》，使之广为流传；又如，清代“武试默经”，依然是“不出孙、吴二种”。④

三、《吴子》的战争观念

战争观念是任何兵学思想的基石和出发点。在《吴子》之前，《孙子兵法》在这一问题上已有较系统的理性认识，提出了“慎战”和“备战”并重的战争态度。然而，孙子的战争观存在着一个很大的不足，这就是他对有关战争的目的和性质的论述几乎付诸阙如。

---

① 《吴子·治兵》。

② 《吴子·治兵》。

③ 《六韬·龙韬·军势》。

④ 朱墉：《武经七书汇解》，中州古籍出版社，1989 年，第 83 页。

这无疑是一个较大的遗憾。《吴子》在这方面的情况却有所不同，它已经开始注意探讨战争的起因问题，并初步区分了不同战争的性质。

《吴子》将战争的起因归结为五种，一是争夺名位，二是掠取财富，三是仇恨的积累，四是内乱，五是饥荒。《吴子》认为，战争的爆发是不以人的意志为转移的，在列国争雄兼并的条件下，战争乃是普遍的社会现象，是不可避免的。这样，《吴子》就与儒家的德化至上论划清了界限。根据这一基本判断，《吴子》进而对战争的性质进行了具体的分类，即义兵、强兵、刚兵、暴兵、逆兵。主张从事义兵，反对进行强兵、刚兵、暴兵、逆兵。《吴子》明确指出："若行不合道，举不合义，而处大居贵，患必及之。是以圣人绥之以道，理之以义，动之以礼，抚之以仁。"① 虽然《吴子》对战争起源原因的探讨是相当粗浅的，其对战争性质的分类也不无片面简单之处，并不能真正揭示战争的起因和战争的性质，但它毕竟已涉及这些问题，提出了自己独到的看法，这在古典兵学发展史上具有重大的意义。

在对待战争的态度上，《吴子》与《孙子兵法》的观点有其一致之处。它主张"备战"，认为"安国家之道，先戒为宝"②，时刻做好准备，投入对敌作战，用战争的手段实现一定的政治目的。指出"当敌而不进，无逮于义矣；僵尸而哀之，无逮于仁矣"③，并以史实为自己的这一"备战""重战"立场做出佐证："昔承桑氏之君，修德废武，以灭其国。"④ 但是，与此同时《吴子》也主张"慎战"，反对穷兵黩武，并列举"有扈氏之君，恃众好勇，以丧其社稷"⑤。《吴子》还反复强调"战胜易，守胜难"⑥，认为打胜仗太多，就会孕育未来的巨大灾难："天下战国，五胜者祸，四胜者弊，

---

① 《吴子·图国》。
② 《吴子·料敌》。
③ 《吴子·图国》。
④ 《吴子·图国》。
⑤ 《吴子·图国》。
⑥ 《吴子·图国》。

三胜者霸，二胜者王，一胜者帝。是以数胜得天下者稀，以亡者众。"①《吴子》力求通过尽可能少的战争，迅速夺取决定性的胜利，实现称王图霸的目的。从这个意义上讲，《吴子》对战争的态度是和某些法家的战争万能论也有明显区别的。

战争指导思想，也是《吴子》战争观念中的有机组成部分，通观《吴子》全书，可知其核心内容是"内修文德，外治武备"②。《吴子》指出正确处理政治与军事之间的关系，应当是在修明政治的前提下，加强军事建设，为从事兼并战争创造必要的条件。具体地说，一是要"先教百姓而亲万民"③，推行"道、义、礼、仁"四德，搞好内部的团结和统一，达到"四和"的境界，"和于国""和于军""和于阵""和于战"④。二是要做到使"贤者居上，不肖者处下"⑤，重用有贤德和有才能的人，选拔他们担任要职，以利于治国安民。三是要做到使"民安其田宅，亲其有司"⑥，即确保民众安居乐业，亲近政府，以利发展生产，保持国家的稳定。四是君主要关心民众，爱护民众，"爱其命，惜其死"⑦，以争取民众的拥护和爱戴。同时，作为君主还要虚怀若谷，善于纳谏，不搞唯我独尊。五是要建设一支强大的军队，以确保己方在激烈的兼并战争中占据军事上的优势，实施防御能做到稳如磐石，坚不可摧；实施进攻，则能够所向披靡，克敌制胜，"投之所往，天下莫当"⑧。

总而言之，《吴子》的战争观念适应了新兴势力夺取政权、巩固政权和从事兼并战争的需要，具有相当显著的进步色彩。

---

① 《吴子·图国》。
② 《吴子·图国》。
③ 《吴子·图国》。
④ 《吴子·图国》。
⑤ 《吴子·图国》。
⑥ 《吴子·图国》。
⑦ 《吴子·图国》。
⑧ 《吴子·治兵》。

四、"以治为胜"的治军思想

通过对治军实践的总结，《吴子》提出了独具特色的治军理论，其核心是"以治为胜"①。《吴子》认为，军队能否在战场上英勇杀敌，夺取胜利，关键不仅仅在于其人数的多寡，"若法令不明，赏罚不信，金之不止，鼓之不进，虽有百万，何益于用"②，而在于是否能够做到治理严格。而严格治理的具体标准，反映为军队在驻扎时有严格的纪律，展开行动时威武雄壮、震慑敌胆，投入进攻时敌人无法抵挡，实施退却时敌人无法追赶；前进或后撤时秩序井然，向左向右运动时听从命令，即使被敌军分割阵势也不混乱，被敌军冲散战斗行列也能迅速恢复，再次形成战斗力；其将领能与普通士卒同安乐、共危难，做到上下一心，团结一致而不可分离，连续作战而不会疲惫。一旦达到这些标准，军队就能"投之所往，天下莫当"，为进行兼并战争提供保证。

基于"以治为胜"的坚定理念，《吴子》进而系统阐述了治军的具体要求。

第一，主张"教戒为先"③。《吴子》重视对军队官兵开展思想教育，这就是所谓的"教之以礼，励之以义"④，认为只要士卒有了羞耻之心，军队无论攻守，都能得其所宜，"夫人有耻，在大足以战，在小足以守"⑤。同时《吴子》也非常重视军队的军事训练，指出将士在作战中战死往往是由于其军事技能不熟练，作战失败的原因也多是战术要领没有掌握，"夫人常死其所不能，败其所不便。故用兵之法，教戒为先"⑥。为此，《吴子》提出了一整套具体的训练方法，指导平时的训练活动，内容包括单兵技艺训练、战术训练、

---

① 《吴子·治兵》。
② 《吴子·治兵》。
③ 《吴子·治兵》。
④ 《吴子·图国》。
⑤ 《吴子·图国》。
⑥ 《吴子·治兵》。

阵法变化训练等等。

第二，提倡"严刑明赏"①。《吴子》主张从严治军，强调用严格的军纪军法来约束将士，使军队的一切行动"任其上令"②，即坚决服从上级的命令。做到令行禁止，严不可犯。对不从令者要予以诛戮，以整肃军纪，在军事奖惩上要做到"进有重赏，退有重刑"③。对善于使用各种兵器、身强力壮、行动敏捷、志在吞敌的人予以不次拔擢，"必加其爵列"④，以此激励士气，鼓舞斗志。并强调在实行"重赏""重刑"之时必须做到"行之以信"⑤。

第三，强调"简募良材"。《吴子》提倡组建特种精锐部队，以防备、应付突然不测事件，"简募良材，以备不虞"⑥。为此，吴起曾建议魏国统治者"聚卒""练锐"，即把士卒中勇敢强壮者编为一队，把乐意拼死向前者编为一队，把善于越高奔远、轻捷善走者编为一队。《吴子》认为一旦拥有这样的劲旅，便可以无往而不胜。《吴子》同时还主张根据军队将士的身材高矮、体魄强弱、秉性勇怯、智力优下等情况进行合适的分工，以发挥各人的特长，具体做法是"短者持矛戟，长者持弓弩，强者持旌旗，勇者持金鼓，弱者给厮养，智者为谋主"⑦。

第四，提出"总文武者，军之将"⑧ 的为将标准。《吴子》十分重视将领在战争中的地位和作用，认为"良将"关系到国运的盛衰，军队的安危，"得之国强，去之国亡"⑨。为此它对将领提出了严格的要求，总的原则是要文武兼备，刚柔相济，"总文武者，军之将

---

① 《吴子·励士》。
② 《吴子·治兵》。
③ 《吴子·治兵》。
④ 《吴子·料敌》。
⑤ 《吴子·治兵》。
⑥ 《吴子·图国》。
⑦ 《吴子·治兵》。
⑧ 《吴子·论将》。
⑨ 《吴子·论将》。

也。兼刚柔者，兵之事也"①。具体地说，为将者要有为国献身的高尚情操，"受命而不辞，敌破而后言返"，所谓"师出之日，有死之荣，无生之辱"②；具备爱护士卒的慈祥之心，能够与士卒同甘共苦；树立威严，善于号令和指挥部队；善于做到"五慎"，即"一曰理，二曰备，三曰果，四曰戒，五曰约"③；能够掌握气机、地机、事机、力机此"四机"④，即在对敌作战中掌握士气，利用地形，运用谋略，提高战斗力。总之，是为将者的威严、胆识、品德、才干，要足以统率部队，安抚士卒，威震敌军，战胜攻取。

由此可见，《吴子》的治军思想是相当系统完备的，举凡治军原则、教育训练、军纪军法、赏罚手段、精兵建设、选将任将等问题，均有深入的阐述。其中不少合理的思想内核，直至今天仍有一定的借鉴价值。

五、"因形用权"的作战指导思想

在《吴子》的兵学理论体系中，对作战指导思想的阐述，占有相当大的篇幅；然而与其战争观理论和治军思想相比，《吴子》的作战指导思想在特色和价值上，都相形见绌了。与《孙子兵法》更注重从哲理层次揭示作战指导规律的本色有所不同，《吴子》有关作战指导问题的探讨，似乎更倾向于对战术要领的具体表述，这或许同其书问答体的体例有一定关系。尽管如此，《吴子》的作战指导思想仍有值得总结的地方，它大致可以概括为以下两个方面。

第一，强调战争主动权的问题。

《吴子》主张料敌察机，审敌虚实，在知彼知己的前提下，从事战争活动，从而牢牢掌握主动权，克敌制胜。《吴子》和《孙子兵法》一样，非常重视了解敌我双方的军情态势，并把重点放在掌握敌情之上。为此，它专门设有《料敌》篇对此进行深入的阐发。

---

① 《吴子·论将》。

② 《吴子·论将》。

③ 《吴子·论将》。

④ 《吴子·论将》。

《吴子》认为要了解和掌握敌情，主要的途径有两条。一是重视使用
间谍，让其深入敌后搜集敌方的各种情报，掌握敌人的战略动向和
作战方案，即所谓"急行间谍，以观其虑"①。二是要在战场上对敌
实施佯攻，而后又假装败退，引诱敌人前来追击，从敌人追击的情
况来观察判断其虚实，然后决定应敌之策。《吴子》指出，"料敌"
是为了发挥自己的长处，选择捕捉战机，抓住敌人的薄弱环节予以
致命的打击，"用兵必须审敌虚实而趋其危"②。《吴子》对六国军情
的分析和据此而提出的破敌之法，就集中体现了吴起用兵打仗以
"料敌"为先的指导原则："夫齐阵重而不坚，秦阵散而自斗，楚阵
整而不久，燕阵守而不走，三晋阵治而不用。"攻击齐阵，当"必三
分之，猎其左右，胁而从之"；攻击秦阵，应"必先示之以利而引去
之⋯⋯乘乖猎散，设伏投机"；攻击楚阵，则"袭乱其屯，先夺其
气，轻进速退，弊而劳之"；攻击燕阵，宜"触而迫之，陵而远之，
驰而后之"；攻击韩、赵之阵，需"阻阵而压之，众来则拒之，去则
追之，以倦其师"③。应该说，这些分析和对策都是符合当时的实际
情况的，因此也是高明的，而吴起在军事上的成功已充分证明了这
一点。

第二，强调"因形用权"，应敌变化。

《吴子》指出，应当根据作战形势的变化，灵活机宜地实施不同
的谋略和战术，牢牢立于不败之地。《吴子》认为战场的情况各不相
同，作战的形势瞬息万变，高明的作战指导者应该善于分析形势，
把握战机，灵活机动地运用战术，予敌以毁灭性的打击，从而收到
事半功倍之效，"凡战之要，必先占其将而察其才。因形用权，则不
劳而功举"④。具体地说，就是要根据敌情、天时、地利等情况的不
断变化，审时度势，以变应变，实施欺诈、收买、离间、疲困、威

① 《吴子·应变》。
② 《吴子·料敌》。
③ 《吴子·料敌》。
④ 《吴子·论将》。

慑等谋略，灵活采取诱奸、伏击、截击、追击、逼攻、偷袭、水淹、火攻、半渡击等不同战法，迫使敌人分兵、混乱、恐惧、疲惫，陷于不利的地形和被动挨打的地位，而后集中优势兵力，制敌于死命，夺取胜利。在此基础上，《吴子》还进而总结出作战中"因形用权"带有规律性的要领，包括"急击勿疑"的 13 种情况："敌人远来新至，行列未定，可击；既食未设备，可击；奔走，可击；勤劳，可击；未得地利，可击；失时不从，可击；旌旗乱动，可击；涉长道后行未息，可击；涉水半渡，可击；险道狭路，可击；阵数移动，可击；将离士卒，可击；心怖，可击。"[1] 另外还有"击之勿疑"的 8 种情况[2]以及"避之勿疑"的 6 种情况[3]，大大丰富了中国古代作战指导的理论。

总之，《吴子》一书较全面地反映了战国时期的战争特点与吴起本人的兵学思想，深刻地总结了战国前期丰富的实战经验，是继《孙子兵法》之后又一部体系完备、思想精辟、价值巨大的兵学论著，在中国古代兵学思想发展史上具有不可磨灭的地位。

第二节　《尉缭子》的兵学思想

《尉缭子》，"武经七书"之一，成书于战国时期，被有的学者誉为"不在孙武之下"的著名兵书。《尉缭子》的兵学思想具有一定的特色，前人已经指出，如，元代学者马端临在《文献通考》引周氏《涉笔》，指出："《尉缭子》言兵，理法兼尽，然于诸令，督责部伍刻矣。所以为善者，能分本末，别宾主。"[4] 自汉唐以来，

---

① 《吴子·料敌》。
② 《吴子·料敌》。
③ 《吴子·料敌》。
④ 马端临：《文献通考》，中华书局，2011 年，第 6128 页。

《尉缭子》一书一直受到学术界的推崇和重视。清代学者朱墉在对"武经七书"深入研究的基础上，指出《尉缭子》思想的特色："七子谈兵，人人挟有识见，而引古谈今，学问博洽，首推尉缭。"①《四库全书总目》对其评价很高，称："其书大指主于分本末、别宾主、明赏罚，所言往往合于正。如云兵不攻无过之城、不杀无罪之人。又云兵者所以诛暴乱、禁不义也。兵之所加者，农不离其田业、贾不离其肆宅、士大夫不离其官府，故兵不血刃而天下亲。皆战国谈兵者所不道。"②

一、《尉缭子》作者

《尉缭子》的作者一直以来存在着很大的争议，其原因主要在于史籍记载的差异。据《尉缭子》内容来看，"梁惠王问尉缭子曰"③，那么尉缭子当主要活动于梁惠王时期（前 400—前 319）；而《史记·秦始皇本纪》中记载大梁人尉缭来到秦国，为秦国的大一统出谋划策，秦始皇以"国尉"封之，其为秦始皇十年（前 237）之时。史籍记载两个"尉缭"前后时间相差太久，到底是魏惠王时期的隐士还是秦王政时期的国尉，史学家众说纷纭，如"两尉缭说"。杨树达在《汉书管窥》中结合梁玉绳、姚振宗的观点，通过《尉缭子》在《汉志》中的著录位置来判定尉缭子的作者当为梁惠王时期尉缭，而非秦国国尉尉缭，田旭东亦赞成其观点，并进一步指出"从梁惠王到秦始皇其间相隔百年左右，很难说这两个年代的尉缭是同一个人"，所以《尉缭子》的作者应为梁惠王时期的尉缭④，何法周亦持类似观点⑤。当然，也有学者认为《尉缭子》的作者应当是秦始皇

---

① 朱墉：《武经七书汇解》，中州古籍出版社，第 217 页。

② 永瑢等：《四库全书总目》，中华书局，1965 年，第 836—837 页。

③ 《尉缭子·天官》。

④ 田旭东：《魏兵家——吴起和尉缭》，《古代兵学文化探论》，中国社会科学出版社，2010 年，第 42 页。

⑤ 何法周：《〈尉缭子〉初探》，《文物》1977 年第 2 期。

时的尉缭，并以秦兵马俑所体现出军阵作为证据。① 郭沫若认为大梁人尉缭前来游说秦王，是有著作的，但是其判断"今存《尉缭子》二十四篇，内容系言兵，当即《汉书·艺文志·兵形势类》'《尉缭》三十一篇'之残，但系依托"②。当然，也有学者认为两个尉缭实为一人，指出《史记·魏世家》对梁惠王的纪年存在问题，因此提出"与梁惠王答对的尉缭和在秦始皇十年由大梁入秦的尉缭本是同一个人"的看法，弥合了史料记载的矛盾。③

《尉缭子》问对体中的尉缭，一般认为是魏惠王时期的尉缭，史籍对其生平事迹不载，一般认为其身份为隐士。而《史记》所载的秦始皇时期的国尉尉缭，其事迹相对比较丰富。

秦始皇十年（前237），在李斯《谏逐客令》后，秦始皇继续任用客卿，而也是在此时，尉缭子从魏国大梁来到秦国。秦始皇已经着手统一六国的战争，从七国的国力来说，秦国占优，但是六国合纵，秦国也是双拳难敌四手，因此如何破六国合纵，进行战略抉择是统一六国的重中之重。尉缭的到来，适逢其时。尉缭抵达秦国，当然心中明白秦始皇最想要什么，他对秦始皇说道："以秦之强，诸侯譬如郡县之君，臣但恐诸侯合从，翕而出不意，此乃智伯、夫差、愍王之所以亡也。愿大王毋爱财物，赂其豪臣，以乱其谋，不过亡三十万金，则诸侯可尽。"④ 尉缭的言下之意非常明了，秦国的确在七国中最强大，但亦有危机，他警示万万不可重蹈晋智伯、吴王夫差和齐愍王身死国灭的覆辙。因此，尉缭为秦始皇献出了"上兵伐谋"的高策，他建议秦始皇应当以重金来拉拢、利用六国内部的重臣以乱其谋，如此将可平六国。秦始皇听完，深以为然，尉缭成为座上宾，每次见面都以平等礼仪对待，完全不顾秦王的威严，饮食衣服都与尉缭同样，此时的尉缭在秦国位极人臣，尊宠有加，一时

① 龚留柱：《〈尉缭子〉考辨》，《河南大学学报》（社会科学版）1983年第4期。

② 郭沫若：《十批判书》，人民出版社，1982年，第428页。

③ 参见徐勇《尉缭子浅说》，解放军出版社，1989年，第13—25页。

④ 《史记·秦始皇本纪》。

无两。但是尉缭非常清醒，他对秦始皇的为人有着自己的判断："秦
王为人，蜂准，长目，挚鸟膺，豺声，少恩而虎狼心，居约易出人
下，得志亦轻食人。我布衣，然见我常身自下我。诚使秦王得志于
天下，天下皆为虏矣。不可与久游。"① 尉缭通过与秦始皇相处以及
对其面相的描述，提出了自己的见解，当然，这也是历史上唯一对
秦始皇样貌描述的语言。尉缭认为秦始皇不可与之长久相处，所以
就准备逃走，秦始皇发觉后，强加挽留，并封其以国尉，采纳了他
攻灭六国的策略。

由于尉缭的角色以及作用与秦统一六国的名将白起、王翦等有
所不同，因此史书对其事迹未详载，我们亦无法有一个确切的判断，
暂且阙疑。

二、《尉缭子》的成书问题

《尉缭子》一书最早著录于《汉书·艺文志》，在《隋书·经籍
志》《宋史·艺文志》中亦均有著录。《汉志》将先秦兵学分为"权
谋""形势""阴阳""技巧"四家，其中《尉缭子》（31 篇）是现
存唯一的兵形势家兵书。另外，在《汉志》杂家中又列《尉缭子》
（29 篇）。

关于兵形势家 31 篇、杂家 29 篇与今本 24 篇《尉缭子》之间的
关系，学术界存在不同的看法。如，吕思勉就推测："今《尉缭子》
二十四篇，皆兵家言，盖兵家之《尉缭》也。"② 钟兆华认为："兵
家和杂家《尉缭》显然是内容不同仅同署名的两本书……杂家书没
有流传下来，今本是兵形势家《尉缭》。"③ 当然也有与之完全相左
的观点，张烈认为今本《尉缭子》是杂家，而兵形势家在隋以前就
已经失传，今本"正是隋唐时的杂书《尉缭子》"④。何法周指出：

① 《史记·秦始皇本纪》。
② 吕思勉：《先秦学术概论》，东方出版中心，2008 年，第 95 页。
③ 钟兆华：《关于〈尉缭子〉某些问题的商榷》，《文物》1978 年第 5 期。
④ 张烈：《关于〈尉缭子〉的著录和成书》，《文史》第 3 辑。

杂家《尉缭》本是一部著作，"却被《汉书》的作者班固分在'杂家'与'兵家'两大类中，当成了两部书，从而引起了误解，造成了混乱"①。而徐勇认为《尉缭子》最初并非系统的著作，而是尉缭子和他的弟子根据其言论，在不同时期写成的作品，其实 29 篇杂取了其他学派的观点，有杂家的色彩；31 篇实为军令实录。在汉代班固分别列入了杂家和兵家。而今本 24 篇实为 22 篇，是杂家和兵家的杂糅，其中前 12 篇为杂家内容，后 10 篇为兵家内容。② 我们基本认同徐勇的看法，根据今本的内容，我们很难将其断定为"兵形势家"或者"杂家"，所以我们认为"兵形势家"的《尉缭》与"杂家"的《尉缭》在流传过程中均有亡佚，亦有流传，因此今本《尉缭子》是前人将当时已有的两个本子进行混合而成的。

自陈振孙《直斋书录解题》提出《尉缭子》为伪书后，后世学者多认定其为伪书，如，姚际恒在《古今伪书考》中指出："其首《天官篇》与梁惠王问对，全仿《孟子》'天时不如地利'章为说，至《战威》章则直举其二语矣。岂同为一时之人，其言适相符合如是耶？其伪昭然。"③ 而仅有部分学者仍认定其可能非伪书，宋濂认为其为战国兵书无疑："战国谈兵者有言及此，君子盖不可不与也。"④ 吕思勉也认定《尉缭子》一书"多存古制，必非后人所能伪为"⑤。1972 年，在山东临沂银雀山汉墓出上了《尉缭子》残简，足以证明《尉缭子》为先秦古籍，伪书说不攻自破。但是《尉缭子》的作者问题，仍然无法根据出土文献有一个非常准确、科学的判断。

《尉缭子》一书的思想内容非常丰富，其中前 12 篇主要论述了战争观以及战争与政治、经济等方面的关系，侧重于论述攻守权谋与战法等，当与其兵形势家的思想特征有关，后 12 篇主要阐释了如

---

① 何法周：《〈尉缭子〉初探》，《文物》1977 年第 2 期。
② 徐勇：《〈尉缭子〉的成书、著录及其相关问题》，《中国哲学史研究》1986 年第 1 期。
③ 姚际恒：《古今伪书考》，朴社出版社，1933 年，第 40 页。
④ 宋濂：《诸子辨》，朴社出版社，1928 年，第 27 页。
⑤ 吕思勉：《先秦学术概论》，东方出版中心，2008 年，第 95 页。

何治军的一些基本原则和各种军制和军令。《尉缭子》一书紧紧围绕着"刑德，可以百胜"① 的基本观念，广泛而深刻地论述了在战国时代背景下如何用兵取胜的方法。《尉缭子》主要倡导"挟义而战""武表文里"的战争观念，"明法审令""举贤用能"的治军思想，"权敌审将""轻疾机动"的作战指导原则，均在中国兵学发展史上留下辉煌的一笔。

三、"挟义而战""武表文里"的战争观

在战争观问题上，《尉缭子》将战争区分为"挟义而战"② 和"争私结怨"③ 两大类，倡导和支持"诛暴乱，禁不义"④ 的战争，反对"杀人之父兄，利人之货财，臣妾人之子女"⑤ 等为满足一己私欲而发起的不义之战。《尉缭子》强调战争的目的是"并兼广大，以一其制度"⑥，即实现天下统一，结束战国的乱象；认为经济是政治和军事的基础，因此非常注重农业发展与商业的繁荣，认为这样才能富国强兵。尤其是其对商业的独特认识，与先秦其他思想家有所区分，也更为深刻："夫提天下之节制，而无百货之官，无谓其能战也。"⑦

《尉缭子》认为："凡兵，不攻无过之城，不杀无罪之人。"⑧ "故兵者，所以诛暴乱，禁不义。"⑨ 处于历史主导地位的新兴阶层，对于自己所从事的正义战争充分显示出必胜的信心和力量。作为新兴阶层在军事上的代言人，《尉缭子》明确主张："凡挟义而战者，

---

① 《尉缭子·天官》。
② 《尉缭子·攻权》。
③ 《尉缭子·攻权》。
④ 《尉缭子·武议》。
⑤ 《尉缭子·武议》。
⑥ 《尉缭子·兵教下》。
⑦ 《尉缭子·武议》。
⑧ 《尉缭子·武议》。
⑨ 《尉缭子·武议》。

贵从我起。"① 只要是吊民伐罪，正义在我，战略上一定要力求先发制人。

十分可贵的是，《尉缭子》对政治与军事的主从关系作出了正确的表述："兵者，以武为植，以文为种；武为表，文为里。能审此二者，知胜败矣。"② 其认为军事是骨干，政治是根本；军事是表象，政治是本质。这一军事从属于政治的观点，实质上触及了战争是政治的继续的重要原理。其可贵之处在于，《尉缭子》不仅在自然观上具有朴素唯物论的倾向，而且在政治观上也坚持了朴素的唯物主义认识论，并以此作为基础贯穿全书。《尉缭子》开篇第一章《天官》就明确阐述了人的能动作用是决定胜负的根本，深刻地批判了当时占星家利用天文星象预测胜负的唯心论说教。

四、"明法审令" 的治军思想

《尉缭子》作为三晋兵学的代表，其治军思想中更集中体现出法的特征，即"明法审令"，具体而言，主要包括以下四个方面的内容。

第一，主张恩威并用，赏罚兼施。

在军队建设问题上，恩威并用、赏罚兼施从来是军队治军的不二法门。《尉缭子》也不例外，主张"禁必以武而成，赏必以文而成"③，不仅如此，它还主张罚贵赏贱，以求达到整肃军纪、确立军威的目的。《尉缭子》指出："杀一人而三军震者，杀之；赏一人而万人喜者，赏之。杀之贵大，赏之贵小。当杀而虽贵重必杀之，是刑上究也；赏及牛童马圉者，是赏下流也。夫能刑上究，赏下流，此将之武也。"④ 在治军中做到信赏明罚，严格管理，这样的军队打

---

① 《尉缭子·攻权》。
② 《尉缭子·兵令上》。
③ 《尉缭子·治本》。
④ 《尉缭子·武议》。

起仗来就可以实现"发能中利，动则有功"①，才能成为真正的"王霸之兵"②。

第二，重将帅的选拔。

"举贤用能""明法审令""贵功养劳"③，这些都是对将帅选择的一般要求。除此之外，《尉缭子》还明确要求将帅在战场上要做到"三忘"："将受命之日忘其家，张军宿野忘其亲，援枹而鼓忘其身。"④ 在作战指挥上要做到"三不制"，即"上不制于天，下不制于地，中不制于人"⑤；同时还要做到"四无"，即"无天于上，无地于下，无主于后，无敌于前"⑥。作为一个优秀的将帅，既具备舍生忘死的牺牲精神，又掌握机断指挥的权力，那么，他在战争中就能建功立业。

第三，注重军队建设中官兵关系的和谐。

《尉缭子》十分注重军队内部的团结，认为上下之间、官兵之间的关系犹如心与四肢的关系，"将帅者心也，群下者支节也。其心动以诚，则支节必力；其心动以疑，则支节必背"⑦。所谓将帅的"心诚"绝不是一句空话，而是要时时处处为人表率，做到"暑不张盖，寒不重衣，险必下步。军井成而后饮，军食熟而后饭，军垒成而后舍，劳佚必以身同之"⑧。

第四，"制必先定"的治军思想。

"制必先定"⑨ 是《尉缭子》治军思想的一个重要组成部分。它认为，严格而周密的法制是取胜的重要保证，所谓"制先定则士不乱，士不乱则刑乃明。金鼓所指，则百人尽斗。陷行乱阵，则千人

---

① 《尉缭子·制谈》。
② 《尉缭子·制谈》。
③ 《尉缭子·武议》。
④ 《尉缭子·武议》。
⑤ 《尉缭子·兵谈》。
⑥ 《尉缭子·武议》。
⑦ 《尉缭子·攻权》。
⑧ 《尉缭子·战威》。
⑨ 《尉缭子·制谈》。

尽斗。覆军杀将，则万人齐刃，天下莫能当其战矣"①。制度问题范围很广，《尉缭子》从军队的管理、教育、训练和作战各个方面论述了以法治军的重要性和具体主张。如，为了配合主力部队作战，它主张配置"踵军（接应部队）""兴军（前卫部队）""分塞军（后方卫戍部队）"和"前御军（前方警戒部队）"，各军各自的作战任务都有明确区分，以保障战争的胜利。又如，为了在战争中搞好协同和指挥，《尉缭子》要求用旗、羽、章作标志，并在《经卒令》中作了具体而明确的规定，以便识别和约束。而在作战中，它要求严格区分金、鼓、铃、旗的指挥功能，以统一号令，夺取胜利。

五、《尉缭子》的思想特色

《尉缭子》在《汉书·艺文志》中列入"兵形势家"，而且是"兵形势家"中所列 11 部兵书中唯一存世的一部，其余都失传了。因此，要了解"兵形势"这一流派的思想和特点，《尉缭子》一书便显得异常珍贵和重要。

所谓"兵形势"，班固曾有明确的表述："形势者，雷动风举，后发而先至。离合背乡，变化无常，以轻疾制敌者也。"② 其中，"雷动风举"言兵锋之威，"后发先至"言行军之快，"离合背乡"言其机动能力高，"变化无常"言其战术变化巧，"以轻疾制敌"就相当于今天所谓速战速决的意思。这充分反映了战国中期以后军队运动性提高，战场机动能力增强的时代特征。《荀子》亦说，当时"后之发，先之至"已成为"用兵之要术"③。

"兵形势家"的《尉缭子》与"兵权谋家"在战争指导上有密切的渊源关系。在《孙子兵法》中有一个重要的命题，即"不战而屈人之兵"的全胜思想。我们从《尉缭子》的《战威》《攻权》等篇可以看出，它继承和吸取了"兵权谋家"这一战略思想，主张

---

① 《尉缭子·制谈》。
② 《汉书·艺文志》。
③ 《荀子·议兵》。

"不暴甲而胜"①。同时，还把战争的胜利分为三种方式：一是"道胜"，二是"威胜"，三是"力胜"。所谓"道胜"就是"庙胜"——"高之以廊庙之论，重之以受命之论，锐之以逾垠之论，则敌国可不战而服"②。为了求得全胜，未战之前要有必胜的条件，"战不必胜，不可以言战；攻不必拔，不可以言攻"③。《尉缭子》严厉批评那种企图凭借侥幸以取胜的做法是"曲胜"，并认为："曲胜言非全也，非全胜者无权名。"④ 旗帜鲜明地指出非全胜者是不懂得战争谋略、没有权威的将军。

从一般治军作战而言，《尉缭子》高度概括出 12 条基本原则："威在于不变，惠在于因时，机在于应事，战在于治气，攻在于意表，守在于外饰，无过在于度数，无困在于豫备，慎在于畏小，智在于治大，除害在于敢断，得众在于下人。"⑤ 言简意赅，内涵丰富，堪称警策。

《尉缭子》的兵形势特色，主要表现在以下三个方面，即未战之前的对敌优势，将战之时的作战布势，既战之后的凌敌威势。

第一，强调拥有军事实力，建立战前的对敌优势。

战争是敌对双方在政治、经济、军事、科技以及自然条件的基础上互争优势和主动的主观能力的较量。我国古代兵学家无不重视战前创造良好的客观基础。在兵学家看来，"兵形势"中的"形"与"势"是有区别的。《孙子兵法》中有《形篇》与《势篇》。其中，《形篇》之"形"主要讲的是军事力量，《势篇》之"势"主要讲的是军事力量的发挥。

"兵形势家"是"形"与"势"的统一论者，离开"形"去空谈"势"，或离开"势"去谈"形"，无异于只讲主观努力不讲客观条件，或只讲客观条件不讲主观努力，都是不正确的。"兵形势家"，

① 《尉缭子·兵谈》。
② 《尉缭子·战权》。
③ 《尉缭子·攻权》。
④ 《尉缭子·攻权》。
⑤ 《尉缭子·十二陵》。

首先是实力论者，强调经济的、军事的、自然的客观条件，也就是所谓"富国强兵"。《尉缭子》明确主张"土广而任则国富，民众而制则国治"①，只有这样，才能形成"不暴甲而胜"②的优势地位。

就作战而言，《尉缭子》十分重视战前准备，主张站稳脚跟，反对浪战。它说："故知道者，必先图不知止之败，恶在乎必往有功。"③又说："战不必胜，不可以言战。攻不必拔，不可以言攻。"④因此，为将者必须"权敌审将，而后举兵"⑤，必须坚持不打无把握、无准备之仗。

第二，精心运筹决胜，造成最佳战场布势。

在作战指导上，《尉缭子》主张"攻在于意表，守在于外饰"⑥。在战场上的进攻在于出敌意料，而防御则在于巧妙伪装，隐蔽部署。为了形成最佳的战场布局，求得有利的作战态势，它要求一方面"事在未兆"⑦时，先期做好作战准备；另一方面要广施权变，迷惑、欺骗敌人，所谓"战权在乎道之所极。有者无之，无者有之，安所信之"⑧。自己站稳脚跟与不让敌人站稳脚跟是一个问题的两个方面。在这个问题上，关键是"修己"，是否确实具备了取胜的把握，做好了胜敌的准备。

战场布势的具体内容是多方面的，攻、防、追、遭、退，各有特殊要求。即便同是防守，野战防御、阵地防御、城邑防御、河川防御等等，也都各有其不同的防御特点和要求。以城邑防御为例，《尉缭子》对此作了若干精辟的论述，提出了许多独到的见解，无论在理论上还是方法上，有些地方都超越了《孙子兵法》和《孙膑兵

---

① 《尉缭子·兵谈》。
② 《尉缭子·兵谈》。
③ 《尉缭子·战权》。
④ 《尉缭子·攻权》。
⑤ 《尉缭子·攻权》。
⑥ 《尉缭子·十二陵》。
⑦ 《尉缭子·攻权》。
⑧ 《尉缭子·战权》。

法》，也超过了《吴子》。如《尉缭子》指出："凡守者，进不郭围，退不亭障，以御战，非善者也。豪杰雄俊，坚甲利兵，劲弩强矢，尽在郭中，乃收窖廪，毁拆而入保，令客气十百倍，而主之气不半焉，敌攻者，伤之甚也。"① 又说："其有必救之军者，则有必守之城。"② 在城邑防御的指导思想和作战布势上，《尉缭子》反对单纯防御，并注意到了城坚、粮丰、水足、兵力优势、装备精良等问题，尤为可贵的是它十分重视机动部队适时策应。

战场布势，在《尉缭子》中还表现为以奇正造势。它认为："正兵贵先，奇兵贵后，或先或后，制敌者也。"③ 我们从《分塞令》这一篇清楚地看到，《尉缭子》所言布阵之法主要是五军阵——"中军和左、右、前、后军"。中军是指指挥者控制的机动部队，《握奇经》称之为"余奇"之兵。阵形无论如何变化，中军始终居中，位置不变。变化的是前军、后军、左军和右军。古兵法关于五军阵变换为八军阵，有两句名言：一是"数起于五而终于八"④，二是"四奇、四正，而八阵生焉"⑤。前、后、左、右四军通常称为"四正"，在左前、左后、右后、右前四个方向上部署的兵力，通常称为"四奇"。《尉缭子》认为，善于巧妙部署兵力，灵活运用正兵和奇兵，广泛采取奇谋诡诈之术，"有者无之，无者有之"⑥，出奇制胜，就能取得胜利。可见，它对于运用"奇正"造势是相当重视的。

第三，临阵审时度势，充分发挥击敌威势。

如果说在战前建立军事实力优势和形成有利态势都还只是战斗力蓄势于前，是能量尚未完全变为动中之"势"的"形"，那么，作战中充分发挥出来的击敌威势，或常言所谓破竹之势，就是战斗

---

① 《尉缭子·守权》。
② 《尉缭子·守权》。
③ 《尉缭子·勒卒令》。
④ 吴如嵩、王显臣：《李卫公问对校注》，中华书局，2016 年，第 18 页。
⑤ 汪宗沂：《武侯八阵兵法辑略》，中华书局，1985 年。
⑥ 《尉缭子·战权》。

力由静态的"形"转化为动态的"势"，已属于"任势"的范围了。《孙子兵法》曾用高山滚石来比喻军力发挥的锐势。那么，军队在战场上所发挥的锐势除了军事实力和战场态势等客观条件外，是由什么因素决定的呢？

从《尉缭子》中可以概括为指挥专一、先发制人、避实击虚、兵贵神速等几个方面，以下分别述之。

其一，指挥专一。《尉缭子》认为："将者，上不制于天，下不制于地，中不制于人。"① 又说："无天于上，无地于下，无主于后，无敌于前。一人之兵，如狼如虎，如风如雨，如雷如霆，震震冥冥，天下皆惊。"② 它主张的这种"三不制""四无"，就是主张授予将领机断指挥之权。将领指挥专一，便能形成"一人之兵"，才能锐不可当，"天下皆惊"。

其二，先发制人。《尉缭子》征引"兵法"说："千人而成权，万人而成武。"然后得出结论："权先加人者，敌不力交。武先加人者，敌无威接。故兵贵先。胜于此，则胜彼矣；弗胜于此，则弗胜彼矣。"③ 先机而动，先发制人，这在战役、战斗上从来就是兵家制胜的信条。至于在战略上，先发制人固然也会取得突然击敌的效果，这只是从纯军事的角度而言。如果要考虑政治性质，社会的、国际的影响，那就又当别论了。

其三，避实击虚。《尉缭子》强调："先料敌而后动，是以击虚夺之也。"④ 又曰："我因其虚而攻之。"⑤ 这也是兵家制胜的不二法门。无论在战略上，或在战役、战斗上，主攻方向都应力求选择在既是敌虚弱又是其要害之处出击，这样才能用力少而收功多，一战而胜，再及其余。

---

① 《尉缭子·兵谈》。
② 《尉缭子·武议》。
③ 《尉缭子·战权》。
④ 《尉缭子·战威》。
⑤ 《尉缭子·攻权》。

其四，兵贵神速。《尉缭子》也有精辟的论述，如说："故凡集兵，千里者旬日，百里者一日，必集敌境。卒聚将至，深入其地，错绝其道，栖其大城大邑，使之登城逼危。"① 兵力集中，展开迅速，进攻敏捷，指挥正确，兵锋所向，无敌不克。

《尉缭子》的这些论述继承和深化了前人相关兵学原则的论述，亦有自己独特的论述方法，其对兵学发展做出了重要的贡献，是中国兵学史上不可或缺的重要部分。

第三节　三晋法家的兵学思想

法家，是战国时期的一个重要思想流派，《汉书·艺文志》列为"九流"之一，在当时"百家争鸣"的局面中，它与儒、墨、道、名、阴阳五家同为最有代表性的学派。

一、法家兵学理论的基本特征

法家学说的基本特色是"不别亲疏，不殊贵贱，一断于法"②"信赏必罚，以辅礼制"③。法家所主张的理论和秩序是与礼乐文明相对的一种新的思想和秩序。法家学者力主变革，认为社会是不断向前发展的，政治措施应该顺应变化了的情况："各当时而立法，因事而制礼。礼、法以时而定，制、令各顺其宜。"④ 在战国时期由法家主持的具有代表性的改革分别是李悝在魏国主持的变法、吴起在楚国主持的变法和商鞅在秦国主持的变法。他们共同的特点是主张强化君主专制，以严刑峻法治民，厉行赏罚，奖励耕战，巩固土地

---

① 《尉缭子·攻权》。
② 《史记·太史公自序》。
③ 《汉书·艺文志》。
④ 《商君书·更法》。

私有制，建立统一的集权国家，以农致富，以战求强，以法为教，以吏为师，等等。其缺点也非常明显，主要包括轻视和否定教化，独任刑法，刻薄寡恩，往往会对旧贵族造成极大的冲击，主持变革者个人的结局往往不好。"及刻者为之，则无教化，去仁爱，专任刑法而欲以致治，至于残害至亲，伤恩薄厚。"① 所以，一般而言，法家的改革成效往往能够收效于一时，但有其局限性。

　　法家内部的不同派别，由于师承关系的不同和地域环境的差异，还具有各自的个性。按地域考察，法家可以划分为三晋法家和齐地法家，商鞅、韩非是前者的代表，他们是法家的主流；管子则是后者的代表。在齐国特定的开放环境中，受学术兼容并取传统的影响，齐国法家在主张推行法治的同时，也主张容纳礼义教化，强调礼法并用，相辅相成，注重耕战的同时，仍不废工商，驱使民众的同时，又注意争取民心。这些都是与三晋法家有所区别的。按学派考察，前期法家可以区分为"法""术""势"三派。商鞅重"法"，申不害重"术"，慎到重"势"。所谓"法"，就是成文法，"法者，编著之图籍，设之于官府，而布之于百姓者也"②。所谓"术"，就是君主驾驭臣民的权术，"术者，藏之于胸中，以偶众端而潜御群臣者也"③。所谓"势"，就是势位，指国君的威势，即政权力量，君主权势："势者，胜众之资也。"④ 又曰："主之所以尊者，权也。"⑤可见三派的侧重点各有不同，这种分歧一直到韩非子那里才得到综合。注意这些地域与派别之间的差异，对于我们全面认识法家思想的内容与特点是非常有益的。

　　法家兵学思想是法家哲学、政治思想在兵学领域内的反映，亦是法家为实现自己政治理想而提出的系统军事理性认识。总括地说，

---

① 《汉书·艺文志》。
② 《韩非子·难三》。
③ 《韩非子·难三》。
④ 《韩非子·八经》。
⑤ 《韩非子·心度》。

法家兵学思想大抵有以下几个主要方面。

第一，肯定战争是社会生活中的必然现象，拥护、支持并参与当时的兼并战争。法家认为，战争起源于人类的私欲，是人类争名夺利的自然结果。在战国特定的社会环境里，战争乃是消除割据，进行兼并，完成统一，再次实现和平的有效途径，具有历史的合理性。所以他们积极主张战争，提倡"战胜强立"，反对儒墨"非战""羞兵"的观点。

第二，主张以耕战为本，富国强兵。在战国激烈的兼并战争的环境中，哪个国家经济实力雄厚，军事力量强大，哪个国家就能够在兼并战争中占据主动地位，并不断壮大发展。法家清醒地意识到了这一点，所以积极主张重视农业，发展经济，加强军力，奖励耕战。于是他们着重阐述了耕战的意义、方法、措施以及目的，如《商君书》明确指出："民之欲利者，非耕不得；避害者，非战不免。境内之民，莫不先务耕战……能行二者于境内，则霸王之道毕矣。"① 因此，法家的著作也被称为"耕战书"。

第三，以法治军，严明赏罚。明赏罚、严法纪是战国大多数政治家、思想家的共同主张，其中尤以法家对这一问题的强调最为显著突出。这也是法家政治观念反映于其兵学理论的必有之义。法家认为要使士兵勇敢作战，夺取战争的胜利，必须通过重刑厚赏这一手段。所以主张严明军纪，重赏重罚："赏厚而信，人轻敌矣；刑重而必，失人不北矣。"② 在执行过程中，执法者一定要做到公正不阿，"不辟亲贵，法行所爱"③。这一点与兵家提倡"刑上极，赏下通"④ 的做法是相当接近的。为了激励民众踊跃参战，为兼并战争效命，法家倡导并推行军功爵制，如商鞅在秦国推行的二十等爵制，这既有力地推动了兼并战争的开展，也在客观上进一步削弱了旧贵

---

① 《商君书·慎法》。
② 《韩非子·难二》。
③ 《韩非子·外储说右上》。
④ 《六韬·龙韬·将威》。

族的特权和势力。

当然，法家不同派别和人物，对兵学基本问题的理性认识也是有差异的，这既表现为认识深度的不一，也表现为论述侧重点的不同。如，《商君书》主战态度最为积极，而《韩非子》《管子》则多少有所节制。又如，《管子》《商君书》对作战指导问题多有阐述，而《韩非子》在这方面则稍显逊色。同中有异，使得法家兵学思想呈现出丰富多彩的特色。

二、《商君书》的兵学思想

《商君书》，也称《商子》，战国时期商鞅及其后学的著作汇编，是法家学派代表作之一。

商鞅（约前390—前338），战国中期著名政治家、思想家、军事家，前期法家的主要代表人物。商鞅是卫国人，姓公孙，名鞅，亦称卫鞅或公孙鞅。后受封商邑，号商君，故又称商鞅。早年曾师事尸佼，并为魏相公叔痤家臣，为公叔痤所赏识，但是始终不为魏惠王所用。公元前361年，商鞅听闻秦孝公试图恢复秦穆公霸业，求贤于天下，于是西行，得到了秦孝公的赏识，辅佐秦孝公在秦国执政近20年。在此期间曾顺应历史潮流，在秦孝公等人支持下，先后两次主持变法，在变法令中，展现了法家的基本立场："令民为什伍，而相牧司连坐。不告奸者腰斩，告奸者与斩敌首同赏，匿奸者与降敌同罚。民有二男以上不分异者，倍其赋。有军功者，各以率受上爵；为私斗者，各以轻重被刑大小。僇力本业，耕织致粟帛多者复其身。事末利及怠而贫者，举以为收孥。宗室非有军功论，不得为属籍。明尊卑爵秩等级，各以差次名田宅，臣妾衣服以家次。有功者显荣，无功者虽富无所芬华。"又载："而令民父子兄弟同室内息者为禁。而集小乡邑聚为县，置令、丞，凡三十一县。为田开阡陌封疆，而赋税平。平斗桶权衡丈尺。"[1] 可以看出，商鞅变法的核心内容是奖励军功，发展农桑，废除井田，推行县制，统一度量

---

[1] 《史记·商君列传》。

衡，革除旧习，这些措施使得秦国一跃而成为当时最富强的国家，为秦国日后的发展并最终统一六国奠定了基础。秦孝公死后，惠文王立，公子虔等人告发其"欲反"，惠文王派人捕杀了他，并车裂其尸，灭其全家。商鞅虽死，可其法未败，他的变法措施在秦国得到了保留。商鞅变法是战国时期最成功、最彻底的一次变法，也是秦国崛起的关键。

《商君书》比较集中地反映了商鞅一派法家的政治立场、经济主张、哲学理念、兵学思想以及社会历史观点，也载有一些秦国的政治、经济和军事制度，以及变法的史实。其书在战国末年就有传本，并流传很广，故有"今境内之民皆言治，藏商、管之法者家有之"①之说。《汉书·艺文志》法家类著录"《商君》二十九篇"②，现存24篇。其中第16篇、第21篇有目录而无内容。今本《商君书》中有不少商鞅的著作，如《垦令》《靳令》《外内》《开塞》《耕战》诸篇。但是也有许多篇可能出自其后学之手，这从文章内容和行文风格中可以看得出来，这方面的篇目有《徕民》《更法》《错法》《弱民》《定分》等。《商君书》作为一个整体，可以完整把握商鞅思想以及以商鞅为代表的法家学派的思想内容和历史地位。除《商君书》以外，《汉书·艺文志》兵家类还著录有《公孙鞅》27篇，入"兵权谋家"。据《汉书》载："吴有孙武，齐有孙膑，魏有吴起，秦有商鞅，皆禽敌立胜，垂著篇籍。"③ 据此可知，《公孙鞅》一书是商鞅学派的专门兵学理论著作，遗憾的是其书早已亡佚，使得我们今天在研究商鞅学派兵学思想时，只能以《商君书》作为最主要的依据。

《商君书》的兵学思想，大致可以概括为积极主战的战争观、农战结合的战争指导思想、以重刑厚赏为主干的治军理论以及有关的具体作战指导思想等四个方面。

---

① 《韩非子·五蠹》。
② 《汉书·艺文志》。
③ 《汉书·刑法志》。

　　第一，"以战去战"的思想。

　　《商君书》认为，当时的社会正处于武力征伐的时代，天下大乱，群雄兼并，一日无已，"今世强国事兼并，弱国务力守……万乘莫不战，千乘莫不守"①。在这样的特殊历史条件下，战争乃是社会生活中最重要的事务，直接关系到一个国家的安危存亡："名尊地广以至王者，何故？战胜者也。名卑地削以至于亡者，何故？战罢者也。"② 因此，要立足天下，称王称霸，就必须从事战争，"国之所以兴者，农战也"，并认为这才是"适于时"的做法。为此《商君书》积极主张战争，反对所谓"非兵""羞战"之类的论调，明确肯定战争的合理性和必要性："以战去战，虽战可也；以杀去杀，虽杀可也。"③

　　为了论证其积极主战思想的合理性，《商君书》进而指出："国贫而务战，毒生于敌，无六虱，必强；国富而不战，偷生于内，有六虱，必弱。"④ 意思是说，面对纷争之世，国家应积极进行战争，毒害就会输散到敌国那里。什么是"六虱"？《商君书》明确指出："六虱：曰礼、乐；曰《诗》《书》；曰修善，曰孝弟；曰诚信，曰贞廉；曰仁、义；曰非兵，曰羞战。"⑤ 《商君书》认为，这些人的存在有害于农战和国家，故称其为"六虱"。如果"六虱"在一个国家中毫无市场，贫弱的国家也必能走向强盛。相反，如果国家强盛而不去进行战争，那么国内就会产生苟且偷安的风气，"六虱"就有市场，就会像瘟疫一样传播开来，这最终会导致国力的削弱。因此，《商君书》肯定战争是建立强大国家的必要手段，是振奋民心、净化社会空气的有效措施。类似的观点在《去强》篇中也有明确的表述。这里，《商君书》将"非兵""羞战"看作是和"仁义""礼

---

① 《商君书·开塞》。
② 《商君书·画策》。
③ 《商君书·画策》。
④ 《商君书·靳令》。
⑤ 《商君书·靳令》。

乐"一样的危害国家安全的"虱子",予以坚决反对。这是和儒、墨"非战"、反战的思想根本对立的,也和兵家"慎战"的观点有所不同。由此可见,"以战去战""以盛知谋,以盛勇战,其国必无敌"①,乃是《商君书》对待战争的基本态度和坚定立场。

第二,农战结合,"多力者王"。

《商君书》对如何赢得战争的胜利进行了深入的探讨,提出了农战结合的战争指导思想。《商君书》认为,要确保国家在战争中取胜,就必须注重加强国家的实力建设,只有具备强大的实力,方能统一天下,这叫作"多力者王"②。书中明确指出,国家的强盛与否是由国家的实力所决定,并认为恩德也产生于实力,即所谓"力生强,强生威,威生德,德生于力"③。

《商君书》进而指出,加强国家的实力关键在于政治措施是否得当。在《商君书》中,军事和政治是紧密结合在一起的。它明确表述:"凡战法必本于政胜。"又曰:"政久持胜术者,必强至王。"④意思是说,政治上的胜利是取得战争胜利的根本前提。

把战争与政治联系起来加以考虑和分析,在先秦诸子中并不罕见,但在《商君书》中,将修明政治等同于厉行农战,则是它的特点。《商君书》所谓的"政胜"主要是指实行农战。它一再强调从事农战的重要性:"圣人之为国也,入令民以属农,出令民以计战……富强之功可坐而致也。"⑤ 又曰:"国之所以兴者,农战也。"亦曰:"国待农战而安,主待农战而尊。"⑥ 甚至认为,农战是富国强兵、实现霸王之业的关键:"能行二者于境内,则霸王之道毕矣。"⑦ 相反,如不进行农战,则一定会危及国家,丧失兼并战争的

---

① 《商君书·靳令》。
② 《商君书·去强》。
③ 《商君书·靳令》。
④ 《商君书·战法》。
⑤ 《商君书·算地》。
⑥ 《商君书·农战》。
⑦ 《商君书·慎法》。

主动权："彼民不归其力于耕，即食屈于内；不归其节于战，则兵弱于外。入而食屈于内，出而兵弱于外，虽有地万里、带甲百万，与独立平原一贯也。"①

《商君书》认为，农耕为攻战之本，两者互为关系不可分割，重战和重农必须紧密结合。因为农业生产不仅为战争提供雄厚的物质基础，而且只有人民致力于农耕，才会安土重居，这样既有利于社会秩序的稳定，也可以驱使民众为保卫国土而竭力死战，正所谓："圣人知治国之要，故令民归心于农。归心于农，则民朴而可正也，纷纷则易使也，信可以守战也。"②《商君书》把经济与军事联系起来，反复阐明农耕与兵战的关系及其在治国中的重要地位，是较为辩证全面的认识，在当时具有强烈的现实意义和具体的可操作性。

第三，重刑厚赏，以法治军。

《商君书》用大量的篇幅阐述其治军思想，为后人留下丰富的治军理论遗产。其基本特色是强调以法治军，而以法治军的核心内容则是提倡重刑厚赏。

《商君书》肯定严明法制对于军队建设的重要性，指出："胜有三等：若兵未起则错（措）法，错法而俗成，（俗成）而用具。此三者必行于境内，而后兵可出也。"③ 又曰："民胜法，国乱；法胜民，兵强。"④ 这是与儒家以仁义治军的观点大相径庭的。《商君书》认为以法治军的有效手段是重刑厚赏，促使士兵勇敢杀敌，在战争中全力取胜。"夫农，民之所苦；而战，民之所危"⑤，所以，唯有借助于重刑厚赏这一手段，使民众意识到其中的利害关系："民之欲利者，非耕不得；避害者，非战不免。"⑥ 又曰："故欲战其民者，

---

① 《商君书·慎法》。
② 《商君书·农战》。
③ 《商君书·立本》。
④ 《商君书·说民》。
⑤ 《商君书·算地》。
⑥ 《商君书·慎法》。

必以重法。赏则必多，威则必严。"① 如此方可保证"利出于地，则民尽力；名出于战，则民致死"②。

《商君书》认为，要使重刑厚赏的思想真正发挥其作用，就必须制定具体的标准，辅之以必要的方法。这个标准和方法，就是指"壹赏、壹刑、壹教"③。所谓"壹赏"，就是"利禄官爵专出于兵，无有异施也"④，即把奖赏统一到战功方面来。所谓"壹刑"，即统一刑罚，"刑无等级"，那么"自卿相、将军以至大夫、庶人，有不从王令、犯国禁、乱上制者，罪死不赦。有功于前，有败于后，不为损刑。有善于前，有过于后，不为亏法"⑤。所谓"壹教"，就是"当壮者务于战，老弱者务于守，死者不悔，生者务劝"⑥，即把教育统一到农战上来。在国家力量的主导下，使得"民闻战而相贺也，起居饮食所歌谣者，战也"⑦，形成民众"乐战"的社会风气："民怯于邑斗，而勇于寇战。"⑧《商君书》指出，一旦做到了这三点，便可令行禁止，上下一致，无敌于天下了："壹赏则兵无敌，壹刑则令行，壹教则下听上。"⑨

第四，《商君书》的作战指导思想。

《商君书》不是专门的兵学理论著作，因此，它对作战指导问题的论述相对显得比较单薄。但是仍有一些内容值得我们重视和研究。

首先，主张明察敌情，量力而行，权宜机变，灵活主动。《商君书》曰："论敌察众，则胜负可先知也。"⑩ 即在知彼知己的基础上，预知胜负。它还主张在作战中，应对敌情随时刺探，以采取适当的

---

① 《商君书·外内》。
② 《商君书·算地》。
③ 《商君书·赏刑》。
④ 《商君书·赏刑》。
⑤ 《商君书·赏刑》。
⑥ 《商君书·赏刑》。
⑦ 《商君书·赏刑》。
⑧ 《商君书·战法》。
⑨ 《商君书·赏刑》。
⑩ 《商君书·战法》。

对策:"兵起而程敌,政不若者勿与战,食不若者勿与久,敌众勿为客。敌尽不如,击之勿疑。"①

其次,用兵作战重"谨"。《商君书》主张"兵大律在谨"②。虽然其积极主战,而在具体作战指导上,它提倡谨慎从事,反对盲动,这也反映出其重战的态度,同时亦反映出在兼并战争下胜负对国家生死存亡的重大意义。如,在追击溃敌问题上,它要求适可而止,以免中敌埋伏:"见敌如溃,溃而不止,则免。故兵法:'大战胜,逐北无过十里。小战胜,逐北无过五里。'"③

再次,注重士气在作战中的作用。《立本》篇论述了致胜的因素问题,指出取得作战的胜利,凭借人数众多、装备精良、名声显赫是不可靠的,关键在于激发和利用士气:"恃其众者谓之葺,恃其备饰者谓之巧,恃誉目者谓之诈……故曰:强者必刚斗其意,斗则力尽,力尽则备,是故无敌于海内。"④

最后,探讨守城防御作战的原则和战法。这在《商君书》中有精辟的论述。其中指出,守城防御作战,要用具有死守决心的军民,同进攻之敌决战到底,"以死人之力与客生力战",做到"无不尽死"。⑤ 守城还要预先做好充分的准备,并发动全体居民参加作战:"守城之道,盛力也。"又曰:"三军:壮男为一军,壮女为一军,男女之老弱者为一军。"⑥ 根据男女老弱的不同情况,因材施用,适当分配各军的任务,团结协调,争取胜利。将这些同《墨子》书中有关守城作战论述的记载参看对照,可以使我们较全面地了解战国时期守城防御作战思想的基本内容和主要特色,其中亦可窥见墨家与秦国的密切关系。

《商君书》所包含的兵学思想,是比较丰富的。它反映了代表新

---

① 《商君书·战法》。
② 《商君书·战法》。
③ 《商君书·战法》。
④ 《商君书·立本》。
⑤ 《商君书·兵守》。
⑥ 《商君书·兵守》。

兴阶层利益的法家在战争问题上积极进取的态度，它对农战关系及其重要性的认识，对以法治军、严刑厚赏问题的论述，在当时兵学思想领域中均独树一帜，具有强烈的现实意义，是适应时代潮流的理论，并对后世兵学思想的发展产生了较大的影响。但《商君书》鼓吹战争，将战争抬高到不适宜的地位，将国家视为战争机器，以为战争可以解决一切问题，而减弱乃至否定政治教化的作用，这显然是片面的。至于它"胜强敌""必先胜其民"① 之类的观点，主张在国内采取高压政策以力压制民众，则突出体现了它与广大民众尖锐对立的立场。

三、《韩非子》的兵学思想

（一）韩非与《韩非子》

韩非（约前280—前233），战国晚期著名思想家，法家学派的代表人物。韩国人，出身于贵族世家，著名思想家荀子的弟子。据史籍记载："非为人口吃，不能道说，而善著书。"② 韩非曾多次上书谏韩王变法图强，但均未被采纳。韩非"悲廉直不容于邪枉之臣，观往者得失之变，故作《孤愤》《五蠹》《内外储》《说林》《说难》十余万言"③。秦王嬴政读其著作，尤其大为赞赏《孤愤》《五蠹》，并感叹道："嗟乎，寡人得见此人与之游，死不恨矣！"秦王因此立即攻打韩国，在战事吃紧的情况下，果然韩非为韩王出使秦国，受到秦王重视，但由于秦王始终对其不信任，没有任用。后因遭李斯、姚贾等人谗害，韩非被迫在狱中服毒自杀。

韩非子集前期法家"法""术""势"三派之长，并汲取儒家"纲常名理"原则、道家"君主南面之术"以及墨家"尚同"思想等因素，系统、完备地提出了一套非道德的、以"法、术、势"三

---

① 《商君书·画策》。
② 《史记·老子韩非列传》。
③ 《史记·老子韩非列传》。

者合一的政治理论。① 韩非子理论要点是主张法治，鼓吹君主集权，提倡"参验"，厉行赏罚，奖励耕战，肯定人性好利，承认社会发展，尊重客观，要求变革，轻视和否定道德教化，提出禁止诸子私学，主张以法为教，以吏为师，等等，致力于形成"事在四方，要在中央，圣人执要，四方来效"② 的政治局面，以适应建立统一的中央集权国家的历史趋势，从而为中央集权的专制主义统治的建立和运行奠定了坚实的理论基础。

《韩非子》一书，集先秦法家学说之大成的代表作，韩非所著，由后人编成。《汉书·艺文志》著录为55篇，今存55篇，篇目数与汉朝的本子相同。在这55篇中，绝大部分系韩非本人的著作，但也有极少数混入的其他法家人物的著作，如《初见秦》《有度》《饰邪》《饬令》等篇，明显不是韩非亲自所作。我们认为《韩非子》全书的编辑是由其后学完成的。《四库全书总目》说："疑非所著，书本各自为篇，非没之后，其徒收拾编次，以成一帙。故在韩在秦之作，均为收录，并其私记未完之稿亦收入书中，名为非撰，实非非所手定也。"③ 我们认为这一看法是正确的。

（二）韩非子兵学思想

《韩非子》的性质是政治理论著作，对兵学问题的论述不是它的重点。但由于兵学问题与政治息息相关，因此其中不少篇章都含有兵学思想，并多有谋略之论和战例引述，是法家学派兵学思想体系的有机组成部分。韩非子与商鞅同为三晋法家，因此，他们著作中所反映的有关兵学的理性认识有许多一致处。但由于两人师承和所处时代背景各有差异，韩非子的兵学思想有自己的特色。

第一，肯定战争的必要性，主张以战争兼并天下。

韩非认为战争是不可避免的历史现象，在当时大国兼并、天下趋于统一的社会大趋势下，战争作为一种暴力手段将起到十分积极

---

① 朱贻庭、赵修义：《评韩非的非道德主义思想》，《中国社会科学》1982 年第 4 期。

② 《韩非子·扬权》。

③ 永瑢等：《四库全书总目》，中华书局，1965 年，第 848 页。

的作用，同时亦是必不可少的手段。对这一问题，韩非子是从哲学、历史的角度，通过两个方面进行论证。一是从社会发展的规律进行考察，指出战争不可避免。韩非子认为，社会处于不断发展的过程之中，人类社会可以分为"上古""中世"和"当今"几个阶段。不同社会形态有各自的活动中心命题："上古竞于道德，中世逐于智谋，当今争于气力。"① 而统治者则应根据变化了的情况，采取相应的措施："世异则事异""事异则备变"②。既然时代进入了"多事之时""大争之世"③，那么按照"事异则备变"的原则，"务力""争于气力"也就不可避免了。这个"力"，主要指的是武力，即战争。"当今争于气力"，其含义就是主张通过战争方式以建立统一的专制主义中央集权国家。韩非的这一思想和商鞅基本一致，反映了新兴阶层思想家对战争问题的深刻认识和现实态度。二是从人性好利、趋利避害的角度考察，指出争、乱不可避免，其结果必然导致战争。韩非子继承其师荀子性恶论的理论，并将它予以发展。他认为人均具有"自为心"④ 或"计算之心"⑤，都千方百计算计他人以满足自己的私欲，人与人之间只有赤裸裸的利害关系。在上古社会，由于"人民少而财有余"，人的这种本性暂时由于物质的富裕而没有显现出来，"故民不争"⑥，战争现象相对较少。但是随着人口的递增，社会财富不敷分配，人性中汲汲争利这一面就会充分暴露出来，于是争、乱就不可避免地发生了，其结果发展到极端，必然付诸战争："是以人民众而货财寡，事力劳而供养薄，故民争，虽倍赏累罚而不免于乱。"⑦ 基于上述认识，韩非子肯定战争发生的必然性和从事战争的合理性，积极主张战争，并希望通过战争来实现新兴阶层的政

---

① 《韩非子·五蠹》。
② 《韩非子·五蠹》。
③ 《韩非子·八说》。
④ 《韩非子·外储说左上》。
⑤ 《韩非子·六反》。
⑥ 《韩非子·五蠹》。
⑦ 《韩非子·五蠹》。

治要求。《韩非子》曰："搢笏干戚，不适有方铁铦；登降周旋，不逮日中奏百；《狸首》射侯，不当强弩趋发。"① 又曰："战而胜，则国安而身定，兵强而威立，虽有后复，莫大于此，万世之利，奚患不至？"② 这就是韩非子对战争所持的基本立场和态度。

韩非子也有一定程度上的慎战倾向。他认为："兵者，凶器也，不可不审用也。"③ 又曰："主多怒而好用兵，简本教而轻战攻者，可亡也。"亦曰："不料境内之资而易其邻敌者，可亡也。"又曰："无地固，城郭恶，无畜积，财物寡，无守战之备而轻攻伐者，可亡也。"④ 有鉴于此，韩非子主张"重战"，立足于战而不轻启战端："人君重战其卒则民众，民众则国广。"⑤ 韩非子这种主战而又慎战态度的产生，是有其深刻原因的。首先，是战国晚期社会思潮融合的大氛围促使其吸收儒家、道家的某些思想因素；其次，是韩非子不少文章写成于韩国，从当时韩国弱小的地位出发，注意到慎战也属自然；最后，当时大规模战争造成严重伤亡的事实，也许亦使得韩非子在思考问题时能较商鞅等人更为全面一些。

第二，主张富国强兵。

韩非子认为只有发展经济，加强军备，才能在兼并战争中牢牢立于不败之地，故顺乎逻辑地主张富国强兵。他认为在当时兼并战争形势下，不能指望别国不来侵犯，而要加强自己的实力，强大得足以令敌国不敢来侵犯："不恃外之不乱也，恃其不可乱也。"⑥ 韩非指出这乃是"王术"，即统一天下的策略和战略，而要做到这一点，就必须富国强兵。

对于富国强兵这一问题，韩非子有大量的论述。首先，他强调经济落后、国家弱小、军力不强会直接导致国家的危亡，不可不加

---

① 《韩非子·八说》。
② 《韩非子·难一》。
③ 《韩非子·存韩》。
④ 《韩非子·亡征》。
⑤ 《韩非子·解老》。
⑥ 《韩非子·心度》。

以警惕:"战士怠于行阵者,则兵弱也;农夫惰于田者,则国贫也。兵弱于敌,国贫于内,而不亡者,未之有也。"① 其次,韩非认为富国强兵的中心任务是要加强国家内部的治理,增强国家经济、政治、军事各方面的实力,做好战备工作,如此则可无敌于天下:"能越力于地者富,能起力于敌者强,强不塞者王。"② 韩非子进而指出,做好战备工作应该包括精神和物质两方面的内容。一方面,在精神上要注重对民众进行政治教化,统一其意志。所谓"兵战其心者胜",即让民众树立起战争的观念,"服战于民心"③,重视和积极参与战争活动。韩非所说的"先战者胜"④ 指的就是这个含义。这里的"先战",就是"战其心",使民众的思想专一于战争。这与《商君书》所提倡的"壹教"是相通的。另一方面,在物质上则是要奖励耕战,他认为"富国以农,距敌恃卒"⑤,因此要以辛勤耕稼为善行,以奋勇杀敌为光荣。并明确主张"功大者有尊爵,受重赏""显耕战之士",以此调动民众的积极性。同时,国家治理者应当修明政治,信其赏罚,发展经济,鼓舞士气,"严其境内之治,明其法禁,必其赏罚,尽其地力以多其积,致其民死以坚其城守"⑥,这样国家"无事则国富,有事则兵强"⑦,那么就拥有了统一天下的"王资"。

第三,厉行赏罚,以法治军。

韩非子充分认识到严格法纪对于治军的重要意义,而以法治军的核心,就是做到赏罚有信。

韩非子指出,赏罚不明、法纪松弛是军队建设的大忌,是导致

---

① 《韩非子·外储说左上》。

② 《韩非子·心度》。

③ 《韩非子·心度》。

④ 《韩非子·心度》。

⑤ 《韩非子·五蠹》。

⑥ 《韩非子·五蠹》。

⑦ 《韩非子·五蠹》。

国乱兵弱、作战失败的罪魁祸首："君臣废法而服私,是以国乱兵弱而主卑。"① 又曰:"刑赏不察,则民无功而求得,有罪而幸免,则兵弱主卑。"② 所以他认为,在军队治理中,必须严肃法纪,厚赏重罚,使士卒趋利避害,乐于作战:"故明主必其诛也。是以赏莫如厚而信,使民利之;罚莫如重而必,使民畏之;法莫如一而固,使民知之。故主施赏不迁,行诛无赦;誉辅其赏,毁随其罚,则贤不肖俱尽其力矣。"③ 韩非子认为,国家的强弱并不仅仅在于国家的大小,人口的众寡,而且也在于能否实行法治,做到赏罚有信,韩非子曰:"明于治之数,则国虽小,富;赏罚敬信,民虽寡,强。赏罚无度,国虽大,兵弱者,地非其地,民非其民也。"④ 亦曰:"故先王明赏以劝之,严刑以威之。赏刑明,则民尽死;民尽死,则兵强主尊。"⑤ 为了发挥赏罚在治军上的作用,韩非子明确主张严格执法,公正无私,做到"诚有功,则虽疏贱必赏;诚有过,则虽近爱必诛"⑥;韩非还主张"刑过不避大臣,赏善不遗匹夫"⑦,这也正是法家政治理论在治军问题上的必然反映。

韩非子关于厚赏重罚、以法治军的主张与商鞅的意见是基本一致的。然而作为法家学说的集大成者,韩非看问题实有比商鞅更为全面之处。如,韩非所说的重赏,主要是指财物的犒赏,而不是商鞅那种"官爵之迁与斩首之功相称"的机械做法。韩非强调"任官者当能"⑧。这就是说,立有军功,是否赏官和升官,主要看其人是否具有相应的才干和能力。他主张必须通过基层选拔,即"猛将必

---

① 《韩非子·奸劫弑臣》。
② 《韩非子·饰邪》。
③ 《韩非子·五蠹》。
④ 《韩非子·饰邪》。
⑤ 《韩非子·饰邪》。
⑥ 《韩非子·主道》。
⑦ 《韩非子·有度》。
⑧ 《韩非子·六反》。

发于卒伍"①，并经过实践工作考察，即"试于毛伯"②，只有这样的人，才有资格充当将领。韩非子这一重智能、重实践的思想，的确是法家治军理论方面的重要发展。

第四，有关作战指导问题的论述。

韩非子是法家最杰出的思想家、理论家，但是由于其缺乏军事指挥和战争的实践经验，因此，在他的著作中，对具体的作战问题很少有所论述，但是这方面的片言只语也有值得重视之处。如，他主张"兵不厌诈"，出奇制胜，他曾借狐偃之口表达了这一观点："繁礼君子，不厌忠信；战阵之间，不厌诈伪。"③ 又如，他主张连续作战，歼敌务尽。这从《说林下》所记载的阖闾与伍子胥问对言辞中得到了反映："溺人者一饮而止，则无逆者，以其不休也。不如乘之以沉之。"④ 再如，他重视用间问题，指出："敌之所务，在淫察而就靡。人主不察，则敌废置矣。"⑤ 而且韩非子还以吴楚战争中伍子胥通过用间，使楚国在主将委任问题上作出错误决定，从而导致战败的历史事件加以证明。

---

① 《韩非子·显学》。
② 《韩非子·问田》。
③ 《韩非子·难一》。
④ 《韩非子·说林下》。
⑤ 《韩非子·内储说下》。

第九章　战国时期南方兵学文化的兴起

南方文化的中心地带是江汉淮水流域，它受西周传统文化的影响较小，具有自己独特的风格，对中原礼乐文化持保留乃至批判的态度，是老庄道家文化及其后学黄老思想的大本营。其基本特色是崇尚自然，鄙薄仁义礼治，故为孟子斥责为"南蛮鴃舌之人，非先王之道"①。这一文化性格在其兵学思想中同样有鲜明的反映，所谓"诡诈谲变"的作战指导原则，最早就发轫于南方地区。它的提出乃是对旧军礼"以礼为固，以仁为胜"传统的否定。具体而言，南方兵学文化的基本特征是讲究人道与天道的统一，从自然规律中汲取营养，以求为指导战争提供启示，晦日进兵、设伏诱敌、突然袭击、避实击虚、奇正相生、化迂为直等是其最热衷的命题与战争理想境界。诡诈用兵、阴阳变化、刚柔并济是其兵学的基本精神。其中，春秋时期的伍子胥、范蠡的兵学实践，战国时期《鹖冠子》《经法》的理论建树，堪称这方面的代表。值得注意的是，它与齐鲁兵学文化之间有着深厚的内在联系，所谓"明之吴越，言之于齐，曰知孙氏之道者，必合于天地"②，反映的正是这个事实。

---

① 《孟子·滕文公上》。
② 《孙子兵法·陈忌问垒》附简。

第一节　《鹖冠子》《文子》《黄帝四经》的著录

一、《鹖冠子》的著录与作者

《鹖冠子》一书最早著录于《汉书·艺文志》的道家类中："《鹖冠子》一篇。"班固自注中对《鹖冠子》作者有解释："楚人，居深山，以鹖为冠。"颜师古又曰："以鹖鸟羽为冠。"应劭的《风俗通义》的佚文姓氏讲到"鹖冠氏"时曰："鹖冠氏，楚贤人，以鹖为冠，因氏焉，鹖冠子著书。"① 《隋书·经籍志》道家类亦有《鹖冠子》三卷，注曰："楚之隐人。"《真隐传》亦曰："鹖冠子，或曰楚人，隐居幽山，衣弊履穿，以鹖为冠，莫测其名，因服成号，著书言道家事焉。冯谖常师事之。谖后显赵，鹖冠子惧其荐己也，乃与谖绝。"② 其中，冯谖就是庞煖。《旧唐书》《新唐书》《宋史》等均沿袭《隋书》，并无二致。《鹖冠子》一书价值的评定，韩愈在《读〈鹖冠子〉》中颇有肯定之语："《鹖冠子》十有六篇，其词杂黄老刑名……使其人遇其时，援其道而施于国家，功德岂少哉！"③ 当然，同时代的柳宗元对其评价就比较低，其在《辨〈鹖冠子〉》中明确指出："余往来京师，求《鹖冠子》无所见，至长沙始得其书。读之，尽鄙浅言也。"④ 而柳宗元对《鹖冠子》的评价影响很大，晁公武的《郡斋读书志》、陈振孙的《直斋书录解题》等均认可这一说法。当然，这仅仅是一方面，同时，有关《鹖冠子》伪书的问题

---

① 王利器：《风俗通义校注》，中华书局，1981 年，第 554 页。
② 袁淑：《真隐传》，《艺文类聚》卷三六，文渊阁《四库全书》本。
③ 韩愈：《读〈鹖冠子〉》，董诰：《全唐文》，中华书局，1983 年，第 5656 页。
④ 柳宗元：《柳宗元集》，中华书局，1979 年，第 116 页。

也逐渐凸显。如，有关其著录与真伪的问题，姚际恒在《古今伪书考》指出："《鹖冠子》，《汉志》止一篇，韩文公所读有十九篇，《四库书目》有三十六篇，逐代增多，何也意者原本无多，余悉后人增入欤。"① 姚际恒将其列入伪书，近现代的辨伪著作《伪书综考》《续伪书通考》等也将其列入伪书。当然，顾实在《重考古今伪书考》对此问题作出了回应。②

正是出于这些原因，《鹖冠子》的研究也备受冷落。汉唐时期无注，宋代陆佃有《鹖冠子注》，其注释质量并不高，近代的注释和研究亦很少，正如李学勤指出，《鹖冠子》是"先秦诸子中命运最乖舛的一种"③。《鹖冠子》重新受到学术界重视的契机正是马王堆帛书《黄帝四经》的发现，唐兰列出马王堆帛书中有与《鹖冠子》相同或类似的文字，李学勤撰文论定《鹖冠子》书不伪，④ 其学派归属为黄老学派无疑。正是在此契机下，黄怀信撰写《鹖冠子校注》一书，并力主《鹖冠子》一书并非伪书。

总体而言，我们认为，《鹖冠子》是战国晚期阐述黄老学派思想的著作，从全书的文字、思想风格来看，它可能并不成于一时一人之手，论兵的内容在书中占有一定的篇幅，用兵思想集中于《近迭》《度万》《王铁》《世兵》《兵政》《天权》等篇，集中反映了黄老学派对兵学问题的基本看法。

二、《文子》的著录与辨伪

《汉志》著录《文子》为9篇，入道家类。班固自注曰："老子弟子，与孔子并时，而称周平王问，似依托者也。"⑤《隋书·经籍志》著录为12篇，亦入道家，主要有北魏李暹和唐代徐灵府的注

---

①　姚际恒：《古今伪书考》，朴社出版社，1933年，第32页。

②　顾实：《重考古今伪书考·子类》，大东书局，1928年，第10页。

③　李学勤：《读〈鹖冠子〉研究》，《人文杂志》2002年第3期。

④　李学勤：《马王堆帛书与〈鹖冠子〉》，《江汉考古》1983年第2期。

⑤　《汉书·艺文志》。

本。宋代学者杜道坚所撰的《文子缵义》12 卷，是阐发《文子》主旨与文义的主要著作。

《文子》一书内容混糅，文义扞格之处甚多。《四库全书总目》云："然考其书，盖驳书也。其浑而类者少，窃取他书以合之者多。凡《孟子》辈数家皆见剽窃，峣然而出其类，其意绪文词，又互相抵而不合。不知人之增益之欤？或者众为聚敛以成其书欤……是其书不出一手，唐人固已言之。"① 其评价一针见血道出了《文子》的基本特点。正因如此，关于此书的作者及其真伪，历来颇存歧见。北魏李暹将文子和计然比附为一人，我们认为这是缺乏依据的；有的学者认为《文子》当是西汉的作品，不是先秦的著作；有些学者则不疑其伪，如，唐兰就断定《文子》为先秦古籍之一。我们认为，从全书的体例和基本思想倾向来看，其书当为老子后学所辑编，大约成书于战国晚期。由于其书不出于一人之手，后人似又有所增益，所以显得相当杂驳。这也是存世的先秦古籍普遍存在的现象。

《文子》一书杂糅有大量儒、墨、名、法学派的思想内容，但其主旨是本于《老子》的"道"和辩证法思想立说，借《老子》的语言来发挥自己的思想。所以，从总体上看，其书应属于黄老之学的著述，《汉书·艺文志》《隋书·经籍志》以及其他公私目录书将其归入道家类是正确的。

三、《经法》的发现

1973 年底，在湖南长沙马王堆三号汉墓中出土了包括不少久已失传的、包括先秦古籍在内的珍贵帛书，约 12 万多字。在这批帛书中，有写在《老子》乙卷本前面的四种古佚书。它们的名称分别是《经法》《十大经》《称》《道原》，共计 11000 余字。其中，《经法》由《道法》《国次》《君正》《六分》《四度》《论》《亡论》《论约》《名理》等 9 篇组成，5000 余字；《十大经》由《立命》《观》《五政》《果童》《正乱》《姓争》《雌雄节》《兵容》《成法》《三禁》

---

① 永瑢等：《四库全书总目》，中华书局，1965 年，第 1247 页。

《本伐》《前道》《行守》《顺道》等 14 篇组成，4000 余字；《称》1篇，1600 余字；《道原》1 篇，464 字。由于《经法》是四种古佚书的第一种，且篇幅较大，内容也比较重要，所以帛书整理小组就以《经法》作为这四种古佚书的总名。[1]

《汉志》道家类著录"《黄帝四经》四篇"，又载"《黄帝君王》十篇"。班固自注："起六国时，与《老子》相似也。"[2]《隋志》云："汉时诸子道书之流有三十七家……其《黄帝》四篇、《老子》两篇，最得深旨。"[3] 可见，所谓"黄帝"书与《老子》在先秦、两汉时是相提并论的，同为黄老学派的代表作。遗憾的是，出于各种原因，唐代以后《黄帝四经》等书均已散佚了。

帛书《经法》的出土，使我们有可能对《汉志》《隋志》中所载的"黄帝"书重新开展讨论。许多专家学者认为这四种古佚书可能就是《汉书·艺文志》所著录的"黄帝"书。唐兰则更明确地肯定它们为《黄帝四经》。[4] 我们认为，且不论《经法》四篇是否就是《黄帝四经》，但它们属于战国中晚期黄老学派的经典著作当无问题。因为无论从其思想体系看，还是从其中大量的"今天下大争"这类文字内容看，《经法》四篇均具有浓厚的战国黄老思想特征，基本反映了战国时期特定的历史情景。当然，有些学者据此将其视作汉初的作品，这是缺乏充分的依据的，[5] 或者将其视为法家的作品，也是有失偏颇的。[6]

《经法》四篇包含有丰富的哲学、政治、经济、兵学思想。它汲取《老子》"道"的本体论观点和朴素辩证法理论，并适应战国时

---

[1] 马王堆汉墓帛书整理小组：《马王堆汉墓帛书·经法》，文物出版社，1976年。

[2] 《汉书·艺文志》。

[3] 《隋书·经籍志》。

[4] 唐兰：《马王堆出土〈老子〉乙本卷前古佚书的研究》，《考古学报》1975年第 1 期。

[5] 康立：《〈十大经〉的思想和时代》，《历史研究》1975 年第 3 期。

[6] 高亨、董治安：《〈十大经〉初论》，《历史研究》1975 年第 1 期。

期社会变革的要求进行了改造和发展，从而形成新的道家思想理论体系。其兵学思想，主要集中在《十大经》中，同时在《经法》《称》诸篇中亦有所反映。它主要继承和发展了《老子》以及范蠡的兵学思想，可能与兵阴阳家有一定的关系。因为依据《汉书·艺文志·兵家略》的说法，兵阴阳家的特点是"顺时而发，推刑德，随斗击，因五胜，假鬼神而为助者也"。而《经法》四篇的许多有关兵学的论述在很大程度上反映了这种基调。另外，《经法》兵学思想的又一个特点，是以研究阐述战略思想和策略原则为其兵学思想的核心内容，而具体探讨战术原则问题则相对较少。这也是先秦诸子兵学思想所具有的共同倾向。

第二节　战国黄老学派的兵学思想

一、战国黄老学派兵学略述

中国历史进入战国中晚期后，随着社会大变革的进一步深化，新制度的完全确立，老子创立的道家学说自身也发生了某种变化。这种变化，主要表现为道家内部的分化以及由此而引起的思想观点上的差异。以庄子为代表的部分道家，对自己所面临的社会变乱深感绝望，悲观厌世，逃避现实，自我陶醉。他们泯灭善恶是非的界限，认为一切存在全是幻影，主张对什么也不必认真，此谓"坐忘"："堕肢体，黜聪明，离形去知，同于大通，此谓坐忘"①，不谴是非，与世沉浮。在这种思想意识的支配下，庄子等人对兵学问题自然也要抱无所谓的态度了，至多也不过是从崇拜自然、宣扬"无为"的角度，简单指斥否定战争现象本身而已。

但是，并非所有的道家都沿着庄子的足迹前进，当时有许多道

---

① 《庄子·大宗师》。

家人物，能够正视现实，借鉴汲取其他思想学派的合理内容，积极
丰富和发展老子所创立的道家学说体系，从而形成了新的道家理论。
这就是战国中晚期勃兴、西汉前期盛行的黄老学派，其中，"黄"是
指黄帝，"老"是指老子，黄老学派自称继承黄帝和老子的思想。大
体而言，黄老学派的思想家立足于老子思想的主体性，同时兼容并
取诸子百家之长，体现出"以道德为标的，以无为为纲纪，以忠义
为品式，以公方为检格"①的思想特色。如，我们所熟知的司马谈
在《论六家之要指》中对道家理论的总结，其对象实际上就是这部
分新型道家。他说："道家使人精神专一，动合无形，赡足万物。其
为术也，因阴阳之大顺，采儒墨之善，撮名法之要，与时迁移，应
物变化，立俗施事，无所不宜，指约而易操，事少而功多。"②意思
是说，（黄老）道家是根据阴阳家有关四时运行顺序的说法，吸收了
儒、墨两家的优点，撮取名家、法家的思想精要，主张国家治理应
当随着时势的发展而改变，顺应事物的变化，营造良好社会风俗，
并能够应用于具体事务，这样就会无所不通，无所不宜，其思想简
约扼要，非常容易掌握，在实施中，用力少而功效多。由此可见，
黄老道家的思想体系中包含了阴阳家、儒家、墨家、法家乃至名家
的一些思想内容，其特征是"与时迁移，应物变化"，其宗旨则有明
确的功利性，即"立俗施事，无所不宜，指约而易操，事少而功
多"。这不但与同时代的庄子学派有很大不同，也与老子的不少观点
不尽一致，最主要的一点就是由消极避世变成了积极入世。应该说
这是先秦各家学术思想在对峙前提下长期相互交融贯通的必然结果。

　　由于黄老道家学派能够在坚持原始道家的某些基本原则基础上，
积极面对社会现实，致力于讨论治理之道，并提出了许多切实可行
的指导思想和具体措施，因此他们对当时社会生活中的最重大事
情——战争问题也给予了高度的重视，这些黄老学者经过认真的考
察，提出自己的许多看法和主张。在黄老学派的论著中，其论兵言

① 《吕氏春秋·序》。
② 《史记·太史公自序》。

辞占有相当大的比重，这是与庄子学派不可同日而语的。同时由于其学说具有兼容博取他家思想的特色，因而其兵学观点中也往往包含有其他诸家的兵学思想内涵，并不以道家兵学观为限，从而呈示出庞杂性和多元性。这是其优点，同时也是其不足。

二、战国黄老学派的战争观

黄老学派诞生的战国晚期，正是兼并战争愈演愈烈，最后走向全国统一的前夜。在这种情况下，战国晚期的各家各派都必须对战争问题提出自己的看法和主张，黄老学派同样没有例外。而受学术渊源和现实状况的制约，使得其战争观念交织着矛盾，呈现出特殊的风貌。

以老子学说直接继承者面目出现的黄老学派，其对待战争的态度，自然不可避免地力求与老子的观点相吻合，从而在一定程度上流露出非战的倾向。《文子》曾数次提到《老子》"兵者，不祥之器也"这个命题，论定战争是凶器，是逆德，明确指出："好用凶器治人之乱，逆之至也。"① 亦曰："故兵者，不祥之器也，非君子之宝也。"②《经法》也持同样的观点，将穷兵黩武看作是君主治理天下的三大祸患之一，"三凶，一曰好凶器，二曰行逆德，三曰纵心欲"③。并指出"大杀服民，戮降人，刑无罪，过（祸）皆反自及也"④，一定会自取灾祸，自挖坟墓。至于《鹖冠子》，在反对恃强好战、穷兵黩武这一点上，亦丝毫不曾含糊，并认为将战争的胜负和国家实力的强弱简单地加以等同是不可取的，也是不合实际的，"地大者国实，民众者兵强，兵强者先得意于天下。今以所见合所不见，盖殆不然"⑤。《鹖冠子》严肃批评了当时流行的"强大者必胜，

---

① 《文子·下德》。
② 《文子·微明》。
③ 《经法·亡论》。
④ 《经法·亡论》。
⑤ 《鹖冠子·近迭》。

小弱者必灭"① 的形而上学观点，其非战的倾向性实乃不言而喻了。

但是，战国时期兼并战争激烈残酷的客观现实，已无情地击碎了道家追求"小国寡民"生活的种种幻想，迫使当时的道家后学渐渐偏离了老子的一些基本立场，对战争采取了相对比较务实冷静的态度；而当时儒、墨、法诸家有关战争问题的论述，也为其战争观的深化提供了有益的借鉴和可以汲取的材料。这表现为《经法》等书同时包含有提倡用兵、强调正义战争必要性的不少内容。

战国黄老学派普遍认为战争的发生乃是一种必然的社会现象，充分肯定了战争活动在社会生活中的重要地位。黄老学者强调在某些情况下可以兴兵作战，如《经法》明确表示："因天时，伐天毁，谓之武。"② 认为文武两种手段应并行不悖，不可偏废："始于文而卒于武，天之道也。"③《鹖冠子》也肯定战争的起源乃是历史运动过程中的客观属性，指出："五帝在前，三王在后，上德已衰矣，兵知俱起。"④ 他们认为战争的存在本身就是正常的，是历史和社会的现象。因为它并没有改变天地日月的法则，没有搅乱阴阳生死的常规："天不变其常，地不易其则，阴阳不乱其气，生死不俯其位，三光不改其用，神明不徙其法。"⑤

当然，从事战争必须具备一定的前提。这一前提，就是看战争的属性是否符合正义。黄老学派重视对战争性质的区分，如《文子》就曾按性质将战争划分为五个类型："有义兵，有应兵，有忿兵，有贪兵，有骄兵。"⑥ 其区分的标准是，凡用兵本于诛伐暴虐、救助弱小的宗旨，则为"义兵"；凡用兵基于抵抗别国侵略兼并的目的，则为"应兵"；为了争执小事，不能克制内心的愤恨而用兵，则为"忿兵"；用兵是为了贪图别国的土地，觊觎他人的财宝，则为"贪

---

① 《鹖冠子·武灵王》。
② 《经法·四度》。
③ 《经法·论约》。
④ 《鹖冠子·世兵》。
⑤ 《鹖冠子·世兵》。
⑥ 《文子·道德》。

兵"；凡凭借自己地广而企图以武力压倒敌国的，则为"骄兵"。《文子》充分肯定前两类战争的意义，而对后三类战争予以坚决的否定。《文子》明确指出："义兵王，应兵胜，忿兵败，贪兵死，骄兵灭。"① 《文子》将这些原则断定为自然的法则："此天道也。"《经法》的作者亦把用兵之道分为三类："世兵道三，有为利者，有为义者，有为忿者。"② 将天下的战争分为三种类型，为了利益，为了道义，为了泄愤，并对三种战争后果的可能性进行了推断。

在区分战争性质的基础上，战国黄老学派进一步阐述了从事正义战争的必要性。主张进行具有正义性质的战争，而坚决反对非正义的掠夺战争。《经法》明确肯定正义战争的价值："所胃为义者，伐乱禁暴，起贤废不宵，所胃义也。〔义〕者，众之所死也。"③ 正义的战争必定得到民众的拥护和支持，并能够形成"地广人众兵强，天下无適"④ 的局面。至于《文子》在这方面的论述，则更为丰富和深刻。它指出社会上有"贪叨多欲之人"，他们"残贼天下"，使得"万民骚动，莫宁其所"。⑤ 所以需要有圣人起来征伐他们，以拯救民众于水火之中："夫畜鱼者，必去其蝙獭；养禽兽者，必除其豺狼。又况牧民乎！是故兵革之所为起也。"⑥ 因此《文子》积极提倡"存亡平乱，为民除害"的"义战"，指出"所为立君者，以禁暴乱也"。⑦

总之，战国黄老学派对待战争是持既肯定又有所保留的态度的。用黄老学派的话来说，便是《鹖冠子》所言："兵者，百岁不一用，

---

① 《文子·道德》。
② 《十大经·本伐》。
③ 《十大经·本伐》。
④ 《经法·六分》。
⑤ 《文子·上义》。
⑥ 《文子·上义》。
⑦ 《文子·上义》。

然不可一日忘也。"① 也是《十大经》所言："夫作争者凶，不争亦无成功。"② 这些论断反映出其慎战与重战并重的思想倾向，这与《司马法》所提出的"故国虽大，好战必亡；天下虽安，忘战必危"主张，实有异曲同工之妙，从而与儒家（主要是思孟学派）简单的非战和法家（尤其是商鞅一派）一味主战的偏颇立场划清了界限，可谓是黄老朴素辩证法思想在观察、分析兵学问题上的突出反映。

三、战国黄老学派的战争指导思想

黄老学派在哲学上推崇"天道"，同时不废人事，主张遵循"天常"（天地万物运动规律）从事社会活动，反对过犹不及，以致走向事物的反面。在政治上，它提倡"虚静"的政治原则，主张审核"形名"，强调调整君臣关系，要求缓和日趋尖锐的社会矛盾，从而加强中央集权的统治，达到"王天下"的目的。黄老学派的战争指导思想同样深刻地反映了其哲学、政治观念。

"存亡平乱，为民除害"的义战既然有其必要，那么如何高明地指导义战，夺取胜利，也就成为黄老学派高度重视并进行深入论述的中心问题。概括地说，黄老学派的战争指导思想的基本内容就是以道制胜、政胜为先以及谋略制胜等三个方面。

第一，提出以道制胜的思想。

"道"是老子哲学中的最高范畴，因此在战争指导问题上，战国黄老学派很自然地提出了以道制胜的命题，如《文子》曰："天地之道……不须礼而庄，不用兵而强。"③《鹖冠子》亦曰："兵之胜也，顺之于道。"④《十大经》认为人事受"天道""天时"的制约，"静作得时，天地与之；静作失时，天地夺之"⑤。所以人的各种作为，都要合乎天极——天道的准则或限度，用兵作战，自然也不例

① 《鹖冠子·近迭》。
② 《十大经·五正》。
③ 《文子·自然》。
④ 《鹖冠子·兵政》。
⑤ 《十大经·姓争》。

外，必须"循道而动""顺之于道"，即以最高的"道"加以统驭。这就是《鹖冠子》所说的"知一不烦"①和"以一度万"②。如果懂得了这个"道"（"一"），那么复杂的兵学问题就会变得简单明了了（即"知一不烦"）；因此，便可以用这个"道"来应付千变万化的情况（即"以一度万"）。黄老学派指出，战争指导者一旦把握住"道"的精神实质，那么就可以进入用兵的最高境界："指天之极，与神同方。类类生成，用一不穷。"③他们认为这才是指导战争全局，赢得战争胜利的根本前提。

第二，政胜为先的思想。

黄老学派的重要思想特色之一，就是其善于在立足"道"这个最高法则的基础上，重视对其他学派合理成分的兼容并取，以丰富和完善自己的思想体系。"政胜为先"就是其战争指导思想中的逻辑命题之一。黄老学派认为从事战争必须"先为不可胜之政"④。即首先要修明政治，争取人心，赢得广大民众对战争的拥护和支持，从而宾服诸侯，一统天下。《文子》云："修政于境内，而远方怀德；制胜于未战，而诸侯宾服也。"⑤讲的就是这一层意思。可见，所谓的"先胜"就是"政胜"；而"政胜"的核心，则是"德胜"。

在战国黄老学派的眼中，德胜的第一要义是争取民心，谋求人和，用《鹖冠子》的话说，便是"合之于人"⑥。它认为地广民众，甲坚兵锐，"行仁义，布德施惠"，方可使"群臣亲附，百姓和辑，上下一心，群臣同力"，从而达到"诸侯服其威，四方怀其德，修政庙堂之上，折冲千里之外，发号行令而天下响应"⑦的效果，这是"义战"的最上乘境界。这表明黄老学派已清楚地意识到民众在战争

---

① 《鹖冠子·世兵》。
② 《鹖冠子·度万》。
③ 《鹖冠子·世兵》。
④ 《文子·上礼》。
⑤ 《文子·自然》。
⑥ 《鹖冠子·兵政》。
⑦ 《文子·上义》。

中的地位和作用，"可以征者，民死节"①。在此基础上，它提出了"兵者，礼义忠信也"② 这一命题，强调指出战争如能基于民众的利益，就必然能够得到民众的拥护；如果是为了个人私欲而开战，就必然遭到民众的反对："举事以为人者，众助之；以自为者，众去之。众之所助，虽弱必强；众之所去，虽大必亡。"③ 应该说这一观点是以民为本的时代思潮在当时兵书撰著中的突出反映。

从"顺民心"的基本立场出发，黄老学派主张妥善做好各方面的战争准备。如《鹖冠子》提出的先人先兵的思想，最大程度发挥人的主观能动性。在庞煖与鹖冠子的对话中，明确其"先人""先兵"的观念："庞子问鹖冠子曰：'圣人之道何先？'鹖冠子曰：'先人。'庞子曰：'人道何先？'鹖冠子曰：'先兵。'"④ 在《经法》中，设计了一个用七年时间修明内政而后进行征伐的具体步骤，"一年从其俗，二年用其德，三年而民有得，四年而发号令，[五年而以刑正，六年而] 民畏敬，七年而可以正（征）"，如此则可立于不败之地，"审于行文武之道，则天下宾矣"。⑤ 可见，黄老学派所主张的"政胜"，还包括了顺民俗、选贤能、用刑政、省赋敛、阜民财等诸多内容，全面而具体，表现出黄老学派善于汲取诸子百家思想并加以融会贯通的特色。

黄老学派还认为，要做好战争准备，还必须注意克服自身的种种不足。如《经法》就提倡"毋土敝，毋故埶，毋党别"⑥，意思是不要耽误农耕，不要制造磨擦，不要结党营私，认为如果治理者治理不善，耽误农耕，上天就会降给战祸；制造内部磨擦的，人员就会流失四方；分成派别的，就会招来内忧外患夹攻。这样黄老学派乃从正面论证了加强战备的重要性，把内部团结、农耕发展视作

---

① 《经法·君正》。
② 《鹖冠子·近迭》。
③ 《文子·上义》。
④ 《鹖冠子·近迭》。
⑤ 《经法·君正》。
⑥ 《经法·国次》。

"政胜"的重要环节。

通过层层剥笋似的阐述论证，黄老学派最终提出了"兵之胜败皆在于政"① 这一重要命题，集中体现了其战争指导思想的精髓。应该说，这一认识是相当深刻的，因为在当时那种"竞于气力"的社会环境中，许多统治者虽能够致力于富国强兵，但却忽视了政治文明的建设；而像法家等学派也是只讲求功利，仅仅简单地鄙视德政的价值和作用。黄老学派注意避免类似的思想误区，不可谓不高明。而其战争指导思想之所以能进入较高的层次，乃是新型道家思想体系的开放性质所造就的。这就是它在充分肯定和继承老子思想体系的主导意义的同时，充分汲取儒家德治教化思想和仁义礼乐，从而使得其思想具有较大的适应性和合理性。

第三，重视谋略制胜的思想。

自从孙子总结战争实践经验，明确提出"上兵伐谋"的精辟观点以后，兵学家们都普遍注意在自己的著述中阐述发挥谋略制胜的思想。战国黄老学派也同样非常强调进行庙算，以谋胜敌。如，《鹖冠子》就鲜明提倡："工者贵无与争。故大上用计谋，其次因人事，其下战克。"② 对"用计谋""因人事""战克"的特点和方法，《鹖冠子》也做了充分的阐述。如，就用计谋而言，它提倡用各种方法来迷惑敌国的君主，使其变更本国的风俗，变得骄奢淫逸，肆意妄为，正所谓"爱人而与，无功而爵，未劳而赏，喜则释罪，怒则妄杀"③，让敌人自掘坟墓，自取灭亡。如此便可以"不战而胜"，实现最佳的战略目的。至于《文子》，更将庙战与"天道"结合在一起，指出："庙战者帝，神化者王，庙战者法天道，神化者明四时。"④ 这表明战国黄老学派对前人"上兵伐谋"的思想精华，既有继承，又有本于自己主体思想的发展和深化。

① 《文子·上义》。
② 《鹖冠子·武灵王》。
③ 《鹖冠子·武灵王》。
④ 《文子·自然》。

老子主张贵柔守雌，亟言"不争而善胜"①　"柔弱胜刚强"②，战国黄老学派在很大程度上继承了老子的这一思想，在作战指导问题上一致强调先计后战，以退为进，以谋略制敌，以阴柔取胜，构成了系统的以柔弱胜刚强为特色的战略战术思想体系。

第一，贵守雌节，后发制人的思想。

黄老学派认为，用兵的精义在于以静制动，以不变应万变；指导作战，要做到神出鬼没，无迹可求。而要达到"成功遂事，莫知其状"③ 这种理想境界，关键在于作战指导上贵守雌节，后发制人，以争取稳妥的胜利。《文子》等书的作者强调："欲刚者必以柔守之，欲强者必以弱保之。"④ 指出凡是能成就王霸大业，实现自己战略意图的，一定是道德上占优势的人，而所谓道德优胜，指的就是能以柔弱为本："自得者，必柔弱者也。"⑤ 又曰："勇于敢，则杀；勇于不敢，则活。"⑥ 这种柔弱胜刚强的战略观，反映在具体策略上便是以静制动，后发制人，善守雌节，做到"弗敢以先人"，《经法》的作者认为在战争中"先者恒凶，后者恒吉"⑦，指出凡用"雄节"，必然是"以守不宁""以战不克"；反之，善守"雌节"者，则是"以守则宁，以作事则成，以求则得，以战则克"⑧。所以必须在作战指导上采取"卑约主柔，常后而不先"⑨ 的方针。

至于贵柔守雌、后发制人的具体措施，战国黄老学派也有充分的阐述，其荦荦大端约有以下几个方面。首先，"安徐正静，柔节先定"⑩，不轻举妄动，主动将自己摆在弱者的位置。其次，"立于不

① 《老子·七十三章》。
② 《老子·三十六章》。
③ 《鹖冠子·夜行》。
④ 《文子·道原》。
⑤ 《文子·符言》。
⑥ 《文子·道德》。
⑦ 《十大经·雌雄节》。
⑧ 《十大经·雌雄节》。
⑨ 《十大经·顺道》。
⑩ 《十大经·顺道》。

敢，行于不能。单（战）视（示）不敢，明执不能"①，故意示敌以弱，诱使敌人放松警惕和戒备，暴露破绽，为我方伺机破敌创造条件。再次，"守弱节而坚之，胥雄节之穷而因之"②，逐渐发展自己的力量，想方设法削弱敌人的力量，完成敌我强弱态势的转变，乘敌人盛极而衰之际发起进攻，加以聚歼，这就是所谓"善用兵者，先弱敌而后战，故费不半而功十倍"③ 的奥秘所在。最后，随时注意情况的变化，见利思害，见好就收，凡事留有余地，以免物极则反："功遂身退，天之道也。"④

第二，推崇权变，提倡任势。

在遵循贵守雌节、后发制人这一总的指导原则的前提下，战国黄老学派在作战指导上也推崇权变，提倡任势。这方面以《鹖冠子》的论述最为精辟。《鹖冠子》更加注重权变，认为"胜道不一"⑤，因此主张在军事活动中积极做到灵活、多变，以争取主动，赢得胜利。至于巧妙"权变"的关键，《鹖冠子》认为就是清醒认识和牢牢把握有利的作战时机："不倍时而弃利。"⑥ 指出如能做到这一点，便算是真正懂得和掌握了"道"，即作战指导的基本规律："知时者与道证，弗知者危神明。"⑦ 如此便可以从容应付任何情况，立于不败之地了："士不折北，兵不困穷……乘流以逝，与道翱翔。"⑧

第三，注重利用有利的态势，主张"兵以势胜"。

所谓"势"，就是指有利的态势。黄老学派十分注重利用有利的态势。《鹖冠子》指出"在势，故用兵有过胜"⑨，主张"兵以势

---

① 《十大经·顺道》。
② 《十大经·顺道》。
③ 《文子·下德》。
④ 《文子·道德》。
⑤ 《鹖冠子·世兵》。
⑥ 《鹖冠子·世兵》。
⑦ 《鹖冠子·兵政》。
⑧ 《鹖冠子·世兵》。
⑨ 《鹖冠子·兵政》。

胜"①。其认为物各有性，五行相生相克，所以必须根据战争活动自身规律和特征，充分发挥主观能动性，造势任势，战胜攻取。黄老学派进而具体论述了造就有利态势的种种方法。首先，要"齐过进退，参之天地，出实触虚"②，避开敌人的强点，攻击敌人薄弱之处，置敌人于被动挨打的窘境。其次，要"发如镞矢，动如雷霆。暴疾捣虚，殷若坏墙。执急节短，用不缦缦"③。主张一旦时机成熟，就要兵贵神速，以迅雷不及掩耳之势，给敌人以致命的打击。最后，要"避我所死，就吾所生，趋吾所时，援吾所胜"④，即扬己之长，避己之短，致人而不致于人，牢牢控制战场主动权，不给敌人以任何可乘之隙。他们认为如能做到这几点，己方便拥有了有利的作战态势，可以无往而不胜了。这种积极的作战指导思想，显然是汲取了先秦兵家思想精华的结果，而与老庄为代表的传统道家拉开了一定的距离，具有历史进步性。

综上所述，战国黄老学派的兵学思想是相当丰富且具有特色的。它充分汲取了战国时期其他学派有关兵学问题理性认识的长处，系统构筑起自己的兵学思想体系，从而成为中国古代兵学思想发展史上一个不容忽视的环节。黄老学派对战争的态度，对政治与军事关系的认识，比较客观全面，具有一定的辩证色彩。如，《十大经》提出"作争者凶，不争亦毋以成功"以及"刑德相养"⑤ 等观点，就比战争万能论或德化至上论都要显得高明。另外，如其"柔弱胜刚强"，后发制人的观点，也有一定的合理因素，成为弱方抗衡强敌，最终夺取胜利的重要思想武器。

当然，战国黄老学派的兵学思想也有其一定的历史局限性。我们认为主要表现在三个方面：首先，它将守雌贵柔强调到不适当的程度，一概否定先发制人、主动进攻的必要性，这就陷入了认识论

---

① 《鹖冠子·世兵》。
② 《鹖冠子·世兵》。
③ 《鹖冠子·世兵》。
④ 《鹖冠子·世兵》。
⑤ 《十大经·姓争》。

上的偏颇，带有很大的片面性。其次，较多地掺杂了阴阳五行说的内容，如侈谈什么"阵以五行，战以五音"①，试图借助鬼神的力量取得胜利，影响到对兵学规律探讨的深度。最后，也是最主要的一点，如同黄老学派整个思想体系一样，其兵学思想较多沿袭其他学派的观点，无论是其战争观还是战争指导思想都存在着较明显的折中调和倾向，创新特色相对缺乏，从而影响到其理论的纯正性质。这也使得其不少论述流于肤浅，缺乏深度。对战国黄老学派兵学思想的这些不足之处，我们今天也应该实事求是地予以指出，这才是严肃科学的态度。

① 《鹖冠子·天权》。

第十章　战国时期齐鲁兵学的繁荣

　　齐鲁兵学文化在兵学史上无疑占有最主要的位置，它代表着先秦兵学的主体和最高成就，是我们今天考察先秦兵学地域特征的重心所在。孔子曾说："齐一变，至于鲁；鲁一变，至于道。"[①] 这不仅是儒家理想政治的写照，同样也是齐鲁兵学在先秦兵学中地位的体现。应该承认，整个先秦兵学思想演变发展的历史，是建立在齐鲁文化的肥沃土壤之上的，也是和齐鲁历史上杰出政治家、军事家、思想家的作为与贡献联系在一起的，处处留有齐鲁文化的深深烙印，换句话讲，齐鲁地区的人物和文化，是先秦兵学思想不断进步、日趋成熟的基本动力和浓厚氛围。其中，齐鲁兵学又以齐国兵学为代表。先秦时期最主要的兵学著作大部分都诞生于齐国大地，收入《武经七书》中的五种先秦兵书，属于齐国兵学系统的就有三种：《司马法》《孙子兵法》与《六韬》。因此，自古以来就有"齐国兵学甲天下"的美誉。齐国的开创者姜太公可谓是先秦兵学乃至整个军事文化的奠基者，作为先秦兵学源头之一的"古司马兵法"的发明与总结，也与姜太公和齐国兵家有直接关系："周之始兴，则太公实缮其法……周《司马法》，本太公者也。"[②] 齐国兵学能够因时变化发展，善于博采兼容，集众之长。从《司马法》到《孙子》再到《六韬》，齐国兵学一直能根据战争的需要而不断丰富发展。同时齐地"随时而变，因俗而动"[③] 与讲求功利、礼法并用的社会环境，

---

① 《论语·雍也》。
② 吴如嵩、王显臣：《李卫公问对校注》，中华书局，2016年，第19—20页。
③ 《管子·正世》。

也使得齐国兵学注重兼容博采、善于自我丰富，以适应战争的需要。齐国兵学对后世兵学思想发展的影响是无与伦比的。①

第一节　齐鲁兵学文化概说

一、齐鲁兵学的繁荣

齐鲁兵学文化是先秦兵学思想中的最主要构成部分，其兵学著作数量之繁富、思想之精粹、范围之广泛、个性之鲜明、影响之深远，在先秦诸侯列国中是首屈一指的。

首先，兵学著作数量繁富，蔚为大观。

先秦时期最重要兵学著作大部分都诞生于齐鲁大地。就齐国而言，收入《武经七书》中的五种先秦兵书，属于齐地兵家系统的就有三种：《司马法》《孙子兵法》和《六韬》。另外，据《汉书·艺文志·兵书略》记载，齐国的重要兵学著述，还有《齐孙子》（即1972 年在山东临沂银雀山出土的《孙膑兵法》）89 篇，《子晚子》（今佚）35 篇，等等。而在《管子》一书中，兵学思想也是其中的重要组成部分，它所涉及的兵学问题的篇目，就有《兵法》《制分》《七法》《地图》《参患》《势》《九变》《霸言》《小匡》《小问》《幼官》《侈靡》《重令》《法法》《立政》《大匡》《八观》《五辅》等。这些情况表明，在先秦及两汉传播的兵学著作中，数量最丰富，内容最精博，且影响最深远者，当首推齐国兵学著作。② 至于属于三晋兵学系统的《尉缭子》一书，也似乎与齐国兵学不无一定的瓜葛。宋金时期施子美在《武经七书讲义》中直言尉缭子是齐人。山东临沂银雀山汉墓出土《尉缭子》的残简，均或多或少地透露了这

①　黄朴民：《齐文化与先秦军事思想的发展》，《学术月刊》1997 年第 11 期。
②　田旭东：《先秦齐国兵学成就略论》，《中国史研究》1997 年第 3 期。

方面的蛛丝马迹。

就鲁国而言，其兵学文化虽远不如齐国繁荣发达，但是，在当时也不无值得称道之处。从兵要地理角度分析，鲁国拥有一定的优势，所谓"据河、济之会，控淮、泗之交，北阻泰岱，东带琅邪，地大物繁，民殷土沃，用以根柢三楚，囊括三齐，直走宋、卫，长驱陈、许，足以方行于中夏矣"①。春秋之初，鲁国曾强盛一时，四败宋，两败齐，一败卫、燕，几与"小霸"的郑国及强齐相匹敌。②这种局面的出现以及长勺之战中所反映的高明作战指导，均标志着周公旦所创立的文化传统中，兵学是其中不可忽略的组成部分。而《吴子》一书，论治军用兵多袭用儒家"仁""义""礼""德""教"等重要范畴，提倡"绥之以道，理之以义，动之以礼，抚之以仁"③云云，更是鲁文化"宗仁本义"特色的突出体现。故《四库全书总目》云："然（起）尝受学于曾子，耳濡目染，终有典型。故持论颇不诡于正……大抵皆尚有先王节制之遗。高似孙《子略》谓：'其尚礼义，明教训，或有得于司马法者。'斯言允矣。"④

其次，齐国兵学的主导地位。

先秦时期齐鲁兵学的繁荣亦表现为在先秦兵学依次递嬗、逐渐升华的四大阶段中，齐鲁兵学文化始终占据主导地位，发挥着号召群伦的作用。先秦时期兵学思想的发展曾经历了四个依次交替、逻辑嬗变的重要阶段。在四大阶段之中，唱主角的始终是齐鲁兵学。第一阶段，其发轫者无疑是东夷文化的"尚武"精神，是蚩尤所代表的"兵主"传统和孔武有力的精神风貌。第二阶段，则是周公旦所缔造的礼乐文明和古司马兵法的"军礼"传统，它们的大本营均建立在齐鲁大地之上，即所谓："《司马法》所从来尚矣，太公、

① 顾祖禹：《读史方舆纪要》，中华书局，2005 年，第 1509 页。
② 童书业：《春秋左传研究》，上海人民出版社，1980 年，第 44—45 页。
③ 《吴子·图国》。
④ 永瑢等：《四库全书总目》，中华书局，1965 年，第 836 页。

孙、吴、王子能绍而明之。"① 又曰："自古王者而有《司马法》，穰苴能申明之。"② 这里，姜太公、孙子均为齐地人物；吴起是卫国人，"鲁卫之政，兄弟也"③，且吴起本人又深受鲁国文化的熏陶，亦可视为鲁国兵学文化的代言人；王子即"王子成甫"，与鲁文化亦有极深厚的渊源关系。由此可见，古司马法的建立与传授，均借助于齐鲁地域文化而展开。第三阶段，孙武、孙膑、吴起等皆是齐鲁文化的代表者，其兵学著作所反映的兵学思想，毫无疑义是当时乃至整个古代兵学的主体与核心。第四阶段，《六韬》《管子》以该时期齐鲁兵学典范身份而承担起总结先秦兵学之历史重任，综合融汇、总揽贯通先秦兵学之大成，于中国兵学思想文化发展厥功至伟，实标志着齐鲁兵学文化的不朽地位与永恒魅力。这一切表明，先秦兵学思想逻辑递嬗、持续发展的过程，就是齐鲁文化发挥重大影响、规范主导方向的历史，齐鲁文化对中国古典兵学的形成和发展具有不可替代的地位。

二、齐鲁兵学的基本特征

齐鲁兵学文化有着非常突出的地域特征，概括起来说，我们认为大致包括以下几个方面。

第一，形成最早，地位最尊。

学术界一般的看法是，齐鲁文化的最早源头为东夷文化，东夷文化的重大特色之一，是骁勇善战，"尚武"之风盛行张扬。其中最典型的例子，就是蚩尤作兵，成为中国历史上最早的战神——兵主。据《史记》载："八神将自古而有之，或曰太公以来作之。" 又曰："三曰兵主，祠蚩尤，蚩尤在东平陆监乡，齐之西境也。"④ 秦始皇东巡封禅时必祠包括兵主蚩尤在内的八神；汉高祖刘邦起兵反秦，也祭祀兵主蚩尤，以壮军威，"为沛公，则祠蚩尤，衅鼓旗"，击灭

---

① 《史记·太史公自序》。
② 《史记·太史公自序》。
③ 《论语·子路》。
④ 《史记·封禅书》。

项羽，夺取天下后，复"令祝官立蚩尤之祠于长安"。① 这些有关战神蚩尤的传说与祀祭活动，正好从一个侧面透露了齐鲁兵学文化源远流长、植根深厚的相关消息。

如果说兵主蚩尤现象还属于神话传说的范畴，那么齐国的开创者姜太公和鲁国的建立者周公旦则可以称得上是先秦兵学乃至整个中国古代兵学文化实实在在的奠基者。据《史记》记载："周西伯昌之脱羑里归，与吕尚阴谋修德以倾商政。其事多兵权与奇计，故后世之言兵及周之阴权皆宗太公为本谋。"② 至于周公旦同样为卓越的军事指挥者，当武庚叛周、三监作乱，周王室面临生死存亡的紧急关头，他果断率师东征，平定叛乱，征服淮夷，维护了周王室大一统的格局，即所谓"依之违之，周公绥之"③。制礼作乐的周公，周礼的五礼中就有"军礼"，其中更与周公有着千丝万缕的联系，因此，可以说，周公与姜太公共同成为中国兵学文化的创立者。

而作为先秦兵学源头之一的"古代王者司马兵法"的发明和总结，也与姜太公、周公旦和齐鲁兵家有直接的关系。司马迁称姜太公、王子成甫等人对《司马法》"能绍而明之"④，这当然是正确的评价，但是尚不够全面。实际上，姜太公等人对于古代王者司马兵法的诞生，乃是关键性的人物，从某种意义上讲，他们是古代王者司马兵法的创始人。《李卫公问对》对此曾有明确的阐述："周之始兴，则太公实缮其法；始于岐都，以建井亩；戎车三百辆，虎贲三百人，以立军制；六步七步，六伐七伐，以教战法。陈师牧野，太公以百夫致师，以成武功，以四万五千人胜纣七十万之众。周《司马法》，本太公者也。"⑤ 可见，没有姜太公等人，就不会有以"古代王者司马法"为代表的"军法"（"军礼"）的面世，也就不会有中国古典兵学的肇始。

---

① 《史记·封禅书》。

② 《史记·齐太公世家》。

③ 《史记·太史公自序》。

④ 《史记·太史公自序》。

⑤ 吴如嵩、王显臣：《李卫公问对校注》，中华书局，2016年，第19—20页。

　　第二，薪火相传，代有承继。

　　孔子曾言："夏礼，吾能言之，杞不足征也；殷礼，吾能言之，宋不足征也。文献不足故也。"① 可见，出于种种客观原因，文化上出现断层现象在古代社会中是十分普遍的，兵学文化的承继问题同样有这类情况，三晋兵学、南方兵学都存在着时断时续的现象。但齐鲁兵学文化却避免了这一点，它始终以勃勃的生机逐代传授下来，并不断地得以发扬和光大。这在春秋早期是鲁庄公在"乘丘之役，公以金仆姑射南宫长万"② 的赫赫武功；是齐桓公、管仲"复修太公法"，正如史籍所载："太公既没，齐人得其遗法。至桓公霸天下，任管仲，复修太公法，谓之节制之师，诸侯毕服。"③ 质诸史实，信而有征。齐桓公任用管仲，高擎"尊王攘夷"的大旗，"九合诸侯，不以兵车"，"霸诸侯，一匡天下"④，其指导方针就是《司马法》以及《周礼》所宣称的"会之以发禁者九"⑤ 的"九伐之法"⑥。在春秋晚期，是齐景公时期的著名军事家司马穰苴，对"古代王者司马兵法"的"申明"，并在此基础上系统构建自己的兵学思想体系——《司马穰苴兵法》；是"一代兵圣"孙子的诞生，并以"兵者诡道"为基本特色的崭新兵学理论取代旧的"军礼"，在兵学思想领域完成一次具有深远影响的革命。在战国前中期，是《吴子兵法》《孙膑兵法》等杰出兵学著作先后登场亮相，极大地深化了人们对军事斗争一般规律的理性认识；是齐威王"使大夫追论古者司马兵法"⑦，使"自古王者司马法"得以在一定程度上恢复和保持基本原貌，确保其书的最主要内容和核心精神不致被历史的风尘所湮灭，并使它在汲取战国时代的军事文化内容后，变得更为充实和富

---

① 《论语·八佾》。
② 《左传·庄公十一年》。
③ 吴如嵩、王显臣：《李卫公问对校注》，中华书局，2016 年，第 20 页。
④ 《论语·宪问》。
⑤ 《司马法·仁本》。
⑥ 《周礼·夏官·大司马》。
⑦ 《史记·司马穰苴列传》。

赡。在战国晚期，是《六韬》《管子》等重要典籍的面世，使齐鲁兵学乃至整个先秦兵学进入综合融汇、全面总结的崭新阶段，为先秦兵学思想的发展繁荣画下一个比较圆满的句号。

第三，兼容博采，注重实用。

齐鲁兵学文化的重要特色之一，是能够因时变化发展，善于博采兼容，集众之长。应该说，齐文化与鲁文化是有其不同的特色的，齐文化重在开创和发展，鲁文化则偏重于继承和吸收，但是就其本质而言，它们之间具有互补性，即所谓"极高明而道中庸"①，非高明无以有灿烂辉煌的文化成就，不中庸无以能长期稳定而守恒。正是在这个意义上，齐鲁文化才以浑然一体的形态著称于世。因此，从"古代王者司马兵法"到《孙子兵法》，再到《六韬》《吴子》，齐鲁兵学文化一直能根据军事实践的需要而不断地丰富发展，及时转型，即从提倡"军礼"，到崇尚"诡诈"，最终进入总结综合、兵儒兼容，使兵学与时俱进，呈现新的风貌。

这里，尤其值得注意的是齐地风俗民情对兵学发展的制约与规范意义。齐国的社会环境铸就了齐地民众资性，而这种资性也对齐鲁兵学文化发展导向的确立起着潜移默化的作用。齐地社会环境的制约，使得齐地之人形成了独特的资性，这就是《史记》所说的："其俗宽缓阔达，而足智，好议论。"② 班固在《汉书》中也表述了同样的看法："修道术，尊贤智，赏有功，故至今其土多好经术，矜功名，舒缓阔达而足智。其失夸奢朋党，言与行缪，虚诈不情，急之则离散，缓之则放纵。"③ 可以看出，齐国当地民众更易于"随时而变，因俗而动"④。我们知道，"攻人以谋不以力，用兵斗智不斗多"⑤，是中国古代兵学的一大传统，齐人"足智"尚谋的地域文

---

① 《礼记·中庸》。
② 《史记·货殖列传》。
③ 《汉书·地理志》。
④ 《管子·正世》。
⑤ 欧阳修：《准诏言事上书》，《欧阳修全集》，中华书局，2001 年，第 649 页。

化，对于兵学理论的构建，自然是一种文化上的内在推动。另外，齐人"阔达""舒缓"的资性，也即民众心理，反映到学术生活中，就是具有一定的宽容精神，在与外界的接触中，齐人比较能够接受新思想、新观点，并择善而从，加以必要的改造后为己所用，丰富和发展自己的主体文化。换言之，齐地学者善于将各家各派的思想融汇而兼取，从而形成新的学术形态。战国时期稷下学术中心的出现，百家争鸣的全面展开，就是标志。① 然而这一趋势早在西周春秋时期即已开始，管仲、晏婴等人的思想学说就包含有一体多元的复杂倾向。这种文化氛围为齐鲁兵学的健康成长提供了适宜的温床。

《孙子兵法》《六韬》的思想建构就是这方面的典型。通观《孙子兵法》，我们可以发现，它在注重实用理性的同时，也大量吸取兼汇了其他学说的思想内容，如强调从政治的高度考虑军事问题，显然是孔子为代表的儒家思想的渗透；提倡"令之以文，齐之以武"②的治军观，这显然是对早期法家思想的一种汲取；其朴素的辩证法思想，也显然与老子的思维方法论不无瓜葛。凡此等等，不一而足。再看《六韬》，当时社会政治思潮对它的广泛渗透和高度规范亦清晰可见。首先，是黄老之学清静无为、执一统众的指导性质："削心约志，从事乎无为。"③ 其次，是儒家民本主义思想的影响："天下非一人之天下，乃天下之天下也，同天下之利者，则得天下。"④ 再次，是法家思想的渗透："将以诛大为威，以赏小为明，以罚审为禁止而令行。"⑤ 所有这一切，都表明了齐鲁的学术文化氛围对于其兵学的形成与发展所具有的意义。

同时，齐地讲求功利，礼法并用的社会环境，也使得齐地兵学（需特别强调的是，在齐鲁兵学文化中，齐兵学始终是占主导地位

---

① 白奚：《稷下学研究——中国古代的思想自由与百家争鸣》，生活·读书·新知三联书店，1998 年。

② 《孙子兵法·行军篇》。

③ 《六韬·文韬·盈虚》。

④ 《六韬·文韬·文师》。

⑤ 《六韬·龙韬·将威》。

的）注重实用，善于自我丰富，以适应战争的需要。一定的文化是一定社会物质生活的产物。齐国顺应民俗，注重发展经济，推动工商贸易，讲求功利得失，提倡礼法并用的大环境，使得在此基础上发展起来的齐地学术文化具有注重实用的显著特点。齐国的实用之学相当发达，在数学、工艺学、医学、天文学、地理学、化学、动植物学、矿物学等学科领域内都有蔚为可观的建树。这种实用之学的发展，对于兵学的进步影响非常重大。因为兵学本是实用之学，它不尚空谈，而完全以现实利害为依据，十分重视实际经验。所以齐鲁兵学的繁荣，实与齐国注重实用的学术传统相一致。

第四，体大思精，影响深远。

明代学者茅元仪在《武备志》中指出："前《孙子》者，《孙子》不遗；后《孙子》者，不能遗《孙子》。"[1] 这不仅是关于《孙子兵法》历史地位的正确定位，而且也完全可以视作是对先秦齐鲁兵学文化价值与影响的恰当评估。齐鲁兵学在中国古典兵学发展史上的作用与地位是不可逾越的，它对于后世兵学理论的健全与嬗变的影响是无与伦比的。《李卫公问对》也透露了这方面的信息："张良所学，太公《六韬》《三略》是也；韩信所学，穰苴、孙武是也。"[2] 又曰："臣案：《太公谋》八十一篇，所谓阴谋，不可以言穷；《太公言》七十一篇，不可以兵穷；《太公兵》八十五篇，不可以财穷。"[3] 亦曰："今世所传兵家者流，又分权谋、形势、阴阳、技巧四种，皆出《司马法》也。"[4] 这充分显示出齐鲁兵学在中国古典兵学发展上所占据的绝对统治地位。换言之，没有齐鲁兵学，就不会有中国古典兵学文化。

三、齐鲁兵学繁荣的原因

还有一个问题值得我们深思，这就是什么原因导致了齐鲁"兵

---

① 茅元仪：《武备志·兵诀评》。
② 吴如嵩、王显臣：《李卫公问对校注》，中华书局，2016 年，第 25 页。
③ 吴如嵩、王显臣：《李卫公问对校注》，中华书局，2016 年，第 26 页。
④ 吴如嵩、王显臣：《李卫公问对校注》，中华书局，2016 年，第 20—21 页。

学甲天下"这一文化现象的形成。我们认为，其中的因素十分复杂，原因也是多方面的，但是，有两个方面却几乎可以肯定是齐鲁兵学文化繁荣的重要动力。

第一，齐鲁地区的军队长期以来战斗力相对疲弱，在当时诸侯列国争霸兼并战争中处于被动的状态，促使兵学研究得到更多的重视。

出于种种原因，齐国军队的战斗力在先秦诸侯列国之中似乎不属上乘，有关文献的记载，诸如"彼三晋之兵素悍勇而轻齐，齐号为怯"①；又如，"齐之技击不可以遇魏氏之武卒，魏氏之武卒不可以遇秦之锐士"②；还如，"夫齐性刚，其国富，君臣骄奢而简于细民，其政宽而禄不均，一陈两心，前重后轻，故重而不坚"③ 云云，就比较有力地印证了这一点。至于鲁国，国势更远较齐国为弱，除了春秋初年"庄僖"时期短暂强盛外，在先秦绝大部分时间里一直处于弱小被动的境地，成为诸侯大国欺凌、打击的对象，正如顾祖禹所总结的那样："然自春秋以来，不能抗衡于齐、楚，而纷纭之际，豪杰竞起，未见能以兖州集事者，何钦？盖必悬权而动，所向无前，然后可以拊敌之项背，绝敌之嗾喉；若坐拥数城，欲以俟敌之衰敝，未有得免于覆亡者也。"④

为了改变这种不利的态势，齐鲁两国终先秦之世尤其注重于对兵学的研究，提倡运用谋略，以己之长击敌之短。如曹刿在长勺之战中"后发制人，乘敌衰竭"的战术运用；孙膑在桂陵之战、马陵之战中"批亢捣虚""减灶诱敌"的作战指导，就突出地反映了齐鲁诸国借重谋略兵学的优势以弥补军队战斗力不够强大的弱点。应该说，这种军事实力与兵学理论创建之间所存在的反差现象，在中外军事史上是相当普遍的，具有一定的共性。如宋代军事积弱，边

① 《史记·孙子吴起列传》。
② 《荀子·议兵》。
③ 《吴子·料敌》。
④ 顾祖禹：《读史方舆纪要》，中华书局，2005 年，第 1509 页。

患迭至，在与西夏、辽、金的战争中屡战屡败，结果导致宋代兵学的高度发达，形成中国兵学文化史上的第二个高峰。又如，近代欧洲国家中，意大利在军事上乏善可陈，败多胜少，结果"制空权"理论首先发明于朱里奥·杜黑（Giulio Douhet）之手，等等。就是典型的例子。我们以此探究观照齐鲁兵学文化繁荣的缘由，亦可思过半矣。

　　第二，齐鲁等国统治者对文化建设的重视，对悠久兵学文化传统的尊重和弘扬，既重实用操作性，又重基础理论创新性，保证了兵学文化的健康发展趋势不受干扰，得以长期保持。

　　齐国统治者一直致力于保持和弘扬本国优秀兵学文化传统。据罗振玉《三代吉金文存》载录，齐威王时铸造的铜器"陈侯因敦"上铸有"扬皇考昭统，高祖黄帝，迩嗣桓文，朝问诸侯"一段铭文，表明了他对黄帝、姜太公、齐桓公等先贤的敬仰。这种敬仰之情，无疑也在弘扬兵学文化上反映出来。同时，更为重要的是，齐国统治者长期实行较开明的文化政策，尊重和网罗人才，既重应用之术，又重基础之学，致力于繁荣学术，从而造就了诸子蜂起、"百家争鸣"的文化发达局面。齐国从齐桓公时起，就在国都临淄的稷下设置学宫，"设大夫之号"①，招揽学者。这一做法在战国中晚期得到了延续和发扬光大。齐威王、齐宣王时，稷下学宫人才济济，发展到 1000 多人，著名的有淳于髡、田骈、接子、环渊、宋钘、慎到、邹奭等数十人，被称为"稷下先生"，这些学者"皆命曰列大夫，为开第康庄之衢，高门大屋，尊宠之"②。这些学者在享受到优厚待遇的同时，"各著书言治乱之事，以干世主"③，指点江山，激扬文字，"不治而议论"，并展开学术辩驳和交融，整理典籍，弘扬文化。这种良好的学术文化氛围，是当时其他诸侯国家所不具备的。

　　至于鲁国，其文化政策虽较齐国而言更为保守，但是似应承认

①　《中论·亡国篇》。
②　《史记·孟子荀卿列传》。
③　《史记·孟子荀卿列传》。

其文化环境也是比较宽松的，故吴起能够一度在鲁国为将；孔子可以设帐授徒，开创儒家学派；孟子等人可以继承和发扬儒家要义，批评时政，提出自己系统的政治、伦理主张：以至"邹鲁之学""缙绅之士"成为中国文化的专有代名词。

由此可见，齐鲁两国优良有利的文化环境，统治者推行的较开明宽松的文化政策，是齐鲁兵学文化之所以成熟与繁荣的基本原因之一。在今天回顾齐鲁兵学历史演变的内在动因、基本成就、文化特征以及价值地位，对于我们从事兵学理论创新，实不无积极的启示意义。

战国时期，齐鲁地区的兵学依然非常发达。司马穰苴整理而成的《司马法》、银雀山汉墓竹简出土的孙武后人孙膑的《孙膑兵法》（又称《齐孙子》）等、上海博物馆藏战国竹简中的《曹沫之陈》以及托名姜太公的《六韬》就是非常具有代表性的兵学著作。其中，《六韬》是先秦兵书的集大成者，同时也昭示着先秦兵学的终结。

第二节　《司马法》的兵学思想

《司马法》，亦称《司马兵法》，是中国最古老的兵书之一。《淮南子》云："故尧之治天下也，舜为司徒，契为司马。"[①] 可见，司马之官，远古时代就有之。据《周礼·夏官司马》记载，西周时代司马的职权是掌管征伐，统御六军，平治邦国。所谓《司马法》，就是先秦时期司马之官治军用兵的法典法令。

《司马法》的特点之一，就是其载体形式主要表现为"军法"，而不是纯粹意义上的"兵法"。"军法"多带有条例和操典的性质，包括军赋制度、军队编制、军事装备保障、指挥联络方式、阵法、垒法、军中礼仪和奖惩措施等等。它一般属于官修文书的性质。由

---

① 《淮南子·齐俗训》。

于它是西周时代礼乐文明在军事领域内的集中反映，所以又可称之为"军礼"。

《司马法》便是这类"军法"著作的代表，因而它不同于专门讨论兵略的其他兵书，而是以追述古代军礼或军法，即古代军队编制、阵法操练、旌旗鼓铎的使用以及爵赏诛罚的各种规定为主，具有其特殊的价值，不仅为历来的兵家所重视，而且也为一些研究古代礼制的学者所珍视。

一、司马穰苴与《司马法》

司马穰苴，春秋时期齐国人，生卒年不详，主要活动在齐景公时期（前547—前490）[1]。公元前707年，陈厉公被杀，陈国的内乱迫使公子陈完出走，投奔齐桓公，史称"完公奔齐"。齐桓公封其为工正，主要管理百工事宜。同时，陈完到了齐国后，"以陈字为田氏"[2]，九世之后，田氏代齐。司马穰苴正是陈完的后代，姓田，名穰苴，因曾为齐国大司马，后世又称司马穰苴。

齐景公时期，燕晋联军攻打齐国。晋国攻打齐国的阿邑和甄（又作鄄）邑，燕国攻打齐国黄河以南地区，面对凌厉攻势，齐国一溃千里。齐景公忧心忡忡，这时齐国的股肱之臣晏婴力荐田穰苴为将。一筹莫展的齐景公此时也别无他策，于是亲自召见田穰苴，"与语兵事，大说之，以为将军，将兵扞燕晋之师"[3]，由此可见田穰苴的兵学理论素养。田穰苴拜谢之后，又有一丝忧虑，于是他对齐景公说："臣素卑贱，君擢之闾伍之中，加之大夫之上，士卒未附，百姓不信，人微权轻，愿得君之宠臣，国之所尊，以监军，乃可。"[4]齐景公想也没想就答应了，然后他派自己的宠臣庄贾前去做监军，

---

[1]　当然，苏轼、钱穆、缪文远等学者根据《战国策·齐策六》的记载，推断司马穰苴可能是齐愍王时期人，仅为一说，可存疑。

[2]　《史记·田敬仲完世家》。

[3]　《史记·司马穰苴列传》。

[4]　《史记·司马穰苴列传》。

庄贾与田穰苴相约军门训练军队。

庄贾身为齐景公的宠臣，"素骄贵，以为将己之军而己为监，不甚急；亲戚左右送之，留饮"[1]，迟迟未能抵达军门。当庄贾醉醺醺抵达军门时，田穰苴义正词严地呵斥："将受命之日则忘其家，临军约束则忘其亲，援枹鼓之急则忘其身。今敌国深侵，邦内骚动，士卒暴露于境，君寝不安席，食不甘味，百姓之命皆悬于君，何谓相送乎！"[2] 并按军法斩杀庄贾，将其人头在全军中巡行示众。全军将士看到庄贾的人头，个个惊恐。田穰苴面不改色，继续操练士兵，士兵个个训练得非常认真。当齐景公使者手持符节前来赦免庄贾，由于事出紧急，使者驾车冲入军中。田穰苴先发制人，振振有词地说："将在军，君令有所不受。"[3] 按照军法，未经通报驾车在军中横冲直撞也当斩，但是田穰苴还是知道分寸，于是命令斩车夫、车左侧的立木、左侧的骖马，以示惩罚。

经过斩杀庄贾、惩罚景公使者之后，田穰苴在军中的威望大增，齐军军纪也空前严明。他命令大军即刻出发，赶往前线。士兵到达前线，安营扎寨，挖井取水，埋锅造饭，饮食好坏，他都一一过问；士兵生病了，他亲自安排医药，上前慰问。在军中，他不搞特殊化，将齐国将军特供的食物拿出来与士卒共享，自己与士兵平等分发粮食。士兵看到眼前这个不畏权贵的将军，对士兵如此慈爱，心中敬畏之情油然而生。为了提高军队战斗力，田穰苴将军中身体羸弱之卒挑选出来，而自己率领精锐之师，准备三天后投入战场。这时，那些羸弱生病的士兵也争先恐后前往阵前，要求一同奔赴战场，为国效力。齐军人人思战，场面非常震撼。"晋师闻之，为罢去。燕师闻之，度水而解。"[4] 由于燕晋联军仓促撤军，军队松懈凌乱，田穰苴见状，立刻率精锐之师尾随追击，大败燕晋联军，将过去齐国一

---

[1] 《史记·司马穰苴列传》。
[2] 《史记·司马穰苴列传》。
[3] 《史记·司马穰苴列传》。
[4] 《史记·司马穰苴列传》。

度失去的国土全部收复，胜利而归。

所谓"国容不入军，军容不入国"①。田穰苴在到国都之前，命令士兵将兵器全部收起来，解除战时的种种军规，宣誓立盟后才进入国都。后来，齐景公又郑重地接见了田穰苴，并尊其为大司马，统领齐国军队。

田穰苴斩杀庄贾，惩罚国君使者，体现了其治军之严。这种做法在战争的特殊时期，国君尚且可以容忍，而在和平时期，这是国君非常忌惮的。后来齐景公就解除了田穰苴的大司马职务，他也因此郁郁寡欢，最终病死。

后来，田乞和田豹等田氏子孙也因此怨恨高氏、国氏等。到田恒杀齐简公时，田氏就毫不留情地诛灭了高子和国子的家族。前391年，田恒的曾孙田和自立为齐君。前386年，周天子册立田和为齐侯，列于周室。前379年，姜齐的最后一位君主齐康公去世，"田氏代齐"完成。齐威王即位后，齐国实力再次大振，各国纷纷朝齐。齐威王领兵作战，经常效仿田穰苴的一些做法，于是派人专门整理前代兵学家的一些关于战争理论的著作，将曾任齐国大司马的田穰苴的兵法也编入其中，并以《司马穰苴兵法》为名统称。

这部兵书与田穰苴本人的兵学思想有何区别与联系，后人众说纷纭。我们一般认为，田穰苴可能是对"古司马法"研究比较深入的一个兵学家、军事指挥家，同时由于田氏后来的地位，因此就以其名称之。

二、《司马法》成书、著录、流传

《司马法》内容相当复杂，时间跨度较大，这对于我们梳理与总结《司马法》的兵学思想价值无疑造成了一定的困难，因此有必要对《司马法》的成书以及著录、流传作出严谨的考证和详细的介绍。

第一，司马法的不断成书过程。

《司马法》的成书历史是十分漫长的。这漫长的成书历史，是我

---

① 《司马法·天子之义》。

们在今天研究《司马法》时必须首先要考察的问题。

关于《司马法》的成书，最早的明确记载见于司马迁所著的《史记》，主要是三条材料，一条出自《司马穰苴列传》："（齐威王）用兵行威，大放穰苴之法，而诸侯朝齐。齐威王使大夫追论古者《司马兵法》而附穰苴于其中，因号曰《司马穰苴兵法》。"① 出自《太史公自序》有两处，其曰："自古王者而有《司马法》，穰苴能申明之。"② 又曰："非兵不强，非德不昌，黄帝、汤、武以兴，桀、纣、二世以崩，可不慎欤？《司马法》所从来尚矣，太公、孙、吴、王子（成甫）能绍而明之。"③

我们认为，《史记》的这些记载清楚地透露了以下三个方面的信息。

首先，古本《司马法》是春秋中期以前的兵学典籍，其基本性质可能与《左传》《孙子兵法》等书所提到或引用的《军志》《军政》《令典》诸书相近，但也有可能是"司马法"为一类名，而《军志》等则是这一类名范围内的具体兵学著作。我们认为，司马迁的这一记载比较可信，可以作为研究其书时代特征的重要线索，因为这也能从其他先秦文献材料的记载中获得充分的印证。《周礼》称说："司兵，掌五兵五盾，各辨其物与其等，以待军事。及授兵，从司马之法以颁之。"④ 它多少透露了这么一个信息，既然司兵之官是按照"司马之法"颁发兵器，那么在西周时期确实存在着一部"司马之法"。换言之，自西周时期起，很可能就已经存在供武官学习的或武官必须遵循的法典、军法一类著作，就叫"司马法"或"司马兵法"。正因如此，太公（吕尚）才"能绍而明之"⑤。

清人张澍就《司马法》的成书及其性质进行了较为详尽的考证，

---

① 《史记·司马穰苴列传》。
② 《史记·太史公自序》。
③ 《史记·太史公自序》。
④ 《周礼·夏官司马·司兵》。
⑤ 《史记·太史公自序》。

我们认为，可以信从。其要云："《孙子注》云《司马法》者，周大司马之法也。周武（王）既平殷乱，封太公于齐，故其法传于齐……是古者即有《司马法》，非穰苴始作，亦威王时附《穰苴兵法》于《司马法》中，非附《司马法》于《穰苴兵法》中也。《周礼疏》误矣……考《周官·县师》将有军旅田役会同之戒，则受法于司马以作其众庶，小司马掌事如大司马之法，司兵授兵，从司马之法以颁之，此《司马法》即周之政典也。"① 当代著名学者余嘉锡亦赞同张澍的上述考证，并进而认为："盖《司马法》为古者军礼之一，不始于齐威王之大夫，并不始于穰苴。穰苴之兵法，盖特就《司马法》而申明之，而非其所创作，其后因附入《司马法》之中。古书随时增益，不出于一人之手，类皆如此。至于齐威王使大夫追论，疑不过汇辑论次之，如任宏之校兵书而已。"② 由此可见，《四库全书总目》的作者判定"《隋》《唐》诸志，皆以为穰苴之所自撰者"之成说为"非也"③ 的观点，是大致可以成立的。

其次，春秋齐景公时期的重要军事指挥家司马穰苴，对古代王者《司马兵法》有过深刻的研究和论述，是一位能够"申明"古代王者《司马兵法》的兵学家。这也许正是后来齐国大夫们在追论古《司马兵法》时，之所以要"附穰苴于其中"，并"号曰《司马穰苴兵法》"④ 的原因。"能申明之"，即能够发扬光大《司马法》，这是说穰苴可能曾运用《司马法》击退燕、晋的军队，而且对《司马法》的兵学理论有所创新。据《左传》等典籍记载，春秋时期诸侯多设司马之官，如，孔子的六世祖孔父嘉就曾任宋国的司马，子反为楚国的司马，韩厥为晋国的司马，子国为郑国的司马，等等。由此可知，司马穰苴之前一定有人"申明"过《司马法》，司马穰苴的"申明"，是在春秋前期、中期诸多司马"申明"基础之上的

---

① 张澍：《养素堂文集》卷三《司马法序》。
② 余嘉锡：《四库提要辨证》，中华书局，2007 年，第 597 页。
③ 永瑢等：《四库全书总目》，中华书局，1965 年，第 836 页。
④ 《史记·司马穰苴列传》。

"申明"，是春秋时期最有代表性意义的一次"申明"。这也说明春秋时期是《司马法》获得新发展之重要阶段，司马穰苴在《司马法》成书过程中起到了不可忽视的作用。从这个意义上说，司马穰苴有关兵学的论述，也是《司马法》兵学思想的重要来源之一。但是需要指出的是，司马穰苴在"申明"古《司马兵法》方面的作用应当不宜无限制地夸大。其实司马迁就说得非常明确："太公、孙、吴、王子能绍而明之。"①

最后，《司马法》在长期的流传过程中时有散佚，至战国中期，一般人对这部经典已经相当陌生与隔膜了。所以齐威王才"使大夫追论古者《司马兵法》"②，即齐威王专门指派大夫负责研究、整理古代流传下来的《司马法》，并将春秋时期司马穰苴的相关兵学理论附记于内，称之为《司马穰苴兵法》。这样做的结果，使得"自古王者"《司马法》得以在一定程度上恢复，并基本能够保持原貌，以确保其书的最主要内容和核心精神不致被历史的风尘所湮没。应该说，齐威王和他的大臣在客观上为保存古代兵学思想文化传统作出了非常重要的贡献。

同时，我们也应该看到，现在的《司马法》既系战国中期时人整理成书，那么，书中带有一定战国时期成分的时代色彩，也是相当自然的。但是，这并不足以抹煞全书中保留有相当部分的"三代"精神特征，其基本性质比较接近于《四库全书总目》所言："其言大抵据道依德，本仁祖义，三代军政之遗规，犹借存什一于千百。盖其时去古未远，先王旧典，未尽无征，撷拾成编，亦汉文博士追述《王制》之类也。"③

总之，西周、春秋时期，《司马法》的原型作为重要的军事典章制度、兵学著作应该是存在过的，而《司马法》一书在形式上辑次成书最终确定于战国中期的齐威王时代。因此，我们认为《司马法》

---

① 《史记·太史公自序》。

② 《史记·司马穰苴列传》。

③ 永瑢等：《四库全书总目》，中华书局，1965年，第836页。

可以被称为一部以古为主，综合古今的混合型兵书。其基本内容则由三个部分组成：其一，古代王者《司马兵法》，即西周时期供武官学习或遵循的法典性兵学著作，这是它的主体成分。其二，春秋时期齐国著名军事家、兵学家司马穰苴的兵学观点以及他对古代王者《司马兵法》的诠释内容。其三，战国中期齐威王统治时期的稷下大夫们在"追论"古者《司马兵法》之时，根据战国时代新的战争特点增入的一些兵家语言。

综上所述，《司马法》一书与大多数先秦古籍一样，不是一时一人之作，而是经过长期流传而后结集成书的。概括而言，它孕育于黄帝至殷商，创立于西周，发展于春秋，成书于战国中期，具有深厚的历史淀积层，集中反映了商周、春秋、战国前期各种战争观念、作战特点、军事制度和兵学思想，其历史文化价值不容低估。

第二，《司马法》的著录与流传。

《司马法》古本，据《隋书·经籍志》记载，乃是汉河间献王所得，似乎是一种古文写本，共155篇。刘歆在《七略》中将其归入兵家。班固在《汉书·艺文志》中则将其著录于《六艺略·礼部》，亦为155篇，称为《军礼司马法》。《隋书·经籍志》、《旧唐书·经籍志》、《新唐书·艺文志》、《宋史·艺文志》等各代正史以及《崇文总目》、《遂初堂书目》、晁公武《郡斋读书志》、陈振孙《直斋书录解题》等公私目录书，均将其列入子部兵家类。

《司马法》一书在历代散佚比较严重，至唐初《隋书·经籍志》成书之时，仅存残本三卷，共五篇，共计3419字。这就是我们所能见到的今本《司马法》。也有学者认为，今本《司马法》三卷五篇，很可能就是隋以来的一种删节本。[①] 今本《司马法》五篇的篇题，分别为《仁本》《天子之义》《定爵》《严位》《用众》。大略而言，前两篇《仁本》《天子之义》较多地反映了春秋中期以前的兵学思想，而后三篇《定爵》《严位》《用众》则较多地体现了战国兵学思想的时代特征。

---

① 　金德建：《司马迁所见书考》，上海人民出版社，1963年，第376—388页。

除今本《司马法》五篇之外，尚有一定数量的《司马法》逸文流传下来，主要散见于《太平御览》《通典》《文选注》《郡书治要》等汉唐时期的类书和政书、文集中。清代考据学家从事了大量专门的文献辑佚搜集工作，如张澍、钱熙祚、黄以周、王仁俊等学者曾从古书的引文及其注疏中辑得《司马法》逸文约 60 余条，共 1600多字，并分别以《司马法逸文》《军礼司马法考证》为题收入《二酉堂丛书》《指海》《玉函山房辑佚书续编》等丛书中。这些逸文从内容上看似乎更偏重于古代军礼或军法制度的各种细节的记述，它们对了解《司马法》原书的全貌，对于进行先秦军事制度和兵学思想的研究，同样具有十分重要的价值。

与逸文比较，今本在内容上似乎更偏重于对战争观念、用兵原则和某些作战方法的论述。由于存在着这种不同，所以有些学者认为逸文才是《司马法》原书，而今本乃是伪托，[1] 我们认为这种观点是不能成立的。很多研究者早已指出，大量古书引文能够证明，今本和逸文都是出自《司马法》，引用者或题为《司马法》（或为《古司马法》，或为《古司马兵法》），或题为《穰苴兵法》，其实都是同一部书。至于流传中出现的今本篇幅不长的现象，原因当是复杂的，其中一条也许不可忽略，人们更喜欢该书较抽象的兵略部分内容，故有意较系统地集中在一起，加以保存和流传，而对《司马法》一书所记载的各种古代军事法规、礼仪与制度的具体细节兴趣不大，长此以往，这方面的大量内容就逐渐被汰除了，仅仅散见于某些古籍的引文或注疏之中。

今本《司马法》的版本比较多，据学者不完全统计，仅明清时期其版本就有五六十种。[2] 其中，学界公认的优秀版本当为清代孙星衍《平津馆丛书》卷一所收影宋本《孙吴司马法》中的《司马法》版本，《续古逸丛书》所收宋刻本《武经七书》中的《司马法》

---

[1] 姚鼐：《惜抱轩文集》卷五《读〈司马法〉〈六韬〉》，文渊阁《四库全书》本；龚自珍：《定庵全集》卷五《最录〈司马法〉》，《四部备要》本。

[2] 田旭东：《司马法浅说》，解放军出版社，1989 年，第 34 页。

版本以及《四库全书》所收的《司马法》抄本。

历史上曾为《司马法》作注的学者亦不在少数，较早的有尚零散保存于《北堂书钞》《群书治要》《太平御览》等类书和某些古书中的引文附注。这些注文可考者，据李零研究，只有曹操注和"李氏"注，其他大多性质不明。前人辑录古书引文和引文注，主要有清代张澍所刊《司马法》① 和曹元忠《司马法古注》②。这些残注对于校勘注释《司马法》具有较大的价值。宋代以降，为《司马法》作注者大约有30余家，但这类注本大多只限于顺说大义，理解较为肤浅，参考价值并不是很大，其中相对比较优秀的，有金朝的施子美所撰《武经七书讲义·司马法讲义》、明代刘寅所撰《武经七书直解·司马法直解》和清代朱墉所撰《武经七书汇解·司马法汇解》等，它们相对较为系统完整，校订文字，有理有据，梳理文义，通畅达意，间有阐说发挥，风行海内，学者称便。

《司马法》一书在国外也有一定的流传和影响，据田旭东在《司马法浅说》中的介绍，仅在日本，日刊本的白文以及其各种注本就达30余种。③ 另外，在1772年，法国天主教耶稣会传教士约瑟夫·阿米欧（Jean Joseph Marie Amoit）从众多中国兵法名著中选择几部译成法文在巴黎出版，题名《中国军事艺术》，其中就包括有《孙子十三篇》和《司马法五篇》。这乃是有文字可考的《司马法》传入欧洲的最早记录。

三、《司马法》的兵学思想

《司马法》一书的内容相当丰富，其中包括有关战争的基本理论、治军原则和有关军制、军令、军礼等内容的论述等等。与《孙子兵法》等先秦其他著名兵书稍有不同的是，《司马法》一书较为重视战争观念、军事典章制度，对这方面的论述比较充分，而对具

---

① 张澍辑：《司马法》，道光元年武威张氏二酉堂刊本。
② 曹元忠：《司马法古注》，笺经室丛书本。
③ 田旭东：《司马法浅说》，解放军出版社，1989年，第34页。

体的作战指导方法等问题则相对较少涉及，这可以说是其书内容上一个比较显著的特点，也是"军法"类兵书与"兵法"类兵书差异的具体体现。

其一，"以仁为本""以义治之"的战争观念。

西周时期高度发达的"礼乐"文明，在《司马法》一书中有非常显著的体现，这反映在其书有关战争理论的阐述，渗透着崇尚"军礼"的浓厚色彩。同时，《司马法》毕竟最终成型于战国中期，因此又不可避免地打上当时文化形态的烙印，折射出新的社会思潮的光辉。

春秋战国时期是我国历史上大动荡、大变革的时代，在当时，学术下移，诸子蜂起，百家争鸣，争论的核心乃是用何种模式的政治纲领来解决当时纷繁复杂的社会政治问题，统驭民众，治理国家，富国强兵，兼并天下，从而适应社会大变革条件下政治上的各种需要。这一社会政治思潮的发展大势，势必要在当时的兵家相关著述中留下深刻的烙印，产生重大的影响，尤其是在战争观念上，会明显地受到当时政治思潮的渗透与制约，这方面，《司马法》同样不可能有任何例外。

深入地考察《司马法》的战争观，可见其既突出地反映着古典"军礼"的主要精神，又明显地接受了儒家政治观的影响。其实，这两者之间并不存在任何矛盾，因为儒家出自"司徒之官"，其学说直接渊源于"礼乐文明"，彼此存在着密不可分的联系，其政治思想的核心内容——礼乐仁义德教，说到底是对西周时代古典"礼乐文明"进行改造、发展以适应春秋战国时期新形势的自然结果。这就是孔子及其他儒家代表人物所津津乐道的"郁郁乎文哉，吾从周"①"祖述尧舜，宪章文武"②的由来。儒学与古典"礼乐文明"之间的这种深层次的内在一致性，就决定了《司马法》在战争观理论构筑时能够将两者和谐兼容。

---

① 《论语·八佾》。
② 《礼记·中庸》。

　　《司马法》一再提及所谓的"治乱之道"，主张"顺天之道，设地之宜，官民之德，而正名治物，立国辨职，以爵分禄"①，即顺应自然变化的规律，因势利导，因地制宜，任用民众中德行优秀的人担任官职，并确定官职名分，以治理各项事务；分封诸侯，区分职权，按照爵位的高低给以数额不等的俸禄。循此以达到"诸侯说（悦）怀，海外来服，狱弭而兵寝"②的理想政治境界。这既是西周"礼乐文明"的基本要求，也是儒家政治观的显著特色，《司马法》将其有机地统一了起来。

　　从这一政治立场出发，《司马法》非常重视对军事与政治之间关系的考察，它将从事战争的基本条件概括归纳为八个大字："以礼为固，以仁为胜。"即以礼义廉耻为规范，军队进攻时就能够赴汤蹈火，守城时就能够固若金汤，防守时就能够安如磐石；以仁慈博爱为宗旨，军队就能所向披靡无往而不胜。通观《司马法》全书，"因古则行"③，崇礼尚仁的文化精神贯穿于始终，成为其立论的根基。换句话说，就是《司马法》提出的以"六德"统挈兵学思想的各个层面。所谓"六德"，即"礼""仁""信""义""勇""智"④。其中的"礼"，更被置放于特别突出的地位，"以礼为固"，正是古典"礼乐文明"的中心内容，也是儒学影响和制约下的战争观的必有之义。再从"仁"的方面讲，《司马法》的作者明确提出了对战争问题的基本认识和主导态度："以仁为本、以义治之之谓正，正不获意则权。"⑤又曰："仁见亲，义见说（悦）……内得爱焉，所以守也；外得威焉，所以战也。"⑥"仁"在"治乱之道"中居于"仁、信、直、壹、义、变、专"诸项要素之首，被视为关键和根本之所系。

---

① 《司马法·仁本》。
② 《司马法·仁本》。
③ 《司马法·定爵》。
④ 《司马法·仁本》。
⑤ 《司马法·仁本》。
⑥ 《司马法·仁本》。

　　当然，理想的境界并不一定就是现实的可行选择；崇尚礼乐、弘扬仁义也不等同于一概否定和排斥战争活动。春秋战国时期社会政治、经济、文化诸条件的根本性变革，标志着"礼乐文明"已走向衰亡；而这一时期严酷的战争现实，也实际上宣告了儒家在战争问题上"德化至上论"的破产。作为兵学著作，毋庸置疑必须以指导战争为前提。因此，受时代条件的制约，《司马法》一书的战争观念也有突破"礼乐文明"，超越儒家学说藩篱的高明之处。它并没有像孟子"迂远而阔于事情"[1] 那样，仅仅停留在"王霸之辨""争义不争利"的王道至上论的认识层面，而是充分肯定了战争的不可避免与正当必要性，即"正不获意则权，权出于战，不出于中人"[2]，论证了战争与政治之间的内在辩证统一关系。

　　根据具体战争的不同内涵以及外在表现形式，《司马法》将战争划分为"正义"和"非正义"两大类型。《司马法》认为，正义战争的根本目的是"讨不义""诛有罪"。对于这一类战争，应该持充分肯定、积极支持的态度。当礼乐制度遭到破坏，仁政不能施行，德化无法推广，战争又不可避免时，《司马法》主张应该启动《周礼》所规定的著名"九伐之法"[3]，"以战止战"，即通过战争的手段制止战争，赢得和平。

　　《司马法》积极提倡从事以仁爱为根本宗旨的"义战"："杀人安人，杀人可也；攻其国，爱其民，攻之可也；以战止战，虽战可也。"又曰："贤王制礼乐法度，乃作五刑，兴甲兵以讨不义。巡狩省方，会诸侯，考不同。其有失命、乱常、背德、逆天之时，而危有功之君，遍告于诸侯，彰明有罪……征师于诸侯，曰：某国为不道，征之，以某年月日，师至于某国，会天子正刑。"[4] 这种既立足于"仁义"的立场，致力于避免无谓的战争活动，又正视战争存在

①　《史记·孟子荀卿列传》。
②　《司马法·仁本》。
③　《周礼·夏官·大司马》。
④　《司马法·仁本》。

的客观现实，肯定从事正义战争的必要性，立论是辩证的，符合历史实际的，思想是可贵的，较之于当时社会上流行的一些简单斥责战争为"凶器"的观点以及一味鼓吹"战争万能论"的偏激言论，无疑要来得更为正确、高明，具有相当突出的合理性与进步性，反映出《司马法》在有关战争问题上的理性认识已经达到了一定的深度和高度，可与同时期的《吴子》《尉缭子》的进步战争观念相媲美。

其二，慎战与备战并重的国防建设思想。

历史事实证明，一味好战、穷兵黩武，必定会自食苦果，无可避免地走向失败的深渊；但是苟且偷生、懈怠战备，同样也将会导致丧师辱国，葬送社稷的恶果，所谓"兵者百岁不一用，然不可一日忘也"①，指的就是这层道理。如何正确处理好这两者的辩证关系，对于高明地指导战争、建设国防实具有重大的意义。《司马法》对此进行了具体而深刻的阐述，作出了辩证而精彩的回答："故国虽大，好战必亡；天下虽安，忘战必危。"② 其核心含义就是"慎战"与"备战"并重，既高度重视战争，积极从事备战活动，又坚决反对迷信武力，热衷于征伐兼并战争，从而牢牢地立于不败之地。这充分反映了其书作者在战争与国防认识上所达到的思想高度，直至今日仍是至理名言，不乏重大的启示意义。

当然，在当时战争频仍、兼并日炽的残酷现实面前，《司马法》将更多的注意力集中在加强战备、打赢战争、巩固国防这一点上，一再强调"春蒐秋狝""不忘战"；又曰："天下既平，天子大恺，春蒐秋狝；诸侯春振旅，秋治兵，所以不忘战也。"③ 亦曰："虽有明君，士不先教，不可用也。"④ 从这个基本立场出发，《司马法》用了相当多的篇幅，论述了国防建设和战争指导的关系问题。

---

① 《鹖冠子·近迭》。
② 《司马法·仁本》。
③ 《司马法·仁本》。
④ 《司马法·天子之义》。

《司马法》认为，政治的清明廉洁与否直接关系到战争的胜负，社稷的存亡，因此无论是指导战争还是建设国防，都首先要创造良好的政治条件，为军事行动的顺利展开提供充分的保证："凡战，固众相利，治乱进止，服正成耻，约法省罚。"① 这就是要做到团结军队，恩抚广大民众，开展政治教育，统一君臣上下的意志，激励军心士气以及严明法纪，省减刑罚，等等。《司马法》认为这一切正是从事军事斗争的最根本的前提，离开它们，就不可能谈论巩固国防，克敌制胜。

在拥有良好政治条件的前提下，《司马法》进一步具体阐述了克敌制胜、巩固国防的综合因素。一是要制定并执行相应的规章制度，开展平时经常性的训练与教育，积极网罗和任用各种专门军事人才："定爵位，著功罪，收游士，申教诏，询厥众，求厥技。"② 二是要把巩固国防与指导战争当作一个大系统来对待，处理好该系统内部的各种关系，落实具体的环节。《司马法》的作者把这种综合系统模式十分扼要地概括为"五虑"，即"顺天、阜财、怿众、利地、右兵"③，意思是应通晓天文地理，发展繁荣经济，笼络广大人心，巧妙利用地形条件，改善提高武器装备水平。

至于"五虑"的基本内容，《司马法》也作出了相当具体的说明："顺天奉时，阜财因敌，怿众勉若。利地，守隘险阻。右兵，弓矢御，殳矛守，戈戟助。"④ 意思是说，顺天应时，就是要了解和利用天候等自然条件；广殖资源，就是要善于利用敌方的资源财富；取悦人心，就是要努力顺应迎合广大民众的意志愿望；利用地形，就是指要占据狭隘险要的地形，夺取战场上的先机之利；重视兵器装备，就是要在作战中用弓矢御敌，用殳矛守阵，戈戟等武器掺杂配合使用，互为辅助，发挥最大的杀伤效能。

---

① 《司马法·定爵》。
② 《司马法·定爵》。
③ 《司马法·定爵》。
④ 《司马法·定爵》。

这些情况表明,《司马法》的国防建设思想除了优先突出政治前提之外,还包括了重视天时地利,发展经济实力,增强官兵之间的团结,提高武器装备水平等诸多内容。这中间有三个方面特别值得我们注意:一是主张"阜财",强调从经济的角度考虑如何从事战备活动,即广集资财,发展生产,努力做到"众有有,因生美"①,使民众富足,国力充实,从而为建设国防或必要时实施战争打下坚实的物质基础。二是提倡"大军以固,多力以烦""人习陈利",②即建立起一支兵员充足而且战法熟练、能征惯战、强大无敌的军队,作为国防安全上的牢固支柱,以适应日趋激烈残酷的争霸兼并斗争的迫切需要,去最终夺取战争的胜利,实现既定的战略目标。三是广"求厥技",即通过各种途径大量收罗并起用具有专门军事技能的人才,充分发挥他们的积极作用,以改善部队的整体素质,提高整支军队的战斗力。

总起来说,《司马法》的国防建设指导思想十分丰富和成熟,是适应时代要求的产物,深刻地揭示了战争与政治、经济、民众以及天时地利、军事装备之间不可分割的联系,具有全面、辩证的特色,对于后世国防建设思想的发展以及国防建设实践的成熟,都曾产生过积极而深远的影响,直至今天,其国防建设指导思想的总纲——"故国虽大,好战必亡;天下虽安,忘战必危"③,依然是不刊之论,被人们奉为圭臬。

其三,"国容不入军,军容不入国"的治军思想。

治军理论是构成《司马法》整个兵学思想体系的重要内容,相对比较系统和完善,其不少论述符合军队建设与管理训练的一般规律和特点,具有一定的学术价值;同时,它的治军理论还具有鲜明的特色,即较多地反映了"礼乐文明"在治军领域中的突出价值,因此受到后人的高度重视。

---

① 《司马法·定爵》。
② 《司马法·定爵》。
③ 《司马法·仁本》。

《司马法》治军思想的重大价值之一，在于其指导思想以及体系构建是建立在把握军队建设自身特点的基础之上的。这方面最为显著的标志，是它一再强调的"国容不入军，军容不入国"①。这种治军思想一针见血地道出了治军的特殊要求与自身规律。换言之，这句军队管理教育的脍炙人口的至理名言，区分了治军与治国两者之间的重大差异，划清了彼此的界限。指出国家、朝廷的那一套礼仪规章不能搬用于军队之中，而军队的那一套法令章程以及处事方式同样也不能搬用来处理国家、朝廷的事务。《司马法》的作者认为，这是治军中必须首先要解决的问题。在其看来，治军与治国各有不同的特点和要求，"在国言文而语温，在朝恭以逊，修己以待人，不召不至，不问不言，难进易退；在军抗而立，在行遂而果，介者不拜，兵车不式，城上不趋，危事不齿"②。

鉴于两者的差异，《司马法》进而强调，倘若将军队的那一套应用于处理国家、朝廷事务，那么民间礼让的风气就会废弛。一样的道理，如果把国家、朝廷上的礼仪规章制度移用于军队，那么军人尚武果决的精神也会被削弱："军容入国，则民德废；国容入军，则民德弱。"③ 总而言之，治理国家应该崇尚礼义，治理军队则应讲求法制。礼与法两者互为表里，互为补充，各有其司，并行而不悖，"礼与法表里也，文与武左右也"④。正是基于"居国和，在军法，刃上察"这种不同的特点和要求，《司马法》作为军事法典性质的兵学著作，根据治军的自身规律，提出了比较系统而且影响深远的治军理论及其方法措施。

《司马法》十分重视军事教育的作用，认为这是军队建设方面的重大课题，也是战场上克敌制胜的强有力保障。为此它指出"故虽

① 《司马法·天子之义》。
② 《司马法·天子之义》。
③ 《司马法·天子之义》。
④ 《司马法·天子之义》。

有明君，士不先教，不可用也"①。在具体的军事教育内容上，《司马法》反对烦琐冗杂，大搞形式主义的花架子，而主张做到简明扼要，切合实际，"教极省"，并积极提倡以"六德"，即"礼、仁、信、义、勇、智"来教育和培养部队，这就是它津津乐道的"六德以时合教"②。

《司马法》还用大量的篇幅来具体阐述治军立法的各种要则，指出申明军法、规定约束、严格赏罚为治理部队的关键所在。

第一，《司马法》把治军看成是一个历史的范畴，不同历史时期有各自不同的特色，应该以发展变化的眼光来看待其形式上的差异性和实质上的同一性。夏代在朝堂上施行奖赏，这是为了勉励好人；商代在集市上公开施行诛戮，这是为了警醒坏人；周代在朝堂上施行奖赏，在集市上执行诛戮，这乃是为了劝勉君子，惊骇坏人。然而，三代君王鼓励人们去恶从善的精神实质却是完全一致的："夏赏于朝，贵善也；殷戮于市，威不善也；周赏于朝，戮于市，劝君子惧小人也。三王彰其德一也。"③

第二，提倡严明赏罚，树立权威，令行而禁止。《司马法》认为"从命为士上赏，犯命为士上戮"，从而使得"德义不相逾，材技不相掩，勇力不相犯"④；"正不行则事专，不服则法，不相信则一"⑤。尤其要能够做到坚决贯彻明耻教战的原则。"服正成耻，约法省罚"⑥，以保证军队最大限度地发挥战斗力，达到"不令而行"，勇往直前，英勇杀敌，战胜攻取的目标。

第三，主张施行赏罚，申明军纪军法要把握合适的分寸，既不能软弱松弛，也不宜过火偏颇，同时还要贯彻及时准确的基本原则。

---

①　《司马法·天子之义》。

②　《司马法·仁本》。

③　《司马法·天子之义》。

④　《司马法·天子之义》。

⑤　《司马法·定爵》。

⑥　《司马法·定爵》。

《司马法》指出："师多务威则民诎，少威则民不胜。"① 意思是说，治军上过于威严，士气就会受到压抑；反之，如果治军缺乏威严，就难以指挥众将士去克敌制胜。所以，只有仁慈爱人，才能使众将士亲近拥戴自己；但是倘若只讲仁爱而不讲信义威严，那就反而会走向反面，祸及自身，"唯仁有亲，有仁无信，反败厥身"②。当然，宽严适度都必须以执法的及时与准确为前提条件，即所谓"赏不逾时""罚不迁列"③，从而做到"小罪乃杀"，以避免出现"小罪胜，大罪因"④ 的被动情况。

《司马法》高度重视对将帅队伍的培养建设，并着重强调加强将帅自身的道德品质修养。它认为将帅是军队的核心，但是这种核心地位需通过与广大士卒的沟通和配合才能发挥其应有的作用："将军，身也；卒，支（肢）也；伍，指拇也。"⑤ 在《司马法》看来，真正优秀的将帅应该具备"仁、义、智、勇、信"五种美德，做到德才兼备，智勇双全。

同时，《司马法》还要求将帅做到"心中仁，行中义"⑥，谦让谨慎，虚怀若谷，以身作则，洁身自好，身先士卒，成为普通士卒的表率，从而"敬则慊，率则服"⑦，能够使部属心悦诚服，乐于为将帅效劳尽力，"说（悦）其心，效其力"⑧。《司马法》还主张将帅应该具备正确的荣辱观、得失观，在打胜仗的时候，要"与众分善"⑨，共享荣誉；当战斗失利时，又要能够"取过在己"⑩，主动承担责任。至于临阵作战之时，将帅更应善于准确判断、果断指挥，

---

① 《司马法·天子之义》。
② 《司马法·定爵》。
③ 《司马法·天子之义》。
④ 《司马法·定爵》。
⑤ 《司马法·定爵》。
⑥ 《司马法·严位》。
⑦ 《司马法·严位》。
⑧ 《司马法·严位》。
⑨ 《司马法·严位》。
⑩ 《司马法·严位》。

激励士气，冲锋在前。总之，将帅兴兵打仗要合乎正义，处世做事要把握时机，任用他人要施以恩惠，遇敌交锋必须镇静沉着，面对混乱必须从容不迫，在遇到危难的时候要"无忘其众"①，和官兵们生死一体，荣辱与共。

特别值得注意和肯定的是，《司马法》主张将帅应该和广大士卒同样遵纪守法，不能搞特殊化，"使法在己曰专，与下畏法曰法"②。这是对"同罪异罚"等人治弊端的冲击和否定，不论在当时还是后世，都是有突出的进步意义的。

《司马法》的治军观符合军队建设与管理的规律和特点，也具有较强的可操作性，因此深受后人的重视。西汉名将周亚夫细柳营军门挡驾整肃军容的做法，就是借鉴《司马法》"国容不入军"的思想，这是我们理解"介者不拜，兵车不式"③ 等原则，并应用于治军实践的一个显著事例。

第四，"相为轻重"的作战指导思想。

与《孙子兵法》《六韬》等先秦其他兵书相比，《司马法》对于作战指导问题的论述相对较少，显然不是其重点之所在。然而作为一部著名的兵书，它对此也并不忽略。其中比较突出的，就是在作战指导上，《司马法》提出了"相为轻重"④ 的重要作战原则，即如何在对敌作战中，根据具体情况正确地部署和使用兵力，赢得优势，把握主动，夺取胜利。

《司马法》指出："战，以力久，以气胜，以固久，以危胜。"⑤意思是说，用兵打仗，依靠力量强盛而持久，凭借士气高涨而取胜，依靠行阵坚固而持久，凭借经受考验而取胜。《司马法》明确认为，所谓战争就是敌对双方之间互相使用不同的兵力的生死较量，即

---

① 《司马法·定爵》。
② 《司马法·定爵》。
③ 《司马法·天子之义》。
④ 《司马法·严位》。
⑤ 《司马法·严位》。

"故战相为轻重"，所以必须要认真地"筹以轻重"①。至于怎样才能做到这一点，《司马法》也作出了很好的回答，即在兵力的具体部署和使用上，要严格贯彻"以重行轻则战"的根本原则："凡战，以轻行轻则危，以重行重则无功，以轻行重则败，以重行轻则战。"②意思是一般作战的规律，用自己的小部队去对付敌人的小部队就会有危险，用自己的大部队去对付敌人的大部队就难以取得成功，用自己的小部队去对付敌人的大部队就会导致悲惨的失败，用自己的大部队去对付敌人的小部队方可占据主动，才能够决战取胜。这实际上就是主张集中优势兵力，以强击弱，以多击寡，掌握主动，稳操胜券。

应该指出，《司马法》这一"相为轻重"，集中优势兵力对敌的观点，揭示了作战指导中的一条普遍规律，也是中国古代兵家的共识，并已为战争实践所一再证实。如，《孙子兵法》就主张"胜兵若以镒称铢"③，提倡"并敌一向，千里杀将"④。《淮南子》更是用非常形象的比喻来说明这层道理："夫五指之更弹，不若卷手之一挃；万人之更进，不如百人之俱至也。"⑤ 就是说，五个手指轮番敲打，不如握紧拳头狠命一击；一万人逐个轮番进攻，不如一百人同时出击。这恰好说明，真正优秀的兵书，对一些基本规律性的兵学认识往往是相通的。

《司马法》同时还指出，即使是以优势的兵力对付劣势之敌，也不能一次性投入己方的全部兵力，"重进勿尽，凡尽危"⑥，意谓即便是兵力雄厚，优势明显，当实施进攻时也不要一次性投入全部的兵力，要知道力量用尽会带来不可预测的危险，而应当留有适当的机动性兵力（略当于现代战争中的战略预备队）以便应付各种突然

---

① 《司马法·严位》。
② 《司马法·严位》。
③ 《孙子兵法·形篇》。
④ 《孙子兵法·九地篇》。
⑤ 《淮南子·兵略训》。
⑥ 《司马法·严位》。

的变化。这样，集中兵力就有了更为丰富的内涵。

关于战略选择，《司马法》的观点和《孙子兵法》有相近之处，即推崇谋略，对单纯"伐兵"持一定的保留态度，"大善用本，其次用末"①，然而它也认为"伐谋"与"伐兵"必须根据实际情况作出选择，不可一概而论，"执略守微，本末唯权，战也"②。这很显然是辩证平允的态度。

在作战指挥上，《司马法》积极提倡"智""勇""巧"三者的有机结合："凡战，智也；斗，勇也；陈，巧也。"③即作战要重视谋略，运用智慧，战场拼搏厮杀要提倡勇敢献身的精神，布阵列势要讲求巧妙灵活，变化多端。要求作战指导者善于造就优势，争取主动，"用其所欲，行其所能，废其不欲不能，于敌反是"④。强调要使军队做到屯驻时注意兵器甲胄的放置，行军时注意队列的整齐，战场交锋时能注意进退有节，"舍谨甲兵，行慎行列，战谨进止"⑤。

《司马法》作战指导思想的核心精神之一，是明确主张用兵打仗要善于做到"视敌而举""称众，因地，因敌令陈"⑥，强调捕捉战机，随机变化，因敌而制胜，"因欲而事，蹈敌制地"⑦，根据不同的情况变化尤其是敌情制定不同的战法。如，当兵力处于优势地位时，应该力求阵势严整，摆堂堂之阵向敌开战，包围敌人，轮番对其实施猛烈的打击。反之，如果以劣势兵力对付优势之敌，则不可轻举妄动，不可随意出击，而先需要保持自己阵脚稳定不乱，在此基础上，再采取内线作战的方式（"受裹"⑧），努力使战术运用灵活巧妙，变化无穷，从而实现克敌制胜的目的。

---

① 《司马法·严位》。
② 《司马法·严位》。
③ 《司马法·定爵》。
④ 《司马法·定爵》。
⑤ 《司马法·严位》。
⑥ 《司马法·定爵》。
⑦ 《司马法·定爵》。
⑧ 《司马法·用众》。

在因敌变化的用兵原则指导下，《司马法》进而积极提倡示形动敌，观察分析敌情，高屋建瓴，掌握全局，从容应付各种情况，乘隙蹈虚，出奇制胜，避实击虚，予以敌人凌厉而毁灭性的打击，正如《司马法》所言："凡战，击其微静，避其强静；击其倦劳，避其闲窕；击其大惧，避其小惧。"① 又曰："众寡以观其变，进退以观其固，危而观其惧，静而观其怠，动而观其疑，袭而观其治。击其疑，加其卒，致其屈，袭其规。"② 这些作战指导方法，与《孙子兵法》中所倡导的"策之而知得失之计，作之而知动静之理，形之而知死生之地，角之而知有余不足之处。故形兵之极，至于无形"③ 等手段，实有异曲同工之妙。

关于战场的选择，《司马法》也有独到的见解，它提倡"背风，背高，右高，左险，历沛，历圮"④ 等一系列原则。在驻军或防御之时，主张一定要构成环形的态势，"兼舍环龟"⑤，力求坚实稳固，在阵法的具体布置上，《司马法》的基本原则乃是"行惟疏，战惟密，兵惟杂"⑥，即布列阵势的行列要相对疏散，接敌作战时的队形要相对密集，各种兵器要掺杂着配合使用。并认为方阵作战，关键在于作战指导者的匠心独运，举重若轻，"凡战，非陈之难，使人可陈难；非使可陈难，使人可用难；非知之难，行之难"⑦。毫无疑问，这是十分精辟而深刻的看法，反映出《司马法》作战指导理论的确已达到高度成熟的形态。

《司马法》还进一步指出，要确保作战指导进入高明的境界，收到最佳的效果，极为重要的条件之一，就是能够在作战指挥方面做

---

① 《司马法·严位》。
② 《司马法·用众》。
③ 《孙子兵法·虚实篇》。
④ 《司马法·用众》。
⑤ 《司马法·用众》。
⑥ 《司马法·定爵》。
⑦ 《司马法·严位》。

到"无复先术"①，即不断地创新，不断地开拓，避免老一套的战法，防止墨守成规，胶柱鼓瑟。所有这些见解，无疑都具有重大的学术价值，在中国兵学史上有着重要的意义，都值得我们今天加以必要的总结和借鉴。

其五，"甲以重固，兵以轻胜"的军事技术观念。

古人或多或少都懂得"工欲善其事，必先利其器"② 这层道理，在军事上则是讲求器械之利，这无疑是正确的观点。因为人本身固然是战争中最活跃的因素，发挥着决定性的作用，可是武器装备在军事斗争诸条件中也占有重要的地位，武器装备的优劣对于作战进程乃至胜负归属具有不可忽视的影响，这一点古今中外，概莫能外。正是基于这样的认识，有一些古代兵家比较重视武器装备的改良和运用问题。如，《管子》曾云："凡兵有大论，必先论其器。"③ 其把"审器而识胜"提到重要的位置来认识，"备具胜之原"④。然而，受中国传统文化基本特性的制约，兵学家在这方面的共识存在着一定的不足。众所周知，重道轻器，忽视科技，是中国传统文化的一个显著特点，这在军事领域同样有较明显的表现。在这样的文化背景下，《司马法》重视武器装备水平的提高，将其列为战争制胜的重要因素之一，就显得十分难能可贵了。

通观《司马法》全书，其关于武器装备问题的论述占有很大的篇幅，而所达到的广度与深度，在先秦时期诸多兵书中更是卓然不群，对此，我们理应足够重视。概括地说，《司马法》这方面论述主要反映在以下两个方面。

首先，阐说武器装备在军事活动中的作用与地位。《司马法》充分认识到制造精良的武器装备在军队建设中的地位和作用，认为军队"以甲固，以兵胜""甲以重固，兵以轻胜"⑤。其指出如果武器

———————

① 《司马法·严位》。
② 《论语·卫灵公》。
③ 《管子·参患》。
④ 《管子·幼官》。
⑤ 《司马法·严位》。

装备精良，往往可以使己方的实力由弱转强，"凡马车坚，甲兵利，轻乃重"①。反之，倘若战争指导者不讲求兵器锋利，不讲求盔甲坚韧，不讲求战车牢固，不讲求马匹优良，不致力于扩充军队，那就意味着没有真正懂得和掌握用兵作战的道理："兵不告利，甲不告坚，车不告固，马不告良，众不自多，未获道。"②《司马法》特别强调，当发现敌人发明和使用新式兵器时，应该尽快地仿效制造，以保证自己与敌方在兵器装备方面保持必要的平衡："见物与侔，是谓两之。"③

其次，讨论如何在作战中发挥武器装备的应有功能。《司马法》认为，在作战中要适当地配置各种兵器，为此，它提出了方阵作战中的武器配置运用原则，主张长、短、轻、重兵器掺杂混同配置和使用，以充分发挥其威力："兵不杂则不利，长兵以卫，短兵以守。太长则难犯，太短则不及；太轻则锐，锐则易乱；太重则钝，钝则不济。"④ 指出各类兵器都有其不同的功用，不可替代，五种兵器有五种不同的用途，长兵器是用来掩护短兵器的，而短兵器则是用来弥补长兵器的不足。五种兵器轮番用于作战可以持久，一齐使用就能发挥出强大的威力，"凡五兵五当，长以卫短，短以救长。迭战则久，皆战则强"⑤。《司马法》中这些重视武器装备的制造和使用的相关论述，是从当时实战经验中提炼概括出来的，有强烈的针对性和可操作性，是古代有关人与武器关系问题探讨方面的精彩篇章，给后人以较大的启迪。

四、《司马法》的特色与地位

班固在《汉志》有云："下及汤武受命，以师克乱而济百姓，

---

① 《司马法·严位》。
② 《司马法·严位》。
③ 《司马法·定爵》。
④ 《司马法·天子之义》。
⑤ 《司马法·定爵》。

动之以仁义，行之以礼让，《司马法》是其遗事也。"① 宋代学者郑
友贤也指出："《司马法》以仁为本，孙武以诈立；《司马法》以义
治之，孙武以利动；《司马法》以正，不获意则权，孙武以分合为
变。"② 这些论述都准确扼要地揭示了《司马法》其书在中国兵学发
展史上的特殊地位和历史意义。

如果将《司马法》和《左传》《国语》《周礼》《逸周书》等先
秦典籍参照，那么我们就可以很自然地得出这样的结论，《司马法》
所涉及的军礼军法内容、作战方式、军事制度以及战争观念等等，
往往具有较长的时间跨度，为我们在今天全面了解、准确把握我国
古代战争、兵学思想发展历史的嬗递轨迹提供了必要的依据。而其
中最珍贵的是原"古者《司马兵法》"中所保留的西周及春秋前期
的部分内容。换句话说，即《司马法》的重要学术价值，体现为它
是我国现存兵书之中，反映春秋以前兵学思想、作战特点、军事制
度实际情况最具体、最充分的兵学典籍，集中渗透着春秋中期之前
的时代文化精神。

其一，早期战争观念及其特征的历史缩影。

西周时期所确立的古典礼乐文明，表现在军事领域中，就是以
一整套"军礼"来指导、制约具体的军事活动。到了春秋时期，这
种"军礼"的外在形式和内在宗旨，已遇到了很大的冲击，这从子
鱼、舅犯（即狐偃）等人对"军礼"的批评言辞中可窥一斑，如舅
犯就曾表示："繁礼君子，不厌忠信；战阵之间，不厌诈伪。"③ 但
是就整个社会思潮大氛围考察，"军礼"的基本精神却依旧受到人们
的尊重和奉行。我们从春秋争霸战争中遵从"军礼"原则的种种行
为就能发现，《左传》《公羊传》中的相关论述和基本立场也能展现
春秋中期以前战争的基本精神。在认识和把握春秋中期以前的时代
精神后，我们再回头来分析《司马法》中有关西周及春秋早期兵学

① 《汉书·艺文志·兵书略》。
② 郑友贤：《孙子遗说》，见杨丙安：《十一家注孙子校理》，第 322 页。
③ 《韩非子·难一》。

内容的具体论述，就能够对这一部分内容保存和弘扬三代"军礼"的思想倾向作出较为清楚的说明了。

关于从事战争的基本目的，"军礼"所主张的是征讨不义。《左传》云："征伐以讨其不然。"① 又曰："凡君不道于其民，诸侯讨而执之。"②《国语》亦言："伐不祀，征不享。"③ 这些典籍内容表达的都是这一层意思。这在《司马法》那里，便是主张"兴甲兵以讨不义"。两者是完全相一致的。具体地说，只有当对方犯有"凭弱犯寡""贼贤害民""放弑其君""犯令陵政"等九种严重罪行之时，才可以兴师征讨，"会之以发禁者九"④。而《周礼·夏官·大司马》中有关正邦国的"九伐之法"，所叙的内容与《司马法》也完全相同。

如果不得已而从事战争活动，就必须在军事行动中坚决贯彻"礼""仁"一类的原则。《司马法》有"以礼为固，以仁为胜"的提法，而《左传》则言："不待期而薄人于险，无勇也。"⑤ 这也是宗"礼"尚"义"的意思。郤至之所以在鄢陵之战后自我欣赏，"吾有三伐"，认为自己有三件可以值得夸耀的美德善行，就在于他曾做到"勇而有礼，反之以仁"这一点。正因为征伐归宗于"礼""仁"，所以，"不加丧，不因凶"便成为展开对敌军事斗争的先决条件之一。考察《左传》，我们可知《司马法》这一主张并非空穴来风，无的放矢，而是于史可征的"军礼"原则。《左传》载："三月，陈成公卒，楚人将伐陈，闻丧乃止。"⑥ 又曰："晋士匄侵齐，及穀，闻丧而还，礼也。"⑦ 就是例证。

当进行正式的战场交锋之时，当时的"军礼"也有不少规范和

---

① 《左传·庄公二十三年》。
② 《左传·成公十五年》。
③ 《国语·周语上》。
④ 《司马法·仁本》。
⑤ 《左传·文公十二年》。
⑥ 《左传·襄公四年》。
⑦ 《左传·襄公十九年》。

基本精神，要求作战双方共同遵循。这方面《司马法》书中有相当翔实的记载，且经得起史实和有关文献记载的勘合。其云："成列而鼓，是以明其信也。"① 宋襄公则说过："古之为军也，不以阻隘也。寡人虽亡国之余，不鼓不成列。"②《司马法》又云："不穷不能而哀怜伤病，是以明其仁也。"亦曰："见其老幼，奉归勿伤；虽遇壮者，不校勿敌；敌若伤之，医药归之。"③ 而这在宋襄公那里，则是"君子不重伤，不禽二毛"④。这不能简单地断定为是《司马法》或宋襄公迂腐愚蠢，而恰恰应该看作是他们对古"军礼"的申明和践行。因为《穀梁传》中就曾有"战不逐奔，诛不填服"⑤ 的说法。《淮南子》的总结恰如其分："古之伐国，不杀黄口，不获二毛，于古为义，于今为笑。古之所以为荣者，今之所以为辱也。"⑥ 所以，尽管在今天看来，这些论调显得十分迂腐可笑，但它毕竟是历史上存在过的陈迹，是了解古代兵学思想演变轨迹的重要依据。

"服而舍人"是古典"军礼"中的又一项重要原则。春秋中期以前的战争指导者，其从事战争所追求的是战而服诸侯的旨趣和境界。这就是说，战争的主要目的之一，是通过武力威慑或有限征伐的手段，树立自己的威信，迫使其他诸侯屈节归顺，臣服于自己，以达到秩序的建立或者维护。这个目标一旦达到，就立刻偃兵息武，停止军事行动，给予敌方以继续生存下去的机会。这在《左传》等先秦典籍中有充分的反映。《左传》言："贰而执之，服而舍之，德莫厚焉，刑莫威焉。"⑦ 又云："叛而不讨，何以示威？服而不柔，何以示怀？"⑧ 亦称："叛而伐之，服而舍之，德、刑成矣。伐叛，

---

① 《司马法·仁本》。
② 《左传·僖公二十二年》。
③ 《司马法·仁本》。
④ 《左传·僖公二十二年》。
⑤ 《穀梁传·隐公五年》。
⑥ 《淮南子·氾论训》。
⑦ 《左传·僖公十五年》。
⑧ 《左传·文公七年》。

刑也；柔服，德也，二者立矣。"① 说的都是这个意思。而《司马法》在这一问题上，同样透露了古典"军礼"的这项基本原则："又能舍服，是以明其勇也。"②

在"既诛有罪"，完成了战争的基本使命之后，《司马法》还提出了关于下一步行动的具体纲领与步骤："王及诸侯修正其国，举贤立明，正复厥职。"③ 其实，这也并非《司马法》的发明创造，而仅仅是对古典"军礼"中的有关战争善后原则的具体记述与申明而已。参之以《左传》，亦信而有征。鲁昭公十三年（前529），楚国"平王即位，既封陈、蔡，而皆复之，礼也。隐大子之子庐归于蔡，礼也。悼大子之子吴归于陈，礼也"④。这段记载可以看作是对《司马法》上述那段言辞的有力注脚。孔子所谓"兴灭国，继绝世，举逸民"⑤ 的真切含义，也终于可以凭借《司马法》之言而昭白于今了。

其二，上古军制、战术的渊薮。

《司马法》一书中的有关论述，对春秋中期以前的军事训练、兴师程序、誓师仪式、献捷凯旋以及战术运用等各个方面的军事活动，都作出了详尽而如实的反映，这是其书具有重大学术价值和鲜明文化特色的又一个重要的标志。

在军事训练方面，《司马法》强调"士不先教，不可用也"⑥。考察其所载的军事训练的内容和方式，不外乎"春蒐秋狝""诸侯春振旅，秋治兵"诸项。这正与《左传》《国语》《周礼·夏官·大司马》等古籍的记载相一致。《左传》言："春蒐、夏苗、秋狝、冬狩，皆于农隙以讲事也。三年而治兵，入而振旅，归而饮至，以数

---

① 《左传·宣公十二年》。
② 《司马法·仁本》。
③ 《司马法·仁本》。
④ 《左传·昭公十三年》。
⑤ 《论语·尧曰》。
⑥ 《司马法·天子之义》。

军实。"①《国语》亦说："春以蒐振旅，秋以狝治兵。"② 这种军事
训练和演习，通常在农闲之时以田猎的方式进行。就如《诗经》所
反映的那样，是"二之日其同，载缵武功"③。汉代著名经学家郑玄
《笺》云："其同者，君臣及民因习兵俱出田也。"④

而到了战国时期，上述"天子乃教于田猎，以习五戎"的军事
训练方式则被新型的以一教十、以十教百的训练方法所取代。《吴
子》言："用兵之法，教戒为先。一人学战，教成十人；十人学战，
教成百人；百人学战，教成千人；千人学战，教成万人；万人学战，
教成三军。"⑤ 另外，《六韬·犬韬·教战》《尉缭子·勒卒令》等兵
书也有类似的记载。这种新的训练方式不再与"田猎"相结合，而
成为一种经常性与正规化的训练制度了。它恰好从反面证实了《司
马法》中所记述的某些军事训练制度具有早期性和原始性。

在兴师程序问题上，《司马法》的有关论述同样是对三代出军兴
师制度的真实写照。《司马法》中有一段关于兴师程序的很具体的描
述："其有失命、乱常、背德、逆天之时，而危有功之君，遍告于诸
侯，彰明有罪。乃告于皇天上帝日月星辰，祷于后土四海神祇山川
冢社，乃造于先王。然后冢宰征师于诸侯曰：'某国为不道，征之。
以某年月日师至于某国，会天子正刑。'"⑥ 它的真实性也可以通过
有关史籍而一一得到印证。如，《国语》记载"今宋人弑其君，罪
莫大焉"，于是"乃使旁告于诸侯，治兵振旅，鸣钟鼓，以至于
宋"⑦。由此可见，《司马法》所说的"冢宰征师于诸侯"云云，不
是臆度杜撰之辞。而《周礼·太祝》郑玄《注》有一段文字除个别
之处外，与上述《司马法》之言基本一致。在可能是较晚出的《礼

---

① 《左传·隐公五年》。
② 《国语·齐语》。
③ 《诗经·豳风·七月》。
④ 《毛诗正义》，第 833 页。
⑤ 《吴子·治兵》。
⑥ 《司马法·仁本》。
⑦ 《国语·晋语五》。

记》中，也有"天子将出征……受命于祖，受成于学"① 的说法。这表明，三代的兴师征伐程序已为先秦典籍所普遍记载，《司马法》同样没有例外。

　　至于战前军中誓师仪式及战后献俘奏捷等情况，《司马法》和其他先秦古籍也多有一致之处。如，《司马法》记述"凯旋"为"得意则恺歌，示喜也。偃伯灵台，答民之劳，示休也"②；如果将它同《周礼·大司乐》中"王师大献，则令奏恺乐"③ 的记载对比甄核，就可以明显地发现两者所反映的早期战争活动形式与特点的一致性。

　　就战场纪律而言，《司马法》的有关论述也突出体现了早期军事活动的特色。《司马法》曰："入罪人之地，无暴神祇，无行田猎，无毁土功，无燔墙屋，无伐林木，无取六畜、禾黍、器械。"④ 这与其他古文献的记载非常接近。如，《费誓》即言："无敢伤牿。牿之伤，汝则有常刑。马牛其风，臣妾逋逃，勿敢越逐，祇复之，我商赍汝。乃越逐，不复，汝则有常刑。无敢寇攘，逾垣墙，窃马牛，诱臣妾，汝则有常刑。"⑤ 而《墨子》中所描述的战国初期那种"入其国家边境，芟刈其禾稼，斩其树木，堕其城郭，以湮其沟池，攘杀其牲牷，燔溃其祖庙，劲杀其万民，覆其老弱，迁其重器"⑥ 的残酷战争场景，与《司马法》上述文字相比较，则实在迥异其趣，可谓霄壤之别。

　　在作战方式方面，《司马法》中有"军旅以舒为主"的主张，讲求"徒不趋，车不驰，逐奔不逾列，是以不乱。军旅之固，不失行列之政，不绝人马之力，迟速不过诚命"⑦。其一再强调，"逐奔

---

① 《礼记·王制》。
② 《司马法·天子之义》。
③ 《周礼·春官·大司乐》。
④ 《司马法·仁本》。
⑤ 《尚书·费誓》。
⑥ 《墨子·非攻下》。
⑦ 《司马法·天子之义》。

不过百步，纵绥不过三舍"①。这些论述当视作春秋以前作战中战术运用特点的保存与概括。《牧誓》对当时的作战战术也有过类似的阐述："今日之事，不愆于六步、七步，乃止齐焉。勖哉夫子！不愆于四伐、五伐、六伐、七伐，乃止齐焉。"② 即规定军队冲锋前进了一段短促距离之后，就必须停止进击以整顿作战基本队形，这正是早期笨拙的大方阵进攻作战的基本特点。这种进攻战术使得部队推进的速度相当迟缓，在早期的军事水平下，在正常条件下行军，一日开进的标准距离为一舍（30 里），最高日行军速度以三舍为限。而战场追击，也只能是"逐奔不远"③，至多不超过"百步"而已。《司马法》将这类上古战术原则较完整地记载下来，从而使得我们能够结合《左传》等典籍的相关史料，深入了解春秋中期以前军队的作战方式以及战术运用，这是很有价值的。这里我们还可以顺便谈谈《司马法》与《孙子兵法》的差异问题。如果说"动之以仁义，行之以礼让"是《司马法》兵学思想的基本特色，那么班固在《汉志》中所说的"自春秋至于战国，出奇设伏，变诈之兵并作"④ 的战争现实，反映到春秋晚期的兵学理论建树上，便是《孙子兵法》的成书以及对长期军事实践活动的指导意义。这种时代特征上的重大差异性，不少后人是心领神会、洞若观火的。我们提到郑友贤《孙子遗说》便曾就《司马法》与《孙子兵法》的各自特点作过扼要的比较。其实，这两者间的区别又何止于郑友贤所扼要列举的几则。通过进一步的深入考察，我们可以发现，《司马法》与《孙子兵法》在许多问题上都存在着很大的差别，甚至可以说不无对立。

在论述的侧重点上，《司马法》注重于申明军礼，论列军制；而《孙子兵法》则注重于探讨作战指导原则。在战争目的方面，《司马法》基于"军礼"的"仁义"特色，而将战争活动的宗旨归结为

① 《司马法·仁本》。
② 《尚书·牧誓》。
③ 《司马法·天子之义》。
④ 《汉书·艺文志·兵书略》。

"讨不义""会天子正刑"①；而《孙子兵法》则明确提倡"伐大国"②。这种差别反映到战争善后问题处理上，便是《司马法》"又能舍服""正复厥职"③ 做法与《孙子兵法》拔"其城"、隳"其国"④ 行为之间的截然对立。在作战方式和战术运用上，《司马法》主张"军旅以舒为主"，要求做到"徒不趋，车不驰"⑤；而《孙子兵法》则是提倡"兵之情主速，乘人之不及，由不虞之道，攻其所不戒也"⑥。在后勤保障及执行战场纪律方面，《司马法》主张"入罪人之地……无取六畜、禾黍、器械"⑦；而《孙子兵法》则明确主张"因粮于敌"⑧，鼓吹"掠于饶野"⑨ "掠乡分众"⑩。凡此种种，不一而足。要而言之，就是在《司马法》与《孙子兵法》之间，似乎真的存在着一条较难逾越的时代鸿沟。

总之，《司马法》一书集中体现了春秋中期以前战争的规模、形式及特点，反映了早期兵学思想的基本内涵与主要性质，因此，说它为上古军制、战术的渊薮恰如其分，毫无疑义，《司马法》乃是我们今天认识整个古代兵学思想逻辑嬗递不可或缺的重要环节。

其三，绵延不绝的影响。

《李卫公问对》中有一段话非常值得我们引起注意："今世所传兵家者流，又分权谋、形势、阴阳、技巧四种，皆出《司马法》也。"⑪ 这实际上揭示了《司马法》一书在中国兵学发展史上的特殊地位，即它是中国兵学文化总源头，亦是先秦兵学思想发展史上的

---

① 《司马法·仁本》。
② 《孙子兵法·九地篇》。
③ 《司马法·仁本》。
④ 《孙子兵法·九地篇》。
⑤ 《司马法·天子之义》。
⑥ 《孙子兵法·九地篇》。
⑦ 《司马法·仁本》。
⑧ 《孙子兵法·作战篇》。
⑨ 《孙子兵法·九地篇》。
⑩ 《孙子兵法·军争篇》。
⑪ 吴如嵩、王显臣：《李卫公问对校注》，中华书局，2016年，第20—21页。

一座丰碑。只有从这个角度去考察《司马法》的历史影响，才能真正说明历史的本相。概略地说，《司马法》对后世的影响有以下几个方面。

第一，《司马法》是《孙子兵法》的重要思想来源。这一信息是由唐代李善《文选注》有关引文资料所透露的。它表明，《孙子兵法》之成书，在很大程度上是对"古代王者司马兵法"的具体继承和扬弃，这不仅仅体现为对其兵学原则的全面归纳和总结，而且也反映为文字语言的广泛袭用转引，《孙子兵法》中所谓"兵法曰""法曰"等内容，许多是"司马法"基本条文的载录摘抄。

第二，秦汉以降，《司马法》始终受到人们的普遍重视，其基本原则和重要言辞常常为学者所征引，被列为《武经七书》之一，长期享有权威兵学著作的崇高声誉。

西汉时期，人们对《司马法》的评价就达到相当高的程度，司马迁赞誉它是"闳廓深远，虽三代征伐，未能竟其义，如其文也"①。汉代官方对其书也非常重视，汉武帝时期，"置尚武之官，以《司马兵法》选，位秩比博士，讲司马之典，简蒐狩之事"②。有研究者更认为，西汉初年"萧何次律令，韩信申军法"③，实际上都包括了对《司马法》的因袭和补充。《汉军法》的内容，基本上未出《司马法》的范围，可以说《汉军法》是本之以《司马法》的。④ 汉人引《司马法》议论兵学问题，讨论军事问题的现象更不鲜见。如，主父偃曾以《司马法》"国虽大，好战必亡；天下虽安（《汉书》作"天下虽平"⑤），忘战必危"为依据，上书汉武帝，痛陈远伐匈奴之弊。其他如，《汉书·胡建传》载武帝之"制诏"、《陈汤传》载元帝时刘向上疏、《辛庆忌传》载成帝时何武上疏、

---

① 《史记·司马穰苴列传》。
② 《申鉴·时事》。
③ 《汉书·高帝纪下》。
④ 详见田旭东：《司马法浅说》，解放军出版社，1989年，第32页。
⑤ 《汉书·严朱吾丘主父徐严终王贾传上》。

《说苑·指武》和《吕氏春秋·论威》高诱注、《周礼》郑玄注、徐幹《中论·赏罚》等等，亦均引《司马法》文，可见《司马法》在当时的普及和广被引用。

魏晋至隋唐时期，曹操、杜预、贾公彦、杜佑、杜牧、李世民、李靖等经学家、史学家、兵学家、军事家、文学家，都曾以《司马法》为重要文献资料而加以征引，考证上古军制，并引为自己讨论兵学问题的立说依据。其中李靖等人对《司马法》尤为熟悉，推崇备至。另外，当时的政书、类书如《群书治要》等，所引《司马法》文尝加注解，可知《司马法》在隋唐时期不仅为论兵者所常用，并且还有注释本通行于世。

在宋代，《司马法》的地位愈益提高，其影响亦愈益扩大，其中最重要的标志，就是在北宋神宗元丰年间，它和《孙子》《六韬》等一起，被列入《武经七书》，正式颁行于武学，成为官方选定的武学教科书。

《武经七书》是宋代官方校刊颁行的兵法丛书，也是中国古代第一部兵学教科书。宋代统治者有憾于国势衰弱、边患迭至的被动局面，注重于对兵法理论的研究和总结，希望以此振足军势，光大国威。正是在这样的背景下，宋神宗于熙宁五年（1072）六月，继宋仁宗重新开设"武学"（军事学校）。为了适应"武学"教学和军事训练的需要，元丰三年（1080）四月，宋神宗诏命国子监司业朱服等人从当时流行的 200 多种兵书中选定了 7 部，"诏校定《孙子》《吴子》《六韬》《司马法》《三略》《尉缭子》《李靖问对》等书，镂版行之"①。校定后的兵书共 25 卷，于元丰年间（1078—1085）正式刊行，称为《武经七书》，用来考选武举和教学，成为当时将校必读之书。《司马法》入选《武经七书》是当时学者士人独具慧眼、精当选择的结果，人们看中它，就是因为它的特殊价值，它在兵学发展史上的里程碑式的意义。而《司马法》入选《武经七书》，又使它具有了武学经典的身份，这对于其更广泛地得到流传，产生影

---

① 李焘：《续资治通鉴长编》，中华书局，2004 年，第 7375 页。

响，实有积极的推动作用。《司马法》为当时的《武经总要》《百战奇法》等兵书以及《太平御览》等类书所大量征引，就是这方面的有力证据。

元明清时期，《司马法》依然受到高度的推崇。当时，不仅朝廷官刻《司马法》，而且民间也大量刻印，为之作注者亦不在少数。从而形成各种各样的版本达五六十种之多，注本则多达30余种。另外，还有一个文化现象也值得重视，即当时不仅武人推崇《司马法》，而且为数不少的文人学者也对《司马法》产生很大的兴趣。如，明代的著名学者归有光、李贽、杨慎等人都研究过《司马法》，并对它作出过自己独到的评价。清代的一些大学者如秦蕙田、黄以周、孙诒让等更从研究古代礼制的角度探讨《司马法》，为其书研究开辟了新的蹊径，使之呈现出新的面貌，取得了新的成绩。

《司马法》还先后流传到日本、法国等国家，仅日刊本《司马法》白文以及各种注本就达30余种。这些情况表明，《司马法》和《孙子兵法》等其他著名兵书一样，也在中外文化交流中起到了友好使者的作用，作为全人类的宝贵文化遗产，它的价值将是永恒的。

第三节 《孙膑兵法》的兵学理论贡献

一、孙膑其人

孙膑，生卒年不详，生于齐国阿（今山东阳谷东北），是孙武的后裔，在兵学上与其先人孙武有一定的学术渊源。孙膑由于遭受庞涓的陷害，遭受膑刑，后秘密回到齐国。孙膑主要活动于齐威王时期，约在孙武去世后150年左右。孙膑本名历史不载，时人以"孙子"尊称之。后世或以齐孙子称之，或因其曾被处以膑刑，故以孙膑称之。在齐魏的桂陵之战中，孙膑建议应当批亢捣虚、攻其必救，所以齐国大军直奔魏国防备空虚的都城大梁。又在魏军慌忙回救之际，在桂陵设伏，击败魏军。在马陵之战中，孙膑再次突袭大梁，并以"减灶示弱"诱敌，在马陵一带设伏，利用有利地形大败魏军。经过桂陵之战和马陵之战后，魏国的实力大损，改变了战国初期魏国独霸的局面。而在这两次战争中，孙膑出任军师，居中调度，发挥了非常重要的作用，名扬天下。孙膑不仅战功赫赫，而且也进行兵学理论探索。他发展了《孙子兵法》的一些思想，结合自己的战争指挥经验以及战国时期战争的新特点，写成《孙膑兵法》一书以传世，又称《齐孙子》。

孙膑年轻的时候和庞涓一起学习兵法，据载，两人拜师鬼谷子门下。可能由于孙膑是兵学世家，又天资聪颖，因此兵法水平远远高于庞涓。战国初年，魏国实力正盛，天下贤才云集。庞涓看准机会，前往魏国拜见魏惠王，很快成为魏国的将军。庞涓在战场上所向披靡，但是他心里一直有一个挥之不去的顾虑，那就是实力远在自己之上的同门孙膑，若是有朝一日孙膑出山，无论辅佐哪一国都会危及自己的地位，甚至会在战场上对自己不利。庞涓为了根除后患，心生毒计。他假意欺骗，将孙膑秘密地迎到魏国，然后借机施以膑刑，残忍地挖掉了孙膑的膝盖骨，还在其脸上刺字，试图让其被埋没，永远没有出头的机会。由于孙膑惨遭膑刑，所以后世就以孙膑称之，至于其名、字，我们已经不得而知。

面对如此艰难的情形，行动不便的孙膑还是忍辱负重，寻找机会。后来，齐国使者来到大梁，孙膑几经周折，设法以囚徒的身份秘密拜见齐国使者，在说明自己身份的同时，也以自己的兵学才能游说。在简单交谈之后，齐使认为孙膑是一个难得的人才，便在回国的时候，偷偷地将孙膑带回齐国临淄。孙膑回到齐国后，很快得到齐国将军田忌的赏识，并且以宾客的尊贵身份待之，出入极尽礼数。

田忌打仗之余有一个爱好，就是喜欢和齐王、齐国诸公子赛马，他们赛马时往往都会下很大的赌注，有时孙膑也会一起前往观看。齐国诸公子的赛马都是齐国万里挑一的好马，将军田忌的马匹总是略逊一筹，每次三局两胜，田忌基本都输，田忌对此也无能为力。

孙膑经过几次观察发现其实田忌的赛马与齐国诸公子的马相比，脚力稍逊一筹是不假，但实力差距并不大，所以孙膑认为田忌是可以取胜的，只需要稍微调整一下比赛的策略。于是他胸有成竹地对田忌说："君弟重射，臣能令君胜。"① 田忌先是疑惑，但是看到孙膑坚定的眼神，他还是选择相信孙膑。这次，田忌决定和齐威王及诸公子以千金为赌注赛马，齐威王及诸公子根本不相信田忌会赢，欣然应允。等到比赛开始的时候，孙膑对田忌说："今以君之下驷与彼上驷，取君上驷与彼中驷，取君中驷与彼下驷。"② 田忌按照孙膑的方法，果然三局两胜，赢得了齐威王及诸公子的千金赌注。齐威王非常诧异，向田忌询问缘由，田忌趁机向齐威王推荐孙膑。之后，齐威王经常向孙膑请教兵法，并以师礼待之。当然，孙膑在桂陵之战中的围魏救赵、在马陵之战中的减灶诱敌，展现出了其卓越的军事指挥能力，为齐国在战国时期的再次强大奠定了非常坚实的军事基础。

孙膑不仅具有卓绝的军事指挥才能，而且由于其有着非常深厚的兵学素养，因此他的兵学理论水平也是高出同时代人一筹，其所著的《孙膑兵法》是战国时期兵学理论的代表作之一，代表了战国时期齐鲁兵学的最高成就。但是出于种种原因，《孙膑兵法》后世不传，我们之前难以窥其真容。1972 年，银雀山汉墓出土一批竹简，其中就包括失传了 2000 多年的《孙膑兵法》。《孙膑兵法》得以重见天日，其基本面貌及其学术价值重新为人们所了解，同时，学术界由此开始展开对《孙膑兵法》的整理与研究。

二、《孙膑兵法》的"失踪"与"再现"

从史籍记载来看，孙膑的战功的确在孙武之上。孙膑指挥的桂陵之战、马陵之战，堪称中国古代战争史上的经典战例，但是《孙膑兵法》其书的流传却非常坎坷。我们知道，司马迁《史记》中有

① 《史记·孙子吴起列传》。

② 《史记·孙子吴起列传》。

《孙子吴起列传》，其中就记载了孙武、孙膑、吴起三人的事迹，孙武、孙膑均称"孙子"，明确记载了孙武主要活动于吴王阖闾时期，"以兵法见于吴王阖庐"①，即十三篇，孙膑主要活动于百年之后的齐威王时期，其事迹记载更加详细，亦称"孙膑以此名显天下，世传其兵法"②。同时，《汉书·艺文志·兵书略·兵权谋》同时著录了《吴孙子》（孙武书）和《齐孙子》（孙膑书），其中，首列《吴孙子》82 篇，图 9 卷，其次为《齐孙子》89 篇，图 4 卷。六朝以后，唐代以前，《孙膑兵法》不见于世，《隋书·经籍志》已经没有著录。自此，学者对《孙膑兵法》以及两个"孙子"的问题产生了各种疑问，也因此产生了很多笔墨官司。③

1972 年，银雀山汉简《孙子兵法》和《孙膑兵法》的同时出土，结束了关于两人及其书的各种误解和猜测，如，关于孙武、孙膑是否为一人的类似学术争论也就从此销声匿迹。因为在银雀山竹简中，《吴问》的篇首 0233 简明确写有"吴王问孙子曰……"，《威王问》的篇首 0108 简也清晰记载"齐威王问用兵孙子曰……"，这样的简文内容显然可以与《史记·孙子吴起列传》中有关孙武和孙膑的记载形成若合符契的呼应，亦与《汉志》的著录形成互证。所以，司马迁为先秦两位孙氏兵学家、军事家所作的传记，并不是胡乱编造，孙武和孙膑本来就各有兵法传世。

银雀山汉墓竹简出土，失传千年的《孙膑兵法》得以重见天日，但是学术研究的困难重重。对《孙子兵法》而言，有传世的十三篇作为参照，同时又有出土的《孙子兵法》篇名木牍，因此比较容易

---

① 《史记·孙子吴起列传》。

② 《史记·孙子吴起列传》。

③ 如，宋代学者叶适、陈振孙等人以孙武事迹不见于《左传》而怀疑其人不存在，此说虽有武断之嫌，但长期以来却是一种较有代表性的说法，宋濂、齐思和就采其说，认为叶氏之说不可易。另外，日本学者斋藤拙堂作《孙子辨》认为"（孙武和孙膑）同是一人，武其名，而膑是其绰号"（钱穆在《先秦诸子系年》中亦有此观点），武内义雄《孙子十三篇之作者》更进一步说"今之孙子一书，是孙膑所著"。

判定其篇目和基本结构。但是对于《孙膑兵法》而言，六朝以后，已经没有传世本，亦无篇名传世，缺乏必要的参照载体，因此，更多的研究只能依赖于银雀山出土的竹简本。那么就会产生一个非常棘手的学术问题，就是银雀山汉简中除了《孙子兵法》《六韬》等可以确定为传世文献中的篇目外，那么其他新出土文献中哪些属于《孙膑兵法》的内容呢？同时，这也是进行《孙膑兵法》研究首先要解决的问题，这就增加了学术研究的难度。

1975 年，银雀山汉简整理小组编定出版了《孙膑兵法》之影印本和通俗本，至此，各项研究基本仍将分为上、下两编的《孙膑兵法》视为一体，并未加以区别对待，各 15 篇。其中，上编主要辑录孙膑的有关事迹和言论，与孙膑关系较为密切，至于下编是否完全属于孙膑论著，则较难确定。对此，1975 年版的《孙膑兵法》整理者也对此问题实事求是地予以说明："本书分上下两编。上编前四篇记孙膑擒庞涓事迹以及孙膑与齐威王、田忌的问答。其它各篇篇首都称'孙子曰'，但内容书体都与银雀山汉墓所出孙武兵法佚篇不相类，所以肯定是孙膑兵法。下编各篇没有提到孙子，今据内容、文例及书体定为孙膑兵法。由于竹简残断散乱，而孙膑兵法又早已亡佚，无从核对，整理工作中肯定会有错误。本书中可能有一些本来不属于孙膑兵法的内容搀杂在内，请读者指正。"① 1984 年，张震泽在《孙膑兵法校理》一书中又提出了一些不同的看法："上编十五篇，各记'孙子曰'或'威王曰'，可称为《孙膑兵法》；下编十五篇，无此等字样，似非孙膑之书，而应别题书名，作为附编；又上下两编篇次先后，亦似有不准确处；现因原书已经通行，又缺乏旁证，本书不复予以变动，体例悉从原书。"②

在《孙膑兵法》影印本和通俗本出版 10 年后，也就是 1985 年，《银雀山汉墓竹简（壹）》正式出版，在关于《孙膑兵法》篇目和内

---

① 银雀山汉墓竹简整理小组编：《孙膑兵法》，文物出版社，1975 年，第 27 页。

② 张震泽：《孙膑兵法校理·例言》，中华书局，1984 年，第 1 页。

容的断定中又有新的变化，整理者指出："墓中所出竹简中有很多篇是不见流传的佚兵书。其中肯定有我们所不知道的佚书，但是也可能有一些是未被我们识别出来的《孙子》佚篇和孙膑书。尤其是《十阵》《十问》《略甲》《客主人分》《善者》等篇，篇题写在简背，与《孙子》和孙膑书相同，书法和文体也分别跟《孙子》或孙膑书中的某些篇相似，但由于缺乏确凿的证据，我们没有把这几篇编入《孙子兵法》和《孙膑兵法》，而把它们暂时收在本书第二辑'佚书丛残'中。在编辑《孙膑兵法》通俗本时，我们曾把当时认为有可能是孙膑书的若干篇简文编为下编，供读者参考。其中有些篇（如《将败》《兵之恒失》）在后来的整理过程中已发现有确凿的证据证明不是孙膑书（详本书〔贰〕），可见通俗本的编辑方法是不妥当的。现在我们把通俗本下编各篇全部移入第二辑'佚书丛残'中。不过话又要说回来了，这样处理也并不排斥其中有一些仍是孙膑书的可能性。"① 因此，我们看到，1985 年出版的《银雀山汉墓竹简·孙膑兵法》将下编移出，补入《五教法》一篇，共 16 篇、294简，文字亦有较多修正。依据 1985 年文物出版社的《银雀山汉墓竹简（壹）》，《孙膑兵法》凡 16 篇，其篇目依次为：《擒庞涓》《见威王》《威王问》《陈忌问垒》《篡卒》《月战》《八阵》《地葆》《势备》《兵情》《行篡》《杀士》《延气》《官一》《五教法》《强兵》。此版本的《孙膑兵法》是学术界公认的《孙膑兵法》文本。

《银雀山汉墓竹简（贰）》在 2010 年终于出版，前后 24 年，有关《孙膑兵法》"下编"的归属问题，编者在《编辑说明》中说："论兵之篇中，有不少篇过去曾编入《孙膑兵法》下编，但是都缺乏确属孙膑书的证据。其中《将败》《兵之恒失》二篇，篇名与《王道》等论政之篇同见于一块标题木牍，其非孙膑书尤为明显。所

---

① 银雀山汉墓竹简整理小组编：《银雀山汉墓竹简（壹）》之《编辑说明》，
　文物出版社，1985 年，第 8 页。

以现在把这些篇全都改收入本辑……"① 其实,银雀山汉墓竹简中哪些内容属于《孙膑兵法》,一直是学术界一个悬而未决的问题,从整理小组前后的判断来看,有关"下编"的内容,没有绝对的证据证明其是或者不是《孙膑兵法》。

首先,与孙膑直接相关的文献,以对话形式出现。《擒庞涓》《见威王》《威王问》《陈忌问垒》四篇记载的是孙膑与齐威王的对话,肯定是与孙膑相关的文本,其中《强兵》篇也记载了孙膑与齐威王的对话,但是可能不是孙膑书,因此整理小组将其附在了《孙膑兵法》的最后。

其次,以"孙子曰"起的文献。有《篡卒》《月战》《八阵》《地葆》《势备》《兵情》《行篡》《杀士》《延气》《官一》等10篇,极有可能就是《孙膑兵法》,因此整理小组将其编入。

最后,"下编"15篇。有《十阵》《十问》《略甲》《客主人分》《善者》《五名五恭》《兵失》《将义》《将德》《将败》《将失》《雄牝城》《五度九夺》《积疏》《奇正》等。最初在编辑出版《孙膑兵法》通俗本时,整理小组将有可能是《孙膑兵法》的文献,编为下编。其中哪些属于《孙膑兵法》,学术界一直存在一定的争议。

银雀山汉墓竹简《孙膑兵法》的出土,解决了宋代以来两"孙子"的种种学术争议,使得齐孙子《孙膑兵法》得以重现,其兵学价值重新受到重视,对于从《孙子兵法》到《孙膑兵法》的兵学思想的研究也提供了契机。当然,关于《孙膑兵法》的研究还有待进一步提升,我们以下对孙膑以及《孙膑兵法》的分析主要还是依照1985年《孙膑兵法》的内容展开,其中一些内容也会涉及"下编"15篇的内容。

三、"战胜而强立"的战争立场

孙膑秉持"战胜而强立"的基本观点,肯定战争胜利本身在国

---

① 银雀山汉墓竹简整理小组编:《银雀山汉墓竹简(贰)》之《编辑说明》,文物出版社,2010年,第1页。

家治理中的价值与意义。当然孙膑虽然重视战争，但是其亦持慎战态度，反对统治者"乐兵""利胜"等穷兵黩武的做法。同时，孙膑亦提出了"义"在战争中的重要价值，对孙武的兵学思想有所发展。

首先，孙膑以叙述圣王事迹来提出并证明"战胜而强立"的合理性与合法性，明确肯定战争对国家存亡和社会治理具有重要的价值。与《孙子兵法》相比，《孙膑兵法》对这一观点的论述更多地运用尧舜禹历史故事的叙述来证明其合理性："尧有天下之时，黜王命而弗行者七，夷有二，中国四。故尧伐负海之国而后北方民得不苛，伐共工而后兵寝而不起，弛而不用。其间数年，尧身衰而治屈，胥天下而传舜。舜击驩兜，放之崇；击鲧，放之羽；击三苗，放之危；亡有扈氏中国。有苗民存，独为弘。舜身衰而治屈，胥天下而传禹。禹凿孟门而通大夏，斩八林而焚九□。西面而并三苗□□……素佚而致利也。"孙膑认为战争是不可避免的，自三皇五帝以来，人类就有争夺。他通过尧舜禹故事的叙述，展现出与儒家完全不同的尧舜禹的形象，肯定了圣王的武功，肯定战争在圣王治理和秩序的形成、维护中所发挥的重要价值，然后紧接着提出"战胜而强立，故天下服矣"的观点，并又完全肯定神农、黄帝、尧、舜、汤、武、周公在朝代鼎革以及政治危局时果断采取战争手段的做法。在孙膑看来，这些战争并未对其圣王形象有丝毫的影响，甚至应该是圣王功业的重要组成部分："昔者，神农战斧遂；黄帝战蜀禄；尧伐共工；舜代驩管；汤放桀；武王伐纣；帝奄反，故周公浅之。"①尤其在战国时期，对那些天天仍然高唱仁义，只是从道义的高度一味反对战争的主张，孙膑毫不客气地指出："德不若五帝，而能不及三王，智不若周公，曰我将欲责仁义，式礼乐，垂衣裳，以禁争夺"这样的想法是一厢情愿的，根本无法解决问题，即使不同学派学者标榜的尧舜，也行不通，因此必须"举兵绳之"②。而且孙膑的这一

---

① 《孙膑兵法·见威王》。
② 《孙膑兵法·见威王》。

思想在战国时期也得到了认可和践行，如张仪在游说秦惠文王时就说了类似的话："昔者神农伐补遂，黄帝伐涿鹿而禽蚩尤，尧伐驩兜，舜伐三苗，禹伐共工，汤伐有夏，文王伐崇，武王伐纣，齐桓任战而伯天下。由此观之，恶有不战者乎？"①

其次，孙膑肯定战争在历史进程中的重要作用，重视"战胜"，但亦反对"乐兵""利胜"等穷兵黩武的做法。战国中期，兼并战争连年不断，为了防止敌国进攻，孙膑认为军队要常备不懈，犹如佩剑，"旦暮服之"②，不可须臾离开，所谓"事备而后动"③。孙膑非常理性地认识到战争在历史发展中的重要作用："战胜，则所以在亡国而继绝世也。战不胜，则所以削地而危稷也。"④ 孙膑虽然强调战争的价值，因为在战国时代的时代背景下，战争是完成王业的基本手段，但是重战不是好战，求胜亦不是贪胜。孙膑告诫统治者："然夫乐兵者亡，而利胜者辱。兵非所乐也，而胜非所利也。"⑤ 又曰："穷兵者亡。"⑥ 他认为"乐兵"就是好战，"利胜"就是贪胜。穷兵黩武必然导致灭亡，是孙膑所反对的。他指出，只有"恶战者"，方可为"兵之王器也"⑦。孙膑通过"乐兵者亡""穷兵者亡"和恶战则王等正反两个方面反复强调一定要谨慎用兵。

再次，孙膑秉持"义战"原则，坚信"义"对战争胜负的影响。孙膑虽然多次强调国家富强、委积丰裕等基本物资条件对战争胜负的影响，但是他亦十分强调战争正义性对战争胜负的影响："故城小而守固者，有委也；卒寡而兵强者，有义也。夫守而无委，战而无义，天下无能以固且强者。"⑧ 孙膑此处并未单独对"义"进行

---

① 《战国策·秦策一》。
② 《孙膑兵法·势备》。
③ 《孙膑兵法·见威王》。
④ 《孙膑兵法·见威王》。
⑤ 《孙膑兵法·见威王》。
⑥ 《孙膑兵法·威王问》。
⑦ 《孙膑兵法·篡卒》。
⑧ 《孙膑兵法·见威王》。

论述，而是与"委"合论，"委"即委积，就是刍米禾薪等后勤储备，其对战争胜负影响是不言而喻的。孙膑将"委""义"合论，以坚守城池为例，意思是说，哪怕城池不大，也能够坚守，是因为有充足的后勤储备；兵力不足，而军队的战斗力强，是因为正义在己方。那么，如果储备不足而坚守，没有站在正义的一方而进行战争，天下没有能坚守不败和保持持久强大战斗力的军队。在《威王问》中亦有"立义用兵"的提法。我们认为有关"义"战的提法可能与孙膑在一定程度上合理地吸取了儒家的部分兵学思想有关，尤其是孟子在战国中期倡导的"仁义"思想。

四、"战道"与战争规律

《孙膑兵法》中引人注目的是对认识和掌握战争规律的科学探求，这就是关于"道"的阐述，并且试图将"道"建构为其兵学思想的理论核心。《孙子兵法》称之为"战道"，含义是相同的。在《孙膑兵法》中，先后提到"道"达50多处，如"地之道"①"兵之道"②"用兵移民之道"③等等，可见孙膑对"道"的重视，亦有其深刻的见解和独特的发挥。在《威王问》中，齐威王和田忌先后向孙膑提出了许多兵学问题，在孙膑看来，他们所问都是一些具体的战术问题，未能涉及战争根本规律问题，因此孙膑颇有感触地感叹二人"威王问九，田忌问七，几知兵矣，而未达于道也"④。他在《势备》中也说过："知其道者，兵有功，主有名。□用而不知其道者，（兵）无功。"⑤ 具体而言，孙膑所说的"道"和战争规律主要包括哪些内容呢？我们认为其主要包括以下四个方面的内容。

第一，"道"是有关战争全面、根本的问题。关于"道"的内

---

① 《孙膑兵法·地葆》。
② 《孙膑兵法·势备》。
③ 《孙膑兵法·行篡》。
④ 《孙膑兵法·威王问》。
⑤ 《孙膑兵法·势备》。

容，孙膑明确指出："知道者，上知天之道，下知地之理，内得其民之心，外知敌之情，阵则知八阵之经，见胜而战，弗见而诤，此王者之将也。"① 孙膑所谓的道，正是从更为宏观的层面去把握影响战争的主要因素，即要了解和掌握天时、地利、民心、士气、敌情、战法和战机等有关指导战争的根本问题。《孙膑兵法》中先后提到具备以上条件，并确保有胜利的把握就打，没有胜利的把握就不要轻率用兵。兵凶战危，对战争问题一定要坚持慎重的态度。正是在此基础上，孙膑提出知"道"才是制胜的关键，并不断强调："先知胜不胜之谓知道。"② 亦曰："知道，胜。"又曰："不知道，不胜。"③ 还曰："安万乘国，广万乘王，全万乘之民命者，唯知道。"④

　　第二，孙膑在探索战争规律时，十分重视人的因素。如，在《月战》中指出，"天时、地利、人和，三者不得，虽胜有殃"，认为"间于天地之间，莫贵于人"⑤。因为"人"在战争中有着极为重要的地位和作用。孙膑通过一组排比来显示战争中人的价值："十战而六胜，以星也。十战而七胜，以日者也。十战而八胜，以月者也。十战而九胜，月有……[十战]而十胜，将善而生过者也。"⑥ 因此，孙膑对此又作了进一步的深入分析，这就是"气"（士气）。《延气》篇论述了"激气""利气""厉气""断气""延气"等等，这些都是关于激励和振奋士气方面的内容。军队的士气历来为兵家所重视，显然孙膑又丰富了这一理论予以专篇论述："合军聚众，[务在激气]⑦，复徙合军，务在治兵利气。临境近敌，务在厉气。

---

① 《孙膑兵法·八阵》。
② 《孙膑兵法·陈忌问垒》。
③ 《孙膑兵法·篡卒》。
④ 《孙膑兵法·八阵》。
⑤ 《孙膑兵法·月战》。
⑥ 《孙膑兵法·月战》。
⑦ 此处缺四字，张震泽据下文论述，认为"缺围当时'务在激气'四字"，我们认为其判断合理，故从之。见张震泽：《孙膑兵法校理》，中华书局，1984年，第96页。

战日有期，务在断气。今日将战，务在延气。"① 孙膑根据处于战争的不同状态，通过不同的办法来提高士气，主要包括以下几种情况：在刚刚集结军队之时，一定要统一思想来激发全体将士的士气；军队经过散徙而再次集结之时，一定要督促将士整治兵器并且振其锐气；军队临近敌国边境时，一定要与士卒同甘共苦，身先士卒以激励士气；如果决战日期确定，一定要激发出一种毫不犹豫、断然不回头、决一死战的士气；如果在决战当天，那么一定要保持甚至延展已经激发出的士气。由于《延气》的残简、断简较多，因此缺字较多，我们难以完整看到孙膑关于"气"的论述，但是从已有的材料来看，其论述已经非常细致全面。

第三，"道"反映在作战指挥上，表现为对阵、势、变、权的全面运用。《势备》云："凡兵之道四：曰阵、曰势、曰变、曰权。察此四者，所以破强敌，取猛将也。"《势备》惜为残简，我们无法得知此四者的全部内容。大体上，"势"指的是"攻无备，出不意"，就是指进攻的突然性。为了实现突然性，作战行动要迅猛有力。孙膑以弓弩为喻，阐述其观点："羿作弓弩，以势象之……何以知弓弩之为势也？发于肩膺之间，杀人百步之外，不识其所道至。故曰，弓弩势也。"② 在《孙膑兵法》中，孙膑就敌我兵力强弱众寡和不同态势如何处置作了具体的阐述。齐威王对于孙膑的回答表示赞许，其赞扬之词就是"善哉！言兵势不穷"③。在银雀山汉简未发现之前，学者研究讨论孙膑的兵学思想特色时往往会引用《吕氏春秋》中的概括"孙膑贵势"④。今天我们虽然看不到孙膑"贵势"的全部内容，但是从竹书中的片言只语也可略知其精髓所在，如孙膑指出："夫兵者，非士恒势也。"⑤ 即用兵不能简单依靠固定不变的形势，

---

① 《孙膑兵法·延气》。
② 《孙膑兵法·势备》。
③ 《孙膑兵法·威王问》。
④ 《吕氏春秋·不二》。
⑤ 《孙膑兵法·见威王》。

亦没有固定不变的形势，因此要取得胜利，那么"巧在于势"①。那如何得"势"呢，孙膑认为一定要进行周密的谋划，"事备而后动"②，才能收到攻其无备出其不意的效果，从而取得战争的胜利。在孙膑的兵学论述中，"权"指的是"昼多旗，夜多鼓，所以送战也"③。"送战"即"致战"，引诱、调动敌人就范。从残简推断，"变"似指"（示之远），中之近；（示）之近，中之远"，即《孙子兵法》所说的"示形"（欺骗和佯动）。"阵"的内容，简文缺失。但它位于"势、变、权"之首，重要性是不言而喻的。幸有《八阵》《十阵》简文完整，尚可窥见孙膑关于"阵"的观点，亦能了解"阵"在《孙膑兵法》中的重要地位。

第四，重视阵法。《孙膑兵法》非常重视阵法的讨论，这是其与《孙子兵法》的重要不同之一，从简本《孙膑兵法》来看，其中"阵"字出现多达百次，并且有两篇专门讨论阵法的内容，即《八阵》和《十阵》。其中，《八阵》讲"八阵之经"，更多是从宏观上对运用阵法条件的概述："智不足，将兵，自恃也。勇不足，将兵，自广也。不知道，数战不足，将兵，幸也。"④ 在孙膑看来，能够合理有效运用阵法取得战争胜利的将军必须至少具备三个方面的基本素养，即智、勇、知道。而孙膑对"知道"更为重视，唯有"知道"的将军才可以"安万乘国，广万乘王，全万乘之民命"⑤。孙膑进而具体对何谓"知道"进行了界定，即王者之将应当具备的重要素质："知道者，上知天之道，下知地之理，内得其民之心，外知敌之情，阵则知八阵之经，见胜而战，弗见而诤，此王者之将也。"⑥ 其中，"八阵之经"即用阵之精髓，此为王者之将制胜的重要条件之一。孙膑在此处并没有具体论述每个阵法的分合变化，而是论述阵

---

① 《孙膑兵法·篡卒》。
② 《孙膑兵法·见威王》。
③ 《孙膑兵法·势备》。
④ 《孙膑兵法·八阵》。
⑤ 《孙膑兵法·八阵》。
⑥ 《孙膑兵法·八阵》。

法运用的基本原则："用八阵战者，因地之利，用八阵之宜。用阵三分，诲阵有锋，诲锋有后，皆待令而动。斗一，守二。以一侵敌，以二收。敌弱以乱，先其选卒以乘之。敌强以治，先其下卒以诱之。"① 这一段论述很重要，它使我们对于八阵及其阵法运用有了一个明确的认识。所谓八阵并非八个不同的阵，而是对各种阵势的泛称。在孙膑看来，运用八阵时有两方面的战术要求。首先，要"因地之利，用八阵之宜"。一定要根据战场的地理条件来决定阵法、兵种的具体使用和配备，如在使用战车和骑兵出战时："易则多其车，险则多其骑，厄则多其弩。险易必知生地、死地，居生击死。"② 其次，就是布阵时，在具体兵力部署和运用上，每个阵要有前锋和后续部队。一般情况下，把兵力分为三部分，每阵的部署应"斗一，守二"，即先以三分之一的兵力同敌交战，以三分之二的兵力留作机动。遇到弱而乱的敌人，就用精锐士卒，乘敌之弱、乱，率先冲击和突破敌阵，打乱敌军阵势；遇到强而治的敌人，就用饵兵诱敌就范。同时，在《孙膑兵法》中还谈到许多具体阵法："凡阵有十：有方阵，有圆阵，有疏阵，有数阵，有锥行之阵，有雁行之阵，有钩行之阵，有玄襄之阵，有火阵，有水阵。"③ 孙膑所言的十种阵法，除水阵、火阵是根据战场具体环境和攻击手段而言的，其他八种阵法都是根据军队在战场上的不同战斗队形而言。这些不同的阵法都有其各自不同的优势和作用："方阵者，所以剸也。圆阵者，所以槫也。疏阵者，所以㕚也。数阵者，为不可掇。锥行之阵者，所以决绝也。雁行之阵者，所以接射也。钩行之阵者，所以变质易虑也。玄襄之阵者，所以疑众难故也。火阵者，所以拔也。水阵者，所以伥固也。"十种阵法的作用分别是主攻、主守、虚张声势、防备分割、分割敌人、弓弩主攻、改变敌人攻击目标和谋划、迷惑敌人、拔城、固守等，并且每种阵法都有不同使用要领，限于篇幅，此处

---

① 《孙膑兵法·八阵》。
② 《孙膑兵法·八阵》。
③ 《孙膑兵法·十阵》。

我们仅仅以"疏阵之法"为例："其甲寡而人之少也，是故坚之。武者在旌旗，是人者在兵。故必疏钜间，多其旌旗羽旄，砥刃以为旁。疏而不可戚，数而不可军者，在于慎。车毋驰，徒人毋趋。凡疏阵之法，在为数丑，或进或退，或击或須①，或与之征，或要其衰，然则疏可以取锐矣。"② 为什么要使用疏阵？孙膑认为，在铠甲不足、兵力又少的情况下，应以欺骗敌方的方式来增强实力。具体的目的就是要多设旗帜来展示军威，多显兵器来制造军力充足的假象。军阵间的距离不能太远、太稀疏，过于稀疏，军阵就难以迅速回缩，会导致被敌军的威逼；军阵间的距离也不能太近、太密集，过于密集又容易被敌军包围：因此一定要恰到好处，谨慎布置。战车不能急驶，步兵不要急行。因此，在整个军阵的布置时，一定要把军队分为数个战斗群体，各部之间一定要注意疏密得当，任务明确，或进或退，或主动出击或不出击，或攻伐敌军，或截击敌人疲敝的军队。如果疏阵使用得当，那么就可以战胜精锐的敌军。其他的阵法，孙膑均有详细的论述，当然由于汉简本的残缺，部分阵法的内容并不十分完整，但是我们亦可见其大体规模，是我们今天了解战国时期阵法非常重要的出土文献，填补了学术空白。

五、战略战术以及治军思想

《孙膑兵法》中包含了"必攻不守"等富有特色的战略战术思想以及赏罚严明的治军思想，我们从以下四个方面简要予以论述。

首先，"必攻不守"的思想。在《威王问》中，孙膑认为田忌所提出的赏、罚、权、势、谋、诈均非用兵的紧要问题，只有"必攻不守"才是"兵之急者也"。"必攻不守"到底指什么？其实学术界还是有争议的。一种意见认为，"必攻不守"是指以进攻为主而不

---

① 影印注释本认为此为"毅"，张震泽认为此为"須"，亦"击"之意，见张震泽：《孙膑兵法校理》，第137—138页。根据上下文，此处应当为"击"之相对义。

② 《孙膑兵法·十阵》。

是以防御为主的战略指导，强调进攻，就是要把"打击敌人、消灭敌人放在战略首位"①，此与战国时期杀人夺城的兼并战争的时代主题是相合的。但若是理解为"片面强调进攻，反对防御"②并进行批评，可能并不妥当。另一种意见认为，"必攻不守"意为进攻方向必须选择在敌人没有防守或不易防守的要害地域，它与《孙子兵法》的"攻其所不守""避实击虚"是同一文意，我们认为后一种意见可能更加符合《孙膑兵法》的原意。孙膑在齐魏桂陵之战中，实行"批亢捣虚"的作战方针，正可以作为这一思想的有力注脚。今天，我们一般使用"避实击虚"这一词语来表述此种作战原则。这一作战原则揭示了战争的一般规律，只要战争存在，它的生命力就是永恒的。斯大林说过："规定基本打击方向就是预先决定整个战争时期各次战役的性质，因而也就是预先决定整个战争十分之九的命运。战略的任务就在于此。"③由此可见，把"必攻不守"释为攻其所不守并没有降低对孙膑这一原则的评价。我们认为学术界两种意见均有其合理之处，当然我们认为后一种意见可能更符合孙膑兵学思想的本义。

其次，提出"恒胜"原则。孙膑在《篡卒》中提出制胜五原则："恒胜有五：得主专制，胜；知道，胜；得众，胜；左右和，胜；量敌计险，胜。"孙膑所言的"得主专制"就是将军得到了君主完全信任，在军事指挥中有独立专断的指挥权。孙膑把其作为战场指挥者致胜的首要条件是别有深义的。战国中期，战争规模、战场地域和作战方式都有了较大的发展。将帅依据变化无常的战场情况，实行机断指挥，已成为关系胜负的重要因素。如，公元前308年秦韩宜阳之战时，秦武王与将军甘茂订立息壤之盟，甘茂就是要

---

① 徐勇：《〈孙膑兵法〉及其军事思想考论》，《烟台师范学院学报》（哲学社会科学版）1996 年第 4 期。

② 路印林：《〈孙子兵法〉和〈孙膑兵法〉的哲学思想》，《军事历史研究》1987 年第 3 期。

③ 斯大林：《论俄国共产党人的战略和策略问题》，《斯大林全集》第 5 卷，第 134—135 页。

求武王保证对他的军事指挥不要妄加干预。又如，公元前224年王翦率六十万大军伐楚，临行前向秦王政"请美田宅园池甚众"，也是为了获得机断指挥权而不招致秦王的猜忌。王翦明确向人解释此举的真实目的："今空秦国甲士而专委于我，我不多请田宅为子孙业以自坚，顾令秦王坐而疑我邪？"① 孙膑所言的"知道"即知用兵之道，懂得用兵的规律。"得众"即得到兵众的拥护。"左右和"即军队上下同心同德。"量敌计险"在《威王问》中又作"缭（料）敌计险"，即准确掌握敌情并对地形有充分了解。只有这样才能够取得战争的胜利。当然，孙膑还从反面列举了导致战争失败的五个方面："恒不胜有五：御将不胜，不知道不胜，乖将不胜，不用间不胜，不得众不胜。"②

再次，充分调动敌人，在运动中歼敌的思想。在史籍记载的孙膑参与指挥的桂陵之战和马陵之战中，桂陵之战的"围魏救赵"以及马陵之战的"减灶诱敌"均是充分调动魏军、疲惫魏军并取得胜利的重要战争策略。《孙膑兵法》中有《擒庞涓》，非常详细地记载了桂陵之战中孙膑如何调动魏军，显示了孙膑兵学思想的多个方面。魏国围困赵都邯郸，齐国准备驰援，显然魏国已经有所防备。由于齐国要救援邯郸必须经过卫国，所以"（庞涓）带甲八万至于茌丘"③，茌丘即沮丘，是卫都濮阳西南十五里之沮丘城④。齐国派出了田忌和孙膑亦带兵八万屯兵边境。面对庞涓攻打卫国，田忌试图救卫，但是孙膑建议攻打平陵，"平陵，其城小而县大，人众甲兵盛，东阳战邑，难攻也。吾将示之疑。吾攻平陵，南有宋，北有卫，当途有市丘，是吾粮途绝也，吾将示之不知事。"⑤ 抵达平城后，孙膑建议兵分两路，一路专门派遣都大夫中不懂军事的齐城大夫、高

---

① 《史记·白起王翦列传》。
② 《孙膑兵法·篡卒》。
③ 《孙膑兵法·擒庞涓》。
④ 黄盛璋：《〈孙膑兵法·擒庞涓〉篇释地》，《文物》1977年第2期。
⑤ 《孙膑兵法·擒庞涓》。

唐大夫攻打魏军的屯兵之处环涂。二大夫居然用兵拙劣以至于蚁傅攻城，果然大败。同时，孙膑又"遣轻车西驰梁郊，以怒其气。分卒而从之，示之寡"，即派遣轻锐战车直奔魏国都城大梁的西郊，深入魏国心脏以激怒庞涓，同时还分散士卒以从轻车，故意向魏军示寡、示弱。孙膑通过一系列的行动，调动魏军、欺骗魏军、引诱魏军，结果庞涓果然上当，回军赶往大梁，"弃其辎重，兼取舍而至"①，齐军在庞涓的必经之路桂陵设伏，大败魏军于桂陵，主将庞涓被俘虏。在孙膑的军事指挥中，因势而为，化被动为主动，其"示之不知事""以怒其气""蚁傅平陵""示之寡"等都是在调动庞涓率领的魏军，是在运动战中消灭敌人的经典战例，以至时人称赞孙膑："孙子之所以为者尽矣。"②

最后，孙膑军队建设和治军思想。孙膑深知要建设一支能征善战的军队，必须以一定的标准选拔士卒，即"兵之胜在于篡卒"③。在孙膑看来，选拔就是选"贤良"者："用兵移民之道，权衡也。权衡，所以篡贤取良也。"④ 士兵选拔后还要进行基本的管理和训练，"令民素听"⑤，平时就要严格训练士兵养成服从命令的基本素养，正所谓"其勇在于制，其巧在于势，其利在于信，其德在于道，其富在于亟归，其强在于休民，其伤在于数战"⑥。士兵的勇敢在于军制管理严明，作战之机巧在于指挥得势，士兵的作战锐利在于将领赏罚有信，士兵军事素养的优劣在于军队教导有方；军需充足在于能够速战速决，军队强大在于能够及时休整，军队受损在于作战过多，此处论述涉及治军的各个层面。同时，在军队治理中，孙子强调爱兵"赤子，爱之若狡童，敬之若严师"⑦，但是在用兵时却说

---

① 《孙膑兵法·擒庞涓》。

② 《孙膑兵法·擒庞涓》。

③ 《孙膑兵法·篡卒》。

④ 《孙膑兵法·行篡》。

⑤ 《孙膑兵法·威王问》。

⑥ 《孙膑兵法·篡卒》。

⑦ 《孙膑兵法·将德》。

"用之若土芥"①，亦反映了孙膑兵学的时代局限性。当然，孙膑对将帅亦有论述："一曰信，二曰忠，三曰敢。安忠？忠王。安信？信赏。安敢？敢去不善。不忠于王，不敢用其兵。不信于赏，百姓弗德。不敢去不善，百姓弗畏。"孙膑特别重视"忠"的标准，这是与《孙子兵法》不同的地方，亦有战国时代明显的时代特征。

六、《孙膑兵法》的佚文及其价值

非常遗憾，《孙膑兵法》世无完书，就作战指导而言，除了银雀山竹简反映的内容外，《战国策》《史记》《汉书》《通典》《太平御览》《武经总要》所载孙膑的一些言论也是不可忽视的。② 总体而言，从《孙膑兵法》的佚文来看，主要反映了其思想的三个不同层面，与银雀山汉简本《孙膑兵法》亦有呼应之处。

第一，在具体的形势应对上，战争指挥中，孙膑能够非常冷静地判断敌我双方的处境和形势，最大程度地审时度势，因势利导，批亢捣虚，化被动为主动，化不利为有利，从而取得战争的胜利。其中《战国策》《史记》的史料不容忽视。

据《史记》载："忌数与齐诸公子驰逐重射。孙子见其马足不甚相远，马有上、中、下辈。于是孙子谓田忌曰：'君弟重射，臣能令君胜。'田忌信然之，与王及诸公子逐射千金。及临质，孙子曰：'今以君之下驷与彼上驷，取君上驷与彼中驷，取君中驷与彼下驷。'既驰三辈毕，而田忌一不胜而再胜，卒得王千金……孙子曰：'夫解杂乱纷纠者不控捲，救斗者不搏撠，批亢捣虚，形格势禁，则自为解耳。今梁赵相攻，轻兵锐卒必竭于外，老弱罢于内。君不若引兵疾走大梁，据其街路，冲其方虚，彼必释赵而自救。是我一举解赵之围而收弊于魏也。'……孙子谓田忌曰：'彼三晋之兵素悍勇而轻齐，齐号为怯，善战者因其势而利导之。兵法，百里而趣利者蹶上

---

① 《孙膑兵法·将德》。
② 可参考徐勇在《〈孙膑兵法〉及其军事思想考论》[《烟台师范学院学报》（哲学社会科学版）1996 年第 4 期] 一文中对《孙膑兵法》佚文的梳理。

将，五十里而趣利者军半至。使齐军入魏地为十万灶，明日为五万灶，又明日为三万灶。'"①

从文例而言，此类佚文与《孙膑兵法》上编的内容非常相似，以记载孙膑的主要事迹、问答等为内容，亦能反映孙膑的兵学思想。而事实上，司马迁正是利用"田忌赛马""围魏救赵"（桂陵之战）和"减灶诱敌"（马陵之战）三则基本史料支撑了整个孙膑传记的撰写，其中亦反映了孙膑"兵权谋"的特征。

另，在《战国策》中，孙膑对田忌的建议亦可见孙膑在面对复杂政治军事局面的敏锐判断，田忌与邹忌（成侯）的矛盾已经凸显，作为手握重兵的将军，孙膑为其做出了非常合理的军事计划，帮助其取得先机。当然田忌并未听从孙膑建议，果然田忌的结局正如孙膑所断定："不然，则将军不得入于齐矣。"此亦能说明孙膑对时势把握的精准。据《战国策》载："田忌为齐将，系梁太子申，禽庞涓。孙子谓田忌曰：'将军可以为大事乎？'田忌曰：'奈何？'孙子曰：'将军无解兵而入齐。使彼罢弊于先弱守于主。主者，循轶之途也，辖击摩车而相过。使彼罢弊先弱守于主，必一而当十，十而当百，百而当千。然后背太山，左济，右天唐，军重踦高宛，使轻车锐骑冲雍门。若是，则齐君可正，而成侯可走。不然，则将军不得入于齐矣。'田忌不听，果不入齐。"② 同时，作为田忌非常重要的辅臣，田忌在齐国失势后，孙膑此后的事迹亦不载。

第二，对《孙子兵法》内容更深入的发展。我们知道《左传》中就有"先人有夺人之心，军之善谋也"③ 的提法，《孙子兵法》亦有"三军可夺气，将军可夺心""以治待乱，以静待哗，此治心者也"④ 的论述，亦有"上兵伐谋""不战而屈人之兵"⑤ 的理想。据

---

① 《史记·孙子吴起列传》。
② 《战国策·齐策一》。
③ 《左传·文公七年》。
④ 《孙子兵法·军争篇》。
⑤ 《孙子兵法·谋攻篇》。

《通典》载："战国齐将孙膑谓齐王曰：'凡伐国之道，攻心为上，务先服其心。今秦之所恃为心者，燕、赵之权。今说燕、赵之君，勿虚言空辞，必将以实利以回其心，所谓攻其心也。'"① 孙膑"攻心"的讲法，在后世兵书以及《孙子兵法》的注释中亦有体现，如张预在《形篇》中对"可胜者攻也"的注释"知彼有可胜之理，则攻其心而取之"②。在《军争篇》中对"将军可夺心"的注释"心者，将之所主也。夫治乱、勇怯，皆主于心。故善制敌者，挠之而使乱，激之而使惑，迫之而使惧，故彼之心谋可以夺也。传曰'先人有夺人之心'，谓夺其本心之计也。又，李靖曰：'攻者，不止攻其城、击其陈而已，必有攻其心之术焉。'所谓攻其心者，常养吾之心，使安闲而不乱，然后彼之心可得而夺也"。

第三，佚文属《孙膑兵法》论著内容的部分。首先，对《孙子兵法》内容的阐释，曹操《魏武帝注孙子》中曰："孙膑曰：'兵恐不投之于死地也。'"赵蕤《长短经》："孙膑曰：'兵恐不可救。'"③ 实则是为《孙子兵法》置之死地而后生的思想的继续阐释。银雀山汉简发现后，我们又发现一条可能为《孙膑兵法》的佚文。据《汉书》载："汤曰：'夫胡兵五而当汉兵一，何者……'又兵法曰'客倍而主人半然后敌'，今围会宗者人众不足以胜会宗，唯陛下勿忧！"④ 在典籍引用兵书时，往往会以"兵法"言之。"客倍而主人半然后敌"此语正是出自《孙膑兵法·客主人分》，当然此亦反映了汉代《孙膑兵法》的部分兵学原则在军事指挥领域还具有非常重要的指导意义。其次，是孙膑在战国特有的形势之下，对中国兵学的创造性发展，如其对骑兵作用的论述。据《通典》载："孙膑曰：用骑有十利：一曰，迎敌始至。二曰，乘敌虚背。三曰，追散乱击。四曰，迎敌击后，使敌奔走。五曰，遮其粮食，绝其军道。六曰，

① 《通典·兵十四·先攻其心》。
② 杨丙安：《十一家注孙子校理》，第71页。
③ 赵蕤：《长短经》卷九，文渊阁《四库全书》本。
④ 《汉书·陈汤传》。

败其津关，发其桥梁。七曰，掩其不备卒，击其未整旅。八曰，攻其懈怠，出其不意。九曰，烧其积聚，虚其市里。十曰，掠其田野，系累其子弟。此十者，骑战利也。夫骑者，能离能合，能散能集，百里为期，千里而赴，出入无间，故名离合之兵也。"[1] 孙膑从十个方面指出了骑兵在战国时期战场上的重要作用。又据《武经总要》载："孙膑亦曰：'骑战之道，以虚实为主，变化为辅，地形为佐。'又有十利八害焉。一、乘其未定。二、掩其不固。三、攻其不属。四、邀其粮道。五、绝其关梁。六、袭其不虑。七、袭其战器。八、陵其恐惰。九、掩其未装。十、追其奔散。此十利也。八害者：一、敌乘背虚，寇蹑其后。二、越阻追北，为敌所覆。三、往而无以返，入而无以出。四、所从入者隘，所由去者远。五、涧谷所在，地多林木。六、左右水火，前后山阜。七、地多污泽，难以进退。八、地多沟坑，众草接茂。此八害者，皆骑士成败之机。将必习之，乃可从事焉。"此处孙膑又全面论述骑兵在战场的优势和劣势，即"十利八害"。这些佚文可以与银雀山汉简的部分内容对照，如《八阵》："车骑与战者，分以为三，一在于右，一在于左，一在于后。易则多其车，险则多其骑，厄则多其弩。险易必知生地、死地，居生击死。"

我们知道，战国时期作战非常重视快速机动，一个很重要的物质条件就是骑兵已成为一个独立兵种，在战场上崭露头角，显示出其特有的威力。作为军事指挥家、兵学家的孙膑，敏锐地觉察到骑兵在战场上的重要地位和作用，并进行科学的总结，提出了骑战的若干原则，其学术价值和对战争指导的作用不可低估。在孙膑去世多年后，西汉同匈奴在荒漠草原展开了骑兵集团对骑兵集团的大规模机动作战，而其骑战之法大体上不外乎孙膑所提出的一般原则。

---

[1]　《通典·兵二·法制》。

第四节 银雀山汉简佚名兵书研究

1972 年 4 月，山东省博物馆与临沂文物组等相关单位在临沂县的银雀山发掘了两座汉墓，经考古学家确定，银雀山汉墓的下葬年代是汉武帝初年。银雀山汉墓出土了大量的竹简，集中在一号墓中，二号墓仅出土《元光元年历谱》。银雀山汉简共计有完整简、残简4942 枚，此外还有数千残片，竹简主要有长短两种，其中大多内容都是长简书写。其中，长简长为 27.5 厘米左右，宽多为 0.5～0.7 厘米左右，厚约为 0.1～0.2 厘米；短简仅有占书一类的内容，多为残简。简文书体为早期隶书，学者断定其为文帝、景帝至武帝初年的抄本，由于抄本并未有严格避讳"邦""盈""恒""彻"等字的现象，因此我们无法根据避讳对其抄写年代作非常具体的推断，学者一般认定其抄写年代约为公元前 140 年至公元前 118 年之间。银雀山汉简主要出土了《孙子兵法》《孙膑兵法》《六韬》《尉缭子》《晏子》《守法守令等十三篇》《论政论兵之类》《元光元年历谱》等先秦古籍及许多古佚书。

1974 年，吴九龙、毕宝启发表了《山东临沂西汉墓发现〈孙子兵法〉和〈孙膑兵法〉等竹简的简报》①，公布了银雀山汉简最受关注的内容，自此以后，银雀山汉墓竹简开始进入学者研究的视野。同期还发表了许获的《略谈临沂汉墓出土的古代兵书残简》和罗福颐的《临沂汉简概述》两篇概述性文字，由此拉开了银雀山汉墓竹简研究的序幕。

银雀山汉墓竹简的发现，具有非常重大的学术意义，基本上解决了《孙子兵法》与《孙膑兵法》的学术公案以及部分兵书成书年

---

① 吴九龙、毕宝启：《山东临沂西汉墓发现〈孙子兵法〉和〈孙膑兵法〉等竹简的简报》，《文物》1974 年第 2 期。

代的问题，轰动一时。临沂银雀山汉墓整理的大批先秦竹简，竟然无一儒家经典，而兵法类文献则占有相当大比重。这种现象当然与墓主人有关，在一号墓中出土了漆耳杯两件，底部有"司马"二字，学者推测其墓主人当为司马氏。同时，银雀山汉墓还出土了其他兵书类文献，如我们熟知的《六韬》《尉缭子》《晏子》等，同时有大量的传世史籍未著录的佚名兵书。银雀山汉简是经考古发现，本身不存在任何辨伪问题，因此这批文献的价值弥足珍贵。但出于种种原因，银雀山汉墓竹简的后续整理十分缓慢。1985 年 9 月出版《银雀山汉墓竹简（壹）》，而 1981 年已经初步定稿的《银雀山汉墓竹简（贰）》直到 2010 年 1 月才出版，《银雀山汉墓竹简（叁）》仍在整理中，尚未出版。在多种因素的影响下，银雀山汉墓竹简的整理与研究严重滞后。

银雀山汉简佚名兵书主要包括《守法守令等十三篇》以及《佚书丛残》中的大量内容，由于涉及的内容非常多，亦较为庞杂，我们仅对非常具有学术意义的部分内容进行论述。

一、《守法守令等十三篇》的兵学内容

银雀山汉墓竹简出土了一方完整的木牍，木牍上抄写了 13 个篇题，而《守法守令等十三篇》正是根据这方木牍整理出来的，学者根据相关信息推断大概均为战国时期的作品。那为什么是 13 篇呢？我们认为可能与《孙子兵法》的篇数存在一定的关系。由于《孙子兵法》在战国时期影响很大，尤其在兵书领域的地位更是不容忽视，因此编订《守法守令》的内容时，编订者也以 13 篇作为一个标准。《守法守令等十三篇》的内容包括《守法》《要言》《库法》《王兵》《市法》《守令》《李法》《王法》《委法》《田法》《兵令》以及《上篇》《下篇》等，并明言"凡十三"，可见其为一组无疑。其中各篇的次序，学者有一定推断，并认为其有一定的齐国色彩。[①] 为了研究方便，学术界将其命名为《守法守令等十三篇》。《守法守令

---

① 李学勤：《论银雀山简〈守法〉〈守令〉》，《文物》1989 年第 9 期。

等十三篇》的性质，我们还是认同李学勤的判断："《守法守令等十三篇》一书的性质颇似《尉缭子》，以论兵为主，兼及治政。我们既然承认《尉缭子》是兵书，《守法守令等十三篇》也应当列为兵书。"①

《守法守令等十三篇》实际整理出来的仅有十篇。其中《委法》篇，就其篇题而言，其内容肯定是论述物资的，但是《王法》《田法》《守法》《守令》《库法》等五篇都会涉及此类内容，难以完全厘清，与之相关的内容可能已经编入这五篇中了。而《上篇》《下篇》根本无法从篇题上断定其内容，因此亦缺。《守法守令等十三篇》与传世文献相关的主要有《守法》《守令》《王兵》《兵令》。其中，《守法》《守令》由于简文残缺非常严重，难以清晰划分，暂时合为一篇，其内容与墨子中的《备城门》《号令》多有相合之处。《王兵》内容见于今本的《参患》《七法》《地图》等篇中，但是其与《管子》一书的关系仍待进一步研究。《兵令》与《尉缭子·兵令》有诸多相合之处，当然也存在很多异文。其他多为佚书，如《田法》《市法》《库法》等内容可能是反映齐国当时的主要社会制度的。

就《守法守令等十三篇》的内容而言，涉及兵学的各个方面。其中，《守法》《守令》两篇由于竹简散乱残缺，所以难以进行明确的分篇，因此整理者将其合为一篇，主要内容是谈守城之法以及法令；《要言》是以格言的形式来谈治国理政的内容；《库法》主要是谈军赋与库藏的制度，亦与军队后勤等相关；《王兵》主要谈王者用兵之道，集中反映了其兵学思想；《市法》是谈市廛制度；《李法》谈刑戮制度；《王法》主要内容是王者之道的阐述；《田法》的内容是当时的土地分配制度和赋税制度；我们认为，《兵令》主要阐述了政治与战争的关系以及战场纪律对作战的重要作用。《守法守令等十三篇》是经过专门编订而成，也反映了编订者的基本兵学思想，大体而言，我们从以下几个方面对《守法守令等十三篇》的兵学内容

① 李学勤：《论银雀山简〈守法〉〈守令〉》，《文物》1989 年第 9 期。

进行概述。

第一，强调政治对战争的作用。这方面的内容主要体现在《要言》《王兵》等篇中。战争是两个或多个国家实力的全面抗衡，而君主治国的方式与国家实力息息相关，《要言》曰："善治国者，四国不危。身不治，不能自葆（保）。家不治，不能相冣（聚）。官不治，不能相使。国不治，非其主之有也。"在治理中，"公"的意识非常重要，或可以说是国家治理的总原则，《要言》曰："凡治之道，公□……"在官员的管理中，要秉公处理，《要言》曰："治官莫如公以直矣。"天下是天下人的天下，君主一定要废弃私欲私心，秉持公心，并将其作为治国的纲纪，《要言》曰："废私立公，为国之纪也。"同时，作为君主，一定还要爱民、敬法、亲贤，《要言》曰："爱民如赤子，敬法如师，亲贤如父。"《要言》在提出治国时，并非笼统论之，而是有较为细致的区分，其将当时的天下国家分为大国、中国、小国三大类："大国事明法制，饬仁义；中国以守战为功；小国以事养为安。大国外示诸侯以道惪（德），内示民明（萌）以仁爱。"不同等级的国家在治理中的侧重点还是完全不同的。在《王法》中亦有类似的论述："大国行仁义，明道惪（德），中国守战，小国事养，天地之礼也。"尤其是其有关政治与战争关系的考虑也反映在《兵令》篇中，《兵令》曰："兵者，以武为栋，以文为□；以武为表，以文……以文为内。"就是说，战争的问题，一定是军事为手段，政治为目的，两者互为表里，各适其用。亦曰："武者所〔□□〕適（敌）也，文者所以守也。兵之用文武也，如乡（响）之应声，而□之随身也。"就是说，军事在进攻中的作用更大，政治在守御中作用更大，因此文武对于战争而言，就像响之应声，影之随身一样，密不可分。

第二，非常重视农商经济发展对战争的重要价值。战国中后期，很多国家普遍重视耕战，因为农业生产对战争胜负的作用非常大，如在长平之战的后期，秦赵两国的粮食供应都存在非常严重的问题，不过赵国难以破局，最终成为长平之战失败非常重要的原因。在这一点认识上，《守法守令等十三篇》亦不例外，《王法》曰："臣闻今世捶（垂）拱牟戎（农）粟而食者二人，随戎（农）者一人，与戎（农）者三人，然世审节之而以足。尝试使三人一岁俱出耒耨之端，是有三岁余食也。二岁俱出耒［耨之］端，是有六岁余食也。三岁俱出耒耨之端，是有十岁余食也。"可见其对农业的重视以及农业对社会发展价值的肯定，在具体论述中，更侧重于从制度的设计等方面进行论述，如在《田法》中，其曰："□□居焉，循行立稼之状，而谨□□美亚（恶）之所在，以为地均之岁……□巧（考）参以为岁均计，二岁而均计定，三岁而壹更赋田，十岁而民毕易田，令皆受地美亚（恶）□均之数也。"《守法守令等十三篇》同时还重视商业对社会的重要价值，在先秦各家中是非常有特色的，专门有《市法》一篇。其曰："王者无市，朝（霸）者不成肆，中国利市，小国恃市。市者，百化（货）之威，用之量也。中国能［利］市者强，小国能利市者安。市利则化（货）行，化（货）行则民□，［民□］则诸侯财物至，诸侯财物至则小国富，小国富则中国……"我们发现，虽然《市法》开篇便谈"王者无市，霸者不成肆"，但是最终其还是落在了"中国利市，小国恃市"上，并对其价值进行了必要的肯定，尤其通过法规的方式对市场进行必要的规范和管理："市必居邑之中，令诸侯、外邑来者毋□□□……"通过农业、商业的发展，才能实现国家的富强，而富强是战争胜利，治理意志实现的根基，正如《王法》所言："国富则民众，民众则兵强，兵强则土广，土广则主尊，［主尊］则令行，［令行］则敌人制，［敌人制］则诸侯宾服，［诸侯宾］服则□立，□立则王者之翘治也，不可不审也。"

第三，提倡王者用兵之道。我们认为，王者用兵之道在《守法守令等十三篇》中至少体现在四个方面。首先，王者之兵体现在对战争的准确定位和认识上，即"尊主安国之主"。《王兵》曰："主所以卑尊贵贱，国所以存亡安危者，莫凿于兵。故［□］诛暴乱，伐不道，必以兵；□□奸邪，闭塞奇施，必以刑。然则兵者，古（固）所以外诛乱，内禁邪。故兵者，尊主安国之主。"兵在一个国家具有非常根本的地位，关涉国家的安危存亡，关乎尊卑贵贱秩序的维持。对外，兵可以讨伐不义，征讨暴乱者；对内，可以禁止奸邪之事，维护正常的秩序。其次，王者之兵也体现在君主、相国与大将三者之间的各司其职，互相信任。《王兵》曰："王兵者，必三具：主明，相文，将武。"真正的王者治兵，一定是君主明察，相国主文，大将主武，三者相互配合，缺一不可。三者具体职责亦有具体论述："主事者，将出令起卒有日，定所欲功（攻）伐国，使群臣、大吏、左右及父兄毋敢议于成，主之任也。相国者，论功劳，行赏罚，不敢隐贤，使百官共（恭）敬悉畏，毋敢□随（惰）行□，以侍（待）主令。大将者，□□……"由于简文残缺，有关大将的职责不得而知。当然下文对将的职责有所补充："是故将者，审地刑（形），选材官，量蓄积，撰勇士，察知天下，□御机数，而图险岨（阻）。"这也符合我们对大将在战争中职责的定位与理解。再次，先计后战的思想。《王兵》明确提出："故计必先定，然后兵可以起。计未定而兵起者，兵自怠者也。"最后，充分了解敌情，即知彼知己百战百胜的思想。《王兵》曰："故不明適（敌）国之制者不可伐也，不知其蓄积不能约，不明其士卒弗先戢（陈），不审其将不可军。夫以治击乱，以富击贫，以能击不能，以教士击驱民。此十战十胜，百战百胜之道。"只要充分清楚敌人的内情，才能确定到底打与不打，才能做到高明指挥，达到以强击弱、以实击虚的效果，实现无往而不胜的目的。

第四，重视军备与训练的思想。《守法守令等十三篇》非常重视武器、人才以及训练的价值，其中记载了大量非常具体的器械、军事工程内容。在《王兵》中提出："□［□］□□取天下精材，论百工利器，收天下豪桀（杰），有天下俊雄。春秋谷（角）试，以阑（练）精材。动如雷神，起如蜚（飞）鸟，往如风雨，莫当其前，莫害其后，独出独入，莫能禁止。"获取天下最精良的武器装备，网罗天下最优秀的人才，同时进行非常严格的训练，那么战斗力就会非常强劲，行动起来能够以迅雷不及掩耳之势抵达战场，军队在战场上，独出独入，如入无人之地，迅速完成战斗任务，敌人根本无法抵挡。《王兵》也明确指出后勤补给充分、士兵装备精良在战争中的重要作用："有积委，久而不蕡（匮）。器戒（械）备，功（攻）伐少费。"当然，在整个《守法守令等十三篇》中，大量有关守城的器械与工程，都是非常具体的，兹不一一列举。

第五，重视赏罚的作用。赏罚在治军中是非常重要的手段，《守法守令等十三篇》也不例外。如，《王兵》曰："令行□□□□百则天下畏之。"亦曰："必罚有罪而赏功，则天下从之。"又曰："赏罚□，民不幸生，则贤臣权尽。"在谈到相国在王者之兵的具体职责时，赏罚问题也是其非常重要的内容："相国者，论功劳，行赏罚，不敢隐贤，使百官共（恭）敬悉畏，毋敢□随（惰）行□，以侍（待）主令。"在十三篇中，有《李法》一篇，专门规定了相关的惩罚内容，由于残简过多，所以此篇的内容较少："……□然而置李者，所以守国邑之□……，……□吏啬夫有罪，坙（轻）重皆在国□谨以从事，国□……，……为公人三日。李主法，罚为公人一……，……啬夫与地吏斩所……，……□弗能得者，□啬夫以其官罚□国城一岁，地……，……□之邑啬夫夺半岁之艾（刈），其余□□……"虽然篇幅较短，但是其基本形式内容亦可见一斑。在《田法》中谈到相应的土地赋税制度时，亦曰："卒岁少入百斗者，罚为公人一岁。卒岁少入二百斗者，罚为公人二岁。出之之岁□□□□□者，以为公人终身。卒岁少入三百斗者，黥刑以为公人。"在《兵令》中，亦曰："□□……制，严刑罚□□□赏，全功发（伐）之得，伸（陈）斧越（钺），饬章旗，有功必□，犯令必死。"

第六，在攻守之中尤其重视防守，尤其是守城的具体设施、方式方法与法令制度。在《要言》中，有从原则方面谈到守御的内容，其曰："凡守，谨中如备外，敬（警）内如慎适（敌）。"当然，我们发现整个《守法守令等十三篇》大量的内容都与守城的具体细节相关。《守法守令等十三篇》谈到"守城之法""守城之数""守城之令""城守之备""城守之造"等，其开篇便曰："战国应敌……□固守。战国者，外修城郭，内修甲戟矢弩。万乘之国，郭方七里，城方九［里，城高］九仁（仞），池□百步，国城郭……［郭］方十五里，城方五里，城高七仁（仞），池广八十步，大县……"就是说参与战争的国家，一定要注重固守城池。从战国时期的战争情况来说，当时攻城作战已经成为战国中后期非常重要的作战方式。我们从《墨子》已经能够看出，当时守城已经成为战争中非常专门的分支，如，此处指出的万乘之国的标准："万乘之国，郭方七里，城方九〔里，城高〕九仁（仞），池□百步。"《守法》《守令》中很多内容与《墨子》相关，如"守城之法，客四面蛾（蚁）傅之，主人先知之，主人利"与《墨子·备城门》的"客冯面而蛾傅之，主人则先之知，主人利，客适"非常类似。"守城之令，主人毋得与客言，毋得遇……"与《墨子·号令》中"客、主人无得相与言及相藉"相关。"禁邪为次，杀鸡狗毋令有声□"与《墨子·杂守》"寇至，先杀牛、羊、鸡、狗、乌、雁，收其皮革、筋、角、脂、莝、羽。彘皆剥之"相关。可以说，其中存在大量的兵技巧的内容。

总体而言，我们认为《守法守令等十三篇》应当是当时兵学家以一定的思路，可能是以守城为本，旁及其他，精心选辑的内容，涉及兵学内容的各个方面，其与传世典籍《管子》《墨子》《尉缭子》等的重合，其实亦反映了战国晚期兵学与诸子学融合的潮流。

二、《佚书丛残·论政论兵之类》兵学思想述略

《银雀山汉墓竹简》第二辑中最重要的内容是《论政论兵之类》，整理者归入《论政论兵之类》中的文献多达50篇，大多为古佚书。就其内容而言，涉及兵政内容的方方面面，就其论述方式而言，大多以逐条列举和排比的方式。当然，如果我们再进行细致分类的话，可以分为三类，即论政类、论兵类和论政论兵类。由于这些文献内部并没有非常明确的关联，篇目又比较多，我们无法对其进行一个整体性的研究，当然也无法面面俱到对其进行逐一的介绍或研究，因此我们仅仅拟对以下各类文献中的部分内容进行简要论述，以展现其基本思想内容。

第一，论政类文献以及相关主旨。

论政类基本上不直接涉及兵学的内容，但是从广义上来说，其应当也属兵学的重要组成部分。其中主要包括《王道》《五议》《效

贤》《观库》《为国之过》《分士》《三乱三危》《有国务过》《十官》《六举》《议》《国法之荒》《听有五患》《德在民利》《富国》等15篇，我们以下仅以《王道》《五议》《为国之过》等内容相对比较完整的三篇文献为例简要论述。

《王道》主要以列举的方式提出了王者之道的五个方面："王道有五：一曰能知为君为国之致。二曰能以国家□[□□□□]国之君亲，远方之君至。三曰能神化。四曰能除天下之共忧。五曰能持尚功用贤之成功。"简而言之，王道就是能够洞悉并贯彻身为君主治理国家的正确方式，能够招徕远国，能够以信教民，为天下民众除去祸患，消除忧愁，能够赏贤使能，任用人才，从而达到国家昌盛、富国强兵的效果。

《五议》提出了"有国之五议"。第一，"能总言，能知言之所至者也，能知言之所至，能为有天下有国者定治之高库（卑）"。就是有能够"总言"的"知言"者。"知言"者的最高水准就是能够为拥有天下和国家的君主确立治理秩序的尊卑。第二，"[□□□□□能知知之所]至者也。能知知之所至，能为有天下有国者定可与不可"。就是有"知知"者，懂得治国的智慧，其最高的水准就是能够为拥有天下和国家的君主判断什么可以做、什么不可以做。第三，"言用行，行而天下安乐，能极得也。能极得，万民亲之，天地[□□，鬼神□]助"。如果其"言"能够付诸行动，当然此处的"言"可能是特指，就是指上文"知言"的内容，也可能是泛指，均可以讲通，就是说正确的治国理念能够得以顺利地贯彻，那必将是一种最高的德，能够如此，天下万民一定会亲近，天地鬼神也都一定会协助的。第四，"天不言，万民走其时，地不言，万民走其财。能知此，知治之所至[者也。能知治]之所至，能不以国乱，能不以国危"。就是说，天地不言，万民依照四时而生活，能洞察这种无为而治的治理方法，是治理的最高境界，这样国家就不会出现危乱的状况。第五，"能知极不可乱[之治，能不以国惑，]能不以国怠"。意思是说，能够通晓治理国家中"极不可乱之治"的道理，就可以做到在国家治理中不迷惑，不懈怠。

《为国之过》以逐条列举的方式论述治国的得失，从反面去谈国家治理的过失，论述了国家的存亡、君臣的关系等内容。"为国之过"共15条，篇幅非常大，我们仅举一例。"一，为国之过：欲下之尚（上）合，民之尚（上）亲也，而法令不行，其下易得而进也，易得〔而退〕也，其民易得而利，易得而害也。故其下无道尚合，民无道尚（上）亲。"就是说，治理者在治理国家中容易出现的失误，君主希望能够和臣子和衷共济，能够与民众建立深厚的感情，愿望是对的，但是在实际的治理中却往往因为法令不能推行，臣下的进退轻而易举，并无规则可循，民众的利害得失亦无任何的标准，因此臣子无法与君主和衷共济，民众也无法与君主亲密无间。

当然，很多文献亦由于残简较多，我们难以完全了解其中的全部内容，仅仅依据一些残简或篇名来推测其基本内容。如《效贤》篇属论政类文献，整理者仅仅根据内容整理出一片残简，其内容当为举贤和用贤的一些基本内容。《观庯》属论政类文献，内容就是非常审慎地体味一些治理中重要事件的微小征兆。

第二，论兵类文献以及相关内容。

论兵类文献大多最初都编入《孙膑兵法·下编》中，主要包括《将败》《将失》《兵之恒失》《持盈》《地典》《客主人分》《善者》《五名五共》《起师》《奇正》《将义》《观法》《程兵》《将德》《将过》《曲将之法》《雄牝城》《五度九夺》《积疏》《选卒》《四伐》《亡地》《十阵》《十问》《略甲》《万乘》等26篇。其中，论兵类文献对将的论述较多，以将命名的就有《将败》《将失》《将义》《将德》《将过》《曲将之法》等6篇，其他篇目中也间或有对将的相关论述，我们以下集中对这6篇的内容进行论述。同时对《兵之恒失》等也进行简要介绍，以观其他篇章的内容与规模。当然，作为银雀山汉墓竹简论兵理论水平最高的《奇正》，我们下文将专门讨论。

我们认为银雀山汉墓竹简中有如此集中对将军的论述，这与春秋战国时期文武分职有很大关系，也与战国时期将军在战争胜负中发挥的作用越来越关键有关。《将败》主要谈将帅的才能缺陷，如"不能而自能""骄""贪于位""贪于财"等等，即自以为是、自我估计太高，骄横，贪恋权位，贪财，等等，列举了多达20项。《将失》主要通过罗列各种现象来谈导致战争失败的诸多将帅失误，如"失其所以往来""是非争，谋事辩讼""民苦其师""师老""师怀""兵遁""军数惊""多疑，众疑""期战分心""不能以成阵出于夹道""战而有忧"等等，基本表达为"……，可败也"。即毫无战略目的地盲目调动军队，谋划上争论不休、无法统一思想，民众痛恨战争，士兵长期在外，士兵怀念乡土有所挂虑，士兵逃遁，军队多次遭到惊扰，将帅指挥犹豫不决、士兵行动狐疑，临战军心不稳，军队没有摆好阵势贸然通过狭窄的道路，作战时忧虑重重，等等，列举了多达32项。《将义》篇谈到将军应当有"义""仁""德""信""智""决"等德，每种品格各有其效用，并以身体为喻来论述其重要性与各种品格的不可或缺，其曰："故义者，兵之首也。……故仁者，兵之腹。……故德者，兵之手也。……故信者，兵之足也。……故夬（决）者，兵之尾也。"其论述各种德行的句式相同，如对"义"的论述："将者不可以不义，［不］义则不严，［不严］则不威，［不威］则卒弗死。"就是说，作为优秀的大将，一定要有义，没有义就不能做到严明，不严明就不可能有权威，没有权威士卒根本不可能在战场上为其效命。《将义》中论述的内容在《孙子兵法》"五德"的内容上增加了"义""德"，"五德"直接提及的是"智""信""仁"，"严"是置于"义"德之下，"决"即为"勇"。《将德》应当列举了将军的德行，我们能看到的如"将军之恒也""将军之智也""将军之敬也""将军之惠也"等内容，当然还有一残简，如"……赤子，爱之若狡童，敬之若严师，用之若土盖（芥），将军［之□也］"，虽未明确点出具体属于哪种德，但是其内容不外是对士兵要爱、要敬，更要毫不吝惜地任用。"赏不榆（逾）日，罚不睘（还）面，不维其人，不何……"讲的正是将军的赏罚严明，当为"信"德。《将过》主要讲敌将之过，其开篇便言"適（敌）将之过有十"，紧接着列举了十种敌将的过失，而敌将的每种过失，己方都有相应的非常具体的对策："……勇而主（轻）死者可秀（诱），急而心遽者可久，贪而好货者可洛（赂），仁而信人者可诈，仁而慈众者可先，知（智）而心怯者可战，知（智）而精洁者可后，知（智）而心缓者可牧（谋）。"《曲将之法》仅有两简，其曰："……臣之能曲将之法，我使夸用而好见功伐于将长者，使之先禺（遇）之；其谦信而勇敢者，使救之；其上知天道，下知地利者，使旁大将；其年老长而数范（犯）大战者，使居大后。"可以看出，其核心内容是君主根据将军各自的情况，因材而用，应为君主用将的一些原则。

《兵之恒失》主要谈治兵之失，包括"难俑（敌）国兵之所长，耗兵也。欲强多国之所寡，以应俑（敌）国之所多，速讪（屈）之兵也。备固，不能难俑（敌）之器用，陵兵也"等等，意思是说，勉强地去增强国家的劣势，对国家会造成很大的耗费，导致国家军队受到损耗，就是"耗兵"；勉强去增多本国所不具备的条件，去对付敌国的优势力量，那么军队的战斗力很快就会衰竭，这就是"速屈之兵"；如果防御不够坚固，难以抵挡敌军进攻的武器装备，那么这必定是遭受欺凌之兵。同时还指出："兵失民，不知过者也。兵用力多功少，不知时者也。兵不能胜大患，不能合民心者也。"就是说，在战争中，军队失去民众的支持，那就是因为不知道去改正所犯的过错；兴师动众耗费大量的人力物力而没有取得任何实质性的成效，就是因为在战争中没有把握有利战机；军队无法抵御祸患的考验，那是因为没有得到民心。

第三，论政论兵类文献以及相关论述。

论政论兵类文献在论述中往往将政治与兵学内容结合起来，其中主要包括《务过》《患之》《君臣问答》《郭偃论士》《民之情》《有国之效》《有主以为任者》《自危自忘》《三算》等9篇。我们以下以《务过》《民之情》为例进行论述。

《务过》内容仅有三条："一曰：不知城之不可以守地。二曰：不知治之不可为万民先者。三曰：不知民之不可以应坚俑（敌）。"其中，论兵内容是准确估量城池作为守地的价值以及应对强大敌人时对民众力量的准确估计，论政的内容就是不了解治国万万不可为天下先，类似于告诫性质的内容。《民之情》的整理者主要列举了八条，在总结语中指出"传曰：用众无得于八者，而欲徒以刑罚威之，难以用众"。其中八条中相对比较完整的有："三曰：卿大夫官吏士民儌（敬）节，高其谊（义），偞其□，行其俗，民之请（情）也。四曰：卿大夫官吏士民之守职也固，民死分，民之请（情）也。五曰：知所轻所重之分，而俗高贤。俗高贤，而民志。民志，可与犯难，民之请（情）也。……八曰：赏罚信，功贵劳利，所以致显荣佚（逸）乐之涂（途）陕（狭），民劝赏猥（畏）罚，民之请（情）也。"通篇以列举的方式来讨论民众的基本情性、意愿、愿望等，并建议治理者应当以此作为各种治理内容的出发点，其"因人情"的讲法，可能与韩非子的思想有一定关联。

三、《奇正》的兵学理论高度

《论政论兵之类》所收文献多达 50 篇，我们无法一一作出非常详细的研究与分析，从 50 篇所论述内容的重要性以及其所展现的理论思维高度而言，首推《奇正》。从内容上说，"奇正"的观念除了在《孙子兵法》中论及之外，在《淮南子》《六韬》《尉缭子》等典籍中均有较为精彩的论述，但就目前而言，银雀山汉简本《奇正》的论述更为系统、完整、深刻，正如李零曾高度评价道："最有价值，要数《奇正》。《奇正》是很有哲理的一篇，内容是讨论古代兵学概念中的'奇正'。……我个人认为，这才是银雀山兵书中最重要的发现，它的水平完全可以比美《吴孙子》十三篇。"[1]

"奇正"是《孙子兵法·势篇》提出的重要观念之一，也是先秦兵学思想的重要内容。我们认为，"一般以常法为正，变法为奇，它包括正确使用兵力和灵活变换战术两个方面。具体地说，在兵力使用上，守备、钳制的为正兵；机动、突击的为奇兵。在作战方式上，正面攻、明攻为正；迂回、侧击、暗袭为奇。在作战方式上，按一般原则作战为正，采取特殊战法为奇。在战略上，堂堂正正进

---

① 李零：《简帛古书与学术源流》，生活·读书·新知三联书店，2004 年，第 369—370 页。

军为正，突然袭击为奇"①。这也是学术界一般的看法，而《奇正》篇则是专门对"奇正"观念从概念的层面上进行全面阐述，理论水准非常高，其在兵学史上的地位非常重要。我们认为《奇正》篇正是反映了战国时期兵学家对奇正这一对兵学思想的理解高度。我们以下拟从四个方面对其思想内容及其特点进行论述。

首先，《奇正》篇受到战国时期名家思想的影响，理论性非常强，思想更系统化、更富哲理性，使得兵学思想的内涵更加丰富。我们认为战国时期齐国稷下学宫的学术繁荣对其思想的形成可能产生了影响，② 使其尤其是在"形名"方面的论述有了进一步的发展。单从字频上来说，提及"刑"（即"形"）的地方就有 18 处之多；"名"在此篇中也备受关注，其中"形""名"并举的地方就有三处。李零认为其与《孙子兵法》存在着很大关联："《奇正》从'分数'讲'形名'，从'形名'讲'形势'，'分数'是'形名'的基础，'形名'是'分数'的应用，和这里的讲法大体一致。在《奇正》篇中，'形名'不仅是控制万物生化的学问，也是控制战局变化的学问。"③ 当然，我们认为，稷下学宫的名家思想可能对其产生了很大的影响，④《奇正》篇以"天地之理"始，讲到"四时""五行"又讲到"万物""万生"，最后还讲到"圣人以万物之胜胜万物，故其胜不屈"，《奇正》篇指出："天地之理，至则反，盈则败，□□是也。代兴代废，四时是也。有胜有不胜，五行是也。有生有死，万物是也。有能有不能，万生是也。有所有余，有所不足，刑（形）埶（势）是也。故有刑（形）之徒，莫不可名。有名之徒，莫不可胜。故圣人以万物之胜胜万物，故其胜不屈。"在此段长篇大

---

① 黄朴民：《银雀山汉墓竹简〈孙子兵法〉之文献学价值刍议》，《清华大学学报》（哲学社会科学版）2013 年第 2 期。
② 任继愈：《〈孙膑兵法〉的哲学思想》，《文物》1974 年第 3 期。
③ 李零：《唯一的规则：〈孙子〉的斗争哲学》，生活·读书·新知三联书店，2010 年，第 125 页。
④ 秦飞、黄朴民：《〈奇正〉之作者考——以〈奇正〉所透露的"名"的自觉为线索》，《浙江学刊》2014 年第 2 期。

论中，从字面上来看几乎与兵家的内容没有关联，但是其确实为下文的兵学论述奠定了非常坚实的理论基础。此种论述在传世兵书中几乎看不到。在此基础上，《奇正》篇才开始展开对兵学思想的论述："战者，以刑（形）相胜者也。刑（形）莫不可以胜，而莫智（知）其所以胜之刑（形）。刑（形）胜之变，与天地相敝而不穷。刑（形）胜，以楚越之竹书之而不足。刑（形）者，皆以其胜胜者也。以一刑（形）之胜胜万刑（形），不可。所以裚（制）刑（形）壹也，所以胜不可壹也。"非常明显，《奇正》的作者试图以形的概念将复杂多变的兵学现象进行抽象化，并以此来把握战争的基本规律。

其次，对"奇""正"这对概念的准确定义。《奇正》篇言："刑（形）以应刑（形），正也；无刑（形）而裚（制）刑（形），奇也。奇正无穷，分也。"《奇正》篇认为，按常规，用有形对付有形，是正；用无形制服有形，是奇。这是目前所能见到的材料中，最早较为准确、全面界定"奇""正"概念的文献。《奇正》篇抓住了"变形"这一"奇正"相变的核心，以"形"来定义"奇正"，并对"形"的丰富内涵作了介绍，与《孙子兵法》之"奇正"思想一脉相承。

再次，对"奇正"思想的特点以及表现形式进行总结。《奇正》篇曰："同不足以相胜也，故以异为奇。是以静为动奇，失（佚）为劳奇，饱为饥奇，治为乱奇，众为寡奇。"由于相同的不能取胜，故而要以不同为奇，故静是动之奇，佚是劳之奇，饱是饥之奇，治是乱之奇，众是寡之奇。类似的说法十分常见，或许是受《孙子兵法·虚实篇》"敌佚能劳之，饱能饥之，安能动之。出其所不趋，趋其所不意"的启发，从而将"奇""正"与静动、佚劳、饱饥等矛盾对立概念进行匹配，这虽有助于我们更为形象地把握"奇正"思想，但却难免流于机械。《奇正》篇避免了这一问题，它抓住了"奇正"表现形式的总特征，在具体举例之前，对"奇正"概括性地说"同不足以相胜也，故以异为奇"，以此总结出了"奇""正"所有表现形式的特点。

最后，在战术运用上，《奇正》篇也谈了自己的看法，言应"发而为正，其未发者奇也。其发而不报，则胜矣。有余奇者，过胜者也"。是讲运用的阵形招数被敌识破了就是正，未被发觉的是奇；出其不意而未受到敌人报复，就算是胜利；然而运用"余奇"，则将取得更多、更大的胜利。作者的高明不在于重复前贤的观点，而在于在前人基础上，提出了一个新的概念——"余奇"，言"有余奇者，过胜者也"。当然，有学者据此并结合《握奇经》《李卫公问对》对整个兵家所言的"奇正"思想进行了修订："'正'，其实是整数，'奇'，其实是余数。余数就是作为零头的数。中国数学传统，特别看重'余奇'……'余奇'就是作为余数的一。"并强调"余奇"是"制造一切变化的关键：所有偶数加一，都会变成奇数；所有奇数减一，都会变成偶数"；而"中国的'奇'也叫'零'。汉语所谓的'零'，不是没有，而是'零头'的'零'……'余奇'是一切数字的中心，就像太一居宇宙的中心，皇帝居天下的中心；也是一切数字的归宿。一千是一，一万是一，不断进位的一，都可归入它的概念。它既是开端，也是结尾；既是中心，也是全体"。当然，李零的观点突出了"余奇"的重要性，体现出"奇正"之"变形"的核心特质，可备一说。①

四、《佚书丛残·阴阳时令、占候之类》的兵阴阳思想

《银雀山汉墓竹简》第二辑的核心内容是《论政论兵之类》，当然其中的《阴阳时令、占候之类》等内容也不容忽视，我们认为其应为阴阳家思想的孑遗。如《曹氏阴阳》以阴阳学的思想观念系统介绍了天地阴阳、日月星辰、四时、山水草木、农作物、动物、人事活动、哲学思想等方面的内容，② 其亦间及兵学内容："□兵相当，问其将之名，名去（呿）者胜而唅者败，何也？夫去（呿）生

---

① 李零：《唯一的规则：〈孙子〉的斗争哲学》，生活·读书·新知三联书店，2010 年，第 127—128 页。
② 连劭名：《银雀山汉简〈曹氏阴阳〉研究》，《中原文物》2007 年第 2 期。

而唵死，此其大柈也。"《三十时》与传世典籍《月令》相类似，谈物候以及相关宜忌，当然战争的宜忌也在其中，多次提到"以战客胜"。在整个第二辑中，不乏兵阴阳家的思想，如《地典》《天地八风五行客主五音之居》应是典型的兵阴阳家著作，值得我们高度重视。我们以下对其内容进行简要论述。

我们认为，虽然在兵阴阳类文献中，各篇的论述内容有所不同，但是其有关阴阳学说的基本理论还是趋同的。如对阴阳与四时的观测与对应，春夏为阳，秋冬为阴的基本说法是战国时期以后阴阳家基于对自然观察的一种普遍认识。如，《地典》曰："……者为阳，秋冬为阴，……。"《曹氏阴阳》曰："秋冬，阴也。春夏，阳也。夫阴中有阳，阳中亦有［阴也］。"马王堆帛书《经法·称》亦有"春阳秋阴，夏阳冬阴"的表述，传世典籍如《管子》中就有："春者，阳气始上，故万物生；夏者，阳气毕上，故万物长；秋者，阴气始下，故万物收；冬者，阴气毕下，故万物藏。"① 同时，对阴阳关系的认识也有趋同之处，如《地典》曰："大（太）阳者死，大（太）阴者［死］。"《曹氏阴阳》曰："纯阴不生，屯（纯）阳不长。"而阴阳对战争的重要作用，兵阴阳家从天命的角度来论述，如《占书》曰："帝令司德监观于下，视其吉凶祸福及以兵时。"可见，在兵阴阳家看来，天命才是决定战争胜负最根本的因素，阴阳是天命非常重要的表现形式，顺天就是要顺阴阳。

《地典》获得学者关注较多，其内容是黄帝与地典两人有关用兵的讨论，属问答体。《汉书·艺文志》兵阴阳家著录《地典》六篇，学者认为此书可能是其中的一篇。因此，可以说《地典》是见诸著录的现存最早的有关兵阴阳的作品。据《帝王世纪》记载，地典是黄帝的重要辅臣之一，而《地典》正是依托黄帝与地典的对话，以阴阳、刑德等观念对战争中的地形问题，如四方、高下、阴阳、死生、顺逆等进行探讨。总体而言，其中提到一些基本的观念，作为整个论述的基础，如，地典先谈对天地的基本看法，"天有寒暑，地

---

① 《管子·形势解》。

有兑（锐）方。天……天有十二时，地有六高六下。……十二者相胜有时"。可以看出，其核心观念应当是阴阳五行相胜的思想。就《地典》整篇而言，主要谈如何能够处于高地、生地等顺和生的方面，那就是黄帝能够取胜的常道："……败，高生为德，下死为刑。四两顺生，此胃（谓）黄帝之胜经。"

《地典》核心是谈地形，其将地形进行了分类，指出："一曰□……［四］曰林胜城，五曰城胜薮，……［十曰］□胜累（溪），十一曰累（溪）胜沟。此十二者，地之贫也。"在进行基本分类后，以阴阳理论为基础，提出诸多战争中的地形选择最基本原则和许多禁忌："凡高之属，无时，左之胜；下之属，无时……。"就是说，凡是地处高地，都不要使它处于左侧，凡是低地，都不要使它处于右侧。在地形选择中，居高当为一般的原则，其指出："……得高之利得下之害战必胜，得高之害得下之利战［必败］。"向背问题也是先秦兵学典籍中经常论述的问题，《地典》曰："虽（唯）六月不可逆水而南乡（向），二月不可逆累（溪）南乡（向），上帝之禁。"六月，千万切忌逆水朝南，二月切忌逆溪朝南，并称其为上帝的禁忌，这其实讲的是向背的问题。《地典》不仅谈到向背问题，还谈左右问题。左右问题也是地形中非常重要的内容，在银雀山汉简《孙子兵法·地形二》中就有"凡地刑（形），东方为左，西方为［右］"的提法，《地典》曰："仳（背）丘而战，将取尉旅。左丘而战，得适（敌）司马。仳（背）陵而战，得其士主。左陵而战，适（敌）君分走。仳（背）邑而战，得其旅主。左邑火陈（阵），适（敌）人奔走。右水而战，氏（是）胃（谓）顺□，大将氏（是）取。"

《天地八风五行客主五音之居》整篇是用短简书写的，简文有篆书的意味，可能抄写年代较早。其内容是根据天地、八风、五行、客主、五音所在的方位以及时辰断定吉凶、占卜胜负的方法，按照上述顺序排定为五组，整理者认为其"乃兵家数术类之书"[1]，当然

---

① 银雀山汉墓竹简整理小组：《银雀山汉墓竹简（贰）》，文物出版社，2010年，第231页。

也有学者认为其为巫术。我们以下分别述之。《天地》曰："天　正月五月九月　上旬天在……地　二月六月十月　三月七月十一月四月〔八月〕十二月。"将一年十二个月分为四组，每月又分为上旬、中旬、下旬，并将其与天地四方对应："中旬天地在西方。……下旬天在南方，地在北方。……下旬天地在东方。"接着又提出顺、逆的观念，以此定吉凶："春三月右日吉，夏三月逆日吉，秋三月□□……。"大体意思是在讲己方军队所处的位置与太阳的关系，春天太阳在正面的右侧吉利，夏天面向太阳吉利，秋季……《八风》主要包括八风图和风占两部分内容，核心内容是将四方八位与八种季节的风相配合，包括生风、柔风、弱风、周风、刚风、皙风、大刚风、凶风，结合主客的地位，认为"凡皙、皙周、刚、大刚、凶风皆利为客，生、溧、弱风皆利为主〔人〕"。具体而言："〔风〕从溧风来，疾而暴。击之，破军禽（擒）将。风从弱风来，疾而暴。主人与客分。祸风北多则客胜，东多则主人胜。"《五行》主要讲金木水火土之间五行相生与相胜的关系，开篇便言："五行，德行所不胜，刑行所胜。"与《孙子兵法》所言的"五行无常胜"的表达比较接近。其进而细致论述："□故土苦木，〔乃生金〕以报木。木苦金，乃生火以〔报金。金〕苦火，乃生水以报火。火苦水，乃生土以报水。水苦土，乃生木以报土。毋以其子孙攻其大父。"《主客》将时日分为三大类，"客主人分日"，即主人与客兵胜负机会均等的日子；"利主人"，即对主人有利的时日；"利客"，即对客兵有利的时日。《五音》是以宫商角徵羽五音来对应宫风、商风、角风、徵风、羽风五类时辰，并以此来推断战争的胜负。当然还有无法归入上述五类，整理者定名《其他》，笼统归入一类，其中内容非常庞杂，包括星占类等内容，兹不一一列举。

总体而言，银雀山汉墓竹简中的兵阴阳文献，为我们了解先秦时期的兵阴阳家的基本思想提供了重要的材料，其中部分内容也可以与传世文献中的内容相对应，对于进一步了解先秦兵学思想具有非常重要的意义。

第五节 《管子》与齐鲁法家的兵学思想

《管子》一书，在战国末期即已流传，原有389篇，《汉书·艺文志》道家类著录为86篇，今存76篇，可以分为8个大类。其中，《经言》9篇，《外言》8篇，《内言》7篇，《短语》17篇，《区言》5篇，《杂言》10篇，《管子解》4篇，《管子轻重》16篇。今本《管子》是由西汉刘向所编订的。

一、《管子》书的性质及其兵学价值

值得我们注意的是，银雀山汉墓出土的《王兵》篇，与今本《管子》之《参患》《七法》《地图》等篇文字相合。竹简整理小组认为："《王兵》的成书年代显然早于《管子》的《参患》等篇。"①而这些篇章都是论兵之作。

《管子》一书卷帙繁富，内容庞杂，郭沫若曾指出，其书"道家者言、儒家者言、法家者言、名家者言、阴阳家者言、农家者言、轻重家者言，杂盛于一篮"②。古今学术界对其书性质、作者、成书年代等问题的认识多有分歧，但基本的意见是认为其书虽托名于管仲，但大致的成书年代当是在战国，其中个别篇章保存了管子本人的遗说。现存的《管子》大部分是战国时期齐国管仲学派的作品和稷下学者的著述，甚至也有汉代所附益的部分。由于《管子》书"非作于一人，也非作于一时"③，所以其书的思想倾向比较复杂，

① 银雀山汉墓竹简整理小组编：《银雀山汉墓竹简（壹）》，文物出版社，1985年，第11页。
② 《管子集校·叙录》，郭沫若、闻一多、许维遹：《管子集校》，科学出版社，1956年，第10页。
③ 郭沫若：《宋钘尹文遗著考》，《青铜时代》，科学出版社，1957年，第249页。

包括了法家、道家、阴阳家、儒家以及兵家、农家等不同学派的一些思想内容。尽管如此，《管子》一书还是有其主导思想的，这主导的思想就是法家思想，反映了当时齐国推崇管仲的法家学派的理论要求和政治愿望。

齐国法家有自己的思想特点。一方面，强调法制，主张法不阿贵，执法必严。如《管子》认为："凡民之用也，必待令之行也，而民乃用。凡令之行也，必待近者之胜也，而令乃行。"① 亦曰："凡君国之重器，莫重于令……故明君察于治民之本，本莫要于令。"② 要求以法律的力量来强化中央集权。另一方面，又肯定道德教化的重要性，重视民众的作用，主张争取民心。《管子》认为礼义廉耻乃是立国的根本，指出礼义廉耻乃国之四维，"四维不张，国乃灭亡"③，因此《管子》十分强调将礼治和法治有机地结合起来。对于宗法制，他们的态度也不像商鞅、韩非子一派法家那样决绝，而是主张让宗法制中的合理成分服务于中央集权制，在重法制的同时也通过宗法道德的纽带来巩固统治秩序。齐国法家学派这些思想特征的形成，既与齐国当时的社会经济、政治条件相关，也同齐国建国以来长期延续的注重实用、博采融会的学术文化传统相一致。它比三晋法家一味排斥道德教化，片面强调法制的做法，无疑具有更强的适用性，因而在历史上曾产生过深远的影响。

《管子》一书的兵学思想十分丰富，它全面反映了齐国法家学派对战争问题的理性认识。在战争观、治军理论、国防建设思想、作战指导思想等方面均有精辟深入的论述。与全书的哲学、政治思想兼容折中倾向相一致，《管子》的兵学思想亦具有调和、平允的特点，体现出先秦兵学逐渐走向综合融会的历史趋势，从而成为中国兵学思想发展史上的一个重要环节。

---

① 《管子·重令》。
② 《管子·重令》。
③ 《管子·牧民》。

二、《管子》的战争观

《管子》强调战争的重要作用，肯定战争在社会生活中的意义。认为战争直接决定着君主地位的尊卑，国家处境的安危，是实现君主尊贵、国家安定的重要途径："君之所以卑尊，国之所以安危者，莫要于兵。故诛暴国必以兵，禁辟民必以刑。然则兵者外以诛暴，内以禁邪。故兵者尊主安国之经也。"① 《管子》指出，战争虽然算不上高尚的行为和道德的手段，但在当时天下由分裂走向统一的重要关头，它却是"辅王成霸"的基本手段，不可或缺："夫兵，虽非备道至德也，然而所以辅王成霸。"② 所以，《管子》要求明智的君主务必"积务于兵"，即注重和开展军事活动，指出假如"主不积务于兵"③，等于是将自己的国家拱手交给敌人，危险之至。基于这一认识，《管子》反对无条件的偃兵息武，认为兵不可废置。它说，即便是在黄帝、尧、舜那样的盛世，都不曾废弃兵事，那么"今德不及三帝，天下不顺，而求废兵，不亦难乎"④。所以宋钘、尹文提倡的"禁攻寝兵"⑤ 和墨家鼓吹的"兼爱之说"，在《管子》作者的眼中，纯属于亡国覆军之道，必须痛加驳斥："寝兵之说胜，则险阻不守。兼爱之说胜，则士卒不战。"⑥ 从以上论述看，《管子》的基本立场是主战的。

《管子》在充分肯定战争历史合理性的同时，也主张"慎战"，反对轻易发动战争。它认为战争本身是充满危险的事情，其曰："兵事者，危物也。"⑦ 又曰："贫民伤财莫大于兵，危国忧主莫速于

---

① 《管子·参患》。
② 《管子·兵法》。
③ 《管子·参患》。
④ 《管子·法法》。
⑤ 《庄子·天下》。
⑥ 《管子·立政》。
⑦ 《管子·问》。

兵。"① 一个国家如果屡次发动战争，就会使得士民疲惫；即使能够屡战屡胜，也会诱使统治者骄傲自大，必将危及整个国家利益："数战则士罢，数胜则君骄。夫以骄君使罢民，则国安得无危?"②《管子》认为战争给社会经济生活带来许多危害："什一之师，什三毋事，则稼亡三之一。稼亡三之一，而非有故盖积也，则道有损瘠矣。什一之师，三年不解，非有余食也，则民有鬻子矣。"③ 所以战争尽管是必要手段，但却要防止穷兵黩武，应该以辩证的态度加以对待："地大国富，人众兵强，此霸王之本也，然而与危亡为邻矣。"④ 基于这样的认识，《管子》在战争问题上追求"不战而胜"的境界，即便不得已而从事战争，也要争取一战而胜，避免旷日持久，损师疲民，"至善不战，其次一之"⑤。《管子》认为只有"德盛义尊，而不好加名于人；人众兵强，而不以其国造难生患；天下有大事，而好以其国后"⑥，才是正确的做法。

《管子》这种对待战争既积极又慎重的态度，是其作者正确总结历史经验和认真借鉴其他学派战争观有益因素的产物。当时战争规模不断扩大，许多国家遭兼并的现实，使得齐国法家不得不面对天下大势，肯定战争的必要性。但是，魏惠王、齐湣王穷兵黩武招致丧师辱国的结果，又使得齐国法家认识到一味好战的危害性，因此主张慎战节兵。另外，齐国较开放的学术文化传统，也使得齐国法家善于吸取其他学派的长处。这在战争问题上就表现为借鉴齐国兵家中的"慎战"主张，如孙武和孙膑都是齐国人，均主张"慎战"。《孙子兵法》言"主不可以怒而兴师，将不可以愠而致战"，并把这视为"安国全军之道"⑦。《孙膑兵法·见威王》言："夫乐兵者亡，

---

① 《管子·法法》。
② 《管子·兵法》。
③ 《管子·八观》。
④ 《管子·重令》。
⑤ 《管子·幼官》。
⑥ 《管子·枢言》。
⑦ 《孙子兵法·火攻篇》。

而利胜者辱。"① 这些都是齐兵家"慎战"思想的集中体现，同时，黄老学派朴素的军事辩证法思想，提倡适可而止。

《管子》战争观的又一个重要内容，是它对战争性质的区分。《管子》认为，战争的性质可以划分为"义"和"不义"两大类。所谓"义兵"，就是"案强助弱，禁暴止贪，存亡安危"，就是"至善之为兵也，非地是求也，罚人是君也。立义而加之以胜，至威而实之以德，守之而后修"②。所谓非义之兵，就是"贪于地""不竞于德而竞于兵"③。《管子》认为，战争的正义性乃是决定战争取得最终胜利的根本保障："行义胜之理。"④ 从事义战，方可"立于胜地"，又可"成功立事，必顺于理义。故不理不胜天下，不义不胜人。故贤知之君必立于胜地，故正天下而莫之敢御也"⑤。从这样的认识出发，《管子》主张"竞于德"，而"不竞于兵"⑥。强调用兵打仗要"举之必义"⑦，即以正义战争对付非正义战争，从而实现"有义胜无义"⑧ 的目的。同时，《管子》对非正义战争也进行了有力的贬斥，明确指出军队强大、士兵勇敢而战争性质"不义"，则等同于"伤兵""残兵"，"勇而不义伤兵"⑨。这种军队在战争中必然会遭到失败："故军之败也，生于不义。"⑩ 虽然《管子》对战争性质"义"和"不义"的区分是相当肤浅的，仅仅局限于抽象的道德价值判断的层面，但是这毕竟表明当时的思想家在战争问题上认识的深化，在古代兵学思想发展史上具有一定的意义。

---

① 《孙膑兵法·见威王》。
② 《管子·幼官》。
③ 《管子·大匡》。
④ 《管子·幼官》。
⑤ 《管子·七法》。
⑥ 《管子·大匡》。
⑦ 《管子·霸言》。
⑧ 《管子·事语》。
⑨ 《管子·法法》。
⑩ 《管子·法法》。

三、《管子》"强其兵"的军队建设思想

《管子》的军队建设思想是非常丰富的，概括地说，是以"强其兵"①为军队建设的核心任务，主张军事、政治、经济各种关系综合考虑、统筹兼顾，并把将帅队伍的建设、赏罚制度的完善、武器装备的改良、军事训练的健全放在优先考虑的位置。《管子》鲜明地提出"强其兵"的主张，指出："故国不虚重……凡国之重也，必待兵之胜也，而国乃重。"②又曰："不能强其兵，而能必胜敌国者，未之有也。"③如何"强兵"，《管子》提出了许多措施，其荦荦大端有以下几个方面。

第一，把军队建设与修明政治、发展经济紧密结合起来，互相配合，共同促进。《管子》认为要"强其兵"，首先必须富国，"国富者兵强，兵强者战胜，战胜者地广"④。而富国的基础则在于发展经济和富民："甲兵之本，必先于田宅。"⑤又曰："众有遗苞者，其战不必胜；道有损瘠者，其守不必固。"⑥亦曰："民饥者不可以使战。"⑦《管子》这些正反两方面的论述，揭示了军队建设的一条重要规律，即"国富"是"强兵"的基础，而"强兵"则是保证国家安全的根本条件。《管子》积极主张发展经济，力求在物质财富方面胜过敌人："为兵之数，存乎聚财……是以欲正天下，财不盖天下，不能正天下。"⑧在农耕社会中，粮食是财富的主要象征，所以《管子》又把聚财的重点落实在"重粟"上，强调："地之守在城，城之守在兵，兵之守在人，人之守在粟。"⑨又曰："是以先王知众民、

---

① 《管子·七法》。
② 《管子·重令》。
③ 《管子·七法》。
④ 《管子·治国》。
⑤ 《管子·侈靡》。
⑥ 《管子·八观》。
⑦ 《管子·八观》。
⑧ 《管子·七法》。
⑨ 《管子·权修》。

强兵、广地、富国之必生于粟也。"① 应该说，这是符合当时军队建设的实际需要的。

但是，《管子》并不简单机械地将"富国"与"强兵"加以等同："富者所道强也，而富未必强也；必知强之数，然后能强。"② 因此，它又从政治与军事的相互关系着眼，探讨了"强兵"的条件。《管子》认为修明政治也是建设一支强大军队的重要前提："不能治其民，而能强其兵者，未之有也。"③ 亦曰："内政不修，外举事不济。"④ 因此，《管子》主张"得人"，即争取民心。认为"与其厚于兵，不如厚于人"⑤；做到"慈于民，予无财，宽政役，敬百姓"⑥，而后可以"德义胜之"⑦，如此方可避免"得众而不得其心，则与独行者同实"⑧ 的被动局面。《管子》认为修明政治还应包括君主节欲去奢、任贤使能、明赏信罚、礼义教化等多方面的内容，把"爵授有德""禄予有功""上帅士以人之所戴""授事以能" 等等，看作是"霸王之术"。⑨《管子》这种把军队建设与国家政治建设相融贯而通盘筹措的主张，的确具有很大的特色。

第二，将严明赏罚作为治军的中心环节。《管子》认为，信赏必罚是治军的重要内容。能否做到信赏必罚直接关系到军队的战斗力和安危："赏罚不信，五年而破。"⑩ 又曰："战而必胜者，法度审也。"⑪ 亦曰："赏罚明则人不幸，人不幸则勇士劝之。"⑫ 所以，

① 《管子·治国》。
② 《管子·制分》。
③ 《管子·七法》。
④ 《管子·大匡》。
⑤ 《管子·大匡》。
⑥ 《管子·小匡》。
⑦ 《管子·霸言》。
⑧ 《管子·参患》。
⑨ 《管子·问》。
⑩ 《管子·八观》。
⑪ 《管子·兵法》。
⑫ 《管子·七法》。

《管子》主张以法治军，信赏必罚，令行禁止，"非号令毋以使下，非斧钺毋以威众，非禄赏毋以劝民"①。和商鞅等人相仿，《管子》的作者也认为人的本性是趋利避害的，即所谓"见利莫能勿就，见害莫能勿避"②。所以治理者可以利用这一点发挥赏罚的作用，用"重禄重赏"激励将士勇往直前，建功立业；以"严刑酷罚"禁止将士临阵畏怯，贪生怕死。《管子》也重视明法守信，法不阿贵，指出："赏罚不信，民无廉耻，而求百姓之安难，士兵之死节，不可得也。"赏罚的实施，应该不分贵贱亲疏，一视同仁，"论功计劳，未尝失法律也。便辟、左右、大族、尊贵、大臣，不得增其功焉。疏远、卑贱、隐不知之人，不忘其劳"③。如此则可以形成"有罪者不怨上，爱赏者无贪心，则列陈之士皆轻其死而安难，以要上事"④的局面，做到"威行于邻敌"⑤。

第三，主张加强军队的教育和训练。先秦兵家普遍重视军队的教育和训练对于提高军队战斗力的意义，所以对此有较为充分的论述。如，《吴子》曾明确指出："用兵之法，教戒为先。"⑥《司马法》也说："士不先教，不可用也。"⑦《管子》在这方面也有精辟的阐述。它认为，即使武器装备精良，但如果没有训练有素的士卒，仍然无法统一天下，"器盖天下，而士不盖天下，不能正天下"⑧。并进而指出，如果将领率领没有经过严格教育和训练的士兵去作战，那就如同带领一批残废者去打仗一样，必败无疑，"将徒人，与残者同实"⑨。为此，《管子》提出了一系列军事教育训练措施，首先是

---

① 《管子·重令》。
② 《管子·禁藏》。
③ 《管子·七法》。
④ 《管子·七法》。
⑤ 《管子·立政》。
⑥ 《吴子·治兵》。
⑦ 《司马法·天子之义》。
⑧ 《管子·七法》。
⑨ 《管子·参患》。

重视对士兵的严格挑选，"定选士，胜"①。其次是加强对军队官兵的道义教育，"夫民必知义然后中正，中正然后和调，和调乃能处安，处安然后动威，动威乃可以战胜而守固"②。再次，规定军事教育和训练的具体内容，即所谓"动慎十号，明审九章，饬习十器，善习五教，谨修三官"③。这里的"十号"，是指各种号令；"九章"，是指各种旗帜；"十器"，是指各种兵器；"五教"，是指对士卒进行目、耳、足、手、心五个方面的训练；"三官"，是指鼓、金、旗三种指挥号令工具；从而使士卒具备较好的军事素质和各种军事技能。最后，在军事教育和训练的方法上，提倡"因便而教""教无常"，即从实际需要和可能出发，不拘常法，灵活施教："因便而教，准利而行；教无常，行无常，两者备施，动乃有功。"④

第四，重视改善军队的武器装备。《管子》把完备而精良的武器装备，看作是取得战争胜利的重要保障，明确主张："凡兵有大论，必先论其器。"⑤ 亦曰："审器而识胜。"《管子》还认为"备具胜之原"⑥。所以，《管子》强调要在武器装备方面胜过敌人，做到"器无敌"⑦。《管子》的这一观点，和《司马法》提出"凡马车坚，甲兵利，轻乃重"⑧ 的主张是完全一致的，体现了先秦兵学家对精良武器装备在军队建设中的重要性的共识。

对于加强武器装备建设的具体措施，《管子》也有比较系统的论述。首先，它主张"聚天下之精材"⑨，即选用天下最精良的原材料

① 《管子·幼官》。
② 《管子·五辅》。
③ 《管子·幼官》。
④ 《管子·兵法》。
⑤ 《管子·参患》。
⑥ 《管子·幼官》。
⑦ 《管子·七法》。
⑧ 《司马法·严位》。
⑨ 《管子·七法》。

来制造武器装备。其次，它主张"来天下之良工"①，"论百工之锐器"②，即挑选天下最优秀的工匠，用高超的技术来制作武器装备。最后，做到"春秋角试以练，精锐为右。成器不课不用，不试不藏"③，即建立起严格的试用、保管制度。《管子》认为，如能做好以上三条，"则有战胜之器"④，军队的强大就有了非常有力的保障。《管子》强调重视武器装备的作用，并从材料选用、制作技术以及试用、储藏各个方面提出具体的质量要求，这在先秦兵论中是相当突出的。

第五，重视对将帅的培养和使用。《管子》认为，国家的安危，往往取决于将相大臣，所以，国君必须重视对人才的培养和罗致。《管子》指出："终身之计，莫如树人。"⑤ 又曰："收天下之豪杰，有天下之骏雄。"⑥ 同时，《管子》还注重考察将帅的实际能力以决定适当任用，"以战功之事定勇怯"⑦。而将帅则必须具备知彼知己、多谋善断、爱兵抚民、严明执法等所应具备的优良品质。由此可见，《管子》是把将帅队伍的建设列为"强其兵"的重要内容的。

总之，《管子》认为，在清明的政治环境中，并以强大经济实力为后盾的军队，如果将帅得人，法纪严明，士卒训练有素，武器装备精良，就可以战无不胜、攻无不克、所向无敌了，正如其描述："举之如飞鸟，动之如雷电，发之如风雨，莫当其前，莫害其后，独出独入，莫敢禁圉。"⑧ 这正是《管子》"强兵"所要达到的理想境界。

---

① 《管子·小问》。
② 《管子·七法》。
③ 《管子·七法》。
④ 《管子·小问》。
⑤ 《管子·权修》。
⑥ 《管子·七法》。
⑦ 《管子·明法解》。
⑧ 《管子·七法》。

四、《管子》的作战指导思想

在法家学派中，《管子》一书比较多地注意了对作战指导基本原则的阐发，并且提出了许多有价值的思想。我们认为主要有以下几个方面的内容。

第一，主张把握时机，利用形势，精于筹算，争取主动。《管子》一再强调："为兵之数……存乎明于机数，而明于机数无敌。"① 所谓"明于机数"，主要包含两方面的含义，一是指战机的把握，二是指对情况的筹算。《管子》认为战争指导者一旦做到这两个方面，就能主动造就有利于己不利于敌的作战态势，取得作战的主动权。

《管子》用"时"来表述战机的内涵。它高度重视"时"在战争中的意义，指出把握战机、因时而动乃是取得战争胜利的主要原则："时因，胜之终。"② 所以战争指导者决定战争打与不打，如何去打，都必须视具体情况而定，当战则战，不当战则止。即便是高明的战争指导者，在这方面也只能"辅时"，而不能"违时"。正确的做法是力求"当时""精时"，这样，就能在战争中以较小的代价赢取最大的胜利："圣人能辅时，不能违时。知者善谋，不如当时。精时者，日少而功多。"③ "当时""精时"的要义，在于准备条件，捕捉战机，一旦战机成熟，就应迅速出击，一战而胜，其曰："圣王务具其备，而慎守其时，以备待时，以时兴事，时至而举兵。"④ 又曰："察于先后之理，则兵出而不困；通于出入之度，则深入而不危；审于动静之务，则功得而无害也；着于取与之分，则得地而不执（报）。"⑤ 《管子》这一重"时"思想与范蠡的主张颇有相通之处。

---

① 《管子·七法》。
② 《管子·幼官图》。
③ 《管子·霸言》。
④ 《管子·霸言》。
⑤ 《管子·幼官图》。

当然，要审时度势，通权达变，就离不开正确的运筹谋划。于是《管子》富有逻辑地推导出"计数"的命题，强调战争一定要"立于谋""计数得"。所谓"计数"，就是对敌我双方的力量对比进行认真的计算："刚柔也，轻重也，大小也，实虚也，远近也，多少也，谓之计数。"① 它主张出兵必先定计，并认为计数和立谋不明或不当，出兵作战就必定会遭到失败，其曰："计未定于内，而兵出乎境，是则战之自胜，攻之自毁也。"② 因此要"计必先定"③。因此，《管子》反复指出："举事必成，不知计数不可。"④ 又曰："故凡攻伐之为道也，计必先定于内，然后兵出乎境。"⑤ 把"计数"提到决定战争胜负的高度来加以认识。

第二，主张知彼知己，明察敌情，了解全局，"遍知天下，审御机数"⑥。《管子》认为，战争指导者想要做到"审御机数"，就必须充分了解各方面的情况，洞察和掌握全局。《管子》认为，"遍知天下"是"审御机数"的基础，而"审御机数"则是"遍知天下"的逻辑结果。两者互为因果，共同作用于战争的进程。《管子》指出："为兵之数……存乎遍知天下，而遍知天下无敌。"⑦ 其中"遍知天下"不单是指了解敌我双方的情况，还包括对所有相关国家的态度、力量、可能采取的行动等情况的全面了解。在当时天下诸侯列国斗争的格局下，这一思想的提出显然是有其合理性的。当然，在《管子》的具体论述中，"遍知天下"的重心还是在察明敌情这一点上，这就是它所说的"四明"，即"必明其一，必明其将，必明其政，必明其士"⑧，从而做到"以众击寡，以治击乱，以富击贫，以能击

---

① 《管子·七法》。
② 《管子·七法》。
③ 《管子·幼官图》。
④ 《管子·七法》。
⑤ 《管子·七法》。
⑥ 《管子·七法》。
⑦ 《管子·七法》。
⑧ 《管子·幼官》。

不能，以教卒、练士击驱众、白徒，故十战十胜，百战百胜"①。
《管子》还进一步提出了"遍知"的三个主要方面，即"知形""知
能"和"知意"。"人之众寡，士之精粗，器之功苦，尽知之，此乃
知形者也。知形不如知能，知能不如知意。故主兵必参具者也。"②
这就是说，要认识敌我双方军事物质力量的"轻重强弱之形"，即
"知形"；要认识敌我双方将帅的才能，即"知能"；要认识敌我双
方的战略意图，即"知意"。战争指导者必须具备这三方面的能力，
做到"闻未极""见未形""知未始"③，方能无敌于天下。

《管子》不但主张"遍知天下"，而且特别提出了"早知"的概
念，"蚤知敌人如独行"④。这说明《管子》的作者已经认识到军事
预测和情报的时效性问题。因为战争形势瞬息万变，"知"而不早，
落后于形势变化，"知"就失去了应有的价值。而只有"蚤知"，方
可预做准备，使自己牢牢占据主动地位，可见"蚤知"与"遍知"
是联系在一起的。《管子》既重"遍知"，又讲"蚤知"，实乃是对
《孙子》"知彼知己"思想的一种深化，具有独到的理论价值。

第三，主张用兵打仗行动诡秘，变化无方，灵活自如，因敌制
胜。《管子》高度推崇"无方"，指出"终无方，胜之"⑤。"无方"
即用兵打仗无固定的模式，"机"即关键点。可见，《管子》是把作
战指导者善于随着形势的变化而灵活机动决定自己作战方式的做法，
当作克敌制胜的关键因素来看待。为此，《管子》要求作战指导者善
于做到"无设无形"，使得敌人在与我作战时，如蹈虚空之地，同变
化不定的影子搏斗一样，有劲使不上，处处被动，而我却能随机制
宜，置敌于死地。正如其曰："善者之为兵也，使敌若据虚，若搏
景。无设无形焉，无不可以成也。无形无为焉，无不可以化也，此
之谓道矣。"又曰："径乎不知，故莫之能御也。发乎不意，故莫之

---

① 《管子·七法》。
② 《管子·地图》。
③ 《管子·幼官》。
④ 《管子·七法》。
⑤ 《管子·幼官》。

能应也。故全胜而无害。"① 《管子》在这里借鉴汲取了黄老学派"道"的概念，而把灵活机动决定作战方式，提到了"道"，即作战规律的高度来加以认识了。这是对孙子"兵无常势，水无常形"作战原则的继承和发展。

第四，主张用兵打仗避敌强点，乘隙蹈虚。在作战指导上，《管子》继承和发展《孙子》"避实而击虚"的基本原则，提出了"释实而攻虚"的思想："故善攻者，料众以攻众，料食以攻食，料备以攻备。以众攻众，众存不攻；以食攻食，食存不攻；以备攻备，备存不攻。释实而攻虚，释坚而攻脆，释难而攻易。"② 紧接着《管子》进一步揭示了"释实而攻虚"的理论基础，这就是"攻坚则轫，乘瑕则神。攻坚则瑕者坚，乘瑕则坚者瑕"③。意思是说，进攻敌人的强点，往往容易受挫折；而攻击敌人的虚弱之处，则常常可事半功倍。如果拼死攻击敌之强点，那就等于是帮助敌人坚固其薄弱之处；反之，攻敌之虚，则能使敌人坚固之处变得薄弱。有鉴于此，《管子》一再强调"释实而攻虚"应该成为作战指导上的重要原则而认真遵循。

综上所述，《管子》一书的兵学思想的确丰富精彩，新意迭呈。它牢牢地植根于齐文化的沃土，在坚持法家学说主体性的同时，充分汲取了儒、道、墨、兵等诸子各家的兵学思想之长，在法家兵学思想领域中显现出综融博采、兼容并取的鲜明时代特色，并对中国古代兵学思想的发展产生过深远的影响。在今天，按照正确的理论、科学的方法，对它进行系统梳理、深入分析、全面总结，从中汲取有益的启迪，无疑是十分必要的。

---

① 《管子·兵法》。
② 《管子·霸言》。
③ 《管子·制分》。

第六节　先秦兵学的集大成之作——《六韬》

　　《六韬》是先秦时期一部重要兵书，成书于战国晚期，旧题周吕望撰。《六韬》思想内容十分丰富，可谓熔儒、道、法、兵等各家思想于一炉，突出表现出春秋战国"百家争鸣"的时代特色，也反映出作者兼收并蓄、海纳百川的学术胸怀和眼界。《六韬》又称《太公六韬》，是先秦时期的重要兵书之一。北宋神宗元丰年间将其列为"武经七书"之一，成为武学教学、武举考试的主要内容，从而确立了《六韬》在古代兵书以及古代兵学思想史中的重要地位。

　　《六韬》全书是以姜太公与周文王、周武王的对话形式写成，包括《文韬》《武韬》《龙韬》《虎韬》《豹韬》《犬韬》6卷，共计60篇。从内容性质上来讲，《文韬》《武韬》属于政治战略学，《龙韬》属于军事战略学，《虎韬》《豹韬》《犬韬》属于军事战术学。① 从全书的内容和结构来看，《六韬》政治战略学的部分显然更为根本，而其军事战略学和军事战术学部分仅仅是政治战略学的延续，也就是我们通常所熟知的说法，战争是政治的延续。我们主要从以下几个方面对《六韬》的相关问题进行论述。

　　一、《六韬》的成书与著录

　　今本《六韬》最早见诸著录是《隋书·经籍志·兵家》："太公六韬五卷。"注曰："梁六卷，周文王师姜望撰。"② 唐宋大多志书皆因之。最早提出《六韬》非先秦典籍而为后世之书的是唐代经学家孔颖达，其在《尚书正义》中指出："《六韬》之书，后人所作，

---

① 参照徐培根：《太公六韬今注今译》，台湾商务印书馆，1977年。
② 魏徵等：《隋书》，中华书局，1973年，第1013页。

《史记》又采用《六韬》，好事者妄矜太公，非实事也。"① 到了宋代，辨伪思潮兴起，并愈演愈烈，《六韬》亦难以幸免。如，罗泌在《路史》中就对《六韬》为何不著录于《汉志》提出了自己的看法："皆兵谋诡计，出于后世所谓《太公六韬》书者，果其信邪？《六韬》之书，顾非必太公也。班固述权谋不见其书，《志》虽有太公兵谋，而乃列之道家，儒家有《六弢》六篇，则又周史所作。定襄时人，或曰显王之世，故崇文自谓汉世无有。今观其言，盖杂出于春秋战国兵家之说尔。自墨翟来，以太公于文王为午合，而孙武之徒谓之用间，故权谋者每并缘以自见，盖以尝职征伐，故言兵者本之。以为说骑战之法著于武灵之伐，而今书首列其说要之，楚汉之际好事者之所掇，岂其本哉？君子于此其可不审所取而谰说之是徇耶！"② 可以说，随着辨伪思潮的兴起，《六韬》与大部分先秦古籍遭遇同样的命运，其作者和成书年代遭到了普遍性的质疑，相关问题一直以来争论不休。③

《六韬》在《汉书·艺文志·兵书略》中无载，《汉志》在儒家著作类中有《周史六弢》六篇"，班固注曰："惠、襄之间，或曰显王时，或曰孔子问焉。"而《汉志》中的《周史六弢》与今本《六韬》到底有何关系，历来存在完全相左的意见，如颜师古认为："即今之《六韬》也，盖言取天下及军旅之事，弢字与韬同也。"④ 清代学者沈涛不认同颜师古的判断："案：今《六韬》乃文王、武王问太公兵战之事，而此列之儒家，则非今之《六韬》也……颜氏以为太公之《六韬》，误矣。"⑤ 梁玉绳与沈涛的判断大体略同，余嘉锡

---

① 孔颖达：《尚书正义》，阮元校刻：《十三经注疏》（附校勘记），中华书局，2009 年，第 385 页。

② 罗泌：《路史》卷三十三，文渊阁《四库全书》本。

③ 李石：《关于〈六韬〉成书时代的七种说法》，《历史教学》1994 年第 1 期；杨朝明也在《关于〈六韬〉成书的文献学考察》（《中国文化研究》2002 年春之卷）一文中对《六韬》成书的不同学术观点进行了全面的梳理和述评。

④ 《汉书·艺文志》。

⑤ 沈涛：《铜熨斗斋随笔》卷四，丛书集成本。

对沈涛的判断亦十分认可："其所考证，极为真确，真不刊之说也。"[1] 刘宏章亦认为《周史六弢》根本就"不是一部兵书，其中也没有涉及兵法问题"[2]。

《汉书·艺文志》载："《太公》二百三十七篇，《谋》八十一篇，《言》七十一篇，《兵》八十五篇。"[3] 显然，《汉志》所载《太公》的篇数远多于今本《六韬》，并不能完全等同。1973 年，河北定县 40 号汉墓中发现了命名为《太公》的出土文献。在已发现的《太公》简牍中，存有篇题 13 个，有《治国之道第六》《以礼义为国第十》《国有八禁第卅》等，在 13 个篇题中，仅有《治乱之要》等三篇的内容见于今本。另外，还有六篇内容见于传本，但却未见篇题。此外，尚有相当一部分记有"武王问""太公曰"的简文，内容不详细，其中有内容或片段曾为初唐以前的文献所引录。据整理者判断："从整理出来的残简情况看，《太公》的篇幅应当不少，佚亡的恐怕也不少，不少简上只见篇目，未见内容……简文比今天所见到的有关太公书的内容要丰富得多，广泛得多。"[4] 我们认为，根据出土文献，今本《六韬》应当是太公书中的重要组成部分，甚至说可能是精华的部分，在流传的过程中，可能有人进行了删减和整理，才形成今本的规模与格局。1972 年，在山东临沂银雀山西汉前期墓葬中出土了部分《六韬》竹简，其中，残简的内容与今本《六韬》中的《文韬》《武韬》《龙韬》中的内容大多相合。简本《六韬》的成书年代当不晚于墓葬的下葬年代，根据考古学家的判断，此墓葬应当不晚于汉武帝的元狩五年（前 118）。因此，我们可以判定，今本《六韬》的成书年代应当在汉初以前。具体而言，现代学界一般认为《六韬》当成书于战国后期，是托名之作，其成书"不一定是出自一时、一人的手笔，它的形成很可能经历一个漫长的

① 余嘉锡：《四库提要辨证》，中华书局，2007 年，第 590 页。
② 刘宏章：《〈六韬〉初探》，《中国哲学史研究》1985 年第 2 期。
③ 《汉书·艺文志》。
④ 定县汉墓竹简整理组：《定县 40 号汉墓出土竹简简介》，《文物》1981 年第 8 期。

过程，并由多人、多次整理，逐步完善而成的"①。我们认为关于中国古书作者和成书年代的学术观点上的分歧、争执，与古书成书过程复杂的特点密切相关，因为古书成书是一个长期的过程，同时，在古书的流传中，也是经过不断的传抄、译写甚至重写。② 所以《六韬》成书年代和作者本身就是专门、复杂的学术问题，在现阶段的学术条件下，在当前已经取得的共识下，很难再有一个实质性的推进，但相信随着出土文献不断被发现，这方面的研究将会更加深入、明朗。③

二、《六韬》的战争观

关于战争胜负的决定因素，《六韬》认为："利天下者，天下启之；害天下者，天下闭之。天下者，非一人之天下，乃天下之天下也。取天下者，若逐野兽，而天下皆有分肉之心。若同舟而济，济则皆同其利，败则皆同其害。然则皆有以启之，无有以闭之也……大明发而万物皆照，大义发而万物皆利，大兵发而万物皆服。"④ 这就是说，能否在战争中克敌制胜，进而取得天下，其决定因素绝不在于个人的意志和愿望，而在于是否顺应天下的民心民意，是否合乎天地间的道义公理。若战争的动机与目的能够顺应民心、合乎道义，就能得到天下万民的支持，就能无往而不胜，反之，则天下之人将会成为你的对抗者和劲敌，你就必然会失败。

关于战争与国家政治的关系，《六韬》提出了"爱民"的思想，明确指出："利而勿害，成而勿败，生而勿杀，与而勿夺，乐而勿苦，喜而勿怒……故善为国者，驭民如父母之爱子，如兄之爱弟。

① 《〈武经七书〉鉴赏》编委会：《〈武经七书〉鉴赏》，军事科学出版社，2002 年，第 337 页。
② 黄晓峰：《夏含夷谈古代文献的不断重写》，《东方早报》2009 年 7 月 19 日。
③ 梁涛、白立超：《出土文献与古书的反思》，漓江出版社，2012 年。
④ 《六韬·武韬·发启》，黄朴民：《黄朴民解读三略·六韬》，岳麓书社，2011 年。以下引文均据此本。

见其饥寒，则为之忧；见其劳苦，则为之悲；赏罚如加于身，赋敛如取己物。"① 也就是说，治理者实施统治，制定和采取各项治国措施，都要考虑到人民的利益，要保障人民生产和生活的基本条件，使他们可以安居乐业。治理者要将人民当作自己的亲人一样去悉心爱护，与其同忧同乐，"与人同病相救，同情相成，同恶相助，同好相趋。故无甲兵而胜，无冲机而攻，无沟堑而守"②。只有在政治上取得人民的支持，才能政通人和，上下一心，这才是取得战争胜利最根本的保证。

《六韬》重视政治与军事的深刻意义，将政治作为军事主体，这亦是中国古代兵书的重要特点，如《司马法》的《仁本》，《六韬》的《文韬》《武韬》，《尉缭子》的《天官》，《吴子》的《图国》等，都将论述政治的部分放在整部兵书的首篇或者开篇章节，而从整个兵学思想的逻辑来看，政治也更根本。正如克劳塞维茨（Carl von Clausewitz）所言："政治贯穿在整个战争行为中，在战争中起作用的各种力量所允许的范围内对战争不断发生影响。"③ 所以说，政治是战争的目的，也是政治矛盾不可调和的产物，并且战争的胜负最终会影响政治的方向和发展。从这个角度来说，中国古代兵书是较早地认识到政治与军事之间的深刻关系，而《六韬》在这方面显得更为突出。《六韬》不仅将论述政治战略的《文韬》和《武韬》放在了全书的开篇，而且不惜笔墨，在篇幅上又占了整部兵书的三分之一，这在先秦兵书中首屈一指。

在《六韬》中，《文韬》包括《文师》等 12 章，《武韬》包括《发启》等 5 章，共计 17 章。这些论述涉及传统政治的许多方面，我们认为其核心内容包括以下两个方面。

其一，"公天下"的观念。

---

① 《六韬·文韬·国务》。

② 《六韬·武韬·发启》。

③ ［德］克劳塞维茨，中国人民解放军军事科学院译：《战争论》，解放军出版社，2008 年，第 26 页。

在《六韬》首卷《文韬》首章《文师》①的记载中，姜太公与周文王渭水之滨一见如故，姜太公开门见山便向周文王阐明周灭商，取天下的重要政治理论依据就是"公天下"的思想："天下非一人之天下，乃天下之天下也。同天下之利者，则得天下；擅天下之利者，则失天下。"②在《六韬》作者看来，只有在"公天下"的理论基础上，通过政治战略谋取、通过战争手段夺取天下才有合理性。"天下非一人之天下，乃天下之天下也"，这其实是将"民"提升为天下权力的主体，圣人、治理者仅仅是天下权力的代理人，而天下之民有选择权力代理人的权利，具体而言："故利天下者，天下启之；害天下者，天下闭之；生天下者，天下德之；杀天下者，天下贼之；彻天下者，天下通之；穷天下者，天下仇之；安天下者，天下恃之；危天下者，天下灾之。天下者非一人之天下，唯有道者处之。"③此处明确指出"民"（天下人）在整个政治统治和变革中的决定作用。既然"天下者非一人之天下，唯有道者处之"，那么只有具有"仁""德""义"等为天下之民谋取利益的品德和作为，即成为"有道者"，天下人才可能心悦诚服地归附。治理者无论是取天下还是守天下，必须以天下大利为本，争取民众的支持，这才是政治、军事之本。所以要达到国家"主尊人安"的治理效果，那最根本的就是爱民，具体原则就是"利而勿害，成而勿败，生而勿杀，与而勿夺，乐而勿苦，喜而勿怒"。君主爱民应如父母爱护自己孩子一样，更要设身处地为民着想，即"驭民如父母之爱子，如兄之爱弟。见其饥寒，则为之忧；见其劳苦，则为之悲；赏罚如加于身，赋敛如取己物"④。并且《六韬》提出了在当时农业生产环境下，治理者如何在政治治理中贯彻爱民之道的具体政策："民不失务则利之，农不失时则成之，省刑罚则生之，薄赋敛则与之，俭宫室台榭则乐之，

---

① 《群书治要》中录此篇为《六韬》全书的《序》，不属于《文韬》，此种版本也更说明《文师》阐述的"公天下"在全书中的思想地位。

② 《六韬·文韬·文师》。

③ 《六韬·武韬·顺启》。

④ 《六韬·文韬·国务》。

吏清不苛扰则喜之。民失其务则害之，农失其时则败之，无罪而罚则杀之，重赋敛则夺之，多营宫室台榭以疲民力则苦之，吏浊苛扰则怒之。"①

《六韬》虽然指出民是天下政治合理性的根据，是天下之本，也认为君主应该爱民如子。但需要指出的是，《六韬》中对民的界定却是"民如牛马，数喂食之，从而爱之"②。所以，在《六韬》中的"民"完全消解了民的道德主体性，与儒家的道德境界有天壤之别。因此《六韬》中的治理者爱民，以民为本，治理者并非出于一种道德的使命或者其他，而是出于统治的需要。同样，在《六韬》中"民"也是出于一定利益计算和对比来确定自己的代理人："利天下者，天下启之；害天下者，天下闭之。天下者，非一人之天下，乃天下之天下也。取天下者，若逐野兽，而天下皆有分肉之心。若同舟而济，济则皆同其利，败则皆同其害。然则皆有启之，无有闭之也。"③《六韬》这种直接的利害对比，客观上起到强迫治理者为了统治的需要推行有利于天下之民的治理政策，而不能过分强调治理者本身的意愿。从某种程度上来说，相对于儒家的理论，这种言说方式更容易为治理者所接受，也显现出兵家理论务实而易行、浅显而深刻的特点。如，在《六韬》中对仁、德、义、道等概念的规范和内涵的界定也非常独特："天有时，地有财，能与人共之者，仁也。仁之所在，天下归之。免人之死，解人之难，救人之患，济人之急者，德也。德之所在，天下归之。与人同忧、同乐、同好、同恶者，义也。义之所在，天下赴之。凡人恶死而乐生，好德而归利，能生利者，道也。道之所在，天下归之。"④ 虽然是一种功利、计算，但《六韬》客观上同样也达到了端正君主，规范秩序的目的，与先秦其他各家实则是百虑一致、殊途同归。正因如此，《六韬》虽

① 《六韬·文韬·国务》。
② 《六韬·武韬·三疑》。
③ 《六韬·武韬·发启》。
④ 《六韬·文韬·文师》。

然对君主要求也是以"圣王"为标准的，但却具有更大的开放性和现实性。

其二，重构"圣人"标准。

《六韬》与先秦各家一样，在君主的个人品质、治理天下的能力、行为的具体规范上也是通过对"圣人"形象的构建达到对理想治理者的规范和期许。《六韬》首先认为治民、治理天下是圣人的天职："天生四时，地生万物，天下有民，仁圣牧之。"① 并对先秦思想界共同的政治圣人帝尧进行了综合性、开放性的重构："帝尧王天下之时，金银珠玉不饰，锦绣文绮不衣，奇怪珍异不视，玩好之器不宝，淫佚之乐不听，宫垣屋室不垩，甍桷椽楹不斫，茅茨遍庭不剪。鹿裘御寒，布衣掩形，粝粱之饭，藜藿之羹。不以役作之故，害民耕绩之时。削心约志，从事乎无为。吏忠正奉法者尊其位，廉洁爱人者厚其禄。民有孝慈者爱敬之，尽力农桑者慰勉之。旌别淑德，表其门闾。平心正节，以法度禁邪伪。所憎者，有功必赏；所爱者，有罪必罚。存养天下鳏寡孤独，赈赡祸亡之家。其自奉也甚薄，其赋役也甚寡。故万民富乐而无饥寒之色，百姓戴其君如日月，亲其君如父母。"② 在《六韬》作者的笔下，帝尧就是一个生活俭朴、爱民如子、无为而治、轻徭薄赋、奖励农耕、赏罚严明的形象。从这里可以看出，帝尧的形象与先秦其他思想家的描述有重合，但又不完全一样。如"鹿裘御寒，布衣掩形，粝粱之饭，藜藿之羹"的俭朴生活要求，显然与墨家思想有共通之处；治理者"不以役作之故，害民耕绩之时。削心约志，从事乎无为"的统治要旨又与道家相合；"平心正节，以法度禁邪伪。所憎者，有功必赏；所爱者，有罪必罚"的严格治理方式与法家主张又暗合；"百姓戴其君如日月，亲其君如父母"的治理旨归却是儒家一直致力追求的政治理想。同时，从这段集中对君主的论述来看，《六韬》并未对君主理论有非常精微细致的理论建构，也未对君主的个人道德水平有更多要求，

---

① 《六韬·文韬·守国》。

② 《六韬·文韬·盈虚》。

而更多是将各家对君主理论构建中见于实际效果的方面进行开放性的综合，这种综合甚至充斥着矛盾，但这种矛盾恰恰体现出《六韬》重视实践效果的深刻性。因此《六韬》提出许多具有可操作性的举措，具体而言，主要包括以下几个方面。

首先，圣人治国的境界是"无为而治"。

《六韬》的这种"无为而治"有战国晚期黄老之学的意味。① 所以，《六韬》中提到的"无为"，至少有两个层面的涵义。一方面是老子道家式的无为，如，帝尧形象的"削心约志，从事乎无为"，治理最高境界就是在这种层面上说的。更集中的表达还是在《武韬·文启》中，其曰："何忧何啬，万物皆得；何啬何忧，万物皆遒。政之所施，莫知其化；时之所在，莫知其移。圣人守此而万物化，何穷之有？终而复始。"② 又曰："天有常形，民有常生，与天下共其生而天下静矣。太上因之，其次化之。夫民化而从政，是以天无为而成事，民无与而自富，此圣人之德也。"③ 另一方面就是法家式的无为，是从技术层面、操作层面、较低的层次上来讲。这是君主在驾驭臣下、民众时的一种必要统治术，甚至可以说是阴谋、权谋。对老子思想进行这方面的阐释，韩非在其学说中有非常细致的论述，当然在《六韬》中也陈其精义，这也是《六韬》受到历代学者诟病的重要原因所在，如，其曰："夫王者之道如龙首，高居而远望，深视而审听。示其形，隐其情，若天之高不可极也，若渊之深不可测也。"④ 又曰："夫攻强，必养之使强，益之使张。太强必折，太张必缺。"⑤ 其实在《六韬》的具体行文中，两者往往糅合在一起来讲，如，在《文韬·大礼》中论述"主位""主听""主明"时，我

---

① 甚至有学者称《六韬》为黄老道家的兵书，原因大概在于此。详见陈锦松：《〈六韬〉是部黄老道家的兵书》，《上海第二工业大学学报》1994 年第 1 期。

② 《六韬·武韬·文启》。

③ 《六韬·武韬·文启》。

④ 《六韬·文韬·上贤》。

⑤ 《六韬·武韬·三疑》。

们就很难将道法两家的"无为"思想截然分开。

其次，《六韬》认识到国家治理的复杂性，极力强调治理的专门化。

《六韬》认为国家治理中最重要的是明确君臣之间各自的职分，这是治理秩序的根本，也是天地之间的"大礼"，其曰："为上唯临，为下唯沉；临而无远，沉而无隐。为上唯周，为下唯定；周则天也，定则地也。或天或地，大礼乃成。"① 如果说对君臣之分的强调是先秦思想界的共识，那么《六韬》的独特之处就在于它并不排斥或贬抑任何一阶层在社会发展中的作用，对国家中各个社会群体和阶层的作用有着相当理性的肯定和全面的认识。《六韬》对整个社会阶层中如民、臣、吏、相、士、农、工、商等各个群体和阶层的职责有着明确的划分，并且对其社会功能和作用有着清晰的定位："故民不尽力，非吾民也；士不诚信，非吾士也；臣不忠谏，非吾臣也；吏不平洁爱人，非吾吏也；相不能富国强兵，调和阴阳，以安万乘之主，正群臣，定名实，明赏罚，乐万民，非吾相也。"② 又曰："农一其乡，则谷足。工一其乡，则器足。商一其乡，则货足。三宝各安其处，民乃不虑。"③

再次，尚贤与用贤的思想。

《六韬》以《文韬》为始，《文韬》以《文师》为首章，而《文师》记述的就是文王到渭水边访贤，最终太公姜尚成为文王师，在周灭商中建立了卓绝的功勋，这样的安排隐约可见《六韬》作者认识到贤能之士在国家治理中的非凡作用。《文韬》中专门论述尚贤问题就有《上贤》和《举贤》两章。在《上贤》章中，其以否定的表述方式对贤人的内涵进行了界定，指出治理者一定要防止"六贼""七害"等13类人，这些标准其实是对春秋战国时期其他思想家的贤人标准进行了更深层次的思考，更多是以实际效果为鹄的，务实

---

① 《六韬·文韬·大礼》。
② 《六韬·文韬·上贤》。
③ 《六韬·文韬·六守》。

不务虚，其中许多是针对性地否定诸子太过理想化的用贤标准。《六韬》郑重提出君主用人最大的失误就是囿于世俗（实际上指诸子）的看法，因此不能得到真正的贤人。君主在用人中尤其要体现出自己的权威和判断力，切不可人云亦云，以世俗的标准来判定人才。在批评诸子贤人观的基础上，《六韬》提出了自己的举贤之道。要求君主应当"各以官名举人，按名督实。选才考能，令实当其名，名当其实"[1]，这是非常务实、细化的用人原则。这种"按名督实"的举贤原则在《龙韬·王翼》中提出的对 18 类人才的选用和《犬韬》中对武车士、武骑士的遴选就能非常鲜明地体现出专业化和细致化。《六韬》指出，治理者在用人中，必须防止两种情况，一方面是举贤和用贤不当，这将会招致国家的厄运，其曰："君以世俗之所誉者为贤，以世俗之所毁者为不肖，则多党者进，少党者退。若是则群邪比周而蔽贤，忠臣死于无罪，奸臣以虚誉取爵位。是以世乱愈甚，则国不免于危亡。"[2] 另一方面是对举贤而不用贤、叶公好龙式的好贤进行严厉的批评，明确指出："举贤而不用，是有举贤之名，而无用贤之实也。"[3]

《文韬》《武韬》是对政道的论述。从这些论述中能够看出《六韬》的理想政治已经具有了正当性，并且这种理想政治也拥有相当的国家实力。若是从儒家的视角来看，这种政治在具体现实政治中已经是无敌于天下，在具体军事斗争中也是兵不血刃，似乎军事斗争已经完全没有必要。但是，兵家毕竟是兵家，兵书毕竟是兵书，正义、获得民众的支持并不代表着生存和胜利，否则历史就会重新上演徐偃王的悲剧。因此，《六韬》深刻认识到理想政治、强大的政治力量仅仅是军事战略的后盾，而非全部。如何将政治的正义性和国家的实力有效地转化、落实到具体军事战略的谋划，这涉及《龙韬》论述军事战略的部分。

---

① 《六韬·文韬·举贤》。

② 《六韬·文韬·举贤》。

③ 《六韬·文韬·举贤》。

三、《六韬》的战略指导思想

《六韬》在战略指导方面继承了《孙子兵法》"不战而屈人之兵""上兵伐谋"[①] 的大战略思想，并在具体措施和手段上有所发展。《六韬》提出"全胜不斗，大兵无创"[②] "上战无与战"[③]，把"不斗""无与战"的方式和"全胜""无创"的结果作为战争的最高层次和理想境界，即尽量将战场上暴力和残酷的厮杀降到最低程度，最大限度地发挥非暴力手段的制胜作用。《六韬》对非暴力手段作用及其运用方法的论述主要集中在《武韬》的《文伐》和《三疑》两篇中。所谓"文伐"，就是"以文事伐人，不用交兵接刃而伐之也"[④]，即以政治、外交等多种方式削弱敌国的实力，迫使敌国屈服，或为最后的武力取胜创造有利条件。《文伐》篇中提出了著名的"文伐十二节"，即12条削弱敌国的方法，目的就是要腐蚀、麻痹、分化、瓦解敌国的君臣，使敌国在政治、经济、军事等多方面遭受严重损失，以消耗其实力，在时机、条件成熟之际，对其发动军事进攻。正如《文伐》最后指出的："十二节备，乃成武事。所谓上察天，下察地，征已见，乃伐之。"[⑤]

在《三疑》篇中，作者又进一步提出了"攻强""离亲""散众"等伐谋之道的实施策略，即"因之""慎谋""用财"。概括而言，即要想战胜强大的敌人，就要因势利导，助长其强大的势头和扩张的野心，使其盛极而衰；要想离间其君臣间亲近的关系，使用的计谋和手段一定要慎重、周密、隐蔽，使其无法察觉；要想离散其民众，就要设法给其民众施以恩惠，绝不能吝惜钱财。这些都是对"文伐十二节"的补充。

---

① 《孙子兵法·谋攻篇》。
② 《六韬·武韬·发启》。
③ 《六韬·龙韬·军势》。
④ 刘寅：《武经七书直解》。
⑤ 《六韬·武韬·文伐》。

此外，《六韬》的战略指导思想还体现在战略形势的判断和战略决策的制定方面。《六韬》认为，战略形势的判断和战略决策的制定应建立在对敌我双方情况全面了解和深入分析的基础上，指出："天道无殃，不可先倡；人道无灾，不可先谋。必见天殃，又见人灾，乃可以谋。必见其阳，又见其阴，乃知其心；必见其外，又见其内，乃知其意；必见其疏，又见其亲，乃知其情。"① 只有天、人、阴、阳、内、外、亲、疏等方方面面的情况都已掌握，才能作出正确的判断和决策。同时，一旦作出对战略形势的判断，就应果断决策，不可贻误战机，所以《六韬》说："用兵之害，犹豫最大；三军之灾，莫过狐疑。"②

战争是政治的另外一种继续。克劳塞维茨（Carl von Clausewitz）明确指出："战争不仅是一种政治行为，而且是一种真正的政治工具，是政治交往的继续，是政治交往通过另一种手段的实现。要是说战争有特殊的地方，那仅仅是它的手段特殊而已。"③ 不仅如此，从历史和现实来看，战争是政治最残暴的形式，关系到国家存亡、民众生死。对兵书而言，对战争本身特点的论述也是非常重要的维度，否则难以称其为兵书。从现代军事理论来说，对战争本身的研究正是军事学研究的核心内容。《六韬》中的《龙韬》是集中论述军事战略学的部分，当然在其他的篇章中也涉及其军事战略学的一些重要问题，如，《文韬》中的《兵道》等。我们认为《六韬》中对军事战略的论述主要包括以下几个方面。

第一，论作战司令部。

由于现代军事科学研究的专门化，所以《龙韬》不断受到现代学者的称道和重视，首篇《王翼》甚至被许多学者称为中国历史上最早一篇有关军队司令部构成的专论。《王翼》开篇就阐明了以将为

---

① 《六韬·武韬·发启》。
② 《六韬·龙韬·军势》。
③ ［德］克劳塞维茨：《战争论》，中国人民解放军军事科学院译，解放军出版社，2008年，第26页。

核心的司令部在作战中的重要地位："凡举兵帅师，以将为命。命在通达，不守一术。因能受职，各取所长，随时变化，以为纲纪。故将有股肱羽翼七十二人，以应天道。备数如法，审知命理，殊能异技，万事毕矣。"① 我们知道，在现代军队作战中，司令部是指挥整个战争的中枢机构，直接关系着战争的成败。《六韬》作战司令部建立了以"将"为核心，包括腹心、谋士、天文、地利、兵法、通粮、奋威、伏鼓旗、股肱、通材、权士、耳目、爪牙、羽翼、游士、术士、方士、法算等18类共72人，具体而言，包括：

腹心一人：主潜谋应卒，揆天消变，总揽计谋，保全民命。

谋士五人：主图安危，虑未萌，论行能，明赏罚，授官位，决嫌疑，定可否。

天文三人：主司星历，候风气，推时日，考符验，校灾异，知人心去就之机。

地利三人：主三军行止形势，利害消息；远近险易，水涸山阻，不失地利。

兵法九人：主讲论异同，行事成败，简练兵器，刺举非法。

通粮四人：主度饮食、蓄积，通粮道，致五谷，令三军不困乏。

奋威四人：主择才力，论兵革，风驰电掣，不知所由。

伏鼓旗三人：主伏鼓旗，明耳目，诡符节，谬号令，暗忽往来，出入若神。

股肱四人：主任重持难，修沟堑，治壁垒，以备守御。

通材三人：主拾遗补过，应偶宾客，论议谈语，消患解结。

权士三人：主行奇谲，设殊异，非人所识，行无穷之变。

耳目七人：主往来听言视变，觇四方之事、军中之情。

爪牙五人：主扬威武，激励三军，使冒难攻锐，无所疑虑。

羽翼四人：主扬名誉，震远方，摇动四境，以弱敌心。

游士八人：主伺奸候变，开阖人情，观敌之意，以为间谍。

术士二人：主为谲诈，依托鬼神，以惑众心。

---

① 《六韬·龙韬·王翼》。

方士二人：主百药，以治金疮，以痊万病。

法算二人：主计会三军营壁、粮食、财用出入。①

我们认为，在当时的军事条件下，这已是非常齐备的人员配置，基本涵盖了古代战争中能够作出合理决策的将军所需的各个方面人才。若以现代军事用语来说，包括参谋总长、军务人员参谋、天文参谋、作战处（作战参谋、地理参谋、特种兵器参谋、发令参谋、工程参谋）、情报处（谋略参谋、联络参谋、宣传人员）、后勤参谋、医务人员、财会人员、派遣人员（情报人员、挺进人员、谍报人员、特种兵）。② 这些人员的设置从类别和数量上来说，基本囊括了军队作战中心的各个方面，并且专业分工已经相当精细，超乎我们的想象。《六韬》认为，这样的人员安排和配置应当成为一项固定的制度，即用兵的"纲纪"。在接下来的论述中，《龙韬》集中论述了司令部的核心——将帅。

第二，论将帅。

"将"在整个军队和战争中的核心地位和决定性作用，从上文提到的司令部以"将"为核心的设计中就可以体现出来，当然《龙韬》中仍有多处论述："凡举兵帅师，以将为命。"③ 又曰："故兵者，国之大事，存亡之道，命在于将。将者，国之辅，先王之所重也，故置将不可不察也。"④ 亦曰："社稷安危，一在将军。"⑤ 亦曰："故将者，人之司命。三军与之俱治，与之俱乱。得贤将者，兵强国昌；不得贤将者，兵弱国亡。"⑥ 正因为将帅在国家安全和战争中有如此重要的作用，所以君主选将、置将尤其谨慎，《六韬》作者认为主要应考察以下几个方面的内容。

---

① 《六韬·龙韬·王翼》。
② 参见徐培根：《太公六韬今注今译》，台湾商务印书馆，1977 年，第 108—109 页。笔者于此处略有修正。
③ 《六韬·龙韬·王翼》。
④ 《六韬·龙韬·论将》。
⑤ 《六韬·龙韬·立将》。
⑥ 《六韬·龙韬·奇兵》。

首先，将帅应德才兼备。

认为将帅个人品质和能力至关重要，这也是先秦兵书的通识。《六韬》提出将帅必须具有勇、智、仁、信、忠"五材"，将帅"勇则不可犯，智则不可乱，仁则爱人，信则不欺，忠则无二心"。① 同时将帅还必须避免因为执着于某种优秀品质带来的弊端，如，勇而轻死、仁而不忍人、智而心怯、信而喜信人、廉洁而不爱人、智而心缓、刚毅而自用等；同样更要避免某种性格的缺陷被敌军利用，如，急而心速、贪而好利、懦而喜任人等，《六韬》将其统称为"十过"②。将帅的品质不仅仅在具体战争的指挥中发挥着至关重要的作用，而且将帅的品质在三军中会形成一种核心影响力，所谓强将手下无弱兵，"三军与之俱治，与之俱乱"。③《龙韬》中以否定的表达方式表述了将帅的仁、勇、智、明、精微、常戒、强力等品质的作用："将不仁，则三军不亲；将不勇，则三军不锐；将不智，则三军大疑；将不明，则三军大倾；将不精微，则三军失其机；将不常戒，则三军失其备；将不强力，则三军失其职。"④ 一场战争中，将帅的任何一种个人品格优点或者缺陷都会成为影响战局的关键性因素，必须严格遴选将帅。君主又如何选出好的将帅呢？《六韬》指出，应通过"八征"来选出外貌与性情相符合的帅才，并在论述中指出君主选将应警惕"士外貌不与中情相应"的 15 种具体形式。⑤

其次，通达全局的战略眼光。

除了个人品质之外，将帅还必须具有通达全局的战略眼光，是一个善于用人的通才。我们从司令部的设置中就能看出，18 类军事职责已经非常细化，各类人才各司其职，将帅的职分是"命在通达，不守一术"⑥，也就是说，将帅要掌握好全军的命运，必须掌握军队

---

① 《六韬·龙韬·论将》。
② 《六韬·龙韬·论将》。
③ 《六韬·龙韬·奇兵》。
④ 《六韬·龙韬·奇兵》。
⑤ 《六韬·龙韬·选将》。
⑥ 《六韬·龙韬·王翼》。

的全面情况而无须专精于某项专门的技艺。提供战争指挥所需的专业技艺是军队司令部72人的作用，72人以其专业的能力时刻掌握战局的变化，并及时上报将帅，而将帅正是根据72人所提供的各种战局信息进行综合判断，当机立断作出合理的决策，以正确指挥整个军队作战。

再次，将帅不搞特殊化。

将帅如此重要而特殊，但不代表将帅在军队中能够大搞特殊化。《六韬》明确指出，将帅应当身先士卒，以礼约束自己，控制自己的私欲。"冬不服裘，夏不操扇，雨不张盖"，与士兵同寒暑；在行军中，身体力行，"出隘塞，犯泥涂，将必先下步"，与士卒同劳苦；在军队安营时，"军皆定次，将乃就舍；炊者皆熟，将乃就食；军不举火，将亦不举"。核心的一点就是"将与士卒共寒暑、劳苦、饥饱"，不搞特殊化、特权化。只有将帅与三军同甘共苦，三军之众才会"闻鼓声则喜，闻金声则怒。高城深池，矢石繁下，士争先登。白刃始合，士争先赴"。①

最后，绝对指挥权。

这也是非常重要的一点，君主一定要确保将帅在军事指挥权上的绝对地位，因为将帅决策、指挥对战争胜负发挥着至关重要的作用。战场上的情况瞬息万变，将帅必须根据前线敌情随时随地的变化制定相应的对策。《六韬》在这方面的论述非常多："臣闻国不可从外治，军不可从中御。"② 曰："军中之事，不闻君命，皆由将出。"③ 又曰："无天于上，无地于下，无敌于前，无君于后。"④ 亦曰："故将者，人之司命。三军与之俱治，与之俱乱。得贤将者，兵强国昌；不得贤将者，兵弱国亡。"⑤ 还曰："将必上知天道，下知

---

① 《六韬·龙韬·励军》。
② 《六韬·龙韬·立将》。
③ 《六韬·龙韬·立将》。
④ 《六韬·龙韬·立将》。
⑤ 《六韬·龙韬·奇兵》。

地理，中知人事。"① 将帅对军队的绝对指挥权也是先秦其他兵书中极力强调的。从根本上说，君主是为了应对军事斗争的特殊性而暂时把自己的军事决策权、指挥权授予将帅，但君主对军队还是应该具有最终控制权。所以，如何处理君主对军队的控制，同时又能确保前线将帅在军事指挥权上的绝对地位，这不仅是一个兵学理论问题，也是在现实政治中所遇到的一个两难问题，历史上将帅拥兵自重甚至取而代之，或是君主出于对将帅的防范而屠杀忠良的情况屡见不鲜，其中重要的原因也就在于此。显然《六韬》作者已经隐隐认识到这个问题了。事实上，在战国时期，这个问题就已经凸显了，如王翦在率领 60 万大军攻打楚国之前所言"今空秦国甲士而专委于我，我不多请田宅为子孙业以自坚，顾令秦王坐而疑我邪"② 就反映了这个问题。就《六韬》"公天下"的理论，将帅逐鹿天下的可能性也存在，但是如何处理这个问题呢？《六韬》特别强调将帅对君主的"忠"。在《孙子兵法》中强调将必须要有智、信、仁、勇、严等五个方面，而《六韬》提出将帅的"五材"，其中勇、智、仁、信四个方面与《孙子兵法》重合，只是顺序稍有不同而已，但《孙子兵法》中的"严"已经替换为"忠"。《龙韬·立将》也载有立将仪式，仪式中将帅有向君主表达自己忠心的语词。但是在实际操作中，"忠"的具体考量又十分困难，人心叵测，君主在现实政治中往往忠奸难辨。《六韬》对这一问题除了提出类似"忠"、用人不疑等原则，并未能提出切实可行的方法，可以说这是《六韬》将帅理论的一个致命缺陷，我们认为其实此问题也是现实具体问题的困境。

第三，论情报。

无论是古代战争，还是现代战争，情报工作都是非常重要的环节，历来为兵学理论家所重视。只有知彼知己，方能百战不殆，重要基础就是情报工作，所以《六韬》十分注重情报人才选用。《六

---

① 《六韬·虎韬·垒虚》。
② 《史记·白起王翦列传》。

韬》人才选用是按照"因能受职，各取所长"① 的原则进行，但并未论述情报人才选择的具体标准。我们能够看出，在作战司令部人员的固定配置中，耳目和游士就是专门的情报人员。两者各司其职，以备将帅决策所需，其中耳目"主往来听言视变，览四方之事、军中之情"②，游士"主伺奸候变，开阖人情，观敌之意，以为间谍"③。情报工作必须兼顾两个方面，一方面要利用各种手段对敌方情报进行有计划、多层次的刺探和搜集；另一方面，要保护己方信息，同时亦可对敌方进行情报欺骗。《六韬》对这两个方面都有论述，并提出一些切实可行的措施，这在兵学史上具有非常重要的地位。

首先，注重获取敌方情报的层次性，有战略性情报，也有战术性情报。从战略角度来看，《六韬》十分强调首先从整体上对敌方进行了解，确保战略方向的准确，决定谋划是否可行："天道无殃，不可先倡；人道无灾，不可先谋。必见天殃，又见人灾，乃可以谋。"④ 在这种关乎全局的战略情报搜集中，《六韬》十分注重从正反两个方面辩证地看待问题："必见其阳，又见其阴，乃知其心；必见其外，又见其内，乃知其意；必见其疏，又见其亲，乃知其情。"⑤ 这些情报的获取，能够在政治战略和军事战略上获得先机，其中《武韬·文伐》提出的"文伐十二节"只有建立在准确的情报基础上才可能实施并获得成功。在战术情报的获取中，《六韬》在强调用间的同时，主要通过一些现象的观察对敌情进行预判，并且要以此为基础进行敌我力量等各方面的判断，从而决定战局的走向。《兵征》篇就详细论述了"强征""弱征""大胜之征""大败之征"等，以及通过观察"城之气"来确定如何攻城等。⑥《五音》通过律

---

① 《六韬·龙韬·王翼》。

② 《六韬·龙韬·王翼》。

③ 《六韬·龙韬·王翼》。

④ 《六韬·武韬·发启》。

⑤ 《六韬·武韬·发启》。

⑥ 《六韬·龙韬·兵征》。

音与五行的结合，结合战争中的一些蛛丝马迹对敌情进行判定并作出相应的军事决策。①

其次，注意在战争中对己方情报信息的保护。一方面通过"示形"来隐蔽己情、制造假象、迷惑敌人，引导敌方得到错误的情报，从而隐蔽我方的真实战略意图。《六韬》的论述即是如此："外乱而内整，示饥而实饱，内精而外钝。一合一离，一聚一散。阴其谋，密其机，高其垒，伏其锐士，寂若无声，敌不知我所备。欲其西，袭其东。"② 归根结蒂一句话，那就是"示其形，隐其情"。另一方面就是非常高明、具有高保密性的我方信息传递系统——阴符和阴书。《龙韬》中专列《阴符》和《阴书》两章，专门说明战争中君主与将帅信息的隐蔽性交流。其中阴符类似于非常原始的信息交流密码本，但是"八符"仅仅能传递一些相对简单的信息。涉及一些较为复杂的信息，阴符就无法胜任，必须要诉诸阴书。阴书的具体操作方式是："主以书遗将，将以书问主。书皆一合而再离，三发而一知。再离者，分书为三部；三发而一知者，言三人人操一分，相参而不相知情也。此谓阴书，敌虽圣智，莫之能识。"③

从某种程度上说，《龙韬》是从兵道的角度对战争问题进行一个高屋建瓴的论述。一般而言，兵书还有另外一个非常重要的板块，那就是对兵法的具体论述，掌握兵法才可以将政道、兵道落实到具体的战斗中，这就是我们所说的军事战术学。

四、《六韬》的作战指导思想

《六韬》作战指导思想表现在其对战国时期活跃于战场之上的步兵、战车、骑兵诸兵种协同作战战法以及各兵种的作用、特点、优劣的论述。

在《六韬》的《虎韬》《豹韬》《犬韬》中，对此分别进行了论

---

① 《六韬·龙韬·五音》。
② 《六韬·文韬·兵道》。
③ 《六韬·龙韬·阴书》。

述。如《虎韬》曰："勇力、飞足、冒将之士（步兵）居前，平垒
为军开道，材士、强弩（步兵）为伏兵居后；弱卒车骑居中。……
以武冲扶胥（战车）前后拒守，武翼大橹（战车）以备左右。"①
《六韬》明确提出了突围战中各兵种的使用和协同。如《豹韬》曰：
"林战之法，率吾矛戟（步兵），相与为伍。林间木疏，以骑为辅，
战车居前，见便则战，不见便则止。"②《六韬》指出在林地作战中
诸兵种的使用和协同。《豹韬》亦载："伏我材士强弩，武车骁骑为
之左右，常去前后三里。敌人逐我，发我车骑，冲其左右……选我
材士强弩，伏于左右，车骑坚陈（阵）而处。敌人过我伏兵，积弩
射其左右，车骑锐兵疾击其军，或击其前，或击其后。"③《六韬》
又提出了在遭遇战中诸兵种的使用和协同。《豹韬》曰："须其毕
出，发我伏兵，疾击其后。强弩两旁，射其左右。车骑分为鸟云之
陈，备其前后，三军疾战。敌人见我战合，其大军必济水而来，发
我伏兵，疾击其后，车骑冲其左右。"④《六韬》还指出在江河防御
战中诸兵种的使用和协同。关于各兵种的运用特点，在《犬韬》中
指出："步贵知变动，车贵知地形，骑贵知别径奇道，三军同名而异
用也。"⑤ 也就是说使用步兵贵在随时掌握战场形势的变化，这样才
能随机应变；使用战车贵在熟悉地形情况，这样才能充分发挥其作
用；使用骑兵贵在了解和掌握小路、捷径，这样才能有效地对敌实
施迂回、穿插和奇袭。

《六韬》的这些论述，很多是具有开创性的，对于丰富和发展我
国古代的作战指导理论做出了很大的贡献。

《六韬》特别强调要赋予将领独立的指挥权，指出："凡兵之
道，莫过乎一。一者，能独往独来。"⑥ 即认为将领在作战指挥中必

① 《六韬·虎韬·必出》。
② 《六韬·豹韬·林战》。
③ 《六韬·豹韬·敌武》。
④ 《六韬·豹韬·鸟云泽兵》。
⑤ 《六韬·犬韬·战车》。
⑥ 《六韬·文韬·兵道》。

须具有能临机决断的大权，这样才能不受外界因素的干扰和限制，充分发挥其指挥才能，独往独来，无往而不胜。因而，作者在《龙韬》中十分详细地叙述了国君对军队主将的任命和授权的隆重仪式，并着重指出："军中之事，不闻君命，皆由将出。临敌决战，无有二心。若此，则无天于上，无地于下，无敌于前，无君于后。是故智者为之谋，勇者为之斗，气厉青云，疾若驰骛，兵不接刃，而敌降服。"①

此外，作者根据战国时期战场范围广大、作战地形复杂的新情况，论述了山地作战、林地作战、沼泽地作战、渡水作战、险隘地形作战、深草灌木地带防敌火攻作战等特种作战的战法；根据战国时期军队规模扩大、作战样式日趋多样化的新特点及其对作战指挥提出的新要求，论述了金鼓旗号等指挥工具以及阴符、阴书等通信联络手段的用途和使用方法。

《虎韬》《豹韬》《犬韬》是《六韬》中专门讲述战术学的部分，内容十分广泛。总体而言，《军用》《军略》和《三阵》是整个《虎韬》《豹韬》《犬韬》中众多战术变化的根基。

其一，《军用》《军略》和《三阵》的主要内容。

军用，即军事斗争中各种武器装备。武器装备在战争中至关重要的作用是不言而喻的，它是一切战术运用的基础，是军队战斗力的象征，武器装备先进与否对战争胜负甚至对整个战局有决定性的作用。那么在同等武器装备水平下，如何对这些武器和军种进行合理配置，使军队的整体战斗力发挥到最大，也有一定的法度和智慧，所以《军用》一开始就提出"夫攻守之具，各有科品，此兵之大威也"②。在《军用》中，以万人为军事单位，对用兵中军种配合和武器装备数量等法度进行了说明，这些都是在长期军事斗争中总结出来的最优组合方式，如在"陷坚陈，败强敌""陷坚陈，败步骑""败步骑，要穷寇，遮走北""垒门拒守""渡沟堑""山林野居，结

---

① 《六韬·龙韬·立将》。

② 《六韬·虎韬·军用》。

虎落柴营"等常见军事情况中所需人员和兵器的种类、数量、编配与运用。同时"甲士万人，强弩六千，戟楯二千，矛楯二千"的军队，必须要配置"巧手三百人"的后勤人员，用于"修治攻具，砥砺兵器"，即在战争中及时维修各种损坏的武器装备①。《军略》主要是以地形为分类标准对各个地形所需的武器和兵种进行了分别的说明，是对《军用》的有效补充。②《三阵》讲述阵法、战术的基本原则，提出了"天阵""地阵""人阵"，其曰："日月、星辰、斗杓，一左一右，一向一背，此谓天陈。丘陵、水泉，亦有前后左右之利，此谓地陈。用车用马，用文用武，此谓人陈。"③天阵就是在具体排兵布阵时必须考虑日月星辰、北斗等重要天象因素对战争的影响；地阵就是充分利用丘陵、山川水泽等地理因素在阵法中发挥的重要作用；人阵就是要充分利用己方的武器装备的优势，采取武装打击或者政治攻略等。那么阵法运用的核心可以归结为一点，即充分利用天时、地利、人和，提升己方战斗力，同时抑制敌方的战斗力，从而最终取得战争的胜利。

军用、军备、三阵如何在具体、特殊的战场上去因时因地制宜地运用，其妙存乎一心，这就是兵法的奇妙之处。

其二，《虎韬》《豹韬》《犬韬》的战术特点。

《虎韬》各章主要讨论在己方"引兵深入诸侯之地"的不利情境下的进攻性战术原则。其中，《疾战》论述突围战以及突围反击战的作战原则；《必出》讨论的是深入敌国境内被敌人包围的突围战原则以及如何成功让大部队通过深沟大河之地的原则；《临境》讨论如何疲惫敌人、骚扰敌人进而击败敌人的方法；《动静》讨论的是如何埋伏作战；《金鼓》讨论如何警戒、防止敌人夜袭以及防御反击的战术原则；《绝道》讨论如何在敌国境内行军以及作战的原则；《略地》讨论攻略城池的具体作战要领；《火战》讨论的是防御敌人在

---

① 《六韬·虎韬·军用》。
② 《六韬·虎韬·军略》。
③ 《六韬·虎韬·三阵》。

干燥天气下、在深草灌木地带进行火攻的具体防御措施；《垒虚》讨论如何侦知敌人营垒的虚实以及采取相应的战法。

《豹韬》与《虎韬》不同的是，主要讨论引兵进入敌方之地，在敌众我寡、敌强我弱等一些不利状况下的防御性战术，进而能够以弱胜强获取胜利的战术原则。《少众》可以说是《豹韬》的灵魂，专门论述在敌众我寡、敌强我弱的情况下的战术精髓；《林战》讨论森林作战战术；《突战》讨论应对敌方突袭和反击敌方攻城的一些原则和方法；《敌强》是讨论在敌众我寡、敌强我弱的情况下来应对敌军夜袭的具体战术；《敌武》讨论与优势敌人进行遭遇战的战术原则；《鸟云山兵》讨论山地防御战的一些原则和基本战法；《鸟云泽兵》讨论河川作战的基本战法；《分险》论述在山水险隘之地与敌方对峙的一些作战原则。

《犬韬》主要包括军队建设和各兵种联合作战的要旨。在军队建设方面，《练士》中详细论述如何根据士兵的不同状况来具体挑选士兵，进行分类、编组和专门训练，从而出奇制胜；《教战》中论述军队军事训练的方法和内容；《分兵》论述在战场上迅速有效集结军队、举行会战的一些方法和军事纪律。在论述各兵种协同作战方面，《均兵》中论述步兵、车兵、骑兵等兵种的作用以及不同状况下三军的不同阵法；《武车士》专论挑选车兵的标准；《武骑士》专论挑选骑兵的标准；《战车》专论车战的作战原则；《战骑》专论骑兵的战术；《战步》专论步兵如何协同战车、骑兵进行三军联合作战的方法；《武锋》专论在瞬息万变的战场上，如何抓住转瞬即逝的一些战机取得胜利，并详细列举了 14 种可以攻击的有利战机。

我们从《虎韬》《豹韬》《犬韬》的战术来看，《六韬》具有两个十分重要的特点。

首先，非常重视特殊兵种在战场上的突击、穿插等作用。《六韬》已经认识到特殊兵种往往在战场上能发挥奇效，在改变战场局势的关键点上发挥着举足轻重的作用。我们从《练士》中就能看出，其实在士兵的挑选和训练时，就特别重视特殊士兵的挑选和培养，以备在战场上的特殊需要，其列举的有"冒刃之士""陷陈之士"

"勇锐之士""勇力之士""寇兵之士""死斗之士""敢死之士"
"励钝之士""必死之士""幸用之士""待命之士"等 11 类，其挑
选标准如下："军中有大勇、敢死、乐伤者，聚为一卒，名曰冒刃之
士；有锐气、壮勇、强暴者，聚为一卒，名曰陷陈之士；有奇表、
长剑，接武齐列者，聚为一卒，名曰勇锐之士；有拔距、伸钩，强
梁多力，溃破金鼓，绝灭旌旗者，聚为一卒，名曰勇力之士；有逾
高绝远，轻足善走者，聚为一卒，名曰寇兵之士；有王臣失势，欲
复见功者，聚为一卒，名曰死斗之士；有死将之人子弟，欲与其将
报仇者，聚为一卒，名曰敢死之士；有赘婿、人虏，欲掩迹扬名者，
聚为一卒，名曰励钝之士；有贫穷愤怒，欲快其心者，聚为一卒，
名曰必死之士；有胥靡免罪之人，欲逃其耻者，聚为一卒，名曰幸
用之士；有材技兼人，能负重致远者，聚为一卒，名曰待命之
士。"① 其次，在战术运用上非常重视骑兵的作用。② 在《犬韬》部
分章节中详细论述了骑兵的战术，骑兵的选拔，骑兵同步兵、车兵
协同作战等问题，是全面论述骑兵在战场上作用的专论。

　　总体而言，《六韬》在先秦兵书中独树一帜、特色鲜明，有其特
殊的价值和意义。清代学者朱墉在评论《武经七书》时指出："《孙
子》之诡谲奥深，穷幽极渺；《吴子》之醇正简要，恕己近情；《司
马》之缜密谨严，详核周至；《卫公》之辨析精微，考据典确；《尉
缭》之敦本勇实，峻法明刑；《黄石》之机权敏幻、智述渊闳；《太
公》之规模阔大，本末兼该。"③ 其中，《太公》即《六韬》，相对
于其他六本兵书，《六韬》最大的特征就是"规模阔大，本末兼
该"。在《太公六韬序》中指出："规模阔大，议论崇闳，文足以经
邦，武足以定乱。"④ 现代学者对朱墉这一论断也非常认可，如，吴

---

① 《六韬·犬韬·练士》。
② 《六韬》中对骑兵的重视和论述，也成为对其成书年代断定的一个重要依
　　据，如张烈的《〈六韬〉的成书及其内容》（《历史研究》1981 年第 3 期）
　　就引用此证。
③ 朱墉：《武经七书汇解》，中州古籍出版社，1989 年，第 1—2 页。
④ 朱墉：《武经七书汇解》，中州古籍出版社，1989 年，第 314 页。

如嵩认为较之其他兵书,《六韬》更完整、更全面。① 甚至国外一些研究者称其"似乎像一本军事百科全书"②。当然,我们从《六韬》囊括政治战略、军事战略、军事战术的基本文本格局中也能深刻体会到《六韬》对兵学问题论述的整全性和系统性。《六韬》还有其他一些特点,如慎战的思想、全胜的战略以及对诸子思想的开放性的整合等等。③ 因此我们称《六韬》是先秦兵书的集大成之作并不为过。

---

① 吴如嵩:《论〈六韬〉的军事思想》,《兵家史苑》(第 1 辑),军事科学出版社,1988 年,第 67 页。

② [美]凯德尔·史密斯:《如何读〈六韬〉》,《孙子探胜——第三届孙子兵法国际研讨会论文精选》,军事科学出版社,1992 年,第 373 页。

③ 黄朴民:《黄朴民解读三略·六韬》,岳麓书社,2011 年,第 93—107 页。

第十一章　儒、墨兵学述要

自春秋中后期起，直至战国末期，中国古代社会思潮的发展进入了第一个高峰，借用德国存在主义哲学家卡尔·雅斯贝斯（Karl Jaspers）在其名著《历史的起源与目标》中的说法，这一时期是中国历史的"轴心时代"（Axial Age）。[①] 这突出表现为"学在官府"开始一步步地走向式微，西周初年确立的"天命"观念受到根本性的冲击，学术下移，私学勃兴，诸子百家先后登场，老子、孔子、孙子、墨子、孟子、庄子、荀子、韩非子等一批杰出的思想家各领风骚，开创了中国思想史上的崭新局面。

当然，各个学派的发展亦是不平衡的。在整个战国时期，对当时社会产生深远影响的当属儒家学派和墨家学派。正如韩非在《韩非子·显学》中所言："世之显学，儒、墨也。儒之所至，孔丘也。墨之所至，墨翟也。"[②] 儒学和墨学同为战国时期的显学，各家对兵学的思考亦是中国兵学史的重要组成部分。

第一节　儒家兵学思想的主要内涵

众所周知，儒家学说是中国传统思想的主体内容之一，自西汉

[①] ［德］卡尔·雅斯贝斯，魏楚雄、俞新天，译：《历史的起源与目标》，华夏出版社，1989年。

[②] 《韩非子·显学》。

武帝刘彻采纳董仲舒"罢黜百家，独尊儒术"的建议以后，始终是整个中国传统社会的统治思想，其所秉持的基本观念在社会生活中占据主导地位，曾发挥过极其重要的影响。

儒家兵学思想是儒家思想家关于兵学问题的系统理性认识，它形成于先秦时期，并随着社会历史的发展而不断丰富充实，长期作用和影响于中国传统兵学文化的嬗递。作为一个相对独立、自成体系的理论形态，先秦儒家兵学思想代表人物主要有孔子、孟子、荀子，他们分别代表了不同时期儒者对现实战争情况的态度和理论思考。

一、孔子的兵学思想

孔子（前551—前479），名丘，字仲尼，春秋末期的鲁国人。中国古代最著名的思想家、政治家、教育家。孔子思想以仁、礼为核心，奠定了儒家学派的基本学派属性。我们今天了解孔子的思想，主要借助于《论语》一书，它是研究孔子思想的核心资料。据《汉志》载："《论语》者，孔子应答弟子、时人及弟子相与言而接闻于夫子之语也。当时弟子各有所记，夫子既卒，门人相与辑而论纂，故谓之《论语》。"① 当然《礼记》等典籍中亦有相关的论述可作为研究孔子的思想的重要补充。

从整个《论语》的内容来看，孔子从不主动谈及战争问题，更不会以兵学术语去谈政治问题，甚至对与兵学相关的字眼都非常敏感，如"阵"。而涉及"讨""征伐"等，也更多是从礼乐制度、从政治秩序的构建和维护的角度来说，并非直接讨论战争问题。如孔子在卫国时，卫灵公向孔子询问列阵之法时，孔子曰："俎豆之事，则尝闻之矣；军旅之事，未之学也。"② 孔子思想的核心是仁和礼，对军旅之事并未表现出任何兴趣，所以孔子回答卫灵公"未之学"。我们认为这并非孔子的谦辞，而是事实。

---

① 《汉书·艺文志》。
② 《论语·卫灵公》。

孔子对军旅之事的地位与意义持保留意见也反映在他对舜和周武王的评价中。对虞舜之乐《韶》与武王之乐《武》的不同评价，集中体现了这一点："子谓《韶》，尽美矣，又尽善也。谓《武》，尽美矣，未尽善也。"① 美指的是形式，善指的是内容。用《论语》中另外的表达方式来代替，美即"文"，善即"质"。在孔子那里，内容的善是高于形式的美的。所以，孔子主张"乐则《韶》舞"，盛赞《韶》乐，而对《武》乐却不再置词。孔子认为《韶》乐要胜于《武》乐，解释其中的缘故，不外乎《韶》与《武》所涉及的具体历史背景。舜的天子之位是通过禅让途径获得的，而武王的天子之位却是依靠征伐商纣夺取的，定前者为"尽善"，而讥后者为"未尽善"，孔子对于军旅之事持保留态度，亦是很明白的事实。

在孔子治理国家的思想体系中，并不完全排斥军事，如："子贡问政。子曰：'足食，足兵，民信之矣。'"② 可以看出，在孔子眼中，"足食""足兵""民信之"是国家治理中非常重要的因素。但是在这三个内容中，"兵"的权重显然不如兵家提得那么高："子贡曰：'必不得已而去之，于斯三者何先?'曰：'去兵。'子贡曰：'必不得已而去之，于斯二者何先?'曰：'去食。自古皆有死，民无信不立。'"③ 在孔子看来，"足食""足兵""民信之"三者中，"足兵"的权重最轻，这是儒家的基本态度。儒家更重视政治的因素，道德的价值，正义的力量。

虽然如此，我们遍寻史料亦能发现孔子的一些基本的兵学思想，如，孔子以礼为鹄的战争观念、民本的思想和文武并举的思想等等。

第一，以礼为鹄的战争观念。

孔子认为战争应当符合礼，必须"有道"。孔子明确提出："天下有道，则礼乐征伐自天子出；天下无道，则礼乐征伐自诸侯出。自诸侯出，盖十世希不失矣；自大夫出，五世希不失矣；陪臣执国

---

① 《论语·八佾》。
② 《论语·颜渊》。
③ 《论语·颜渊》。

命，三世希不失矣。天下有道，则政不在大夫。天下有道，则庶人
不议。"① 春秋晚期，战争频繁，孔子认为这些战争的性质大多是属
于非正义一类，是统治者为了满足个人攫取土地、财富和霸权等私
欲的产物，是"天下无道"的表现。所以孔子认为，理想境界当为
"礼乐征伐自天子出"，即使退而求其次，在春秋时期，也至少应该
像当年齐桓公所做的那样："九合诸侯，不以兵车。"② 统治者应当
以消弭战乱、确立秩序为理想。

　　孔子虽然不愿讨论战争，但是也并不完全反对战争，关键在于
战争的目的。在孔子看来，维护礼乐制度的战争他并未明确反对。
在对管仲的评价上，对于齐桓公杀公子纠，召忽因此自杀，而管仲
却辅助齐桓公称霸这件事情，孔子指出："管仲相桓公，霸诸侯，一
匡天下，民到于今受其赐。微管仲，吾其被发左衽矣。"③ 这显然是
孔子对齐桓公和管仲抵抗山戎援助燕国、抵抗北狄、存邢救卫这些
战争的肯定，他更侧重从"尊王攘夷"和对礼乐文明的维护来评价。
而孔子还指出"桓公九合诸侯，不以兵车，管仲之力也"④，显然是
对"作内政而寓军令"⑤"参其国而伍其鄙"⑥ 的寓兵于农、兵民合
一的某种肯定。齐桓公称霸，更多是通过这些军制的改革，从而提
升自身国力而达到，在具体方式上也并非通过标志性的战争来确立，
而是通过一次次的会盟逐渐实现，相对于春秋时期的其他霸主，孔
子可能更加认同。而这一切孔子更多认为是管仲辅佐的作用。不仅
如此，孔子还希望通过正义的战争维持已有的礼乐秩序，如据《论
语》载："陈成子弑简公。孔子沐浴而朝，告于哀公曰：'陈恒弑其
君，请讨之。'公曰：'告夫三子！'孔子曰：'以吾从大夫之后，不
敢不告也。君曰"告夫三子"者！'之三子告，不可。孔子曰：'以

---

① 《论语·季氏》。
② 《论语·宪问》。
③ 《论语·宪问》。
④ 《论语·宪问》。
⑤ 《管子·小匡》。
⑥ 《国语·齐语》。

吾从大夫之后，不敢不告也。'"①

第二，民本思想。

孔子强调以礼乐治国，以仁德服人，主张"道之以德，齐之以礼"②，珍惜民力，宽厚待下，节制剥削，不夺民时，因而对待战争持严肃谨慎的态度。《论语》曰："子之所慎，齐（斋）、战、疾。"③ 可见他把战争视同斋戒祭祀、疾疫一样，从不掉以轻心。孔子高度重视民心向背，以探求战争胜负的根本因素。他提倡德治，其目的是要争取民心，实现自己的政治理想。这一政治观点，在其战争观中同样有着突出的反映。孔子认为治理者应该做到"敬事而信，节用而爱人，使民以时"④，以争取民众的拥护和支持。在"国之大事，在祀与戎"⑤ 的共识下，孔子当然也不反对基本的军事训练，认为"以不教民战，是谓弃之"⑥，是统治者的失职与罪过。在此基础上，进而提倡教育与训练民众，使其掌握基本的军事技能，能够从军作战，拱卫社稷，维护统治者的根本利益，所谓"善人教民七年，亦可以即戎矣"⑦。

第三，文武并举的思想。

孔子在具体的国家治理中主张文武并举，政治与军事相互倚重，密不可分，正所谓："有文事者必有武备，有武事者必有文备。"⑧ 意谓要从事社会政治活动，要建设国家，必须以强大的军事力量为后盾，而要增强实力，从事义战，则必须以修明政治、发展经济为基础，这样就深刻地阐明了政治与军事之间的辩证关系，成为一条意义重大、影响深远的治国理政指导方针。

---

① 《论语·宪问》。
② 《论语·为政》。
③ 《论语·述而》。
④ 《论语·学而》。
⑤ 《左传·成公十三年》。
⑥ 《论语·子路》。
⑦ 《论语·子路》。
⑧ 《史记·孔子世家》。

因此，就孔子兵学思想而言，反映了其在对待军事活动问题上的矛盾心态。一方面尽量回避甚至贬低军事活动的地位与意义，认为它是人类不幸的原因之一，主张设法避免战事。另一方面，却又肯定军事活动在社会生活中的必要性，指出它是达到安天下的途径之一。此种矛盾的状态也成为儒家兵学思想的基本特征。同时孔子的民本思想，以仁礼的思想底色来谈论战争的问题，对后世儒家兵学思想产生了深远的影响。

二、孟子"仁政"为本的兵学思想

孟子（前 372—前 289），名轲，字子舆，战国时期邹人，曾"受业子思之门人"①，是战国中期儒家学派的代表人物。孟子先后游仕于滕、齐、魏等国，但是其学说始终未能得到当时君主的采用，于是"退而与万章之徒序诗书，述仲尼之意，作《孟子》七篇"②。今天我们探讨和研究孟子思想的主要依据和直接材料，正是流传至今的《孟子》一书，全书共 7 篇，3 万多字，东汉学者赵岐作《孟子章句》，将 7 篇各一析为二，成 14 卷。

众所周知，仁政思想是孟子学说的核心。《孟子》开宗明义就是反对言利，提倡"仁义"。面对梁惠王的发问："叟！不远千里而来，亦将有以利吾国乎？"孟子对曰："王！何必曰利？亦有仁义而已矣。"③《孟子》全书出现"仁"字达 157 次之多。"仁义"作为孟子学说的出发点，落实到具体政治上便是"仁政"，孟子在回答梁惠王"寡人之于国也，尽心焉耳矣"的疑问时曰："五亩之宅，树之以桑，五十者可以衣帛矣。鸡豚狗彘之畜，无失其时，七十者可以食肉矣。百亩之田，勿夺其时，数口之家，可以无饥矣；谨庠序之教，申之以孝悌之义，颁白者不负戴于道路矣。七十者衣帛食肉，

---

① 《史记·孟子荀卿列传》。
② 《史记·孟子荀卿列传》。
③ 《孟子·梁惠王上》。

黎民不饥不寒，然而不王者，未之有也。"① 其本质含义，便是"贤君必恭俭礼下，取于民有制"②。孟子的其他思想，如"性善论""尽心知性知天"等等，都是孟子为论证自己仁政这一核心思想而派生的。兵学思想作为孟子思想的一个侧面，当然是受仁政思想所规范的，是仁政思想在这一具体领域的外延而已。

第一，仁政原则与军事活动的宗旨。

孟子所景仰追求的是"昔者文王之治岐也，耕者九一，仕者世禄，关市讥而不征，泽梁无禁，罪人不孥"③ 的理想社会，同时也是"尊贤使能，俊杰在位，则天下之士皆悦而愿立于其朝矣"④ 的理想政治。但现实社会给孟子提供的最直观的感受却是"饥者弗食，劳者弗息"⑤，是"且王者之不作，未有疏于此时者也；民之憔悴于虐政，未有甚于此时者也。饥者易为食，渴者易为饮"⑥ 的冷酷现实。这种理想政治追求与现实生活的巨大反差与矛盾，制约了孟子兵学思想的形式确立。孟子的兵学思想中充沛着"仁政"理想的追求。具体地说，他将军事活动的宗旨目的，理解为自己政治理想的实现与推行，认为战争的真正意义只能是救民于水火之中，建立王道乐土，否则，战争便是罪恶，是不义，对此，孟子曾有详尽的论述："'汤始征，自葛载'，十一征而无敌于天下。东面而征，西夷怨；南面而征，北狄怨，曰：'奚为后我？'民之望之，若大旱之望雨也。归市者弗止，芸者不变，诛其君，吊其民，如时雨降。民大悦。书曰：'徯我后，后来其无罚。''有攸不惟臣，东征，绥厥士女，匪厥玄黄，绍我周王见休，惟臣附于大邑周。'其君子实玄黄于篚以迎其君子，其小人箪食壶浆以迎其小人，救民于水火之中，取

---

① 《孟子·梁惠王上》。
② 《孟子·滕文公上》。
③ 《孟子·梁惠王下》。
④ 《孟子·公孙丑上》。
⑤ 《孟子·梁惠王下》。
⑥ 《孟子·公孙丑上》。

其残而已矣。"① 又曰："文王一怒而安天下之民……武王亦一怒而安天下之民。"② 这些言论充分表明了孟子把战争的最终宗旨完全归结为"吊民伐罪""安天下之民"这一点上。而"吊民伐罪""安天下之民"的最终宗旨的提出,又基于"民为贵,社稷次之,君为轻"③ 的民本观念。这么一种仁政原则指导下的战争目的论,既反映了孟子兵学思想对其政治思想的依附与从属,同时也多少丰富和充实了仁政思想的层次和内涵,两者之间主次分明又互为影响。

第二,仁政原则与对当时战争的否定。

孟子既然将战争的宗旨简单规范衍化为仁政原则的进行与实现,那么对当时正在进行的战争自然要采取否定和批判的态度了。

孟子处于战国中期,正是战争规模日益扩大,战争后果日益残酷,从兼并逐渐显现走向天下统一端倪的阶段。从《孟子》来看,孟子在世时,发生了战国时期的马陵之战、河西之战、襄陵之战、齐宣王伐燕等重要的战争,尤其齐宣王伐燕,孟子更是置身其中。战争难免要流血,这当然是非常痛苦的事实,但是无可避免。在战国中期,兼并统一战争是顺应历史进程的,没有它,统一便无法实现。当时一些思想家已认识到这是历史的必然性,肯定了战争的地位和意义,如法家之提倡耕战。孟子更多是抨击与斥责当时的不义之战,而这些内容也正是孟子兵学思想的重要组成部分之一。孟子批评的标尺则是仁政思想。孟子反对"强战",因为此举是"不志于仁"的,其曰:"今之所谓良臣,古之所谓民贼也。君不乡道,不志于仁,而求富之,是富桀也。"④ 孟子明确反对使用不正当的武力手段取得天下,"行一不义,杀一不辜,而得天下,皆不为也"⑤。在孟子眼中,那些动辄驱民作战的人是"不容于尧舜之世"的:

---

① 《孟子·滕文公下》。
② 《孟子·梁惠王下》。
③ 《孟子·尽心下》。
④ 《孟子·告子下》。
⑤ 《孟子·公孙丑上》。

"不教民而用之，谓之殃民。殃民者，不容于尧舜之世。"① 对这些
"不容于尧舜之世"的人，孟子主张处以最重的刑罚："君不行仁政
而富之，皆弃于孔子者也，况于为之强战？争地以战，杀人盈野；
争城以战，杀人盈城，此所谓率土地而食人肉，罪不容于死。故善
战者服上刑，连诸侯者次之，辟草莱、任土地者次之。"② 孟子基于
自己"仁者无敌"的观点，进而对儒家一直尊奉的某些古代典籍也
开始怀疑了："尽信书，则不如无书。吾于《武成》，取二三策而已
矣。仁者无敌于天下，以至仁伐至不仁，而何其血之流杵也？"③

　　孟子这种断然对当时战争予以否定的激烈态度，虽然让人感动，
却难以让人信服。的确，战争反人道，却符合当时历史发展的要求，
仁政合于人道，却解决不了当时历史所面临的问题。从人道的角度
看，当时的战争的确不可取；从历史的角度看，当时的战争也不可
无。孟子以仁政原则否定了当时的战争，实际上同时也抽换了自己
仁政学说的血肉，使其沦落成为苍白无力的说教，也实在迂阔得可
以。在感情上，我们同情孟子对当时战争的抨击与否定；在理性上，
我们却不得不对这种抨击与否定给予贬斥。

　　第三，仁政原则与军旅之事的部分肯定。

　　孟子并不完全排斥战争，相反，对正义的战争他一直是歌颂与
肯定的，而所谓的正义战争的判断则完全是仁政衡量的结果。孟子
种种歌颂与肯定乃是对仁政的歌颂与肯定。孟子说："春秋无义战。
彼善于此，则有之矣。征者，上伐下也，敌国不相征也。"④ 他以
"春秋无义战"对春秋时期的战争进行评价，虽标志着孟子对这段历
史的否定，可是这毕竟显示出在孟子的心灵深处，是有"义战"这
一观念的。我们认为这句话同时还表达了第二层意思，即使是不义
之战，还是有短长之区分的："彼善于此，则有之矣。"鉴于这一认
识，孟子对历史上符合仁政原则的"义战"予以热情的褒扬："及

---

① 《孟子·告子下》。
② 《孟子·离娄上》。
③ 《孟子·尽心下》。
④ 《孟子·尽心下》。

纣之身，天下又大乱。周公相武王诛纣，伐奄三年讨其君，驱飞廉于海隅而戮之，灭国者五十，驱虎、豹、犀、象而远之，天下大悦。"① 孟子不但对历史上的"义战"持肯定态度，他还进而认为，在现实社会中，这种仁政原则指导下的"义战"应该得到大力提倡并加以实施。他曾鼓励齐宣王征伐燕国，就是明显的例子。孟子曰："今燕虐其民，王往而征之，民以为将拯己于水火之中也，箪食壶浆以迎王师。"② 当然，根据历史后来的走向，齐国在燕国的种种暴行与孟子的预期也不符，而由此导致燕国民众的激烈反抗以及齐国与燕国关系的走向也是孟子所不曾预想到的。由此可见，孟子对战争本身的认识还是非常有限的，其兵学思想还是太过理想化。

总之，孟子所反对的只是那种违背仁政原则的战争，对于符合自己仁政原则的"义战"，他则是积极提倡的。如果简单地指责孟子排斥一切战争，是不符合事实的。当然，孟子所谓的"义战"，纯粹是出于他个人的虚构假设，而他所讨厌、所反对的不义之战，却是客观的存在，甚至曾经推动过历史的发展。从这层意义上说，孟子兵学思想的保守性，并不因他曾对军旅之事部分肯定而有所改变。

第四，仁政原则与军事成败的关系。

孟子既然以仁政的原则作为唯一标尺，那么他对于战争的成败得失之理解，当然也只能与仁政的推行实施与否相联系了。至于具体而合理的深入分析，在他那里是根本不存在的。政治、伦理上的"仁义"，落实到具体的战争中，孟子认为，便是所谓的仁义之师。如行仁义之师，军事上的成功即有了充分的保障，因为仁义之师为众望所归，无敌于天下："国君好仁，天下无敌焉……征之为言正也，各欲正己也，焉用战？"③ 如何达到这一境界，孟子认为非常简单，只要在政治上贯彻实施仁政就行了。因为在孟子看来，施仁政的结果是"可使制梃以挞秦楚之坚甲利兵"，其曰："王如施仁政于

---

① 《孟子·滕文公下》。
② 《孟子·梁惠王下》。
③ 《孟子·尽心下》。

民，省刑罚，薄税敛，深耕易耨，壮者以暇日修其孝悌忠信，入以
事其父兄，出以事其长上，可使制梃以挞秦楚之坚甲利兵矣。"① 又
曰："今夫天下之人牧，未有不嗜杀人者也。如有不嗜杀人者，则天
下之民皆引领而望之矣。诚如是也，民归之，由水之就下，沛然谁
能御之？"② 这样，孟子在逻辑上便把战争的胜利与自己仁政原则的
抉择运用密切地结合了起来。同样，战争的失败挫折，孟子也认为
是不行仁政的必然结果。具体地说，便是："若杀其父兄，系累其子
弟，毁其宗庙，迁其重器，如之何其可也……今又倍地而不行仁政，
是动天下之兵也。"③ 又曰："城郭不完，兵甲不多，非国之灾也；
田野不辟，货财不聚，非国之害也。上无礼，下无学，贼民兴，丧
无日矣。"④

　　在孟子看来，仁政原则左右着一切，他的另一段话最为集中地
反映了仁政原则与战争成败的相互关系，同时也集中了孟子这一相
关认识上的真理颗粒与谬误尘埃的混糅特征。孟子曰："域民不以封
疆之界，固国不以山溪之险，威天下不以兵革之利。得道者多助，
失道者寡助。寡助之至，亲戚畔之；多助之至，天下顺之。以天下
之所顺，攻亲戚之所畔，故君子有不战，战必胜矣。"⑤ 这里的"得
道"，实际含义便是施行仁政，同样，所谓的"失道"，便是拒施仁
政。"封疆之界""山溪之险""兵革之利"在孟子看来都是无足轻
重的。重要的只有一条，就是仁政是否贯彻。孟子注意重视战争与
政治的密切关系，无疑是一种宝贵的识见，这在当时诸子中的确有
高人之处。但是把政治与军事完全等同起来，以至于从根本上抹煞
了"山溪之险""兵革之利"等战争中具体要素的地位意义，则是
极端而偏激的。就认识论而言，这是片面、机械的；就实践而言，

————————

① 《孟子·梁惠王上》。
② 《孟子·梁惠王上》。
③ 《孟子·梁惠王下》。
④ 《孟子·离娄上》。
⑤ 《孟子·公孙丑下》。

这又是迂腐空疏的。孟子大言凿凿，看起来的确很高雅，可是毕竟仅仅是高雅而已。真理前进一步，就会变成谬误，孟子的兵学思想在很大程度上没有能摆脱这一误区。

三、荀子"礼制"为本的兵学思想

荀子，名况，号卿，战国末期赵国人。汉人避汉宣帝刘询讳，称为孙卿，又称孙卿子。根据汪中《荀卿子通论》①之《荀卿子年表》考证，可知荀子的政治学术活动主要集中在赵惠文王元年（前298）至赵悼襄王九年（前236）这63年间。又根据廖名春②和梁涛③考证，荀子的生年约为公元前336年，卒年约为公元前238年或之后不久。在政治活动上，荀子与孔子、孟子经历相似，一生游说各国，推行自己的主张，虽受到各国统治者的礼遇，但不被重用，仅被楚春申君任用为兰陵令。但是荀子在学术上的成就是辉煌的，就当时学术影响而言，他在齐国稷下学宫"最为老师"，曾"三为祭酒"，为稷下"列大夫"之首。④《荀子》一书最先由汉代学者刘向编订为《孙卿子》32篇。唐代杨倞再次整理，仍为32篇。

就整个中国思想史发展而言，荀子是先秦继孟子之后的儒家最后一位大师，创新和发展了博大精深的儒学思想体系，正如冯友兰所说，"孟子以后，儒者无杰出之士。至荀卿而儒家壁垒，始又一新"⑤；他同时也是战国"百家争鸣"后期对先秦诸子思想均有批判吸收的集大成者，正如胡适所言，"研究荀子学说的人，须要注意荀

---

①　王先谦：《荀子集解》，中华书局，1988年，第21—33页。

②　梁启超、郭沫若等著，廖名春选编：《荀子二十讲·编者序》，华夏出版社，2009年，第1—2页。

③　梁涛：《荀子行年新考》，《陕西师范大学学报》（哲学社会科学版）2000年4期。

④　《史记·孟子荀卿列传》。

⑤　冯友兰：《中国哲学史》（上册），华东师范大学出版社，2000年，第212页。

子和同时的各家学说有关系"①。作为先秦儒学的集大成者，荀子兵学思想也是先秦儒家兵学思想的最系统的总结者与最权威的诠释者。作为一个相对独立、自成体系的理论形态，我们认为它的基本内涵突出地体现在四个方面。

第一，注重区分战争的性质，提倡以吊民伐罪为宗旨的"义战"。

荀子根据其政治思想的原则立场，十分强调对战争性质的区分，他把历史上和现实中的战争明确划分为正义战争和非正义战争两大类。在他看来，凡是基于吊民伐罪、拯民于水火之中的立场而从事的战争，就是正义的、合理的，应该拥护；反之，凡属于以满足统治者私欲为宗旨而进行的战争，则是非正义的、逆天背道的，应该加以谴责和反对。这是其兵学思想中的一个根本性观点。

荀子认为那种拯民于水火、吊民伐罪，为实施仁义而开辟道路性质的"义战"，不是虚幻的想象，而是普遍存在于历史上的："是以尧伐驩兜，舜伐有苗，禹伐共工，汤伐有夏，文王伐崇，武王伐纣，此四帝两王，皆以仁义之兵行于天下也。"② 同时，在现实生活中，"义战"也是应该成立并积极推行的。荀子进而指出，"义战"顺乎天而应乎民心，"汤武革命，顺乎天而应乎人"，因此必定是所向披靡，无敌于天下："彼王者不然，仁眇天下，义眇天下，威眇天下……以不敌之威，辅服人之道，故不战而胜，不攻而得，甲兵不劳而天下服。"③

"义战"既然如此合乎天道人心，又这样成效显著，荀子据此而得出结论，从事"义战"，就是用兵的最理想境界，是任何战争指导者都应该执着追求的战争宗旨："故仁人之兵，所存者神，所过者化，若时雨之降，莫不说喜。"④

荀子既然将战争的宗旨简单规范衍化为礼治、德治原则的推行

① 胡适：《中国古代哲学史》，安徽教育出版社，2006年，第275页。
② 《荀子·议兵》。
③ 《荀子·王制》。
④ 《荀子·议兵》。

与实现，那么他对现实生活中大量的战争活动也就采取基本否定和批判的态度了。在荀子看来，与"义战"相比，社会生活中"不义之战"要多得多，它们给国家与人民带来的损害是非常严重的。

荀子生活的战国末期，正是战争高度频繁、激烈，其后果日益残酷的阶段。然而荀子拿自己的政治原则与当时的战争现实进行衡量，衡量的结果是将当时顺应历史进程的战争定性为"不义之战"，予以抨击和斥责，反对动用暴力手段来解决问题，指出"仲尼之门人，五尺之竖子，言羞称乎五伯"①，并强调倚恃武力的恶果："非贵我名声也，非美我德行也，彼畏我威，劫我势，故民虽有离心，不敢有畔虑，若是则戎甲俞众，奉养必费，是故得地而权弥轻，兼人而兵俞弱，是以力兼人者也。"②

由此可见，荀子所秉持的是"义兵"至上、"礼乐"为先的基本立场，对兵家"兵以诈立，以利动，以分合为变"③的观点予以全盘的否定。《荀子·议兵》的这段话典型地体现了荀子在这一问题上的坚定态度："为人主上者也，其所以接下之百姓者，无礼义忠信，焉虑率用赏庆、刑罚、势诈？除阨其下，获其功用而已矣。大寇则至，使之持危城则必畔，遇敌处战则必北，劳苦烦辱则必奔，霍焉离耳，下反制其上。故赏庆、刑罚、势诈之为道者，佣徒鬻卖之道也，不足以合大众、美国家，故古之人羞而不道也。"④

显而易见，荀子区分战争的性质，明确提出"义战"与"非义战"的对立范畴，这是其兵学思想，更是其战争观比较成熟的标志。先秦诸子中其他学派虽然也对战争的"义"与"不义"性质有所阐述，但就深度而言，却不如荀子。应该说，荀子的认识为中国古代兵学价值观的确立提供了坐标，也为后世兵学思想发展"兵儒兼容"主流观念的形成奠定了基础。

---

① 《荀子·仲尼》。
② 《荀子·议兵》。
③ 《孙子兵法·军争篇》。
④ 《荀子·议兵》。

第二，突出战争对政治的从属关系，表现出显著的民本主义色彩。

荀子的学说与孔、孟一样，是一种以政治伦理为本位的思想体系，因此其兵学思想在其整个理论建构中居于从属的地位，强调军事对于政治的依附从属关系，乃是其兵学思想的特色之一；而崇尚民本、重视民心归向对于战争成败的意义，则是荀子兵学思想的基本价值取向。

荀子是先秦儒家兵学思想的集大成者。他对军事从属于政治、民心归向决定战争胜负的认识可谓是十分深刻与透彻。他肯定"仁义"的重要性和迫切性，强调指出："故古之人有以一国取天下者，非往行之也，修政其所莫不愿，如是而可以诛暴禁悍矣。"①

为了达到这一理想，荀子认为，一是要提倡附民爱下，力行仁义，其曰："彼仁义者，所以修政者也。政修则民亲其上，乐其君，而轻为之死。"② 又曰："凡用兵攻战之本，在乎壹民……士民不亲附，则汤武不能以必胜也。故善附民者，是乃善用兵者也。故兵要在乎善附民而已。"③ 二是要修礼。荀子视礼为"治辨之极""威行之道""功名之总"，认为只有尊奉礼义，遵循制度，尚贤使能，教化百姓，顺从民心，才能造就军事上的强盛："故上好礼义，尚贤使能，无贪利之心，则下亦将綦辞让，致忠信，而谨于臣子矣……故藉敛忘费，事业忘劳，寇难忘死，城郭不待饰而固，兵刃不待陵而劲。"④ 否则，便会民众离心，导致军破国亡："民不为己用，不为己死，而求兵之劲，城之固，不可得也。兵不劲，城不固，而求敌之不至，不可得也。敌至而求无危削，不灭亡，不可得也。"⑤ 由此可见，荀子始终把政治清明、民心向背视为决定战争胜负的首要条

---

① 《荀子·王制》。
② 《荀子·议兵》。
③ 《荀子·议兵》。
④ 《荀子·君道》。
⑤ 《荀子·君道》。

件，强调只要赢得民心，便可以无敌于天下。而争取民心的关键，在于修明政治，推行"仁政"与"礼乐"。荀子兵学思想中的这种民本精神，显然具有进步意义，对后世兵学思想的发展不无积极影响。

第三，文武并举，致力于军事建设；尊卑有序，提倡以"礼"治军。

荀子沿着孔子的思路前进，在具体的军队建设措施方面，提出了不少精彩的意见。首先，是要顺从民意，以民为本，积极调动普通民众参加军队建设事业，尽可能使民众与统治者的意愿统一起来。其次，主张以雄厚的经济实力为后盾，建设起一支能征惯战的强大军队，并注意营造一种清明和谐的政治环境，以求在战争中牢牢立于不败之地："辟田野，实仓廪，便备用，案谨募选阅材伎之士，然后渐庆赏以先之，严刑罚以纠之，存亡继绝，卫弱禁暴，而无兼并之心，则诸侯亲之矣。"① 当然荀子军队建设的主张与法家等学派还是有重大区别的，这就是它以仁义为本，而不是一味推崇暴力，迷信武力，所谓"无兼并之心"和"秦之锐士不可以当桓、文之节制，桓、文之节制不可以敌汤、武之仁义"② 云云，正反映了荀子兵学思想的独特性格。

荀子在治军问题上也有比较系统的主张，其基本内容是提倡以"礼"治军，重视将帅道德品质的修养，强化军队内部的等级秩序，这一切正是荀子"礼治"理论在治军问题上的具体反映。荀子讲究"礼治"，在治军上就是主张运用"军礼"来治理军队，指导各方面的工作，以期行必中矩。孔子曾就此说过一段非常著名的话："以之田猎有礼，故戎事闲也。以之军旅有礼，故武功成也。"③ 所谓"军礼"，就是军队根据儒家礼乐精神具体制定的一整套规章制度。到了荀子那里，对"礼治"的强调更达到了一个新的高度，"礼乐"成

---

① 《荀子·王制》。
② 《荀子·议兵》。
③ 《礼记·仲尼燕居》。

为了军队强盛、战争胜利的基本保证："上不隆礼则兵弱。"① 又曰："大国之主也，不隆本行，不敬旧法，而好诈故。若是，则夫朝廷群臣亦从而成俗于不隆礼义，而好倾覆也。朝廷群臣之俗若是，则夫众庶百姓亦从而成俗于不隆礼义，而好贪利矣。君臣上下之俗莫不若是，则地虽广，权必轻，人虽众，兵必弱。"②

在治军中认真贯彻"军礼"的基本前提下，荀子十分强调将帅个人的道德品质修养，对将帅品德修养问题作出了全面的阐发，其曰："可杀而不可使处不完，可杀而不可使击不胜，可杀而不可使欺百姓。"③ 又曰："敬谋无圹，敬事无圹，敬吏无圹，敬众无圹，敬敌无圹。"④ 荀子认为，能够做到以上几点，这样的将帅一定是杰出的将帅："慎行此六术、五权、三至，而处之以恭敬无圹，夫是之谓天下之将，则通于神明矣。"⑤

第四，荀子兵学思想的包容性。

随着时代的发展，思想之间交流的增强，先秦诸子代表人物也渐渐开始考虑如何在保持自己思想主体性、肯定自己思想正确性这一前提下，借鉴和汲取其他学派的某些思想内容，来丰富和发展自己的学说。荀子对此有比较集中的反映。他一方面同样尖锐地抨击除自己学说之外的诸子百家，撰写《非十二子》系统批判先秦诸子的学说，并提出了自己的统一思想："今夫仁人也，将何务哉？上则法舜、禹之制，下则法仲尼、子弓之义，以务息十二子之说。"⑥ 另一方面也或多或少地承认和肯定不同学派具有某些合理内涵："此数具者，皆道之一隅也。"⑦ 这表明，从战国中期起，学术思想的交流兼容在思想对峙斗争的情况下，已渐渐地开展了起来。

---

① 《荀子·富国》。
② 《荀子·王霸》。
③ 《荀子·议兵》。
④ 《荀子·议兵》。
⑤ 《荀子·议兵》。
⑥ 《荀子·非十二子》。
⑦ 《荀子·解蔽》。

这种学术发展史上的新气象，同样对荀子的兵学思想的构筑产生了重大的影响，作为儒家学派的代表人物，他的学说具有批判地综合各家之长的强烈的时代特色，这在其兵学思想方面也同样有鲜明的体现。他一方面同其他儒家一样，也崇尚人本精神，构筑用兵的理想境界，提倡"仁义""礼乐"，主张行"仁义"之师。但同时又清醒地认识到实现这一目标的困难性，故退而求其次，也一定程度上肯定霸道的地位，将军事上的成功划分为两个层次，一是高层次的，即王道的层次；二是低层次的，即霸道的层次。这样荀子比孟子等儒者就大大前进了一步，使自己对战争问题的思考从政治学领域真正跨入了兵学领域，提出了很多真知灼见。

四、先秦儒家兵学思想的主要特征

对于孔子、孟子、荀子为代表的儒家早期学说而言，研究者往往集中于哲学、政治学、伦理学、教育学、文化学、经济学等领域，却很少从兵学角度论析，这是一个遗憾。作为一种思想学说，它对兵学问题自然会有自己的基本认识与主张，由是而形成了个性鲜明的儒家兵学思想；而作为一种自汉代以后长期居于统治地位的学说，它对兵学问题的一般理性认识，也势必会渗透并作用于中国古代兵学的构建过程之中，在传统兵学文化发展中打下自己的烙印，对古代兵学的发展和形成具有不可忽视的制约规范意义。从这种意义上说，探讨先秦儒家兵学思想的特征，有助于我们今天全面理解和把握传统兵学文化的本质属性与嬗递趋向，客观评价其历史价值和文化意义。我们认为先秦儒家兵学思想的特征主要表现在以下三个方面。

第一，对待战争的矛盾心态。

早期儒家兵学思想的基本特征之一，是在对待战争问题上的矛盾心态。一方面他们尽量回避甚至贬低战争的地位与意义，认为它是人类不幸的原因之一，主张设法避免战事。另一方面，却又肯定战争在社会生活中的必要性，指出战争是达到安天下的途径之一。这种矛盾态度实质上就是儒家经权原则在具体兵学思想上的反映。

早在孔子那里，这种基本特征即已形成。而孟子对军旅之事的态度几乎与孔子如出一辙。在《孟子》中，对军旅之事的贬低、否定满纸皆是。荀子对军旅之事的地位与意义，亦时常取贬抑态度。他鼓吹以德行排斥戈矛，瞧不起齐桓，其主要理由之一，便是齐桓动用军事手段达到个人目的。早期儒家虽将战争的意义尽量贬抑，但是，他们并没有对此予以彻底的摒弃。他们承认，在自己思想体系构建中，关于战争问题的论述，应该占有一席之地。其主要表现为在论述问题过程中，经常以军旅之事作依据或比喻。如孟子经常引用《诗》《书》中的战争事实，为自己的论述排比增强逻辑力量，这正好曲折地反映了早期儒家对兵学问题的某种注意。同时，他们均不排斥必要的战争，将兵事视作治国安天下的手段、措施的一部分。

既想从原则上尽量贬低、淡化战争在社会政治生活中的地位与意义，又不得不在具体论述中注意、肯定兵事的迫切性与必要性，这种矛盾、抵牾的态度，恰好构成了早期儒家兵学思想的基本特色之一。贬低、淡化战争在社会生活中的地位与意义，是出于他们的感情，而注意、肯定战争之必要性，则是出于他们的理性。感情与理性的冲突，造就了早期儒家在战争问题论述上表面的矛盾和深层的统一。而这个感情与理性的冲突，却又肇始于儒家历史观与现实感之间的差距和矛盾。儒家作为中国古代文化的继承者和发扬者，他们不能无视大量典籍中有关先圣先王征伐无道的记载。从理性出发，他们不能不肯定战争的正当必要性。但是他们所处时代战争的残酷性，又使他们感到所谓的战争，不但距离他们的政治理想如此遥远，而且还不断地打击毁灭着自己的点滴政治努力。因此，他们不能对现实无动于衷。所以，受强烈的感情驱使，他们又不能不尽量贬抑、淡化战争在社会政治生活中的地位和意义。总而言之，对历史的敬重和对先王的尊奉，与对现实的不满和困惑两者之间的矛盾交织与冲突，从根本上决定了早期儒家在军旅之事看法上的矛盾交织与冲突。

第二，将兵学问题从属于政治伦理学。

早期儒家兵学思想的第二个基本特征，是儒家将兵学问题最大限度地从属于他们的政治伦理学主体。他们把自己关于军旅之事的观点，仅仅考虑为政治伦理学的具体注释。他们的兵学思想中笼罩着过于浓重的政治伦理色彩，以至于在相当程度上淡化了兵学思想在其整个学说体系中的独立存在价值。

政治伦理思想占有主导地位，乃是中国古代思想史的重要特征。然而，早期儒家兵学思想对政治伦理学之依附的强烈性，乃是最为突出的。早期儒家兵学思想作为其政治伦理思想的附属物，主要体现在以下几个方面。其一，对战争的肯定或否定，完全是基于自己的政治伦理学说价值标尺的判断结果。对于符合自己道德观念或政治追求的军旅之事，即便是背逆历史进程的，也给予肯定。其二，早期儒家将战争的成败完全归结于自己的政治伦理学说是否被尊崇推行。具体合理的军事要素如武器、训练、军需等，在战争中的地位和意义常常为他们所忽略，而将战争的胜利归功于自己政治伦理学说的抉择运用。同样，早期儒家也把战争的挫折失败之原因，简单推诿给自己政治伦理原则未能得以实施。他们均认为军事上的祸患渊源于政治措施的失当，军事实力的积弱衰落取决于政治上的黑暗。其三，早期儒家将战争的目的、宗旨，简单规范衍化为自己政治理想的实现与推行，他们力图使战争的结果能符合其政治上的预期。在这种情况下，他们的兵学思想的最终宗旨十分清晰地打上其政治伦理观念的印记。

通过对先秦重要儒家兵学思想的论述，我们认为先秦儒家兵学思想无不贯穿着儒家政治伦理学说的基本精神。这可以视之为儒家兵学思想的最基本的特征。早期儒家兵学思想完全依附于其政治伦理学说的这一特征，今天看来是具有双重意义的。首先，从其肯定兵学思想应从属于政治学说来看，它具有一定的合理性。因为战争的确是政治活动的最高表现形式。政治伦理状况对于分析判断战争的性质，理解战争的成败，认识战事的宗旨，是具有密切联系的。儒家从政治伦理学说衍生出有关的兵学思想，这种逻辑思路应该说是正确的，它符合理性思维的正常途径。儒家提倡仁义爱民，主张调和阶级矛盾的政治伦理观，反映在其战争观上，使得其兵学思想具有相当温和、中庸的色彩。特别是他们能注意并重视民心向背对于战争胜负的影响，这更值得我们肯定。历史事实也充分证明了，军事上的强大并不等于政治上的稳定巩固。失去了民心，尽管拥有最强大的军队，也要走向反面，也要垮台。这种重民本的兵学思想，为儒家所倡导，影响极其深远。其次，早期儒家政治思想的确具有局限性。主要的表现便是"迂远而阔于事情"①"博而寡要，劳而少功，是以其事难尽从"②。早期儒家兵学思想既然完全依附于儒家政治学说，那么儒家空疏迂阔这一弊端，同样也会得到反映。所谓"无敌于天下"的仁义之师，无非是他们的主观臆造。他们那种"不战而胜，不攻而得，甲兵不劳而天下服"③的理论追求，实际上是无法实现的。儒家内部也是有人对自己学说的迂阔空疏持怀疑态度的。如，孟子高足公孙丑对自己先生的理论价值就表示过内心的困惑："道则高矣，美矣，宜若登天然，似不可及也。"④这虽是对孟子政治学说空疏性的估价，但我们把它拿来形容早期儒家兵学思想追求理想境界时的高尚性与解决现实问题时的软弱性这一对无法克服的矛盾，也一样是贴切的。

第三，论述中大量采用历史比附的方法。

早期儒家兵学思想的第三个基本特征，是他们在对具体兵学思想的论述过程中，经常采取大量的历史比附方法。中国古代思想的重要特点之一，是各家在论述具体现实问题时，都广泛地寻找历史依据，为自己的论证增加分量。这一特征在儒家身上表现得尤为明显。所谓"祖述尧舜，宪章文武"⑤，即是这层意思。他们在宣传自己的思想主张时，往往会寻找更多的历史事实作为依据，善于运用历史事实论证自己主张之可行。即便是在没有充分可靠的历史事实

---

① 《史记·孟子荀卿列传》。

② 《史记·论六家之要指》。

③ 《荀子·王霸》。

④ 《孟子·尽心上》。

⑤ 《礼记·中庸》。

情况下，他们也敢于根据需要，杜撰某些历史故事。在战争问题上，他们同样贯彻了这一做法。他们之所以肯定正义战争的必要性，是因为他们找到了历史的依据——先王们曾经运用战争的方式达到胜残去杀的目的。他们之所以相信不行德义、专恃武力者下场一定可悲，战争的成败取决于民心向背，是因为他们同样找到了历史的依据，曾有许多貌似强大者最终多行不义而自毙。他们之所以对现实生活中的频繁战争心怀不满也是因为他们根据自己的历史观念，通过具体的价值判断后，认定仁义之师用不着大动干戈，只需以仁义道德进行感化，辅之以有限的征伐，便可达到目的，正如荀子所言："故近者亲其善，远方慕其德，兵不血刃，远迩来服。"① 这种大量历史比附方法运用之特征，对于早期儒家兵学思想的构成，具有一定的逻辑力量。然而，受其基本政治观念的制约，他们这种历史比附方法的运用是有缺陷的，因为比附并不就是论证。从本质上讲，这种历史比附方法仅是儒家兵学思想迂腐性的某种体现而已。

第二节　墨家兵学思想的特色与意义

墨家学派在先秦时期与儒家学派同为显学。如，孟子曾曰："杨朱、墨翟之言盈天下。天下之言，不归杨则归墨。"② 可见墨学在当时影响之大。由于墨者身处战乱时代，积极参与天下事务，因此墨家思想中包含有丰富的兵学思想乃是十分自然的事情。我们认为其主要内容包括以下几个方面：一是"非攻"，集中体现了墨家的战争观念，是墨家思想的重要标识；二是"救守"，是墨家如何贯彻其"非攻"的具体方式，涉及大量的具体守城之法，属兵技巧的内容，

---

① 《荀子·议兵》。
② 《孟子·滕文公下》。

正如现代学者岑仲勉所言，"《墨子》这几篇书，是注重军事技术的"①，这是墨家作战指导思想的基本特征，也是墨子思想的特色所在；三是兵阴阳的内容，《墨子·迎敌祠》中还保留了部分兵阴阳家的内容，是学者今天了解兵阴阳的重要史料，我们认为这应当更多是墨子对当时兵阴阳思想或传统的认可和继承。当然，墨家学者在兵学领域的主要贡献还在于其防御思想上，② 李约瑟的《中国科学技术史》的第五卷第六册"军事技术：抛射武器与攻守城技术"就是从墨家讲起，并详细考证了墨家 12 种工程。③

一、墨家的战争观念

探讨墨家的战争观，首先应从其整个学说的体系特征与价值取向角度切入，因为只有真正理解墨家学说的宗旨与本质属性，才能够找到其兵学思想的逻辑起点，并进行比较正确的定位。

如果说儒家学说以道德理想主义为本位，法家学说以追求极端功利为基本旨趣，那么墨家则是以功利为出发点，侧重于在道德和功利之间寻找平衡。章太炎认为："墨子之学，以兼爱、尚同为本。兼爱、尚同则不得不尚贤。至于节用，其旨专在俭约，则所以达兼爱之路也。节葬、非乐，皆由节用来。要之，皆尚俭之法耳。"④ 此说可谓中的。可见墨家的基本立场是"兼相爱，交相利"，凡事均从是否有利或功利大小的视角进行评估，决定取舍。即判断一切政治设施的优劣得失，在于看它是否对人们（尤其是一般民众）有实际利益或效用："废以为刑政，观其中国家百姓人民之利。"⑤ 这一点，

---

① 岑仲勉：《墨子城守各篇简注·自序》，中华书局，1958 年，第 4 页。
② 张知寒：《略论墨子积极防御的军事学》，见氏主编《墨子研究论丛》（三），山东大学出版社，1995 年，第 241—245 页；秦彦士：《古代防御军事与墨家和平主义：〈墨子·备城门〉综合研究》，人民出版社，2008 年。
③ ［英］李约瑟主编，钟少异，等译：《中国科学技术史》（第五卷第六分册：军事技术），科学出版社，上海古籍出版社，2002 年。
④ 章太炎：《国学讲演录·诸子略说》。
⑤ 《墨子·非命上》。

其他诸子学派以及后世人们均是具有共识的，荀况说"墨子蔽于用而不知文"①；班固《汉书·艺文志·诸子略》指出墨家的基本特征为"强本而节用"。他们都看到了墨家崇尚功利的主旨所在，正如有学者指出："（墨子）把功利作为义——善的内容和本质，把义——善作为功利的道德形式和实现途径。"②

由此可知，以功利的原则为衡尺考虑兵学问题，乃是墨家战争观念的逻辑起点。在墨家看来，当时最不利于国家和人民的事情非战争莫属，因此汲汲于提倡"非攻"。而战争这种天下"巨害"的发生并累世延续，则是由于人们互不相爱，在短暂、虚幻的"小利"面前丧失本性，忘却"大利"所在，因此墨子致力于主张"兼爱"。但是如果统治者陷于贪小利而忘大利的思维误区而迷途不返，我行我素，穷兵黩武，那么，被侵凌的一方也就只好诉诸武力，捍卫自己的利益了。墨家无法阻止此类战争的发生，因此他站在弱者的一方，讲求防守，尤其注重城池防御。墨者参与守城，发明了很多守城器械，并深入研究守城的理论和方式，形成了《备城门》诸篇系统的防御思想。正如俞樾所言："（墨子）惟非攻，是以讲求备御之法。"③

当然，墨子虽然反对战争，但是并未完全否定战争。他区分了战争中的"伐"与"诛"。面对那些攻伐之君，又标榜上古圣王征伐之事的君主，墨子予以驳斥，据载："今逮夫好攻伐之君，又饰其说，以非子墨子曰：'以攻伐之为不义，非利物与？昔者禹征有苗，汤伐桀，武王伐纣，此皆立为圣王，是何故也？'子墨子曰：'子未察吾言之类，未明其故者也。彼非所谓攻，谓诛也。'"④ 由于墨子学说影响很大，甚至当时还有人当着墨子的面以墨子的天志说为其发动战争寻找理由，亦被墨子驳斥，据载："鲁阳文君曰：'先生何

①　《荀子·解蔽》。

②　黄伟合：《墨子的义利观》，《中国社会科学》1985 年第 3 期。

③　俞樾：《墨子间诂·序》，孙诒让：《墨子间诂》，中华书局，2001 年，第 2 页。

④　《墨子·非攻下》。

止我攻邻也？我攻郑，顺于天之志。郑人三世杀其父，天加诛焉，使三年不全，我将助天诛也。'子墨子曰：'郑人三世杀其父，而天加诛焉，使三年不全，天诛足矣。今又举兵，将以攻郑，曰吾攻郑也，顺于天之志。譬有人于此，其子强梁不材，故其父笞之，其邻家之父，举木而击之，曰吾击之也，顺于其父之志。则岂不悖哉！'"① 墨子以人情为例对其歪理谬论进行了驳斥。

墨家学派战争观念的核心内容是"非攻"理论。《墨子》一书对当时的战争多有抨击，无情贬斥："大则攻小也，强则侮弱也，众则贼寡也，诈则欺愚也，贵则傲贱也，富则骄贫也。"② 墨家认定当时大多战争的基本性质是非正义的，而非正义的判断依据，乃是有害无利，不合"国家百姓人民之利"的根本要求。墨子提出非常著名的三表法："子墨子言曰：'必立仪。言而毋仪，譬犹运钧之上而立朝夕者也，是非利害之辨，不可得而明知也。故言必有三表。'何谓三表？子墨子言曰：'有本之者，有原之者，有用之者。于何本之？上本之于古者圣王之事。于何原之？下原察百姓耳目之实。于何用之？废以为刑政，观其中国家百姓人民之利，此所谓言有三表也。'"③ 我们以此对照墨子的"非攻"理论。第一，从历史史实考察，战争是凶事，是灾祸，无功利而多祸害，理应加以摈弃。第二，从当时民众、思想家对战争的态度，可以看出老百姓对战争的厌恶。第三，从现实状况考察，战争给天下民众都带来了深重的灾难，给社会物质财富造成巨大的损失，与利益无涉，与祸害相伴，必须加以反对。这是通过对利害关系的权衡，论证好战大国从事战争活动的得不偿失，以进一步肯定"非攻"的正确性和必要性。墨子尤其论述了战争对民众带来的灾难："今师徒唯毋兴起，冬行恐寒，夏行恐暑，此不可以冬夏为者也。春则废民耕稼树艺，秋则废民获敛。今唯毋废一时，则百姓饥寒冻馁而死者，不可胜数。今尝计军上：

---

① 《墨子·鲁问》。
② 《墨子·天志下》。
③ 《墨子·非命上》。

竹箭、羽旄、幄幕、甲盾、拨劫，往而靡弊腑冷不反者，不可胜数。又与矛、戟、戈、剑、乘车，其列住碎折靡弊而不反者，不可胜数。与其牛马，肥而往，瘠而反，往死亡而不反者，不可胜数。与其涂道之修远，粮食辍绝而不继，百姓死者，不可胜数也。与其居处之不安，食饭之不时，饥饱之不节，百姓之道疾病而死者，不可胜数。丧师多不可胜数，丧师尽不可胜计，则是鬼神之丧其主后，亦不可胜数。"① 可见战争给民众的生命、生活带来的影响是全方位的、最直接的。

墨家战争观念以"功利"为逻辑起点，殆无疑义。"利"像一根红线，贯穿于其整个兵学思想的方方面面，成为联系其所有重要命题与范畴的纽带。因此，墨子致力于将"义"落实到"利"的实处。从义与不义的高度，论证当时战争的非正义性也即非有利性，为否定战争寻找进一步的理论根据。墨家力主"非攻"，提倡"兼爱"，主张通过兼相爱来消弭战乱，"若使天下兼相爱，国与国不相攻，家与家不相乱，盗贼无有，君臣父子皆能孝慈，若此，则天下治"②。墨子认为兼爱可以去乱，可以止战，兼爱是非攻的道德伦理基础，非攻是兼爱的客观自然结果，而将两者沟通和联系在一起的，正是"交相利"。由于战争的发生直接源于统治者的私欲，《墨子》便把止战的希望寄托于统治者自身的明理知利，要求"王公大人"不仅应该为天下着想，为民众着想，而且也应该为自身利益着想而停止攻伐征战："今欲为仁义，求为上士，尚欲中圣王之道，下欲中国家百姓之利，故当若非攻之为说，而将不可不察者此也。"③ 这里，"利"也是主宰一切的。当然，墨家也认为，那些王公大人大多政治眼光短浅，不知道自己之利与"天下之利""民众之利"之间存在着统一的关系，不会把"天下之利"和"民众之利"放在适当的位置，而必然汲汲于征战，于是转而求助于"天志"、鬼神，指出

① 《墨子·非攻中》。
② 《墨子·兼爱上》。
③ 《墨子·非攻下》。

"天赏之，鬼富之，人誉之"① 的结果，强调攻战作为不义之行，必受到天、鬼的惩罚。墨家提倡"天诛"，宣扬天赏天罚，目的是借助天意、鬼神，警告诫谕好战黩武的统治者，使其改弦更张。当然我们认为这只是墨家的一厢情愿而已，但是以"利"为标尺判断是非、衡量得失的做法同样没有任何区别。从这个意义上说，注意和把握"功利"在墨家学说中的主导地位，是我们今天正确认识和评价其兵学观念的一把钥匙。

墨家的战争观念是有双重性质的。一方面，墨家以"利"为准鹄，充分揭露了当时统治者好战与掠夺的本性，使人们能够比较清醒地认识到统治者贪得无厌的面目，指出统治者攻伐之举貌似合"利"实则悖"利"的愚妄性，具有强烈的批判精神和针砭作用。同时，以"非攻"为核心的战争观念也反映了广大民众对和平与安宁的渴求，要求结束战乱、发展生产和改善生活的良好愿望，反映了墨家符合"国家百姓人民之利"的主体诉求。从这个意义上讲，墨家的主张具有进步性与合理性。另一方面，墨家否定所有以强攻弱的战争，没有能认识到当时的兼并战争乃是走向统一的必由之路，是丧失暂时的"小利"而换取永久的"大利"，具有重要的历史作用。这表明，墨家的主观愿望和历史发展的客观规律是相悖的，并不能真正使民众完全摆脱战争的痛苦。可见，墨子的"利益"观存在着暂时、局部、短视的缺陷，不过是"道之一隅"，缺乏最大的圆融性与超越性。庄子尝云："天下之人各为其所欲焉以自为方，悲夫。百家往而不反，必不合矣！"② 这个批评，用之于对墨家战争观念的评判上，同样是适合的。这也意味着墨家战争观念的历史命运难免是坎坷崎岖、曲折多厄的。

墨家以"利"为衡尺的战争观念同高擎"义利之辩"的儒家发生了尖锐的冲突。尽管儒、墨对战争都持"非攻""反战"的基本态度，但是两者的逻辑起点完全不同。儒家从"仁义德化"推导出

① 《墨子·非攻下》。

② 《庄子·天下篇》。

"反战"的观念，其曰："今之所谓良臣，古之所谓民贼也。君不乡道，不志于仁，而求为之强战，是辅桀也。"① 又曰："君不行仁政而富之，皆弃于孔子者也。况于为之强战……此所谓率土地而食人肉，罪不容于死。"② 因此孟子主张"善战者服上刑"③。而对于"利"，则采取坚决摈弃的立场，这一点在先秦儒家代表人物那里，是具有共性的选择，孔子认为"君子喻于义，小人喻于利""放于利而行，多怨"④；孟子主张"何必曰利？亦有仁义而已矣"⑤；荀子提倡"以义制利"⑥；等等，皆为其证。儒家这种重义轻利，乃至重义绝利的立场，是与墨家汲汲言利的立场根本对立的。因此，儒、墨两家虽然都对战争持否定态度，在学术上却是互为不可调和的死敌。一方面，儒家不遗余力排斥墨家："杨墨之道不息，孔子之道不著，是邪说诬民，充塞仁义也……我亦欲正人心，息邪说，距诐行，放淫辞……能言距杨墨者，圣人之徒也。"⑦ 另一方面，墨家亦对儒家"迂远而阔于事情"⑧ 的特点攻讦不已："博学不可使议世，劳思不可以补民，累寿不能尽其学，当年不能行其礼，积财不能赡其乐……其道不可以期世，其学不可以导众。"⑨ 双方形同水火、势如冰炭的立场，使当时"非战"的思潮无法汇集在一起，大大消减了其应有的力量与影响。

　　法家兵学思想是以执着功利、讲究实用为基本特征的，这表面上与墨家的战争观念似有相通之处，然而从本质上说，两者的功利观乃处于截然对立的状态。具体而言，法家功利原则的立足点是贯

---

① 《孟子·告子下》。
② 《孟子·离娄上》。
③ 《孟子·离娄上》。
④ 《论语·里仁》。
⑤ 《孟子·梁惠王上》。
⑥ 《荀子·正论》。
⑦ 《孟子·滕文公下》。
⑧ 《史记·孟子荀卿列传》。
⑨ 《墨子·非儒下》。

彻高度集权的国家意志，尤其是封建君主的意志，以是否有助于所谓的国家或集团利益的满足为评价的标准。至于广大民众，在法家看来只不过是国家机器中没有生命力、缺乏主体性的部件，个体生存的权利、追求幸福的意愿，完全从属于国家和专制君主的整体利益，在富国强兵的美妙口号之下，人的基本权益可以忽略不计，只要能达到战胜攻取的目的，战争造成的重大伤亡可以一笔勾销。这种冷酷、自私的功利观，与墨家重视人本身的价值，以人为本位的讲求满足"天下之利"的"功利"观显然旨趣迥异，其逻辑推导衍化的方向也绝然不同，在法家是"主战""乐兵"，在墨家则是"非攻""兼爱"。这样，墨家与"王道"政治（儒家）固然无涉，与"霸道"政治（法家）同样不兼容，而中国传统政治的根本特征正是"霸王道杂之"①，墨家既然两边都依靠不上，那么自然是被摈弃于主流社会思潮之外，而成为"孤魂野鬼"，进退失据了，其在古代社会中渐渐淡出，乃至几乎中绝于世的历史宿命也就势所必然，理有固宜了。

　　道家对战争也持基本否定的态度，即所谓"兵者不祥之器，非君子之器""故有道者不处"②，主张"以道佐人主"，而反对"以兵强天下"③。然而这一"非战"观的哲学渊源是"天道自然"与"人道无为"，"无为之益，天下希及之"④，"无为故无败"⑤。可是，墨家的理念却是"摩顶放踵"⑥，以利天下，以积极有为的途径，达到"非攻""兼爱"的目的。这样，墨家与道家也无法成为同盟者了，从而失去了争取外援，维系自己生存与发展空间的最后一线希望，不得不孤军奋战，其左支右绌、举步维艰的前途可谓无可改变。

　　由此可知，墨家旨在兼顾道德与功利，希望在不废道德的前提

---

① 《汉书·元帝纪》。
② 《老子·三十一章》。
③ 《老子·三十章》。
④ 《老子·四十三章》。
⑤ 《老子·六十四章》。
⑥ 《孟子·尽心上》。

下崇尚功利的战争观念，实际已陷入了左右不讨好的困境之中了。换言之，在道德与功利之间处心积虑寻找平衡的结果，是既丧失了道德上的纯洁崇高性，又制约了功利上的现实可行性。这种自身内在矛盾的存在，加之外在的种种学术或非学术因素的影响，使墨家兵学思想长期以来沉潜不彰，未能在传统兵学文化的构建中发挥应有的作用。因为假设墨学能像儒学那样生生不息，代有发展，那么追求功利的思想主旨，必定能够使其在讲求实战操作功能方面不断有所创造，"习手足，便器械，积机关，以立攻守之胜"① 的传统遂可以长期保存并得以不断地发挥光大。换言之，所谓"摹略万物之然"②"巧转则求其故"③，它在兵学领域的反映必定表现为对军事技术的青睐有加，这样就可以多少改变或影响中国古典兵学重"道"轻"器"、尚谋贱力的传统，使之得到更全面更完善的发展。遗憾的是，历史并没有提供这样的机遇。

二、墨家的防御思想

墨子的兵学思想长期未能受到学者的重视，即使自清末开始复兴墨学，"墨子城守各篇"也未能受到重视，正如岑仲勉所言："我国军事家几无不晓得《孙子兵法》那一本书，但墨翟的守城方法，似乎还未得到人们的十分注意。"④《墨子》一书集中反映其兵学思想和兵学特征的篇目为《备城门》《备高临》《备梯》《备水》《备突》《备穴》《备蛾傅》《迎敌祠》《旗帜》《号令》《杂守》等 11 篇，我们姑且以岑仲勉所言"墨子城守各篇"统称之。"墨子城守各篇"就其性质而言属兵家言论无疑，正如《四库全书总目》明确指出："第五十篇以下，皆兵家言，其文古奥或不可句读，与全书为不类，疑五十一篇言公输般九攻、墨子九拒之事，其徒因采撷其术

---

① 《汉书·艺文志》。
② 《墨子·小取》。
③ 《墨子·经上》。
④ 岑仲勉：《墨子城守各篇简注·自序》，中华书局，1958 年，第 1 页。

附记于末。观其称弟子禽滑釐等三百人已持守固之器在宋城上，是能传其术之征矣。"① 孙诒让基本认同《四库全书总目》的判定："《备城门》以下十余篇，则又禽滑釐所受兵家之遗法，于墨学为别传。"②

但是，自汉代始，由于墨学本身长期以来的沉寂，"墨子城守各篇"自然也未能受到重视，相对于《墨子》其他各篇而言，"其文古奥或不可句读"更是让人难以卒读，望而却步，学者涉猎甚少。近代以来，经学解体，子学研究兴起，但是"墨子城守各篇"仍未受到应有的重视。比如梁启超指出"这十一篇是专言守御的兵法，可缓读"③。胡适亦认为"墨子城守各篇"根本"于哲学没甚么关系"，"不必细读"④。所以，"墨子城守各篇"较少受到学术界的关注。当然，"墨子城守各篇"较少获得学术界关注的重要原因还在于长期以来伪书说的影响。自清末吴汝纶开始，就怀疑城守诸篇为汉人伪造；受疑古思潮的影响，朱希祖、罗根泽、钱穆、张心澂等人均怀疑其为伪书。当然，随着新出土文献的不断发现，学者逐渐开始对古书、古史的一些看法和观点进行重新认识和反思。1972 年，山东临沂银雀山汉墓竹简的发现，其中就有《墨子》城守篇相关佚文的发现，此发现对重新认识《墨子》城守思想有着重要的意义，如，罗福颐指出："这次发现的汉人手书竹简中，虽然只有一枚与《墨子·号令篇》相合，但其他尚有四十余简文辞与墨子谈攻守者相似，只是上下文不一致，这可能是《墨子》的佚文，或者是与《墨子》文辞相近的其他古书。"⑤

与忽视"墨子城守各篇"者不同，岑仲勉最早指出"墨子城守各篇"的价值："《墨子》这几篇书，我以为在军事学中，应该与

---

① 永瑢等：《四库全书总目》，中华书局，1965 年，第 1006 页。
② 孙诒让：《墨子间诂·自序》，中华书局，2001 年，第 1 页。
③ 梁启超：《墨子学案》，商务印书馆，1923 年，第 14 页。
④ 胡适：《中国哲学史大纲》，河北教育出版社，2001 年，第 109 页。
⑤ 罗福颐：《临沂汉简概述》，《文物》1974 年第 2 期。

《孙子兵法》同当作重要资料，不可偏废的。"不仅如此，他还指出长期以来导致"墨子城守各篇"遭到忽视的原因所在："我国学人，向来多偏重玄虚，忽视现实，重文轻武，久成陋习，武备方面，更不值得文人注意。"①

从"非攻"的原则立场出发，《墨子》提倡"救守"。所谓"救守"，实际上包含着两层意思，即对被攻打的弱小国家进行支持，支援弱小国家本身的防守。《墨子》认为墨者有责任有义务积极救援遭到无理欺凌的弱小国家，与其休戚与共。《墨子》指出"古之仁人有天下者，必反大国之说"②，而救助被攻的小国。其主张替小国修缮城郭，给小国提供粮食资财："大国之攻小国也，则同救之。小国城郭之不全也，必使修之，布粟之绝则委之，币帛不足则共之。"③在必要的时候甚至替小国守城御敌。墨子本人在这方面是身体力行的，他与弟子都曾不遗余力地帮助被攻小国进行防御作战。墨子本人曾先后到宋、齐、楚、卫诸国游说，宣传自己的政治主张，协助被攻伐的国家守城，真可谓是"摩顶放踵"，义无反顾，表现出崇高的道德情操和对天下的责任感。

《墨子》更强调小国自身的守御。由于城邑是一个国家的经济、政治、军事、文化中心或要地，所以守城也就成了诸侯国防御的中心问题。《墨子》一书以大量的笔墨系统论述了如何守城的问题，在以守城为中心的防御作战理论方面，提出了重要的见解。概括地说，《墨子》的城邑防御思想主要包括依靠军民，争取外援，充分发挥守城器械的作用，完善环城防御体系，独立作战，长期坚守，乘机出击。我们从五个方面分述如下。

第一，修明政治，动员民众。《墨子》认为要取得守城防御作战的胜利，其前提条件是修明政治，动员民众，争取民心。这方面君主是关键，在墨子看来，君主必须讲求信用，厉行道义，以激发参

---

① 岑仲勉：《墨子城守各篇简注·自序》，中华书局，1958年，第6页。

② 《墨子·非攻下》。

③ 《墨子·非攻下》。

加守城作战民众的积极性："主信以义，万民乐之无穷。"① 并进而指出官民和睦才是取得守城作战胜利的根本保障，只要做到"上下相亲"，人民"以勤寡人，和心比力兼左右"，就能做到"死而守"②。至于修明政治的内容，《墨子》也一一加以列举。首先，是要尊天、事鬼、爱民，以取得上天保佑，民众拥护："主君之上者尊天事鬼，下者爱利百姓。"③ 其次，是选拔人才，量才录用，使之各得其所，效命国家："守者必善而君尊用之，然后可以守也。"④ 具体办法是"守必察其所以然者，应名乃内之"⑤。又曰："使人各得其所长，天下事当。钧其分职，天下事得。皆其所喜，天下事备。强弱有数，天下事具矣。"⑥ 再次，严明法纪，赏功罚过，使民众乐于公战，耻于偷生，其曰："命必足畏，赏必足利。"⑦ 最后，积极动员激励民众，振奋精神，同仇敌忾。《墨子》主张对民众进行思想动员，一定要讲清敌人"为不道，不修义详，唯乃是王"的罪恶，指出敌人的目的是"亡尔社稷，灭尔百姓"⑧，并希望以此激发民众的死战决心，共赴战场。同时，在守城时，严禁传播各种动摇民心的流言蜚语，一经查出，严惩不贷；作战中要以奖惩、抚恤、慰问等形式鼓舞参战者的斗志。

第二，加强战备，严阵以待。《墨子》认为搞好城守战备，使各项措施一一落实，丝毫不得马虎，这是取得守城防御作战胜利的基本保证，否则守城是无法进行的："故仓无备粟，不可以待凶饥；库无备兵，虽有义不能征无义；城郭不备全，不可以自守；心无备虑，不可以应卒。"⑨ 基于这样的认识，《墨子》反复强调加强战备、有

---

① 《墨子·备城门》。
② 《墨子·迎敌祠》。
③ 《墨子·鲁问》。
④ 《墨子·备城门》。
⑤ 《墨子·杂守》。
⑥ 《墨子·杂守》。
⑦ 《墨子·号令》。
⑧ 《墨子·迎敌祠》。
⑨ 《墨子·七患》。

备无患的重要性，指出："故备者，国之重也。食者，国之宝也；兵者，国之爪也；城者，所以自守也。此三者，国之具也。"① 其明确主张搞好物质和精神上的准备工作，以形成守城防御作战中的有利条件和主动地位。这些准备包括军事、后勤、外交、内政等诸多方面。军事上要做到"城池修，守器具""（城）厚以高，壕池深以广，楼撕掊，守备缮利"②。后勤上要求做到"樵粟足""薪食足以支三月以上"③。外交上，要求联络与国，争取外援，"得四邻诸侯之救"④。如果城小人众，就应该事先把老幼疏散到他城或国都。内政上，君主则要勤政爱民，争取人心，造就"上下相亲"、众志成城的局面，在实质上增强自身实力的同时，亦可以对敌方造成巨大的心理压力，迫使其知难而退，从而达到"不战而屈人之兵"的效果。

第三，积极防御，守中有攻。《墨子》认为在守城防御作战中，不能仅仅采取消极防御的做法，而应该守中有攻，寻找有利战机，积极歼灭敌人。为此，《墨子》提出了"守城者，以亟伤敌为上"⑤的积极防御指导思想，认为"凡守城者，以亟伤敌为上，其延日持久以待救之至，明于守者也。不能此，乃能守城"⑥。对于积极防御的具体措施，《墨子》也有较系统的论述，主要包括以下几个方面。首先，依托城池，利用地形，正确部署兵力。其次，自远而近，层层抗击，消耗敌人的兵力。即以城池为核心阵地，城外建郭，郭外设亭，遏制敌军进攻，打击敌军士气，消耗敌人有生力量。同时主张具体情况具体对待："敌人但至，千丈之城，必郭迎之，主人利。不尽千丈者勿迎也，视敌之居曲、众少而应之。"⑦ 这表明墨家"示

---

① 《墨子·七患》。
② 《墨子·备城门》。
③ 《墨子·备城门》。
④ 《墨子·备城门》。
⑤ 《墨子·号令》。
⑥ 《墨子·号令》。
⑦ 《墨子·号令》。

人以兵法贵变通"① 的用兵特色。最后，顽强坚守与适时出击相结合。与攻城之敌长期相拒的过程中，在挫败了敌人各种各样的攻城手段，杀伤了大批敌人有生力量后，这时，守城的一方就要善于捕捉战机，适时组织出击，以扩大战果，最终夺取守城防御和反击作战的胜利。《墨子》中举例，一旦用火攻击败敌军云梯攻城的企图，使得敌军被迫撤离，这时，就要以精锐敢死之士，由"突门"突然出击，重创敌人，"令吾死士左右出穴门（疑为"突门"）②，击遗师……因素（数）出兵施伏，夜半城上四面鼓噪，适（敌）人必或（惑）。有此必破军杀将"③。由此可见，墨家的守城防御作战的指导思想是积极的，这是符合防御作战的基本规律的，具有非常可贵的借鉴意义。

第四，讲究战术，手段多样。据《汉志》载"（兵）技巧者，习手足，便器械，积机关，以立攻守之胜者也"④，由于在具体守城的实践中涉及非常具体的事务，因此我们可以发现，墨家兵学思想中有与兵技巧家相关的内容。正如李约瑟所言："我们的确非常幸运，能有一部分墨家的著作流传下来，尽管处于片段的状态，我们仍可以从中看出他们所采用的方法已是多么先进。"⑤ 这表现为《墨子》一书对守城防御作战的器械装备和具体战术作了充分的论述。如，针对敌人用地道攻城，《墨子》主张采取行之有效的诱敌入㲄、烟熏敌人的战法，以挫败敌军："穴中与适（敌）人遇，则皆围而毋逐，且战北。以须炉火之然也，即去而入瓮穴。"⑥ 所有这些，都是《墨子》对当时城池攻守战的实践总结和理论阐发，对中国古代战术和军事技术的发展具有相当深远的影响。

---

① 岑仲勉：《墨子城守各篇简注》，中华书局，1958 年。
② 岑仲勉：《墨子城守各篇简注》，中华书局，1958 年。
③ 《墨子·备梯》。
④ 《汉书·艺文志》。
⑤ ［英］李约瑟主编，钟少异，等译：《中国科学技术史》（第五卷第六分册：军事技术），科学出版社，上海古籍出版社，2002 年，第 200 页。
⑥ 《墨子·备穴》。

第五，技术手段先进。《墨子》中所记载的很多守城技术手段应当代表了当时守城的最高技术水平，我们从《墨子》一书记载的墨子与公输盘两人在楚国朝堂上的模拟较量可见一斑："子墨子解带为城，以牒为械，公输盘九设攻城之机变，子墨子九距之。公输盘之攻械尽，子墨子之守圉有余，公输盘诎。"① 当然，非常遗憾，此处并未具体记载公输盘"九设攻城之机变"以及墨子"九距"的具体内容。我们可以从《墨子》其他篇章管窥墨子的守城技术②。

进攻与防守是兵学问题中的一对基本矛盾。有进攻就有防守，同样，有进攻理论也必定就有防守理论。墨家学派的城守思想，对我国古代防守理论具有奠基意义，影响非常深远。后世对有关防御原则和战术的论述，多借鉴或祖述《墨子》，以至于把一切牢固的防御笼统地称为"墨守"；近人尹桐阳称赞它实古兵家之巨擘；岑仲勉则将它与《孙子兵法》相提并论，并说"《墨子》这几篇书，我以为在军事学中，应该与《孙子兵法》同当作重要资料，不可偏废的"③。这些评价是有一定道理的。

三、墨家的兵阴阳内容

《迎敌祠》的部分内容，学者称之为迷信，如岑仲勉指出："《墨子》这几篇，除了极少量的宗教迷信之外（如《迎敌祠篇》之一部）……"④ 史党社亦称其为"军中迷信"⑤。根据《汉书·艺文志》对兵学著作的分类，其中兵阴阳家16家，249篇，图10卷，今皆失传。现在出土文献已经发现了部分属兵阴阳家的文献，如张家

① 《墨子·公输》。
② 王震宁：《〈墨子〉城守诸篇军事工程技术研究》，陕西师范大学2014年硕士论文。
③ 岑仲勉：《墨子城守各篇简注·自序》，中华书局，1958年，第2页。
④ 岑仲勉：《墨子城守各篇简注·自序》，中华书局，1958年，第2页。
⑤ 史党社：《〈墨子〉城守诸篇研究》，中华书局，2011年，第168页。

山汉简《盖庐》①等，《墨子》一书中的《迎敌祠》《号令》从性质上来看，应属兵阴阳家，其时代更早，更弥足珍贵，我们以下对其主要内容进行论述。

首先，以望军气为代表的具有迷信色彩的内容。望气之法是古代一种通过观察云气变化来预测吉凶的方法，主要用于军事行动，因此称之为望军气。望气之法在当时是非常兴盛的一门方术，如，《汉志》"兵阴阳家"中就有《别成子望军气》《常从日月星气》等望气的专书。在《墨子》中就有类似的记载："凡望气，有大将气，有小将气，有往气，有来气，有败气，能得明此者可知成败、吉凶。"② 望气术由来已久，我们在《左传》《国语》《周礼》等文献中都能看到相关的记载。所以说，我们与其说其为墨子特有的兵学思想，不如说是墨子对传统思想的一种继承或者认可。至于什么是"大将气""小将气""往气""来气""败气"，墨子并未有细致的描述，我们也不得而知。不过，根据《迎敌祠》的基本描述以及基本语境，我们认为这些记述应当是对敌方军气的描述与判断，所谓"大将气""小将气"是指对敌方将领的判断，"往气""来气"也是对敌方军事行动具体去向的判断，"败气"亦为敌方情况判定。我们认为，中国古代方术在具体的战争中往往具有超强的稳定性，如对"败气"的描述，在推翻王莽政权具有战略决定意义的昆阳之战中就有"昼有云如坏山，当营而陨，不及地尺而散"③ 的记载，结果"吏士皆厌伏"④，甚至成为了一个影响战局的重要事件。然后我们看唐代李筌《太白阴经·杂占·占云气篇》谈到"败军之气"时谈到"云气如坏山，从军营而坠，军必败"，相关的内容如出一辙。所以说，望气法的影响持久而稳定，因此《太白阴经·杂占·占云气篇》开篇便谈"天地相感，阴阳相薄，谓之气。久积而成云，皆物

---

① 田旭东：《试析张家山汉简〈盖庐〉中的兵阴阳家》，《历史研究》2002 年第 6 期。
② 《墨子·迎敌祠》。
③ 《后汉书·光武帝纪》。
④ 《后汉书·光武帝纪》。

形于下而气应于上……积蠹之气而成宫阙，精之积必形于云之气，故曰：占气而知其事，望云而知其人也"。其具体描述的"猛将气""胜军气""败军气"等都是渊源有自，对我们理解望气法仍有重要的参考意义。

望气法，现代学者往往斥之为迷信，因此，相关研究非常薄弱，但是不可否认的是，这些我们今天认为非常不科学的内容，在中国古代军事行动中却发挥着非常重要的作用。根据《号令》记载："望气者舍必近太守，巫舍必近公社，必敬神之。巫祝史与望气者必以善言告民，以请上报守，守独知其请而已。"① 因此，我们能够看出，这些负责望气的专职人员，属于主将的心腹人员，一定要居于主将的住所附近。同时，在消息传达方面也有着非常严格的控制。望气者必须将对己方有利的信息迅速及时地传达给全城的百姓，而具体的实际情况仅仅汇报给守城主将一人。若是望气者将不利于守城的信息传出，那必将杀无赦："无与望气妄为不善言惊恐民，断弗赦。"② 在《迎敌祠》中亦有几乎类似的记载："举巫、医、卜有所长，具药，宫之，善为舍。巫必近公社，必敬神之。巫、卜以请守，守独智巫、卜望气之请而已。其出入为流言，惊骇恐吏民，谨微察之，断罪不赦。"③ 在军中，这些望气者与巫祝有很高的地位，"善为舍""必敬神之"，当然对于具体卜得的吉凶仅对主将负责，同时主将还对他们进行观察、监视，随时处罚那些"为流言"者，处罚也是非常严厉，"断罪不赦"。对于望气法，军中主将非常清醒，这仅仅是一种非常有效的治军、统军方式而已，类似于后世儒者所言的"神道设教"。因此可以看出，在军中，这更多是一种激励士气的方式。

《墨子》也为我们留下了一些非常具有仪式感的战场礼仪，其中一些内容也可以与儒家典籍相参照，这些内容也往往具有巫术和迷

---

① 《墨子·号令》。
② 《墨子·号令》。
③ 《墨子·迎敌祠》。

信的意味。我们认为其中大多还是以阴阳五行为基本的原理，或者其本身就是一种长期以来形成的风俗。如根据敌人所来之方向，往往有不同的战前祭祀仪式，据《迎敌祠》记载："敌以东方来，迎之东坛，坛高八尺，堂密八，年八十者八人，主祭青旗，青神长八尺者八，弩八，八发而止，将服必青，其牲以鸡。敌以南方来，迎之南坛，坛高七尺，堂密七；年七十者七人，主祭赤旗，赤神长七尺者七，弩七，七发而止，将服必赤，其牲以狗。敌以西方来，迎之西坛，坛高九尺，堂密九，年九十者九人，主祭白旗，素神长九尺者九，弩九，九发而止，将服必白，其牲以羊。敌以北方来，迎之北坛，坛高六尺，堂密六，年六十者六人，主祭墨旗，黑神长六尺者六，弩六，六发而止，将服必黑，其牲以彘。从外宅诸名大祠，灵巫或祷焉，给祷牲。"① 我们可以看出，这是一套非常成熟、具有仪式感的战前礼仪。此段记载主要描述了战前根据敌人所来方向祭祀四方之神祈胜的相关巫术和礼仪。其中，对筑坛高、堂密②，主祭者人数与年龄，祭旗颜色，神主规格，发弩数，主将服色以及所用牺牲，均有非常严格细致的讲究和规定。至于为什么对应如此的颜色与数字，我们仅以东方为例来说明其中的核心要素。东方对应的是青色，《说文解字》曰："青，东方色也。"③《考工记·画缋》亦曰："东方谓之青。"④ 而东方的礼仪中处处对应的数字均为"八"，如"坛高八尺""堂密八""年八十者八人""青神长八尺者

---

① 《墨子·迎敌祠》。

② 有关"堂密"争议的梳理，可参见史党社：《〈墨子〉城守诸篇研究》，中华书局，2011 年，第 170 页。我们更认同吴汝纶之说，应当作"阶"理解，见吴汝纶：《点勘墨子读本》卷十五，清宣统元年衍星社排印本。

③ 《说文解字·青部》。

④ 《周礼·考工记·画缋》曰："画缋之事杂五色，东方谓之青，南方谓之赤，西方谓之白，北方谓之黑，天谓之玄，地谓之黄，青与白相次也，赤与黑相次也，玄与黄相次也。"其中与《墨子》此处四方之色完全一致。

八""弩八，八发而止"。据《黄帝内经》曰："东方青色……其数八。"① 而为什么必须是"其牲以鸡"，同样根据《黄帝内经》："东方青色……其畜鸡。"② 其他方向亦是如此。我们认为这些礼仪细节都渊源有自，背后有一套以阴阳五行学说为根据的理论。据学者研究，我们认为其也有可能与中国古代的式法有一定关联。③

在《迎敌祠》中还有类似于后世儒家典籍所载的一些战前祭告山川社稷的具体仪式。④ 如，战前要进行相关的誓师："祝、史乃告于四望、山川、社稷，先于戎，乃退。公素服誓于太庙，曰：'其人为不道，不修义详，唯乃是王，曰："予必怀亡尔社稷，灭尔百姓。"二参子尚夜自厦，以勤寡人，和心比力兼左右，各死而守。'既誓，公乃退食。舍于中太庙之右，祝、史舍于社。"具体而言，战前由祝、史等祭祀专职人员主持具体祭祀，祭祀的对象主要包括四望、山川之神、社稷之主。这些内容在典籍中都有相应的记述，如，有关"四望"的记载，据《周礼》载："国有大故，则旅上帝及四望。"⑤ 贾公彦对具体礼仪解释道："言四望者，不可一往就祭，当四向望而为坛遥祭之，故云四望也。"⑥ 孙诒让更指出了"四望"礼仪的政治含义："四望者，分方望祭之名，通言之，凡山川之祭皆曰'望'，于山川之中，举其尤大者别祭之，则有四望。天子统治宇内，

---

① 《黄帝内经·素问·金匮真言论》曰："东方青色……其数八……南方赤色……其数七……西方白色……其数九……北方黑色……其数六……"亦与《墨子》四方之数内容一致。

② 《黄帝内经·素问·金匮真言论》曰："东方青色……其畜鸡……南方赤色……其畜羊……西方白色……其畜马……北方黑色……其畜彘……"其内容与《墨子》稍有出入。

③ 参见李零：《中国方术正考》，中华书局，2006 年版。其中，上编《数术考》中有《"式"与中国古代的宇宙模式》的专门论述，可参考，第 69—140 页。

④ 曹胜高：《军社之祀与〈诗经〉军征之诗的生成语境》，《四川大学学报》2018 年第 2 期。

⑤ 《周礼·春官·大宗伯》。

⑥ 《周礼注疏》。

则四望之祭，亦外极四表。"① 至于"社稷"更不必言："建国之神位，右社稷而左宗庙。"② 而君主与将士告于太庙的内容更是从宗教上保证战争无可怀疑的正义性。祭祀与誓师仪式结束后，国君则是居住于太庙之右，而祝、史等人则必须在社中进行祭祀或祈祷，以获得神灵的福佑。在此之后还有一些军礼性质的程序和仪式，当然祝、史等人员也参与其中，其曰："百官具御，乃斗，鼓于门，右置旗，左置旌于隅练名。射参发，告胜，五兵咸备，乃下，出挨，升望我郊。乃命鼓，俄升，役司马射自门右，蓬矢射之，茅参发，弓弩继之；校自门左，先以挥，木石继之。祝、史、宗人告社，覆之以甑。"③ 而战争开始后，根据春秋时期的军礼，庙主与社主也是随军队而迁，在作战过程中，祝、史等人也随时祭祀并报告相关战事的进程，以求鬼神的福佑。

当然，这种方式的作用到底有多大呢？其实其作用也是不容小觑的。在《史记·田单列传》中记载的田单固守孤城即墨时，当士气并不振奋时，田单正是以一士卒为神人，"每出约束，必称神师"④。田单借助鬼神的举动在整个即墨城保卫战中对士气、民心的作用是不可估量的，进而对齐国的历史也产生了一定的影响。所以，我们对先秦时期兵阴阳家的内容，甚至认为是迷信的一些举动，必须回到历史的情境中去理解，才能真正发现其所发挥的历史作用，而非简单予以批判。

四、墨家的兵技巧内容

按照《汉志》的分类与记载，兵书中兵阴阳和兵技巧类现在流传下来的非常少。据《汉志》的记载，兵技巧家为 13 家，共 199 篇，今皆已失传。兵技巧家的特征是"习手足，便器械，积机关，

---

① 孙诒让：《周礼正义》，中华书局，2013 年，第 1416 页。
② 《礼记·祭义》。
③ 《墨子·迎敌祠》。
④ 《史记·田单列传》。

以立攻守之胜者也"，而其中最后提到"省《墨子》重，入《蹴
鞠》"①，可见在现存诸子的文献中，《墨子》与兵技巧家的关系最为
密切。根据"墨子城守各篇"的内容来看，"器械""机关"均与
《墨子》的内容相关。具体而言，我们认为《备城门》《备高临》
《备梯》《备水》《备突》《备穴》《备蛾傅》等七篇为我们展示了兵
技巧家著作的基本形式和内容，而由于墨者主张防御，所以这些内
容均为在具体防御中的兵技巧内容，其价值不容小觑。在《墨子·
备城门》中以禽滑釐与墨子的对话引出，禽滑釐举出"临、钩、冲、
梯、堙、水、穴、突、空洞、蚁傅、轒辒、轩车"② 等当时通行的
12 种常规的攻城战法，当敌军采取任何一种攻城方式时，墨者如何
进行针锋相对的有效防御？墨子提出了诸如"备高临""备梯""备
水""备突""备蚁傅"等一系列非常有效的守城战术，涉及很多守
城工程和器械。③ 我们以下对《墨子》中与"器械""机关"相关
的内容予以叙述，以展示其基本内容和特征。

　　第一，"便器械""积机关"，守城工具的制造与使用。如在
《墨子》中明确提到，在守城过程中，城上应配备的基本器械就有
"渠谵、藉车、行栈、行楼、到、颉皋、连梃、长斧、长椎、长兹、
距、飞冲、县梁、批屈"④。在后世的城守中，悬门是城门非常重要
的机关，《墨子》中对其如何制作以及如何与城墙四周用于观测敌情
的高楼配合使用有着非常详细的记载："县门沈机，长二丈，广八
尺，为之两相如；门扇数，令相接三寸，施土扇上，无过二寸。堑
中深丈五，广比扇，堑长以力为度，堑之末为之县，可容一人所。
客至，诸门户皆令凿而慕孔。孔之。各为二幕二，一凿而系绳，长
四尺。城四面四隅皆为高磨犀，使重室子居亓上，候適，视亓态状，

① 《汉书·艺文志》。

② 《墨子·备城门》。

③ ［日］田中谈，宋振豪译：《〈墨子〉城守诸篇再研究》，《文博》1993 年第
　　3 期。

④ 《墨子·备城门》。

与亓进左右所移处，失候斩。"① 在城楼上设置相关守城器械，我们以较有特色的转射机为例："转射机，机长六尺，狸一尺。两材合而为之辐，辐长二尺，中凿夫之为道臂，臂长至桓。二十步一，令善射之者，佐一人，皆勿离。"② 面对敌人居高临下的进攻，墨子指出应当以连弩车："连弩之车材大方一方一尺，长称城之薄厚。两轴三轮，轮居筐中，重下上筐。左右旁二植，左右有衡植，衡植左右皆圜内，内径四寸。左右缚弩皆于植，以弦钩弦，至于大弦。弩臂前后与筐齐，筐高八尺，弩轴去下筐三尺五寸。连弩机郭同铜，一石三十钧。引弦鹿长奴。筐大三围半，左右有钩距，方三寸，轮厚尺二寸，钩距臂博尺四寸，厚七寸，长六尺。横臂齐筐外，蚤尺五寸，有距，博六寸，厚三寸，长如筐，有仪，有诎胜，可上下。为武重一石以材大围五寸。矢长十尺，以绳□□矢端，如如戈射，以磨鹿卷收。矢高弩臂三尺，用弩无数，出人六十枚，用小矢无留。十人主此车。遂具寇，为高楼以射道，城上以苔、罗，矢。"③ 这种连弩之车竟然还有类似于瞄准器的设备，并且可以上下调节，大大增强了防守的力度。为防备敌人通过挖隧道来攻城，《墨子》中提到的防御器械亦很多，其中就有铁钩钜："为铁钩钜长四尺者，财自足，穴彻，以钩客穴者。"④ 这是专门用于在穴中与敌人遭遇的特种武器。为防止敌人仗着人多势众采取蚁附攻城的方式，可以采取："守为行临射之，校机藉之，擢之，太泛迫之，烧苔覆之，沙石雨之，然则蛾傅之攻败矣。"⑤ 就是利用守城一方居高临下的地理优势攻击敌人，用"技机"攻敌，破坏并拔掉敌方攀爬城墙的攻城器具，还可以利用火把、滚烫开水压制敌兵，用"苔"烧杀敌人，沙石如雨点一样。其中，墨子提到一种名为"县脾"，即悬滑车一样的器械。其曰："县脾，以木板厚二寸，前后三尺，旁广五尺，高五尺，而折为

---

① 《墨子·备城门》。
② 《墨子·备城门》。
③ 《墨子·备高临》。
④ 《墨子·备穴》。
⑤ 《墨子·备蛾傅》。

下磨车，转径尺六寸。令一人操二丈四方，刃其两端，居县脾中，以铁璅敷县二脾上衡，为之机，令有力四人下上之，弗离。施县脾，大数二十步一，攻队所在六步一。"①

第二，重要的军事防御工程。《墨子》中存在大量的军事工程的修筑。如战国时期存在大量的攻城战法，而在攻城时，云梯是非常重要的攻城器械，作为守城一方如何应对，墨子在《备梯》中有详细的记载。针对"云梯者重器也，其动移甚难"②的特点，墨子指出："守为行城，杂楼相见，以环其中。以适广陕为度，环中藉幕，毋广其处。"③在《备突》中，如何防备敌人从一些秘密通道，即"突门"进入城内，其曰："城百步一突门，突门各为窑灶，窦入门四五尺，为其门上瓦屋，毋令水潦能入门中。吏主塞突门，用车两轮，以木束之，涂其上，维置突门内，使度门广狭，令之入门中四五尺。置窑灶，门旁为橐，充灶伏柴艾，寇即入，下轮而塞之，鼓橐而熏之。"④具体的做法就是，在每个突门门内四五尺之处都专门砌一个灶，门旁再安装上皮风箱，灶中堆满柴火艾叶，时常要保证其干燥。同时，用木头捆住两个车轮，用绳索将其悬挂在突门内，根据门的宽窄，使车轮挂在门中四五尺处，一旦敌人攻入，就迅速放下车轮堵塞住，点燃柴火，鼓动风箱，火攻来犯之敌。面对敌人通过挖地道等方式攻城，墨子亦有相应的军事工程予以应对，其曰："备穴者城内为高楼，以谨候望适人。适人为变，筑垣聚土非常者，若彭有水浊非常者，此穴土也，急堑城内，穴其土直之。穿井城内，五步一井，傅城足，高地，丈五尺，下地，得泉三尺而止。令陶者为罂，容四十斗以上，固幠之以薄鞈革，置井中，使聪耳者伏罂而听之，审知穴之所在，凿穴迎之。"⑤

---

① 《墨子·备蛾傅》。
② 《墨子·备梯》。
③ 《墨子·备梯》。
④ 《墨子·备突》。
⑤ 《墨子·备穴》。

　　而事实上，《墨子》中所言的这些攻城方式，长期以来都是古代社会中攻城的主要方式，正如李约瑟指出："从战国时期直到1000多年后火药的发现并应用于战争，围城战的记述本质上没有多大变化，尽管在随后的几个世纪中有所革新，机械的名称也有所改变。"① 与此相应，《墨子》中所言的防御方式，也长期发挥着其应有的作用，其对中国兵学史的价值更在于具体的战争、军事实践，其实践的意义远远大于其理论的价值。

　　当然，近年来也有与《墨子》相关的出土文献，如银雀山汉简中就出土了相关内容。当然就其性质而言，学者有不同判定，如李学勤曾指出："（《守法》《守令》）简文和《墨子》类似，有另种情况，一种是词语的相近或近似，一种是整段文字的相重。前一种情形，如整理小组注释所表明，乃是大量的。这些词语主要是守城时所用器械设施的名称，考虑到当时列国军事水平接近，许多器械设施的名称可能是广泛使用的，还不能作为简文与《墨子》相袭的绝对证据。特别要指出，简文和《墨子》有少数地方存在矛盾……《守法》一篇相当大的部分是和《备城门》《号令》相重的……有理由说，《守法》简文是袭用秦人所撰成的《备城门》《号令》。"② 同时，湖北云梦睡虎地秦简中亦发现与《墨子》城守篇《号令》相合的简文，如于豪亮等指出："《墨子·备城门》以下诸篇是秦国墨家的著作，叙述的是秦国的事。"当然，史党社也指出银雀山汉简出土文献中与《备城门》《号令》等内容相似或者重复，"其出土于故齐地恰巧反映了城守诸篇与东墨的关系"③。我们此处姑且不论《备城门》《号令》等是否为秦人所撰的问题，其研究仍待进一步加强。

---

① ［英］李约瑟主编，钟少异等译：《中国科学技术史》（第五卷第六分册：军事技术），科学出版社，上海古籍出版社，2002年，第200页。
② 李学勤：《论银雀山简〈守法〉〈守令〉》，《文物》1989年第9期。
③ 史党社：《〈墨子〉城守诸篇研究》，中华书局，2011年，第163页。

结语　先秦时期兵学文化的嬗变轨迹

——竞"道德"、逐"智谋"与争"气力"

　　先秦时期法家学说的集大成者韩非子尝云："上古竞于道德，中世逐于智谋，当今争于气力。"① 韩非的本意是指，人类社会处于不断发展过程之中，概括而言，可以分为"上古""中世"和"当今"几个阶段。不同社会形态和发展阶段有各自的活动中心命题。而统治者则应根据变化了的情况，采取相应的措施，正所谓"世异则事异""事异则备变"②。由此可见，这段言辞，是韩非子乃至整个法家有关历史发展观的洗练而扼要的表述。当然，韩非子将"上古"的时间范围，界定在虚无缥缈的有巢氏、燧人氏阶段，乃是有问题的。且不说有巢氏等在历史上是否为真实的存在，即便有，据学者研究，这一社会历史阶段与"道德"恐怕也扯不上关系，因为在当时，只会有残忍、暴虐的"血亲复仇"式的杀戮与灭绝。就像传说中的圣王尧、舜、禹攻灭三苗之战一样，战争的结果是"黎苗之王"，"人夷其宗庙而火焚其彝器，子孙为隶，不夷于民"③。当时所谓的"道德"，仅仅是后人理想主义化的虚幻想象而已！

　　但是，如果将韩非子所说的"上古"以及"中世"，在时间的坐标上稍作下移，"上古"对应殷商、西周及春秋前期，将其称的"中世"对应春秋晚期与战国前期，将所谓的"当今"理解为韩非子自身所处的战国中后期，那么，我们可以发现，"上古竞于道德"，

---

① 《韩非子·五蠹》。
② 《韩非子·五蠹》。
③ 《国语·周语下》。

恰好吻合了商周"礼乐文明"体制下的社会政治基本特征，"中世逐于智谋"，正好为"礼崩乐坏"政治局面的形象写照，"当今争于气力"，在某种意义上，反映着由"争霸"走向"兼并"与"统一"的历史演变之大趋势。

这种时代趋势，投射到中国先秦时期的兵学文化，也能够从一个侧面体现其发展上的三个基本阶段。第一，以《军志》《军政》《令典》《司马法》等典籍为主要载体的创始与初步发达阶段，即以"军法"为主体的初始阶段。这一时期的根本特征，就是"竞于道德"，借用《司马法》的表达就是"以礼为固，以仁为胜"①。第二，以《孙子兵法》《伍子胥》的出现为标志的转折发展时期，《孙膑兵法》《吴子》《尉缭子》以及诸子论兵之作也属于这一阶段的延续。换言之，即以"兵法"形成并占主导地位为标志的高度成熟繁荣阶段。该时期的特色，应该为"逐于智谋"，也即《孙子兵法》中强调的，乃"兵者诡道"②"兵以诈立"③。第三，以《六韬》《管子》成书为显著标志的综合融汇、全面总结阶段。这一时期的中心主题，就是"争于气力"，在"大争之世"，在走向天下统一的前夜，要确保国家在战争中取胜，就必须注重加强国家的实力，只有具备强大的实力，方能统一天下，这叫"多力者王"，所谓"力生强，强生威，威生德，德生于力"④。

一、"以仁为胜，以礼为固"视域下的"竞于道德"

班固指出："下及汤武受命，以师克乱而济百姓，动之以仁义，

---

① 《司马法·天子之义》。

② 《孙子兵法·计篇》。

③ 《孙子兵法·军争篇》。

④ 《商君书·靳令》。

行之以礼让,《司马法》是其遗事也。"① 这段话,高度概括了夏商周三代战争的基本特征,也可视为韩非子"上古竞于道德"历史观念在兵学领域得以印证的具体表象。

所谓"竞于道德",反映在战争活动中,就是强调要具有规则意识、底线意识,"争义不争利"②。至少在诸夏内部,如果彼此间矛盾到了激化的程度,非得动用战争这个最后手段来解决问题,也必须遵循一定的道德伦理原则,光明正大、公平合理地进行交锋。商代的情况,受史料所限,已很难具体追溯和复原,西周以及春秋前期的状况,则可以通过传世的《尚书》《周礼》《司马法》《左传》《国语》《逸周书》等典籍的记载,有限度地加以考察和认识。总体的精神,就是战争中的双方,要贯彻与落实有关"礼乐文明"所规范的基本要求,遵循和执行"军礼"的相应规则,所谓"以礼为固,以仁为胜",就是很形象的概括。

这些"竞于道德"的战争活动,大致体现为以下几个具体方面。第一,战争宗旨的明确性与崇高性,强调"吊民伐罪""师出有名"。在《周礼·夏官·大司马》中,就明确提出了"九伐之法",其曰:"大司马之职,掌建邦国之九法,以佐王平邦国。制畿封国以正邦国,设仪辨位以等邦国,进贤兴功以作邦国,建牧立监以维邦国,制军诘禁以纠邦国,施贡分职以任邦国,简稽乡民以用邦国,均守平则以安邦国,比小事大以和邦国。以九伐之法正邦国,冯弱犯寡则眚之,贼贤害民则伐之,暴内陵外则坛之,野荒民散则削之,负固不服则侵之,贼杀其亲则正之,放弑其君则残之,犯令陵政则杜之,外内乱,鸟兽行,则灭之。"③ "及师,大合军,以行禁令,以救无辜,伐有罪。"④

《周礼》此处提倡的"九伐之法",在"古代王者司马法"中同样得以提倡,并得以在今本《司马法·仁本》篇中保留了下来,其

---

① 《汉书·艺文志·兵书略序》。
② 《司马法·仁本》。
③ 《周礼·大司马》。
④ 《周礼·大司马》。

强调战争的宗旨为"讨不义"，明确指出："贤王制礼乐法度，乃作五刑，兴甲兵以讨不义，巡狩省方，会诸侯，考不同。其有失命、乱常、背德、逆天之时，而危有功之君，遍告于诸侯，彰明有罪。乃告于皇天上帝日月星辰，祷于后土四海神祇山川冢社，乃造于先王。然后冢宰征师于诸侯曰：'某国为不道，征之。以某年月日师至于某国，会天子正刑。'"① 并且《司马法》将这原则提升到"仁义"的高度来予以最充分的肯定："古者以仁为本、以义治之之谓正。正不获意则权。权出于战，不出于中人。是故杀人安人，杀之可也；攻其国，爱其民，攻之可也；以战止战，虽战可也。"②

"竞于道德"，那么在战争中，无疑会多了许多道德禁忌，这包括不能够乘人之危，不允许违农时，不能让民众遭受苦难，不能够在严冬或酷暑这样的季节兴师打仗，等等。这在《司马法》中同样有明确的要求："战道：不违时，不历民病，所以爱吾民也；不加丧，不因凶，所以爱夫其民也；冬夏不兴师，所以兼爱其民也。故国虽大，好战必亡；天下虽安，忘战必危。"③ 另外，《太平御览》所载的《司马法》佚文对此道德禁忌亦有述及，所谓："春不东征，秋不西伐，月食班师，所以省战。"④

"竞于道德"，在具体的战场交锋过程中，就必须尊重对手，奉行光明磊落、堂堂正正的原则，进退有节制，厮杀讲礼仪，杜绝诡诈狡谲的行为，摈弃唯利是图的做法。这就是《司马法》中所倡导的基本作战准则："古者，逐奔不过百步，纵绥不过三舍，是以明其礼也；不穷不能而哀怜伤病，是以明其仁也；成列而鼓，是以明其信也；争义不争利，是以明其义也；又能舍服，是以明其勇也；知终知始，是以明其智也。六德以时合教，以为民纪之道也，自古之

---

① 《司马法·仁本》。
② 《司马法·仁本》。
③ 《司马法·仁本》。
④ 《太平御览·时序部·春下》。

政也。"① 同书《天子之义》篇，也有相似的主张："古者逐奔不远，纵绥不及，不远则难诱，不及则难陷。以礼为固，以仁为胜。"② 而《穀梁传》则简洁概括为："伐不逾时，战不逐奔，诛不填服。"③ 同时，严格禁止在战场交锋时实施偷袭一类的阴损毒招，如《司马法》逸文就强调："无干车，无自后射。"④ 即不准冒犯敌国国君乘的车，也不允许从背后攻击敌人。《左传》亦云："死伤未收而弃之，不惠也；不待期而薄人于险，无勇也。"⑤

如果说《司马法》《穀梁传》等的言辞还是属于战场"竞于道德"戒律在理论上的表述，那么，楚宋泓水之战后宋襄公的"高论"，则是从具体史实的角度，说明了当时这种主张还是为很多人所信奉的，拥有非常大的受众市场："君子不重伤，不禽二毛。古之为军也，不以阻隘也。寡人虽亡国之余，不鼓不成列！"⑥

正是因为"竞于道德"，战场纪律的相关规定体现出一定的人文关怀，优待俘虏、救死扶伤、禁止残暴的报复行为等也就成了执行战场纪律中的必有之义了。《尚书》即言："无敢伤牿，牿之伤，汝则有常刑。马牛其风，臣妾逋逃，勿敢越逐，祗复之，我商赉汝。乃越逐，不复，汝则有常刑。无敢寇攘，逾垣墙，窃马牛，诱臣妾，汝则有常刑。"⑦《司马法》也一再强调这一点："冢宰与百官布令于军曰：'入罪人之地，无暴神祇，无行田猎，无毁土功，无燔墙屋，无伐林木，无取六畜、禾黍、器械。见其老幼，奉归勿伤，虽遇壮者，不校勿敌，敌若伤之，医药归之。'"⑧

也是由于讲求"竞于道德"，在战争善后问题上，胜利一方对敌

① 《司马法·仁本》。
② 《司马法·天子之义》。
③ 《穀梁传·隐公五年》。
④ 《周礼注疏·士师》。
⑤ 《左传·文公十二年》。
⑥ 《左传·僖公二十二年》。
⑦ 《尚书·费誓》。
⑧ 《司马法·仁本》。

人也不是赶尽杀绝，而是能够在确保胜利的前提下，保留对手的生存机会，让其维系自己的血胤。这就是孔子所谓的"兴灭国，继绝世"①，《司马法》所言的"既诛有罪，王及诸侯修正其国，举贤立明，正复厥职"②。武王伐纣成功后，乃册立纣王之子武庚，让其继续奉殷商之血祀，就是例子。尽管周武王并不信任武庚，派遣管叔、蔡叔、霍叔在旁监视与控御，是为"三监"，但是，至少在形式上毕竟是做到了"正复厥职"。即使武王逝世后，"三叔"与武庚勾结，发动叛乱，逼得周公只好率师东征平叛，但等到平息叛乱之后，还是寻找到纣王庶兄微子，封为诸侯，国号宋，以继续保持殷商的血胤相传。在整个西周与春秋时期，宋国于周室为宾客，爵为上公，地位有其特殊性。这也是日后诱发宋襄公蠢蠢欲动，意欲当春秋霸主的原因之一。宋国的情况不是个案，郑庄公复许，楚国恢复陈、蔡两国的独立，皆相类似。参之以《左传》，信而有征。鲁昭公十三年（前529），楚"平王即位，既封陈、蔡，而皆复之，礼也。隐大子之子庐归于蔡，礼也。悼大子之子吴归于陈，礼也"③。又如，鲁昭公十六年（前526）"楚子闻蛮氏之乱也，与蛮子之无质也，使然丹诱戎蛮子嘉杀之，遂取蛮氏。既而复立其子焉，礼也"④。再如，鲁哀公二十四年（前471）"邾子又无道，越人执之以归，而立公子何"⑤。

　　我们只有从"竞于道德"的立场这一视角考察，才能对人们有关宋襄公战争礼仪的评价抱有"同情之理解"，明白为什么宋襄公那种不食人间烟火的迂腐做法会被一些人推崇备至，甚至夸张到"文王之战"的地步。如《公羊传》言："君子大其不鼓不成列，临大事而不忘大礼，有君而无臣。以为虽文王之战，亦不过此也。"⑥ 在

---

① 《论语·尧曰》。
② 《司马法·仁本》。
③ 《左传·昭公十三年》。
④ 《左传·昭公十六年》。
⑤ 《左传·哀公二十四年》。
⑥ 《春秋公羊传·僖公二十二年》。

《公羊传》看来，宋襄公成了"有王德而无王佐"的明君，甚至周文王所从事的征战也没有超过宋襄公这种举动。司马迁也在《史记·宋微子世家》中如出一辙地赞赏宋襄公："襄公之时，修行仁义，欲为盟主……襄公既败于泓，而君子或以为多，伤中国阙礼义，褒之也，宋襄之有礼让也。"①

因为，无论是《公羊传》的作者，还是司马迁，他们都能回归历史的现场，了解和认识"竞于道德"乃是人类历史演进过程中一个不可逾越的阶段，这个时期的战争有它自己的特色，"凡是存在的，就是合理的"，所以，不能以当下的逻辑去简单地否定历史上特定阶段的逻辑。更何况，这种"竞于道德"的历史事实，其内涵还具有抽象的价值意蕴，会有时空上的超越性，套用法国伟大作家雨果在《九三年》一书中的格言来说，在"绝对的功利标准之上，还有绝对的道德标准"！

二、"兵以诈立"时代主题下的"逐于智谋"

《孙子兵法》有云："将者，国之辅也。辅周，则国必强；辅隙，则国必弱。"② 因此，先秦兵书普遍关注将帅队伍的建设，其中，尤其重视身为将帅者的个人素质修养与培育。不过，从其所论述的将帅基本素质的内容要求与排列次序来考察，我们可以发现，它其实透露了不同历史时期的文化特征与价值取向。例如，《孙子兵法》言"将有五德"，即"将者，智、信、仁、勇、严也"③。梅尧臣注曰："智能发谋，信能赏罚，仁能附众，勇能果断，严能立威。"而《六韬》则把将帅应具备的素质归纳为将有五材："所谓五材者，

---

① 《史记·宋微子世家》。
② 《孙子兵法·谋攻篇》。
③ 《孙子兵法·计篇》。

勇、智、仁、信、忠也。勇则不可犯，智则不可乱，仁则爱人，信则不欺，忠则无二心。"①

两书所论，貌似大同小异，基本相似，但是，细加琢磨，还是能看到其中存在着明显的差异。具体而言，学术界的主流观点认为《六韬》成书于战国末年，当时中央专制集权的政治大趋势业已不可逆转，君主专制成为各诸侯国政治生活的基调，作为中央集权体制中的组成部分，将帅的政治忠诚与否，是将帅政治上是否合格的重要标准，因此，"忠"就新列为将帅必备素质"五材"之一了。又因为战国中后期起，职官队伍建设逐渐进入文武分职，将帅殊途的专业分工，将帅仅仅是专制集权体制庞大机器中的一颗螺丝钉，只能专注于打仗，而打仗的首要条件是勇气、胆量，视死如归，奋勇杀敌，所谓"夫战，勇气也"②，所以，"勇"就成为了"将有五材"的第一项条件。由此可见，这里《六韬》所论的"将有五材"，渗透着战国晚期的时代精神，是战国后期政治生活特色在将帅素质构成上的文化折射。

至于《孙子兵法》，情况则有明显的不同。在孙子看来，一位优秀将帅的最重要素质，乃是"智"。"智能发谋"，身为将帅者，不管如何仁爱，无论怎样厚道，如果没有一个聪慧的脑袋，都毫无意义，毫无价值。因为只有睿智，方能高明地搜集与甄别各种信息；只有睿智，方能辩证地分析事情的利弊得失；只有睿智，方能深刻地洞察事物的发展趋势；只有睿智，方能全面地评估敌我实力的优劣短长；只有睿智，方能正确地选择战略进攻的突破方向。所以，在"将有五德"中，"智"毫无疑问处于首要的位置，对其余"四德"具有统率与引领的关键性作用。而这种以"上兵伐谋"为纲领的"五德"观，恰好从一个非常重要的角度体现了孙子所处的春秋战国之际，也就是所谓的"中世"的最显著、最突出的历史文化特征，正如韩非子所概括的那样，"中世逐于智谋"！

---

① 《六韬·龙韬·论将》。

② 《左传·庄公十年》。

　　众所周知，春秋后期，随着社会变革的日趋剧烈，战争也进入了崭新的阶段。当时的战争指导者，已比较彻底地抛弃了旧"军礼"的束缚，不再汲汲地竞于"道德"，从而使战争艺术呈现出夺目的光彩。这集中表现为战争指导观念的根本性进步。

　　新型战争指导观念的形成，当然主要取决于战争方式的演变。在春秋中叶以前，军事行动中投入的兵力一般不多，范围尚较为狭小，战争的胜利主要通过战车兵团的会战来取得，在很短的时间之内即可决定战争的胜负。而进入春秋晚期之后，随着"作丘甲""作丘赋"等一系列改革措施的推出，"国人当兵，野人不当兵"的旧制逐渐被打破，军队人员成分发生巨大变化，实际上已开始推行普遍兵役制。与此同时，战争地域也明显扩大，战场中心渐渐由黄河流域南移至江淮汉水流域。加上弓弩的改进，武器杀伤力的迅速提高，故使得作战方式也发生重大的演进，具体表现为步战的地位日渐突出，车步协同作战增多，激烈的野战盛行，战争带有较为持久的性质，进攻方式上的运动性也增强了。以晋国大破齐军的平阴之战与吴军破楚入郢之战为例，其纵深突袭、迂回包抄等特点，体现了运动歼敌、连续作战的新战法，这是以往战争的规模和方式所无法比拟的。而与上述变化相适应，春秋晚期起战争的残酷性也达到了新的程度。《墨子》云"入其国家边境，芟刈其禾稼，斩其树木，堕其城郭，以埋其沟池，攘杀其牲牷，燔溃其祖庙，到杀其万民，覆其老弱，迁其重器"①，即是形象的描述。

　　但春秋后期战争最大的新特色，还在于当时战争指导观念的重大变化。在"尚智重谋"历史大趋势引领之下，"道德至上""宗仁本义"的君子之战渐渐淡出历史舞台，代之而起的是"诡诈"战法原则在战争领域内的普遍运用，过去那种"鸣鼓而战"、堂堂之阵的战法遭到全面的否定。用班固的话说，便是"自春秋至于战国，出奇设伏，变诈之兵并作"②。刘向在《战国策·刘向书录》中对这一

----

① 《墨子·非攻下》。
② 《汉书·艺文志·兵书略序》。

段历史也有描述，其曰："滑然道德绝矣……贪饕无耻，竞进无厌；国异政教，各自制断；上无天子，下无方伯；力功争强，胜者为右；兵革不休，诈伪并起。"①

　　声东击西、示形动敌、兵贵神速、出奇制胜、后发先至、兵不厌诈、设伏诱敌、突然袭击、避实击虚、奇正相生、攻其不备的诡诈奇谲的战争指导观念风靡一时，独领风骚。在这里我们已经很难看到过去中原争战中所经常遵循的"成列而鼓"的做法，也不曾见到像鄢陵之战中郤至遇到敌方君主必下战车，向敌君致敬，"免胄而趋风"② 这类现象，更不曾听到类似于宋襄公那样的"宏论"。而所谓"出奇设伏，变诈之兵并作"亦由此而得到历史的验证。

　　这种战争指导观念的变革，其最深厚的文化土壤，就是时代的主题业已由"竞于道德"转变为"逐于智谋"了。所谓的"兵者诡道""兵不厌诈""兵以诈立"等等，本质上都是"崇智尚谋"在战争这一特殊领域的集中体现而已！这不仅仅反映在当时的战争实践上，而且也体现在这一时期的兵学思想建树方面。

　　既然不再是"竞于道德"，而已经是"逐于智谋"，那么，这就意味着进入了新时代，而新的时代，则势必会有新的战法，在这个过程中，武器装备的进步，其意义也特别值得引起注意。换言之，武器装备的发展和作战方式的改变，这应该是"逐于智谋"时代特征得以形成的重要推手和物质基础。以前打仗的方式是车战，车战必须先摆阵势，不摆好阵就不能打，这是密集大方阵传统战法，机动性很差，适合于大家客客气气交手过招。现在步兵重新崛起，又成为军队的主力兵种，它比较灵活，机动性要强得多，可以不必像车兵那样先排阵后开打。后来出现的骑兵更是雷厉风行，更讲究出其不意，攻其无备。兵种变了，作战方式也要随之变化，作战方式变了，则作战观念也得跟着变化，这是多米诺骨牌效应。另外，地形也发生了很大的变化，以前主要是在黄河中下游平原打，大平原

---

① 《战国策·刘向书录》。
② 《左传·成公十六年》。

地势平坦，打堂堂之阵、正正之旗的车战最合适不过，可现在到了丘陵地带、江河湖泽地带，就根本不能再用以前那种排兵布阵的方式了，《司马法》所说的"徒不趋，车不驰"① 全成了过气的招法。"竞于道德"的历史主题既然改变了，那么，伴随它而生的"军礼"自然也会随之退出历史舞台。最要命的是，车战在这时遇到了一个最大的克星——强弩，"积弩齐发"成为当时一种威力最为巨大的战法，驾车的马匹、车上的甲士全成了飞蝗般的箭矢的活靶子，贵族再有涵养，也经不起这么大的杀伤，就不能再考虑"道德"问题。

另外，战争地域的扩大，对于"逐于智谋"风尚的形成，也有显著的影响。在春秋前期，打来打去，就是这么有限的一块战场，就是齐国、晋国、秦国、楚国还有郑国、宋国、鲁国等等。可是到了后来，吴国、越国、中山国都先后冒出来了，战场开始由黄河流域向长江、淮河流域伸展。这些战场上的新角色没有背上"道德"那么沉重的包袱。这样一来，战争中就不再有那么多的君子之风，诡诈之道越来越风行，而主张保持贵族的尊严，提倡打堂堂正正之仗的宋襄公成了不合时宜的丑角，只配给自诩高明的人嘲笑、讥讽了。

这方面孙子、伍子胥、范蠡等人的有关战争指导观念的论述，可以说是主要的代表。孙子战争观的诡道原则，应该说是对战争本质属性的深刻反映。在他看来，战争的艺术魅力在于，战争双方斗智斗勇，隐形藏真，欺敌误敌，变化莫测，先立于不败之地，而不放过任何可以击败对手的机会。所有这些，都表明了战争是一种多变、灵活，无固定模式，不讲究繁文缛节的特殊社会活动，诡诈奇谲是战争的本质特征。而孙子"兵以诈立"的思想，其核心乃是强调以灵活的战术、快速的机动、巧妙的伪装来造就优势主动的地位，在复杂、激烈的军事斗争中成为胜利的主宰，"故其疾如风，其徐如林，侵掠如火，不动如山，难知如阴，动如雷震"②。显而易见，

① 《司马法·天子之义》。
② 《孙子兵法·军争篇》。

《孙子兵法》注重于探讨作战指导，并指出："兵者诡道也。"① 这看似简单的表述，实则是对以往战争注重讲求"道德"、申明"军礼"做法的变革。它无疑是对业已过时的"军礼"传统的彻底否定，是战争观念上的一次重大突破，本身就是一次创新，一次革命。换句话说，孙子的诡道论，深刻揭示了战争活动的本质属性，是中国古典兵学思想发展上的一次质的飞跃，也是《孙子兵法》区别于"宗仁本礼"的古司马兵法，而成为划时代兵学经典的重要标志。

　　具体地说，在战争目的方面，《孙子兵法》明确提出"伐大国"，战胜强立，这是对以往"诛讨不义""会天子正刑"的否定。在战争善后上，《孙子兵法》主张拔"其城"，隳"其国"，这是与以往"又能舍服""正复厥职"的对立。在作战方式上，与以往"军旅以舒为主""虽交兵致刃，徒不趋，车不驰"情况截然不同的是，《孙子兵法》一再强调"兵之情主速，乘人之不及，由不虞之道，攻其所不戒也"②。在后勤保障及执行战场纪律方面，《司马法》主张"入罪人之地，无暴神祇，无行田猎，无毁土功，无燔墙屋，无伐林木，无取六畜、禾黍、器械。见其老幼，奉归勿伤，虽遇壮者，不校勿敌，敌若伤之，医药归之"③，而到了《孙子兵法》那里，则是宣扬"因粮于敌"，主张"掠于饶野"④"掠乡分众"⑤。凡此种种，不胜枚举，均反映了春秋后期的战争指导思想，较之于"竞于道德"的西周与春秋前期，已经有了许多显著的变革、发展和差异。南宋兵学理论家郑友贤曾强调指出："《司马法》以仁为本，孙武以诈立；《司马法》以义治之，孙武以利动；《司马法》以正不获意则权，孙武以分合为变。"⑥ 这显然就是对"竞于道德"与"逐于智谋"所导致的时代差异性的高度概括。

---

① 《孙子兵法·计篇》。
② 《孙子兵法·九地篇》。
③ 《司马法·仁本》。
④ 《孙子兵法·九地篇》。
⑤ 《孙子兵法·军争篇》。
⑥ 郑友贤：《十家注孙子遗说并序》，见《十一家注孙子校理》，第289页。

其他像伍子胥、范蠡等人的战争指导观念也和孙子基本一致，也不再是局囿于"竞于道德"，而完全立足于"逐于智谋"了。如，伍子胥提出高明卓越的"疲楚误楚"策略方针，主张"亟肆以罢之，多方以误之"①，这显然就是"变诈之兵"勃兴条件下的必然产物，是"逐于智谋"的一个形象诠释。又如，范蠡的兵学思想同样充满了"逐于智谋"的时代精神，他一再主张"随时以行，是谓守时"②，强调要通过各种积极的手段，转化双方的优劣态势，剥夺敌人有利的条件，暗中增强己方的实力，从而摆脱被动，立于主动的地位，即所谓"尽其阳节，盈吾阴节而夺之"③；提倡"时不至，不可强生；事不究，不可强成"④；"得时无怠，时不再来"⑤，其后发制人、把握战机、及时出击的思想，同样属于符合历史潮流的进步战争指导观念，是"逐于智谋"的生动写照。它们的思想来源于春秋战国之际变化了的战争实践活动，进而更好地指导着新形势条件下的战争，从而使春秋战国之际的战争呈现出充满生机的新面貌。

三、"争于气力"与战国中后期的兵学观念变革

刘向称战国时期的形势特点是："上无天子，下无方伯；力功争强，胜者为右。"⑥ 这标志着春秋时期以争霸为主流的战争的终结，战国时代以兼并为本质的战争的到来。

进入战国之后，随着旧的生产关系大厦的倾覆，土地占有权也相对分散。有土地就有人口，有人口就有赋税，就能组建军队，也

① 《左传·昭公三十年》。
② 《国语·越语下》。
③ 《国语·越语下》。
④ 《国语·越语下》。
⑤ 《国语·越语下》。
⑥ 《战国策·刘向书录》。

就意味着拥有了财富和权力。因此，对土地和人口资源的争夺和控制，也就合乎逻辑地成为当时战争活动的根本宗旨。换言之，对土地的争夺如同一条红线，贯穿于战国时期战争的始终。这一兼并战争的属性，是与以往争夺霸主名分和地位的春秋争霸战争大不相同的。战争手段是由战争目的决定的。兼并战争的激烈和残酷程度要远远超过以往的争霸战争，这一点早在晋阳之战中就表现得十分明显。智伯决晋水灌淹城池，长围晋阳两年，必欲置赵氏势力于死地而后快；同样，赵、韩、魏击败智伯以后，也是擒杀智伯，尽诛其族，瓜分其地。这里已丝毫见不到邲之战、鄢陵之战中那种彬彬有礼的旧"军礼"遗风，而只有无所不用其极的酷烈，这正是兼并战争条件下的必然结果。对此，《孟子》有非常准确而扼要的概括："争地以战，杀人盈野；争城以战，杀人盈城。"① 这种局面，到战国中后期尤其明朗化。当时的战争，已从兼并的角逐进一步发展为统一的追求了。"'天下恶乎定？'吾（孟子）对曰：'定于一。'"②而"定于一"，其根本的途径唯有一个，那就是通过残酷的杀戮与殊死的较量。

在这样的历史大背景下，兵学文化的主题，不仅"竞于道德"早已成为了明日黄花，而且连"逐于智谋"也是不合时宜了。因为"上兵伐谋"固然美妙，但现实的状况是，实力才是确保在战争中夺取胜利的根本条件，没有强大的实力，那谋略就无所施展其能，正所谓"巧妇难为无米之炊"！孙子所说的"先为不可胜，以待敌之可胜。不可胜在己，可胜在敌"③，说到底，就是实力优先原则。这一点，在兼并与统一战争中表现得尤为明显。于是乎，战国中后期各诸侯国尽管还注重于"伐谋""伐交"，但其战略运用的重心，已毫无疑义转移到了"伐兵"与"攻城"上来，"争于气力"遂成为了当时兵学文化的最大主题，先秦兵学的发展，合乎逻辑地进入了

---

① 《孟子·离娄上》。
② 《孟子·梁惠王上》。
③ 《孙子兵法·形篇》。

第三个阶段。

在"争于气力"的特殊时代，当时兵学家的主流观点，就是要顺应这个历史潮流，充分肯定战争的合理性与必要性，即所谓"大明发而万物皆照，大义发而万物皆利，大兵发而万物皆服"①。

"争于气力"，要求人们对兵学的功能与作用，有清醒的认识与准确的定位。这方面，当时的兵家曾作过深刻的阐述，如《商君书》认为，当时的社会正处于武力征伐的时代，天下大乱，群雄兼并，一日无已，"今世强国事兼并，弱国务力守……万乘莫不战，千乘莫不守"②。在这样的特殊历史条件下，战争乃是社会生活中最重要的事务，直接关系到一个国家的安危存亡："名尊地广以至王者，何故？战胜者也。名卑地削以至于亡者，何故？战罢者也。"③ 要立足天下，称王称霸，就必须从事战争，即"国之所以兴者，农战也"④，其认为这才是"适于时"的做法。为此，其积极主张战争，反对所谓"非兵""羞战"之类的论调，强调"以战去战，虽战可也；以杀去杀，虽杀可也"⑤。

又如，韩非子也认为在当时的形势下，绝不能指望别国不来侵犯，而是要加强自己的实力，使自己强大得足以令敌国不敢轻启战端，即"不恃外之不乱也，恃其不可乱也"⑥，并明确指出这乃是"王术"，即"争于气力"、统一天下的策略和战略。

再如，《管子》同样强调战争的重要作用，肯定战争在社会生活中的意义，认为战争直接决定着君主地位的尊卑、国家处境的安危，是实现君主尊贵、国家安定的重要途径："君之所以卑尊，国之所以安危者，莫要于兵。故诛暴国必以兵，禁辟民必以刑。然则兵者外

---

① 《六韬·武韬·发启》。
② 《商君书·开塞》。
③ 《商君书·画策》。
④ 《商君书·农战》。
⑤ 《商君书·画策》。
⑥ 《韩非子·心度》。

以诛暴，内以禁邪。故兵者尊主安国之经也。"① 《管子》指出，战争虽然谈不上高尚和道德，但在当时天下由分裂走向统一的重要关头，它却是"辅王成霸"的基本手段，不可或缺："夫兵，虽非备道至德也，然而所以辅王成霸。"② 所以，《管子》要求明智的君主务必"积务于兵"，即注重和开展战争，并指出假如"主不积务于兵"，等于是将自己的国家拱手交给敌人，危险之至。基于这一认识，《管子》反对无条件的偃兵息武，指出兵不可废置。《管子》认为，即便是在黄帝、尧、舜那样的盛世，都不曾废弃兵事，那么"今德不及三帝，天下不顺，而求废兵，不亦难乎"③。所以宋钘、尹文提倡的"寝兵之说"和墨家鼓吹的"兼爱之说"，在《管子》作者的眼中，纯属亡国覆军之道，必须痛加驳斥："寝兵之说胜，则险阻不守。兼爱之说胜，则士卒不战。"④

不仅三晋法家与齐地法家清醒认识到所处的"争于气力"环境，因而高度"主战"与"重战"，其他学派在这方面也不乏类似的识见，如，黄老学派也主张"争于气力""以战止战"，《十大经》就明确肯定战争的意义与价值："所谓为义者，伐乱禁暴，起贤废不肖，所谓义也。［义］者，众之所死也。"⑤ 为义者必定得到民众的拥护和支持，造就"地广人众兵强，天下无敌"⑥ 的局面。

当然，"争于气力"并不是一句空泛的口号，必须有切实可行的措施与手段，通过相应的途径，达到自己预定的战略目标。在当时的兵家看来，只有进行农战，致力于富国强兵，才能够真正拥有从事战争的物质基础与制胜条件。《商君书》《韩非子》《管子》对此均有充分的阐述。《商君书》明确表示："凡战法必本于政。"⑦ 《管

---

① 《管子·参患》。
② 《管子·兵法》。
③ 《管子·法法》。
④ 《管子·立政》。
⑤ 《十大经·本伐》。
⑥ 《经法·六分》。
⑦ 《商君书·战法》。

子》亦曰："内政不修，外举事不济。"①他们认为，要确保国家在战争中取胜，就必须注重加强国家的实力，只有具备强大的实力，方能统一天下，这叫"多力者王"。他们明确指出，国家的强盛与否由国家的实力决定，并认为恩德也产生于实力。《商君书》认为"力生强，强生威，威生德，德生于力"②，这就是"政胜"，并认为"政久持胜术者，必强至王"③。

　　而所谓"政胜"的具体途径，乃是实行"农战"。为此，当时的兵家一再强调从事农战的重要性，认为"土广而任则国富，民众而制则国治"④，可造成"不暴甲而胜"⑤的优势地位。如，《商君书》曰："圣人之为国也，入令民以属农，出令民以计战……富强之功可坐而致也。"⑥亦曰："国之所以兴者，农战也。"又曰："国待农战而安，主待农战而尊。"⑦《商君书》甚至认为，农战是富国强兵，实现霸、王之业的关键："能行二者于境内，则霸王之道毕矣。"⑧相反，如不进行农战，则必危及国家，丧失兼并统一天下的主动权："彼民不归其力于耕，即食屈于内；不归其节于战，则兵弱于外。入而食屈于内，出而兵弱于外，虽有地万里、带甲百万，与独立平原一贯也。"⑨在他们看来，农耕为攻战之本，两者关系密切，不可分割，重战和重农必须结合。因为农业生产不仅为战争提供雄厚的物质基础，而且民众致力于农耕，才会安土重居，这既有利于社会秩序的稳定，也可以驱使民众为保卫国土竭力死战。正如《商君书》所言："圣人知治国之要，故令民归心于农。归心于农，

① 《管子·大匡》。
② 《商君书·靳令》。
③ 《商君书·战法》。
④ 《尉缭子·兵谈》。
⑤ 《尉缭子·兵谈》。
⑥ 《商君书·算地》。
⑦ 《商君书·农战》。
⑧ 《商君书·慎法》。
⑨ 《商君书·慎法》。

则民朴而可正也，纷纷则易使也，信可以守战也。"①

因为在他们看来，"争于气力"，实行"农战"的直接效果，就是富国强兵，"能越力于地者富，能起力于敌者强，强不塞者王"②。"国富"是"强兵"的基础，而"强兵"则是保证国家安全的根本条件。一旦做到了富国强兵，那么克敌制胜便有了基本保障："国富者兵强，兵强者战胜，战胜者地广。"③ 反之，如果经济落后、军力不强，那就会直接导致国家的危亡，不可不加以警惕："战士怠于行阵者，则兵弱也；农夫惰于田者，则国贫也。兵弱于敌，国贫于内，而不亡者，未之有也。"④

要"争于气力"，那么，思想的统一，政令的贯彻，就至为关键了，所谓"兵战其心者胜"⑤，即必须让民众树立起战争的观念，"服战于民心"⑥，重视和积极参与战争活动。《韩非子·心度》篇中所说的"先战者胜"指的就是这个意思。这里的"先战"，就是"战其心"，使民众的思想专一于战争。所以必须"壹赏""壹刑""壹教"。所谓"壹赏"，就是"利禄官爵，抟出于兵，无有异施也"⑦；所谓"壹刑"，即统一刑罚，"刑无等级"；所谓"壹教"，就是"当壮者务于战，老弱者务于守，死者不悔，生者务劝"⑧，即把教育统一到"乐战"上来，使得"民闻战而相贺也，起居饮食所歌谣者，战也"⑨，造成"怯于邑斗，而勇于寇战"⑩ 的社会风气。他们指出，一旦做到这三点，便可令行禁止，上下一致，无敌于天

① 《商君书·农战》。
② 《韩非子·心度》。
③ 《管子·治国》。
④ 《韩非子·外储说左上》。
⑤ 《韩非子·心度》。
⑥ 《韩非子·心度》。
⑦ 《商君书·赏刑》。
⑧ 《商君书·赏刑》。
⑨ 《商君书·赏刑》。
⑩ 《商君书·战法》。

下了："壹赏则兵无敌，壹刑则令行，壹教则下听上。"① 是谓："兵战其心者胜。"② 换言之，这在物质上则是要奖励耕战，"富国以农，距敌恃卒"③。其明确主张"功大者有尊爵，受重赏"④ "显耕战之士"⑤，以此调动民众的积极性，同时修明政治，信其赏罚，发展经济，鼓舞士气，"严其境内之治，明其法禁，必其赏罚，尽其地力以多其积，致其民死以坚其城守"⑥。一旦真正做到了这一点，那就能够"无事则国富，有事则兵强"⑦，拥有了统一天下的"王资"。

　　总之，到了战国后期，随着兼并战争的日益激化，先秦兵学的主题又悄然有了新的转移，"竞于道德"基本失语，"逐于智谋"也逐渐弱化，代之而起的是"争于气力"，并占据主导地位，传统型的正宗兵家实际影响力有所削弱，而法家人物的兵学观点则把持了话语权。这是历史的必然，但同时也是历史的无奈！

---

① 《商君书·赏刑》。
② 《韩非子·心度》。
③ 《韩非子·五蠹》。
④ 《韩非子·八奸》。
⑤ 《韩非子·和氏》。
⑥ 《韩非子·五蠹》。
⑦ 《韩非子·五蠹》。

主要参考文献

一、出土文献

郭沫若，主编. 甲骨文合集［M］. 北京：中华书局，1978—1982.

马王堆汉墓帛书整理小组，编. 马王堆汉墓帛书·经法［M］. 北京：文物出版社，1976.

银雀山汉墓竹简整理小组，编. 银雀山汉墓竹简（壹）［M］. 北京：文物出版社，1985.

银雀山汉墓竹简整理小组，编. 银雀山汉墓竹简（贰）［M］. 北京：文物出版社，2010.

张家山二四七号汉墓竹简整理小组，编著. 张家山汉墓竹简［M］. 北京：文物出版社，2001.

国家文物局，主编. 中国考古 60 年（1949—2009）［M］. 北京：文物出版社，2009.

马承源，主编. 上海博物馆藏战国楚竹书［M］. 上海：上海古籍出版社，2001—2012.

李学勤，主编. 清华大学藏战国竹简［M］. 上海：中西书局，2010—2019.

二、古籍

司马迁. 史记［M］. 北京：中华书局，1959.

班固. 汉书［M］. 北京：中华书局，1962.

许慎. 说文解字［M］. 北京：中华书局，1963.

何建章. 战国策注释［M］. 北京：中华书局，1990.

陈寿. 三国志［M］. 北京：中华书局，1982.

范晔. 后汉书［M］. 北京：中华书局，1965.

杜佑. 通典［M］. 北京：中华书局，1988.

司马光. 资治通鉴［M］. 北京：中华书局，1956.

马端临. 文献通考［M］. 上海师范大学古籍研究所，华东师范大学古籍研究所，点校. 北京：中华书局，2011.

宋濂. 诸子辨［M］. 顾颉刚，校点. 北京：朴社出版社，1928.

刘寅. 武经七书直解［M］. 张实，徐韵真，点校. 长沙：岳麓书社，1992.

阮元，校刻. 十三经注疏（附校勘记）［M］. 北京：中华书局，2009.

孙诒让. 墨子间诂［M］. 孙启治，点校. 北京：中华书局，2001.

王先谦. 荀子集解［M］. 沈啸寰，王星贤，点校. 北京：中华书局，1988.

王先慎. 韩非子集解［M］. 钟哲，点校. 北京：中华书局，1998.

黎翔凤. 管子校注［M］. 梁运华，整理. 北京：中华书局，2004.

顾祖禹. 读史方舆纪要［M］. 北京：中华书局，2005.

顾栋高. 春秋大事表［M］. 吴树平，李解民，点校. 北京：中华书局，1993.

朱墉. 武经七书汇解［M］. 郑州：中州古籍出版社，1989.

姚际恒. 古今伪书考［M］. 北京：朴社出版社，1933.

永瑢，等. 四库全书总目［M］. 北京：中华书局，1965.

严可均. 全上古三代秦汉三国六朝文［M］. 北京：中华书局，1958.

黄怀信，张懋镕，田旭东. 逸周书汇校集注（修订本）［M］. 上海：上海古籍出版社，2007.

杨伯峻. 春秋左传注（修订本）［M］. 北京：中华书局，1990.

朱谦之. 老子校释［M］. 北京：中华书局，1984.

吴如嵩，王显臣. 李卫公问对校注［M］. 北京：中华书局，2016.

岑仲勉. 墨子城守各篇简注［M］. 北京：中华书局，1958.

蒋礼鸿. 商君书锥指［M］. 北京：中华书局，1986.

吴则虞. 晏子春秋集释［M］. 北京：中华书局，1962.

张震泽. 孙膑兵法校理［M］. 北京：中华书局，1984.

许维遹. 吕氏春秋集释［M］. 北京：中华书局，2009.

黄怀信. 鹖冠子校注［M］. 北京：中华书局，2014.

何宁. 淮南子集释［M］. 北京：中华书局，1998.

徐元诰. 国语集解［M］. 王树民，沈长云，点校. 北京：中华书局，2002.

李步嘉. 越绝书校释［M］. 北京：中华书局，2013.

陈国庆. 汉书艺文志注释汇编［M］. 北京：中华书局，1983.

三、著作

刘继贤. 战略与作战指导［M］. 北京：中国大百科全书出版社，2011.

《中国军事史》编写组. 中国历代军事家［M］. 北京：解放军出版社，2004.

《中国军事史》编写组. 中国历代军事工程［M］. 北京：解放军出版社，2005.

《中国军事史》编写组. 中国历代军事思想［M］. 北京：解放军出版社，2006.

《中国军事史》编写组. 中国历代军事战略［M］. 北京：解放军出版社，2002.

《中国军事史》编写组. 中国历代军事制度［M］. 北京：解放军出版社，2006.

《中国军事史》编写组. 中国历代军事装备［M］. 北京：解放

军出版社，2007.

军事科学院. 中国军事通史 ［M］. 北京：军事科学出版社，1998.

军事科学院战略研究部，编. 战略学 ［M］. 北京：军事科学出版社，2001.

高锐. 中国军事史略 ［M］. 北京：军事科学出版社，1992.

郑文翰. 军事科学概论 ［M］. 北京：军事科学出版社，1994.

于汝波，黄朴民. 中国历代军事思想教程 ［M］. 北京：军事科学出版社，2000.

于汝波，刘庆. 中国历代战略思想教程 ［M］. 北京：军事科学出版社，2000.

钮先钟. 中国战略思想史 ［M］. 台北：黎明文化事业股份有限公司，1992.

赵国华. 中国兵学史 ［M］. 福州：福建人民出版社，2004.

郝治清，王晓卫. 中国兵制史 ［M］. 台北：文津出版社，1997.

郭沫若. 十批判书 ［M］. 北京：人民出版社，1982.

郭沫若. 青铜时代 ［M］. 北京：人民出版社，1954.

张光直. 中国青铜时代 ［M］. 北京：生活·读书·新知三联书店，2013.

徐旭生. 中国古史的传说时代 ［M］. 北京：文物出版社，1985.

张亚初，刘雨. 西周金文官制研究 ［M］. 北京：中华书局，1986.

王玉哲. 中华远古史 ［M］. 上海：上海人民出版社，2003.

徐中舒. 先秦史十讲 ［M］. 北京：中华书局，2009.

陈戍国. 先秦礼制研究 ［M］. 长沙：湖南教育出版社，1991.

杨英杰. 战车与车战 ［M］. 长春：东北师范大学出版社，1988.

姜国柱. 中国军事思想通史 ［M］. 北京：中国社会科学出版

社，2006.

邵鸿. 张家山汉简《盖庐》研究［M］. 北京：文物出版社，2007.

钮先钟. 中国古代战略思想新论［M］. 合肥：安徽教育出版社，2005.

罗琨. 商代战争与军制［M］. 北京：中国社会科学出版社，2010.

钱穆. 先秦诸子系年［M］. 北京：九州出版社，2013.

牛鸿恩，邱少华. 先秦经史军事论译注［M］. 北京：军事科学出版社，1987.

杨泓. 中国古兵器论丛（增订本）［M］. 北京：文物出版社，1985.

周纬. 中国兵器史［M］. 北京：中国友谊出版公司，2015.

余嘉锡. 四库提要辨证［M］. 北京：中华书局，2007.

杨宽. 西周史［M］. 上海：上海人民出版社，2003.

李峰. 西周的灭亡——中国早期国家的地理和政治危机［M］. 徐峰，译；汤惠生，校. 上海：上海古籍出版社，2007.

杨宽. 战国史［M］. 上海：上海人民出版社，2003.

杨宽，吴浩坤. 战国会要［M］. 上海：上海古籍出版社，2005.

田旭东. 古代兵学文化探论［M］. 北京：中国社会科学出版社，2010.

蓝永蔚. 春秋时期的步兵［M］. 北京：中华书局，1979.

李镜池. 周易通义［M］. 北京：中华书局，1981.

钱钟书. 管锥编［M］. 北京：中华书局，1986.

晁福林. 夏商西周的社会变迁［M］. 北京：北京师范大学出版社，1996.

史党社.《墨子》城守诸篇研究［M］. 北京：中华书局，2011.

李零. 简帛古书与学术源流［M］. 北京：生活·读书·新知三联书店，2004.

李零. 唯一的规则：《孙子》的斗争哲学 ［M］. 北京：生活·读书·新知三联书店，2010.

李零. 中国方术正考 ［M］. 北京：中华书局，2006.

李零. 中国方术续考 ［M］. 北京：中华书局，2006.

宋杰. 先秦战略地理研究 ［M］. 北京：首都师范大学出版社，1999.

王青. 上博简《曹沫之陈》疏证与研究 ［M］. 北京：北京师范大学出版社，2017.

钮先钟. 孙子三论——从古兵法到新战略 ［M］. 桂林：广西师范大学出版社，2003.

王显臣，许保林. 中国古代兵书杂谈 ［M］. 北京：解放军出版社，1983.

胡适. 中国哲学史大纲 ［M］. 石家庄：河北教育出版社，2001.

冯友兰. 中国哲学史 ［M］. 上海：华东师范大学出版社，2000.

许保林. 中国兵书通览 ［M］. 北京：解放军出版社，2002.

黄朴民. 孙子评传 ［M］. 南宁：广西教育出版社，1994.

刘庆，皮明勇. 军事学志 ［M］. 上海：上海人民出版社，1998.

黄朴民. 白话武经七书 ［M］. 长沙：岳麓书社，1997.

黄朴民. 黄朴民解读孙子兵法 ［M］. 长沙：岳麓书社，2011.

黄朴民. 黄朴民解读吴子·司马法 ［M］. 长沙：岳麓书社，2011.

黄朴民. 黄朴民解读三略·六韬 ［M］. 长沙：岳麓书社，2011.

黄朴民. 黄朴民解读唐太宗李卫公问对·尉缭子 ［M］. 长沙：岳麓书社，2011.

黄朴民. 中国古军礼的丰碑：《司马法》导读 ［M］. 北京：军事科学出版社，2000.

黄朴民. 刀剑书写的永恒：中国传统军事文化散论［M］. 北京：国防大学出版社，2002.

黄朴民. 先秦两汉兵学文化研究［M］. 北京：中国人民大学出版社，2010.

梁涛. 郭店竹简与思孟学派［M］. 北京：中国人民大学出版社，2008.

白奚. 稷下学研究：中国古代的思想自由与百家争鸣［M］. 北京：生活·读书·新知三联书店，1998.

任慧峰. 先秦军礼研究［M］. 北京：商务印书馆，2015.

李发. 甲骨军事刻辞整理与研究［M］. 北京：中华书局，2018.

黄朴民，魏鸿，熊剑平. 中国兵学思想史［M］. 南京：南京大学出版社，2018.

陈恩林. 先秦军事制度研究［M］. 长春：吉林文史出版社，1991.

陈恩林. 中国春秋战国军事史［M］. 北京：人民出版社，1994.

高锐. 中国上古军事史［M］. 北京：军事科学出版社，1995.

霍印章. 孙膑兵法浅说［M］. 北京：解放军出版社，1986.

徐勇. 尉缭子浅说［M］. 北京：解放军出版社，1989.

田旭东. 司马法浅说［M］. 北京：解放军出版社，1989.

谢祥皓. 中国兵学（先秦卷）［M］. 济南：山东人民出版社，1998.

弗兰克·基尔曼，费正清. 中国的战争行为［M］. 门洪华，刘笑南，李晓寒，等译；门洪华，校. 北京：人民出版社，2016.

罗泰. 宗子维城——从考古材料的角度看公元前 1000 至前 250 年的中国社会［M］. 吴长青，张莉，彭鹏，等译；王艺，等审校. 上海：上海古籍出版社，2017.

四、期刊论文

詹立波. 《孙膑兵法》初探［J］. 历史研究，1975（2）.

郭化若.《孙子兵法》评介［J］. 历史研究, 1977（3）.

张烈.《六韬》的成书及其内容［J］. 历史研究, 1981（3）.

蓝永蔚.《孙子兵法》时代特征考辨［J］. 中国社会科学, 1987（3）.

林剑鸣. 从秦人价值观看秦文化的特点［J］. 历史研究, 1987（3）.

吴如嵩.《缭尉子》的兵形势特色［J］. 军事历史研究, 1988（2）.

黄朴民. 早期儒家军事思想基本特征试探［J］. 烟台大学学报（哲学社会科学版）, 1989（1）.

李学勤. 论银雀山简《守法》《守令》［J］. 文物, 1989（9）.

黄朴民. 先秦诸子军事思想异同初探［J］. 历史研究, 1996（5）.

徐勇.《尉缭子》逸文蠡测［J］. 历史研究, 1997（2）.

何炳棣. 中国现存最古的私家著述《孙子兵法》［J］. 历史研究, 1999（5）.

黄朴民. 先秦军事思想发展的概况及其特色［J］. 济南大学学报, 2000（4）.

吴如嵩, 魏鸿. 汉简两《孙子》与《孙子兵法》研究［J］. 军事历史, 2002（1）.

王晓辉. 先秦的天人理念与战争观［J］. 中国军事科学, 2002（3）.

黄朴民. 从"以礼为固"到"兵以诈立"——对春秋时期战争观念与作战方式的考察［J］. 学术月刊, 2003（12）.

黄朴民. 银雀山汉墓竹简《孙子兵法》之文献学价值刍议［J］. 清华大学学报（哲学社会科学版）, 2013（2）.

黄朴民. 荀子军事思想简述［J］. 邯郸学院学报, 2013（4）.

黄朴民, 赵立民. 竞"道德"、逐"智谋"与争"气力"——先秦兵学文化的嬗变轨迹考察［J］. 西北大学学报（哲学社会科学版）, 2019（1）.

王晖. 庠序：商周武学堂考辨——兼论周代小学大学所学内容之别 [J]. 中国史研究，2015（3）.